A BOLA DE NEVE

ALICE SCHROEDER

A BOLA DE NEVE

Warren Buffett e o negócio da vida

SEXTANTE

Título original: *The Snowball*

Copyright © 2008 por Alice Schroeder
Copyright da foto da autora © 2008 por Marion Ettinger
Copyright da tradução © 2008 por GMT Editores Ltda.

Publicado em acordo com a Bantam Dell, uma divisão da Random House, Inc., Nova York, NY.

Todos os direitos reservados. Nenhuma parte deste livro pode ser utilizada ou reproduzida sob quaisquer meios existentes sem autorização por escrito dos editores.

Os créditos das fotos e autorizações encontram-se na página 956, e o gráfico, de Daniel R. Lynch, nas páginas 430 e 431.

tradução: Fabiano Morais, Livia de Almeida e Marcello Lino
preparo de originais: Luciano Trigo
revisão: José Tedin, Luis Américo Costa e Sheila Til
revisão técnica: Eucherio Rodrigues
adaptação da capa e projeto gráfico: Marcia Raed
foto da capa: Michael O'Neill
impressão e acabamento: Lis Gráfica e Editora Ltda.

CIP-BRASIL. CATALOGAÇÃO NA FONTE
SINDICATO NACIONAL DOS EDITORES DE LIVROS, RJ

S412b   Schroeder, Alice

A bola de neve / Alice Schroeder [tradução de Fabiano Morais, Livia de Almeida e Marcello Lino]. – Rio de Janeiro: Sextante, 2008.
960 p.; 16 x 23 cm.

Tradução de: The snowball
ISBN 978-85-7542-440-7

1. Bolsa de valores. 2. Investimentos. 3. Mercado de ações. I. Título.

08-4224   CDD: 332.6
                                                       CDU: 336.76

Todos os direitos reservados, no Brasil, por
GMT Editores Ltda.
Rua Voluntários da Pátria, 45 – Gr. 1.404 – Botafogo
22270-000 – Rio de Janeiro – RJ
Tel.: (21) 2538-4100 – Fax: (21) 2286-9244
E-mail: atendimento@sextante.com.br
www.sextante.com.br

Para David

Estamos no inverno, Warren tem 8 anos. Lá fora, no quintal, ele e Bertie, sua irmã caçula, brincam na neve.

Warren apanha flocos de neve. No começo, um de cada vez. Logo ele os pega aos punhados. Começa a fazer uma bola de neve e a coloca no chão quando ela fica maior. Ela sai rolando devagar. Ele a empurra, juntando mais neve. Warren rola a bola, cada vez mais volumosa, pelo gramado. Em instantes chega ao fim do quintal. Após um momento de hesitação, ele segue em frente, rolando a bola de neve pela vizinhança.

E, a partir dali, Warren não para mais, lançando seu olhar sobre um mundo inteiro coberto de neve.

Sumário

PARTE UM • A bolha
1   A versão menos lisonjeira   15
2   Sun Valley   17
3   Amantes da rotina   36
4   Qual o problema, Warren?   43

PARTE DOIS • O Placar Interno
5   A necessidade de pregar   49
6   A corrida da banheira   56
7   Dia do armistício   65
8   Mil opções   71
9   Dedos sujos de tinta   79
10 Crime de verdade   100
11 De gorducha ela não tinha nada   103
12 Silent Sales   110
13 As regras da pista   119
14 O elefante   124
15 A entrevista   137
16 Bola fora   143
17 Monte Everest   153
18 Miss Nebraska   165
19 Medo de palco   176

PARTE TRÊS • A pista de corrida
20 Graham-Newman   191
21 O lado bom para jogar   204
22 Esplendor oculto   214

23	O Omaha Club	236
24	A locomotiva	243
25	A guerra do moinho	256
26	Palheiros de ouro	261
27	Insensatez	277
28	Pavio seco	292
29	O que é estambre	301
30	Jet Jack	308
31	O cadafalso embala o futuro	317
32	Fácil, seguro, lucrativo e prazeroso	327
33	O desfecho	337

PARTE QUATRO · Susie canta

34	Candy Harry	355
35	O *Sun*	369
36	Dois ratos molhados	384
37	O farejador de notícias	392
38	Western spaghetti	404
39	O gigante	416
40	Como não cuidar de uma biblioteca pública	433
41	E então?	455
42	Fita azul	473

PARTE CINCO · O rei de Wall Street

43	Faraó	493
44	Rose	506
45	Chame o reboque	521
46	Rubicão	530
47	White Nights	561
48	Ficar chupando dedo e seus resultados magros	581
49	Os deuses zangados	616
50	A loteria	638
51	Dane-se o urso	666
52	Ninharia	685

PARTE SEIS • Recibos

53	O gênio	709
54	Pausa forçada	711
55	A última festa de Kay	725
56	Pelos ricos, para os ricos	735
57	Oráculo	754
58	"Buffettizado"	777
59	Inverno	790
60	Coca congelada	797
61	O sétimo fogo	810
62	Cheques pré-datados	829
Posfácio		854

Notas	862
Uma nota pessoal sobre a pesquisa	955
Créditos de fotos e permissões	956
Agradecimentos	957

PARTE UM

A bolha

PARTE UM

A bolha

1
A versão menos lisonjeira
Omaha – Junho de 2003

Warren Buffett se balança para trás, na cadeira, com suas longas pernas cruzadas, atrás da mesa simples de madeira de seu pai, Howard. O caro paletó Zegna se avoluma em seus ombros, como se não tivesse sido feito sob medida. Ele usa terno o dia inteiro, todos os dias da semana, mesmo quando os outros 15 funcionários da Berkshire Hathaway se vestem de forma casual. Sua camisa, previsivelmente branca, vai até o alto do pescoço, com o colarinho justo demais se projetando sobre a gravata. Parece um resquício dos seus tempos de jovem executivo – como se ele tivesse passado 40 anos sem se lembrar de conferir o tamanho do próprio pescoço.

Suas mãos estão entrelaçadas atrás da cabeça, entre os fios grisalhos de seu cabelo. Uma mecha especialmente grande e rebelde, penteada com os dedos, salta do couro cabeludo como uma pista de esqui, fazendo uma curva para cima, na altura de sua orelha direita. A sobrancelha esquerda, desgrenhada, serpenteia por sobre os óculos de aro de tartaruga, conferindo ao seu rosto uma expressão que pode ser cética, astuta ou sedutora. Nesse instante ele mostra um sorriso sutil, o que empresta à sobrancelha rebelde um ar cativante. Mas seus olhos, azul-claros, estão concentrados e atentos.

Ele está cercado por 50 anos de recordações. No corredor do lado de fora do seu escritório estão fotografias do time de futebol americano Nebraska Cornhuskers; o contracheque por sua participação numa telenovela; a carta de oferta (jamais aceita) de compra do fundo hedge Long Term Capital Management; e suvenires da Coca-Cola. Na mesa de centro do escritório, uma garrafa clássica do refrigerante e uma luva de beisebol, num suporte de acrílico. Em cima do sofá, um diploma do curso de oratória de Dale Carnegie, concedido em janeiro de 1952. A réplica de uma diligência da Wells Fargo, rumo ao Oeste, está em cima de uma estante, ao lado de um Prêmio Pulitzer, conquistado, em 1973, pelos jornais do grupo *Sun*, de Omaha, então pertencente à sua sociedade de investimentos. Livros e jornais estão espalhados por todo o escritório. Fotografias da sua família e de amigos cobrem o aparador, uma mesinha e o espaço inferior de um suporte para computador, ao lado de sua mesa. Um grande retrato do pai de Buffett paira sobre a sua cabeça na parede atrás da mesa. Ele encara todo e qualquer visitante que entre no escritório.

Embora uma manhã de fim de primavera se insinue atrás das janelas, as persianas de madeira marrom estão fechadas, bloqueando a vista. A televisão, voltada na direção da mesa, está ligada na CNBC. Está sem som, mas a faixa horizontal, na parte inferior da tela, o abastece de notícias o dia inteiro. Ao longo dos anos, para sua satisfação, elas foram muitas vezes sobre ele mesmo.

Mas poucas pessoas o conhecem bem. Eu fiz meu primeiro contato com ele há seis anos, como analista financeira das ações da Berkshire Hathaway. Com o tempo, nós nos tornamos amigos, e agora tenho a chance de conhecê-lo melhor. Estamos no escritório de Warren porque ele não vai escrever um livro. As sobrancelhas indomáveis sublinham as suas palavras quando ele diz, repetidas vezes: *"Você fará um trabalho muito melhor do que eu, Alice. Que bom que é você quem está escrevendo este livro, e não eu."*

O motivo dessas palavras ficará claro mais adiante. Por ora, começamos com o assunto de que ele mais gosta.

"Qual é a explicação, Warren? De onde saiu toda essa vontade de ganhar dinheiro?"

O olhar dele fica distante por alguns segundos, e seus pensamentos se voltam para dentro, como que folheando os arquivos da sua memória. Então Warren começa a contar sua história: *"Balzac disse que, por trás de toda grande fortuna, há um crime.*[1] *Isso não se aplica à Berkshire."*

Ele se levanta da cadeira para desenvolver essa ideia, atravessando o escritório com algumas passadas. Então se senta novamente, numa poltrona com brocado dourado, e se inclina para a frente, parecendo mais um adolescente que se gaba de sua primeira namorada do que um investidor de 72 anos. O livro agora é problema meu: como interpretar a sua história, quem entrevistar, o que escrever. Ele discorre longamente sobre a natureza humana e a fragilidade da memória. Então diz: *"Sempre que a versão de outra pessoa for diferente da minha, use a menos lisonjeira."*

São muitas as lições que ele tem para ensinar, e algumas das melhores vêm do simples fato de observá-lo. Eis a primeira: a humildade desarma.

No fim das contas, não houve muitos motivos para escolher a versão menos lisonjeira. Porém, quando o fiz, a culpa foi geralmente da natureza humana, e não da fragilidade da memória. Um desses fatos aconteceu no Sun Valley, em 1999.

2
Sun Valley
Idaho – Julho de 1999

Warren Buffett saiu do carro e tirou sua bagagem do porta-malas. Ele atravessou o portão magnético e foi até à pista de decolagem do aeroporto, onde um jato Gulfstream IV – branco e reluzente, do tamanho de um avião de passageiros de porte médio e a maior aeronave particular do mundo em 1999 – aguardava o investidor e sua família. Um dos pilotos apanhou sua mala para guardá-la no bagageiro. Sempre que voavam com Buffett pela primeira vez, os pilotos ficavam surpresos ao vê-lo carregando a sua própria bagagem ou saindo de um carro sem chofer. Enquanto subia a escada de embarque, ele cumprimentou a aeromoça – que era nova ali – e escolheu um lugar junto à janela, pela qual não olharia em momento algum durante o voo. Ele estava animado: havia meses esperava por aquela viagem.

Seu filho Peter e sua nora Jennifer, sua filha Susan e o namorado, além de dois de seus netos já estavam acomodados nas poltronas de couro café com leite, na cabine de quase 14 metros de comprimento. Eles giraram os assentos, afastando-os dos painéis abaulados das paredes para ganhar mais espaço, enquanto a aeromoça vinha da cozinha para servir os tira-gostos e bebidas favoritos da família. Havia uma pilha de revistas no sofá: *Vanity Fair, The New Yorker, Fortune, Yachting, Robb Report, Atlantic Monthly, The Economist, Vogue, Yoga Journal*. A aeromoça trouxe também os jornais do dia, juntamente com uma cestinha de batatas fritas e uma Cherry Coke, que combinava com o suéter vermelho de Buffett, da Universidade de Nebraska. Ele agradeceu, conversou com ela por alguns minutos, tentando aliviar seu nervosismo por voar pela primeira vez com o chefe, e pediu que avisasse ao copiloto que eles estavam prontos para decolar. Então enfiou a cabeça num jornal, enquanto o avião deixava a pista e rapidamente alcançava os 12 mil metros de altitude. Ao longo das duas horas seguintes ele ficou cercado pelo burburinho de seis pessoas, que assistiam a filmes, conversavam e falavam pelo telefone, enquanto a aeromoça arrumava toalhas e vasos de orquídeas nas mesas de madeira de lei, antes de voltar à cozinha para preparar o almoço. Buffett não se mexeu em nenhum momento. Ficou sentado lendo, escondido atrás dos seus jornais, como se estivesse sozinho no escritório de casa.

Eles estavam voando num verdadeiro palácio aéreo, de 30 milhões de dólares, conhecido como jato "fracionário". Cada aeronave podia ser dividida por até oito proprietários, mas, como fazia parte de uma frota, os donos podiam voar ao mesmo tempo, se quisessem. Todos – dos pilotos aos funcionários da manutenção, dos programadores de voo, que preparavam tudo para o embarque num prazo máximo de seis horas, à aeromoça que servia as refeições – trabalhavam para a NetJets, que pertencia à companhia de Warren Buffett, a Berkshire Hathaway.

Algum tempo depois o G-IV cruzou a planície do Snake River e se aproximou das Sawtooth Mountains, uma formação rochosa do período cretáceo, de granito escuro tostado pelo sol durante milênios. O avião singrou o ar luminoso e límpido até Wood River Valley e desceu até 2.500 metros de altitude, onde enfrentou a turbulência provocada pelo relevo acidentado da região. Buffett continuou lendo, imperturbável, enquanto o avião chacoalhava e sua família se sacudia nas poltronas. Moitas salpicavam as partes mais altas da cordilheira, e fileiras de pinheiros começavam sua escalada serra acima, entre desfiladeiros. A família sorria com expectativa. Enquanto o avião descia pela fenda que se estreitava entre dois picos, o sol do meio-dia projetava a sombra alongada do avião sobre a cidade de Hailey, Idaho, um antigo centro de mineração.

Poucos segundos depois as rodas tocaram a pista do aeroporto Friedman Memorial. Quando os Buffett pisaram o solo, apertando os olhos contra o sol de julho, dois utilitários esportivos já tinham atravessado o portão e estavam parados ao lado do jato, com um homem e uma mulher da Hertz aos volantes. Ambos usavam as camisas douradas e pretas da companhia. Mas, em vez de "Hertz", a logomarca dizia "Allen & Co.".

As crianças saltitavam, animadas, à medida que os pilotos levavam a bagagem, as raquetes de tênis e a sacola de golfe de Buffett (vermelha e branca, da Coca-Cola) para os carros. Ele e os outros passageiros apertaram as mãos dos pilotos, se despediram da aeromoça e entraram nos veículos. Contornando o escritório da Sun Valley Aviation – na verdade um pequeno trailer na extremidade sul da pista –, eles manobraram até a estrada que apontava na direção dos picos mais distantes. Cerca de dois minutos haviam passado desde que as rodas do avião tocaram o solo.

Exatamente oito minutos depois, outro avião chegou, encaminhando-se para a sua vaga na pista.

Por toda aquela tarde ensolarada uma série de jatos chegou do Sul e do Leste, ou contornando os picos do Oeste, para descer em Hailey: "paus para toda obra" como os Cessna Citations; Learjets glamourosos das redondezas; Hawkers velozes; Falcons luxuosos; mas, em sua maioria, imponentes G-IV. À medida que a tarde chegava ao fim, dezenas de aeronaves brancas, imensas e reluzentes se enfileiravam na pista, como uma vitrine repleta de brinquedos de magnatas.

Os Buffett seguiram o caminho trilhado por outros carros por alguns quilômetros, do aeroporto até a cidadezinha de Ketchum, ao lado da Sawtooth National Forest, perto da saída para o desfiladeiro de Elkhorn. Alguns quilômetros depois eles contornaram a Dollar Mountain, deparando-se com um verdadeiro oásis verde, como se tivesse sido aninhado no meio das encostas marrons. Ali, entre pinheiros e choupos, fica o Sun Valley, o mais lendário resort das montanhas, onde Ernest Hemingway começou a escrever *Por quem os sinos dobram* e muitos esquiadores e patinadores olímpicos encontraram um segundo lar.

Todas as diversas famílias às quais eles se juntariam naquela tarde tinham algum vínculo com o Allen & Co., um pequeno banco de investimentos especializado em empresas de mídia e comunicação. O Allen & Co. realizara algumas das maiores fusões de Hollywood e vinha organizando, havia mais de uma década, uma série anual de debates e seminários entremeados por atividades recreativas ao ar livre, no Sun Valley, para seus clientes e amigos. Herbert Allen, o CEO da empresa, convidava apenas as pessoas de que gostava, ou ao menos aquelas com quem tinha interesse em fazer negócios.

Assim, o encontro estava sempre repleto de rostos famosos e ricos: produtores de Hollywood e estrelas, como Candice Bergen, Tom Hanks, Ron Howard e Sydney Pollack; magnatas do mundo do entretenimento, como Barry Diller, Rupert Murdoch, Robert Iger e Michael Eisner; jornalistas com pedigree social, como Tom Brokaw, Diane Sawyer e Charlie Rose; e titãs da tecnologia, como Bill Gates, Steve Jobs e Andy Grove. Uma multidão de repórteres os aguardava todos os anos em frente ao Chalé Sun Valley.

Os jornalistas tinham chegado na véspera, do aeroporto de Newark ou de Nova Jersey ou de algum ponto de embarque parecido, onde apanharam um voo comercial até Salt Lake City. Eles percorreram o saguão e ficaram sentados no meio de uma multidão que estava à espera de voos para lugares como Casper, no Wyoming, e Sioux City, em Iowa, até à hora de se espremerem num teco-teco para a penosa viagem até Sun Valley. Ao pousar, o avião dos jornalistas foi conduzido ao lado oposto do aeroporto, próximo a um terminal do tamanho de uma quadra de tênis. Ali eles puderam ver um grupo de jovens funcionários bronzeados do Allen & Co. – vestidos com camisas polo em tons pastel e shorts brancos – dar as boas-vindas aos convidados da empresa que chegaram mais cedo, em voos comerciais. Estes se destacavam imediatamente dos demais passageiros: homens de botas de vaqueiro, camisas Paul Stuart e calças jeans; mulheres usando jaquetas de couro de cabra acamurçado e colares de contas de turquesa do tamanho de bolas de gude. Os funcionários do Allen já haviam memorizado os rostos dos recém-chegados por meio de fotografias fornecidas com antecedência. Eles abraçavam pessoas que tinham acabado de conhecer como se fossem velhos amigos e logo se apressavam a apanhar toda a bagagem dos convidados e a levavam até os utilitários esportivos, alinhados a alguns passos de distância, no estacionamento.

Já os repórteres iam até o guichê de aluguel de carros e tinham que dirigir até o Chalé – já bastante conscientes, naquela altura, de que tinham um status inferior. Ao longo dos dias seguintes, diversas áreas do Sun Valley passariam a ser "restritas", isoladas dos olhares de curiosos por portas fechadas, pelos onipresentes seguranças, por cestos de flores suspensos e grandes vasos de plantas que encobriam a visão. Excluídos dos acontecimentos lá dentro, os repórteres espreitavam pelas beiradas, com os narizes colados nos arbustos.[1] Desde que Michael Eisner, da Disney, e Tom Murphy, da Capital Cities/ABC, haviam fechado um acordo para a fusão de suas companhias no Sun Valley '95 (o encontro acabou sendo chamado assim, como se englobasse todo o resort, o que, de certa maneira, era verdade), a cobertura da imprensa crescera até o evento assumir a atmosfera artificialmente eufórica de um Festival de Cannes do mundo dos negócios. As fusões que surgiam no Sun Valley eram, no entanto, apenas ilhotas de gelo que se desprendiam do iceberg. O Sun Valley não era somente um lugar onde se fechavam negócios, embora estes tivessem a maior parte da publicidade. Todos os anos multiplicavam-se os boatos de que esta ou aquela companhia estava envolvida em alguma grande negociação naquele misterioso conclave nas montanhas de Idaho. Assim, enquanto os utilitários esportivos entravam, em fila, pela *porte-cochère*, os repórteres espreitavam pelos vidros, tentando enxergar quem estava lá dentro. Quando algum colunável chegava, eles perseguiam a presa até o chalé, brandindo câmeras e microfones.

A imprensa logo reconheceu Warren Buffett quando ele saiu do carro. "Ele está entranhado no DNA do encontro", disse seu amigo Don Keough, presidente do Allen & Co.[2] A maioria dos jornalistas gostava de Buffett, que se esforçava para não ser malquisto por ninguém. Mas ele também os intrigava. Sua imagem pública era a de um homem simples – e ela parecia corresponder à realidade. Sua vida, porém, era bastante complicada. Ele tinha cinco casas, embora só morasse em duas. De alguma maneira, e para todos os efeitos, ele acabara tendo duas mulheres. Falava usando aforismos de fácil compreensão com um brilho delicado no olhar e possuía um círculo de amizades extremamente leal, embora tivesse conquistado, ao longo de sua vida, uma reputação de negociador durão e até mesmo hostil. Ele parecia querer evitar a publicidade a qualquer preço, mas conseguira se tornar mais famoso, praticamente, que qualquer outro homem de negócios na face da Terra.[3] Percorria o país em um jato G-IV, comparecia com frequência a eventos de celebridades e convivia com várias pessoas famosas, embora dissesse que preferia Omaha, hambúrgueres e um estilo de vida modesto. Ele afirmava que seu sucesso se baseava em algumas ideias simples sobre investimentos – e na prática de sapateado, que lhe dava energia para trabalhar com entusiasmo todos os dias. Mas, se fosse assim, por que ninguém mais tinha sido capaz de fazer o mesmo?

Buffett, como sempre, acenou com cortesia para os fotógrafos, abrindo o sorriso acolhedor de um avô bondoso, enquanto passava. Depois que o fotografaram passaram a espreitar o carro seguinte.

Os Buffett seguiram até o chalé da família, decorado à francesa, que fazia parte do cobiçado conjunto Wildflower, próximo da piscina e das quadras de tênis, onde Herbert Allen instalava os convidados VIPs. Lá dentro, os tesouros de sempre os esperavam: uma pilha de paletós do Allen & Co., bonés de beisebol, agasalhos, camisas polo – cada ano numa cor diferente – e uma agenda com zíper. Apesar da sua fortuna de mais de 30 bilhões de dólares – dinheiro suficiente para comprar mil daqueles G-IV parados no aeroporto –, pouca coisa deixava Buffett mais feliz do que ganhar uma camisa de golfe de um amigo, de forma que ele passara um bom tempo analisando com atenção aqueles brindes preciosos. Mais interessante ainda, no entanto, era o bilhete personalizado que Herbert Allen enviara a cada convidado e a organizadíssima agenda do encontro, que explicava o que o Sun Valley reservava para eles naquele ano.

Com todos os segundos contados, organizada nos mínimos detalhes e tão impecável quanto o punho da camisa de Herbert Allen, a agenda de Buffett estava detalhada em cada hora de cada dia. Ela apresentava os palestrantes e seus respectivos temas – o que, até aquele momento, era um segredo guardado a sete chaves – e os almoços e jantares aos quais ele deveria comparecer. Diferentemente dos demais convidados, Buffett já sabia de boa parte de tudo aquilo, mas ainda assim gostava de conferir a sua agenda.

Herbert Allen, conhecido como "Senhor do Sun Valley" e discreto organizador do encontro, dava o tom de sofisticação casual que permeava o evento. As pessoas sempre se referiam a ele como um homem de princípios, disposto a dar bons conselhos, generoso e inteligente. "Qualquer um gostaria de morrer sendo respeitado por alguém como Herbert Allen", derramou-se um hóspede. Por medo de não serem mais convidados para o encontro, aqueles que faziam qualquer tipo de crítica dificilmente iam além de comentários vagos a respeito de Herbert ser "excêntrico" ou indócil ou impaciente ou dono de um ego inflado. Diante da sua figura esbelta mas musculosa, era preciso se esforçar para acompanhar as palavras que ele disparava como uma metralhadora. Allen vociferava perguntas e, em seguida, interrompia seu interlocutor no meio das respostas, para que não desperdiçassem um segundo sequer de seu tempo. Era um especialista em dizer o indizível. "No final das contas, Wall Street será varrida do mapa", ele declarara certa vez a um repórter, embora ele próprio administrasse um banco em Wall Street. Allen gostava de se referir aos concorrentes como "vendedores de cachorro-quente".[4]

Allen mantinha a sua empresa deliberadamente pequena, e seus banqueiros investiam dinheiro do próprio bolso em seus empreendimentos. Essa abordagem pouco convencional tornava a empresa uma sócia – e não uma mera servidora – dos seus clientes, entre os quais se incluíam a elite de Hollywood e do mundo da mídia. Assim, quando ele bancava o anfitrião, seus convidados se sentiam privilegiados, e não prisioneiros de olhos vendados sendo observados a cada passo. Todos os anos o Allen & Co. organizava uma agenda social detalhada, que girava em torno da rede de relacionamentos pessoais de cada convidado – que a empresa conhecia bem – e das novas pessoas que os assistentes de Allen achavam que deveriam conhecer. Hierarquias tácitas estabeleciam a distância entre os chalés de cada hóspede e a pousada (onde as reuniões aconteciam), bem como os almoços ou jantares aos quais cada um seria convidado, e com quem se sentariam.

Tom Murphy, amigo de Buffett, se referia àquele evento como um "encontro de elefantes". "*Sempre que um bando de figurões se reúne*", Buffett disse, "*é fácil atrair as pessoas, pois elas ficam tranquilas em saber que, se estão presentes num encontro de elefantes, devem ser elefantes também.*"[5]

Sun Valley é sempre um lugar muito tranquilo, pois, ao contrário da maioria dos encontros de elefantes, não se pode comprar ingresso para ele. O resultado acaba sendo um clima elitista e falsamente democrático. Parte da emoção de estar lá é ver quem foi convidado e, mais emocionante ainda, quem não voltou a sê-lo. Contudo, dentro da sua camada social, as pessoas desenvolvem relacionamentos genuínos. O Allen & Co. estimulava a sociabilidade por meio de diversas atividades de entretenimento. Elas começavam à tardinha, quando os convidados vestiam roupas de caubói, embarcavam em charretes puxadas por cavalos e seguiam vaqueiros de verdade por uma trilha sinuosa que passava por uma torre de pedra natural no caminho para os prados de Trail Creek Cabin. Ali eles eram recebidos por Herbert Allen ou por um dos seus dois filhos, quando o sol começava a se pôr. Junto a uma enorme tenda branca, decorada com arranjos de petúnias vermelhas e sálvias azuis, caubóis faziam truques com cordas, divertindo as crianças. Enquanto isso, a velha guarda de Sun Valley se reunia e dava as boas-vindas aos novos hóspedes, que faziam fila com seus pratos para se servirem do bufê de carnes e salmão. Os Buffett geralmente terminavam a noite reunidos com amigos em volta de uma fogueira, sentados sob o céu do Oeste salpicado de estrelas.

A diversão continuava na tarde de quarta-feira, com um passeio opcional de bote pelas corredeiras suaves do Salmon River. Ali floresciam algumas amizades, pois o Allen & Co. determinava o lugar que cada um ocuparia no ônibus, no caminho até o local de embarque e nos botes. Os guias, em silêncio, os conduziam pelo vale montanhoso, para não interromperem parcerias que se formavam. Ambulâncias e vigias contratados entre a população local se espalhavam estrategicamente pela rota, para o caso de alguém cair na água gelada. Os convidados recebiam toalhas quentes assim que largavam seus remos e saíam dos botes, para então participar de um delicioso churrasco.

Os que não estavam fazendo rafting poderiam estar pescando, cavalgando, praticando tiro ao alvo, mountain bike, jogando bridge, aprendendo a tricotar, fotografando a natureza, jogando *frisbee* com os onipresentes convidados caninos do encontro, patinando na pista de gelo coberta, jogando tênis em quadras de saibro perfeitas, relaxando na piscina ou jogando golfe em campos impecáveis, onde andavam em carrinhos em que não faltavam protetores solares, tira-gostos e repelentes.[6] Todas as recreações transcorriam na maior tranquilidade, sem interrupções. Qualquer coisa que os convidados precisassem aparecia como que por mágica, sem sequer ser pedida, trazida por uma equipe aparentemente incansável – quase invisível, porém sempre presente – de funcionários em camisas polo.

A arma secreta de Herbert Allen, no entanto, eram as baby-sitters: cento e poucas beldades adolescentes, quase todas louras e superbronzeadas, usando as mesmas camisas polo e mochilas do Allen & Co., que combinavam com elas. Enquanto os pais e avós se divertiam, as baby-sitters garantiam que cada Joshua e Brittany estivesse com o companheiro certo de brincadeiras, em qualquer atividade que escolhessem, fosse uma partida de tênis ou de futebol, um passeio de bicicleta ou de charrete, uma exposição de cavalos, patinação, corrida de revezamento, pescaria, um projeto artístico, comer pizza ou tomar sorvete. Cada baby-sitter era selecionada pessoalmente, para garantir que toda criança se divertisse tanto que implorasse para voltar no ano seguinte – ao mesmo tempo que deleitava os pais, pois eram jovens muitíssimo atraentes que lhes permitiam se dedicar por dias a fio à companhia de outros adultos, sem culpa.

Buffett sempre foi um dos hóspedes mais gratos de Allen. Ele adorava o Sun Valley como local de férias em família, pois, se ficasse por conta própria em um resort nas montanhas com seus netos, não teria a mínima ideia de como agir. Ele não se interessava por nenhuma outra atividade ao ar livre além do golfe. Jamais praticava tiro ao alvo ou mountain bike, considerava a água *"uma espécie de prisão"* e preferia andar algemado a passear de bote. Em vez disso, ele escapava confortavelmente para o meio da manada de elefantes. Jogava um pouco de golfe e de bridge, incluindo, no primeiro caso, uma partida com Jack Valenti, presidente da Motion Picture Association of America, valendo um dólar, e, no segundo caso, com Meredith Brokaw. De resto, passava o tempo conversando com pessoas como Christie Hefner, CEO da *Playboy*, e Michael Dell, CEO da empresa de hardware que leva seu sobrenome.

Muitas vezes, no entanto, ele desaparecia por longos períodos em seu chalé com vista para o campo de golfe, onde lia e assistia às notícias do mundo dos negócios na sala de estar, sentado diante de uma grande lareira de pedra.[7] Mal notava a vista coberta de pinheiros da Baldy Mountain, da janela, nem a colina que parecia um tapete persa, coberta de flores e plantas das mais variadas espécies e cores. *"Imagino que a paisagem esteja lá"*, ele dizia. O principal motivo da sua ida era a atmosfera acolhedora criada por Herbert Allen.[8] Ele gostava de estar com seus amigos mais próximos: Kay Graham e seu filho Don; Bill e Melinda Gates; Mickie e Don Keough; Barry Diller e Diane von Furstenberg; Andy Grove e sua mulher, Eva.

Mas, acima de tudo, para Buffett o Sun Valley significa uma oportunidade de se reunir com a família, um dos raros momentos em que a maior parte dela fica junta. "Ele gosta que todos fiquemos na mesma casa", disse sua filha, Susie Buffett Jr. Ela morava em Omaha; Howie, seu irmão mais novo, e sua mulher, Devon – que não estavam presentes naquele ano –, moravam em Decatur, Illinois; enquanto o caçula Peter e sua mulher, Jennifer, moravam em Milwaukee.

Susan, mulher de Buffett havia 47 anos, mas que vivia separada dele, tinha pegado um avião de São Francisco, onde morava, para encontrá-los. E Astrid Menks, sua companheira havia mais de 20 anos, ficara na casa deles, em Omaha.

Na sexta-feira à noite, Warren vestiu uma camisa havaiana e acompanhou sua primeira mulher na tradicional festa ao ar livre, junto às quadras de tênis, perto do chalé da família. A maioria dos convidados conhecia Susie e gostava dela. Sempre a estrela da festa, ela interpretou clássicos da canção popular, à luz de tochas *tiki*, em frente a uma piscina olímpica iluminada.

Naquele ano, à medida que os coquetéis e amenidades corriam soltos, ouvia-se o burburinho de uma nova língua, quase incompreensível – B2B, B2C, largura de banda, banda larga –, completada pelo som do grupo musical de Al Oehrle. Durante a semana inteira uma vaga sensação de desconforto pairou pelos almoços, jantares e coquetéis, como uma névoa silenciosa que se insinuasse entre os apertos de mão, beijos e abraços. Um novo grupo de executivos da área de tecnologia, cheios de uma arrogância incomum, se apresentava a pessoas que, um ano antes, sequer tinham ouvido falar em seus nomes.[9] De certa forma, a autoconfiança que demonstravam não combinava com a atmosfera natural de Sun Valley, onde reinava uma informalidade planejada. Herbert Allen adotava uma espécie de regra tácita contra a ostentação, sob pena de exclusão.

A nuvem de arrogância pesou ainda mais durante as apresentações, que eram o ponto alto do encontro. Diretores de companhias, funcionários do alto escalão do governo e outros convidados ilustres faziam palestras nada convencionais: nenhuma palavra pronunciada ultrapassava, nem mesmo na forma de um cochicho, os cestos de flores pendurados nas portas da Pousada Sun Valley. A entrada de repórteres era proibida; havia na plateia colunistas e barões da mídia, incluindo donos de redes de televisão e jornais, mas todos respeitavam a lei do silêncio. Dessa forma, falando apenas para seus colegas, os palestrantes se sentiam mais livres para dizer coisas importantes, em geral verdadeiras. Coisas que jamais poderiam ser proferidas diante da imprensa, pois eram muito diretas ou muito sutis ou muito alarmantes ou muito fáceis de satirizar ou muito propensas a serem mal interpretadas. Os jornalistas comuns espreitavam do lado de fora, aguardando migalhas que só eram atiradas com muita parcimônia.

Naquele ano, os novos magnatas da internet estavam se pavoneando, exibindo suas expectativas elevadíssimas, alardeando suas últimas fusões e procurando arrancar dinheiro dos gestores de recursos que estavam na plateia. Estes últimos, que cuidavam das aposentadorias e economias de terceiros, controlavam juntos tanta riqueza que ela praticamente fugia à compreensão humana: mais de 1 trilhão de dólares.[10] Em 1999, se você tivesse 1 trilhão de dólares, poderia pagar o imposto de renda de cada cidadão dos Estados Unidos. Poderia dar de presente um Bentley para todos os lares de mais de nove estados americanos.[11] Poderia comprar todos os imóveis de Chicago, Nova York e Los Angeles – juntos. Representantes de algumas empresas precisavam daquele dinheiro – e queriam que ele viesse da plateia.

Naquela mesma semana, uma série de debates no programa de televisão de Tom Brokaw, com o tema "A Internet e Nossas Vidas", exibira com estardalhaço discursos sobre como a internet remodelaria o setor de comunicações. Jay Walker, da Priceline, fez uma apresentação estonteante da internet, que comparava a supervia da informação ao advento da estrada de ferro, em 1869. Ininterruptamente, executivos expuseram as possibilidades fabulosas que se abriam para as empresas, enchendo o auditório do perfume inebriante de um futuro sem as limitações do espaço, do armazenamento e da geografia. Era algo tão brilhante e visionário que, enquanto alguns se convenciam de que um novo mundo de fato se desdobrava diante dos seus olhos, outros pensavam estar diante de vendedores charlatães. Os donos das empresas de tecnologia se viam como verdadeiros Prometeus, gênios que traziam o fogo aos reles mortais. Outros empreendimentos, que envolviam o trabalho braçal de prover as necessidades maçantes da vida – peças para carros, móveis de jardim –, passavam a ser interessantes apenas em termos de quanta tecnologia eram capazes de comprar. Algumas ações de empresas pontocom eram negociadas a valores infinitamente maiores do que suas inexistentes receitas, ao passo que "companhias de verdade", que faziam coisas de verdade, estavam sendo desvalorizadas. Enquanto as ações de empresas de tecnologia engoliam a "velha economia", o índice Dow Jones* tinha ultrapassado a marca anteriormente inimaginável de 10.000 pontos apenas quatro meses antes, dobrando de valor em menos de três anos e meio.

Vários novos-ricos se reuniam, nos intervalos entre as palestras, numa varanda coberta de frente para o Duck Pond, onde se via um casal de cisnes criados em cativeiro. Lá, qualquer convidado – mas nenhum repórter – poderia flanar entre os outros usando calças cáqui e suéteres de caxemira e fazer perguntas a Bill Gates ou Andy Grove. Do lado de fora, os jornalistas perseguiam os magnatas da internet quando eles caminhavam entre a pousada e seus chalés – e amplificavam ainda mais a atmosfera de arrogância que dominava o Sun Valley naquele ano.

Alguns dos novos czares da internet passaram a tarde de sexta-feira tentando convencer Herbert Allen a incluí-los no ensaio que a fotógrafa Annie Leibovitz faria no sábado à tarde, com as "Grandes Estrelas da Mídia", para a revista *Vanity Fair*. Eles achavam que tinham sido chamados para o Sun Valley porque eram as pessoas "do momento", e mal podiam acreditar que Leibovitz tivesse escolhido por conta própria quem fotografar. Por que, por exemplo, ela incluiria Buffett? Seu papel na mídia era secundário – limitava-se à participação em conselhos, a uma rede ampla de influência pessoal e a uma história de grandes e pequenos investimentos na área. Além do mais, ele era notícia velha. Era difícil acreditar que seu rosto numa fotografia ainda vendesse revistas.

Estas supostas grandes estrelas se sentiam ofendidas, porque sabiam muito bem que a balança da mídia havia pendido para a internet. Isso era certo, apesar de o próprio Herbert Allen achar que o "novo paradigma" de cotação das ações de empresas de tecnologia e comunicação – baseado em instantâneos, no "olhômetro" e em projeções de crescimento a longo prazo, e não na habilidade de uma empresa de ganhar dinheiro de verdade – era uma furada. "Novo paradigma", ele falava com desdém, "é igual a novo sexo. Simplesmente não existe."[12]

---

* Indicador da Bolsa de Valores norte-americana. (N. da A.)

Na manhã seguinte, Buffett, um dos ícones do antigo paradigma, se levantou cedo, pois faria a palestra de encerramento do seminário daquele ano. Ele recusava invariavelmente convites para falar em congressos organizados por outras empresas, mas, quando Herbert Allen pedia que fizesse uma apresentação no Sun Valley, sempre dizia sim.[13] A palestra de encerramento, na manhã de sábado, era o acontecimento que dava o tom do encontro; por isso, em vez de seguirem para o campo de golfe ou pegarem uma vara de pescar, quase todos iam tomar café da manhã na Pousada Sun Valley, procurando em seguida um lugar na plateia. Naquele dia, Buffett iria falar sobre o mercado de ações.

Particularmente, ele sempre fora um crítico do mercado dominado por investimentos impulsivos e baseado em iniciativas de marketing, que vinham fazendo as ações das empresas de tecnologia dispararem para alturas delirantes ao longo daquele ano. As ações da sua própria companhia, a Berkshire Hathaway, estavam no fundo do poço, e o seu princípio rígido de nunca comprar ações de empresas de tecnologia parecia ultrapassado. Mas isso não influenciava a sua maneira de investir e, até então, em público, ele se limitara a afirmar que jamais especulava sobre o mercado. Dessa forma, a sua decisão de subir no palanque do Sun Valley para fazer exatamente isso era algo sem precedentes. Talvez fosse um sinal dos tempos. Buffett tinha uma convicção inabalável – e sentia um desejo irresistível de demonstrá-la.[14]

Ele tinha passado semanas se preparando para aquela palestra. Entendia que o mercado não se limitava a pessoas negociando ações como se estas fossem fichas de um cassino. As fichas representavam empresas. Buffett pensou sobre o valor total das fichas. Quanto elas valiam? Aquela não era a primeira vez que tecnologias novas, capazes de mudar o mundo, tinham chegado para abalar o mercado de ações. A história dos negócios estava repleta de novas tecnologias – as estradas de ferro, o telégrafo, o telefone, o automóvel, o avião: todas essas inovações foram maneiras revolucionárias de interligar as coisas com mais rapidez. No entanto, quantas delas haviam tornado os investidores mais ricos? Era o que ele estava prestes a explicar.

Depois do café da manhã, Clarke Keough subiu ao palanque. Buffett conhecia a família Keough havia muitos anos; tinham sido vizinhos em Omaha. Foi por intermédio do pai de Clarke, Don, que Buffett fizera os contatos que o levaram até o Sun Valley. Don Keough, então presidente do conselho do Allen & Co. e ex-presidente da Coca-Cola, conhecera Herbert Allen em 1982, quando este comprara a Columbia Pictures para a Coca-Cola. Keough e seu chefe, Roberto Goizueta, o CEO da Coca-Cola, ficaram tão impressionados com a postura de venda de Herbert Allen, que não tinha nada em comum com a dos outros vendedores, que o convenceram a se juntar a seu conselho.

Naquela altura, Keough – filho de um criador de gado de Sioux e ex-coroinha – estava praticamente aposentado na Coca-Cola, mas ainda vivia e respirava na alta-roda da empresa, tão poderoso que era considerado por muitos o mais influente ex-executivo da companhia.[15]

Quando os Keough eram seus vizinhos em Omaha, na década de 1950, Warren perguntou a Don como ele faria para pagar a faculdade dos filhos, sugerindo que investisse 10 mil dólares na sua sociedade. Don, no entanto, estava pagando escola para seis filhos, ganhando 200 dólares por semana como vendedor da lanchonete Butter-Nut. "Não tínhamos o dinheiro", contou seu filho Clarke para a plateia. "Esta é uma parte da história da nossa família que nunca esqueceremos."

Buffett se juntou a Clarke no palanque, usando seu suéter vermelho favorito da Universidade de Nebraska por cima de uma camisa xadrez. E terminou de contar a história.[16]

"Os Keough eram vizinhos maravilhosos", disse. "É verdade que às vezes Don me provocava, dizendo que, diferentemente de mim, ele ao menos tinha um emprego, mas o nosso relacionamento era ótimo. Uma vez, minha mulher, Susie, foi até a casa deles e fez o que se espera de qualquer vizinho no Meio-Oeste: pediu uma xícara de açúcar, e a mulher de Don, Mickie, lhe deu um saco inteiro. Quando fiquei sabendo disso, decidi visitar eu mesmo os Keough naquela noite. Eu disse a Don: 'Por que você não me dá 25 mil dólares, para a minha empresa investir?' Foi então que a família Keough ficou um pouco tensa e eu fui rejeitado.

Voltei algum tempo depois e pedi os 10 mil dólares de que Clarke falou, e aconteceu a mesma coisa. Mas eu não era orgulhoso. Então voltei um pouco mais tarde e pedi 5 mil dólares. E fui rejeitado mais uma vez.

Uma noite, no verão de 1962, caminhei até à casa dos Keough. Não sei se teria baixado a oferta para 2.500 dólares ou não, mas quando cheguei à porta deles a casa estava toda escura e silenciosa. Não dava para ver nada. Eu sabia o que estava acontecendo. Sabia que Don e Mickie estavam escondidos no andar de cima. Então continuei ali.

Toquei a campainha. Bati à porta. Nada aconteceu. A casa estava um breu, mas eu sabia que Don e Mickie estavam lá em cima.

Estava escuro demais para ler e cedo demais para ir dormir. Eu me lembro daquele dia como se fosse ontem. Era o dia 21 de junho de 1962.

Clarke, quando você nasceu?"

"No dia 21 de março de 1963."

"É este tipo de coisa que faz a história dar reviravoltas. Já que é assim, talvez você deva agradecer aos seus pais por eles não terem descido para me atender e me dar aquele dinheiro."

Depois de conquistar a plateia com este pequeno diálogo cômico, Buffett abordou o assunto em pauta.

"Agora vou tentar dar uma de multimídia. Herb me pediu para incluir alguns slides na minha palestra. 'Mostre que você está por dentro', ele disse. E, quando Herb fala alguma coisa, é praticamente uma ordem para a família Buffett." Sem especificar o que exatamente diferenciava a "família Buffett" (pois, para ele, a sua família era igual a qualquer outra), ele começou a contar uma piada sobre Allen: "*O secretário do presidente dos Estados Unidos entra correndo no Salão Oval pedindo desculpas por ter marcado duas reuniões para o mesmo horário. O presidente tem que escolher entre receber o Papa ou Herbert Allen.*" Buffett fez uma pausa de efeito. "'*Mande o Papa entrar*', *o presidente diz. 'Pelo menos eu só tenho que beijar* o anel *dele.*'"

Hoje eu gostaria de falar para todos vocês, que assim como eu beijam o anel de Herb, sobre a Bolsa de Valores. Vou falar sobre a cotação das ações, mas não sobre como prever o comportamento delas no próximo mês ou ano. Falar sobre cotações não é o mesmo que fazer previsões.

A curto prazo, o mercado é como uma urna eletrônica. A longo prazo, é como uma balança.

No fim, o que conta é o peso. Mas é o número de votos que conta a curto prazo. E estamos falando de um jeito muito pouco democrático de votação. Infelizmente a pessoa não passa por nenhum teste de alfabetização* antes de poder votar, como todos vocês sabem muito bem."

Buffett apertou um botão, que projetou um slide de PowerPoint numa tela enorme à sua direita.[17] Bill Gates, que estava sentado na plateia, prendeu a respiração por um instante, até Buffett – um notório desastrado – conseguir se entender com o projetor.[18]

ÍNDICE DOW JONES
31 de dezembro de 1964 – 874,12
31 de dezembro de 1981 – 875,00

Ele andou até a tela e começou a explicar.

"*No decorrer dos últimos 17 anos, o tamanho da economia quintuplicou. As vendas das empresas citadas na revista* Fortune 500 *mais do que quintuplicaram.*** *Porém, durante esses 17 anos, o mercado de ações continuou exatamente no mesmo lugar.*"

---

* No original, "literacy tests", teste aplicado pelo governo americano para saber se o eleitor sabe ler ou não. Caso não saiba, fica impedido de votar. (*N. do T.*)

** A revista *Fortune* lista as 500 maiores empresas dos Estados Unidos com base nas suas receitas e publica uma edição especial sobre elas – a *Fortune 500*. Esse grupo de empresas pode ser visto como um indicador dos negócios realizados no país. (*N. da A.*)

Buffett voltou um ou dois passos.

"*O que vocês estão fazendo ao investir é adiar o consumo e aplicar o dinheiro agora, para pegar mais dinheiro de volta no futuro. E só existem duas perguntas. Uma é quanto você vai pegar de volta, e a outra é quando.*

Esopo não era nenhum gênio financeiro quando disse algo parecido com 'mais vale um pássaro na mão do que dois voando'. Só que ele não explicou quando.

As taxas de juros — o custo de se pegar dinheiro emprestado, são o preço do 'quando'. Elas estão para as finanças como a gravidade está para a física. Como as taxas de juros variam, o valor de todos os ativos financeiros — imóveis, ações, títulos — também muda, assim como o preço dos pássaros de Esopo.

E é por isso que nem sempre um pássaro na mão é melhor do que dois voando. Às vezes dois voando são melhores do que um na mão."

Com seu tom fanhoso, ofegante e monocórdio, e falando tão depressa que às vezes as palavras se atropelavam, Buffett fez uma analogia entre Esopo e a grande euforia do mercado na década de 1990, que ele classificou como "conversa para boi dormir". Os lucros cresceram muito menos do que no período anterior, mas os pássaros voando eram caros, porque as taxas de juros estavam baixas. Menos pessoas queriam dinheiro — o pássaro na mão —, apesar dos juros baixos. Então os investidores estavam pagando preços sem precedentes por aqueles pássaros no céu. De forma franca, Buffett se referia a isso como o "fator ganância".

A plateia, cheia de gurus tecnológicos que acreditavam estar mudando o mundo enquanto ficavam ricos, graças à enorme euforia do mercado, ficou calada. Eles estavam empoleirados em cima de portfólios abarrotados de ações que vinham sendo negociadas a valores extravagantes. E adoravam isso. Era um novo paradigma, a aurora da era da internet. Achavam que Buffett não tinha o direito de chamá-los de gananciosos. Logo Warren — que passou anos juntando seu dinheiro e dando muito pouco dele; que era tão pão-duro que na placa do seu carro estava escrito "*Thrifty*", ou seja, "Econômico"; que passava boa parte do seu tempo pensando em como ganhar mais dinheiro; que tinha perdido o barco ao detonar o boom tecnológico — estava cuspindo no champanhe deles.

Buffett continuou seu discurso. Havia apenas três formas de o mercado de ações se manter crescendo no ritmo de 10% ou mais ao ano. Uma das maneiras possíveis era se as taxas de juros caíssem e permanecessem abaixo dos níveis históricos. A segunda era se a fatia da economia que ia para os investidores — e não para os trabalhadores, o governo, etc. — crescesse além de seu nível já historicamente elevado.[19] Ou ainda, nas palavras dele, se a economia começasse a crescer mais rapidamente do que o normal.[20] Ele considerava "uma ilusão" se valer de premissas otimistas como aquelas.

Algumas pessoas, ele disse, não achavam que o mercado iria prosperar como um todo. Para elas, era difícil identificar quem sairia ganhando. Balançando os braços como um regente de orquestra, ele mostrou outro slide, enquanto explicava que, embora as inovações tecnológicas pudessem tirar o mundo da pobreza, a História nos dizia que as pessoas que investiam nelas não costumavam ficar felizes depois.

"*Esta é apenas uma folha de uma lista de 70 páginas de companhias automobilísticas dos Estados Unidos.*" Ele balançou a lista completa no ar. "*Existiam duas mil empresas deste tipo: o automóvel foi, provavelmente, a invenção mais importante da primeira metade do século XX. Ele teve um impacto enorme na vida das pessoas. Se, na época dos primeiros carros, vocês soubessem como o desenvolvimento do país estaria atrelado a eles, teriam dito: 'Preciso entrar nessa.' Porém, daquelas duas mil companhias originais, segundo dados de poucos anos atrás, apenas três sobreviveram.*[21] *E, em momentos distintos, todas as três estiveram à venda por menos que o seu valor contábil, isto é, a quantidade de dinheiro que tinha sido aplicada nelas. De modo que os automóveis tiveram um impacto enorme na América, mas, para os investidores, este impacto não foi positivo.*"

Ele largou a lista e enfiou a mão no bolso.

"*Às vezes é muito mais fácil identificar quem vai sair perdendo. A meu ver, havia uma decisão óbvia a se tomar naquela época. Os investidores deveriam especular com a venda a descoberto de cavalos.*"* – Clique. Um slide sobre cavalos apareceu na tela.

POPULAÇÃO EQUINA DOS EUA
1900 – 17 milhões
1998 – 5 milhões

"*Francamente, fico um pouco desapontado por minha família não ter investido em cavalos ao longo de todo este período. Sempre vai ter gente que sai perdendo.*"

Os membros da plateia riram, mas não muito. As empresas deles podiam estar perdendo dinheiro, mas, no íntimo, eles carregavam a convicção de que eram vencedores, supernovas ardendo no auge de uma mudança celeste monumental. Eles não tinham dúvidas de que seus nomes estariam um dia nas páginas dos livros de História.

"*Outra grande invenção da primeira metade do século foi o avião. Entre 1919 e

---

* Vender a descoberto significa pegar emprestado uma ação e vendê-la, apostando que o preço dela vai cair. Se isso acontecer, o "vendedor a descoberto" lucra ao comprá-la de volta mais barata. Ele leva prejuízo se o preço aumentar. Geralmente essa é uma prática arriscada, pois você está apostando contra a tendência do mercado a longo prazo. (N. da A.)

1939 havia cerca de 200 companhias de aviação. Imagine se você pudesse ter visto o futuro da indústria aérea quando os irmãos Wright fizeram o primeiro voo controlado, lá em Kitty Hawk. Teria vislumbrado um mundo sem precedentes. Imagine que você tivesse uma inspiração e visse todas aquelas pessoas querendo pegar um avião para visitar seus parentes, ou fugir deles, ou qualquer outra coisa que você pode fazer com um avião, e decidisse que precisava entrar nessa.

De acordo com dados de poucos anos atrás, o conjunto de todas as ações investidas na história da indústria da aviação renderam zero dólar.

Então deixem-me dizer uma coisa a vocês: eu prefiro pensar que, se estivesse lá em Kitty Hawk, eu teria tido a inspiração e o espírito cívico de dar um tiro em Orville Wright. Era o mínimo que eu poderia fazer pelos capitalistas do futuro."[22]

Mais risadinhas discretas. Alguns estavam começando a se cansar daqueles exemplos antigos. No entanto, por uma questão de respeito, deixaram Buffett prosseguir.

Então ele passou a falar dos negócios *deles*:

"É maravilhoso promover novas indústrias, pois elas são muito fáceis de se promover. Já promover investimentos em produtos comuns é muito difícil. É muito mais fácil promover um produto exótico, até mesmo um que dê prejuízos, pois não há parâmetro quantitativo." Isso era um golpe direto na plateia, bem onde doía. "Mas as pessoas vão continuar investindo assim mesmo. Isso me faz lembrar a história do prospector de petróleo que morre e vai para o céu. Daí São Pedro diz: 'Bem, eu conferi seu dados, e você preenche todos os requisitos. Mas tem um problema. Seguimos leis muito rígidas de divisão territorial aqui e mantemos todos os petroleiros naquele cercado. E, como você pode ver, ele está estourando de cheio. Não temos espaço para você.'

O prospector diz: 'O senhor se importa se eu disser só quatro palavrinhas?'

Ao que são Pedro responde: 'Não vejo mal algum.'

Então o prospector faz uma concha com as mãos e berra: 'Descobriram petróleo no inferno!'

E, obviamente, a tranca do cercado arrebenta e os petroleiros começam a despencar lá para baixo.

São Pedro diz: 'Ótimo truque. Pode entrar, fique à vontade. Tem todo o espaço do mundo agora.'

O petroleiro reflete por um instante e então fala: 'Não, acho que vou descer com o resto do pessoal. Pode ser que aquele boato tenha um fundo de verdade.'

Bem, é assim que as pessoas pensam em relação às ações. É muito fácil acreditar que aquele boato pode ter um fundo de verdade."[23]

Aquilo arrancou meio segundo de risadinhas, que ficaram presas na garganta logo que a plateia entendeu o que Buffett queria dizer: que, assim como os petroleiros da piada, eles talvez fossem insensatos o bastante para seguir os boatos – e procurar petróleo no inferno.

Ele encerrou sua apresentação soltando o famoso pássaro no ar. Não havia paradigma novo algum, disse. No fim das contas, o valor do mercado de ações só poderia refletir o comportamento da economia.

Então mostrou um slide para ilustrar como a cotação da Bolsa tinha ultrapassado astronomicamente o crescimento da economia. Isso significava, segundo Buffett, que os 17 anos seguintes talvez não fossem tão melhores do que aquele longo período de 1964 a 1981 quando a Bolsa ficou exatamente no mesmo lugar – isto é, a não ser que ela despencasse.

"Se eu tivesse que escolher a margem de lucro mais provável para esse período", ele disse, *"ela seria provavelmente de 6%."*[24]

Isso quando uma pesquisa recente do grupo PaineWebber-Gallup mostrara que os investidores esperavam que as ações dessem um lucro de 13 a 22%.[25]

Ele andou até à tela. Mexendo as espessas sobrancelhas, apontou para um cartum que mostrava uma mulher e um homem nus, tirado de um livro lendário no mercado de ações, Where Are the Customers' Yachts? (Onde estão os iates dos clientes?), de Fred Schwed.[26]

"O homem diz à mulher: 'Certas coisas não podem ser explicadas direito para uma virgem, com palavras ou fotografias.'"

A plateia entendeu o que ele queria dizer: quem estava comprando ações de empresas pontocom estava prestes a se ferrar. Eles ficaram sentados, num silêncio sepulcral. Ninguém achou graça. Ninguém deu uma risadinha que fosse.

Sem parecer notar, Buffett voltou para trás do palanque e contou à plateia sobre a guloseima que tinha trazido para eles da Berkshire Hathaway.

"Acabo de comprar uma companhia que opera jatos 'fracionários', a NetJets", disse. *"E pensei em dar a cada um de vocês uma participação de 25% em um Gulfstream IV. Mas quando cheguei ao aeroporto percebi que isso representaria uma queda de status para a maioria."* Disso eles riram. Então ele prosseguiu, falando que, em vez disso, daria uma lupa de joalheiro para cada um, dizendo que era para eles olharem para as alianças das esposas uns dos outros.

Aquilo acertou em cheio. A plateia caiu na gargalhada e aplaudiu. Mas de repente parou. Uma atmosfera de ressentimento começava a tomar conta do auditório. Passar sermão sobre os excessos da Bolsa de Valores no Sun Valley, em 1999, era como pregar castidade em um prostíbulo. A bronca podia deixar a plateia apavorada, mas isso não significava que eles se tornariam celibatários.

Mas houve quem achasse que tinha acabado de ouvir algo importante. "Isso foi uma maravilha; um curso básico sobre o mercado de ações, tudo numa aula só", pensou Gates.[27] E alguns gestores de recursos, muitos dos quais estavam caçando ações mais em conta, acharam a palestra tranquilizadora e até catártica.

Buffett brandiu um livro no ar.

"Este livro serviu de base intelectual para a febre da Bolsa de Valores de 1929. Common Stock as Long Term Investment *(Ações ordinárias como investimento de longo prazo), de Edgar Lawrence Smith, pretendia provar que ações sempre rendiam mais do que títulos. Smith identificou cinco motivos para isso, e o mais original era o fato de as companhias poderem reter parte de seus lucros para reinvestir em ações, com a mesma taxa de rendimento. Retenção de lucros, ninguém tinha pensado nisso antes, em 1924! Mas, como sempre costumava dizer Ben Graham, meu mentor, 'Você pode arranjar mais encrenca com uma ideia boa do que com uma ideia ruim', pois esquece que uma boa ideia tem seus limites. Lord Keynes, no prefácio do seu livro, dizia: 'É perigoso esperar que os resultados do futuro possam ser previstos no passado.'"*[28]

Ele tinha voltado ao assunto de antes: não se podiam tomar como uma base sólida os preços em disparada das ações nos últimos anos.

"Sobrou alguém que eu não tenha insultado?"[29] Ele fez uma pausa. A pergunta era retórica; ninguém ergueu a mão.

"Obrigado", disse, à guisa de conclusão.

"Elogie indivíduos, critique a categoria", essa era a lei de Buffett. Sua intenção com a palestra era provocar, e não enfurecer ninguém: ele dava muita importância ao que as pessoas pensavam a seu respeito. Por isso não apontou culpados e supôs, com razão, que todos engoliriam as suas piadas. Seu argumento era tão poderoso – quase incontestável – que ele achava que até mesmo aqueles que não gostassem da mensagem teriam que reconhecer sua força. E, mesmo que a plateia tivesse ficado desconfortável em alguns momentos, ninguém o expressou em voz alta. Ele respondeu a perguntas até a sessão acabar. Algumas pessoas começaram a se levantar para aplaudi-lo. Não importava a opinião delas sobre a palestra – se tinha sido uma exposição magistral de como se pensar sobre investimentos, ou o último rugido de um leão velho. Tinham assistido, indiscutivelmente, a um *tour de force*.

Buffett se mantivera no topo por 45 anos, num ramo em que cinco anos de bom desempenho já eram uma façanha. Ainda assim, à medida que o recorde aumentava, sempre pairava no ar a dúvida: quando ele tropeçaria? Um dia ele declararia o fim do seu reinado, ou algum abalo sísmico o derrubaria do trono? Talvez tenha sido necessária uma invenção tão importante quanto o computador pessoal, unida a uma tecnologia tão abrangente quanto a internet, para finalmente destituí-lo. Mas, aparentemente, Buffett ignorava as informações disponíveis e rejeitava a realidade do milênio que se aproximava. Enquanto murmuravam um educado "Excelente palestra, Warren", os jovens leões ficavam à espreita, irrequietos. Em seguida, durante o intervalo, até mesmo no banheiro feminino se podiam ouvir observações sarcásticas sobre ele, feitas pelas mulheres dos empresários do Vale do Silício.[30]

A questão não era apenas o fato de Buffett estar enganado, como achavam alguns, e sim que, mesmo que no final das contas ele mostrasse ter razão – como outros suspeitavam ser o caso –, a sua previsão melancólica do futuro dos investimentos contrastava vivamente com o seu próprio e lendário passado. Durante os seus dias de glória as ações eram baratas, e Buffett as comprara aos montes, percebendo quase sozinho as maçãs de ouro que estavam caídas, intocadas, pelo caminho. Com o passar dos anos surgiram barreiras que tornaram mais difícil investir, obter alguma vantagem, perceber algo que ninguém mais via. Então, quem era Buffett para repreendê-los, agora que chegara a vez deles? Quem era ele para dizer que não deveriam ganhar dinheiro enquanto podiam, naquele mercado maravilhoso?

No resto da tarde os convidados de Herbert Allen jogaram uma última partida de tênis ou golfe, ou foram para o gramado do Duck Pond para um bate-papo descontraído. Buffett passou a tarde com velhos amigos, que lhe deram os parabéns pelo discurso brilhante. Ele acreditava ter dominado a plateia a contento. Afinal de contas, não fizera um discurso tão polêmico só por fazer.

Buffett, que queria que as pessoas gostassem dele, registrara os aplausos de pé, mas não os cochichos. Segundo a versão menos lisonjeira, muitos não se convenceram. Eles achavam que a argumentação de Buffett tinha deixado de fora o boom tecnológico e ficaram espantados ao vê-lo fazer previsões tão específicas que sem dúvida se mostrariam equivocadas. Longe dos seus ouvidos, o burburinho continuava: "O bom e velho Warren está ultrapassado. Como ele pode ter perdido o bonde da tecnologia? Ele é amigo de Bill Gates!"[31]

Mais tarde, naquela mesma noite, a alguns quilômetros dali, no chalé River Run, os convidados do jantar de encerramento mais uma vez se reuniram segundo algum plano invisível. Herbert Allen finalmente falou, agradecendo a várias pessoas e refletindo sobre a semana. Então Susie Buffett assumiu o palco, ao lado das janelas com vista para o Big Wood River, repleto de seixos, e cantou velhos clássicos outra vez. Em seguida os convidados voltaram para o terraço do Sun Valley, onde patinadores olímpicos saltavam e desenhavam arabescos no gelo durante o espetáculo de patinação da noite de sábado.

Quando os fogos de artifício explodiram no céu, no fim da noite, o encontro Sun Valley'99 foi mais uma vez declarado um glorioso espetáculo de cinco dias. No entanto, o que ficaria na cabeça da maioria das pessoas não seria o passeio pelo rio, nem os patinadores, mas sim a palestra de Buffett sobre o mercado de ações – a primeira previsão desse tipo que ele ousou fazer em 30 anos.

3
Amantes da rotina
Pasadena – Julho de 1999

Charles T. Munger, sócio de Buffett, não estava em nenhum lugar do Sun Valley. Os organizadores do Allen & Co. nunca o convidavam. Munger não se importava com isso, pois Sun Valley era o tipo de evento ao qual ele quase pagaria para não ir. Seu cerimonial incluía agradar gente demais.[1] Buffett era quem gostava de agradar as pessoas. Mesmo quando dava suas alfinetadas na plateia, ele fazia questão de continuar benquisto pessoalmente. Munger, por sua vez, queria apenas ser respeitado, pouco se importando se os outros achassem que ele era um filho da mãe.

Ainda assim, na cabeça de muita gente, os dois eram quase idênticos. O próprio Buffett dizia que eram "praticamente irmãos siameses". Andavam daquele mesmo jeito gingado, um pouco esquisito. Usavam o mesmo tipo de terno cinza, que caía com dureza sobre seus corpos igualmente rígidos, de homens que passaram décadas lendo livros e jornais, em vez de praticar esportes ou trabalhar ao ar livre. Os cabelos grisalhos de ambos eram penteados para o lado, eles usavam óculos parecidos, estilo Clark Kent, e uma mesma intensidade parecia vibrar em seus olhos.

Buffett e Munger pensavam de forma semelhante e compartilhavam a mesma fascinação pelos negócios, como um quebra-cabeça que valia a pena passar a vida inteira tentando montar. Ambos consideravam a racionalidade e a honestidade as maiores virtudes de um homem. Para eles, a impulsividade e o hábito de mentir para si mesmo eram aquilo que mais induzia as pessoas ao erro. Os dois gostavam de refletir sobre as causas do fracasso, de modo a deduzir as regras do sucesso. "Faz tempo que busco inspirações invertendo a equação, como aconselhava o grande matemático Carl Jacobi", diz Munger. "Inverter é sempre a melhor saída." Ele ilustrava a sua teoria com a história de um camponês sábio que dizia: "Diga-me onde eu morrerei, para eu não ir até lá."[2] No entanto, enquanto Munger falava isso como metáfora, Buffett levava a história mais ao pé da letra.

Faltava-lhe o senso de fatalismo sutil de Munger, sobretudo quando o assunto era a sua própria mortalidade.

Os dois homens, no entanto, eram contagiados por uma necessidade de pregar. Munger descrevia a si mesmo como "didático". Ele se esforçava para elaborar as palestras que ocasionalmente fazia sobre a arte do sucesso na vida, consideradas tão reveladoras que foram reunidas e passadas de mão em mão – até que finalmente alguém as disponibilizou na internet. Ele fazia essas palestras com tanto entusiasmo que às vezes ficava "inebriado de si mesmo", nas palavras de Buffett, e praticamente tinha que ser arrancado para fora do palco. Munger costumava praticar sua oratória em particular, sozinho ou com ouvintes. Conversar com ele era como estar sentado no banco de trás de uma carruagem em disparada.

Embora se considerasse um cientista e arquiteto amador e não hesitasse em explicar as teorias de Einstein e Darwin, nem em discorrer sobre os hábitos racionais de pensamento ou avaliar a distância ideal entre as casas de um bairro de Santa Barbara, Munger tinha o cuidado de não se afastar demais daquilo que dedicara algum tempo a aprender. Ele temia cair nas garras do que um colega da Harvard Law School chamava de "Complexo do Botão de Sapato".

"O pai de um colega meu pegava a condução todos os dias com o mesmo grupo de conhecidos", disse Munger. "Um deles conseguira monopolizar o mercado de botões de sapato; era um mercado muito pequeno, mas todo dele. Esse sujeito enchia a boca para falar de qualquer assunto que você possa imaginar. Warren e eu sempre achamos que seria um grande erro agir dessa forma."[3]

Buffett não corria risco algum de sofrer do Complexo do Botão de Sapato, pois tinha medo de parecer desagradável ou, pior ainda, hipócrita. Acreditava no que chamava de Círculo de Competência: ele desenhava uma linha ao redor de si mesmo e se mantinha dentro dos três assuntos nos quais poderia ser reconhecido como especialista incontestável: dinheiro, negócios e sua própria vida.

Entretanto, assim como Munger, ele tinha a sua maneira particular de inebriar a si mesmo. Enquanto Munger era seletivo em relação às suas palestras, mas tinha dificuldade em concluí-las, Buffett geralmente conseguia concluir com facilidade uma palestra: sua dificuldade estava em evitar começá-la.

Ele discursava; escrevia artigos e editoriais; reunia pessoas em festas para lhes dar pequenas lições; testemunhava em processos judiciais; aparecia em documentários, dava entrevistas para a televisão e levava jornalistas para acompanhá-lo em suas viagens; visitava faculdades e ministrava cursos; convidava universitários para visitá-lo; preparava sermões para aberturas de lojas de móveis, inaugurações de centrais de telemarketing de companhias de seguros e jantares para clientes em potencial da NetJets; palestrava para jogadores de futebol americano nos seus vestiários; falava em almoços com congressistas; dava aulas para jornalistas em reuniões de conselhos editoriais e para seu próprio conselho de administração; e, acima de tudo, assumia um tom professoral nas cartas que enviava aos seus acionistas e nas reuniões que tinha com eles. A Berkshire Hathaway era sua "Capela Sistina" – não apenas uma obra de arte, mas uma ilustração das suas crenças, e por este motivo Munger se referia à empresa como o "empreendimento didático" de Buffett.

Ambos se tornaram a melhor plateia um do outro desde o momento em que se conheceram, num almoço, em 1959, apresentados por amigos em comum. Depois de encherem os ouvidos de seus anfitriões, os dois acabaram sozinhos na mesa, tagarelando sem parar. Desde então, continuaram uma conversa ininterrupta, por décadas a fio. Com o tempo, aprenderam a ler a mente um do outro, pararam de falar e levaram o papo adiante por telepatia. Mas, nessa altura, as suas outras plateias já tinham aumentado, incluindo seus amigos, sócios, acionistas – o mundo inteiro, na verdade. As pessoas saíam tontas do escritório de Buffett ou das palestras de Munger, dando tapas imaginários em suas testas e dizendo "Meu Deus!" diante de alguma inspiração que um dos dois tivera sobre um problema aparentemente insolúvel, mas cuja solução, olhando retrospectivamente, parecia óbvia. Contudo, independentemente de quanto eles falavam, a demanda por suas palavras não parava de crescer. Como quase tudo em suas vidas, eles consideravam aquele papel fácil e confortável, um papel aprimorado pela rotina.

Mas, quando insinuam que ele gosta da rotina, Buffett responde com um olhar magoado: *"Eu não sou um amante da rotina"*, diz. *"Agora, Charlie... Charlie é um amante da rotina."*

Munger se levantou de manhã e acomodou seus óculos antiquados, de armação grossa, no alto do nariz. Todos os dias ele entrava no carro exatamente na mesma hora, colocava no banco do carona a maleta do seu pai – que passara a ser dele – e seguia de Pasadena até o centro de Los Angeles.[4] Mudava para a pista da esquerda contando os carros no espelho retrovisor e então os observava passar, aguardando uma brecha.[5] (Durante anos ele dirigiu com uma lata de gasolina no porta-malas, para o caso de se esquecer de parar para abastecer, mas acabou sendo convencido a largar esse hábito.) Quando chegava ao centro, geralmente encontrava alguém para o café da manhã no California Club, um prédio art déco de tijolos amarelados e uma das instituições mais respeitáveis da cidade, encaminhando-se automaticamente para a primeira mesa na sala de jantar, depois de apanhar um punhado de jornais na parede ao lado do elevador do terceiro andar. Ele desmembrava os jornais furiosamente, como se fossem embalagens de presente na manhã de Natal, até eles se amontoarem ao seu redor.

"Bom dia, Sr. Munger", diziam os membros da elite empresarial de Los Angeles, fazendo reverência a caminho de suas mesas inferiores, contentando-se caso os reconhecesse e trocasse com eles, por um instante, uma ou duas palavras.

Munger os fitava com o olho direito. O esquerdo tinha sido perdido numa operação malsucedida de catarata.[6] Enquanto falava, sua pálpebra esquerda ficava ligeiramente pendurada e ele girava a cabeça de um lado a outro da sala, para absorver a cena toda. Aquele meio olhar giratório lhe dava um ar de vigilância e desdém constantes.

Depois de acabar de comer seus *blueberries*, Munger ia para o escritório modesto e entulhado que alugava da Munger, Tollers & Olson, a firma de advocacia que fundara em 1962 e da qual se aposentara três anos depois. Escondido nas alturas do Wells Fargo Center, seu reino era guardado por uma antiga secretária, a alemã Dorothe Obert. Ali, cercado de livros de Ciências e História, biografias de Benjamin Franklin, um retrato enorme do aforista e lexicógrafo Samuel Johnson, plantas e maquetes do seu mais recente negócio imobiliário e um enorme busto de Franklin diante das janelas, ele se sentia em casa. Munger admirava Franklin por ele ter abraçado os valores da burguesia protestante, enquanto vivia do jeito que bem entendia. Citava-o com frequência e passava os dias estudando suas obras e as dos demais "mortos ilustres", como os chamava, tais como Cícero e Maimônides. Também administrava a Wesco Financial, uma subsidiária da Berkshire; a Daily Journal Corporation, uma editora de livros de Direito de propriedade da Wesco; e trabalhava em um ou outro negócio imobiliário. Quem quisesse bater papo com ele – com exceção da família, amigos íntimos ou sócios – se deparava com o desencorajamento de Dorothe, com suas tiradas irônicas e de duplo sentido.

Munger passava boa parte do seu tempo trabalhando em prol de quatro causas. Quando tinha vontade, era capaz de fazer doações de uma generosidade quase espantosa. No entanto, por não ter exatamente um fraco pelos habitantes do que chamava de "Terra dos Reclamões", a sua caridade assumia sempre a forma de uma busca darwiniana para auxiliar os mais brilhantes. O Good Samaritan Hospital, a Harvard-Westlake School, a Huntington Library e a Stanford Law School eram as quatro instituições beneficiadas. Elas sabiam que o dinheiro e a boa vontade de Munger viriam acompanhados por diversos sermões, insistindo para que todos fizessem as coisas do jeito de Charlie. Ele teria o maior prazer em pagar pelos dormitórios da Stanford Law School, desde que a universidade fizesse cada quarto com exatamente tantos metros de largura, com uma janela exatamente aqui, o banheiro a tantos metros da cozinha, e construísse um estacionamento no lugar que ele indicasse. Munger personificava o antigo conceito de *noblesse oblige*, vinculando ao dinheiro toda sorte de condições – para o bem do próprio beneficiado, é claro, pois ele sabia o que era melhor.

Mesmo supervisionando dessa maneira as atividades de terceiros, Munger geralmente fechava o expediente a tempo para uma partidinha de golfe com seus camaradas do Los Angeles Country Club. Ele então se juntava à mulher, Nancy, para jantar, às vezes na casa de Pasadena que ele mesmo tinha projetado ou, o que era mais provável, com um grupo de amigos de longa data, novamente no California Club ou no Los Angeles Country Club. Ele sempre terminava seu dia com o nariz enfiado em um livro. Tirava férias regularmente, com seus oito filhos e enteados e seus vários netos, geralmente numa cabana na ilha Star, em Minnesota, onde, como seu pai, se tornara um pescador entusiasmado. Recebia dezenas de pessoas no seu catamarã enorme, o *Channel Cat* (descrito por um amigo como um "restaurante flutuante", e cuja função principal era o entretenimento). Em suma, apesar de suas idiossincrasias, Munger era um homem comum, de família, que gostava dos amigos, de frequentar clubes e de fazer caridade.

Buffett gostava dos amigos e dos clubes, mas não estava muito interessado em fazer caridade. Sua vida era ainda mais simples que a de Munger, apesar de sua personalidade ser muito mais complexa. Passava a maior parte do tempo em Omaha, mas sua agenda girava em torno de uma série de reuniões de conselho e viagens para visitar amigos, orquestradas com regularidade e sem pressa, como as fases da lua. Passava os dias na cidade, saindo da casa na qual morava havia quatro décadas e dirigindo cerca de dois quilômetros e meio até o escritório no Kiewit Plaza – que também ocupava havia décadas –, para se sentar, exatamente às 8h30, atrás da mesa que herdara do pai. Uma vez ali, ligava a televisão na CNBC, sem som, antes de apanhar sua pilha de jornais. Olhava de soslaio a tela enquanto revirava o monte de revistas sobre a mesa: *American Banker, Editor & Publisher, Broadcasting, Beverage Digest, Furniture Today, A. M. Best's Property-Casualty Review, The New Yorker, Columbia Journalism Review, New York Observer* e informativos redigidos por autores que ele admirava e que escreviam sobre o mercado de ações e títulos.

Em seguida ele digeria os relatórios mensais, semanais e anuais enviados por fax, correio e e-mail pelas empresas de propriedade da Berkshire – uma lista que ficava mais longa a cada ano que passava. Esses relatórios informavam quantos seguros de automóveis a Geico vendera na semana anterior e quantas indenizações havia pago; quantos quilos de doces a See's Candies vendera na véspera; quantos pedidos de uniformes de guardas penitenciários a Fechheimers tinha recebido; quantos pacotes de *time-share* a NetJets estava vendendo na Europa e nos Estados Unidos.

E todo o resto: toldos, recarregadores de bateria, quilowatts-hora, compressores de ar, alianças de noivado, aluguel de caminhões, enciclopédias, treinamento de pilotos, mobília residencial, equipamento cardiopulmonar, chiqueiros, aluguel de barcos, corretagem de imóveis, sundaes, guinchos e guindastes, metros cúbicos de gás, bombas de sucção, aspiradores de pó, anúncios de jornal, máquinas de contar ovos, facas, aluguel de mobília, calçados de enfermeiras, componentes eletromecânicos. Todos os números de suas receitas e despesas eram despejados no seu escritório, e ele sabia muitos de cabeça.[7]

No seu tempo livre, ele se debruçava sobre relatórios de centenas de companhias que ainda não tinha comprado. Em alguns casos, por estar interessado nelas; em outros, por desencargo de consciência.

Se algum dignitário fizesse uma peregrinação até Omaha para visitá-lo, ele pegava seu Lincoln Town azul-metálico e cruzava os cerca de dois quilômetros e meio até o centro da cidade e, de lá, ia até o aeroporto, para apanhá-lo pessoalmente. As pessoas ficavam assombradas e encantadas por esse gesto despojado, embora ele as deixasse logo em seguida com os nervos à flor da pele, ao praticamente ignorar placas de trânsito, semáforos ou outros carros, ziguezagueando pela estrada enquanto falava animadamente. Ele justificava essa desatenção dizendo que dirigia tão devagar que, se sofresse um acidente, o estrago seria mínimo.[8]

Sempre oferecia ao convidado um tour pelo seu escritório, mostrando seus totens, a *memorabilia* que contava a história da sua vida no mundo dos negócios. Então se sentava, inclinando-se para a frente numa poltrona, as mãos entrelaçadas e as sobrancelhas erguidas com simpatia, enquanto ouvia as perguntas e pedidos dos seus visitantes. Para cada um deles Buffett oferecia a mesma espirituosidade improvisada, conselhos calorosos e decisões rápidas sobre propostas de negócios. No caminho de volta, ele era capaz de surpreender o político famoso ou o CEO de alguma companhia gigantesca ao parar para almoçar num McDonald's, antes de levá-lo de volta ao aeroporto.

Em meio a leituras, pesquisas e eventuais reuniões, o telefone tocava o dia inteiro. Quem estivesse ligando pela primeira vez para o número de Buffett ficava chocado ao ouvir seu vigoroso "Alô!" e muitas vezes se atrapalhava quando percebia que ele próprio tinha atendido o telefone. Sua secretária, a amigável Debbie Bosanek, entrava e saía do escritório trazendo mensagens das ligações excedentes. No seu aparador, um segundo aparelho tocava de vez em quando. Essas ligações ele atendia imediatamente, pois eram do seu operador. *"Alô... hum hum... sim... quanto?... hum hum... vá em frente"*, dizia ele, desligando em seguida. Então retornava aos outros telefonemas, ou à leitura, ou à CNBC, antes de partir, às 17h30 em ponto, de volta para casa.

A mulher que o aguardava não era sua esposa. Ele falava com absoluta franqueza sobre Astrid Menks, com quem vivia, num triângulo amoroso pouco convencional, desde 1978. Susie Buffett aprovava o relacionamento e, na verdade, até fizera o papel de cupido. Contudo, ele e Susie faziam toda a questão de dizer que estavam casadíssimos, com sua rotina de casal tão programada e orquestrada quanto todo o resto da vida de Buffett. Ao mesmo tempo, o máximo de explicações que ele dava em público sobre essa situação era que *"se você conhecesse bem todo mundo, entenderia tudo muito bem"*.[9] Embora de certa forma isso fosse verdade, não tinha utilidade para os curiosos, já que ninguém conhecia bem Susie ou Astrid – nem, por sinal, o próprio Buffett. Ele mantinha esses relacionamentos à parte, como fazia com a maioria das suas relações pessoais. Ao que tudo indicava, no entanto, Astrid e Susie eram amigas.

Na maioria das noites, Buffett jantava – geralmente um hambúrguer ou uma costeleta de porco – em casa, com Astrid. Algumas horas depois voltava sua atenção para uma partida de bridge noturna, na internet, à qual dedicava cerca de 12 horas por semana. Enquanto clicava seu mouse, com os olhos grudados na tela e o barulho da televisão ao fundo, Astrid o deixava jogar em paz a maior parte do tempo, exceto quando ele pedia: *"Astrid, traga uma Coca para mim!"* Em seguida ele geralmente conversava um pouco por telefone com Sharon Osberg – sua parceira de bridge e uma de suas confidentes mais íntimas – enquanto Astrid zanzava pela casa até às dez, horário da teleconferência noturna de Buffett com Ajit Jain, que administrava sua resseguradora. Enquanto isso, Astrid ia ao mercado e comprava a primeira edição do jornal do dia seguinte. Enquanto ele lia, ela ia se deitar. E essa, ao que parecia, era a vida simples e comum de um multibilionário.

4
Qual o problema, Warren?

Omaha e Atlanta – Agosto-dezembro de 1999

Buffett investia quase todos os seus mais de 30 bilhões de dólares – 99% deles – em ações da Berkshire Hathaway. Ele falara no Sun Valley sobre como a Bolsa era mais importante como balança do que como urna eletrônica. No entanto, era o número de votos que suas ações recebiam que estabelecia a altura da qual ele podia ditar as regras. As pessoas prestavam atenção simplesmente porque ele era rico. Então, quando Buffett previu que a Bolsa poderia decepcionar os investidores nos 17 anos seguintes,[1] ele ficou à beira de um precipício – e sabia disso. Se estivesse enganado, não seria apenas motivo de chacota no Sun Valley; poderia despencar da sua posição no ranking dos homens mais ricos do mundo. E Buffett dava muito valor a esse ranking.

No final da década de 1990, a BRK (sigla da Berkshire Hathaway na Bolsa) havia reforçado seu perfil, sobrepujando o mercado, até alcançar um pico de 80.900 dólares por ação em junho de 1998. O fato de o preço de uma única ação da Berkshire poder comprar um pequeno imóvel era único no mundo dos negócios americano. Para Buffett, o preço das ações representava uma medida simples do seu sucesso. E esse preço tinha subido ininterruptamente desde o dia em que ele comprara a BRK por 7,50 dólares a ação. Embora a Bolsa tivesse sofrido turbulências no fim da década de 1990, um investidor que houvesse comprado ações da BRK continuaria no lucro.

AVALIAÇÃO ANUAL DO PREÇO DAS AÇÕES

	1993	1994	1995	1996	1997	1998
BRK	39%	25%	57%	6%	35%	52%
S&P[2]	10%	1%	38%	23%	33%	29%

Naquele ano de 1999, no entanto, era como se Buffett estivesse estacionado sobre uma plataforma de impopularidade – e possivelmente caminhando rumo ao naufrágio – enquanto observava o preço das ações das "T&T" (empresas de tecnologia e telecomunicação) subir sem parar. Já em agosto o valor da BRK tinha caído para 65 mil dólares por ação. Quanto valia um negócio grande e estabelecido que dava aos investidores um retorno de 400 milhões de dólares por ano? E quanto valia um negócio pequeno que estava perdendo dinheiro?

- A Toys 'R' Us dava um lucro de 400 milhões de dólares por ano, e suas receitas somavam 11 bilhões de dólares.
- A eToys amargava um prejuízo de 123 milhões de dólares por ano, e suas receitas somavam 100 milhões de dólares.

A urna eletrônica da Bolsa dizia que a eToys valia 4,9 bilhões de dólares, enquanto a Toys 'R' Us valia cerca de 1 bilhão a menos. Presumia-se que a eToys esmagaria a Toys 'R' Us pela internet.[3]

A única dúvida que pairava sobre a Bolsa dizia respeito aos prazos. Especialistas previam que o desastre poderia ocorrer à meia-noite do dia 31 de dezembro, pois os computadores não haviam sido programados para lidar com anos que começassem com o número "2". Temendo o pânico, o Federal Reserve – o Banco Central americano – começou a aumentar depressa as reservas de dinheiro para evitar a escassez de notas caso todos os caixas eletrônicos do país parassem ao mesmo tempo. Com esse impulso extra, logo depois do encontro no Sun Valley a Bolsa entrou numa espiral ascendente como uma bombinha de festa. Quem tivesse investido 1 dólar no Nasdaq, um índice dominado pelas ações das empresas de tecnologia, o veria passar a valer 1,25 dólar. O mesmo valor, aplicado na BRK, renderia apenas 8 centavos. Em dezembro o índice Dow Jones fechou o ano em alta de 25%. O Nasdaq ultrapassou com folga o nível de 4.000 pontos, numa alta incrível de 86%. A cotação da ação da BRK caiu para 56.100 dólares. Num período de poucos meses, parecia que um tsunami tinha derrubado a BRK da sua liderança de cinco anos.

Durante mais de um ano gurus financeiros fizeram pouco de Buffett, chamando-o de superado, de um símbolo do passado. Às vésperas do novo milênio, a *Barron's*, uma revista mensal de leitura obrigatória em Wall Street, o colocou na capa, com a pergunta "Qual o problema, Buffett?". A matéria principal afirmava que a Berkshire tinha levado um "tombo feio". Buffett estava enfrentando uma enxurrada de publicidade negativa, diferente de qualquer coisa que tivesse sofrido antes. "*Sei que vai mudar*", ele repetia. "*Só não sei quando.*"[4] Seus nervos, à flor da pele, o impeliam a contra-atacar. Em vez disso, não fez nada. Não reagiu.

No finalzinho de 1999, até mesmo os investidores tradicionais que seguiam o estilo de Buffett estavam fechando seus negócios ou cedendo e comprando ações de empresas de tecnologia. Buffett não fez o mesmo. O que ele chamava de seu Placar Interno – uma rigidez em relação a decisões financeiras que o inspirava desde sempre – não o deixou fraquejar.

"Eu me sentia como se estivesse de costas, com a Capela Sistina diante dos olhos e pintando livremente. Gosto quando as pessoas dizem: 'Nossa, que pintura mais bonita!' Mas eu sou o artista, e, quando alguém diz: 'Por que você não usa mais vermelho, em vez de azul?', é o fim. A pintura é minha. Não me importo com o que dizem sobre ela. Eu nunca vou terminá-la. E essa é uma das melhores coisas a respeito dela.[5]

O que mais determina o comportamento das pessoas é o fato de elas terem um Placar Interno ou um Placar Externo. Se alguém consegue ficar satisfeito com o seu Placar Interno, isso o ajuda. Sempre coloco a coisa da seguinte maneira: eu digo 'Veja bem, o que você prefere: ser o melhor amante do mundo e saber que todos acham que você é o pior, ou ser o pior amante do mundo e saber que todos acham que você é o melhor?' É ou não é uma pergunta interessante?

Vou fazer outra. Se o mundo não pudesse ver seus resultados no papel, você preferiria ser considerado o maior investidor do mundo, mas de fato ter o pior histórico do planeta, ou ser considerado o pior investidor do mundo, quando, na verdade, é o melhor?

Na educação dos filhos, acho que a lição que eles aprendem desde uma idade muito tenra é aquilo a que seus pais dão importância. Se os pais se importam apenas com o que o mundo vai pensar e ignoram a maneira como o filho se comporta de fato, ele acaba desenvolvendo um Placar Externo. Meu pai não foi assim: ele era um cara 100% Placar Interno.

Ele era um verdadeiro inconformista. Mas não por amor ao inconformismo. Ele simplesmente não se importava com o que os outros pensavam. Meu pai me ensinou como a vida deve ser. E eu nunca conheci ninguém como ele."

PARTE DOIS

O Placar Interno

5
A necessidade de pregar
Nebraska – 1869-1928

John Buffett, o primeiro Buffett de que se tem notícia no Novo Mundo, era um tecelão de sarja, supostamente descendente de huguenotes franceses. Ele fugiu para a América no século XVII, para escapar da perseguição religiosa, e se estabeleceu em Huntington, Long Island, como fazendeiro.

Pouco se sabe além disso sobre os primeiros Buffett nos Estados Unidos, exceto que foram todos fazendeiros.[1] Está claro, no entanto, que a necessidade de pregar de Buffett faz parte de um legado familiar. Um dos filhos de John Buffett[2] foi um exemplo precoce disso. Ele é famoso por ter navegado para o norte, pelo estreito de Long Island, até uma colônia costeira, em Connecticut, onde subiu ao topo de uma colina e começou a pregar para os pagãos. Mas é pouco provável que os proscritos, contraventores e céticos de Greenwich tenham se arrependido ao escutar suas palavras, uma vez que, segundo reza a lenda, um relâmpago o fulminou em seguida.

Várias gerações depois, Zebulon Buffett, um fazendeiro de Dix Hills, Long Island, deixou sua marca na árvore genealógica da família ao apresentar o primeiro registro de outro traço do clã Buffett: tratar os próprios parentes com extrema avareza. Isso se deu quando seu neto, Sidney Hoffman Buffett, largou o emprego na fazenda de Zebulon, revoltado com o salário vergonhosamente baixo que recebia.

Sidney, um adolescente desengonçado, foi para o Oeste até Omaha, Nebraska, para se juntar a George Homan, seu avô materno, em seu negócio de cocheiras.[3] O ano era 1867, e Omaha, uma colônia que consistia basicamente de um amontoado de cabanas de madeira. Desde a época em que funcionava como posto de abastecimento para aventureiros a caminho do Oeste, durante a Corrida do Ouro, Omaha fornecia as necessidades básicas dos pioneiros: jogatina, mulheres e bebida.[4] Mas, com o fim da Guerra Civil, aquilo estava prestes a mudar. Uma grande ferrovia transcontinental ligaria o país recém-reunido de costa a costa, e o próprio Abraham Lincoln decretou que Omaha seria o quartel-general da estrada de ferro. A chegada da Union Pacific encheu a cidade de um espírito comercial frenético, assim como de um senso de predestinação. Não obstante, o local manteve sua reputação de Sodoma, célebre pela devassidão[5] e como "antro de patifes".

Depois de trabalhar com o avô, Sidney deixou Omaha para abrir uma mercearia num vilarejo com ruas de terra. No seu negócio respeitável porém modesto, ele vendia frutas, legumes e carne até às 23 horas, todas as noites: tetrazes-das-pradarias por 25 centavos, coelhos por 10.[6] Seu avô Zebulon temia pelo futuro de Sidney e o bombardeava com cartas cheias de conselhos, contendo diversas regras às quais seus descendentes dão ouvidos até hoje – com uma exceção importante.

> "Tente ser pontual nas suas negociações. Você terá dificuldades em se entender com certos homens; com estes, faça a menor quantidade possível de negócios... Proteja seu crédito, pois ele vale mais que dinheiro...
> Se for continuar no comércio, *contente-se com lucros módicos.*
> Não tenha tanta pressa de enriquecer...
> Quero que você seja capaz de viver e morrer bem."[7]

Contentando-se com lucros módicos, num lugar que vivia uma ascensão desregrada, Sidney aos poucos tornou sua loja um sucesso.[8] Casou-se com Evelyn Ketchum e com ela teve seis filhos, sendo que vários morreram precocemente. Dois meninos, Ernest e Frank, estavam entre os sobreviventes.[9]

Já se disse que "nenhum homem recebeu um nome tão apropriado quanto Ernest Buffett".[10] Nascido em 1877, ele interrompeu sua educação formal na sétima série, para se juntar ao pai atrás do balcão durante o Pânico de 1893. Já Frank Buffett tinha um temperamento excêntrico, bem diferente do de seu metódico irmão: ele se tornou um homem grande e barrigudo, o pagão entre os puritanos da família, aquele que gostava de uma bebidinha.

Um dia, uma jovem estonteante apareceu na loja procurando emprego. Seu nome era Henrietta Duvall, e tinha viajado até Omaha para fugir de uma madrasta hostil.[11] Tanto Frank quanto Ernest se apaixonaram imediatamente pela jovem, mas foi Ernest, o mais bonito dos irmãos, que se casou com Henrietta em 1898. Logo depois dessa disputa, Ernest se tornou sócio do pai, Sidney; com o tempo, partiu para abrir outra mercearia. O primeiro filho de Ernest e Henrietta, Clarence, nasceu um ano depois do casamento, seguido por mais três meninos e uma menina. Frank continuou solteiro a maior parte da vida, e aparentemente, nos 25 anos que se seguiram, enquanto Henrietta era viva, ele e Ernest nunca voltaram a se falar.

Ernest se tornou um dos pilares da cidade. Na sua loja nova, as "horas eram longas; o salário, curto; as opiniões, férreas, e não havia tempo para tolices".[12] Sempre usando um terno alinhado, da sua mesa no mezanino ele impedia, com uma carranca, que seus empregados fizessem corpo mole, ou escrevia cartas exigindo que os fornecedores "fizessem a gentileza de apressar a entrega do aipo".[13] Ele cativava as clientes, mas nunca hesitava em julgar o próximo; e carregava um bloquinho preto, onde anotava os nomes das pessoas que o irritavam – sobretudo democratas e gente que não pagava as contas penduradas.[14] Ernest tinha certeza de que o mundo precisava das suas ideias e por isso viajava para fazer palestras em toda parte, nas quais lamentava o estado lastimável da nação e fazia contato com homens de negócios que partilhavam de suas ideias.[15] "*Insegurança não existia para ele. Sempre falava de forma exclamativa – e esperava que você reconhecesse que ele sabia o que era melhor*", diz Buffett.

Numa carta ao filho e à nora, na qual os aconselhava a sempre ter algum dinheiro vivo à mão, ele descreveu os Buffett como a encarnação da burguesia.

"Posso dizer que nunca existiu um Buffett que tenha deixado
uma grande propriedade, mas tampouco houve algum que não tenha
deixado nada. Eles nunca gastavam todo o dinheiro que ganhavam,
sempre guardavam parte dele – e conseguiram se sair muito bem assim."[16]

"Gaste menos do que você ganha" poderia, na verdade, ter sido o lema da família Buffett, acompanhado do seu desdobramento lógico: "Não contraia dívidas."

Henrietta, também descendente de huguenotes franceses, era tão frugal, determinada e abstêmia quanto seu marido. *Campbellite** devota, ela também sentia que sua missão era espalhar a Palavra. Enquanto Ernest estava na loja, ela atrelava os cavalos à carruagem da família e reunia as crianças para um passeio no campo, onde batia às portas das casas de fazenda para distribuir panfletos. Seu temperamento não ajudou em nada a abrandar as tendências naturais dos Buffett. Na verdade, há quem diga que Henrietta era a mais dedicada de todos os pregadores que já existiram na família.

Os Buffett eram comerciantes, e não membros da classe empresarial ou da elite mercantil. Descendentes dos colonos pioneiros de Omaha, eles sabiam muito bem qual era o seu lugar. A esperança de Henrietta era de que seus quatro filhos e sua filha se tornassem os primeiros da família a se formarem numa

---

* Membro da seita protestante Discípulos de Cristo. Este é um termo familiarmente usado pelos Buffett. (*N. da A.*)

faculdade. Para poder pagar por essa educação, ela apertava o orçamento da casa – até mais do que o estritamente necessário, dizem, mesmo para os padrões da família Buffett. Todos os filhos homens trabalharam duro na loja da família quando eram novos. Graças a isso, Clarence se formou em Geologia e começou uma carreira no ramo do petróleo;[17] George, o segundo filho, doutorou-se em Química e se mudou para a Costa Leste. Os três filhos mais novos, Howard, Fred e Alice, se formaram na Universidade de Nebraska. Fred passou a trabalhar na loja, e Alice se tornou professora de economia doméstica.

Howard, o terceiro filho e pai de Warren, nasceu em 1903. Ele tinha lembranças ruins em relação a se sentir excluído durante os anos em que estudou na Central High School, no começo da década de 1920. Omaha era controlada por um pequeno grupo de famílias que eram donas dos estábulos, bancos e lojas de departamentos – e que haviam herdado fortunas com as cervejarias agora fechadas pela Lei Seca. "Minhas roupas eram quase todas usadas, herdadas de meus dois irmãos mais velhos", dizia Howard. "Eu trabalhava como entregador de jornais e era filho de um dono de mercearia. Então as fraternidades escolares nem olhavam para mim. Eu era apenas um dos garotos que vinham de outra realidade." Aquele desprezo o afetou intensamente, gerando nele uma revolta profunda contra a divisão de classes e os privilégios dos bem-nascidos.[18]

Na Universidade de Nebraska, Howard se formou em Jornalismo e trabalhou no jornal da faculdade, o *Daily Nebraskan*, onde pôde conciliar a defesa dos excluídos – denunciando as atividades escusas dos poderosos – com o fascínio da família pela política. Não tardaria a conhecer Leila Stahl, uma garota cujas origens tinham despertado um interesse pela imprensa e uma consciência social semelhantes aos dele.

O pai de Leila, John Stahl, um homenzinho gentil de ascendência alemã, tinha percorrido numa charrete todo o condado de Cuming, no estado de Nebraska, com uma manta de couro de búfalo no colo, como superintendente escolar.[19] Segundo contava a família, ele era apaixonado pela mulher, Stella, que lhe deu três filhas – Edith, Leila e Bernice – e um filho, Marion. Mas, descendente de ingleses, Stella se sentia infeliz vivendo em West Point, Nebraska, uma cidade de donas de casa teuto-americanas, e jamais ficara à vontade ali. Dizem que ela se consolava tocando órgão. Em 1909, Stella sofreu um colapso nervoso. Isto deve ter parecido ser de uma recorrência agourenta na história da família, pois sua mãe, Susan Barber, que tinha fama de "maníaca", fora internada no Manicômio Estadual de Nebraska, onde morreu em 1899. Após um incidente no qual, segundo o folclore familiar, Stella perseguiu Edith com um atiçador de lareira nas mãos, John Stahl desistiu do seu trabalho itinerante para cuidar dos filhos. Stella se isolava cada vez mais em seu quarto escuro, onde ficava enrolando o cabelo nos dedos, aparentemente deprimida. Esse isolamento era pontuado por acessos periódicos de crueldade contra o marido e as filhas.[20] Stahl, percebendo que não poderia deixar as crianças sozinhas com a mãe, comprou um jornal, o *Cuming County Democrat*, de modo a poder ganhar a vida trabalhando em casa. Desde que Leila tinha 5 anos, essencialmente ela e suas irmãs cuidavam das tarefas domésticas, além de ajudarem o pai a colocar o jornal nas ruas. Ela aprendeu a soletrar fazendo composição tipográfica. "Quando eu estava na quarta série", lembra, "tínhamos que voltar da escola e compor os tipos do jornal do dia seguinte, antes de podermos sair para brincar." Aos 11 anos ela já sabia operar uma linotipo, que mais parecia uma britadeira, e faltava às aulas todas as sextas-feiras por causa das dores de cabeça que sofria depois de colocar o jornal na rua nas noites de quinta. Vivendo em cima do próprio negócio, numa casa infestada de ratos, a família depositou todas as suas esperanças de futuro em Marion, o irmão brilhante que estava estudando para ser advogado.

Durante a Primeira Guerra Mundial a vida ficou ainda mais difícil para os Stahl. Quando o *Cuming County Democrat* se posicionou contra os alemães numa cidade teuto-americana, metade dos seus assinantes deixou o jornal e passou a ler o *West Point Republican*, o que significou uma catástrofe financeira. O próprio John Stahl era um defensor ardoroso do democrata William Jenning Bryan. Na virada do século, Bryan foi um dos políticos mais importantes da sua geração, quase se tornando presidente dos Estados Unidos. No auge de sua vida política, ele defendeu uma espécie de "populismo", que expôs no seu mais famoso discurso:

"Existem dois conceitos de governo. Há os que acreditam que,
se você simplesmente governar para o bem dos ricos, a prosperidade
deles escorrerá até os que estão lá embaixo. O conceito democrata é que,
se você governar para o bem do povo, a prosperidade dele subirá,
permeando todas as classes que se apoiam nos seus ombros."[21]

Os Stahl se viam como parte do povo, a classe que sustentava as demais nos ombros. Mas a sua capacidade de suportar a carga não estava aumentando. Em 1918, Bernice, a irmã de 16 anos de Leila – considerada a menos inteligente das irmãs – aparentemente começou a desistir da vida. Ela estava convencida de que acabaria doente mental, como a avó e a mãe, e que morreria como a primeira, internada no Manicômio Estadual de Nebraska.[22] Nessa época a situação escolar de Leila indica uma vida doméstica caótica. Ela adiou sua entrada na faculdade por dois anos, para ajudar o pai. Após um único semestre na Universidade de

Nebraska em Lincoln, ela voltou para casa por mais um ano, novamente para ajudá-lo.[23] Cheia de energia e considerada a mais inteligente das meninas, Leila mais tarde retratou esse período sob uma ótica diferente, descrevendo sua família como perfeita e afirmando que abandonou a faculdade por três anos para tentar conseguir uma bolsa de estudos.

Quando chegou a Lincoln, em 1923, tinha uma ambição clara e confessada: encontrar um marido. Foi diretamente para o jornal da faculdade, para pedir um emprego.[24] Garota de estrutura frágil, com um cabelo curto e liso que se agitava como um passarinho na primavera, Leila era dona de um sorriso encantador, que suavizava a expressão dos seus olhos, penetrantes como flechas. Howard Buffett, que havia começado no *Daily Nebraskan* como colunista de esportes antes de se tornar editor, a contratou imediatamente.

Moreno bonitão com um estilo professoral, Howard foi um dos 13 estudantes dentre todo o corpo discente que foram selecionados para os Innocents, uma fraternidade de "homens extraordinários" do campus que tinha como modelo as sociedades honorárias de Harvard e Yale. Assim batizados em homenagem aos 13 papas Inocêncio de Roma, os Innocents se declaravam paladinos da luta contra o mal. Eles também patrocinavam os bailes de formatura e as cerimônias de recepção aos ex-alunos.[25] Ao conhecer um homem tão ilustre no campus, Leila o agarrou no mesmo instante.

"Bem, não sei que diferença ela fazia no *Daily Nebraskan*", afirmou Howard posteriormente, "mas sem dúvida ela fez diferença para *mim*. E nunca me arrependi disso. Pode ter certeza, foi o melhor negócio que eu já fiz."[26] Leila era uma boa aluna, com talento para matemática, e corria o boato de que, quando ela anunciou seu plano de abandonar a faculdade para se casar, seu professor de cálculo jogou no chão o livro que segurava, desgostoso.[27]

Howard, que estava prestes a se formar, foi se encontrar com o pai, para conversar sobre a sua carreira. Ele não tinha nenhum interesse especial em dinheiro, mas, influenciado por Ernest, desistiu da profissão nobre – e mal remunerada – do jornalismo, bem como da possibilidade de estudar Direito, para vender seguros.[28]

Os recém-casados se mudaram para um pequeno bangalô branco de quatro quartos em Omaha, que Ernest encheu de móveis como presente de casamento. Leila o equipou de cima a baixo com 366 dólares – de artigos comprados, segundo ela, a "mais ou menos o preço de atacado".[29] Daquele dia em diante ela dedicou toda a sua energia, a sua ambição e o dom que tinha para a matemática – que, seguramente, era maior que o do seu marido – a impulsionar a carreira de Howard.[30]

No início de 1928 nasceu Doris Eleanor, a primeira filha dos Buffett.[31] Mais tarde, naquele ano, Bernice, irmã de Leila, sofreu um colapso nervoso e foi obrigada a abandonar o emprego de professora. Leila, no entanto, parecia livre da melancolia que vitimara a mãe e a irmã. Um furacão de energia, ela podia falar durante horas sem parar (embora sempre tagarelasse sobre as mesmas histórias). Howard a chamava de "Ciclone".

Enquanto os Buffett se habituavam à vida de casados, Leila convenceu Howard a entrar para a sua igreja, a First Christian Church, relatando com orgulho, no seu diário, a tarde em que ele se tornou diácono.[32] Ainda apaixonado por política, Howard começou a demonstrar alguns sinais da necessidade de pregar, vocação típica de sua família. Mas quando ele e Ernest transformavam a mesa de jantar num fórum de discussões intermináveis, Fred, irmão de Howard, ficava tão entediado que se deitava no chão e dormia.

Leila, contudo, acabou se convertendo às ideias políticas do marido, tornando-se uma republicana apaixonada. Os Buffett aplaudiam Calvin Coolidge – o homem que proclamara que "o maior negócio dos americanos são os negócios"[33] – e compartilhavam a sua crença num Estado reduzido, com o mínimo de regulação. Era verdade que Coolidge baixara os impostos e concedera cidadania a indígenas americanos, mas, na maior parte do tempo, ele ficava de bico calado e não causava problemas. Em 1928, Herbert Hoover, seu vice-presidente, foi eleito para sucedê-lo, prometendo continuar sua política pró-empresarial. O mercado de ações prosperara no governo Coolidge e os Buffett acreditavam que Hoover era o homem certo para mantê-lo assim.

> *"Quando eu era criança"*, diria Warren posteriormente, *"tive toda sorte de privilégios. Tive a vantagem de viver numa casa em que as pessoas falavam sobre coisas interessantes, tive pais inteligentes e frequentei boas escolas. Duvido que pudesse ter sido criado por pais melhores que os meus. Isso foi de uma importância enorme. Meus pais não me deram dinheiro, e sinceramente eu não queria nenhum. Mas nasci no lugar e na hora certos.* **Tirei a sorte grande na Loteria do Ovário."**

Buffett sempre creditou a maior parte do seu sucesso à sorte. Mas, quando o assunto eram as lembranças que tinha de sua família, ao menos em parte ele recriava a realidade. Poucas pessoas concordariam que ele não poderia ter sido criado por pais melhores. Aliás, quando Buffett falava sobre como era importante, para os pais, ter um Placar Interno na criação dos filhos, ele sempre usava o pai como exemplo. Nunca citava a sua mãe.

6
A corrida da banheira
Omaha – Década de 1930

Na década de 1920, as bolhas de champanhe de um mercado de ações espumante levaram pessoas comuns a investir na Bolsa pela primeira vez.¹ Em 1927, Howard Buffett decidiu se juntar a elas e conseguiu um emprego como corretor de valores no Union State Bank.

A festa terminou dois anos depois. Na "Terça-feira Negra" que foi o 29 de outubro de 1929, a Bolsa registrou uma perda de 14 bilhões de dólares num único dia.² Uma fortuna quatro vezes maior que o orçamento do governo norte-americano evaporou em questão de horas.³ A queda da Bolsa custou 30 bilhões de dólares aos Estados Unidos, algo próximo do valor total que o país gastara na Primeira Guerra Mundial.⁴

Em meio às falências e suicídios que se seguiram, as pessoas começaram a juntar dinheiro, e ninguém mais queria ações.

"Isso foi quatro meses antes de meu pai fazer sua última venda. A sua primeira comissão tinha sido de cinco dólares. Minha mãe costumava pegar o bonde com ele à noite, esperando-o na calçada enquanto ele falava ao telefone, para que ele não ficasse muito deprimido no caminho de volta para casa."

Dez meses depois da quebra, no dia 30 de agosto de 1930, Warren Edward, o segundo filho dos Buffett, nasceu, cinco semanas antes do tempo.

Um Howard ansioso foi visitar o pai, na esperança de conseguir trabalho na mercearia da família. Todos os Buffett, mesmo aqueles que tinham outros empregos, colocavam um dinheirinho na loja toda semana, mas somente seu irmão Fred trabalhava nela em tempo integral – e por uma ninharia. Ernest, no entanto, disse a Howard que não tinha dinheiro para pagar um salário a outro filho.⁵

De certa forma Howard se sentiu aliviado. "Escapara" de trabalhar na loja e não queria voltar ali nunca mais.⁶ Mas ele temia que a sua família passasse fome.

"Não se preocupe com comida, Howard", disse-lhe Ernest. "Vou deixar a conta de vocês pendurada."

"*Esse era o meu avô*", dizia Warren. "'*Vou deixar a conta de vocês pendurada.*'" A questão não era que Ernest não amasse a família: "*A gente só queria que ele demonstrasse isso com um pouco mais de frequência.*"

"Acho que seria melhor você voltar para sua casa em West Point", disse Howard à mulher. "Pelo menos lá você vai ter três refeições por dia." Mas Leila quis ficar. Ela percorria a pé o caminho até a leiteria Robert's, para economizar o dinheiro da passagem do bonde. Começou a faltar às reuniões da igreja, porque não tinha os 25 centavos para contribuir para o café.[7] Em vez de deixar uma conta pendurada na loja da família, ela muitas vezes preferiu deixar de comer, para que Howard não ficasse sem se alimentar.[8]

Duas semanas antes do primeiro aniversário de Warren, num sábado, as pessoas faziam fila no centro da cidade, pingando suor no calor de quase 38 graus, esperando para reaver seu dinheiro que estava sob a custódia duvidosa dos bancos locais. Elas aguardaram na fila, arrastando os pés, do começo da manhã até às 22 horas, contando e recontando as pessoas à sua frente, repetindo silenciosamente um rosário financeiro: "Por favor, Deus, permita que ainda tenha dinheiro quando chegar a minha vez."[9]

Nem todas as orações foram ouvidas. Quatro bancos do estado fecharam as portas naquele mês sem reembolsar seus clientes. Um deles foi o empregador de Howard Buffett, o Union State Bank.[10] Warren repete a lenda da família: "*No dia 15 de agosto de 1931 ele foi até o banco. Isso foi dois dias depois do seu aniversário, e o banco estava fechado. Ele estava desempregado, e seu dinheiro estava na agência. Tinha dois filhos pequenos para alimentar.*[11] *Não sabia o que fazer. Não havia nenhum emprego disponível.*"

Apenas duas semanas depois, porém, Howard e dois sócios, Carl Falk e George Sklenicka, deram entrada nos documentos para abrirem uma corretora de valores chamada Buffett, Sklenicka & Co.[12] Era uma decisão que ia contra a maré: abrir uma corretora numa época em que ninguém queria comprar ações.

Três semanas depois a Inglaterra abandonou o "padrão-ouro".* Isso significava que, para evitar a quebra, o país – que estava afundado em dívidas – simplesmente imprimiria mais dinheiro para quitar seus empréstimos. Este é um truque hábil, que apenas um governo pode fazer. Era como se o país com a moeda com

---

* Naquela época a quantidade de ouro detida pelo Tesouro do país determinava a quantidade de dólares em circulação. O "padrão-ouro" impedia o Estado de provocar inflação simplesmente imprimindo dinheiro. *(N. da A.)*

o maior índice de confiança e aceitação do seu tempo anunciasse: "Nós vamos passar cheques sem fundo, e é melhor aceitá-los, senão..." Aquilo minou imediatamente a confiança em instituições que antes eram consideradas mais do que seguras. Em todo o mundo os mercados financeiros despencaram.

A economia já claudicante dos Estados Unidos engasgou de vez e mergulhou em queda livre. Uma série de bancos faliu, sugada pelo vácuo econômico. Em várias cidades, sucessivamente, clientes se acotovelavam para chegar à boca dos caixas e eram mandados embora.[13] Porém, no meio desse turbilhão, o negócio de Howard prosperava. A princípio, seus clientes eram, basicamente, amigos da família. Ele lhes vendeu valores mobiliários seguros, como ações de serviços públicos e títulos municipais. Durante o primeiro mês de operações da empresa, enquanto o pânico financeiro se espalhava pelo mundo todo, ele retirou 400 dólares de comissão, e a firma deu lucro.[14] Nos meses que se seguiram, enquanto as economias das pessoas evaporavam e a fé nos bancos desaparecia, Howard se manteve fiel ao mesmo estilo conservador de investimento que o fizera começar, ganhando clientes de forma constante – e aumentando o seu negócio.[15]

A sorte da família tinha mudado completamente. Então, logo antes do segundo aniversário de Warren, Charles Lindbergh Jr. foi sequestrado e assassinado em março de 1932. O rapto do filho da "Águia Solitária" foi "a história mais impressionante desde a Ressurreição de Cristo", segundo o jornalista H. L. Mencken. Sequestros se tornaram uma paranoia no país, fazendo os pais alardearem o pavor que sentiam de que seus filhos fossem raptados, e os Buffett não foram exceção.[16] Naquela época, Howard sofreu uma espécie de síncope, grave o suficiente para Leila chamar uma ambulância. Algum tempo depois, a Mayo Clinic diagnosticou nele uma doença cardíaca.[17] Dali em diante, ele passaria a viver com restrições: não podia levantar peso, nem correr, nem nadar. Leila, cuja vida àquela altura girava exclusivamente em volta de Howard, o Príncipe Encantado que a salvara do destino terrível de operar uma máquina de linotipo, deve ter ficado horrorizada diante da ideia de que algo pudesse acontecer com ele.

Warren era uma criança medrosa, que mantinha os joelhos dobrados para se manter perto do chão quando aprendeu a andar. Aos 2 anos, quando sua mãe o levava à igreja, ele só ficava tranquilo quando se sentava junto aos seus pés. Ela o distraía com um brinquedo improvisado: uma escova de dentes. Warren olhava a escova em silêncio, por duas horas, sem desviar o foco.[18] O que ele poderia estar pensando enquanto fitava aquelas fileiras de cerdas?

Em novembro daquele ano, com o país em crise, Franklin Delano Roosevelt foi eleito presidente. Howard tinha certeza de que aquele privilegiado, que não sabia nada sobre as pessoas comuns, iria destruir a moeda do país e arruinar a sua economia.[19] Ele guardou um saco grande de açúcar no sótão e se preparou para o pior. Àquela altura, Howard parecia um Clark Kent ingênuo, usando um terno executivo, muito míope atrás dos seus óculos com armação de arame, com um cabelo escuro que rareava, um sorriso decidido e boas maneiras. Mas ele ficava irascível quando o assunto era política, e repassava as notícias do dia a plenos pulmões durante o jantar. Doris e Warren provavelmente não faziam ideia do que Howard estava falando quando vociferava sobre os horrores que acometeriam o país quando um democrata ocupasse a Casa Branca. Termos como "socialismo" começaram a se infiltrar na mente das crianças. Depois do jantar, eles observavam seu imponente pai se recolher à poltrona de couro vermelha, na sala de estar, sentar-se ao lado do rádio e desaparecer durante horas, com a cabeça enfiada atrás de jornais e revistas.

Política, dinheiro e filosofia eram assuntos aceitáveis para se discutir à mesa de jantar na casa dos Buffett, mas não se podia dizer o mesmo dos sentimentos.[20] Mesmo numa época em que os pais não costumavam demonstrar afeto, a falta de ternura de Howard e Leila era digna de nota. Ninguém na família Buffett dizia "Eu te amo", nem colocava as crianças para dormir com um beijo.

Mas, para quem estivesse de fora, Leila parecia a mãe e esposa perfeita. As pessoas a consideravam animada, alegre, maternal, meiga, e havia quem a achasse "um estouro".[21] Quando contava mais uma vez a sua história, coisa que gostava de fazer, ela excluía as partes embaraçosas, descrevendo-se como uma pessoa de sorte, criada por pais cristãos maravilhosos. Seus relatos favoritos eram sobre os sacrifícios que ela e Howard tiveram que fazer: os três anos de estudos que perdera para juntar o dinheiro para a faculdade; os quatro meses que Howard passara sem vender quando começou seu negócio; as vezes que andara até a leiteria para economizar a passagem do bonde. Leila mencionava sempre suas crises de "nevralgia" (às vezes confundida com enxaqueca), que ela atribuía aos anos da infância que tinha passado operando a linotipo.[22] No entanto, ela agia como se tivesse que fazer tudo sozinha e exigia muito de si: organizava partidas de bridge na hora do chá, comandava os churrascos, aniversários e comemorações, ligava para todos os vizinhos e cozinhava para os jantares da igreja. Ela fazia mais visitas, assava mais biscoitos e escrevia mais bilhetes do que qualquer outra pessoa. Quando estava grávida, preparava sozinha as refeições da família inteira – e cheirava uma barra de sabão para abrandar seu enjoo matinal.[23] Acima de tudo, a sua postura era: tudo por Howard. "Ela carregou uma cruz", disse sua cunhada Katie Buffett.[24]

Contudo, a atitude de responsabilidade e sacrifício de Leila tinha outro lado, mais sombrio: culpa e vergonha. Depois que Howard pegava o bonde, pela manhã, para ir trabalhar, enquanto Doris e Warren brincavam ou se vestiam,

Leila explodia com eles. Às vezes o tom de voz podia sinalizar que seu pavio estava aceso, mas geralmente não havia aviso.

"Era sempre algo que nós tínhamos dito ou feito, e então vinha aquela explosão, que não diminuía de intensidade. Todos os nossos erros passados eram trazidos à tona. Era interminável. Às vezes minha mãe atribuía aquilo à nevralgia, mas isso nunca ficou claro."

Nos seus acessos de fúria, Leila açoitava verbalmente os filhos, sem parar, sempre da mesma forma: tinham uma vida fácil, comparada com seus sacrifícios; eles eram imprestáveis, ingratos e egoístas e deveriam sentir vergonha. Todo e qualquer defeito, real ou imaginário, servia de pretexto; quase sempre ela dirigia as suas invectivas contra Doris, e continuava repetindo as mesmas coisas por pelo menos uma hora, às vezes duas. Ela não parava até que as duas crianças *"simplesmente se dobravam"*, nas palavras de Warren, chorando desamparadas. "Ela não ficava satisfeita antes de nos levar às lágrimas", lembra Doris. Warren era forçado a assistir às suas explosões, incapaz de proteger sua irmã e tentando desesperadamente não se tornar ele próprio um alvo. Se ficava claro que seus ataques eram deliberados, e que ela podia controlá-los até certo ponto, a forma como ela interpretava seu próprio comportamento como mãe não era tão clara assim. Mas, independentemente do que ela julgasse estar fazendo, quando Warren tinha 3 anos e sua irmã Roberta, que era chamada de Bertie, nasceu, *"não havia mais remédio"*, ele diz, nem para ele nem para Doris. O estrago em suas almas já estava feito.

As crianças nunca pediram ajuda ao pai, mas sabiam que ele estava ciente dos ataques de Leila. Howard às vezes lhes dizia: "Mamãe está em pé de guerra", uma pista de que uma bronca estava a caminho. Mas nunca intervinha. Geralmente, porém, as explosões de Leila se davam longe dos ouvidos de Howard, e jamais se dirigiam a ele. De certa forma, portanto, ele era o protetor das crianças. Embora não as tenha salvado, Howard ainda representava segurança, pois, ao menos quando ele estava por perto, elas ficavam protegidas.

DO LADO DE FORA DO TEMPESTUOSO BANGALÔ BRANCO NA BARKER AVENUE, NEBRASKA estava tomando o rumo da ilegalidade. O contrabando de bebidas prosperou em Omaha até o terceiro aniversário de Warren.[25] No campo, fazendeiros que se deparavam com execuções hipotecárias de imóveis em terras quase incultiváveis partiram para a desobediência civil.[26] Cinco mil fazendeiros fizeram uma passeata até a sede do governo em Lincoln, forçando um legislativo apavorado a aprovar uma lei que dilatava os prazos das hipotecas.[27]

Ventos frios varreram as áridas colinas de areia do Oeste em novembro de 1933, formando redemoinhos enormes, cheios de raspas de solo, e criando nuvens negras imponentes, que sopravam para o Leste, até à cidade de Nova York, à velocidade impressionante de quase 100 quilômetros por hora. A ventania, em sua fúria, despedaçava vidros de janelas e arrancava carros da estrada. O jornal *The New York Times* comparou o fenômeno à erupção vulcânica do Krakatoa. Era o início da época das tempestades de areia.[28]

Enfrentando a pior seca do século XX, os habitantes do Meio-Oeste se refugiaram em suas casas, enquanto jatos de areia grossa açoitavam a pintura e trincavam as janelas dos seus automóveis. Leila varria uma espessa camada de pó vermelho da varanda todas as manhãs. No aniversário de 4 anos de Warren, uma nuvem de poeira avermelhada encobriu a varanda da frente da casa dos Buffett, e o vento arrancou os pratos de papel e guardanapos de cima da mesa.[29]

Junto com a poeira vieram anos de um calor extraordinário. No verão de 1934 a temperatura em Omaha chegou perto de 48 graus. Depois de procurar uma vaca por dias a fio, um fazendeiro de Nebraska a encontrou numa fenda no solo, num restolhal distante; ela havia ficado presa quando o solo árido se partiu.[30] Camponeses contavam anedotas sobre um sujeito que desmaiou quando lhe caiu uma gota d'água na cara e teve que ser reanimado com três baldes de areia. As pessoas dormiam no quintal dos fundos, acampadas no terreno da Central High School ou no gramado do Museu de Arte Joslyn, de Omaha, para não assarem nos fornos que suas casas tinham se tornado. Warren tentava em vão dormir coberto com lençóis encharcados d'água, mas nada conseguia resfriar o ar abafado que subia até seu quarto, no segundo andar.

Com a seca e o calor recordes de 1934,[31] milhões de gafanhotos chegaram para devorar o milho e o trigo, secos até o talo.[32] John Stahl, pai de Leila, sofreu um derrame naquele ano. Quando visitava sua avó em West Point, Warren conseguia ouvir o zumbido dos gafanhotos vorazes ao fundo. Nos piores dias, eles consumiam as cercas, as roupas no varal e, por fim, uns aos outros, além de entupirem os motores dos tratores e formarem no ar nuvens grossas que chegavam a ocultar um carro.[33]

Na verdade, o começo da década de 1930 trouxe muitas outras coisas para temer, além do próprio medo.[34] A economia piorou ainda mais. Imitadores dos gângsteres mais famosos do período – Al Capone, John Dillinger e Baby Face Nelson – grassavam no Meio-Oeste, saqueando os já vulneráveis bancos.[35] Pais temiam os andarilhos, que vinham das regiões arrasadas pelas tempestades de areia, e os ciganos que passavam pela cidade. Surtos periódicos de raiva deixavam as crianças de quarentena dentro de casa. As piscinas públicas foram fechadas, nos dias mais quentes do verão, por medo da "paralisia infantil" – a poliomielite –, e os pais alertavam constantemente os filhos de que, se eles encostassem os lábios num bebedouro público, poderiam pegar pólio e ficar paralíticos, passando a respirar com um pulmão artificial.³⁶

Mas os habitantes de Nebraska eram treinados desde o berço a reagir às calamidades com um otimismo ferrenho. Aqueles anos de poeira e seca simplesmente criaram um cenário rotineiro na vida do Meio-Oeste. As crianças se acostumaram ao clima difícil, num estado atormentado por tornados e ventanias fortes o suficiente para arrancar uma locomotiva dos trilhos.³⁷

As três crianças da família Buffett iam à escola, brincavam e corriam para cima e para baixo com uma dezena de amiguinhos, sob um calor de 40 graus, em piqueniques improvisados nas vizinhanças, enquanto seus pais andavam de terno e suas mães usavam vestidos e meias-calças.

Muitos vizinhos sofreram com o franco declínio de seus estilos de vida, mas Howard, filho de um dono de mercearia, tinha elevado a sua família ao patamar mais confortável da classe média. "Mantivemos um progresso constante, mesmo durante aquela época difícil", ele recordaria posteriormente, "mas de uma maneira bastante modesta." Ele, sim, estava sendo modesto: enquanto dezenas de homens faziam fila por um emprego que pagava 17 dólares por semana para dirigir os caminhões da mercearia Buffett & Son, a persistência de Howard em bater de porta em porta levara a sua corretora, então chamada Buffett & Co., a um sucesso impressionante.³⁸ Em 1935, quando Omaha estava provisoriamente sob lei marcial, provocada pelos protestos e pelas greves dos bondes, Howard comprou um Buick novo em folha. Aos poucos, ele passou a exercer um papel ativo na política republicana local. Aos 7 anos, Doris, que sempre adorara o pai, vislumbrou a sua futura biografia e escreveu, na capa de um de seus cadernos: *Howard Buffett, estadista*.³⁹ Um ano mais tarde, ainda sob a sombra da Grande Depressão, Howard construiu para a família uma casa muito maior, de dois andares, feita de tijolos vermelhos, no estilo Tudor, em Dundee, um bairro de Omaha.⁴⁰

Quando a família se preparava para a mudança, Leila recebeu a notícia de que Marion, seu irmão, tinha recebido o diagnóstico de um câncer incurável aos 37 anos. *"Meu tio Marion era o orgulho e a alegria da família da minha mãe"*, diz Buffett, assim como a maior esperança deles de que o sobrenome avançasse sem a mácula da loucura.⁴¹ Sua morte naquele mês de novembro, sem deixar filhos, deixou a família devastada. A má notícia seguinte chegou quando John Stahl, pai de Leila, sofreu outro derrame naquele mesmo ano, desta vez com sequelas graves. Sua irmã Bernice, que cuidava dele em casa, parecia afundar cada vez mais na depressão. Sua outra irmã, Edith, que era professora e a mais bonita e aventureira das moças, prometera continuar solteira até os 30 anos, ou até Bernice se casar; Leila, no entanto, esperta e atenta, se recusara a ficar presa aos fantasmas da sua família. "Chegaria lá" a qualquer preço; conquistaria uma vida normal, com uma família normal.[42] Ela planejou a mudança e comprou móveis novos. Dando um grande passo na sua escalada social, Leila pôde até contratar uma empregada doméstica para trabalhar meio expediente, Ethel Crump.

Nessa altura, Leila – no papel de mãe experiente de uma família próspera – conseguiu estabelecer uma relação mais saudável com a sua filha caçula, Bertie, mas os intervalos entre seus acessos de fúria não diminuíam. Bertie sabia que a mãe tinha um gênio difícil, mas afirma ter-se sentido sempre amada. Warren e Doris não podiam dizer o mesmo. E o carinho patente de Leila por Bertie não os ajudava a superar a sua sensação de inutilidade.[43]

Em novembro de 1936, Franklin Delano Roosevelt foi eleito para um segundo mandato. O único consolo de Howard era que Roosevelt estaria longe da presidência dali a quatro anos. Enquanto ele lia todas as noites jornais conservadores, as crianças escutavam o rádio, brincavam ou cantavam hinos religiosos acompanhadas por Leila na mais recente aquisição da família – um órgão, como aquele que a sua própria mãe costumava tocar.

Se a casa nova dos Buffett e seus luxos eventuais, como o órgão, refletiam a sua ascensão social, Leila sempre deu presentes simples, práticos e nada marcantes a seus filhos, como roupas compradas em liquidações, sem direito a troca, e artigos de necessidade básica – que não correspondiam em nada às fantasias de uma criança. Warren tinha uma ferrovia oval de brinquedo, muito simples, e queria um modelo mais caro, do tipo que vira na loja de departamentos Brandeis, no centro da cidade, com diversas locomotivas que serpeavam por luzes piscantes e placas, subindo colinas cobertas de neve e mergulhando em túneis, disparando por vilarejos e desaparecendo em meio a florestas de pinheiros. Mas o mais perto que ele chegou disso foi comprar o catálogo que descrevia o brinquedo.

"Se você fosse um menininho com uma pequena ferrovia oval de brinquedo, olhar para aquele negócio seria a coisa mais inacreditável. Paguei com o maior prazer os 10 centavos pelo catálogo de trens em miniatura e ficava simplesmente olhando para ele, fascinado."

Sendo uma criança introvertida, Warren podia ficar horas entregue ao catálogo de trenzinhos. Às vezes, no entanto, antes de ir para a escola, ele se *"escondia"* – nas palavras dele – na casa do seu amigo Jack Frost, alimentando uma paixão "infantil" pela mãe amorosa de Jack, Hazel. Com o passar do tempo, desenvolveu o hábito de passar muitas horas nas casas de vizinhos e parentes.[44] A favorita era a irmã de seu pai, Alice, uma mulher alta que continuava solteira, morava na casa do pai e ensinava economia doméstica. Cercando Warren de ternura, ela mostrava interesse em tudo o que ele fazia e o incentivava com muito tato.

Quando Warren entrou para o jardim de infância,[45] seus hobbies e interesses passaram a ser relacionados a números. Por volta dos 6 anos, ele ficou fascinado com a precisão com que podia medir o tempo em segundos e desejou ardentemente ter um cronômetro. Alice sabia muito bem que não deveria lhe dar um presente tão importante sem pedir nada em troca. "*Ela era louca por mim*", diz Buffett, "*mas, mesmo assim, estabeleceu algumas condições. Eu teria que comer aspargos ou coisa do gênero. Isso me motivou. E ganhei um cronômetro, no fim.*"

Warren pegava seu cronômetro e convocava as irmãs a se juntarem a ele no banheiro que compartilhavam, para verem a nova brincadeira que ele tinha inventado.[46] Então enchia a banheira de água e apanhava as suas bolas de gude. Cada uma tinha um nome diferente. Ele as alinhava na beirada da banheira e acionava o cronômetro ao mesmo tempo que jogava as bolinhas na água. Elas desciam rapidamente pelo declive de louça, chocalhando, caíam na água e afundavam, uma atrás da outra, em direção ao tampo do ralo. Quando a primeira delas chegava, Warren parava o cronômetro e anunciava a vencedora. Suas irmãs o viam repetir o jogo sem parar, tentando melhorar os tempos das bolinhas. As bolas de gude nunca se cansavam, o cronômetro nunca errava e – ao contrário da sua plateia – Warren nunca se entediava com a repetição.

Ele pensava em números o tempo inteiro e em todos os lugares, até mesmo na igreja. Gostava dos sermões, mas ficava enfastiado com o resto da missa. Por isso se ocupava calculando o tempo de vida dos compositores dos hinos, com base nas datas de nascimento e morte que constavam nos hinários. Na sua cabeça, os religiosos deveriam ser recompensados de alguma forma pela sua fé, e ele imaginava que os compositores de hinos deveriam viver muito. Viver mais do que a média lhe parecia uma meta importante. Acabou descobrindo, no entanto, que a piedade não ajudava em nada a longevidade. Na falta de qualquer sentimento pessoal de graça divina, ele passou a encarar a religião com um certo ceticismo.

Mas a corrida na banheira e as informações que colhera sobre os compositores de hinos lhe ensinaram uma lição valiosa. Ele estava aprendendo a fazer prognósticos. Warren olhou ao seu redor. A oportunidade de calcular probabilidades estava em toda parte. O segredo era colher dados, o máximo de dados que pudesse encontrar.

7
Dia do Armistício
Omaha – 1936-1939

Quando Warren começou a cursar a primeira série na Rosehill School em 1936,[1] foi amor à primeira vista. Para começar, ela o livrava de passar parte do dia em casa com a mãe. A escola abria todo um novo mundo, e ele fez duas amizades logo de cara: Bob Russell e Stu Erickson. Ele e Bob, que Warren chamava de "Russ", começaram a ir juntos ao colégio, a pé, e às vezes ele ia para a casa de Russell depois da aula. Outras vezes Stu, que morava com a família numa modesta casa de madeira, ia para a casa nova de tijolos dos Buffett, nos arredores do Happy Hollow Country Club. Quase todos os dias Warren tinha alguma coisa para fazer depois da aula, até seu pai chegar em casa. Ele se relacionou bem com as outras crianças desde o começo; dessa vez eram elas que o protegiam.

Ele e Russ passavam horas sentados na varanda da casa observando o tráfego na Military Avenue. Escrevendo em seus blocos de anotações, eles enchiam colunas e colunas com os números das placas dos carros que passavam. Suas famílias achavam aquele passatempo estranho, mas o atribuíam à paixão dos meninos por números. Sabiam que Warren gostava de calcular a frequência de letras e números nas placas. Mas ele e Russ jamais explicaram o *verdadeiro* motivo por trás daquilo. A rua da casa dos Russell era a única saída da viela fechada em que ficava o Douglas County Bank. Warren convencera Russ de que, se um dia o banco fosse roubado, os policiais poderiam prender os assaltantes por intermédio das placas dos carros. E somente ele e Russ teriam as provas necessárias para solucionar o crime.

Warren gostava de qualquer coisa que envolvesse colecionar, contar e memorizar números. Ele já colecionava selos e moedas. Calculava a frequência com que as letras apareciam nos jornais e na Bíblia. Adorava ler e passava várias horas com os livros que pegava emprestados na Benson Library.

No entanto, foram o combate ao crime e o potencial dramático das placas de carros – que nunca chegaram ao conhecimento das famílias dos garotos – que trouxeram à tona outras facetas do temperamento de Warren. Ele adorava brincar de polícia e gostava de praticamente qualquer coisa que lhe rendesse atenção, inclusive se fantasiar e interpretar papéis diferentes. Antes de Warren entrar na escola, Howard voltava de viagens de negócios a Nova York com fantasias que comprara para ele e Doris, e ele adorava se vestir de chefe indígena, caubói ou policial. Assim que começou a estudar, desenvolveu suas próprias ideias teatrais.

As brincadeiras favoritas de Warren, no entanto, eram competitivas, mesmo que ele competisse apenas consigo mesmo. Ele evoluiu da corrida na banheira para o ioiô, e daí para a raquete com uma bolinha presa por um cordão de borracha, que ele rebatia milhares de vezes. Nas tardes de sábado, no Benson Theater, entre as sessões de cinema – três filmes seguidos por cinco centavos, mais um episódio de seriado –, ele subia no tablado com outras crianças, competindo para ver quem conseguia bater a bola por mais tempo. No final, invariavelmente, todos os outros garotos desciam exaustos e ele ficava sozinho no tablado, ainda surrando a bolinha.

Ele exercitava a sua competitividade até mesmo no relacionamento especial, provocador e afetuoso que tinha com Bertie. Ele a chamava de "gorducha", porque aquilo a deixava com raiva e a fazia chorar à mesa de jantar, o que era contra as regras da família. Bolava jogos para brincar com ela, mas nunca a deixava ganhar, apesar de ela ser três anos mais nova. Mas havia também um lado carinhoso. Uma vez, quando Bertie jogou sua boneca favorita na lixeira, num ataque de raiva por causa da mãe, Warren a pegou de volta, devolvendo-a para irmã no terraço. *"Encontrei isto aqui na lixeira"*, disse. *"Você não quer que ela fique lá, quer?"*[2] Mesmo sendo criança, Bertie reconhecia que seu irmão tinha tato.

Bertie, por outro lado, era a filha autoconfiante e aventureira, o que Doris e Warren achavam que podia explicar por que Leila raramente brigava com ela. Bertie tinha a sua própria teoria para isso: enxergava a si mesma como uma pessoa capaz de manter as aparências de uma maneira que sua mãe sempre valorizara.

O que mais importava para Leila era ser querida pelos outros; ela possuía o que Warren chamaria mais tarde de Placar Externo. Estava permanentemente preocupada com o que os vizinhos poderiam achar, importunando seus filhos para eles causarem sempre a melhor impressão. "Eu tomava o maior cuidado para fazer as coisas certas. Não queria que aquilo acontecesse comigo", afirma Bertie referindo-se às repreensões de Leila.

Doris era a rebelde. Desde cedo ela demonstrara um gosto refinado e uma grande propensão a se entusiasmar, o que a colocava em conflito com as rotinas maçantes e o pão-durismo dos Buffett. Tudo o que era exótico, estiloso e novo a atraía, ao passo que sua mãe se cobria com um manto de humildade e preferia uma austeridade deliberada a qualquer tipo de ostentação. Assim, a própria existência de Doris parecia ser uma afronta à mãe, e as duas batiam de frente constantemente. E os acessos de fúria de Leila não estavam ficando menos ferozes. Doris se tornara uma criança bonita, e *"quanto mais bonita ela ficava"*, afirma Buffett, *"pior era"*.

Warren logo demonstrou sinais de que tinha "jeito" com as pessoas, mas era também uma criança competitiva, precoce, intelectualmente agressiva, embora fisicamente retraída. Quando seus pais lhe compraram luvas de boxe, aos 8 anos, ele só foi a uma aula, e nunca mais voltou a usá-las.[3] Também tentou a patinação, mas seus tornozelos eram fracos.[4] Ele não se juntava às brincadeiras de rua com os outros meninos, embora adorasse esportes e tivesse boa coordenação motora. A única exceção a essa aversão ao combate "mano a mano" era o pingue-pongue. Quando os Buffett compraram uma mesa de pingue-pongue, ele passou a jogar dia e noite contra qualquer um que o enfrentasse – dos amigos de seus pais aos colegas da escola –, até se tornar uma verdadeira ameaça com a raquete. Na única ocasião que alguém se lembra de ter dado briga, a pequena Bertie interveio e resolveu o problema. Warren chorava com facilidade se alguém fosse cruel com ele, pois se esforçava para ser benquisto e se dar bem com os outros. Mas, apesar do seu comportamento alegre, algo nele fazia seus amigos o acharem solitário.

Os Buffett tiraram uma foto dos três filhos no Natal de 1937. Bertie parecia feliz. Doris, arrasada. Warren, agarrando seu bem favorito, um porta-moedas niquelado, presente da sua tia Alice, parecia bem menos feliz do que a ocasião pedia.

A determinação de Leila de que eles parecessem ser uma família perfeita, como numa pintura de Norman Rockwell, ficou ainda mais severa quando Warren tinha 8 anos e novas calamidades acometeram os Stahl. A saúde de Stella, mãe de Leila, tinha se deteriorado, e a família a internou no Hospital Estadual de Norfolk, antigo Manicômio Estadual de Nebraska, no qual sua própria mãe morrera.[5] Sua irmã Edith passou três meses no hospital e quase morreu de peritonite, após uma ruptura do apêndice. Depois disso ela decidiu por fim se casar – com um homem de origens questionáveis, que a fazia rir. Isso não fez Leila melhorar o conceito que tinha da irmã, que sempre lhe parecera mais interessada em aventuras do que em cumprir seus deveres.

Enquanto isso, Howard fora eleito para o conselho escolar, um novo posto que se tornara motivo de orgulho para a família.[6] Em meio a essa mistura de progresso para os Buffett e derrocada para os Stahl, Warren passava a maior parte do tempo longe de casa, fora do caminho da mãe. Visitava alguns vizinhos, fazia amizade com os pais dos colegas e ouvia as suas conversas sobre política.[7] Andando pelas ruas, começou a juntar tampinhas de garrafa. Ele percorria os postos de gasolina da cidade inteira procurando tampinhas nos vãos sob os refrigeradores, onde caíam depois que os fregueses abriam seus refrigerantes. No porão dos Buffett as pilhas de tampinhas de garrafa cresciam: Pepsi, soda limonada, Coca-Cola, *ginger ale*. Ele ficou obcecado por coletá-las. Toda aquela informação gratuita espalhada pelo chão, intocada – e ninguém a queria! Warren achava aquilo impressionante. Depois do jantar, ele dispunha sua coleção sobre folhas de jornal abertas no chão da sala de estar, para separá-las e contá-las.[8] Os números lhe revelavam quais refrigerantes eram mais populares, mas aquilo também servia como uma maneira de relaxar. Quando não estava com as tampinhas, gostava de separar e contar moedas e sua coleção de selos.

De uma forma geral, a escola o entediava. Na quarta série, durante as aulas da Sra. Thicksum, ele brincava de jogos matemáticos com Bob Russell e seu outro amigo, Stu Erickson, para passar o tempo, ou fazia contas mentalmente. Gostava, porém, de geografia e achava empolgante soletrar, especialmente nas gincanas – nas quais seis alunos da primeira série competiam com seis da segunda. O vencedor passava para a fase seguinte e competia com alunos da terceira série, e assim por diante. Teoricamente, um estudante da primeira série podia ganhar seis vezes e acabar derrotando um da sexta. *"Eu queria superar Doris nas gincanas e Bertie queria me ultrapassar."* Mas todos os três eram crianças muito inteligentes, e nada disso aconteceu. *"De qualquer forma, aquilo era a única coisa que despertava o nosso interesse."*

Warren gostava dessas gincanas, mas nada o motivava mais do que resolver operações aritméticas no quadro-negro. Da segunda série em diante, os alunos corriam até o quadro, dois de cada vez. Primeiro, competiam para ver quem terminava as somas mais rápido, depois as subtrações e, por fim, as multiplicações e divisões, fazendo colunas de números. Warren, Stu e Russ eram os mais brilhantes da turma. No começo, a pontuação dos três era mais ou menos a mesma, mas com o tempo Warren ganhou alguma vantagem. E então, com a prática, a vantagem aumentou um pouco mais.[9]

Finalmente, um dia a Sra. Thicksum pediu a Warren e Stu para ficarem na sala depois da aula. O coração de Warren esmurrava seu peito. "Fiquei imaginando o que poderíamos ter feito de errado", diz Stu. Em vez de uma bronca, a Sra. Thicksum pediu que os dois passassem seus livros da seção 4A da sala para a 4B, que ficava do lado oposto.[10] Eles estavam pulando meia série. Bob Russell ficou para trás, apesar dos protestos de um irritado Sr. Russell.

Warren continuou amigo dos dois, mas se relacionava com eles separadamente. Embora fossem seus amigos, nunca chegaram a criar de fato uma amizade sólida.

O gosto de Warren por detalhes continuou a crescer. Seus pais e amigos – que o chamavam de "Warreny" ("Warrenzinho") – se divertiam a valer com o número que ele fazia em festas, dizendo os nomes de todas as capitais dos estados. Já na quinta série, ele mergulhara na leitura do *Almanaque mundial* de 1939, que logo se tornou seu livro favorito. Ele memorizava a população de todas as cidades e logo inventou uma competição com Stu, para ver quem conseguia dizer o nome do maior número de cidades com mais de 1 milhão de habitantes.[11]

Mas, uma noite, Warren foi afastado do seu *Almanaque* e de suas tampinhas de garrafa por uma terrível dor na barriga. O médico foi atendê-lo em casa e voltou para sua residência, para dormir. Mas, preocupado, não conseguia tirar aquela consulta da cabeça, de modo que decidiu retornar para levar Warren ao hospital. Naquela mesma noite Warren foi submetido a uma cirurgia, por ruptura do apêndice.

Por pouco o médico não chegou tarde demais. Warren ficou internado em estado grave, no hospital católico, por várias semanas. Contudo, sob os cuidados das irmãs enfermeiras, ele logo passou a achar o hospital um refúgio aconchegante. À medida que começava a se recuperar, outros prazeres lhe foram apresentados. Levaram-lhe o *Almanaque mundial* para estudar. Sua professora obrigou todas as alunas da sua turma a lhe escreverem cartas desejando melhoras.[12] Sua tia Edith, que entendia bem o sobrinho, lhe deu um kit de tirar impressões digitais, de brinquedo. Warren sabia exatamente o que fazer com aquilo. Ele persuadiu cada uma das freiras do hospital a visitar seu quarto. Cobriu todos os dedos delas de tinta, colheu uma série de impressões digitais e arquivou cuidadosamente sua coleção ao voltar para casa. Sua família achou aquele comportamento divertido. Quem iria querer um monte de impressões digitais de freiras? A teoria de Warren era que uma das irmãs poderia cometer um crime algum dia. E, se isso acontecesse, então apenas *ele*, *Warren Buffett*, teria as pistas que revelariam a identidade da criminosa.[13]

Pouco depois da sua hospitalização, num dia excepcionalmente frio e chuvoso de maio de 1939, seus pais disseram para ele se arrumar. Então seu avô apareceu. Usando um elegante paletó de três botões, com um lenço dobrado de forma impecável no bolso da frente, Ernest Peabody Buffett parecia um símbolo de respeitabilidade, como presidente do Rotary Club que era.

Ernest tinha jeito com crianças, apesar do seu ar severo, e gostava de divertir os netos. Bertie o adorava. "Hoje nós vamos para Chicago, Warren", ele anunciou. Eles embarcaram num trem e foram assistir aos Cubs jogarem contra os Brooklyn Dodgers, no que se revelou uma maratona de beisebol: os dois times ficaram sem marcar por 10 prorrogações, empatados em nove a nove, e a partida só foi interrompida por falta de luz natural. Ela durou quatro horas e 41 minutos.[14] Depois dessa empolgante apresentação ao beisebol da liga nacional, Warren ficou eletrizado quando Ernest comprou para ele um livro de 25 centavos sobre a temporada de beisebol de 1938. Warren o decorou de cabo a rabo. "*Aquele era meu livro mais valioso. Eu sabia a história de cada jogador de cada time e podia repetir palavra por palavra do livro com precisão. Eu o conhecia de cor e salteado.*"

Sua tia Alice lhe apresentou um novo interesse quando lhe deu um livro sobre bridge – provavelmente o *Contract Bridge Complete: The Gold Book of Bidding and Play*, de Culbertson.[15] O bridge – um jogo social e psicológico, no qual determinar o problema é tão importante quanto solucioná-lo – era uma febre no país naquela época, e Warren se identificou mais com ele do que com o xadrez.[16]

Outro dos seus muitos interesses era a música. Havia anos ele vinha aprendendo a tocar corneta. Entre seus heróis estavam os trompetistas Bunny Berigan e Harry James. Embora praticar o instrumento significasse passar mais tempo em casa com sua mãe, uma pessoa impossível de se agradar, ele insistiu. Até o dia em que, depois de várias horas dolorosas de prática e de ser bombardeado pelas críticas de Leila, ele foi recompensado ao ser escolhido para participar da cerimônia do Dia do Armistício na escola.

Todos os anos, no dia 11 de novembro, data que marcava o aniversário do pacto que pôs fim à Primeira Guerra Mundial, todo o corpo discente da Rosehill School participava de uma cerimônia no ginásio em homenagem aos heróis mortos na guerra. No que se tornou uma tradição na escola, corneteiros posicionados diante das portas dos dois lados do ginásio se alternavam, executando "toques de luto", sendo que um tocava os primeiros *pam pã pam* e o outro repetia *pam pã PAM*, e assim por diante.

Naquele ano ele já era bom o suficiente na corneta para ficar com a segunda parte. Acordou na manhã do evento animadíssimo diante da perspectiva de tocar diante da escola inteira. Quando o grande momento chegou, ele estava preparado.

Com Warren parado diante da porta com sua corneta, o primeiro corneteiro tocou: *pam pã PAM*.

Mas, no segundo *pam*, o corneteiro tocou a nota errada.

"*Minha vida inteira passou diante dos meus olhos, porque eu não sabia o que fazer na repetição. Eles não me tinham preparado para aquilo. Fiquei paralisado... no meu grande momento!*"

O que ele deveria fazer: imitar o erro do outro ou constrangê-lo, tocando a nota certa e mostrando que ele tinha errado? Warren estava perdido. A cena ficou marcada a fogo na sua memória – mas não o que aconteceu em seguida. Anos mais tarde, qualquer que tenha sido sua decisão – se é que ele tomou alguma –, ela se apagou da sua lembrança.

Ele tinha aprendido a lição: pode parecer fácil passar a vida imitando os outros, mas só até o outro sujeito tocar a nota errada.

8
Mil opções
Omaha – 1939-1942

Foi vendendo caixas de chicletes que Warren Buffett ganhou os primeiros centavos da sua vida. E desde o dia em que começou a vendê-las – aos 6 anos – ele demonstrou uma postura inflexível com os clientes, que revelava muito sobre o que se tornaria o seu estilo mais tarde.

"*Eu tinha uma bandejinha verde, com cinco compartimentos. Tenho certeza de que foi minha tia Edith que me deu aquilo. Havia espaços para cinco tipos diferentes de chiclete: tutti frutti, hortelã, menta, etc. Eu comprava as caixas de gomas de mascar fechadas do meu avô e batia de porta em porta na vizinhança, vendendo o produto em embalagens com cinco cada. Costumava fazer isso principalmente à noitinha.*"[1]

"Lembro-me de uma mulher chamada Virginia Macoubrie dizendo: 'Vou levar só um chiclete de tutti frutti.' Eu disse: 'Não abrimos as embalagens de cinco.' Ora, e os meus princípios? Até hoje me lembro da Sra. Macoubrie dizendo que queria um chiclete só. 'Não', eu dizia, 'eles são vendidos apenas em embalagens de cinco unidades.' Custavam 5 centavos, e ela só queria gastar 1 centavo comigo!"

Fechar uma venda era tentador, mas não o suficiente a ponto de fazê-lo mudar de ideia. Se vendesse só uma unidade para Virginia Macoubrie, ficaria com outras quatro sobrando para vender a outra pessoa, o que não valia o esforço ou o risco. De cada embalagem ele tirava um lucro de 2 centavos. E podia sentir o peso e a solidez daquelas moedinhas na palma de sua mão. Elas se tornaram os primeiros flocos da bola de neve de dinheiro que estava por vir.

O que Warren *estava* disposto a vender por partes eram os engradados vermelhos de Coca-Cola que oferecia de porta em porta nas noites de verão. Ele continuou vendendo-os durante as férias da família, abordando banhistas nas margens do lago Okoboji, em Iowa. Refrigerantes eram mais lucrativos que chicletes: ele tirava um lucro líquido de 5 centavos a cada seis garrafas – e enfiava aqueles centavos orgulhosamente no seu porta-moedas niquelado, em forma de campo de beisebol, que carregava no cinto. Era o mesmo que ele usava quando batia de porta em porta vendendo exemplares do Saturday Evening Post e da revista Liberty.

O porta-moedas o fazia se sentir um profissional. Ele simbolizava a parte do trabalho de vendedor de que Warren mais gostava: colecionar. Embora ainda colecionasse tampinhas de garrafas, moedas e selos, ele agora colecionava principalmente dinheiro. Mantinha as moedas em casa, dentro de uma gaveta, às vezes reunindo-as aos 20 dólares que seu pai lhe dera quando ele fez 6 anos, tudo registrado na sua cadernetinha marrom: sua primeira conta bancária.

Aos 9 ou 10 anos, ele e Stu Erickson vendiam bolas de golfe usadas, no campo de golfe do Elmwood Park, até que alguém os denunciou e eles foram expulsos pelos policiais. Mas, quando a polícia veio falar com os pais de Warren, eles não se mostraram preocupados. Consideravam apenas que o filho era ambicioso. Sendo o único – e precoce – filho homem dos Buffett, Warren tinha uma espécie de "auréola", segundo suas irmãs, e assim se safava de um monte de encrencas.[2]

Aos 10 anos ele arranjou um emprego vendendo amendoins e pipocas durante os jogos de futebol americano da Universidade de Omaha. Ele andava pelas arquibancadas gritando: "*Amendoins, pipoca, cinco centavos! Só cinco moedas de um centavo! Quem vai querer amendoim e pipoca?*" A campanha eleitoral presidencial de 1940 estava em andamento, e ele tinha uma coleção de dezenas de broches da chapa republicana Willkie-McNary, que usava na sua camisa. O seu broche favorito dizia: "*Washington Wouldn't, Grant Couldn't, Roosevelt Shouldn't*",* em referência à decisão escandalosa – para os Buffett – de Roosevelt de concorrer a um terceiro mandato. Embora os Estados Unidos não tivessem um limite constitucional de mandatos, até então o país repudiara a ideia de um "presidente imperial".[3] Howard considerava Roosevelt um déspota, que conquistara popularidade à base de espetáculos. A possibilidade de tê-lo como presidente por mais quatro anos o apavorava.

Por outro lado, o candidato republicano, Wendell Willkie, parecia liberal demais para o seu gosto. Mas Howard votaria em qualquer um para se livrar de Roosevelt. Warren, que seguia as opiniões políticas do pai, gostava de exibir os broches da chapa Willkie-McNary quando vendia amendoins. Um dia o gerente o chamou ao escritório e disse: "Tire esses broches. Você vai irritar os torcedores partidários de Roosevelt."

---

* Em uma tradução livre: "Washington não o faria, Grant não conseguiu, Roosevelt não deveria", fazendo um paralelo entre Franklin Delano Roosevelt e os ex-presidentes George Washington e Ulysses S. Grant. *(N. do T.)*

Warren colocou os broches dentro do avental e algumas moedas de 10 e de 5 centavos ficaram presas atrás dos alfinetes. Quando ele foi prestar contas, no fim do dia, o gerente o mandou esvaziar o bolso do avental, incluindo os broches e todo o resto. O gerente raspou tudo de cima do balcão e levou embora. "*E assim eu fui apresentado ao mundo dos negócios*", diz Buffett. "*Foi uma tristeza.*" E quando Roosevelt foi eleito para um inédito terceiro mandato, os Buffett ficaram mais tristes ainda.

Se para Howard o principal interesse era a política, e o dinheiro era algo secundário, com seu filho acontecia o inverso. Sempre que podia, Warren ficava no escritório do pai, no antigo prédio do Omaha National Bank, lendo a coluna "The Trader", da revista *Barron's*, e os livros da estante. Ou então se enfurnava na sala dos clientes da corretora Harris Upham & Co., que ficava dois andares abaixo do escritório de Howard. Lá, ele achou sensacional quando o deixaram escrever no quadro-negro, anotando a giz os preços das ações, numa calma manhã de sábado, na época da Depressão. A Bolsa funcionava por um período de duas horas durante os fins de semana. Investidores empedernidos, sem nada melhor para fazer, enchiam o semicírculo de cadeiras na sala dos clientes, observando com indiferença os números se arrastarem pelo Trans-Lux, um painel eletrônico com os preços das ações mais importantes.[4] De vez em quando alguém se levantava para arrancar um pedaço de fita da impressora, com as cotações que ela preguiçosamente fornecia. Warren chegava com seu tio-avô paterno, Frank Buffett – o misantropo da família que ficara de coração partido ao perder Henrietta, que naquela altura já tinha morrido havia tempos, para o irmão Ernest –, e seu tio-avô materno, John Barber.[5] Ambos eram escravos do antigo hábito de pensar apenas numa direção.

"*O tio Frank era bastante pessimista, enquanto o tio John era extremamente otimista. Eu me sentava entre os dois, e eles meio que disputavam minha atenção, cada um tentando me convencer de que estava certo. Não gostavam um do outro, então não se falavam, mas conversavam comigo, que ficava no meio. Meu tio-avô Frank achava que tudo no mundo estava prestes a desabar.*

Quando alguém ia até o balcão atrás das cadeiras e dizia: 'Quero comprar 100 ações da U. S. Steel a 23 dólares', meu tio Frank sempre explodia e falava: 'U. S. STEEL? ELA VAI DESPENCAR ATÉ ZERO!' Aquilo não era bom para os negócios. Eles não podiam expulsá-lo, mas odiavam a presença dele. Aquele não era um escritório para quem vendia a descoberto."

Acomodado entre os dois tios, Warren observava os números, que lhe pareciam embaralhados. Sua dificuldade em ler o Trans-Lux fez a família descobrir que ele era míope. Depois que lhe providenciaram óculos, Warren notou que os números pareciam mudar segundo algum tipo de lei própria e inalterável. Embora seus tios-avôs estivessem loucos para conduzi-lo aos seus respectivos – e radicais – pontos de vista, Warren percebeu que seus palpites não pareciam ter conexão alguma com os números que o painel mostrava. Ele estava determinado a desvendar o padrão, mas ainda não sabia como.

"*Meu dois tios disputavam para ver quem me levaria para almoçar, porque isso meio que significava uma derrota para o outro. Se fosse meu tio Frank, iríamos para o antigo Hotel Paxon, onde podíamos comprar comida requentada da véspera por 25 centavos.*"

Warren, que gostava de passar o tempo com adultos, achava maravilhoso ser disputado pelos tios. Na verdade, gostava de receber a atenção de qualquer um. Ele buscava a atenção dos outros parentes e de amigos da família, mas, principalmente, de seu pai.

Howard deu de presente a cada um dos filhos, quando eles completaram 10 anos, uma viagem para a Costa Leste – um acontecimento importante na vida deles. Warren sabia exatamente o que queria fazer: "*Falei para o meu pai que queria visitar alguns lugares. A Scott Stamp and Coin Company, onde fabricavam os selos e moedas que eu colecionava; a Lionel Train Company, que fazia trenzinhos de brinquedo, e a Bolsa de Valores de Nova York. A Scott Stamp and Coin ficava na Rua 47, a Lionel ficava na 27 e a Bolsa de Valores, bem no centro da cidade.*"

Em 1940 Wall Street tinha começado a se reerguer da crise, mas, mesmo assim, continuava sendo um lugar repudiado. Os homens de Wall Street eram uma espécie de mercenários durões que continuavam lutando depois que a maioria de seus camaradas já tinha morrido na guerra. A maneira como eles ganhavam a vida parecia um pouco infame, considerando que as lembranças do *Crash* de 1929 ainda estavam tão frescas na memória de todos. Mas, embora evitassem contar vantagem fora dos muros de seu bunker, alguns daqueles mercenários estavam se saindo muito bem. Howard Buffett levou o filho ao centro de Manhattan e fez uma visita ao mandachuva de uma das maiores corretoras do mercado. E o pequeno Warren Buffett pôde vislumbrar o que se passava por trás daquelas portas douradas.

"*Foi então que conheci Sidney Weinberg, que era o homem mais famoso de Wall Street. Meu pai nunca o tinha encontrado pessoalmente. Afinal, era apenas o dono de uma firma minúscula em Omaha. Mas o Sr. Weinberg nos recebeu em seu escritório, talvez porque um garotinho estivesse junto, ou sei lá. Conversamos por cerca de meia hora.*"

Como sócio majoritário do banco de investimentos Goldman Sachs, Weinberg passou uma década reconstruindo a duras penas a reputação da empresa depois do desastre de induzir os investidores ao erro, no célebre esquema em pirâmide que resultou na quebra da Bolsa de 1929.[6] Warren não entendia nada daquilo, nem sabia que Weinberg era filho de imigrantes e tinha começado a vida como assistente de porteiro no Goldman, limpando escarradeiras e escovando os chapéus de seda dos sócios.[7] Mas certamente ele entendeu que estava na presença de um figurão assim que entrou no escritório revestido de nogueira, com as paredes cobertas de cartas, documentos e retratos originais de Abraham Lincoln. E o que Weinberg fez, no final daquela visita, causou uma forte impressão. "*Quando eu estava saindo, ele colocou a mão no meu ombro e perguntou: 'De que tipo de ação você gosta, Warren?' Ele deve ter esquecido isso no dia seguinte, mas eu me lembrei para sempre.*"

Buffett jamais se esqueceria do fato de Weinberg, um figurão de Wall Street, ter dado atenção a ele, parecendo se importar com a sua opinião.[8]

Depois do Goldman Sachs, Howard levou Warren até a Rua Broad, onde passaram por uma série de enormes colunas coríntias, no caminho para a Bolsa de Valores de Nova York. Ali, no templo do dinheiro, homens de paletós de cores fortes gritavam e rabiscavam anotações, de pé em postos de negociação de ferro batido, enquanto escriturários corriam de um lado para outro, espalhando papel pelo chão. Mas foi uma cena no restaurante da Bolsa de Valores que fisgou a imaginação de Warren.

"*Almoçamos lá mesmo, com um camarada chamado At Mol, um holandês, investidor da Bolsa de Valores e homem de aparência muito impressionante. Depois do almoço apareceu um sujeito com uma bandeja cheia de vários tipos de folhas de tabaco. Ele enrolou um charuto para o Sr. Mol depois de ele escolher as folhas que queria. Foi então que pensei: é isso que eu quero. Não dá para ficar melhor do que isso. Um charuto personalizado!*"

Um charuto personalizado. E que imagens aquele charuto evocou na mente matemática de Warren! Ele não tinha o menor interesse em *fumar* um charuto. Mas entendeu o que implicava contratar um sujeito para um propósito tão frívolo. Para uma despesa daquele tipo ser justificável, sem dúvida aquele homem devia estar ganhando uma fortuna, mesmo numa época em que a maior parte do país continuava atolada na Depressão. A Bolsa de Valores fabricava dinheiro: rios, fontes, cascatas, torrentes dele! O suficiente para se poder contratar um homem para o simples capricho de enrolar charutos – feitos à mão, personalizados – para o prazer individual de um dos seus membros.

Naquele dia, ao contemplar o homem do charuto, uma visão do seu próprio futuro se fixou na mente de Warren Buffett.

Ele manteve aquela visão quando voltou para Omaha, já com idade suficiente para estabelecer seu objetivo e persegui-lo de forma ainda mais sistemática.

Mesmo que continuasse se dedicando aos passatempos de um menino comum, como jogar basquete e pingue-pongue ou colecionar moedas e selos; mesmo que toda a sua família estivesse lamentando a morte do John Stahl, seu avô pequenino e gentil, naquele ano, aos 73 anos – a primeira perda da sua vida –, ele trabalhava com paixão pelo futuro que enxergava à sua frente, bem ao alcance da vista. Ele queria dinheiro.

"Aquilo poderia me tornar independente. Então eu poderia fazer o que quisesse da minha vida. E a coisa que eu mais queria era trabalhar por conta própria. Não queria ninguém me dando ordens. A ideia de fazer o que eu quisesse, todos os dias, era importante para mim."

Logo uma ferramenta que lhe seria útil caiu nas suas mãos. Um dia, na Benson Library, um livro chamou a sua atenção. Uma lombada prateada brilhante reluzia como um punhado de moedas, numa estante, dando uma pista do valor do seu conteúdo. Cativado pelo título, ele o abriu e foi imediatamente fisgado. O título era *One Thousand Ways to Make $ 1,000* (Mil maneiras de se ganhar 1.000 dólares). O que significava 1 milhão de dólares!

Do lado de dentro da capa, numa fotografia, um homem minúsculo erguia os olhos para uma pilha enorme de moedas.

"A oportunidade bate à porta", dizia a primeira página do texto. "Nunca houve uma época na história dos Estados Unidos tão favorável quanto a nossa para um homem com um capital pequeno começar seu próprio negócio."

Que mensagem! "Todos nós já ouvimos falar muito sobre as oportunidades do passado... Ora, as oportunidades de ontem não são nada, se comparadas com as que aguardam os homens corajosos e inteligentes de hoje! Existem fortunas que estão esperando para nascer e que farão as de Astor e Rockefeller parecerem insignificantes." Aos olhos de Warren Buffett, aquelas palavras se erguiam como visões encantadoras do paraíso. Ele virou as páginas mais depressa.

"Porém", alertava o autor, "é impossível alcançar o sucesso *se você não começar*. A maneira de se começar a ganhar dinheiro é simplesmente começar... Centenas e centenas de pessoas neste país, que gostariam de ganhar muito dinheiro, não estão ganhando porque estão esperando que isso ou aquilo aconteça. Comece!", exortava o livro, e explicava como. Repleto de conselhos empresariais práticos e ideias para se ganhar dinheiro, *One Thousand Ways to Make $ 1,000* começava com "a história do dinheiro" e era escrito num estilo direto e simpático, como se fosse alguém conversando com um amigo na varanda de casa. Algumas de suas ideias eram bem limitadas – entrar para o ramo de laticínios de cabra ou abrir um hospital de bonecas –, mas muitas outras eram bastante interessantes. A ideia que mais cativou Warren foi a de uma balança que funcionava com moedas. Se ele tivesse uma balança, se pesaria 50 vezes por dia. Tinha certeza de que outras pessoas pagariam para fazer aquilo também.

"As balanças eram fáceis de entender. Eu compraria uma e usaria o lucro para comprar outras. Logo teria 20 balanças, e todo mundo se pesaria 50 vezes por dia. Eu pensei: é aí que está o dinheiro.[9] E em processo de acumulação – o que poderia ser melhor que aquilo?"

Aquele conceito – lucros acumulados – lhe pareceu de uma importância vital. O livro dizia que ele poderia ganhar 1.000 dólares. Se começasse com aquela quantia e tivesse um rendimento de 10% ao ano:

Em cinco anos, 1.000 dólares se tornariam mais de 1.600.
Em 10 anos, este valor se tornaria quase 2.600 dólares.
Em 25 anos se tornaria mais do que 10.800.

A maneira como os números explodiam, à medida que cresciam a uma taxa constante, com o tempo, mostrava como uma pequena quantia poderia se transformar numa fortuna. Ele conseguia visualizar os números se multiplicando com tanta clareza quanto uma bola de neve crescia quando ele a rolava pelo gramado. Warren começou a pensar no tempo de uma forma diferente. O acúmulo dos juros unia o presente ao futuro. Se 1 dólar hoje fosse valer 10 dólares dali a alguns anos, então em sua mente os dois valores eram equivalentes.

Sentado na varanda do seu amigo Stu Erickson, Warren anunciou que seria milionário quando eles chegassem à idade de 35 anos.[10] Aquela era uma afirmação audaciosa, quase boba, para uma criança fazer no mundo em recessão de 1941. No entanto, seus cálculos – e o livro – diziam que era possível. Ele tinha 25 anos para fazer aquilo e precisava de capital. Tinha certeza de que iria conseguir. Quanto mais dinheiro juntasse desde cedo, mais ele renderia e maiores seriam suas chances de alcançar sua meta.

UM ANO DEPOIS, ELE ANUNCIOU A IDEIA CENTRAL DO SEU PROJETO. PARA DIVERSÃO E surpresa da sua família, já na primavera de 1942 ele tinha juntado 120 dólares.

Recrutando sua irmã Doris como sócia, ele comprou três ações de uma empresa chamada Cities Service Preferred para cada um, pagando 114,75 dólares pelas suas.[11]

"Não entendia muito bem aquela ação quando a comprei", ele diz. Sabia apenas que era uma das ações favoritas de Howard e que ele a vendia havia anos para seus clientes.[12]

A Bolsa teve uma queda naquele mês de junho, e a cotação da Cities Service

Preferred despencou de 38,25 dólares por ação para 27. Doris, ele conta, o *lembrava* todos os dias, no caminho para a escola, de que a ação dela estava caindo. Warren se sentiu terrivelmente responsável por aquilo. Então, quando a ação finalmente se recuperou, ele a vendeu a 40 dólares, conseguindo um lucro de cinco dólares para os dois. "Foi então que eu percebi que ele sabia o que estava fazendo", lembra Doris. A Cities Service, no entanto, logo decolou para 202 dólares por ação. Warren aprendeu três lições de uma vez e no futuro classificaria este episódio como o mais importante da sua vida. A primeira lição era não ficar tão concentrado no valor que havia pago pela ação. A segunda era não correr impulsivamente para agarrar um lucro pequeno. Aprendera aquelas duas lições refletindo sobre os 492 dólares que teria ganhado se tivesse sido mais paciente. Precisara de cinco anos de trabalho, desde que tinha 6 anos, para economizar os 120 dólares para comprar aquela ação. Tomando como base o quanto ganhava vendendo bolas de golfe ou pipocas e amendoins no estádio de beisebol, ele percebeu que poderia levar anos para recuperar o lucro que tinha "perdido". Nunca, nunca mais se esqueceria daquele erro.

Havia também uma terceira lição, que era sobre investir dinheiro dos outros. Se cometesse um erro, aquilo poderia deixar alguém com raiva dele. Portanto, não queria mais assumir responsabilidade pelo dinheiro de ninguém, a não ser que estivesse certo de que teria sucesso.

9
Dedos sujos de tinta

Omaha e Washington, D. C. – 1941-1944

Numa manhã de domingo do mês de dezembro, quando Warren tinha 11 anos, os Buffett estavam voltando de carro de uma visita a West Point, depois de irem à igreja. Enquanto ouviam o rádio do carro, o locutor interrompeu a transmissão para noticiar que os japoneses tinham atacado Pearl Harbor. Ninguém explicou o que exatamente acontecera ou quantas pessoas tinham sido mortas ou feridas, mas a comoção produzida bastou para Warren perceber imediatamente que o mundo iria mudar.

As opiniões políticas de seu pai, que já eram reacionárias, logo se tornaram ainda mais radicais. Howard e seus amigos consideravam Roosevelt um instigador de conflitos, que cobiçava um regime ditatorial e estava tentando convencer a América a entrar em outra guerra europeia. Eles achavam que os Estados Unidos deviam deixar a Europa – um continente incapaz de solucionar suas divergências sem que elas se transformassem em confrontos mortais – queimar na sua própria fogueira.

Até então os agrados que Roosevelt fizera não tinham surtido efeito. Nem a "cooperação internacional" – o perniciosamente enganoso programa de empréstimos e arrendamentos que Howard chamava de "Operação Buraco de Rato",[1] pois era uma óbvia doação de suprimentos de guerra à Inglaterra, sem nada de empréstimo ou arrendamento –, nem os discursos feitos ao lado daquele inglês corpulento e popular, Winston Churchill, tinham atraído a América para a guerra. Roosevelt – mentindo com a maior cara lavada, era inegável – dissera ao país: "Às mães e aos pais que estão me ouvindo, eu asseguro mais uma vez... Seus filhos não serão enviados para nenhuma guerra estrangeira."[2] Howard passara a acreditar que, num lance desesperado, Roosevelt e o general George C. Marshall, seu chefe do Estado-Maior, tinham decidido que *a única maneira de nos fazer entrar naquela guerra europeia era provocar um ataque dos japoneses*, diz Warren, "*sem avisar ao pessoal de Pearl Harbor*". Essa era uma crença comum entre os conservadores da época, e Howard, como em tudo o que fazia, era de uma firmeza intransigente nas suas convicções.

Na primavera seguinte, o comitê republicano de Nebraska deu a Howard a estranha incumbência de encontrar um homem para concorrer ao Congresso contra Charles F. McLaughlin, um popular candidato democrata à reeleição. No último minuto, segundo o folclore da família, Howard colocou seu próprio nome na ficha de registro, incapaz de encontrar outro bode expiatório disposto a concorrer contra um democrata muito mais querido.

Ele se viu, assim, arrastado ao papel de ativista. Os Buffett colavam panfletos simples que diziam "Buffett para o Congresso" em telefones públicos. Iam para feiras agropecuárias, nas quais Howard e Leila distribuíam cartões durante as exposições de gado e participavam das competições de "melhores picles". "*Ele era o candidato mais improvável de todos. Detestava falar em público. Minha mãe era uma boa ativista, mas meu pai era introvertido.*" Leila, que adorava falar, sabia instintivamente como lidar com uma plateia e gostava de abordar as pessoas. As crianças circulavam dizendo: "Você não quer votar no meu papai?" Mais tarde, podiam andar na roda-gigante.

"*Nós gravamos um programa de rádio de 15 minutos. Minha mãe tocou órgão e meu pai nos apresentou: 'Temos Doris, de 14 anos. E também Warren, de 11.' E minha fala era: 'Só um instante, papai, estou lendo o caderno de esportes.' Então nós três cantávamos 'America the Beautiful' enquanto minha mãe tocava.*"

Não era nada espetacular. Mesmo assim, "*depois daquele programa de rádio de 15 minutos começaram a chegar voluntários de toda parte. Mas o outro candidato estava no Congresso havia quatro mandatos*".

Mesmo com a ajuda do voluntariado, Howard lutava contra os seus pontos fracos: seu pessimismo e sua honestidade em tudo o que dizia. A plataforma política dos Buffett estava repleta de alertas sinistros e de indignação contra o conformismo social alienado que se espalhava por todo o Meio-Oeste na década de 1940. Howard dizia que os eleitores deviam "enviar passagens só de ida, para bem longe de Washington, a todos os picaretas, arrogantes, delatores, malandros e esnobes da alta sociedade".

Essa retórica inflamada mascarava a doçura, a espirituosidade sutil e uma certa inocência que havia nele. Howard passou anos carregando no bolso um pedaço de papel com a seguinte mensagem escrita à mão: "Eu sou filho de Deus. Estou nas mãos Dele. Meu corpo – ele não foi feito para durar. Minha alma – ela é imortal. Por que, então, eu deveria ter medo do que quer que seja?"[3]

Infelizmente para seu único filho homem, quando se tratava das ruas de Omaha, Howard levava esse destemor quase ao pé da letra.

Durante a campanha, ele arrancava da cama Warren, que já estava com 12 anos, bem antes do amanhecer, para irem até os currais de South Omaha. Ao lado das ferrovias, aquele era o maior negócio da cidade, empregando quase 20 mil pessoas, em sua maioria imigrantes. Mais de 8 milhões de reses[4] eram transportadas por ano até um centro distribuidor de carne, onde se transformavam em toneladas de produtos.[5] No passado, South Omaha fora um município independente, geograficamente próximo do centro, mas a um continente de distância em termos culturais. Durante décadas a região foi uma espécie de caldeirão das tensões étnicas e raciais da cidade.

Warren fincava seus pés numa esquina, com os punhos cerrados e os olhos colados com ansiedade no pai. Howard mancava, por ter contraído poliomielite na infância, e a família se preocupava com seu problema cardíaco. Warren sentia um embrulho no estômago ao ver seu pai descendo a rua, aproximando-se daqueles homens enormes vestidos em macacões, que mais pareciam açougueiros, quando eles se dirigiam aos frigoríficos para o turno das 5h30.

Muitos sequer falavam inglês em casa. Os mais pobres, que eram os negros e os imigrantes recentes, viviam amontoados numa zona de casas de pensão e barracos perto do curral. Os mais espertos e remediados conseguiam sair dali para as comunidades étnicas das redondezas, vivendo em casinhas bem cuidadas com telhados íngremes, que subiam e desciam as colinas de South Omaha: os tchecos em Little Bohemia; os sérvios e croatas em Goose Hollow; os polacos em G Town (antiga Greek Town); os gregos já tinham partido há tempos, e suas casas haviam sido destruídas numa manifestação violenta contra os imigrantes em 1909.

As pessoas das quais Howard se aproximava iam da elite dos trabalhadores, os açougueiros especializados do setor de abate que trabalhavam no andar mais alto do matadouro, aos funcionários menos qualificados dos andares mais baixos, que ficavam no ossuário e nos setores de processamento da banha e de fertilização. Um punhado de mulheres destrinchava os porcos, amarrava as salsichas, pintava e rotulava latas, depenava galinhas e separava ovos. A diretoria dava preferência às negras, com as quais podia contar para empregos no depósito de vísceras por um salário menor que o das brancas.[6] Elas limpavam as "sobras" – intestinos, bexigas, corações, glândulas e outros órgãos –, afundando as mãos em água e dejetos, separando, salgando e juntando intestinos para fazer embalagens, em meio a um calor infernal e com água cheia de sangue até os tornozelos. Elas ofegavam, mantendo a respiração curta e a boca aberta, para evitar que partículas de excremento transportadas pelo ar entrassem mais fundo nos seus pulmões.[7] Nem mesmo os imigrantes ou negros mais novatos ou humildes botavam os pés no depósito de vísceras. Aquele era um trabalho estritamente de negras.

Fossem homens ou mulheres, negros ou brancos, aquelas pessoas eram democratas de corpo e alma. O restante da população de Nebraska podia ser contra o New Deal, a solução proposta pelo presidente para a Grande Depressão, mas Franklin Delano Roosevelt ainda era um herói naquela parte da cidade. Mesmo assim, os panfletos que Howard Buffett colocava educadamente naquelas mãos calejadas alardeavam que Roosevelt era a maior ameaça à democracia que a América já conhecera. Mas, se aqueles homens lhe dessem um minuto da sua atenção, ele poderia explicar calmamente por que, como representante deles no Congresso, ele votaria a favor de leis que aparentemente contrariavam os trabalhadores dos currais.

Howard era um fanático, mas não era idiota nem louco. Embora se colocasse nas mãos de Deus, tinha um plano B. Seu filho Warren não fora até lá para aprender uma lição ou ajudar o pai numa briga. Sua função era pôr sebo nas canelas para chamar a polícia caso os trabalhadores começassem a espancar seu pai.

Nessas circunstâncias, uma pessoa sensata talvez perguntasse o que Howard estava fazendo ali, para começo de conversa. Seus esforços talvez não lhe rendessem um voto sequer. Mas aparentemente ele sentia que era sua obrigação se apresentar diante de cada eleitor em potencial do distrito, por menos que eles se importassem em conhecê-lo.

Warren sempre conseguiu chegar ileso em casa e nunca teve que correr para chamar a polícia. Talvez isso se devesse tanto à sorte quanto à postura de Howard, que transmitia a confiança de ser, essencialmente, um homem decente. Mas os Buffett não tinham motivo algum para acreditar que os eleitores entenderiam isso, ou que, se entendessem, isso mudaria o seu status de azarão. Em 3 de novembro de 1942, o dia da eleição, Doris, convencida de que o pai tinha perdido, foi ao centro da cidade e comprou um prendedor de cabelo novo para usar na escola no dia seguinte, só para ter algo para distraí-la da expectativa. *"Meu pai escreveu seu discurso de derrotado. Todos foram para a cama entre 20h30 e 21 horas, pois nunca ficávamos acordados até tarde. E quando ele se levantou na manhã seguinte descobriu que tinha vencido."*

A desconfiança de Howard em relação a aventuras no estrangeiro era mais que uma idiossincrasia da sua personalidade, típica do antibelicismo dos quacres. Ela refletia um isolacionismo conservador, cujas águas dominavam o Meio-Oeste num fluxo volumoso e profundo. Embora aquele rio estivesse secando, Pearl Harbor lhe deu uma sobrevida. Apesar da popularidade esmagadora de Roosevelt, o apoio dos trabalhadores à sua política externa vacilara temporariamente em Omaha. E aquilo havia bastado para que Howard fosse eleito contra um adversário que talvez estivesse confiante demais.

No mês de janeiro seguinte, os Buffett alugaram sua casa em Dundee e embarcaram num trem para a Virgínia. Ernest entregou-lhes um cesto de comidas embaladas com esmero, juntamente com instruções para não percorrerem outros vagões para evitar o contágio de doenças dos soldados.

Eles chegaram à estação ferroviária de Washington e se depararam com uma província superpovoada e caótica. Uma massa de pessoas enchia a cidade, a maioria trabalhando nas novas agências do governo, criadas para o período de guerra. Os militares tinham confiscado cada prédio e escritório, e até mesmo cada cadeira e lápis na região, na tentativa de se instalarem no recém-concluído Pentágono, o maior prédio do gênero no mundo quando foi construído, mas que já parecia pequeno demais. Naquela altura, prédios de escritórios provisórios se multiplicavam, de forma precária, por todo o centro comercial.[8]

Hordas de recém-chegados tinham duplicado a população local. Um exército maltrapilho de negros e mulheres enchia a Rua 14, vindo da Virgínia, fugindo das fazendas de tabaco, dos campos de algodão e das fábricas de tecido do Sul assolado pela pobreza, seduzidos pela possibilidade de qualquer tipo de emprego na cidade mais agitada do mundo. No encalço dos cidadãos respeitáveis, empobrecidos e ingênuos, vinham os batedores de carteiras, as prostitutas, os desonestos e os vagabundos, que transformariam Washington na capital nacional do crime.

Bondes precários do século XIX, abarrotados de funcionários do governo, se arrastavam pelas ruas lotadas de gente. Em cada ponto de parada eram frequentes os piquetes dos habitantes contra a Capital Transit, a empresa que controlava o transporte e que se recusara a contratar negros.[9] O impasse da segregação racial continuava intenso. No restaurante Little Palace, na parte de população negra da cidade, estudantes da Universidade Howard realizavam uma série de "manifestações" contra a política segregacionista, ocupando todas as mesas disponíveis e se recusando a sair, até conseguirem fechar o estabelecimento.[10]

Alguns amigos dos Buffett, como os Reichel[11] – conhecidos de Howard da sua época de corretor –, disseram: não morem em Washington, lá é terrível. Eles recomendaram uma casa enorme na Virgínia, que um membro dos Fuzileiros Navais tinha acabado de desocupar. Ela ficava numa colina sobre o Rappahannock River, vizinha a Chatham, o quartel-general do Exército da União durante a batalha de Fredericksburg. A casa tinha 10 lareiras, jardins franceses, espaços funcionais e uma estufa. Embora seu esplendor estivesse muito além do estilo dos Buffett, e ficasse a quase uma hora da cidade, eles a alugaram temporariamente. Howard, por sua vez, alugou um apartamento pequeno no distrito de Columbia, e só ia para casa nos finais de semana. Seu tempo foi logo preenchido, pois a delegação de Nebraska o indicou para a Comissão de Finanças, e ele precisava se adaptar e aprender as regras, procedimentos e leis tácitas da função de congressista.

Leila começou a visitar Washington em busca de uma residência permanente. Ela andava mais irritadiça que o normal desde a chegada e falava saudosamente de Omaha. O timing da mudança acabou se mostrando desfavorável. Sua irmã Bernice vinha dando sinais claros de que cometeria suicídio, dizendo que não se responsabilizaria pelo que pudesse acontecer se a família não a internasse no Hospital Estadual de Nebraska, onde sua mãe, Stella, também estava internada. Edith, então responsável por cuidar da irmã, consultou um médico, e os dois chegaram à conclusão de que Bernice só queria ficar perto da mãe e provavelmente estava lançando mão de recursos melodramáticos para conseguir isso. Ainda assim, certamente deveriam levar a sério a ameaça de suicídio, de modo que a família a enviou a Norfolk.

Os detalhes dos problemas da família Stahl raramente eram discutidos na frente das crianças. Cada uma delas encontrou sua maneira de se adaptar a Washington. A bela Doris, de 15 anos, se sentia a própria Dorothy de *O mágico de Oz*, como se tivesse acabado de deixar o mundo preto e branco do Kansas para entrar no tecnicolor de uma terra encantada. Sua vida se transformou radicalmente, e ela logo se tornou a *belle* de Fredericksburg, apaixonando-se pela cidade.[12] Leila enxergava na filha uma alpinista social, com pretensões acima da sua classe, e passou a lançar insultos contra ela. Mas, naquela altura, o espírito de Doris já estava preparado para resistir à pressão da mãe, e a jovem começou a lutar pela sua própria identidade.

Enquanto isso, Warren, aos 12 anos, passou suas primeiras seis semanas numa turma de oitava série que estava "*muito aquém*" do seu nível acadêmico em Omaha. Naturalmente seu primeiro impulso foi arranjar um emprego, e foi trabalhar numa padaria onde "*não fazia quase porcaria nenhuma. Não assava nem vendia*". Em casa, furioso e triste por ter sido arrancado de suas raízes, ele queria ser mandado de volta para Omaha e para isso inventou uma "alergia" misteriosa que perturbava seu sono. "*Também escrevi algumas cartas patéticas ao meu avô, e ele disse mais ou menos o seguinte: 'Vocês têm que mandar esse menino de volta. Estão acabando com o meu neto.'*" Os Buffett enfim capitularam e colocaram Warren num trem de volta para Nebraska, para uma estada de alguns meses. Para alegria do menino, seu companheiro no trem foi o senador de Nebraska Hugh Butler. Ele sempre se dera bem com pessoas mais velhas e conversou tranquilamente com Butler, no seu jeito precoce, durante todo o percurso até Omaha, esquecido da sua "alergia".

Bertie, então com 9 anos, também era ligada ao avô e acreditava ter um vínculo especial com ele. Ficou com ciúmes. Confiando no seu relacionamento com Ernest, ela escreveu ao avô: "Não conte para os meus pais, mas mande alguém me buscar também."

"*Quando Bertie escreveu cartas parecidas com as minhas, eu disse: 'Não dê atenção. Ela está fingindo.'*" [13]

Ernest respondeu: "Garotinhas devem ficar com suas mães." Então Bertie ficou em Fredericksburg, possessa por seu irmão sempre conseguir o que queria.[14]

Warren voltou para a Rosehill School e reencontrou os amigos. Todos os dias, por volta do meio-dia, ele aparecia na casa do ex-sócio do seu pai, Carl Falk, cuja mulher, Gladys, lhe servia sanduíches, sopa de tomate e muito carinho de almoço. Ele "venerava" a Sra. Falk[15] como uma espécie de mãe substituta, da mesma forma que fizera com Hazel, a mãe de seu amigo Jack Frost, e com suas tias.

Embora ficasse à vontade entre aquelas mulheres de meia-idade, Warren era de uma timidez irremediável, e garotas da sua idade o deixavam apavorado. Mesmo assim, ele não tardou a se apaixonar por Dorothy Hume, uma das meninas da sua nova turma da oitava série. Seu amigo Stu Erickson cultivava uma paixão semelhante por Margie Lee Canady, e um terceiro amigo, Byron Swanson, sentia o mesmo por Joan Fugate. Depois de semanas de conversa, eles se prepararam para convidar as meninas para ir ao cinema.[16] Warren foi até à casa de Dorothy para chamá-la, mas perdeu a coragem quando o pai da garota atendeu à porta. Encabulado, Warren tentou lhe vender a assinatura de uma revista. Algum tempo depois, ele finalmente conseguiu convidar Dorothy, e ela aceitou.

No sábado marcado, Byron e Warren foram juntos pegar suas acompanhantes, pois ficaram com medo de ir sozinhos. Assim, a tarde começou com uma longa caminhada de casa em casa até o ponto do bonde, os quatro atravessando quarteirões num silêncio desconfortável. Depois de apanharem Margie Lee, a garota de Stu, que morava mais longe, todos embarcaram no mesmo bonde, onde os meninos ficaram olhando, ruborizados, para os próprios sapatos, enquanto as garotas batiam papo tranquilamente entre si. Quando chegaram ao cinema, Margie Lee, Dorothy e Joan foram direto para uma fila de poltronas e se sentaram lado a lado. O plano dos meninos, de ficarem juntinho das garotas durante dois filmes de terror, *O túmulo da múmia* e *Sangue de pantera*, foi por água abaixo. Em vez disso, eles se sentaram num grupo separado e ficaram observando as cabeças das meninas se movimentarem enquanto davam risadinhas e gritinhos durante os seriados da semana, os desenhos e os dois filmes. Depois da sessão, fizeram uma excursão penosa para comprar guloseimas e, em seguida, pegaram o bonde de volta. Um pouco abobalhados, deixaram as meninas em suas casas e foram dispensados, um a um. Os três rapazes praticamente não trocaram uma palavra a tarde inteira.[17] Ficaram tão mortificados que levaram anos até reunirem coragem para chamar outras garotas para sair.[18]

Warren pode ter perdido a coragem, mas não perdeu o interesse pelo sexo oposto. Ele se apaixonou pouco depois por outra garota da sua turma, Clo-Ann Kaul, uma loura estonteante. Mas ela também não se interessou por ele, que não parecia fazer progresso algum em relação às garotas. Sua maneira de se distrair da frustração foi, mais uma vez, ganhar dinheiro.

"Meu avô gostava da ideia de eu estar sempre pensando em maneiras de ganhar dinheiro. Eu costumava andar pela vizinhança catando papéis velhos e revistas, para vender por uma ninharia. Minha tia Alice me levava até o posto de entrega, onde eu recebia 35 centavos por 45 quilos, ou algo parecido."

Na casa de Ernest, Warren leu uma prateleira inteira de edições antigas da revista *Progressive Grocer*. Artigos do tipo "Como estocar um depósito de carne" o fascinavam. Nos finais de semana, Ernest o colocava para trabalhar na Buffett & Son, o pequeno império que ele comandava. Mais ou menos do tamanho de uma garagem de dois andares, a loja tinha um telhado em estilo espanhol que se destacava no agradável bairro de classe média alta de Dundee. Os Buffett sempre venderam "a prazo e entregando em domicílio". As madames ou seus cozinheiros discavam Walnut 0761 nos aparelhos de telefone e ditavam listas para os atendentes, que anotavam os pedidos.[19] Em seguida eles disparavam pela loja, subindo e descendo uma escada de madeira com rodinhas presas às prateleiras, tirando caixas, sacos e latas dos seus lugares e enchendo seus cestos com pilhas de legumes e frutas. Para cortar um cacho de bananas, usavam a faca afiadíssima que ficava ao lado de uma penca de mais de um metro, pendurada num gancho, perto da porta dos fundos. Então corriam até o porão, onde apanhavam chucrute e picles, que ficavam em barris refrigerados, perto das caixas de ovos e outros produtos perecíveis. Todas as mercadorias eram colocadas em cestos, que os funcionários no mezanino puxavam para cima com uma polia, para fixar os preços e embalá-las antes de mandá-las de volta ao andar de baixo. Finalmente, os caminhões de entrega de cor laranja da Buffett & Son, com lonas de borracha ou couro nas laterais, levavam as encomendas para as donas de casa de Omaha.

Ernest ficava sentado na mesa do mezanino olhando para os atendentes lá embaixo. Pelas costas, os empregados o chamavam de Ernie Caduco. *"Ele não fazia droga nenhuma. Só dava ordens. Era uma espécie de rei e ficava de olho em tudo. Se um freguês entrasse e não fosse* muito bem atendido...", disse Warren estalando os dedos, *"ai dos atendentes."* Ernest acreditava em *"trabalho, trabalho e mais trabalho"* e se sentia responsável por garantir que ninguém sob o seu comando tivesse a ingenuidade de achar que existe alguma coisa de graça neste mundo – a ponto de fazer um garoto que trabalhava no estoque desembolsar dois centavos pela Previdência Social. O pagamento foi seguido de um sermão de meia hora sobre os males do socialismo, para que o garoto em questão entendesse plenamente como aquele demônio do Roosevelt e os professores engomadinhos da Ivy League que o presidente colocara no governo estavam arruinando o país.[20]

As únicas ocasiões em que Ernest saía do mezanino era quando via uma mulher importante chegar de carro com seu chofer. Nessas horas ele descia correndo as escadas, pegava um talão de pedidos e a atendia em pessoa, mostrando-lhe suas novas peras ou abacates – que tinham acabado de chegar do Haiti – e dando chicletes de hortelã para as crianças.[21] Dava-se muita importância ao status, tanto que, quando Fred parou de servir sua cunhada Leila para atender outro cliente, ela foi embora bufando e nunca mais voltou à loja.[22] A partir dali, Howard passou a fazer as compras.

Warren estava se sentindo como um daqueles atendentes, correndo pela loja sob o comando de Ernie Caduco. Trabalhar na loja do avô foi o mais perto de se tornar um escravo a que ele chegaria na vida.

"*Ele me mandava fazer um monte de serviços pequenos e ordinários. Algumas vezes eu limpava o chão. Outras, ele me colocava para contar os cupons de alimentação distribuídos durante a guerra, cupons de açúcar ou de café, sentado no mezanino, ao seu lado. Havia dias em que eu me escondia onde ele não conseguisse me ver.*

O pior trabalho foi quando ele me contratou, junto com meu amigo John Pescal, para remover neve com pás. Depois de uma nevasca imensa, havia 30 centímetros de neve acumulada. Nossa função era retirar toda a neve da calçada da frente, onde os fregueses estacionavam, e do beco atrás da loja; e também da área de carregamento e da garagem, onde ficavam os seis caminhões.

Ficamos umas cinco horas trabalhando naquilo, sem parar. Depois de um tempo não conseguíamos mais nem abrir as mãos. Então fomos até o meu avô. Ele disse: 'Bem, quanto eu devo pagar para vocês, garotos? Dez centavos é pouco, e um dólar é muito!'

Nunca vou me esquecer daquilo: John e eu olhamos um para o outro..."
A remuneração pela remoção da neve não chegou a 20 centavos.
"*Ah, e a gente ainda tinha que dividir essa quantia. Assim era o meu avô...*"
Bem, um Buffett era um Buffett, mas Warren aprendeu uma lição valiosa: combinar as coisas com antecedência.[23]

Ernest tinha duas outras características dos Buffett: a tendência a ser impulsivo em relação a mulheres e a busca obsessiva pela perfeição. Depois da morte de Henrietta, ele passara por dois casamentos de curta duração, sendo que um dia voltara de férias da Califórnia casado com uma mulher que acabara de conhecer.

Seu perfeccionismo se manifestava sobretudo no trabalho. A Buffett & Son era uma descendente direta da mercearia mais antiga de Omaha, e o estilo exigente de Ernest refletia a busca por um atendimento ideal aos seus clientes. Ele tinha certeza de que as lojas das grandes redes, que estavam invadindo os bairros, eram um modismo fadado a desaparecer, pois jamais conseguiriam oferecer um serviço no mesmo nível. Num determinado momento ele escreveu, numa carta a um parente: "Os dias desse tipo de loja estão chegando ao fim."[24]

Quando a Buffett & Son ficou sem pão, em vez de desapontar seus clientes, Ernest mandou Warren ir correndo até o supermercado Hinky Dinky, nas redondezas, para comprar pão no varejo. Warren não gostou daquele serviço, pois foi reconhecido logo que entrou no mercado. "Oláááááááá, Sr. Buffett!", gritaram as caixas, alto o bastante para todos ouvirem, enquanto ele andava furtivamente pela loja *"tentando passar despercebido"*, com os braços sobrecarregados de pães. Ernest tinha uma rixa com o Hinky Dinky, que, como a Sommers, outra concorrente de peso em Dundee, era administrado por uma família judia. Irritava-o dar dinheiro a um concorrente, ainda mais sendo judeu. Como boa parte da América da primeira metade do século XX, Omaha praticava a segregação – tanto religiosa quanto racial. Judeus e cristãos (e até católicos e protestantes) levavam vidas essencialmente separadas, sendo que clubes sociais, grupos cívicos e diversas empresas se negavam a aceitar judeus como membros ou a contratá-los como funcionários. Ernest e Howard usavam o codinome "Esquimós" para fazer comentários ofensivos sobre judeus quando estavam em público. O antissemitismo era uma coisa tão natural na sociedade da época que Warren nunca parou para pensar naquelas atitudes.

Ernest, na verdade, exercia um papel de autoridade em relação a Warren, que só escapava daquilo quando estava na escola – e durante as poucas horas, nos sábados, em que seu avô o colocava para trabalhar no caminhão de entregas. Descarregar mercadorias do caminhão era exaustivo, e Warren começou a perceber que detestava trabalhos braçais.

"Tinha um motorista, Eddie, que eu achava ter 100 anos de idade. Na verdade, ele devia ter uns 65, embora tivesse dirigido uma carroça movida a mula na época em que a Buffett & Son fazia entregas dessa forma.

Ele tinha o sistema de entregas mais louco do mundo, que envolvia ir primeiro para Benson, depois voltar uns 8 quilômetros até Dundee, para atender a uma determinada cliente, e depois voltar para Benson. Tudo isso durante um período de guerra, em que a gasolina era racionada. Finalmente resolvi perguntar o motivo. Ele me lançou um olhar aborrecido e disse: 'Se a gente chegar cedo o bastante, talvez consiga pegá-la sem roupa.'" A princípio, Warren não fazia ideia do que aquela frase enigmática significava. *"Ele levava as mercadorias até aquela casa pessoal-*

mente, pela manhã, enquanto eu carregava engradados de 24 garrafas vazias de refrigerante devolvidos à loja. Enquanto isso, Eddie ficava comendo com os olhos a Sra. Kaul, nossa cliente mais bonita, tentando apanhá-la sem roupa." A Sra. Kaul era mãe de Clo-Ann Kaul e, enquanto Warren carregava cascos de refrigerante vazios, Clo-Ann o ignorava solenemente. "*Eu devo ter sido o trabalhador do comércio de secos e molhados mais mal pago de todos os tempos. Não aprendi nada – exceto que não gostava de trabalhar duro.*"

Warren levou a sua batalha pela autonomia para casa, na mesa de jantar de domingo. Ele desprezava tudo o que fosse verde desde que nascera, exceto dinheiro. Brócolis, couves-de-bruxelas e aspargos se alinhavam no prato de Warren como soldados de infantaria num combate. Com os pais, ele geralmente conseguia fazer as coisas do seu jeito. Mas seu avô Ernest não tolerava aquele tipo de bobagem. Enquanto Alice tentava levar o sobrinho na conversa, ele lançava um olhar furioso ao neto, de sua cadeira na extremidade oposta da mesa, esperando, esperando e esperando que Warren terminasse de comer seus legumes. "*Eu podia levar duas horas na mesa até terminar de comer meus aspargos, mas ele sempre vencia no fim.*"

Em diversos outros aspectos, porém, estar com Ernest representava um alto grau de liberdade. Na garagem do seu avô, Warren encontrara a bicicleta Schwinn azul de Doris, com as iniciais da irmã nela – um presente de Ernest, deixado para trás quando eles se mudaram para Washington. Warren jamais tivera uma bicicleta. "*Era um presente e tanto naquela época, sabe?*" Então ele começou a andar na bicicleta de Doris. Algum tempo depois decidiu trocá-la, usando-a como parte principal do pagamento de uma bicicleta de menino.[25] Ninguém falou nada. Afinal, Warren tinha aquela "auréola".

Seu avô o amava cegamente, ao seu modo. À noite, os dois ouviam com "atenção reverencial" Fulton Lewis Jr., o radialista favorito de Ernest, que explorava constantemente o tema do envolvimento da América na guerra, ao qual se opunha. Ernest não precisava ser convencido disso.

Enquanto o conservador Fulton Lewis Jr. recarregava suas energias, Ernest reunia suas últimas reflexões no best-seller que estava escrevendo. Ele decidira intitulá-lo *How to Run a Grocery Store and a Few Things I Learned About Fishing* (Como administrar uma mercearia e algumas coisas que aprendi sobre pescar), considerando que esses eram "*os únicos dois assuntos com os quais a humanidade se importava de fato.*"[26]

"*Eu me sentava lá à noite, ou à tardinha, e meu avô ditava o texto para mim. Eu escrevia no verso de folhas antigas do livro contábil, pois nunca desperdiçávamos nada na Buffett & Son. Ele achava que aquele era o livro pelo qual toda a América* estava esperando. Ou seja, não fazia o menor sentido escrever nenhum outro. Nem E o vento levou..., ou qualquer coisa do gênero. Por que alguém ia querer ler E o vento levou... quando poderia estar lendo How to Run a Grocery Store and a Few Things I Learned about Fishing?"[27]

Warren adorava tudo aquilo, ou quase tudo. Ficou tão feliz em voltar para Omaha e reencontrar sua tia, seu avô e seus amigos que quase esqueceu Washington por algum tempo.

Poucos meses depois o restante da família fez a viagem de três dias para Nebraska, para passar o verão, e se mudou para uma casa alugada. O orçamento deles estava se expandindo. Até então, a região dos estábulos tinha sido simplesmente o lar de alguns eleitores de Howard. Mas, agora, sempre que um forte odor chegava à cidade trazido pelos ventos do sul, todos em Omaha sabiam: era o cheiro do dinheiro. Howard decidiu comprar a South Omaha Feed Company para complementar seu salário de congressista. E Warren foi trabalhar para o pai.

"A South Omaha Feed era um depósito imenso, que parecia ter centenas de metros de comprimento, sem ar condicionado. Minha função era carregar sacos de 20 quilos de ração para animais, do vagão de carga até o depósito. Você não faz ideia de como é um vagão de carga por dentro, cheio até o teto. E, no verão, aí é que são elas. Tinha um cara chamado Frankie Zick que ficava atirando as coisas de um lado para outro. Ele era levantador de peso. Eu usava uma camisa de manga curta, mas lá era quente demais, e eu lutava para conseguir ajeitar aqueles sacos de ração nos braços e carregá-los. Ao meio-dia, meus braços já estavam um bagaço. Fiquei umas três horas naquele emprego. Simplesmente andei até o ponto do bonde e fui para casa. Trabalho braçal não era para mim."

Antes do fim do verão a família passou umas férias curtas no lago Okoboji. Quando estavam de partida, Doris descobriu que Warren tinha trocado sua bicicleta. Mas, por conta de algum erro de julgamento feito pela família, ele novamente não sofreu qualquer punição. Na verdade, quando o verão acabou e seus pais forçaram Warren – emburrado e fazendo cara feia – a embarcar num trem rumo a Washington, a nova bicicleta, que ele adquirira de forma um pouco desonesta, foi junto. Doris ficou possessa. Mas o roubo da bicicleta era apenas o começo do declínio do seu irmão até um comportamento que forçaria os seus pais a tomarem uma atitude.

DE VOLTA A WASHINGTON, OS BUFFETT SE MUDARAM PARA A CASA DE DOIS ANDARES em estilo colonial dos Fitchou. Branca e com uma mimosa no jardim, ela ficava em Spring Valley, um bairro sofisticado de Washington, logo na saída da Massachusetts Avenue. Uma espécie de comunidade fechada,* construída na década de 1930 para os "membros ilustres da sociedade e do governo", Spring Valley fora projetada como uma pequena "colônia para personalidades extraordinárias".[28] As casas iam de mansões de pedra gigantescas, no estilo Tudor, até residências coloniais de dois andares, feitas de madeira e pintadas de branco, como a casa dos Buffett. Leila pagara 17.500 dólares por ela, incluindo parte da mobília. Warren ficou com o quarto da frente. As duas famílias vizinhas tinham filhos, todos mais velhos que Warren. Do outro lado da rua moravam os Keavney, e Warren, já com 13 anos, apaixonou-se pela Sra. Keavney, uma figura maternal, de meia-idade. *"Eu era louco por ela"*, afirma.

O bairro tinha uma atmosfera internacional, pois lá viviam muitos diplomatas. As associações formadas pelos membros femininos da Marinha[29] durante a guerra ficavam alojadas no enorme campus em estilo gótico da American University, próximo dali. Os Buffett começaram a se adaptar à atmosfera de Washington, um lugar muito diferente de Omaha. O país finalmente vinha recuperando a prosperidade com o fim da Depressão, mas com o racionamento resultante da guerra o dinheiro tinha cada vez menos importância. O dia a dia era medido em pontos e cupons: 48 pontos azuis por mês para enlatados; 64 pontos vermelhos para artigos perecíveis; cupons para carne, sapatos, manteiga, açúcar, gasolina e meias. Nenhum dinheiro do mundo poderia comprar carne sem cupons, e somente o frango ficara fora do racionamento. Com a manteiga racionada e escassa, todos aprenderam a jogar corante amarelo em recipientes de margarina vegetal, branca e sem gosto. Ninguém podia comprar automóveis, porque os fabricantes dedicavam a produção integralmente à defesa nacional. Para fazer uma viagem de carro era preciso juntar os cupons de gasolina da família inteira. Um pneu furado podia ser um problema sério, já que pneus estavam entre os artigos mais severamente racionados.

Todas as manhãs Howard pegava o bonde que descia a Avenida Wisconsin até a Rua M, em Georgetown, dobrando em seguida na Avenida Pennsylvania. Ele saltava perto do Old Executive Office Building para ir trabalhar. Washington era uma cidade em convulsão. A comunidade política e diplomática internacional tinha inchado, e as ruas estavam repletas de pessoas usando kilts, turbantes e sáris, além de exércitos de funcionários de escritório e um mar de militares fardados.

De tempos em tempos, negras com vestidos domingueiros e chapéus de igreja faziam piquete em frente ao Capitólio, para protestar contra os linchamentos no Sul do país. Receando ataques aéreos, fiscais percorriam os bairros para verificar se todas as casas tinham cortinas escuras para blecautes. Uma ou duas vezes por

---

* "Fechada" significava que judeus não podiam comprar casas nela. *(N. da A.)*

mês os Buffett tinham que descer correndo até o porão e apagar todas as luzes, como parte de um treinamento obrigatório de defesa.

Leila antipatizou com Washington desde o dia em que pôs os pés lá. Ela sentia saudades de Omaha e ficava muito solitária. Mergulhado no seu novo trabalho, Howard se tornara um marido e pai distante. Trabalhava o dia inteiro no escritório e depois atravessava a noite lendo as atas do Congresso e outros textos legislativos. Ele passava os sábados no escritório e geralmente também ia para lá nas tardes de domingo, depois da missa.

Doris passara a frequentar a Woodrow Wilson High School, onde se enturmou rapidamente com o grupo mais popular. Bertie também fez amizades com facilidade, encontrando meninas do bairro com as quais logo se identificou. Já a experiência de Warren não foi nada parecida com a das irmãs. Ele se matriculou na Alice Deal Junior High School,[30] localizada no topo da colina mais alta de Washington, com vista para Spring Valley, a escola para negros logo atrás e o restante da cidade abaixo.

Os alunos da sua turma – muitos deles filhos de diplomatas – eram muito mais refinados que Warren e seus antigos colegas da Rosehill School. No começo ele teve dificuldade em fazer novas amizades. Tentou jogar basquete e futebol americano, mas, como usava óculos e era tímido nos esportes que envolviam contato físico, não obteve sucesso em nenhum dos dois. "*Eu tinha sido afastado dos meus amigos e não conseguia fazer novos laços. Era jovem demais para a minha turma. Não era nada confiante. Não era um péssimo atleta, mas estava longe de ser ótimo, então aquilo não bastava para eu me enturmar. Doris e Bertie eram estonteantes, então se saíram muito bem. Uma garota bonita não encontra problemas, pois o mundo se ajusta a ela. Por isso as duas se adaptaram melhor do que eu, muito melhor, o que também era um pouco irritante.*"

No começo, Warren só tirava notas C e B, mas aos poucos começou a tirar A, exceto em inglês. "*A maioria das minhas notas estava diretamente relacionada ao que eu achava dos professores. Detestava minha professora de inglês, a Sra. Allwine.*[31] *Nas aulas de música também tirei C até o final.*" A Sra. Baum, professora de música, era a mais bonita da escola. Era a paixão da maioria dos meninos, mas Warren tinha sérias dificuldades com ela, que dissera que ele precisava melhorar nos quesitos cooperação em sala, boas maneiras e autoconfiança.

"*Eu era o aluno mais novo da sala. Estava interessado nas garotas e não as evitava, mas achava que me faltava elegância. As meninas estavam muito distantes de mim socialmente. Quando saí de Omaha, ninguém na minha turma sabia dançar. Em Washington todo mundo já dançava havia um ou dois anos. Então eu nunca os alcancei, na verdade.*"

A mudança dos Buffett quando Warren tinha 12 anos o privou de uma experiência crucial: a aula de dança de Addie Fogg. Em Omaha, nas noites de sexta-feira, no salão da Legião Americana, Addie Fogg, uma senhora de meia-idade baixinha e robusta, alinhava meninos e meninas por altura e os juntava em pares, os meninos de gravata-borboleta e as meninas usando anáguas engomadas. Eles ensaiavam o foxtrote e a valsa. Os garotos aprendiam como um "cavalheiro" se comporta em público com uma jovem dama e se esforçavam para falar sobre as trivialidades mais básicas, de modo a quebrar silêncios constrangedores. Eles sentiam o toque de mãos femininas e aprendiam a segurar uma garota pela cintura, com seus rostos bem próximos. Experimentavam pela primeira vez os desafios e prazeres de conduzir uma parceira à medida que se movimentavam harmoniosamente. Com seus diversos pequenos – porém compartilhados – constrangimentos e triunfos, esse rito de passagem coletivo despertava nos formandos a sensação de que pertenciam a um grupo. Não fazer parte desse grupo podia provocar um isolamento profundo. Warren, que já era inseguro, se sentia deixado para trás, como um menino entre rapazes em formação.

Seus colegas de classe percebiam que ele era amigável mas parecia tímido, especialmente perto das garotas.[32] Warren era um ano mais novo que a maioria deles, nascido em agosto e tendo pulado meia série na Rosehill School. *"Estava fora de sintonia. Naquela época eu me sentia uma negação com as garotas e socialmente, de uma forma geral. Com pessoas mais velhas, no entanto, eu me saía bem."*

Pouco depois da chegada da família a Spring Valley, um amigo de Howard, Ed S. Miller – uma dessas pessoas mais velhas – telefonou de Omaha. Queria falar com Warren.

"'Warren', ele disse, 'estou numa encrenca terrível. O conselho de administração mandou que eu me livrasse do depósito de Washington, D. C. Isso é um problema grave para mim. Nós temos centenas de quilos de caixas de flocos de milho velhos e carregamentos inteiros de biscoitos de cachorro sabor churrasco. É um verdadeiro abacaxi. Estou a 2.000 quilômetros de distância, e você é o único homem de negócios que conheço em Washington.'

E continuou: 'Sei que posso contar com você. Na verdade, eu já determinei aos nossos funcionários no depósito que entreguem esse estoque de flocos de milho e biscoitos de cachorro na sua casa. O que quer que você consiga por eles, me envie metade. O restante é seu.'

Assim, sem mais nem menos, apareceram caminhões enormes que encheram a nossa garagem, o nosso porão, a casa inteira de pacotes de milho e biscoito. Meu pai não podia sequer colocar o carro na garagem.

E lá estávamos nós com aquela mercadoria.

Bem, então tentei descobrir como aquilo poderia ser útil. Obviamente, eu poderia oferecer os biscoitos de cachorro a algum canil. Os flocos de milho já não estavam bons para consumo, mas imaginei que serviriam para animais. Acabei vendendo-os para um criador de aves. Devo ter vendido a mercadoria toda por uns 100 dólares.[33] *Quando enviei os 50% para o Sr. Miller, ele me escreveu de volta dizendo: 'Você salvou meu emprego.'*

Havia pessoas maravilhosas assim em Omaha. Sempre gostei de andar com adultos quando era criança. Sempre. Eu ia para a igreja ou outro lugar qualquer e depois simplesmente ia à casa deles.

Os amigos do meu pai também eram ótimos. Eles davam um curso sobre a Bíblia, entre outras atividades na paróquia, e depois passavam lá em casa para jogar bridge. Todos eram muito, muito legais comigo. Gostavam de mim e me chamavam de Warreny. Eu tinha aprendido pingue-pongue pegando livros sobre o jogo emprestados na biblioteca e praticando na Associação Cristã de Moços. Os amigos do meu pai sabiam que eu gostava de jogar com eles no porão, então me desafiavam.

Eu tinha todas essas coisas para fazer em Omaha. Estava bem enturmado lá.

Quando nos mudamos para Washington, a mesa de pingue-pongue sumiu. Algo parecido aconteceu com a minha corneta. E com o escotismo. Eu estava envolvido com muitas coisas, mas todas acabaram quando nos mudamos. Então fiquei com raiva.

Mas eu não sabia bem como direcionar aquele sentimento. Só sabia que estava me divertindo muito menos do que antes de meu pai ser eleito."

Depois que seu pai o levou para assistir a algumas sessões no Congresso, Warren decidiu que queria fazer um estágio na Câmara dos Deputados,* mas Howard não pôde ajudá-lo. Em vez disso, Warren arranjou um emprego de carregador de tacos de golfe no Chevy Chase Club, apenas para constatar, mais uma vez, que o trabalho braçal não era para ele. "*Minha mãe costurava toalhas no forro dos ombros das minhas roupas, porque eu carregava sacos pesados de um lado para outro. Às vezes os jogadores – principalmente as mulheres – ficavam com pena de mim e praticamente os carregavam sozinhos.*" Ele precisava de um emprego mais compatível com suas habilidades e talentos.

Quase desde que nasceu, como todos os Buffett, Warren vivia e respirava notícias. Ele adorava ouvi-las, e quando entrou no ramo como entregador de jornais descobriu que gostava daquilo também. Ele conseguiu um emprego em que faria uma rota entregando o *Washington Post* e dois trajetos diferentes para o *Times-*

---

* No original, *"congressional page"*, espécie de estágio coordenado por um programa da Câmara dos Deputados americana, pelo qual estudantes secundaristas são indicados para serem funcionários do Congresso, ficando responsáveis por serviços administrativos simples, como entrega de mensagens, etc. *(N. do T.)*

-Herald. A dona do *Times-Herald* era Cissy Patterson, a prima autocrática de Robert McCormick, editor do *Chicago Tribune*. Era de direita e odiava Franklin Delano Roosevelt, e fazia o presidente passar noites em claro, preocupado com o que seu jornal publicaria no dia seguinte. No trabalho de Warren, Cissy Patterson se juntava a Eugene Meyer, o investidor que era dono do *Washington Post* e apoiava Roosevelt em cada linha do seu jornal.

Warren começou a entregar os jornais em Spring Valley, perto de casa. "*No primeiro ano, as casas eram muito distantes umas das outras, e eu não gostava muito disso. Tinha que fazer as entregas todos os dias, até no feriado natalino. Na manhã de Natal minha família tinha de esperar até eu terminar a entrega. Quando eu ficava doente, minha mãe entregava os jornais, mas eu continuava encarregado do dinheiro. Tinha uns jarros cheios de moedas de 50 e 25 centavos no meu quarto.*"[34] Foi aí que ele acrescentou uma rota vespertina ao seu dia de trabalho.

"*O Evening Star, que era de propriedade de uma família de sangue azul de Washington, era o principal jornal da cidade.*"

À tarde, ele descia as ruas na sua bicicleta, com um cesto enorme na frente cheio de exemplares do *Star*. Perto do fim do trajeto, ele tinha que se encher de coragem. "*Na Sedgwick tinha um cachorro terrível.*"

"*Eu gostava de trabalhar sozinho, pois podia passar o tempo pensando nas coisas de que gostava. Washington foi angustiante no começo, mas eu passava o tempo todo dentro do meu próprio mundo. Ou ficava no meu quarto, pensando, ou andava de bicicleta, entregando os jornais e refletindo.*"

Alguns pensamentos na sua cabeça eram de revolta. Mas ele os disfarçava quando estava na Alice Deal Junior High. Bertie Backus, a diretora da escola, se orgulhava de conhecer todos os seus alunos pelo nome. Logo teve um motivo especial para se lembrar de Warren.

"*Eu estava meio atrasado quando entrei naquela escola, e lá me atrasei mais ainda. Vivia sonhando acordado e estava sempre fazendo gráficos sobre uma porção de coisas – eu levava estatísticas de ações para a sala e não prestava a menor atenção ao que acontecia na aula. Foi então que fiquei amigo de John McRae e Roger Bell. Foi quando virei um bagunceiro.*"

A personalidade agradável da sua infância desaparecera completamente. No meio de uma aula, Warren desafiou John McRae para uma partida de xadrez enquanto a professora falava, só para ser antipático. Em outra ocasião cortou ao meio uma bola de golfe no meio da aula, o que fez um líquido estranho espirrar até o teto.

Os meninos estavam começando a jogar golfe. O pai de John McRae era responsável pelo Tregaron, um campo famoso, perto do centro de Washington, que pertencia à herdeira Marjorie Merriweather Post e ao seu marido, Joseph E. Davies, embaixador na Rússia. O casal tinha dezenas de criados e quase nunca aparecia, de modo que os garotos iam para lá jogar no campo de nove buracos. Um dia Warren convenceu Roger e John a fugirem com ele para Hershey, Pensilvânia, onde tentariam arranjar emprego como carregadores de tacos num campo de golfe.[35]

"*Nós viajamos de carona. E, depois de percorrer uns 250 quilômetros, chegamos a Hershey e paramos num hotel, onde cometemos o erro de debochar de um carregador.*

Na manhã seguinte, quando descemos do quarto, um patrulheiro rodoviário enorme estava nos esperando, e fomos levados para a delegacia.

Simplesmente começamos a mentir, dizendo que estávamos lá com o consentimento de nossos pais. Na delegacia, uma máquina de teletipo cuspia o tempo inteiro vários tipos de alerta. Fiquei sentado ali, pensando que logo apareceria um alerta de Washington, D. C., e aquele cara descobriria que estávamos mentindo. Tudo o que eu queria era dar o fora daquele lugar."

De alguma forma, as mentiras deles foram convincentes o bastante para que o patrulheiro os liberasse.[36]

"*Saímos andando na direção de Gettysburg ou algum outro lugar. Não estávamos dando sorte com as caronas, e então um caminhoneiro nos apanhou, enfiando nós três na cabine.*" Naquela altura, eles estavam tão apavorados que só queriam voltar para casa. "*O caminhoneiro parou numa lanchonete em Baltimore e passou dois de nós para outros dois caminhões. Estava escurecendo e começamos a achar que jamais sairíamos vivos daquela. Mas eles nos levaram de volta para Washington. A mãe de Roger Bell estava no hospital. Quero dizer, ela tinha sido internada por causa daquilo, o que me deixou muito mal, porque eu tinha convencido Roger a ir com a gente. Eu estava prestes a me tornar um delinquente de marca maior.*"

Warren tinha outro amigo: Lou Battistone; mas, como acontecia em Omaha, ele mantinha a amizade com Lou à parte do seu relacionamento com Roger e John. Nesse período o desempenho escolar de Warren estava pior do que nunca. Suas notas caíram para C, D e até D- em inglês, história, desenho livre e música, chegando a tirar C mesmo em matemática.[37] "*Algumas notas ruins eram nas matérias em que eu deveria ser bom.*" Os professores de Warren o consideravam cabeça-dura, mal-educado e preguiçoso.[38] Alguns lhe davam um duplo X no quesito comportamento, que significava "muito ruim". Sua conduta era às vezes chocante. Na década de 1940, as crianças faziam o que era mandado e obedeciam aos seus professores. "*Eu estava indo ladeira abaixo rapidamente. Meus pais estavam morrendo de desgosto, morrendo.*"

Ele se sobressaía em apenas uma matéria: datilografia. Mas Washington estava lutando uma guerra de papéis, e saber datilografar era uma habilidade essencial.

Na Alice Deal, a disciplina era ensinada colocando-se adesivos pretos sobre as teclas, para que os alunos fossem obrigados a datilografar sem olhar.[39] Ser capaz de memorizar o teclado e ter uma boa coordenação entre os olhos e as mãos ajudava bastante. Warren tinha os dois dons. *"Todos os semestres minha média era A em datilografia. Cada um tinha uma máquina de escrever manual, e é claro que a gente adorava puxar o carro delas, só para ouvi-lo fazer 'blim!'.*

Eu era – de longe – o melhor datilógrafo de uma turma de 20 alunos. Quando tínhamos uma prova de velocidade, eu corria para terminar a primeira linha e puxar com força o carro de volta. Todo mundo parava quando eu fazia isso, pois ainda estavam na primeira palavra quando ouviam o meu 'blim!'. Então entravam em pânico, tentavam ir mais depressa e se atrapalhavam todos. De modo que eu me divertia muito na aula de datilografia."

Warren aplicava aquela mesma energia agressiva nas rotas que fazia entregando os jornais. Ele se dedicava àquele trabalho como se tivesse nascido com os dedos sujos de tinta. Segundo Lou Battistone, um dia "ele persuadiu, com aquela sua personalidade, o responsável pelos trajetos a lhe dar a rota do Westchester", um condomínio residencial de luxo no bairro histórico de Tenleytown. Isso foi uma verdadeira proeza, pois aquela rota normalmente ficava a cargo de um entregador adulto.

"Era uma grande oportunidade, o Westchester era classudo. O crème de la crème. A rainha Guilhermina da Holanda tinha uma casa lá.[40] *Seis senadores dos Estados Unidos moravam naquela rota, além de coronéis, juízes da Suprema Corte, só gente graúda, como Oveta Culp Hobby e Leon Henderson, o chefe do Gabinete de Administração de Preços."* A Sra. Hobby vinha de uma célebre família de editores do Texas e se mudara para Washington para ser diretora do WACs, o Corpo Feminino do Exército.

"Então, de uma hora para outra, eu tinha uma missão importantíssima nas mãos. Devia ter 13 ou 14 anos. Primeiro fiquei com a rota Westchester só para o Post. Mas tive que abandonar minhas outras rotas matinais quando assumi a Westchester, e me senti mal com aquilo." Warren ficara muito amigo do seu chefe no *Times-Herald*. *"Quando eu disse a ele que tinha a oportunidade de entregar o Post no Westchester, e que isso significava que eu precisava largar sua rota em Spring Valley... Ele foi maravilhoso comigo, mas aquele foi realmente um momento triste."*

Nessa altura, Warren se considerava um entregador experiente, mas tinha pela frente um desafio logístico complexo. O Westchester consistia de cinco prédios espalhados por mais de 11 hectares, quatro deles interligados e um separado. A rota incluía outros dois prédios residenciais do outro lado da Cathedral Avenue, o Marlin e o Warwick. Ele também cobriria um pequeno trajeto de prédios residenciais, mas só até a Wisconsin Avenue.

"Comecei num domingo, e eles me deram um catálogo com os nomes das pessoas e os números dos respectivos apartamentos. Não tive treinamento algum, nem recebi

o catálogo com antecedência." Ele calçou seus tênis e pegou o dinheiro para a passagem de ônibus, que custava três centavos por viagem, embarcando sonolento no ponto da Capital Transit. Nem parou para tomar café.

"*Cheguei lá às 4h30 da manhã. Havia pacotes e pacotes de jornal me esperando. Eu não tinha a mínima ideia do que estava fazendo. Não sabia como funcionava o sistema de numeração nem nada. Fiquei horas e horas separando e juntando os exemplares. No final, alguns exemplares ficaram incompletos, pois as pessoas simplesmente pegavam os cadernos sobre as pilhas quando saíam para a igreja.*

Foi um desastre total. Pensei: no que eu fui me meter? Só consegui terminar lá pelas 10, 11 da manhã.

Mas prossegui, aos trancos e barrancos. Aos poucos melhorei no serviço e logo estava bom naquilo. Era fácil."

Warren saía correndo de casa todas as manhãs, para apanhar o primeiro ônibus da linha N2 para o Westchester, que ficava no número 3.900 da Cathedral Avenue. Geralmente a sua passagem era a número 001, pois ele era a primeira pessoa a comprar um bilhete de ônibus a cada semana.[41] O motorista se acostumou a procurá-lo quando ele se atrasava um pouco. Warren saltava do ônibus e corria os dois quarteirões que faltavam até o Westchester.

Depois de descobrir qual era a rota mais prática, ele transformou o que poderia ser um trabalho maçante e repetitivo – entregar centenas de jornais todos os dias – numa competição consigo mesmo. "*Os jornais eram muito mais finos naquela época, sabe? Por causa do racionamento do papel de imprensa. Um jornal de 36 páginas já estava de bom tamanho. Eu ficava no final de um corredor, pegava um jornal do pacote e o dobrava até ele ficar achatado, depois o enrolava no formato de uma panqueca ou um biscoito. Então o apertava contra a coxa. Daí, torcia o exemplar contra o meu punho para ele girar bem e o fazia rolar pelo corredor. Com esse treinamento eu conseguia atirar um jornal daqueles a 15 ou 30 metros de distância, com precisão. Era uma espécie de teste de habilidade, porque a distância das portas variava. Primeiro eu cuidava das que ficavam mais longe. A questão era conseguir fazer aquilo de tal forma que os jornais parassem a poucos centímetros da porta certa. E as pessoas deixavam garrafas de leite ali, o que tornava tudo ainda mais interessante.*"

Ele também vendia calendários aos seus clientes – e arranjara outro bico, além desse. Pedia a todo mundo revistas velhas, sob o pretexto de angariar papel para a guerra.[42] Então conferia as etiquetas nas revistas para descobrir quando as assinaturas expiravam. Usando um manual que tinha recebido da Moore-Cottrell, uma gigante do mercado editorial que contratava rapazes para vender revistas, ele criou um catálogo de assinantes e, antes de suas assinaturas acabarem, Warren batia às suas portas, para vender uma nova.[43]

Como o Westchester tinha uma grande rotatividade de moradores durante a guerra, o maior medo de Warren eram os clientes que iam embora sem pagar, obrigando-o a arcar com o custo dos jornais entregues. Depois de levar alguns calotes, ele passou a dar gorjeta às ascensoristas, para que elas o avisassem quando algum morador estivesse de mudança. Então a arrogante Oveta Culp Hobby atrasou o pagamento. Ele achava que ela teria alguma consideração pelo seu entregador, já que era dona do seu próprio jornal, o *Houston Post*. Mas começou a se preocupar, achando que ia ficar na mão. "*Eu pagava as minhas próprias contas todos os meses, sempre em dia, e todas as manhãs aparecia para entregar os jornais. Era um garoto responsável. Tinha ganhado até um bônus de guerra* pela excelência do meu trabalho. Em relação aos meus clientes, eu não queria deixar as contas a receber acumularem. Tentei de tudo com Oveta Culp Hobby – até deixei bilhetes – e finalmente acabei batendo à sua porta, às 6 horas da manhã, antes de ela conseguir escapar.*" Tímido em outros aspectos, Warren nunca ficava acanhado quando o assunto era dinheiro. "*Quando a Sra. Hobby atendeu a porta, eu lhe entreguei um envelope com a cobrança, e ela teve que me pagar.*"

Depois da escola, Warren pegava o ônibus de volta a Spring Valley e montava correndo na sua bicicleta para entregar o *Star*. Nas tardes chuvosas de inverno, ele às vezes se desviava da sua rota de entregas e aparecia na porta das casas dos seus amigos. Sempre usava tênis de lona surrados, tão cheios de buracos que seus pés ficavam encharcados até os tornozelos; a sua pele ficava arrepiada de frio sob a blusa xadrez ensopada e grande demais. Por algum motivo ele nunca usava casaco. Sempre havia uma senhora maternal para sorrir e balançar a cabeça diante daquela visão deplorável, agasalhá-lo e secá-lo com uma toalha enquanto ele se deliciava no seu calor.[44]

No final de 1944 Warren entregou sua primeira declaração de imposto de renda. Pagou apenas sete dólares. Para chegar a esse valor, deduziu seu relógio de pulso e sua bicicleta como despesas operacionais. Sabia que aquilo era questionável. Mas, naquela época, ele não tinha pudores em "dar um jeitinho" para chegar aonde queria.

Aos 14 anos ele cumprira a promessa formulada no seu livro favorito, *One Thousand Ways to Make $ 1,000*. Suas economias totalizavam então cerca de mil dólares. Ele ficou muito orgulhoso daquela conquista. Até ali, estava com vantagem na disputa – com bastante vantagem –, e aquele, ele sabia, era o caminho para alcançar sua meta.

---

* No original, "*war bonds*", título vendido pelo governo americano durante as guerras mundiais para financiar o conflito. *(N. do T.)*

10
Crime de verdade
Washington, D. C. – 1943-1945

Notas ruins, sonegação de impostos e fugir de casa eram os menores problemas de Warren durante o ensino fundamental. Seus pais não sabiam, mas o filho deles havia entrado para a vida criminosa.

"Bem, eu era bastante antissocial durante a oitava e a nona séries, depois que me mudei para lá. Acabei me enturmando com pessoas ruins e fiz coisas que não devia. Eu estava apenas me rebelando. Eu me sentia infeliz."

Ele começou aplicando trotes inofensivos.

"Eu adorava oficinas de impressão. Costumava calcular a frequência com que as letras e números apareciam na oficina da escola. Aquele era um trabalho que eu conseguia fazer sozinho. Sabia compor os tipos, essas coisas. Adorava imprimir o que quer que fosse.

Um dia forjei um papel timbrado do reverendo A.W. Paul, presidente da American Temperance Union. Eu escrevia cartas para algumas pessoas naquele papel, dizendo que passara anos dando palestras pelo país sobre os males da bebida e que, durante aquelas viagens, meu jovem aprendiz, Harold, sempre me acompanhara nas minhas aparições públicas. Harold era um exemplo do que a bebida podia fazer com um homem. Ele ficava parado no palco, com um caneco nas mãos, babando, incapaz de compreender o que estava acontecendo à sua volta, algo realmente patético. Então eu dizia que infelizmente o jovem Harold tinha morrido na semana anterior e que um amigo em comum sugerira que o destinatário da carta poderia substituí-lo."[1]

As pessoas com as quais Warren se sentia mais à vontade acabavam incentivando seus impulsos antissociais. Ele e dois novos amigos, Don Danly e Charlie Tron, gostavam de passar o tempo na nova loja da Sears. Perto do Tenley Circle, que ficava na esquina da Nebraska Avenue com a Wisconsin Avenue, a loja era uma incursão surpreendente no design moderno jogada no meio de Tenleytown, o segundo bairro mais antigo de Washington. Letras do tamanho de um homem formavam a palavra SEARS em metal ondulado, num terraço vários andares acima do nível da calçada.² No telhado, em cima do nome da loja, escondia-se uma grande novidade: um estacionamento a céu aberto, que logo ficou popular entre estudantes secundaristas como um lugar para estacionar e dar uns amassos. A loja também se tornou o ponto de encontro favorito dos alunos do ensino fundamental. Warren e seus amigos pegavam o ônibus H2 e iam até lá no horário de almoço ou aos sábados.

A maioria dos meninos gostava da pequena lanchonete escura que a Sears instalara no porão, com uma maravilhosa esteira rolante que cuspia rosquinhas o dia inteiro. Warren, Don e Charlie, no entanto, preferiam a Woolsworth's, do outro lado da rua, embora a delegacia de polícia ficasse na esquina oposta. A Woolsworth's ficava na diagonal da Sears. Eles podiam almoçar e observar a loja pelas janelas.

Depois de comerem seus hambúrgueres, os meninos desciam as escadas até o subsolo da Sears, passando pela lanchonete e indo direto para a seção de artigos esportivos.

"*Nós roubávamos a loja até dizer chega. Coisas que não tinham utilidade para a gente. Sacolas e tacos de golfe. Eu saía do subsolo, onde ficavam os artigos esportivos, e subia as escadas até a rua carregando uma sacola e tacos de golfe, tudo roubado. Eu roubei centenas de bolinhas.*" Eles se referiam aos roubos como "coletas".

*Não sei como nunca nos pegaram. Afinal de contas, não podíamos parecer tão inocentes assim. Um adolescente fazendo algo de errado nunca parece muito inocente.*³

Eu pegava as bolas de golfe e as guardava numa sacola laranja que ficava no meu armário. 'Coletava' aquelas bolinhas logo que a Sears as colocava na prateleira, mas na verdade elas não tinham qualquer utilidade para mim. Eu já não as vendia, naquela altura. É difícil pensar num motivo para alguém juntar aquela quantidade de bolas de golfe no armário, mas o volume da sacola laranja não parava de crescer. Eu deveria ter diversificado meus roubos. Em vez disso, inventei uma história maluca para os meus pais. Sei que eles não acreditaram em mim, mas mesmo assim eu disse que o pai de um amigo meu tinha morrido, e ele não parava de encontrar bolas de golfe que o pai tinha comprado. Sabe-se lá o que meus pais diziam um ao outro sobre isso à noite..."⁴

Os Buffett ficaram horrorizados. Warren era o seu filho mais talentoso, mas já no final de 1944 tinha se tornado o delinquente da escola.

"*As minhas notas refletiam minha infelicidade. Matemática: C. Inglês: C, D, D. Duplo X para qualquer avaliação de autoconfiança, dedicação e bons modos. Quanto menos eu interagisse com os professores, melhor. Eles até me colocaram sozinho numa sala por um tempo, passando meus deveres por baixo da porta, como se eu fosse o Hannibal Lecter.*"⁵

Quando chegou o dia da formatura e pediram aos alunos que comparecessem de terno e gravata, Warren se recusou. Diante disso, a diretora Bertie Backus deu um basta.

"*Eles não queriam deixar que eu me formasse com a minha turma na Alice Deal, porque eu era arruaceiro e me recusava a usar as roupas adequadas. Aquilo foi grave. Algo muito desagradável. Eu estava me rebelando de verdade. Alguns dos professores previam que eu seria um fracasso total. Estabeleci um recorde de advertências por mau comportamento na escola.*

Mas meu pai nunca desistiu de mim. E minha mãe, na verdade, também não. Nenhum dos dois. É maravilhoso ter pais que acreditam em você."

Mas, na primavera de 1945, quando Warren estava começando o ensino médio, os Buffett também disseram "chega". Àquela altura, motivar Warren já não era nenhum grande mistério. Howard ameaçou privar o filho da fonte do seu dinheiro.

"*Meu pai, que sempre me apoiava, disse: 'Sei do que você é capaz. E não estou lhe pedindo para ter um desempenho de 100%, mas você não pode continuar a se comportar dessa maneira. Se não tomar nenhuma atitude para mudar, você vai ter que parar de entregar jornais.' Aquilo me abalou. Meu pai falou de forma contida, como se estivesse só me informando que estava decepcionado comigo. E o modo como falou provavelmente me arrasou muito mais do que o fato de ele estar me dizendo que eu não podia fazer aquilo.*"

11
De gorducha ela não tinha nada

Washington, D. C. – 1944-1945

O tumulto que Warren causara na sua vida familiar sem dúvida não facilitou a carreira de congressista estreante do seu pai, que já era árdua. Os membros do 78º Congresso confraternizavam numa espécie de monarquia festiva, comandada por Sam Rayburn, o presidente da Câmara, um democrata texano que tinha cinco retratos de Robert E. Lee* no seu escritório, todos virados para o sul. A Câmara que Rayburn administrava era um lar confortável para o deputado típico de segundo escalão: um bajulador que vivia em função de frequentar feiras agropecuárias e dar beijos em velhinhas ou fisgar uma vencedora de concurso de beleza ou qualquer secretária que aparecesse. Famoso por sua habilidade em arrancar votos por baixo do pano e por sua oratória contundente, Rayburn operava uma espécie de saloon particular durante as tardes, quando servia "uísque com água" para seus apadrinhados.

Naturalmente Howard não estava entre eles. Além do fato de ser republicano, a sua ideia de diversão era ler a ata do Congresso todas as noites. Nunca chegou nem perto de um saloon. Ainda assim, em vários outros aspectos ele se encaixava no perfil do típico congressista da sua época – vinha de uma cidade pequena, formara-se numa universidade estadual, tinha sido aluno mediano, fizera política comunitária, era membro da autêntica classe média do Rotary Club, não fazia parte da elite dos country clubs e era inimigo do comunismo.

No entanto, em vez de se juntar aos seus colegas no que era, na verdade, um clube e começar a sua escalada no poder, Howard Buffett logo conquistou a reputação de ser, provavelmente, o congressista menos disposto a distribuir

---

* Famoso general americano que lutou no exército confederado durante a Guerra de Secessão. *(N. do T.)*

tapinhas nas costas na história dos representantes de seu estado. Ele se mantinha a quilômetros de distância do circuito de eventos para arrecadar votos e fundos de campanha, que ocupavam tantos congressistas, e deixava claro que não estava disposto a vender ou trocar seu voto. Recusou um aumento, argumentando que o povo o elegera por um salário menor. E ficava espantado com os privilégios que acompanhavam o cargo de congressista. Os restaurantes subsidiados; as folhas de pagamento repletas de amigos, parentes e amantes; a estufa que oferecia plantas de graça; a "papelaria" que vendia tudo a preço de atacado, de pneus a joias – tudo chocava Howard, e ele não escondia isso.

Um amigo, o líder republicano Robert Taft,[1] compartilhava seu isolacionismo antiquado. Mas os isolacionistas eram cada vez mais raros no Congresso; eles estavam ou abandonando seus cargos ou se aposentando. Além disso, com o país em guerra e o governo em déficit, Howard estava obcecado com a missão quixotesca de tentar fazer os Estados Unidos voltarem ao padrão-ouro, que o país abandonara em 1933. Desde então o Tesouro vinha imprimindo dinheiro desbragadamente, primeiro para financiar o New Deal e depois a guerra. Howard temia que um dia os Estados Unidos acabassem como a Alemanha da década de 1930, um país onde as pessoas tinham que empurrar carrinhos de mão de dinheiro pela rua para comprar um repolho – consequência direta de o país europeu ter sido forçado a esgotar suas reservas de ouro para pagar as indenizações da Primeira Guerra Mundial.[2] O caos econômico resultante foi um dos principais fatores que conduziram a Hitler.

Seguro de que o governo iria arruinar o país com seus gastos, Howard comprou uma fazenda em Nebraska para servir de refúgio para a família quando as outras pessoas estivessem morrendo de fome. A desconfiança em relação aos títulos do governo estava tão entranhada no lar dos Buffett que, quando a família se reuniu para discutir se deveria dar um título de poupança para alguém como presente de aniversário, a jovem Bertie, aos 9 anos, achou que seus pais estavam tentando passar a perna no sujeito. "Mas ele não sabe que isso não vai valer *nada*?",[3] perguntou.

A inflexibilidade de Howard quase o impedia de fazer seu trabalho, que era elaborar leis.

"*Ele sempre saía derrotado nas votações da Câmara, que terminavam em 412 a 3. Meu pai estava entre esses três. Mas isso não o incomodava, ele ficava muito tranquilo. Eu teria me incomodado – pois fico louco quando perco. Não consigo me lembrar de vê-lo deprimido ou desanimado. Ele simplesmente concluía que estava fazendo o melhor possível. Fazia as coisas do seu jeito e sabia por que estava lá – por nós, seus filhos. Sua avaliação do rumo que o país estava tomando era muito negativa, mas ele não era um pessimista.*"

A forma como Howard invariavelmente levantava a bandeira dos seus princípios – em vez de trabalhar em prol das metas do Partido Republicano, participando de coalizões – desgastou o relacionamento dele com seus colegas – e teve seu preço para a família. Era importante para Leila se enquadrar socialmente, pois ela tinha em alta conta a opinião das outras pessoas. E também era competitiva. Ela dizia: "Por que você não pode ser um pouco mais flexível como Ken Wherry?" – o jovem senador de Nebraska que estava subindo rapidamente na hierarquia do governo. Howard estava longe daquilo. "Nós acreditávamos nele", afirma Doris, "mas era duro vê-lo perder o tempo todo." Era mais do que isso. Todos os Buffett admiravam a firmeza de caráter de Howard, o pai que lhes ensinara a serem íntegros. Mas cada um dos filhos também absorveu, a seu modo, uma forte necessidade de ser aceito que, de certa forma, anulava ou contrabalançava o impulso à independência característico da família.

A condição de lobo solitário do seu marido no partido agravou o temperamento instável de Leila. Ainda infeliz por morar em Washington, ela tentou criar uma Omaha em miniatura, passando seu tempo livre com as mulheres da bancada de Nebraska. Mas esse tempo era curto, pois ela não tinha mais uma faxineira. Sentia-se passada para trás. "Eu desisti de tudo para me casar com Howard",[4] dizia, acrescentando essa lamúria aos seus relatos sobre como ela e o marido tinham se sacrificado em nome do bem-estar dos seus filhos ingratos. No entanto, em vez de ensinar as crianças a ajudarem na casa, ela fazia tudo, pois "era mais fácil fazer tudo sozinha". Esse sentimento de martírio a levava a se irritar constantemente com os filhos – especialmente com Doris, que estava tendo seus próprios problemas de adaptação.

Embora fosse linda, Doris diz que jamais se viu dessa maneira e se sentia insegura. Não sabia se era boa o bastante para o círculo sofisticado de Washington, do qual queria fazer parte. Quando ela foi convidada para a festa de aniversário de Margaret Truman, na Embaixada da França, pediu que acrescentassem seu nome ao *Registro de Debutantes*, pois tinha planos de debutar como princesa de Ak-Sar-Ben* junto da turma com a qual se teria formado em Omaha. Warren implicava com ela por conta dessas pretensões.

Leila, ela própria uma batalhadora determinada que se importava profundamente com as aparências, debruçava-se sobre qualquer pequena notícia a respeito da duquesa de Windsor, uma plebeia sem um tostão que fora resgatada da pobreza por um príncipe.[5] No entanto, ao contrário da duquesa, que passou o resto da vida acumulando uma das coleções de joias mais impressionantes

---

* Nebraska escrito ao contrário. *(N. da A.)*

do mundo, a ambição e o orgulho de Leila vinham embalados num desdém deliberado pela ostentação. Ela concebia a família como o arquétipo da classe média do Meio-Oeste, como uma fotografia da capa da revista *Saturday Evening Post*, e censurava Doris por sua ambição social.

Warren, aos 14 anos, entrou para o ensino médio na Woodrow Wilson High School em fevereiro de 1945, após se formar na Alice Deal.[6] Ele queria ser, ao mesmo tempo, "especial" e "normal". Muito menos maduro do que seus colegas de classe, ele era vigiado de perto pelos pais, que estavam determinados a fazê-lo entrar na linha. A entrega dos jornais era a fonte da sua autonomia, que naquela altura não era muito grande. Mas ele vinha lendo – e não só entregando – os jornais.

"*Eu lia os quadrinhos, o caderno de esportes e sempre dava uma olhada na página da Bolsa, antes de fazer as entregas. Lia a tirinha* A família Buscapé *todas as manhãs. Eu simplesmente tinha que ler aquilo. A graça era que Ferdinando Buscapé fazia a gente se sentir muito inteligente. Eu lia aquilo e pensava: 'Se eu estivesse no lugar dele... Esse cara é burro demais.' Porque lá estava Violeta, aquela garota incrível que era louca por ele e o seguia por todo lado, e ele a ignorava e não dava a mínima para ela. Todo menino americano de sangue quente, naquela época, ficava torcendo para Violeta agarrá-lo.*"

Violeta, a heroína do vilarejo de Brejo Seco, nos Apalaches, era uma loura voluptuosa, com seios que explodiam de uma blusa tomara que caia de bolinhas. O fortão tapado Ferdinando passava a maior parte do tempo tentando fugir dos planos matrimoniais da moça. Mas, quanto mais rápido ele corria, quanto mais ignorava as suas atenções e desejos, quanto mais a rejeitava, com mais afinco ela o perseguia. Por mais que homens ricos e poderosos a galanteassem, para Violeta só havia um homem na Terra: Ferdinando.[7]

Além do talento para fugir, a única outra qualidade aparente de Ferdinando era seu físico viril. A experiência pífia de Warren com garotas até então sugeria que, se um dia ele quisesse despertar o interesse de uma garota como Violeta, era melhor fazer algo para se tornar mais atraente. Então ele desenvolveu um novo interesse, que também lhe serviu como desculpa conveniente para se esconder no porão de casa. A maneira como Frankie Zick conseguia passar horas a fio levantando acima da cabeça sacos de 22 quilos de ração, na South Omaha Feed, o impressionara. Ele fez seu amigo Lou Battistone se interessar por aquilo, e os dois entraram num programa de levantamento de peso. Naquela época, treinar halterofilismo não era coisa de atletas sérios, mas apresentava muitas características que chamavam a atenção de Warren: sistemas, medições, contagem, repetição e principalmente o fato de se competir contra si próprio. Tentando aprimorar sua técnica, ele descobriu Bob Hoffman e sua revista *Strength and Health*.

Strength and Health era uma tentativa de Hoffman de superar o preconceito contra o halterofilismo por meio da publicidade agressiva. Ela era editada, produzida e aparentemente toda escrita pelo próprio Hoffman. Havia anúncios de produtos seus em quase todas as páginas. O conhecimento técnico do "tio" Bob, sua euforia e sua capacidade ferrenha de autopromoção eram surpreendentes.

"*Ele era o técnico da equipe olímpica quase inteira. Era diretor da York Barbell Company, que produzia halteres, e autor dos livros* Big Arms *(Braços fortes) e* Big Chest *(Peitoral forte). Ele começou vendendo basicamente conjuntos de halteres. Se você fosse a uma loja de artigos esportivos naquela época, todos os pesos eram da York. Havia vários conjuntos diferentes à venda.*"

Warren comprou um par de pesos de mão e um haltere com um conjunto de discos de 450 e 100 gramas, que poderia colocar e tirar da barra, apertando-os com uma pequena chave de fenda que vinha no pacote. Ele guardava os pesos no porão e estava "*sempre lá embaixo puxando ferro. Meus pais se divertiam à beça com aquilo tudo*".

Às vezes ia até à Associação Cristã de Moços para levantar peso com outros rapazes. Ele e Lou levavam o hobby a sério, fazendo piadas entre si sobre os conceitos de "pesado e leve" ou as "técnicas de levantamento perpendicular". Eles prestavam muita atenção ao que o "tio" Bob escrevia. Hoffman sabia se adaptar ao estilo do seu tempo: todos conheciam a capacidade que os diabólicos soldados japoneses tinham de suportar dor e sofrimento, por isso ele escrevia que era preciso levantar peso para enfrentá-los. E ilustrava aquilo com uma foto de um recruta japonês malvado, com o corpo arqueado, erguendo um haltere de cimento imenso diante do peito, treinando para derrotar os Aliados. Warren não praticava halterofilismo para lutar contra os japoneses, nem, aliás, contra ninguém. Mas tudo que o "tio" Bob escrevia o inspirava, na sua competição contra si mesmo.

Enquanto Warren puxava ferro no porão, os republicanos viviam um inferno. Franklin Roosevelt conseguira ganhar outro mandato como presidente, garantindo mais quatro anos aos democratas na Casa Branca. Durante o jantar, a família escutava impropérios de Howard até dizer chega. Então, no dia 12 de abril, Roosevelt morreu de hemorragia cerebral, e Harry Truman, seu vice, o sucedeu na presidência.

A morte de Roosevelt fez boa parte do país cair em luto profundo, com um quê de medo. Três anos e meio depois da entrada do país na guerra, a população tinha perdido o homem que a fazia se sentir segura – e ninguém esperava muito de Truman. Ele manteve intacto o gabinete de Roosevelt e parecia tão humilde que alguns pensaram que seria esmagado pelo cargo. Para os Buffett, por outro lado, ninguém poderia ser pior do que o ex-presidente. A família que morava logo adiante, cujo pai trabalhava na embaixada canadense, fez uma visita ao vizinho congressista para lhe dar condolências. Doris disse: "Rá, rá, rá, nós estamos é comemorando!"[8]

Para Warren, a morte de um presidente significou mais uma forma de ganhar dinheiro. Os jornais publicaram edições extras, e ele saiu correndo para as esquinas, vendendo muitos exemplares em meio aos lamentos das pessoas.

Um mês depois, no dia 8 de maio de 1945, chegou o Dia da Vitória na Europa, o término formal da guerra no Velho Continente, com a rendição incondicional da Alemanha. Novamente havia edições extras para vender, e Warren ecoava de forma natural as convicções políticas do pai. Mas, naquela época, ele estava apenas ligeiramente interessado nos problemas dos adultos, pois sua verdadeira obsessão era o halterofilismo – e Bob Hoffman. Warren passava grande parte do seu tempo livre no porão. Algumas semanas depois do fim das aulas ele não pôde esperar mais. Queria encontrar seu ídolo, o "tio" Bob. "*Ele era o cara. Eu tinha que conhecê-lo pessoalmente.*"

Com a bênção sorridente de seus pais, Warren e Lou partiram para York, Pensilvânia, pegando carona na maior parte do caminho.[9]

"*Ele tinha uma fábrica de halteres lá em York, onde produziam aqueles aparelhos. Era mais uma fundição, na verdade. E a equipe olímpica inteira trabalhava para ele ali. Por exemplo, John Grimek, que era um grande fisiculturista. E Steve Stanko, que era o recordista mundial de levantamento de peso: 172 quilos. Mas isso foi antes de eles criarem a categoria dos pesados.*"

De certa forma, a visita foi decepcionante. "*Naquela época os caras não ganhavam massa muscular da mesma forma que hoje. Fiquei alucinado por estar diante de campeões olímpicos, mas muitos deles eram pequenos, das categorias mais leves. Se eu os visse numa fábrica, com roupas de operário, não daria nada por eles.*" Por outro lado, a visão daqueles homens de aparência bastante comum aumentou as expectativas dos garotos. Talvez o fisiculturismo estivesse ao alcance deles. Eles se imaginaram homens de verdade, com físicos capazes de impressionar uma mulher. "*Quando o 'tio' Bob falava, era como se Deus estivesse se dirigindo a nós. E quando você se olhava no espelho via deltoides, abdominais, latissimus dorsi e tudo o mais. Aprendi o nome de cada grupo muscular.*"

Mas a celebridade mais impressionante na equipe da *Strength and Health* – fora o próprio Bob – não era John Grimek, o maior fisiculturista do mundo. Era uma mulher.

"*Não havia muitas mulheres na* Strength and Health. *Pudgy* Stockton era*

---

* "Gorducha" em inglês. (N. do T.)

praticamente a única. Eu gostava de Pudgy, que era impressionante. Falávamos bastante sobre ela na escola."

Esta é uma declaração bastante modesta. Warren e Lou eram obcecados por Abby "Pudgy" Stockton, uma obra de arte em forma humana, com as coxas firmes se tensionando enquanto os braços torneados erguiam um haltere imenso sobre seus cabelos revoltos pelo vento – e um biquíni que revelava uma cintura fina e um bumbum arrebatado que deixavam boquiabertos todos os homens musculosos e todos os espectadores da praia de fisiculturismo, em Santa Monica. Com 1,55 metro de altura e pesando 52 quilos, ela podia erguer um homem adulto sobre a cabeça sem sacrificar um pingo da sua feminilidade. Como "Maior Fisiculturista do Sexo Feminino" do mundo, ela escrevia uma coluna chamada "Barbelles" na *Strength and Health* e administrava um salão de aperfeiçoamento corporal, "especializado em aumento, torneamento e redução de busto", em Los Angeles.[10]

"Ela possuía o tônus muscular de Mitzi Gaynor e os seios fartos de Sophia Loren", afirma Lou Battistone. "Era um espetáculo. E, tenho que admitir, nós a desejávamos ardentemente."

Até então, Violeta, da tirinha *A família Buscapé*, tinha sido a maior fantasia de Warren. Ele sempre procurava as qualidades dela em uma mulher. Pudgy, por outro lado... Pudgy era *real*.

Não era claro, contudo, o que um homem deveria fazer se tivesse uma namorada como Pudgy.[11] Os garotos tentavam interpretar o "Guia de Bob Hoffman para um casamento feliz", que incluía uma "análise pré-marital: como observar sua esposa antes de se casar com ela, para se assegurar de que ela está *intacta*, além de como cortejá-la e maneiras secundárias de fazer amor". Eles se perguntavam o que, exatamente, seriam as *maneiras secundárias de fazer amor*. Mesmo as maneiras principais eram um grande mistério; os anúncios na quarta capa da *Strength and Health* eram o melhor que a década de 1940 podia oferecer em termos de educação sexual. "Não se preocupe, papai, estamos no porão estudando um pouco para nossa prova de física."

No fim das contas, o fascínio de Warren por números acabou vencendo.

"A gente não parava de medir os bíceps, para ver se eles tinham crescido de 30 centímetros para 30 centímetros e meio. Eu ficava sempre preocupado se estava tirando as medidas da forma correta. Mas nunca fui além do "antes", na gravura de "antes e depois" de Charles Atlas. Acho que meus bíceps cresceram apenas de 30 para 30 centímetros e meio, isso depois de puxar peso milhares de vezes.

E aquele livro, Big Arms, *não adiantou muito para mim."*

12
Silent Sales

Washington, D. C. – 1945-1947

Naquele mês de agosto, quando os Buffett estavam novamente em Omaha, os Estados Unidos lançaram duas bombas atômicas, sobre Hiroshima e Nagasaki; no dia 2 de setembro o Japão se rendeu oficialmente. A guerra tinha acabado. A celebração dos americanos beirou a histeria. No entanto, Warren recorda que logo começou a pensar nos próximos movimentos das peças do xadrez internacional depois do lançamento das bombas.

"Eu não entendia nada de física. Mas sabia que era possível matar 200 mil pessoas se você fosse o primeiro a usar a bomba numa guerra. Pensei: é como se eu topasse com um cara num beco escuro, eu com um canhão e ele só com um revólver. Se ele estiver disposto a puxar o gatilho, e eu tiver algum escrúpulo moral, ele vai me derrotar. Einstein se apressou a dizer: 'A bomba mudou tudo no mundo, exceto a maneira como os homens pensam.' Aquilo acendia um pavio para o fim do mundo. Ora, podia ser um pavio longo, e talvez houvesse maneiras de interrompê-lo, mas quando os pavios estão acesos o problema é bem diferente de quando eles estão apagados. Eu tinha apenas 14 anos, mas me pareceu totalmente claro o que estava para acontecer. E, até certo ponto, foi o que aconteceu de fato."

Algumas semanas mais tarde, com a família de volta a Washington, Warren retornou à Woodrow Wilson High School, para concluir o primeiro ano do ensino médio. Aos 15 anos ainda era um garoto, mas já entendia de negócios. Estava ganhando tanto dinheiro com a entrega de jornais que já guardara mais de 2 mil dólares. Howard deixou seu filho investir na Builders Supply Co., uma loja de ferragens que ele e Carl Falk estavam abrindo ao lado da loja de ração, em Omaha.[1] Além disso, o próprio Warren comprara uma fazenda de 16 hectares por 1.200 dólares a cerca de 100 quilômetros dali, perto de Walthill, no condado de Thurston, em Nebraska.[2] Um arrendatário cuidava da fazenda e eles dividiam os lucros – exatamente o tipo de acordo que agradava a Warren, com outra pessoa fazendo o trabalho duro e maçante. Warren começou a se apresentar para as pessoas na escola como "Warren Buffett, de Nebraska, dono de uma fazenda arrendada no Meio-Oeste".³

Ele pensava como um homem de negócios, mas não parecia ser. Não se sentia à vontade na escola, aonde ia com os mesmos tênis surrados e as meias sem elástico aparecendo debaixo das calças *baggy*, dia após dia, com seu pescoço magrelo e seus ombros estreitos engolidos pela blusa. Quando era obrigado a calçar sapatos, usava meias brancas ou de um amarelo berrante sob o couro gasto. Às vezes parecia tímido, quase inocente. Em outras ocasiões assumia uma expressão penetrante e durona.

Doris e Warren se ignoravam mutuamente quando seus caminhos se cruzavam nos corredores da escola. "*Doris, que era muito popular, então se sentia particularmente envergonhada por mim, pois eu me vestia muito mal. Às vezes, ter uma irmã pode ajudá-lo a se socializar, mas eu basicamente a rejeitava. Não era culpa dela; eu tinha a dolorosa consciência de ser um desajustado social. Achava que não tinha saída.*"

O jeito impassível e sabichão de Warren escondia os sentimentos de inadequação que vinham tornando sua vida difícil desde que deixara Omaha. Ele queria desesperadamente ser normal, mas ainda se sentia basicamente excluído.

Ele "titubeava", segundo Norma Thurston, namorada do seu amigo Don Danly. "Warren pensava bastante antes de falar e nunca assumia nenhum compromisso, por menor que fosse, se achasse que poderia voltar atrás."⁴

Muitos dos seus colegas de classe mergulharam entusiasmados na vida adolescente, entrando para fraternidades e clubes estudantis, começando a namorar e fazendo festas nos porões das suas casas, onde serviam refrigerantes, cachorros-quentes e sorvete. Depois apagavam as luzes e todo mundo se agarrava. Em vez de fazer o mesmo, Warren ficava só olhando. Ele e Lou Battistone tinham cadeiras cativas, nas noites de sábado, na casa de shows de Jimmy Lake, uma boate local, onde fantasiavam flertar com Kitty Lane, uma das dançarinas. Warren dava gargalhadas quando um comediante caía de bunda no chão ou quando um ator à paisana começava a importuná-lo da plateia.⁵ Ele gastou 25 dólares num sobretudo de pele. Quando o usou na boate de Jimmy Lake, o leão de chácara lhe disse: "Deixe de palhaçada, garoto. Ou você tira o sobretudo ou não entra."⁶ Ele tirou.

O lado de Warren que havia depenado a Sears estava diminuindo, mas ainda não desaparecera de todo. Ele e Danly ainda se aproveitavam do "desconto de 100%" que tinham na loja. Quando seus professores lhe contaram que tinham aplicado boa parte de suas aposentadorias em ações da AT&T, Warren vendeu aquelas ações a descoberto e depois mostrou os comprovantes, só para que eles se sentissem mal. "*Eu era um pé no saco*", diz.⁷

Sua capacidade extraordinária de raciocínio e sua tendência a posar de sabe-tudo se combinaram num talento incomum para defender pontos de vista perversos. Por alguma razão, provavelmente por ser filho de um congressista, ele acabou participando de um programa de rádio no dia 3 de janeiro de 1946. A CBS levou seu programa educativo, o *American School of the Air*, até a WTOP, a estação de rádio local, que pertencia ao *Washington Post*. Naquela manhã de sábado, Warren foi até à estação, onde ele e mais quatro rapazes se sentaram em volta de um microfone e começaram um debate, imitando uma sessão do Congresso.

O apresentador do programa atribuiu a Warren a tarefa de apimentar o debate. Ele argumentava de forma convincente em favor de absurdos: ideias como eliminar o imposto de renda ou anexar o Japão. "*Quando queriam alguém que assumisse posicionamentos loucos*", diz, "*eu ficava encarregado.*" Por outro lado, embora adorasse discutir por discutir, suas réplicas inteligentes, seus argumentos velozes e sua vontade indiscriminada de ser do contra atrapalhavam o seu objetivo de ser benquisto pelos colegas.

Até então os esforços de Warren para se dar bem com as pessoas tinham alcançado resultados variados. Ele encantava os adultos, com exceção dos seus professores, e se sentia pouco à vontade com os colegas. Mas conseguia fazer alguns poucos amigos íntimos. Queria desesperadamente que as pessoas gostassem dele e, mais que tudo, que não o atacassem pessoalmente. E precisava de um sistema que garantisse isso. Na verdade, já tinha um, mas não o utilizava ao máximo. Quando se viu sem outra alternativa, passou a trabalhar mais duro.

Warren descobrira esse sistema na casa do avô, onde lia numa velocidade alucinante tudo o que lhe caía nas mãos, como fazia em casa. Vasculhando a prateleira do quarto dos fundos, ele consumira cada número da revista *Progressive Grocer* e cada exemplar do *Daily Nebraskan*, que tinha sido editado pelo seu pai, e devorara como uma traça todos os 50 anos de edições da *Reader's Digest* que Ernest acumulara. Aquela estante também continha uma série de biografias curtas, muitas sobre líderes do mundo dos negócios. Desde jovem, Warren estudara a vida de homens como Jay Cooke, Daniel Drew, Jim Fisk, Cornelius Vanderbilt, Jay Gould, John D. Rockefeller e Andrew Carnegie. Ele lia e relia. Um daqueles livros era especial: não era uma biografia, mas uma brochura escrita pelo ex-vendedor Dale Carnegie[8] cujo título era sedutor: *Como fazer amigos e influenciar pessoas*. Ele o descobrira aos 8 ou 9 anos.

Warren sabia que precisava fazer amigos e queria influenciar as pessoas. Ele abriu o livro e foi fisgado logo na primeira página: "Se você quer colher mel", começava o autor, "não chute a colmeia."[9]

Críticas não adiantam nada, dizia Carnegie.

Regra número um: não critique, condene ou reclame.
A ideia fascinou Warren. Crítica era um assunto que ele conhecia perfeitamente. Segundo Carnegie, críticas deixam as pessoas na defensiva e fazem com que elas fiquem tentando se justificar. São perigosas, pois ferem o orgulho delas, prejudicam sua noção de importância e geram rancor. Carnegie advogava que devemos evitar conflitos. "As pessoas não querem ser criticadas. Querem uma admiração genuína e sincera. Não estou falando de bajulação", dizia Carnegie. "A bajulação é falsa e egoísta. A admiração é honesta e vem do coração. A necessidade mais profunda da natureza humana é 'o desejo de ser importante.'"[10]
Embora "não criticar" fosse a principal, havia 30 regras no livro, ao todo.

- Todo mundo quer atenção e admiração. Ninguém quer ser criticado.
- O som mais agradável que existe é o do nosso próprio nome.
- A única maneira de tirar o melhor de uma discussão é evitá-la.
- Se você estiver errado, admita-o rapidamente e de forma enfática.
- Faça perguntas, em vez de dar ordens diretas.
- Colabore para dar à outra pessoa uma boa reputação que ela precise manter.
- Chame a atenção para os erros do próximo de maneira indireta. Deixe-o salvar sua honra.

"Estou falando sobre um novo estilo de vida", dizia Carnegie. *Estou falando sobre um novo estilo de vida.*
O coração de Warren ficou mais leve, pois sentia que tinha encontrado a verdade. Aquilo era um sistema. Ele se sentia tão inferior socialmente que precisava de um sistema para se "vender" às pessoas, algo que poderia aprender uma só vez e utilizar sempre, sem ter que reagir de forma diferente a cada situação nova.
Mas ele precisava de números para comprovar que aquele sistema era realmente eficaz. Então decidiu fazer uma análise estatística do que aconteceria se seguisse as regras de Dale Carnegie – e do que aconteceria se não as seguisse. Tentou dar atenção e valor a algumas pessoas, e não fazer nada ou ser desagradável com outras, sem que elas soubessem que se tratava de uma experiência secreta. Ele observou as suas reações, registrando os resultados. Com uma alegria crescente constatou: os números provavam a eficácia daquelas regras.
"*Eu tinha um sistema. Um conjunto de regras.*"
No entanto, não adiantava nada *ler* as regras. Era preciso *viver* de acordo com elas. "Estou falando sobre um novo estilo de vida", dizia Carnegie.
Warren começou a praticar. Partiu de um nível muito básico. Algumas coisas vieram naturalmente, mas ele descobriu que aquele sistema não podia ser

aplicado de forma automática e relaxada. "Não criticar" parecia simples, mas algumas vezes ele fazia críticas quase sem perceber. Era difícil nunca demonstrar irritação e impaciência. Admitir que estava errado às vezes era fácil, outras vezes não. Uma das coisas mais difíceis era dar atenção e valor às pessoas e demonstrar admiração por elas. Para alguém que passava a maior parte do tempo afundado na tristeza, como Warren, era duro se concentrar nos outros e não em si mesmo.

Mesmo assim, ele aos poucos foi se convencendo de que seus "anos negros" na Alice Deal Junior High eram a prova viva de que ignorar as regras de Dale Carnegie não dava certo. À medida que se firmava no ensino médio, ele continuou praticando as regras nos contatos com seus colegas.

Ao contrário da maioria das pessoas que lia o livro de Carnegie e pensava "Puxa, isso faz sentido", para depois largá-lo e esquecê-lo, Warren trabalhou nesse projeto com um afinco incomum: ele sempre retomava aquelas ideias e as colocava em prática. Mesmo quando fracassava, ou se esquecia e passava longos períodos sem aplicar o sistema, no fim das contas voltava a adotá-lo. Assim, já no ensino médio ele conseguiu fazer novos amigos, entrou para a equipe de golfe da Woodrow Wilson e conseguiu se tornar um colega comum ou mesmo popular. Dale Carnegie o ajudara a aprimorar a sua espirituosidade natural e, principalmente, a sua capacidade de persuasão, o seu talento como vendedor.

Warren parecia ser uma pessoa intensa, mas com um lado malicioso; era tranquilo e agradável, mas também solitário. Certamente a paixão por ganhar dinheiro – que ocupava a maior parte do seu tempo – o tornava singular na Woodrow Wilson.

Não havia nenhum outro homem de negócios na escola. Entregando jornais algumas horas por dia, ele tirava 175 dólares por mês, mais dinheiro do que seus professores ganhavam. Em 1946 um homem adulto se sentia bem remunerado se ganhasse 3 mil dólares por ano num emprego de tempo integral.[11] Warren guardava seu dinheiro em casa, num armário em que só ele podia mexer. "Fui a casa dele um dia", diz Lou Battistone. "Ele abriu uma gaveta e disse: 'Isto é o que eu venho juntando.' Eram 700 dólares em notas pequenas. Um maço e tanto, pode acreditar."[12]

Ele tinha começado vários negócios novos. A Buffett's Golf Balls vendia bolas de golfe restauradas por seis dólares a dúzia.[13] Ele as encomendava de um sujeito em Chicago chamado Witek – Warren não resistiu a apelidá-lo de "Half-Witek".*
"*Eram bolas bonitas – e muito boas também: Titleist, Spalding Dots e Maxflis, que eu comprava por 3 dólares e 50 centavos a dúzia. Pareciam novinhas em folha. Ele provavelmente as pegava da mesma forma que nós tentamos no início, dentro dos*

---

* Trocadilho com a expressão "half-wit", que significa "burro", "tapado". (*N. do T.*)

lagos, só que era melhor naquilo." Ninguém sabia que ele comprava as bolas de golfe usadas de Witek. Até mesmo sua família parecia não perceber que ele comprava as bolas que vendia com seu amigo Don Danly. Seus colegas do time de golfe da Wilson achavam que ele as fisgava dos lagos espalhados pelos campos.[14]

A Buffett's Approval Service vendia conjuntos de selos para colecionadores de outros estados. A Buffett's Showroom Shine era um negócio de polimento de carros que ele e Battistone administravam na concessionária de carros usados do pai de Lou – mas este negócio foi logo abandonado, porque envolvia muito trabalho braçal e se revelou cansativo demais.[15]

Um dia, quando Warren tinha 17 anos e estava quase terminando a escola, ele foi correndo contar a Don Danly sobre uma nova ideia. Tinha a mesma característica exponencial das balanças do livro *One Thousand Ways to Make $ 1,000* – uma poderia pagar a outra, e assim por diante. "*Comprei uma máquina de fliperama velha por 25 dólares*", ele disse a Don, "*e podemos ser sócios. Sua parte no acordo é consertá-la.*[16] *E, veja bem, vamos dizer o seguinte para Frank Erico, o barbeiro: 'Nós representamos a Wilson's Coin-Operated Machine Company e temos uma proposta do Sr. Wilson. Não há nenhum risco para o senhor. Deixe a gente colocar essa máquina de fliperama nos fundos da sua barbearia, Sr. Erico, e os clientes podem jogar enquanto esperam a vez deles. E daí nós dividimos o dinheiro.*'"[17]

Danly topou a parceria. Embora ninguém jamais tivesse colocado aquelas máquinas em barbearias antes, eles apresentaram a proposta ao Sr. Erico, que aceitou. Os meninos tiraram as pernas da máquina e a transportaram, no carro do pai de Don, até à barbearia, onde a instalaram. Como era de se esperar, na primeira tarde, quando Warren e Don voltaram lá para conferir o resultado, Warren exclamou: "*Puxa vida!*" Quatro dólares em moedas de cinco centavos tinham sido depositados lá dentro. O Sr. Erico ficou maravilhado, e a máquina continuou lá.[18]

Depois de uma semana, Warren esvaziou a máquina e juntou as moedas em duas pilhas. "*Sr. Erico*", ele disse, "*não vamos nos dar ao trabalho de dividir moeda por moeda. Pegue o monte que quiser.*"[19] Era como as crianças dividiam um bolo antigamente: uma cortava e a outra escolhia. Depois que o Sr. Erico arrastou uma pilha para o seu lado da mesa, Warren contou a sua e descobriu que ela totalizava 25 dólares. Aquilo era o suficiente para comprar outra máquina de fliperama! Logo havia sete ou oito máquinas do "Sr. Wilson" espalhadas pelas barbearias da cidade. Warren tinha descoberto o milagre do capital: o dinheiro trabalha para o seu dono, como se tivesse um emprego próprio.

"*Você tinha que se dar bem com os barbeiros. Isso era essencial. Afinal, todos aqueles caras podiam comprar máquinas de 25 pratas por conta própria. Então nós tínhamos que convencê-los de que só alguém com 400 de QI poderia consertá-las.*

Mas havia umas figuras bastante desagradáveis no ramo do fliperama, e elas costumavam andar por uma loja chamada Silent Sales. Aquele era nosso território de caça. A Silent Sales ficava no quarteirão 900 da Rua D, pertinho da casa de shows Gayety, na parte pobre do centro da cidade. Aquelas figuras da Silent Sales meio que achavam graça da gente. Danly e eu íamos até lá, dávamos uma olhada nas máquinas e comprávamos o que dava por 25 pratas. Máquinas novas custavam cerca de 300 dólares. Eu assinava a revista Billboard naquela época, para me inteirar das novidades na área.

Os caras da Silent Sales nos ensinaram algumas coisas. Havia algumas máquinas caça-níqueis ilegais no mercado. E eles nos mostraram como jogar cerveja nelas para deixar uma moeda de 50 centavos presa no mecanismo e poder ficar puxando a alavanca até ganhar. Mostraram também como desativar o disjuntor nas máquinas de refrigerantes dos cinemas, de modo que, se você colocasse uma moeda de cinco centavos e puxasse a tomada imediatamente, podia esvaziá-la toda.

Aqueles caras nos ensinavam esse tipo de coisas, e nós devorávamos a informação.

Meu pai provavelmente suspeitava com que tipo de gente nós estávamos andando. Mas ele sempre achava que as coisas dariam certo para mim."

Warren e Don já estavam ganhando um bom dinheiro com uma só máquina de fliperama em cada barbearia, mas então encontraram uma mina de ouro. "Nossa tacada de mestre foi perto do Griffith Stadium, que era o antigo campo de beisebol." No meio das áreas mais pobres de Washington, eles encontraram "uma barbearia para negros, com sete cadeiras. Mas havia um monte de malandros por ali. Depois que colocamos uma máquina de fliperama lá dentro, quando voltávamos para fazer a coleta, uns sujeitos tinham feito furos na parte inferior da máquina, para sabotar o mecanismo de tilt. Era uma disputa de forças. Os caras que jogavam nas barbearias sempre nos pediam para ajustar o mecanismo de tilt, para poderem sacudir a máquina com força, sem que ela travasse.

Veja bem, nós não julgávamos os nossos clientes."

Afinal de contas, não estavam fazendo algo muito diferente dos trambiques que os sujeitos da Silent Sales tinham ensinado a eles próprios, e faziam isso sozinhos.

"Uma vez, estávamos no porão de Danly brincando com minha coleção de moedas. Para tornar a entrega dos jornais mais interessante, eu juntava várias pelo caminho e as guardava em bandejas Whitman, com fendas no formato das moedas. Então eu disse a Don: 'Acho que podemos usar essas bandejas para fazer moldes de moedas falsas.'

Danly era o cérebro da operação. Como era de se esperar, ele aprendeu a fazer os moldes e eu forneci as bandejas. Nós tentaríamos usar as moedas falsas em máquinas de refrigerantes e coisas do gênero. Nossa fórmula básica era guardar as moedas de verdade que recebíamos – e gastar as falsas.

Uma vez, o pai de Danly desceu até o porão e perguntou: 'O que vocês estão fazendo, meninos?'
Estávamos derramando metal derretido naqueles moldes. Então falamos: 'É uma experiência para a escola.' Sempre estávamos fazendo experiências para a escola."
Warren gostava de falar sobre os seus negócios com seus colegas – mas não sobre os seus trambiques –, e quando chegou a primavera, perto do fim da terceira série, suas histórias já haviam transformado tanto ele quanto Don em pequenas lendas na Woodrow Wilson.

"*Todos sabiam do nosso negócio das máquinas de fliperama e imaginavam que estávamos ganhando muito dinheiro. Além disso, provavelmente exagerávamos um pouco quando falávamos sobre aquilo. Então as pessoas queriam entrar na jogada. Era como as ações.*"

Um deles era um garoto chamado Bob Kerlin – um rapaz vibrante que jogava na equipe de golfe com Warren.[20] Mas Warren e Don não estavam dispostos a deixar ninguém entrar no seu negócio das máquinas de fliperama e planejaram usar Kerlin para uma nova empreitada. "*Nós tínhamos desistido de roubar as bolas de golfe da Sears, mas pensamos em recuperar as bolas perdidas nos lagos dos campos de golfe de Washington. Encontramos assim uma função para Kerlin, pois nenhum de nós dois queria ter o trabalho de procurar as bolas.*"

Eles criaram uma encenação elaborada para Kerlin. Foi um trote quase cruel, mas as aulas acabariam dali a alguns meses mesmo, então quem se importava?

"*Fomos novamente para a Rua 9 com a D, onde ficava a loja de segunda mão de artigos do Exército, perto da Silent Sales, e compramos uma máscara de gás. Então pegamos uma mangueira de jardim, acoplamos à máscara e testamos aquilo numa banheira, enfiando nossos rostos em menos de 8 centímetros de água.*"

Enganando Kerlin, Warren disse a ele: "'*Esta é a sua chance. Vamos incluir você na jogada.*' *Combinamos que iríamos às 4 horas da manhã para um campo de golfe na Virgínia e que ele usaria a máscara de gás para mergulhar no lago e recuperar as bolas. Aí dividiríamos o dinheiro em três partes.*

Kerlin perguntou: 'Como eu vou conseguir ficar no fundo?' Eu disse: 'Ah, já tenho uma solução para isso. Vamos fazer o seguinte: você vai tirar a roupa e colocar nas costas minha sacola do Washington Post *com alguns discos de halteres dentro. O peso manterá você lá embaixo.'*

Fomos até o campo de golfe, e Kerlin passou o caminho inteiro expressando uma certa desconfiança. Danly e eu falamos: 'Nós já fracassamos alguma vez? Quero dizer, olhe para nós! Se você quiser desistir agora, tudo bem, mas vai ficar de fora de qualquer jogada futura.

Chegamos ao nascer do sol. Kerlin tirou a roupa, enquanto nós ficamos bem aquecidos, com nossos agasalhos. Ele ficou totalmente nu, colocou a sacola do Washington Post *cheia de halteres nos ombros e começou a chapinhar no lago. É claro que ele não tinha a menor noção se estava pisando em cobras, bolas de golfe ou sabe-se lá o quê. Então ele mergulhou e, quando puxou a corda, nós o trouxemos de volta à superfície. Ele disse: 'Não consigo enxergar nada.' Nós respondemos: 'Não se preocupe em enxergar, é só tatear em volta.' Daí, ele mergulhou de novo.*

Mas, antes que ele enfiasse a cabeça na água, apareceu um caminhão na subida do campo, com o sujeito que fazia os obstáculos de areia todas as manhãs. Ele nos viu e veio na nossa direção, dizendo: 'O que vocês estão fazendo, garotos?' Danly e eu pensamos rápido: 'Estamos conduzindo uma experiência para nossa aula de física, senhor.' Kerlin assentiu. Mas tivemos que tirar Kerlin do lago, sem roupa. O nosso plano fracassou."[21]

Não se sabe ao certo o que realmente aconteceu depois, nem se Kerlin estava de fato totalmente nu, mas logo uma versão da história se espalhou. Aquela seria a última grande peça da carreira de Warren no ensino médio.

Naquela altura, no entanto, ele já tinha juntado uma pequena fortuna: uma pilha cintilante de 5 mil dólares, suja com a tinta do papel de mais de 500 mil jornais entregues. Aquelas montanhas de jornal representavam mais da metade de sua bola de neve. Por mais rico que já estivesse, contudo, Warren pretendia manter a bola rolando.*

---

* Levando em conta a inflação, um rapaz de 16 anos com uma pilha semelhante a essa teria em 2007 cerca de 53 mil dólares. *(N. da A.)*

13
As regras da pista

Omaha e Washington, D. C. – Década de 1940

Os testes de comportamento inspirados em Dale Carnegie que Warren fazia levavam em conta as diferenças entre as pessoas. Eram, de certo modo, experiências científicas sobre a natureza humana. E os dados que ele coletava sugeriam que Carnegie estava certo.

Essa maneira de pensar era uma extensão daquele seu antigo hobby de infância, calcular a diferença entre as expectativas de vida dos compositores de hinos. Mas seu interesse na longevidade não era apenas uma abstração. Ernest Buffett, a quem Warren era extremamente ligado, morrera em setembro de 1946, aos 69 anos, quando a família estava em Omaha fazendo campanha para o terceiro mandato de Howard. Warren tinha 16 anos. Dos seus quatro avós, apenas Stella, de 73 anos, continuava viva, confinada no Hospital Estadual de Norfolk. Muito antes da morte de Ernest, Warren já se preocupava com sua expectativa de vida, e os acontecimentos recentes na família não o tranquilizavam nem um pouco em relação à longevidade ou à loucura. A paixão de Warren pelas probabilidades, contudo, se estendia a diversos outros assuntos e, numa forma embrionária, começara muito mais cedo – bem antes de ele saber o significado do termo – quando ainda era um garotinho com suas bolas de gude, placas de carros, tampinhas de refrigerantes e kits para tirar impressões digitais de freiras.

A arte da probabilidade se baseia em dados. O segredo era *ter mais informação do que a outra pessoa* – e então analisá-la da forma correta e usá-la racionalmente para fazer prognósticos. Warren colocara aquilo em prática pela primeira vez no hipódromo de Ak-Sar-Ben quando era ainda criança e a mãe de seu amigo Bob Russell apresentou os meninos ao mundo das apostas.

Warren e Russ eram jovens demais para apostar, mas eles logo descobriram como descolar um trocado. Entre guimbas de cigarro, poças de cerveja derramada, programações antigas e restos de cachorro-quente no chão de tábuas imundo e coberto de serragem do Ak-Sar-Ben havia milhares de bilhetes descartados, que brotavam como cogumelos numa floresta. Os meninos se transformaram então em cães farejadores.

"Chamam a isso 'raspar o tacho'. *No começo da temporada de turfe aparecia um monte de gente que só tinha visto corridas de cavalo no cinema. Pessoas que achavam que se o seu cavalo chegasse em segundo ou terceiro lugar não receberiam dinheiro algum, por isso jogavam fora bilhetes que valiam para as duas ou três primeiras posições. Também dava para faturar alto quando uma corrida era muito disputada. Porque aí acendia uma luzinha dizendo 'contestação' ou 'protesto', mas naquela altura muitas pessoas já tinham jogado fora seus bilhetes. Nós os apanhávamos aos montes. Nem olhávamos para eles durante o processo. Deixávamos para analisá-los à noite. Era terrível, porque as pessoas cuspiam no chão, mas nos divertíamos bastante. Quando eu encontrava algum bilhete premiado, minha tia Alice, que não dava a mínima para as corridas, recebia o dinheiro, porque não o entregariam a crianças.*"

Warren queria ir às corridas o tempo inteiro. "*Meu pai nunca ia ao jóquei*", diz Buffett. "*Ele não acreditava naquilo.*" Quando a Sra. Russell não o levava, seus pais deixavam que ele fosse com seu tio-avô Frank, o excêntrico da família. Frank já se reconciliara com Ernest havia algum tempo e acabara se casando com uma mulher a quem a família se referia como "a aproveitadora".[1] Ele não tinha nenhum interesse particular em cavalos, mas levava Warren ao Ak-Sar-Ben porque o sobrinho-neto queria ir.

No Ak-Sar-Ben, Warren aprendera algo sobre como interpretar o folheto de dicas, e aquilo lhe abriu todo um novo mundo. Calcular a vantagem de cavalos combinava duas coisas nas quais ele era muito, muito bom: coletar dados e matemática. Não era muito diferente de contar cartas numa partida de vinte e um, exceto pelo fato de que a mão vencedora tinha quatro pernas e corria numa pista. Logo ele e Russell sabiam o suficiente para redigir e distribuir o seu próprio folheto de dicas, batizado, com astúcia, de *Stable-Boy Selections* (Seleções do cavalariço).

"*Conseguimos produzir o folheto por algum tempo. A venda não era lá essas coisas, quero dizer, ninguém se impressionava muito com dois garotinhos vendendo aquela folha, datilografada no meu porão numa máquina de escrever Royal velha. Mas o que limitava a produção, naquela época, era o papel-carbono. Era difícil conseguir mais que cinco folhas de cada vez. Mesmo assim eu me sentava diante da Royal, analisava os desempenhos dos cavalos com Bob Russell, e então datilografávamos o folheto.*

Ficávamos na pista gritando: 'Comprem o seu Stable-Boy Selections!' *O Blue*

Sheet, *o folheto de dicas principal, era um pouco mais caro, mas o hipódromo ganhava uma comissão em cima dele. A 25 centavos, nós éramos um produto de segunda categoria. Então eles acabaram depressa com o Stable-Boy Selections, pois tiravam uma porcentagem de tudo o que era vendido no jóquei, menos da gente."*

Quando os Buffett se mudaram para Washington, D. C., a única vantagem para Warren foi a chance de aprimorar seu talento em fazer prognósticos.

"Se tinha uma coisa que eu sabia, era que os congressistas tinham acesso à Biblioteca do Congresso, onde se podia ler tudo o que já tinha sido escrito no mundo. Então, quando chegamos a Washington, eu pedi: 'Papai, eu só quero uma coisa. Que o senhor peça na Biblioteca do Congresso todos os livros que eles tiverem sobre turfe.' Meu pai disse: 'Bem, eles acharão um pouco estranho se a primeira coisa que um novo congressista pedir for livros sobre apostas em cavalos...' Mas eu insisti: 'Papai, quem estava lá naquelas feiras agropecuárias fazendo campanha para a sua eleição? Quem estava lá nas empacotadoras de carne pronto para chamar a polícia caso acontecesse alguma coisa?' Continuei: 'Daqui a dois anos o senhor concorrerá à reeleição. Com certeza vai precisar de mim. Está na hora de retribuir.' Depois disso ele pegou centenas de livros sobre turfe para mim.[2]

Li todos, de cabo a rabo. Fui a um lugar em Chicago, na North Clark Street, onde podia conseguir formulários de corrida antigos muito barato. Eram velhos, ninguém queria. Eu os analisava, usando minhas técnicas de probabilidade, comparando os desempenhos de dias seguidos e analisando os resultados. Testei minha habilidade de fazer prognósticos dia após dia; coloquei em prática todos os sistemas diferentes que tinha na minha cabeça.

Existem dois tipos de prognósticos no turfe. Os de velocidade e os de classe. Os de velocidade identificam qual o cavalo com os melhores tempos no passado: o mais rápido ganhará a corrida. Os de classe partem do princípio de que o cavalo que correu contra adversários de 10 mil dólares e se saiu bem sairá vencedor quando competir com cavalos de 5 mil dólares. Porque, segundo alguns especialistas, o cavalo corre apenas o suficiente para vencer.

No turfe, é bom entender os dois tipos de prognósticos. Mas, naquela época, eu era basicamente partidário da velocidade. Era um sujeito quantitativo, para começo de conversa."

No entanto, à medida que fazia seus testes e observava, Warren descobriu as regras do hipódromo:

1. Ninguém vai embora para casa depois da primeira corrida.
2. Você não precisa recuperar o dinheiro da mesma maneira que o perdeu.

O hipódromo espera que as pessoas continuem apostando até perder. Um bom analista não poderia reverter estas regras – e vencer?

"O mercado também é um hipódromo. Mas eu não estava desenvolvendo teorias complexas naquela época. Era só um garotinho."

Em Washington, as apostas eram algo onipresente.

"Eu ia até o escritório do meu pai com bastante frequência, e havia até um bookmaker mirim no prédio, que, na época, era chamado de Old House Office Building. Você ia até o poço do elevador e gritava 'Sammy!', ou algum nome parecido, e um garoto subia para pegar suas apostas.

De vez em quando eu também me fazia de bookmaker para os sujeitos que queriam apostar na Preakness,* ou algo do gênero. Aquela era a parte do jogo de que eu gostava, os 15% de comissão que tirava sem riscos. Meu pai se esforçava para manter aquilo sob controle. Até certo ponto, achava divertido, mas também conseguia ver que a coisa podia desandar para o lado errado."

Durante as férias de verão, Warren voltou para Omaha e foi "raspar o tacho" no hipódromo de Ak-Sar-Ben, desta vez com seu amigo Stu Erickson.[3] De volta a Washington, ele encontrou um novo amigo para acompanhá-lo ao hipódromo, alguém que o ajudaria a aprimorar sua habilidade nos prognósticos das corridas. Bob Dwyer, um jovem barrigudo e empreendedor que tinha sido seu técnico de golfe na escola, tirava muito mais do que seu salário de professor vendendo seguros de vida, refrigeradores e outros artigos durante o verão, quando a escola estava em recesso.[4] Outros membros do time de golfe achavam Dwyer severo e ríspido, mas ele simpatizou com Warren – que também gostava dele e jogava com entusiasmo, apesar de seus óculos embaçarem a toda hora.

Um dia Warren pediu que Dwyer o levasse às corridas. O técnico lhe disse que precisava da permissão dos seus pais. "Na manhã seguinte, bem cedo", conta Dwyer, "ele apareceu todo saltitante, com um bilhete da sua mãe autorizando o filho a ir ao jóquei sem problemas." Então Dwyer escreveu uma justificativa qualquer para Warren poder sair da aula,[5] e os dois pegaram o trem da Chesapeake & Ohio, em Silver Spring, Maryland, até o hipódromo em Charleston, Virgínia Ocidental. Ir às corridas com um professor serviu para refinar ainda mais a habilidade de Warren. Dwyer lhe ensinou táticas avançadas de leitura, usando o folheto de dicas mais importante, o *Daily Racing Form*.

"Eu conseguia o Daily Racing Form com antecedência e calculava a probabilidade de cada cavalo ganhar a corrida. Então comparava essas porcentagens com as chances indicadas pelo folheto – sem olhá-las antes, para não ser influenciado. Às vezes

---

* Tradicional corrida de cavalos anual disputada no hipódromo de Pimlico, em Baltimore. (*N. do T.*)

descobria um cavalo cujas chances de vitória estavam muito, muito distantes da probabilidade sugerida. Por exemplo, um cavalo com uma probabilidade de 10% de vitória, mas que estava pagando 15 para 1 nas apostas.*

Quanto menos sofisticado o hipódromo, melhor. Havia pessoas apostando nas cores dos jóqueis, nas suas datas de aniversário, nos nomes dos cavalos. E o segredo, obviamente, era ficar num grupo no qual praticamente ninguém era analítico e ter muitos dados à disposição. Por isso eu estudava os folhetos como um louco."

Bill Gray, que estava uma série abaixo de Warren na Woodrow Wilson mas era um pouco mais velho, foi a algumas corridas de cavalo com ele.

"Ele era muito bom com números, falante[6] e extrovertido. Nós conversávamos sobre beisebol, a média de acertos dos rebatedores e esportes em geral.[7]

Ele sabia em quais cavalos apostaria assim que descia do trem. Andava até a pista e dizia: 'Bem, esse cavalo está muito gordo' ou 'Esse cavalo não conseguiu posições boas o bastante nas últimas corridas' ou 'Os tempos dele não estão satisfatórios'. Ele sabia como analisar os cavalos." Warren apostava valores de 6 a 10 dólares e ganhava de vez em quando. Ele só fazia apostas altas se as probabilidades fossem realmente boas, pois tinha tendência a só arriscar seu dinheiro suado da entrega dos jornais no cavalo certo. "Às vezes ele mudava de ideia, à medida que as corridas aconteciam", diz Gray. "Para um garoto de 16 anos, nada disso era algo comum."

Um dia Warren foi a Charleston sozinho. Perdeu a primeira corrida, mas não foi para casa. Continuou apostando e continuou perdendo, até ter perdido mais de 175 dólares e ficar com os bolsos quase vazios.

"Voltei para casa e, no caminho, entrei na lanchonete Hot Shoppe e me dei de presente a coisa mais cara que eles tinham no cardápio – um sundae gigante, ou algo parecido –, e lá se foi o resto do meu dinheiro. Enquanto comia, calculei quantos jornais teria que entregar para recuperar o que tinha perdido. Teria que trabalhar mais de uma semana para reaver o dinheiro. E tinha feito aquilo por um motivo idiota.

Não se deve apostar em todas as corridas. Eu tinha cometido o pior pecado de todos, que é estar no prejuízo e achar que precisa zerar suas contas no mesmo dia. A primeira regra é que ninguém vai para casa depois da primeira corrida, e a segunda é que você não precisa recuperar o dinheiro da mesma maneira que o perdeu. Isto é tão básico, entende?"

Teria ele entendido que tomara uma decisão emotiva?

"Ah, sim. Eu estava doente. Foi a última vez que fiz uma coisa dessas na vida."

---

* Isto é, o cavalo pagaria como se sua probabilidade de ganhar fosse de apenas 6,7%. Então, se ele ganhasse, o apostador receberia um valor 50% maior do que o sugerido pelo histórico do cavalo. Um analista faria essa aposta mesmo no pior cavalo do hipódromo, pois o montante esperado é muito alto em comparação às chances. Isto é chamado de *"overlay"* no jargão do turfe. (N. da A.)

14

O elefante

Filadélfia – 1947-1949

Warren se formou como o 16º dos 350 alunos da sua turma do ensino médio, escrevendo "futuro corretor de valores" como legenda da sua fotografia no livro do ano.[1] A primeira coisa que ele e Danly fizeram com sua liberdade foi se juntarem para comprar um carro funerário usado. Warren usou o veículo para sair com uma garota e o deixou estacionado em frente de casa.[2] Quando, mais tarde, Howard chegou, perguntou: "Quem colocou aquele rabecão lá fora?" Leila, por sua vez, disse que um dos vizinhos estava gravemente doente e que ela *não* permitiria um carro daqueles parado na frente da sua casa. E isso foi o fim daquele carro.

Enquanto tentava, com Don, vender o rabecão, Warren deixou de entregar jornais e conseguiu um emprego de verão como assistente do gerente de circulação do *Times-Herald*, subindo na vida. Sempre que era preciso, ele substituía os entregadores: levantava-se às 4 horas da manhã e entregava os jornais num pequeno Ford de duas portas, que pegara emprestado de David Brown, um rapaz de Fredericksburg que era apaixonado por Doris e tinha entrado para a Marinha.[3] Em pé no estribo do carro, com a porta aberta, ele seguia a cerca de 25 quilômetros por hora, com uma das mãos segurando o volante e a outra pegando os jornais e atirando-os nos gramados dos assinantes. Warren se justificava dizendo que, por ser de manhã tão cedo, dirigir daquele jeito dificilmente causaria algum dano.[4]

Mais tarde, por volta das 4h45, ele parava na Toddle House, onde comia uma porção dupla de batatas fritas com páprica, que era o seu café da manhã. Seguia então para o segundo emprego, que era distribuir jornais no Hospital Universitário de Georgetown.

"*Eu tinha que dar cerca de meia dúzia de exemplares de graça para os padres e as freiras, o que sempre me deixava irritadíssimo. Aquilo estava no contrato, mas eu achava que eles não deveriam se interessar por assuntos seculares. Eu percorria o hospital inteiro, de quarto em quarto, de ala em ala.*

Depois que tinham seus bebês, as mulheres da ala de obstetrícia me viam entrar e diziam: 'Oh, Warren! Deixe-me lhe dar uma coisa mais valiosa que uma gorjeta. Vou lhe dizer a que horas meu bebê nasceu e quanto ele estava pesando. Foi às 8h30 e ele tinha 2,77 quilos.'"

Os números do horário de nascimento e do peso dos bebês eram para ele jogar no *policy racket*, um jogo de azar bastante popular na cidade de Washington.[5]

Warren rangia os dentes sempre que recebia informações inúteis em vez de uma gorjeta. Como analista de probabilidades, ele jamais teria feito apostas no *policy racket*. As chances de ganhar eram terríveis. *"O jogo pagava 600 para um, e o cara que apostava para você levava 10% do valor. Então você teria um lucro de 540 para um, sendo que a probabilidade de ganhar era de mil para um basicamente. As pessoas faziam apostas de 1 a 10 centavos. Se você apostasse 1 centavo, poderia ganhar 5 dólares e 40 centavos líquidos. E todo mundo na cidade jogava. Algumas pessoas para quem eu entregava os jornais me perguntavam: 'Você joga no* policy racket?' *Nunca joguei. Meu pai não aceitaria se eu tivesse entrado nessa."*

Ele já era um analista de apostas bom o bastante para trabalhar em Las Vegas, mas provavelmente não teria apostado no que seu pai fez em seguida. Howard Buffett votou a favor de um projeto que *passou*, juntando-se a outros 330 congressistas que transformaram em lei o Taft-Hartley Act, passando por cima do veto do presidente Truman. Uma das leis mais controversas já promulgadas nos Estados Unidos, o Taft-Hartley Act, de 1947, restringia severamente o campo de ação dos sindicatos trabalhistas. Ele tornava ilegal que os sindicatos se ajudassem mutuamente, por meio de greves solidárias, e autorizava o presidente a declarar estado de emergência nacional e forçar os grevistas a voltarem ao trabalho. Era conhecido como uma lei "escravocrata".[6] Omaha era, obviamente, uma cidade bastante sindicalizada, mas jamais teria ocorrido a Howard votar de acordo com as preferências dos seus eleitores; ele sempre votava segundo seus princípios.

Então, quando os Buffett visitaram Omaha no verão e Warren foi assistir a um jogo de beisebol local com seu pai, ele viu como Howard se tornara impopular entre os eleitores do operariado. *"Eles apresentavam os dignitários presentes, no intervalo entre os dois jogos. Então meu pai se levantou e todos começaram a vaiar. Ele continuou de pé, sem dizer nada. Sabia lidar com aquele tipo de coisa. Mas você nem imagina o efeito daquilo numa criança."*

Mesmo as formas mais brandas de confronto o aterrorizavam. Mas ele logo estaria andando com as próprias pernas, longe da proteção do pai. Prestes a completar 17 anos, Warren não era mais um menino. Se fosse um ano mais velho poucos anos antes, poderia ter lutado na guerra.

Em vez de entrar para o Exército, no outono ele começou a faculdade. Já fazia algum tempo que os Buffett não tinham dúvidas de que Warren cursaria a Wharton School, a escola de administração da "Penn", a Universidade da Pensilvânia.[7] A Wharton era a mais importante escola de administração do país, ao passo que a Penn era um sonho de Benjamin Franklin, o criador de aforismos como "pedir emprestado é tristeza certa", "tempo é dinheiro" e "um centavo guardado é um centavo garantido". Em tese, a universidade combinava perfeitamente com Warren, que tinha a energia de duas pessoas e trabalhava como um estivador, enquanto os outros garotos se divertiam.

Warren, no entanto, teria preferido pular toda aquela etapa. "*Qual era o sentido?*", ele se perguntava. "*Eu sabia o que queria fazer. Já estava ganhando dinheiro suficiente para me sustentar. A faculdade era um atraso de vida.*" Mas ele jamais desobedeceria ao pai em algo tão importante, de modo que concordou.

Conhecendo a imaturidade do filho, os Buffett arranjaram para ele um colega de quarto, filho de um casal de amigos de Omaha. Cinco anos mais velho, Chuck Peterson tinha acabado de voltar para casa depois de servir 18 meses na guerra. Era um rapaz bonito, que levava uma vida social agitada, saía com uma garota diferente por noite e *bebia*. Ingenuamente os Peterson imaginaram que Warren pudesse fazer Chuck sossegar, enquanto os Buffett supunham que um rapaz mais velho ajudaria Warren a se adaptar à faculdade.

No outono de 1947 a família inteira se espremeu no carro e levou Warren até à Filadélfia, onde o instalaram, com seu sobretudo de pele, num quartinho de alojamento com banheiro compartilhado. Chuck já tinha mudado para lá, mas estava fora com alguma garota.

Os Buffett pegaram o caminho de volta para Washington, deixando seu filho num campus repleto de pessoas muito parecidas com Chuck. Um exército de veteranos da Segunda Guerra Mundial marchava sobre o College Green e enchia o Quad, os centros da vida universitária da Penn. O fato de eles conhecerem tanto do mundo aumentava em anos o abismo que Warren vinha sentindo entre ele próprio e seus colegas de classe desde a mudança para Washington. Num campus organizado e socialmente movimentado, as suas camisas folgadas e tênis surrados chamavam a atenção em meio a homens decididos que usavam paletós esporte e sapatos bem engraxados. A Penn era uma potência do futebol americano; a vida social do outono girava em torno das datas das partidas, que eram seguidas pelas festas das fraternidades. Warren adorava esportes, mas não tinha os requisitos sociais. Estava acostumado a passar muito tempo aperfeiçoando ideias, contando dinheiro, organizando suas coleções e ouvindo música na privacidade do seu quarto. Na Penn – onde sua solidão se chocava com os 1.600 membros da Classe de 1951,[8] que flertavam, namoravam, dançavam, bebiam e jogavam futebol americano –, ele era como uma borboleta no meio de uma colmeia.

As abelhas reagiram, como era de se esperar, à borboleta que entrara voando em seu habitat. Chuck conservava sua disciplina militar e o hábito de engraxar constantemente os sapatos. Quando conheceu seu novo colega de quarto, ficou chocado com o guarda-roupa desastroso de Warren. Ele não demorou a perceber que a maneira de se vestir do seu colega era um sintoma de outra coisa. Como Leila estava sempre se dedicando a Howard e fazendo todo o trabalho doméstico da casa, Warren jamais aprendera as regras mais básicas de como cuidar de si mesmo.

Como de hábito, Chuck ficou na rua até tarde da noite no dia em que eles se conheceram. Na manhã seguinte acordou tarde e encontrou o banheiro uma bagunça, mas seu novo colega de quarto já tinha saído para as primeiras aulas do dia. Quando encontrou Warren naquela noite, disse: "Limpe a sua sujeira, sim?" "O.k., Chas-o", respondeu Warren. "Entrei no banheiro hoje de manhã e você tinha deixado um barbeador dentro da pia", prosseguiu Chuck. "Tinha sabão pela pia inteira, toalhas no chão, estava uma zona danada. Gosto das coisas arrumadas." Warren pareceu concordar com aquilo. "O.k., Chas-o", ele repetiu.

Na manhã seguinte, quando Chuck se levantou, havia mais toalhas encharcadas no chão do banheiro e pelinhos úmidos cobrindo a pia, além de um barbeador elétrico novo em folha, todo molhado, largado dentro dela, com o fio ligado na tomada. "Warren, preste atenção", disse Chuck naquela noite. "Tire o raio do barbeador da tomada. Alguém vai acabar sendo eletrocutado. Não vou ficar tirando aquilo da pia toda manhã. Esse seu desleixo está me deixando louco." "O.k., está certo, Chas-o", disse Warren.

No dia seguinte o barbeador estava dentro da pia, do mesmo jeito. Chuck percebeu que suas palavras entravam por um ouvido e saíam pelo outro. Ele perdeu a paciência e decidiu tomar uma atitude. Tirou o barbeador da tomada, encheu a pia de água e o jogou lá dentro.

Na manhã seguinte Warren já tinha comprado um barbeador novo, que deixou ligado na tomada, e o banheiro estava na mesma bagunça da véspera. Chas-o desistiu. Estava vivendo num chiqueiro com um adolescente hiperativo que saltitava de um lado para outro, em movimento constante, tamborilando as mãos, batendo-as em qualquer superfície próxima. Warren era fanático por Al Jolson e tocava seus discos noite e dia.[9] Ele cantava sem parar, imitando Jolson: "*Mammy, my little Mammy, I'd walk a million miles for one of your smiles, my Mammy*" ("Mamãe, minha mamãezinha, eu andaria um milhão de quilômetros por um de seus sorrisos, minha mamãezinha").[10]

Chuck precisava estudar e não conseguia ouvir seus próprios pensamentos dentro do quarto. Warren, por outro lado, tinha bastante tempo para cantar. Ele comprara um monte de livros, mas já lera todos no início do semestre, antes de as aulas começarem, como se estivesse folheando uma revista *Life*. Então os deixou de lado para nunca mais abri-los. Isso o deixava com a noite livre para cantar "Mammy", se quisesse. Chuck achou que ia enlouquecer. Warren sabia que isso era imaturo, mas não conseguia evitar.

"*Eu provavelmente não teria me enquadrado bem em lugar algum naquela época. Ainda estava fora de sintonia com o mundo. Além disso, eu era muito mais jovem que todos e, em vários aspectos, imaturo para a minha idade. Sem dúvida eu não me encaixava socialmente.*"

A vida social de Chuck, por outro lado, ia de vento em popa: ele se candidatara à fraternidade Alpha Tau Omega. Warren não se interessava muito por aquilo, mas mesmo assim se candidatou à fraternidade do pai, Alpha Sigma Phi. Não era um lugar de atletas, ou particularmente violento, mas os rituais do processo de seleção o deixaram envergonhado. O lema secreto da Alpha Sig era *fervor, humildade e coragem*.[11] Warren tinha bastante das duas primeiras qualidades, mas coragem era seu calcanhar de aquiles. Quando os candidatos foram mandados à loja Wanamaker's para comprar calcinhas e sutiãs extragrandes, ele ficou zanzando pelo departamento de roupas íntimas por muito, mas muito tempo, antes de encarar as vendedoras universitárias, que abafavam o riso.[12]

Naquele outono, Leila e Doris se esforçaram para descrever com sinceridade a aparência de Warren – que usava cabelo escovinha e era ligeiramente dentuço – num programa de rádio de Washington chamado *Coffee with Congress*.

> Apresentador: Por sinal, como é Warren fisicamente?
> *Leila: Ele era bonito quando criancinha. Tem um jeito de menino – não diria que ele é bonito, mas também não é feio.*
> Apresentador: Ele é bem-apessoado.
> Leila: Não, bem-apessoado, não, só simpático.
> Apresentador: Vamos saber a opinião das meninas: ele é um rapaz atraente?
> *Doris (diplomaticamente): Acho que ele é meio largadão.*[13]

Apesar das batucadas e de Warren ficar cantando "Mammy", Chuck passou a gostar dele, vendo-o como uma espécie de irmão caçula bobalhão. Mas não conseguia acreditar que seu companheiro de quarto fosse passar o inverno inteiro usando tênis surrados e que, mesmo quando ele se arrumava, era bem capaz de calçar um sapato preto e outro marrom sem perceber.

Como muitas das pessoas que conheciam Warren, Chuck começou a sentir necessidade de cuidar dele. Os dois almoçavam juntos no grêmio estudantil algumas vezes por semana. Warren sempre pedia a mesma coisa: bife, batatas fritas e uma Pepsi. Então descobriu os sundaes de chocolate com cobertura de leite maltado em pó e passou a pedi-los todos os dias também. Um dia, depois do almoço, Chuck apresentou a Warren a nova mesa de pingue-pongue que tinha acabado de ser instalada no grêmio estudantil. Warren estava tão "enferrujado" depois de 4 anos em Washington, que Chuck ficou com a impressão de que ele nunca tinha jogado pingue-pongue antes. Nos primeiros dois jogos, Warren mal conseguia devolver o saque de Chuck, que ganhou facilmente.

Um ou dois dias depois, no entanto, Warren estava jogando como um demônio. A primeira coisa que ele fazia, todas as manhãs, era se levantar e ir direto para o grêmio estudantil, onde encontrava uma vítima indefesa e a massacrava na mesa de pingue-pongue. Logo estava praticando três ou quatro horas a fio todas as tardes. Chuck já não conseguia superá-lo. "Fui a primeira vítima dele na Penn", recorda. Pelo menos o jogo mantinha Warren fora do quarto e do toca-discos enquanto Chuck estudava.[14]

Pingue-pongue, no entanto, não preenchia os requisitos da educação física na Penn. Praticar remo no Schuylkill River, por sua vez, era um dos esportes mais populares da instituição. Barcos pintados nas cores alegres dos vários clubes de regata da faculdade se alinhavam nas margens do rio. Warren entrou para a equipe de calouros até 68 quilos do Vesper Boat Club. Ele integrava um time de oito remadores guiados por um timoneiro. Remar era algo repetitivo e rítmico, como halterofilismo, golfe, pingue-pongue ou bater uma bolinha na raquete – todas atividades de que Warren gostava. Mas era um esporte coletivo. Warren preferia fazer arremessos de basquete na garagem de casa, porque podia praticar sozinho. Ele nunca se saíra bem em esportes coletivos, nem aprendera a dançar com uma parceira. Tinha sido o líder de cada negócio ou armação em que se envolvera; não conseguia ser apenas uma peça da engrenagem.

"*Aquilo me angustiava. O problema do remo é que você não pode ficar à toa ou fingir. Tem que colocar o seu remo na água no mesmíssimo instante que todos os outros. Pode estar incrivelmente cansado, mas tem que seguir o ritmo e remar. É um esporte massacrante.*" Todas as tardes ele voltava para o dormitório suando, com a cabeça baixa, as mãos sangrando e cheias de bolhas. Largou o remo o mais depressa que pôde.

Warren estava procurando outro tipo de equipe. Queria que Chuck vendesse bolas de golfe usadas com ele, mas Chuck estava ocupado demais tentando estudar e manter sua vida social. Warren também sugeriu que os dois se juntassem no ramo das máquinas de fliperama. Ele não precisava do dinheiro nem da mão de obra de Chuck, e não estava claro que papel seu colega de quarto assumiria. Mas o que Warren – um exército de um homem só – queria era alguém para conversar sobre seus negócios, o tempo todo e sem parar. Se Chuck se tornasse seu sócio, isso faria dele parte do mundo de Warren.

Ele sempre fora bom em passar a conversa nas pessoas, mas daquela vez não deu certo. Ainda assim ele queria Chuck tanto como amigo quanto como sócio – e o convidou para visitá-lo em Washington. Leila ficou pasma quando Chuck comeu tudo que ela lhe ofereceu, inclusive mingau de aveia. "Warren não comia nada", disse ela. "Não gostava disso, não gostava daquilo. Sempre me fazia preparar algo especial para ele." Chuck achou divertido o fato de Warren ter conseguido controlar sua mãe tão bem.

Para Chuck, Warren parecia uma estranha mistura de garoto imaturo e prodígio brilhante. Em muitas aulas ele simplesmente memorizava o que o professor dizia, sem precisar consultar o livro-texto.[15] Ostentava de forma insolente façanhas da memória, citando números de páginas e trechos inteiros em sala ou corrigindo as citações de seus professores.[16] *"O senhor se esqueceu da vírgula"*, disse certa vez para um deles.[17]

Num teste de contabilidade, os fiscais não tinham nem terminado de distribuir as provas para os 200 e poucos alunos quando Warren, para se exibir, se levantou e entregou a sua. Já tinha acabado. Chuck, que estava sentado do outro lado da sala, se sentiu frustrado. A Wharton não era moleza: um quarto dos alunos era reprovado. Mas Warren passeava por ela sem esforço aparente, o que lhe deixava o tempo que quisesse para tamborilar as mãos e cantar "Mammy, My Little Mammy" a noite inteira.

Chuck gostava de Warren, mas tudo aquilo acabou sendo demais para ele.

"Um dia ele se mudou sem me avisar. Acordei uma bela manhã e Chuck tinha ido embora."[18]

Quando terminou o semestre, naquele verão, Warren – que jamais imaginou que ficaria feliz de verdade em voltar para Washington – foi para casa. Leila estava em Omaha, ajudando na campanha de reeleição de Howard. Então as crianças da família Buffett, que raramente eram aliviadas do regime austero de seus pais, gozaram um glorioso verão de liberdade. Bertie era orientadora numa colônia de férias. Doris tinha um emprego na Garfinkel's. Ela ficou chocada quando descobriu que os formulários de emprego da loja perguntavam a religião do candidato e que negros só podiam fazer compras no primeiro piso, onde não se vendiam roupas.[19]

Washington era a cidade mais segregacionista dos Estados Unidos na época. Os negros não podiam trabalhar como condutores dos bondes nem motorneiros. Não podiam entrar na Associação Cristã de Moços, nem comer na maioria dos restaurantes, nem alugar quartos de hotel, nem comprar ingressos para o cinema. Diplomatas negros precisavam ser escoltados, sentindo-se envergonhados e escandalizados por um provincianismo sem igual em qualquer outra parte do mundo. "Eu preferiria ser um intocável no sistema de castas hindu a ser um negro em Washington", afirmou um visitante estrangeiro.[20] Havia algum tempo, o *Washington Post*, que alguns direitistas chamavam de "o jornal comunista dos subúrbios", vinha fazendo uma cruzada contra o racismo,[21] e o presidente Truman proibira a segregação no Exército e vinha fazendo pressão em prol de reformas relacionadas aos direitos civis. Mas as mudanças se realizavam lentamente.

Warren, que não lia o liberal *Post*, dava pouca atenção ao racismo de Washington. Era ao mesmo tempo alheio àquela questão e imaturo, concentrado demais nas suas próprias inseguranças, armações e negócios. Naquele verão retornou à sua função de assistente de circulação no conservador *Times-Herald*. Ainda tinha o Ford emprestado e o usou mais algumas vezes quando precisou substituir um dos entregadores de jornais, utilizando a mesma técnica de dirigir em pé no estribo que desenvolvera anteriormente. Também reencontrou seu amigo Don Danly. Eles pensaram em comprar juntos um carro de bombeiros como seu próximo empreendimento, mas, em vez disso, encontraram um Rolls-Royce Springfield de duas portas, ano 1928, por 350 dólares, num ferro-velho de Baltimore. Ele era cinza, pesava mais que um Lincoln Continental e era decorado com vasinhos de flores. O carro tinha dois painéis, de modo que a madame no banco de trás – a patroa – poderia ver a que velocidade seu chofer estava dirigindo. A ignição estava quebrada, então Don e Warren precisaram se revezar, girando-a até o carro finalmente pegar. Eles o guiaram por cerca de 80 quilômetros de volta para Washington. Ele cuspia fumaça, pingava óleo e não tinha faróis traseiros nem placa, e, quando foram parados por um policial, Warren ficou "falando e falando e falando", até eles conseguirem se safar de uma multa.[22]

Eles colocaram o Rolls na garagem subterrânea dos Buffett e deram partida no motor. Uma fumaceira acre encheu de imediato a casa; então eles o tiraram dali, subindo de volta a íngreme entrada para carros, até a rua. Trabalharam no carro por vários sábados. Segundo Doris, "Danly fazia todo o trabalho", remendando os canos e fazendo as soldas, "e Warren ficava assistindo admirado, incentivando-o."

Quando decidiram pintar o carro, Don e sua namorada, Norma Thurston, compraram um produto chamado Pad-o-Paint, que espalhava a tinta com uma esponja. Pintaram-no de azul-marinho e acharam que ele ficou muito bonito.[23] Naturalmente, a notícia se espalhou, então eles passaram a alugá-lo por 35 dólares o passeio.

Warren teve uma ideia para um trote: ele queria ser visto no carro, com Danly vestido como chofer. Vestiu o sobretudo de pele, e os dois giraram e giraram a ignição até o carro pegar, indo em seguida para o centro levando Norma, uma loura platinada. Lá, enquanto Danly se remexia debaixo do capô, fingindo consertar o motor, Warren lhe dava orientações com uma bengala e Norma se encostava no carro de forma espalhafatosa, como uma estrela de cinema. "A ideia foi de Warren", diz Norma. "Ele era o mais teatral. Queríamos ver quantas pessoas olhariam para nós."

Norma sabia que Warren nunca tinha saído com garotas na escola e precisava de ajuda com elas, por isso o apresentou à sua prima Bobbie Worley. Eles tiveram alguns encontros inocentes durante aquele verão, indo ao cinema e jogando bridge. Warren a bombardeava com uma série interminável de charadas e enigmas.[24]

Quando o outono chegou, ele deixou Bobbie para trás e voltou para a Penn, aos 18 anos, como aluno do segundo ano. Tinha então dois colegas de quarto, Clyde Reighard, seu parceiro de fraternidade, e George Oesmann, um calouro que se instalara no quarto deles. No ano anterior ele convencera Clyde a ser representante de um negócio que não deu em nada, mas durante aquela curta sociedade os dois ficaram amigos.

Warren não mudara muito desde seu ano como calouro, mas tinha muito mais em comum com Clyde do que com Chuck Peterson. Clyde achava graça dos tênis, camisetas e calças cáqui sujas de Warren e levava na esportiva quando ele o alfinetava e fazia gracejos sobre as suas notas. "Mesmo que não me tornasse mais inteligente", diz Reighard, "ele me fazia usar o que eu tinha com mais eficiência." De fato, Warren era mestre em usar o que tinha com eficiência, principalmente o seu tempo. Ele se levantava de manhã cedo, comia uma salada de frango de café da manhã no alojamento e ia para as aulas.[25] Depois de apenas marcar presença durante seu ano como calouro, ele finalmente encontrou uma aula da qual gostava: indústria 101, do professor Hockenberry, que analisava os diferentes tipos de indústria e os princípios de administração de um negócio. "*Ele falava de indústrias têxteis, siderúrgicas, petrolíferas. Ainda me lembro daquele livro. Aprendi muita coisa nele. Lembro-me de discutir as leis da extração de petróleo e o processo Bessemer de produção de aço. Eu devorei aquele livro. Aquilo era muito interessante para mim.*" Seu colega de alojamento Harry Beja, um aluno esforçado que sofria durante a aula de Hockenberry ao lado de Warren, ressentia-se da maneira como ele ia em frente sem o menor esforço.[26]

O mesmo acontecia na aula de direito empresarial, dada pelo professor Cataldo, que "*tinha uma memória quase fotográfica. Ele citava casos detalhadamente. Ainda me lembro de 'Hadley contra Baxendale' e 'Kemble contra Farren'. Então eu fazia o mesmo com ele nas provas, o que o divertia à beça. Eu citava suas informações ao responder às questões, independentemente de elas se aplicarem ou não. E ele simplesmente engolia.*"

Auxiliado por sua memória prodigiosa, Warren ficava livre para fazer o que quisesse durante o dia. Na hora do almoço, ele passava na sede da Alpha Sig, uma mansão de três andares com uma escada em espiral, onde Kelsen, o empregado da casa, cozinhava, limpava e, com seu paletó branco, dava uma certa dignidade ao lugar. Havia partidas de bridge 24 horas por dia, e Warren se sentava para jogar algumas mãos.[27] Seu gosto por pregar peças não diminuíra. De vez em quando convocava Lenny Farina, um de seus colegas de fraternidade, para servir de modelo em poses chamativas na rua, enquanto ele fingia bater a carteira de Lenny ou engraxava seus sapatos.[28]

Enquanto isso, numa tramoia semelhante à da vez em que ele mandou o pobre Kerlin mergulhar nu em um lago com uma máscara de gás, Warren e Clyde disseram ao seu terceiro colega de quarto, George, que ele parecia "abatido e fracote, e jamais despertaria o interesse de garotas se não desenvolvesse músculos". Eles finalmente convenceram George a comprar alguns halteres. *"Ele passou a levantar aqueles pesos sem parar, fazendo a maior barulheira, enquanto Harry Beja tentava estudar no andar de baixo. A gente se divertia a valer, atiçando George a soltar aqueles halteres no chão."*[29]

Músculos de mulherzinha não atraíam as garotas, e Warren não saíra com nenhuma desde que entrara para a Penn. Os sábados eram os dias das grandes festas das fraternidades, com almoços antes das partidas de futebol americano – e coquetéis, festas e jantares depois delas. Warren escreveu uma carta a Bobbie Worley, convidando-a a passar um fim de semana lá e dizendo que, na verdade, estava apaixonado por ela. Bobbie gostava dele e ficou comovida com a carta, mas não sentia o mesmo. Ela adoraria passar o fim de semana na Penn, mas recusou o convite pois achava errado lhe dar falsas esperanças.[30]

Warren teve um encontro com Ann Beck, uma garota que estudava em Bryn Mawr. Ele tinha trabalhado na padaria do pai dela pouco antes de se mudar para Washington, quando Ann estava na oitava série e era apenas "uma garotinha com longos cabelos louros". Ann tinha sido eleita a garota mais acanhada da sua escola e quando ela e Warren saíram juntos parecia uma competição de timidez. Eles passearam pela Filadélfia num silêncio constrangido.[31] *"Éramos provavelmente as duas pessoas mais tímidas dos Estados Unidos."* Warren não fazia ideia de como jogar conversa fora e, quando ficava tenso, emitia pequenos grunhidos em vez de falar.[32]

Às vezes Warren e Clyde pegavam o Ford de duas portas emprestado e iam até os cinemas da periferia assistir a filmes de múmias, Frankenstein, vampiros ou qualquer coisa macabra.[33] Como quase ninguém tinha carro naquela época, seus colegas da fraternidade ficavam impressionados.[34] Aquela era a ironia: Warren era o único que tinha um carro para namorar, mas ninguém queria namorá-lo. Ele não foi ao Ivy Ball, o baile das universidades da Ivy League, nem ao Inter-Fraternity Ball, que promovia o encontro das fraternidades. Sempre faltava aos chás-dançantes de domingo da Alpha Sig e nunca aparecia com uma garota na sede da fraternidade.³⁵ Seu rosto corava e ele olhava para os próprios sapatos quando alguém falava sobre sexo.³⁶ Ele se sentia deslocado num lugar tão festivo, onde o hino da faculdade era "Drink a Highball" (Beba um uísque com água tônica).

"Eu até tentei beber, porque estava numa fraternidade onde quase metade das minhas obrigações era comprar álcool para as festas. Sentia que estavam me sacaneando. Mas o gosto não me agradava. Não gosto de cerveja. E já sou bom em me comportar como um idiota sem ela. Por outro lado, eu estava no mesmo nível que todo mundo – pois o pessoal que bebia não era nem um pouco melhor do que eu no quesito idiotice."

Contudo, mesmo sem uma garota a tiracolo ou um copo na mão, Warren às vezes aparecia nas festas de sábado à noite da sua fraternidade. Ele conseguia atrair uma pequena plateia quando se sentava num grupo e começava a falar sobre o mercado de ações. Nessas horas era espirituoso e tinha um jeito cativante de falar. Seus colegas da Alpha Sig acatavam as suas opiniões quando o assunto era dinheiro e negócios; e respeitavam seu conhecimento profundo, embora unilateral, sobre política. Decidiram que ele tinha "jeito para a política" e lhe deram um apelido: senador.³⁷

Warren entrou para a Juventude Republicana quando era calouro porque estava interessado numa garota que fazia parte da agremiação. Mas, em vez de se tornar namorado dela, acabou sendo eleito presidente do grupo quando estava no segundo período. Warren assumiu o cargo numa fase empolgante – o outono de um ano de eleições presidenciais. Em 1948 os republicanos apoiavam Thomas F. Dewey contra o fraco candidato à reeleição Harry Truman, que assumira a presidência após a morte de Roosevelt.

Os Buffett passaram a odiar Truman. Embora ele tivesse criado o que ficou conhecido como "Doutrina Truman", cujo propósito era evitar a disseminação do comunismo, Howard, como muitos conservadores, achava que Truman e seu secretário de Estado, o general George C. Marshall, estavam sendo muito amigáveis com Stalin, o chefe de governo russo.³⁸ Além disso, Truman implementara o Plano Marshall, que enviou 18 milhões de toneladas de alimentos para a Europa depois da Segunda Guerra Mundial, e Howard estava entre os 74 congressistas que votaram contra a medida. Convencido de que o Plano Marshall era outra versão da "Operação Buraco de Rato" e de que os democratas estavam arruinando a economia, Howard começou a comprar braceletes de ouro para suas filhas, para elas poderem ter o que comer no dia em que o dólar perdesse todo o seu valor.

Howard estava concorrendo à reeleição para um quarto mandato naquele ano. Embora Warren tivesse visto o pai ser vaiado após ter votado a favor do "escravocrata" Taft-Hartley Act, ele – como o resto da família – considerava a cadeira de Howard no Congresso relativamente garantida. Contudo, Howard entregara pela primeira vez a coordenação de sua campanha a um amigo da família, o Dr. William Thompson. Famoso e admirado em Omaha, Thompson era psicólogo e achava que conhecia o temperamento da cidade. Dia após dia, no decorrer da campanha, os cidadãos de Omaha vinham dizer: "Parabéns, Howard, está lá dentro de novo, e eu fiz campanha para você", como se as eleições já estivessem decididas.

A vitória de Dewey também parecia certa. As pesquisas mostravam que Truman estava muito atrás dele – tão atrás, na verdade, que o instituto Roper, uma empresa de pesquisa de opinião, simplesmente parou de fazer enquetes. Truman ignorou isso e passou meses viajando por todo o país, discursando na parte traseira de um trem, numa turnê pelas estações ferroviárias, para defender o que ele chamava de sua política do *"Fair Deal"*: acesso universal à saúde, uma legislação abrangente em defesa dos direitos civis e a revogação do Taft-Hartley Act. Sua campanha passou por Omaha, onde Truman desfilou numa parada e inaugurou uma praça. Ele parecia animado, como se não tivesse lido os jornais que previam sua derrota.[39]

À medida que o dia da eleição se aproximava, Warren, aguardando alegremente a reeleição do pai e a vitória de Dewey, combinou com o Zoológico da Filadélfia que desceria a Woodland Avenue montado num elefante no dia 3 de novembro. Vislumbrava aquilo como uma espécie de marcha triunfal, como Aníbal chegando à Sardenha.

Mas, na manhã seguinte à eleição, Warren teve que cancelar seu espetáculo. Não só Truman vencera as eleições de 1948 como seu pai não fora reeleito. Os eleitores tinham expulsado Howard Buffett do Congresso. *"Eu nunca tinha andado num elefante. Quando Truman derrotou Dewey, aquele projeto foi por água abaixo. E meu pai perdeu a eleição pela primeira vez em quatro campanhas."*

DOIS MESES DEPOIS, APENAS ALGUNS DIAS ANTES DE OS BUFFETT DEIXAREM Washington, ao final do mandato de Howard, Frank, o tio-avô de Warren, morreu. Quando Warren era criança, Frank tinha gritado: "Ela vai despencar até zero!", referindo-se às ações da Harris Upham. Mas, quando seu testamento foi lido, a família descobriu que a única coisa que ele possuía eram títulos do governo e nada mais.[40] Ele tinha vivido mais que "a aproveitadora", e os termos do seu testamento colocavam seus títulos num fundo restrito – depois de vencidos, só poderiam ser renegociados por outros títulos do governo. Como se quisesse convencer Howard, Frank também deixara para vários membros da família assinaturas do *Baxter's Letter*, um informativo alarmista que pregava que os títulos do governo eram o único investimento seguro. Frank queria ter paz no além e foi o único Buffett (até então) a tomar providências para que suas opiniões ainda pudessem ser ouvidas do túmulo.

Howard, evidentemente, temia a inflação e acreditava que os títulos do governo poderiam se tornar papéis inúteis. Superando seus escrúpulos, ele se dedicou a invalidar os termos do testamento de Frank e conseguiu que um juiz aprovasse algumas mudanças técnicas, para que aquele capital pudesse ser aplicado em ações.[41]

Esses acontecimentos ocorreram durante o que Leila chamou de "o pior inverno em muitos anos". Nevascas soterraram o Meio-Oeste, e os estados mais próximos tiveram que enviar feno por avião a Nebraska, por várias semanas, durante a frente fria, para evitar que o gado morresse preso na neve.[42] Aquele inverno se tornou simbólico da vitória de Truman. Howard, que jamais enriquecera, estava com dois filhos na faculdade e com a terceira filha prestes a entrar em outra. Ele voltou a trabalhar na sua antiga empresa, então conhecida como Buffett-Falk, mas seu sócio, Carl Falk, que cuidara dos clientes durante seu período em Washington, já não tinha mais interesse em compartilhá-los. Andando pelo centro de Omaha com a neve cruel açoitando seu rosto, Howard tentava conseguir novos clientes. Mas, por causa de sua longa ausência – a maioria das pessoas só o conhecia agora através dos seus escritos, e artigos como "Human Freedom Rests on Gold Redeemable Money" (A liberdade humana depende de dinheiro resgatável em ouro) –, lhe deram a reputação de radical.[43] Na primavera de 1949, ele foi para o interior, para bater às portas de casas de fazenda, em busca de uma nova clientela.[44]

Quanto a Warren, a derrota do seu pai o deixou arrasado, mas também lhe deu uma desculpa para deixar a Costa Leste. Ele estava entediado com a faculdade e detestava a Filadélfia, tanto que a apelidara de "Filthy-delphia",[45] isto é, "cidade nojenta". No fim do semestre de primavera ele voltou para casa de vez, tão aliviado que assinava suas cartas como "Buffett, ex-aluno da Wharton". Ele se justificava dizendo que ia se matricular na Universidade de Nebraska em Lincoln, onde passaria os últimos anos da sua carreira universitária. E era mais barata que a Penn.[46] Ele devolveu o pequeno Ford de duas portas para David Brown com os pneus totalmente carecas. Trocá-los era problema de Brown, já que pneus ainda eram racionados.[47] Warren queria apenas uma lembrança da Penn. Enquanto saíam pela porta, ele e Clyde jogaram uma moeda para ver quem ficaria com o valioso exemplar de *Why You Lose at Bridge* (Por que você perde no bridge), de S. J. Simon. Warren ganhou.

15
A entrevista
Lincoln e Chicago – 1949-verão de 1950

A primeira coisa que Warren fez ao voltar para Nebraska naquele verão de 1949 foi arranjar um emprego num jornal como responsável pela circulação nacional do *Lincoln Journal*. Ele e seu amigo Truman Wood, que era namorado de Doris, racharam um carro. Warren se sentia à vontade em Lincoln, frequentando as aulas da faculdade pela manhã e depois administrando sua rota de carro à tarde. Nos momentos de folga ligava para editores de jornais locais e conversava sobre negócios, política e jornalismo. Supervisionar entregadores do interior era um trabalho sério, pois ele passara a ser o chefe. Quinze rapazes em seis condados rurais diferentes respondiam ao "Sr. Buffett". Os desafios administrativos ficaram subitamente claros quando ele contratou a filha de um pastor, na cidade de Beatrice, achando que ela seria uma entregadora responsável. Os três meninos que faziam as entregas na cidade pediram demissão na mesma hora. Ele tinha transformado o trabalho num "serviço de mulherzinha".

Warren passou parte daquele verão em Omaha vendendo acessórios masculinos na loja JC Penney's. Seu ânimo começou a se revigorar. Ele comprou uma guitarra havaiana para competir com o namorado de uma garota na qual estava interessado, que tocava o mesmo instrumento. Mas a única coisa que ele abraçou foi a guitarra. A Penney's, no entanto, era um bom lugar para se trabalhar. Os funcionários faziam uma pequena confraternização informal no porão, todas as manhãs, em que Warren, vestindo um terno barato, tocava sua nova guitarra havaiana – de graça – enquanto todos cantavam, antes de pegar no serviço de 75 centavos a hora na seção de acessórios masculinos. A Penney's o chamou de volta durante o período de festas de Natal, colocando-o na improvável função de vender roupas masculinas e blusas Towncraft. Ao se deparar com prateleiras repletas de produtos que lhe eram tão incompreensíveis quanto um cardápio de restaurante francês, ele perguntou ao seu gerente o que devia dizer aos fregueses sobre determinada roupa. "É só falar para eles que é um tipo de estambre", disse o Sr. Lanford. "Ninguém sabe o que estambre significa." Warren nunca descobriu o que era estambre, mas aquele era o único artigo que vendia na JC Penney.*

No outono ele se mudou para uma casa mobiliada na Peper Avenue, em Lincoln, que dividia com Truman Wood, e começou a estudar em tempo integral na Universidade de Nebraska. Ele gostava mais dos seus novos professores que daqueles da Penn e se matriculou numa pesada grade de disciplinas. Seu professor de contabilidade era Ray Dein, o melhor que já tivera.

Naquele ano Warren ressuscitou seu negócio de bolas de golfe, dessa vez com um colega de faculdade da Penn, Jerry Orans, como sócio. Ele ia de carro até a estação de trem de Omaha e apanhava as bolinhas com seu antigo fornecedor, Half-Witek.[1] Orans atuava como distribuidor da Costa Leste, mas na verdade Warren sempre quis ter sócios pelo simples fato de gostar de trabalhar em sociedade; em cada negócio que começava, procurava um amigo para se associar a ele. (Desnecessário dizer que, nessas parcerias, Warren era sempre o sócio majoritário.) Ele também estava investindo e teve a ideia de vender a descoberto ações da montadora de carros Kaiser-Frazer. Essa empresa produziu seus primeiros carros em 1947, mas viu sua fatia do mercado automobilístico cair de um para cada 20 carros para menos de um para cada 100 em menos de um ano. "*Querido papai*", escreveu ele ao pai, num papel de carta do Nebraska Cornhuskers, "*se não existe uma tendência clara nessas porcentagens, eu não entendo nada de estatística.*" A Kaiser-Frazer tinha perdido 8 milhões de dólares no decorrer do primeiro semestre, "*então, mesmo se houver uma fraude contábil, o prejuízo provavelmente aumentará*".[2] Ele e Howard venderam juntos as ações, a descoberto. De volta à faculdade, ele foi até à corretora Cruttenden-Podesta e perguntou a um corretor, Bob Soener, a quanto a ação estava sendo negociada. Soener olhou para o quadro-negro e disse: "Cinco dólares." Warren explicou que ele tinha vendido a ação a descoberto, apanhando papéis emprestados para vender. Se o preço caísse, como ele esperava, poderia comprar a ação de volta, devolver os papéis e ficar com a diferença. Uma vez que Warren sabia que a Kaiser-Frazer iria explodir, se ele tinha vendido as ações por 5 dólares, poderia comprá-las de volta por centavos e tirar quase 5 dólares de lucro por ação.

Vou dar uma lição neste rapazinho arrogante, pensou Soener. "Você não tem idade suficiente para vender uma ação a descoberto legalmente", disse. "*É verdade*",

---

* O estambre, geralmente usado em ternos masculinos, é uma lã de alta qualidade, cardada, feita de fibras longas. (*N. da A.*)

falou Warren, *"eu a vendi no nome da minha irmã mais velha, a Doris."* Ele explicou por que a ação iria despencar até zero e apresentou a prova.³ "Ele puxou meu tapete", disse Soener. "Fiquei absolutamente sem resposta."

Warren esperou a ideia da Kaiser-Frazer dar certo. E esperou. Começou a ficar pelo escritório da Cruttenden-Podesta enquanto aguardava. Estava convencido de que a ideia funcionaria. Era óbvio que a Kaiser-Frazer acabaria falindo. Nesse meio-tempo, ele e Soener ficaram amigos.

Na primavera de 1950 Warren estava quase terminando a faculdade. Depois de três anos de estudo, ele só precisava fazer mais algumas matérias no curso de verão para se formar. E então tomou uma decisão que inverteu completamente o seu trajeto até aquele momento. Ao concluir o ensino médio ele se sentira plenamente qualificado a alcançar seu objetivo de se tornar milionário aos 35 anos sem dar continuidade aos estudos. No entanto, ao se ver próximo de concluir a graduação, no momento em que a maioria das pessoas para de estudar e está pronta para se tornar um profissional, Warren se preparava para deixar o trabalho de lado. Ele decidiu concentrar suas ambições em cursar a Harvard Business School. Durante toda a sua vida escolar demonstrara pouco interesse na educação formal – que diferenciava do conhecimento – e se considerava em grande parte um autodidata. Harvard, contudo, lhe oferecia duas coisas importantes: prestígio e uma rede de futuros contatos. Warren acabara de ver seu pai ser expulso do Congresso e sua carreira como corretor ser destruída, em parte por causa de sua tendência a se isolar, sacrificando relacionamentos em prol de ideais rígidos. Então talvez não seja surpreendente Warren ter escolhido Harvard.

Ele estava tão certo de que Harvard o aceitaria que já estava encorajando seu amigo "Big Jerry" Orans a *"se juntar a mim em Harvard"*.⁴ Além do mais, nem teria que pagar do próprio bolso por sua educação.

"Um dia eu li no Daily Nebraskan *uma notinha que dizia: 'A Bolsa John E. Miller será entregue hoje.⁵ Os candidatos devem se apresentar na Sala 300 do prédio de administração de empresas.' Eles ofereciam 500 dólares* para você fazer o curso credenciado da sua escolha.*

Cheguei à Sala 300 e fui o único sujeito a aparecer. Os três professores que estavam lá queriam continuar esperando. Eu disse: 'Não, não, estava marcado para 15 horas.' Então eu ganhei a bolsa sem fazer nada."

Enriquecido com essa pepita extraída do jornal universitário, Warren saiu da cama no meio da noite para apanhar o trem para Chicago, onde sua entrevista

---

* Quinhentos dólares não era pouco dinheiro. Seria equivalente a cerca de 4.300 dólares em 2007. (N. da A.)

de admissão em Harvard seria feita. Ele tinha 19 anos, dois a menos que a média dos pós-graduandos, e menos ainda, se comparado à média dos estudantes de escolas de administração. Suas notas eram boas, mas não excepcionais. Apesar de ser filho de um congressista dos Estados Unidos, ele não estava se valendo de contato algum para tentar entrar em Harvard. Já que Howard Buffett não puxava o saco de ninguém, ninguém puxava o seu, e tampouco o de seu filho.

Warren estava confiando em seu conhecimento sobre ações para causar uma boa impressão na entrevista. Até então sua experiência lhe mostrara que, sempre que começava a falar sobre ações, as pessoas não conseguiam deixar de ouvir. Seus parentes, seus professores, os amigos de seus pais, seus colegas – todos queriam escutá-lo discorrer sobre o assunto.

Contudo, ele se equivocara quanto à missão de Harvard, que era a de produzir líderes. Quando chegou a Chicago e se apresentou ao entrevistador, ele enxergou, por trás de sua própria confiança, que era um prodígio em um único assunto. Subitamente se sentiu acanhado e inseguro. "*Eu parecia ter 16 anos mas, emocionalmente, tinha uns 9. Passei 10 minutos com o ex-aluno que estava conduzindo a entrevista, ele avaliou minha capacidade... e me recusou.*"

Warren nem chegou a ter a oportunidade de demonstrar seu conhecimento sobre ações. O homem de Harvard lhe disse gentilmente que ele teria melhores chances dali a alguns anos. Warren era ingênuo; não compreendeu muito bem o que aquilo significava. Quando a carta de Harvard chegou, negando a sua admissão, ele ficou chocado. Seu primeiro pensamento foi: "O que eu vou dizer ao meu pai?"

Por mais difícil e teimoso que Howard fosse, ele não era tão exigente com seus filhos. O sonho de Harvard era de Warren, não de seu pai. Howard estava acostumado com fracassos e se mantinha firme perante as derrotas. A verdadeira questão deveria ter sido: o que eu vou dizer à minha mãe?

Essas conversas de fato aconteceram, mas a lembrança delas desapareceu. Ainda assim, Warren consideraria mais tarde o fato de ter sido rejeitado em Harvard o episódio mais importante da sua vida.

Quase imediatamente ele começou a investigar outras escolas de pós-graduação. Um dia, folheando o catálogo de Columbia, deparou-se com dois nomes que lhe eram familiares: Benjamin Graham e David Dodd.

"*Aqueles eram grandes nomes para mim. Eu tinha acabado de ler o livro de Graham, mas não fazia ideia de que ele estava dando aulas em Columbia.*"

O "livro de Graham" era *O investidor inteligente*, publicado em 1949.[6] Esse livro de "conselhos práticos" para todos os tipos de investidores – tanto os cautelosos (ou "defensivos"), quanto os especuladores (ou "empreendedores") – estraçalhou as convenções de Wall Street, subvertendo ideias em grande parte equivocadas sobre ações, em voga até então. Ele explicava pela primeira vez, de uma forma que pessoas comuns poderiam entender, que a Bolsa de Valores não funcionava como a magia negra. Usando exemplos de ações verdadeiras, como as da Northern Pacific Railway e as da American Hawaiian Steamship Company, Graham ilustrava uma abordagem racional e matemática da cotação de ações. Investimentos, segundo ele, deveriam ser *sistemáticos*.

Warren ficara maravilhado com o livro. Fazia anos que ele ia à biblioteca do centro da cidade e pegava emprestados todos os livros disponíveis sobre ações e investimentos. Muitos deles abordavam sistemas de escolha de ações baseados em modelos e padrões, mas Warren queria um "sistema", algo que funcionasse de forma confiável. Ele era fascinado por padrões numéricos – a chamada análise técnica.

"Eu lia e relia todos aqueles livros. O autor que provavelmente mais me influenciou foi Garfield Drew, que escreveu um livro importante sobre a negociação de lotes fracionários de ações.[7] *Eu o li umas três vezes. Li também o livro de Edwards e McGee, que é a bíblia da análise técnica.*[8] *Eu ia até a biblioteca e limpava as prateleiras."* No entanto, quando encontrou *O investidor inteligente*, ele o leu de uma tacada só. "Era quase como se tivesse encontrado um deus", dizia Truman Wood, que dividia a casa com ele.[9] Após muito estudo e reflexão, Warren decidiu fazer um investimento em "ações de valor" por conta própria. Por intermédio de um contato do pai, ele ficou sabendo de uma empresa chamada Parkersburg Rig & Reel, que avaliou segundo as regras de Graham. Então comprou 200 ações.[10]

Segundo o catálogo que Warren acabara de pegar, o homem que se tornara seu autor favorito, Ben Graham, estava dando aulas de finanças na Universidade Columbia. E David Dodd estava lá também. Dodd era vice-reitor da Pós-Graduação e chefe do Departamento de Finanças. Em 1934, Graham e Dodd haviam escrito em parceria o texto seminal sobre investimento chamado *Security Analysis* (Análise de valores mobiliários). *O investidor inteligente* era a versão para leigos daquele texto. Matricular-se em Columbia significaria poder estudar com Graham e Dodd. E, como apontava o catálogo da universidade: "Nenhuma outra cidade do mundo oferece tantas oportunidades de se familiarizar pessoalmente com a verdadeira administração de negócios. Aqui, um estudante pode entrar em contato com os líderes empresariais da América, muitos dos quais cedem generosamente seu tempo para participar de seminários, debates e conferências... Empresas da cidade recebem de braços abertos grupos de alunos para visitas."[11] Nem mesmo Harvard podia oferecer isso.

Warren decidiu entrar para Columbia. Mas era quase tarde demais.

"Escrevi para lá em agosto, um mês antes de as aulas começarem, muito depois do que deveria. Nem sei o que coloquei no papel. Provavelmente escrevi algo como:

'Acabei de encontrar um catálogo na Universidade de Omaha, e ele diz que você e Ben Graham dão aula aí. Eu pensava que vocês viviam no Monte Olimpo, olhando para baixo com um sorriso complacente para o resto de nós. Se eu puder entrar, ficarei muito feliz.' Certamente não foi uma solicitação muito ortodoxa. Escrevi algo bastante pessoal."

Em todo caso, numa solicitação por escrito, por mais heterodoxa que fosse, Warren podia causar melhor impressão do que numa entrevista pessoal. A solicitação foi parar na mesa de David Dodd, que, como vice-reitor, era responsável pelas admissões. Em 1950, depois de lecionar em Columbia por 27 anos, Dodd já se tornara de fato um sócio minoritário do famoso Benjamin Graham.

Homem magro, frágil e calvo, que cuidava de uma mulher inválida em casa, Dodd era filho de um pastor presbiteriano e oito anos mais velho que o pai de Warren. Embora Dodd possa ter ficado de alguma forma comovido pela natureza pessoal da solicitação, também era verdade que, em Columbia, ele e Graham estavam mais interessados na aptidão dos seus alunos para negócios e investimentos que na sua maturidade emocional. Graham e Dodd não estavam tentando criar líderes. Eles ensinavam um ofício especializado.

Qualquer que tenha sido o motivo, mesmo depois do prazo estipulado e sem nenhuma entrevista, Warren foi aceito em Columbia.

16
Bola fora
Cidade de Nova York – Outono de 1950

Warren chegou à cidade de Nova York sozinho. A única pessoa que ele conhecia ali era sua tia Dorothy Stahl, viúva do reverendo Marion Stahl. As mulheres maternais às quais ele costumava se apegar não estavam disponíveis. Seus professores e colegas de classe na escola de administração eram quase todos homens. Ao contrário da Penn, onde sua família estava a poucas horas de distância, agora ele estava realmente só. E seu pai se envolvera mais uma vez com política, tentando reconquistar sua cadeira no Congresso – mas, dessa vez, conduzindo ele mesmo a campanha. Mesmo que ele ganhasse, Nova York ficava muito longe de Washington.

Warren candidatara-se a entrar em Columbia tarde demais para conseguir uma vaga nos alojamentos da universidade, de modo que procurou a hospedagem mais barata possível: a Associação Cristã de Moços, onde pagava 10 centavos por dia e mais 1 dólar pela diária de um quarto na Sloane House, na Rua 34 Oeste, a hospedaria da instituição, que ficava perto da Penn Station.[1] Não estava exatamente falido com os 500 dólares da Bolsa Miller no bolso e os 2.000 dólares de Howard, um presente de formatura que fazia parte de um acordo (Warren não começaria a fumar).[2] Também tinha os 9.830,70 dólares de suas economias, parte deles aplicada em ações.[3] Seu patrimônio líquido incluía 44 dólares em espécie, sua metade do carro e 334 dólares investidos no negócio de bolas de golfe com Half-Witek. No entanto, como Warren encarava cada dólar como 10 dólares futuros, ele não gastava 1 dólar a mais do que precisasse. Cada centavo era mais um floco na sua bola de neve.

No seu primeiro dia no curso de David Dodd – finanças 111-112: administração de investimentos e análise de valores mobiliários – ele recorda que Dodd abandonou sua discrição habitual e o recebeu pessoalmente, de forma bastante calorosa. Warren já tinha mais ou menos decorado o livro-texto do curso, *Security Analysis*, a obra seminal de Graham e Dodd sobre investimentos.[4] Como principal redator e organizador do livro, Dodd obviamente tinha uma grande familiaridade com seu conteúdo. Ainda assim, no que dizia respeito ao texto em si, Buffett afirma: "*A verdade era que eu conhecia o livro muito melhor do que Dodd. Podia citar qualquer trecho de cor. Naquela época eu sabia, literalmente, cada exemplo de quase todas aquelas 700 ou 800 páginas. Eu simplesmente suguei o livro. E você pode imaginar o efeito que isso teve no sujeito, o fato de alguém gostar tanto assim de um livro seu.*"

Publicado em 1934, *Security Analysis* era um livro mastodôntico para quem quisesse estudar a sério o mercado e expunha de forma detalhada os conceitos inovadores que seriam posteriormente resumidos para o público leigo em *O investidor inteligente*. Dodd passara quatro anos fazendo anotações meticulosas durante as palestras e seminários de Ben Graham, organizando-as e enriquecendo os exemplos com seu próprio conhecimento sobre finanças corporativas e contabilidade. Ele estruturou o livro e revisou as provas em sua casa de veraneio, na rústica ilha de Chebeague, na baía de Casco, no Maine, entre partidas de golfe e torneios de pesca de cavala.[5] Ele descrevia o seu papel com modéstia: "À genialidade [de Graham] se somam sua longa experiência como figura ilustre e seu talento literário excepcional. Minha função principal foi a de ser uma espécie de advogado do diabo naquelas questões em que, eu pensava, ele se colocara em maus lençóis."[6]

A aula de Dodd se concentrava em avaliar títulos de companhias ferroviárias não pagos no vencimento. Desde criança, Warren era ligeiramente obcecado por trens, graças, é claro, à história longa, diversificada e conturbada da Union Pacific. Omaha era praticamente o centro do Universo no que dizia respeito a ferrovias falidas.[7] Warren tinha lido seu livro favorito sobre títulos, *Bond salesmanship* (A arte de vender títulos), de Townsend, pela primeira vez, aos 7 anos, depois de fazer um pedido especial ao Papai Noel para ganhar de presente o exemplar.[8] Então, em Columbia, ele se sentiu como um pinto no lixo ao estudar o tema dos títulos de ferrovias falidas. Como já era de se esperar, Dodd demonstrou um interesse incomum por ele, apresentando-o à sua família e convidando-o para jantar. Warren aproveitou ao máximo aquela atenção paternal – e também se compadecia de Dodd, que cuidava da sua mulher deficiente.

Em sala, quando Dodd fazia uma pergunta, o braço de Warren saltava no ar antes de qualquer outro aluno, acenando para chamar a atenção. Ele sabia a resposta todas as vezes e não tinha medo de atrair olhares, nem se importava em parecer tolo. Mas não parecia estar se exibindo: como recorda um colega de classe, ele era apenas jovem, impulsivo e imaturo.[9]

Ao contrário de Warren, quase todos os seus colegas na Columbia tinham pouco interesse em ações e títulos e, provavelmente, ficavam entediados durante aquela aula obrigatória. Formavam um grupo extraordinariamente heterogêneo,[10] sendo que boa parte deles faria carreira na General Motors, na IBM ou na U. S. Steel depois de receber seus diplomas.

Um deles, Bob Dunn, estava prestes a se tornar o astro acadêmico da classe de 1951. Warren admirava sua presença e inteligência e muitas vezes ia ao alojamento para visitá-lo. Uma tarde, na suíte de dois cômodos de Dunn, Fred Stanback foi acordado de seu cochilo por alguém que falava em voz alta. Ainda meio adormecido, ele percebeu que a voz estava dizendo coisas tão interessantes que não quis cair no sono novamente. Levantando-se do seu beliche, andou até o quarto ao lado. Lá, encontrou um garoto de cabelo escovinha e malvestido, tagarelando a toda a velocidade, que se inclinava para a frente no seu assento como se uma arma estivesse apontada atrás da sua cabeça. Stanback se deixou cair numa cadeira e ficou ouvindo Warren, que discorria com autoridade sobre algumas ações subvalorizadas que tinha descoberto.

Warren já estava claramente imerso no mercado de ações. Falava sobre um punhado de pequenas empresas, entre elas a Tyer Rubber Company, a Sargent & Co., que fazia cadeados, e um negócio ligeiramente maior, a atacadista de ferragens Marshall-Wells.[11] Ouvindo aquilo, Stanback se tornou na mesma hora um discípulo seu. Saiu dali para comprar ações pela primeira vez na vida.

Stanback era filho de um empreendedor que ficou rico vendendo envelopes de remédio em pó para dor de cabeça e "SnapBack Stimulant Powders" – um energético em pó cheio de cafeína – na traseira de um Ford Bigode.[12] Com um temperamento analítico e reservado, Fred Jr. cresceu na Confederate Avenue, na cidadezinha de Salisbury, na Carolina do Norte. Era a plateia ideal para Warren. Os dois começaram a passar o tempo juntos – um garoto falante e magrela e um rapaz bonitão de cabelo louro e voz arrastada. Um dia, Warren teve uma ideia. Ele pediu permissão ao professor Dodd para faltar à sua aula, pois queria comparecer à assembleia anual da Marshall-Wells. Alguns meses antes de entrar em Columbia, ele e Howard tinham comprado 25 ações daquela empresa.

"A Marshall-Wells era uma atacadista de ferragens que ficava em Duluth, Minnesota. Aquela era a minha primeira assembleia anual. Eles a realizavam em Jersey City, Nova Jersey, provavelmente para que poucos acionistas comparecessem."

A ideia que Warren tinha de uma assembleia de acionistas vinha da sua concepção sobre a natureza de um negócio. Pouco antes ele vendera sua fazenda arrendada, duplicando seu capital num prazo de cinco anos. Enquanto a propriedade era sua, ele e seu arrendatário tinham dividido o lucro da colheita. Mas o arrendatário não participou do lucro da venda da terra. Como capitalista, Warren investia o dinheiro e assumia o risco. Então ficava com os dividendos, se eles surgissem.

Warren encarava todos os negócios dessa forma. Os funcionários que administravam a empresa participavam dos lucros que o seu trabalho produzia. Mas tinham que prestar contas aos donos, e eram estes que lucravam à medida que o valor do negócio aumentava. Obviamente, se os funcionários comprassem ações eles próprios, também se tornavam donos, entrando em sociedade com os demais capitalistas. Mas, por mais ações que tivessem, como funcionários eles eram obrigados a prestar contas dos lucros que obtinham. Por isso Warren encarava uma assembleia de acionistas como o momento da prestação de contas do corpo de diretores.

Mas essa visão não costumava ser compartilhada pelas diretorias das empresas.

Warren e seu novo amigo Stanback pegaram o trem para Jersey City. Ao chegarem a uma sala de reuniões sem graça na cobertura da Corporation Trust Company, eles encontraram uma dúzia de pessoas aguardando uma reunião na qual a empresa só pretendia cumprir uma agenda de obrigações legais de forma superficial. Paradoxalmente, a indiferença da diretoria e a negligência dos acionistas trabalharam a favor de Warren, pois quanto menor fosse o número de presentes, maior seria o valor de qualquer informação que ele conseguisse arrancar da companhia.[13]

Um dos poucos presentes era Walter Schloss, um homem de 34 anos que trabalhava pela miséria de 50 dólares por semana como um dos quatro funcionários da empresa de Ben Graham, a Graham-Newman Corporation.[14] Quando a reunião começou, Schloss disparou perguntas administrativas incisivas. Ele era um homem magro, de índole pacífica e cabelos negros, vindo de uma família de imigrantes judeus nova-iorquinos. No entanto, deve ter parecido rude ao pessoal da Marshall-Wells para os padrões de Duluth. "Eles ficaram um pouco incomodados", diz Stanback, "com o fato de aqueles estranhos estarem se intrometendo na sua reunião. Nunca tinham recebido ninguém de fora antes, nas assembleias, e não gostaram daquilo."[15]

Warren simpatizou imediatamente com a abordagem de Schloss e, quando ele se identificou como funcionário da Graham-Newman, reagiu como se estivesse numa reunião familiar. Assim que a assembleia acabou, Warren se aproximou de Schloss e eles começaram a conversar. Warren o considerou um igual, um homem que acreditava que a riqueza era algo difícil de se acumular e fácil de se perder. O avô de Schloss tinha passado seus dias vadiando no Harmonie Club de Nova York enquanto deixava sua confecção nas mãos de um contador, que – como administrador do dinheiro e dos registros – utilizou os últimos para se apropriar do primeiro. Em seguida, seu pai montou uma fábrica de rádios com um sócio. O depósito sofreu um incêndio em circunstâncias suspeitas antes que um só aparelho fosse vendido. Então, quando Walter tinha 13 anos, sua mãe perdeu a herança que recebera, na quebra da Bolsa em 1929.

A família Schloss sobreviveu graças a muito suor e determinação. O pai de

Walter conseguiu um emprego como gerente de uma fábrica e, em seguida, passou a vender selos. Em 1934, recém-formado no ensino médio, Walter trabalhou como mensageiro em Wall Street – ele integrava o serviço de correio expresso das corretoras, subindo e descendo a rua para entregar mensagens. Depois, trabalhando na "gaiola" da empresa, onde lidava com títulos de renda fixa, ele perguntou ao seu chefe se poderia analisar ações. A resposta foi não – mas ele ouviu, também, o seguinte: "Tem um cara chamado Ben Graham que acabou de escrever um livro, chamado *Security Analysis*. Leia esse livro e você não vai precisar de mais nada."[16]

Schloss leu o livro de Graham de cabo a rabo – e queria mais. Duas noites por semana, das 17 às 19 horas, ele passou a frequentar o New York Institute of Finance, onde Graham dava aulas de investimento. Graham começara aqueles seminários em 1927, como laboratório para um curso universitário que ele pensava em ministrar em Columbia. Na época as pessoas estavam loucas por ações, e a sala ficava lotada. "Embora eu alertasse meus alunos que todas as ações que eu mencionava eram meramente ilustrativas, e sob nenhuma hipótese deveriam ser tomadas como recomendações de compra, calhou de algumas delas estarem subvalorizadas, sofrendo um aumento substancial em suas cotações posteriormente", ele disse com modéstia.[17]

Quando Graham citava os nomes das ações que estava comprando no momento, pessoas como Gustave Levy, o principal operador do Goldman Sachs, apressavam-se a agir, para capitalizar suas empresas e a si mesmos. Schloss ficou tão cativado que acabou se tornando um dos poucos funcionários do seu ídolo, Ben Graham, e do seu sócio Jerry Newman. Warren se viu instintivamente atraído por Walter, não só por causa do seu emprego invejável, como também pela sua trajetória batalhadora e cheia de adversidades. Na assembleia da Marshall-Wells, Warren conheceu outro acionista, de ombros largos, com um charuto na boca. Tratava-se de Louis Green, um conhecido investidor que era sócio de uma corretora pequena porém respeitada, chamada Stryker & Brown, e aliado de Ben Graham.[18] Juntos, Green, Graham e Jerry Newman caçavam empresas cujas ações fossem mais baratas que um depósito cheio de biscoitos caninos sabor churrasco. Eles sempre tentavam comprar um volume de ações suficiente para poderem participar da diretoria daquelas empresas, de modo a ter influência na sua administração.

Warren ficou admirado com Lou Green e queria causar uma boa impressão, então puxou conversa com ele. De lá, ele, Stanback e Green voltaram juntos no trem de Nova Jersey. Green convidou os dois rapazes para almoçar.

Aquilo era como tirar a sorte grande. Warren descobriu que Green era tão pão-duro como ele. *"Aquele cara era podre de rico, e nós fomos para uma lanchonete ou coisa parecida."*

Durante o almoço, Green explicou como era ser perseguido pelas mulheres que corriam atrás do seu dinheiro. Como já passara um pouco da meia-idade, sua técnica para lidar com aquilo era confrontar diretamente os motivos delas: "Você gosta dessa dentadura? E da minha careca? Ou do meu barrigão?" Warren estava gostando da conversa, até que Green mudou de repente de assunto e passou o foco para ele.

"*Ele me perguntou: 'Por que você comprou ações da Marshall-Wells?'*
E eu respondi: 'Porque Ben Graham fez o mesmo.'"

Era verdade, Graham já era seu herói, embora os dois não se conhecessem. E, uma vez que a inspiração para comprar ações da Marshall-Wells tinha vindo do livro *Security Analysis*, Warren pode ter achado que precisava ter cautela ao falar como ficara sabendo delas.[19] Mas, na verdade, ele tinha outro bom motivo para comprar ações da Marshall-Wells, além da menção no livro.

Considerada a maior atacadista de ferragens da América do Norte, a Marshall-Wells estava ganhando tanto dinheiro que, se tivesse distribuído seus lucros aos acionistas na forma de dividendos, eles teriam recebido 62 dólares para cada cota de 200. Ou seja, ter uma cota da Marshall-Wells era como ter um título que pagasse 31% de juros (o lucro de 62 dólares sobre uma cota de 200). A essas taxas, Warren pensou, em três anos cada dólar que ele investira na empresa valeria o dobro. Mesmo se a Marshall-Wells não pagasse em dinheiro, as ações acabariam subindo.

Só um louco deixaria escapar uma ação daquelas.

Warren, no entanto, não explicou nada disso a Lou Green. Disse apenas: "*Porque Ben Graham fez o mesmo.*

Lou olhou para mim e disse: 'Bola fora!'

Nunca vou me esquecer do jeito como ele me olhou quando disse aquilo."

Naquele instante, a mensagem ficou clara: "Warren, pense com a sua cabeça." Ele se sentiu um tolo.

"*Estávamos sentados naquela pequena lanchonete, eu com aquela figura impressionante, e de repente dei uma bola fora.*"

Ele não podia cometer mais erros como aquele, mas queria encontrar ações como as da Marshall-Wells. Então, à medida que o seminário de Graham se aproximava, Warren começou a decorar tudo que conseguia encontrar sobre o método de Ben Graham, seus livros, seus investimentos específicos e sobre ele próprio. Graham era presidente do conselho de uma empresa chamada Government Employees Insurance Company, ou Geico. Essa ação não era mencionada no *Security Analysis*. Quando procurou no *Moody's Manual*,[20] ele descobriu que a Graham-Newman Corporation era dona de 55% dela, mas recentemente distribuíra dividendos entre os acionistas.[21]

O que era esta Geico? Warren ficou curioso. Então, algumas semanas depois, numa fria manhã de sábado, ele embarcou no trem mais cedo para Washington, D. C. e bateu à porta da empresa. Aparentemente não havia ninguém, mas um segurança o atendeu. Pelo que se lembra, Warren perguntou da maneira mais humilde possível se alguém ali poderia lhe explicar qual era o negócio da Geico. Ele fez questão de mencionar que era aluno de Ben Graham.

O segurança subiu as escadas até o escritório em que trabalhava Lorimer Davidson, vice-presidente financeiro da Geico. Diante daquela pergunta, Davidson pensou com seus botões: "Já que é um aluno de Ben, vou lhe conceder cinco minutos, agradecer seu interesse e encontrar uma maneira educada de despachá-lo."[22] Então disse ao segurança para deixá-lo entrar.

Warren se apresentou a Davidson com uma sinceridade precisa porém lisonjeira: *"Meu nome é Warren Buffett. Estudo em Columbia. Provavelmente terei aulas com Ben Graham. Li o livro dele e o acho maravilhoso. E notei que ele é presidente da Government Employees Insurance. Como não sei nada a respeito dessa empresa, quis vir até aqui para aprender."*

Davidson começou a falar a Warren sobre o negócio misterioso de seguros de automóveis, pensando que, para ser gentil com um aluno de Graham, valia a pena desperdiçar alguns minutos do seu precioso tempo. Mas ele disse que "depois de uns 10 ou 12 minutos de perguntas suas, percebi que estava conversando com um rapaz bastante incomum. As dúvidas que ele tinha eram dignas de um experiente analista de ações de companhias de seguros. Suas reações às minhas respostas eram profissionais. Ele era jovem e parecia jovem. Apresentou-se como estudante, mas falava como um homem que já estivesse no ramo havia muito tempo – e sabia muita coisa. Quando minha opinião sobre Warren mudou, *eu* passei a fazer as perguntas. E descobri que, aos 16 anos, ele já era um bem-sucedido homem de negócios. Que declarara o imposto de renda pela primeira vez aos 14 anos e continuava declarando todos os anos, desde então. Que tinha uma série de pequenos negócios".

O próprio Lorimer Davidson tinha conquistado tantas coisas que era um homem difícil de se impressionar. "Davy", como era conhecido em toda parte, tinha sido um aluno mediano, mas, nas suas palavras: "Quase desde os 10, 11 anos, eu sabia o que queria fazer. Queria ser igualzinho ao meu pai. Nunca pensei em nenhum outro negócio (que não o de vendedor de títulos)." Ele via Wall Street como uma Meca, "o lugar supremo".

Em 1924, Davidson ganhara 1.800 dólares de comissão em sua primeira semana vendendo títulos. Com o tempo, passou a especular na Bolsa de Valores usando dinheiro emprestado, negociando ações da "Radio", a Radio Corporation of America, ou RCA. Em julho de 1929 vendeu a descoberto as ações da Radio, que estavam sendo negociadas a um preço absurdo, apostando que elas se desvalorizariam.

No entanto, preços absurdos podem ficar mais absurdos ainda, e, quando a ação subiu mais 150 pontos, Davidson perdeu tudo. Então, quando a Bolsa quebrou no dia 29 de outubro, ele teve que esquecer sua mulher grávida e o fato de ter perdido cada centavo que ganhara para assumir as rédeas do horror que seus clientes estavam enfrentando. Ele e seus colegas ficavam acordados até às 5 horas da manhã, ligando para seus clientes. Quase sem exceção eles também tinham negociado com dinheiro emprestado.

No princípio os clientes apareceram com dinheiro para saldar suas dívidas. Profetas do mercado e políticos insistiam que as ações em breve se recuperariam. Eles acertaram o diagnóstico, mas erraram completamente o prazo. A cada onda sucessiva de convocações de "margem", quando os clientes de Davidson tinham que colocar mais dinheiro, metade deles era eliminada, incapaz de pagar suas dívidas, e perdia suas contas. Davidson, que embolsava incríveis 100 mil dólares de comissão por ano antes da quebra,[23] logo estaria ganhando menos 100 dólares por semana – e tinha que se considerar um felizardo. "Era muito deprimente", ele diz, recordando a época da Depressão, "ver um velho amigo, casado e com filhos, muito bem-sucedido, tendo que trabalhar vendendo frutas para ganhar 5 centavos por uma maçã" na esquina da Wall Street com a Broad.

Foi por meio do seu emprego como vendedor de títulos que Davy telefonou para a Government Employees Insurance Company. Quando descobriu como a Geico trabalhava, ficou imediatamente encantado.

A Geico tentava baratear os seguros de automóveis vendendo-os pelo correio, sem usar um corretor.[24] Na época, era um conceito revolucionário. Mas, para dar certo, a empresa precisava encontrar uma forma de manter longe os sujeitos que dirigiam 50 quilômetros por hora acima do limite de velocidade depois de virar uma garrafa de tequila às 3 horas da manhã.[25] Pegando emprestada a ideia de uma empresa chamada USAA, que vendia apenas para militares, os fundadores da Geico, Leo Goodwin e Cleves Rhea, decidiram vender seus seguros apenas para funcionários do governo, pois, assim como os militares, eles eram indivíduos responsáveis, acostumados a obedecer a lei. E, o que era melhor, eram um bocado de gente. Assim nasceu a Government Employees Insurance Company.

Mais tarde, a família Rhea contratou Davidson para vender suas ações, pois eles estavam baseados no Texas e não queriam mais se deslocar. Após montar um consórcio de compradores, ele se apresentou à Graham-Newman Corporation, em Nova York. Ben Graham ficou interessado, mas acabou acatando seu parceiro grosseirão, Jerry Newman. "Jerry achava que comprar algo pelo preço pedido era ilegal. Ele disse: 'Nunca na vida comprei nada pelo preço pedido e não vou começar agora'", conta Davidson.

Eles pechincharam. Davidson convenceu Jerry Newman a investir 1 milhão de dólares por 55% da companhia, com algumas concessões simples. Ben Graham se tornou presidente da Geico e Newman entrou no conselho. Seis ou sete meses depois, Lorimer Davidson disse a Leo Goodwin, CEO da Geico, que aceitaria ganhar menos para trabalhar para a empresa, administrando seus investimentos. Goodwin consultou Ben Graham, que concordou.

Ao ouvir essa história de Davidson, Warren ficou maravilhado: *"Eu não parava de fazer perguntas sobre o mercado de seguros e sobre a Geico. Ele não foi almoçar naquele dia – simplesmente ficou sentado ali conversando comigo por horas a fio, como se eu fosse a pessoa mais importante do mundo. Quando abriu a porta para mim, abriu também as portas do mundo dos seguros."*

Aquela era uma porta que a maioria das pessoas preferiria manter fechada com cadeado. Mas as escolas de administração tinham cursos sobre o mercado de seguros – Warren o estudara na Penn – e, de certa forma, ele guardava uma ligeira semelhança com jogos de azar, que intrigava seu lado de analista de apostas. Ele se interessara por um sistema de seguros que se chamava "tontina", no qual as pessoas juntavam seu dinheiro e o último a morrer ficava com a bolada. Mas as tontinas eram agora ilegais.[26]

Warren chegou até a pensar na ciência atuarial – a matemática dos seguros – como carreira. Assim poderia passar décadas debruçado sobre taxas de mortalidade e fazendo prognósticos sobre a expectativa de vida das pessoas. Além do fato óbvio de aquilo combinar com sua personalidade – ele tendia à especialização, tinha prazer em memorizar dados, gostava de manipular números e preferia a solidão –, trabalhar como estatístico naquela área lhe daria a oportunidade de passar o tempo ponderando sobre um de seus dois temas favoritos: a expectativa de vida.

No entanto, o outro tema favorito, que era juntar dinheiro, saiu ganhando.

Warren começou a se debater com o conceito fundamental dos negócios: como as empresas *ganham dinheiro*? Uma empresa é muito parecida com uma pessoa. Ela tem que sair para o mundo e descobrir uma maneira de manter um teto sobre a cabeça dos seus funcionários e acionistas.

Ele compreendeu que, como a Geico vendia seguros pelo preço mais baixo do mercado, a única maneira de ela ganhar dinheiro era reduzir os custos ao mínimo possível. Também aprendeu que companhias de seguros pegavam os prêmios dos seus clientes e os investiam muito antes de as indenizações serem pagas. Aquilo lhe parecia apanhar o dinheiro dos outros de graça, exatamente o tipo de ideia que agradava a Warren.

A Geico parecia um negócio infalível.

Naquela manhã, menos de 48 horas depois de voltar para Nova York, Warren vendeu, abaixo do preço, ações que representavam três quartos da sua carteira e usou o dinheiro para comprar 350 ações da Geico. Aquela era uma jogada incomum para um jovem habitualmente cauteloso.

Isso era especialmente verdadeiro porque, no preço em que estavam suas ações, a Geico era um investimento que Ben Graham não teria aprovado, embora a própria Graham-Newman se tivesse tornado recentemente a sua maior acionista. A ideia de Graham era comprar diferentes ações que estivessem sendo negociadas por menos que o valor de seus ativos, e ele não acreditava em concentrar tudo num pequeno número de ações. Warren, no entanto, estava maravilhado com o que aprendera com Lorimer Davidson. A Geico crescia tão depressa que ele tinha certeza de que podia prever quanto ela valeria dentro de alguns anos. Com base nisso, estava barata. Ele escreveu um relatório sobre a empresa para a corretora de seu pai, afirmando que as ações da Geico estavam sendo negociadas a 42 dólares cada, projetando um lucro por ação cerca de oito vezes maior que seus rendimentos recentes. Outras companhias de seguros, ele percebeu, eram vendidas a múltiplos muito acima dos seus lucros. A Geico era uma empresa pequena em um ramo grande, enquanto suas concorrentes eram companhias "cujas possibilidades de crescimento já estavam praticamente esgotadas". Warren fez então uma projeção conservadora do valor da companhia dali a cinco anos. Ele acreditava que as ações estariam valendo entre 80 e 90 dólares.[27]

É quase impossível conceber uma análise mais contrária a Graham do que essa. A experiência com a bolha da década de 1920 e a Depressão o deixara ressabiado com projeções de lucro, tanto que, embora elogiasse, para todos os efeitos, seu método de avaliação em sala de aula, ele jamais o usava para avaliar quais ações deveria comprar para sua empresa. Mas Warren estava apostando três quartos do seu dinheiro, pacientemente acumulado, nos números que calculara.

Em abril, escreveu para a Geyer & Co. e para a Blythe and Company, as mais importantes corretoras especializadas em ações de companhias de seguros, pedindo informações. Em seguida visitou executivos das duas empresas para falar sobre a Geico. Depois de escutar o ponto de vista deles, explicou a sua teoria.

Eles disseram que Warren estava maluco.

A Geico, afirmaram, não poderia superar as companhias maiores e mais estabelecidas, que usavam corretores. Era uma empresa pequena, com uma participação no mercado de menos de 1%. Companhias de seguros gigantescas, com milhares de corretores, dominavam a indústria, e seria assim para sempre.

No entanto, lá estava a Geico, crescendo como um dente-de-leão na primavera e fazendo dinheiro como a Casa da Moeda. Warren não entendia por que eles não conseguiam ver o que estava bem na frente de seus olhos.

17
Monte Everest

Cidade de Nova York – Primavera de 1951

Quando começou o segundo semestre em Columbia, Warren cantarolava de entusiasmo. Seu pai acabara de ser eleito para um quarto mandato no Congresso – pela maioria mais expressiva até então – e ele iria finalmente conhecer seu herói.

Nas suas memórias, Ben Graham se descreve como um solitário que jamais teve um amigo íntimo depois do ensino médio: "Eu fui talhado para ser colega de todo mundo, mas não amigo do peito ou companheiro."[1] "*Ninguém penetrava na sua couraça. Todos os homens o admiravam, gostavam dele e queriam ser seus amigos, até mais do que ele gostaria. Você ia embora sentindo-se ótimo a respeito dele, mas jamais conseguia se tornar seu camarada.*" Mais tarde, Buffett chamaria isso de "a camada protetora" de Graham. Nem mesmo David Dodd, seu sócio, chegou a se tornar um amigo íntimo. Graham tinha uma enorme dificuldade de compreender o próximo ou de sentir qualquer empatia pessoal. Conversar com ele parecia algo quase doloroso: era um homem cerebral demais, erudito demais, inteligente demais. Ninguém conseguia relaxar ao seu lado, pois era preciso ficar atento o tempo inteiro. Embora fosse sempre cortês, ele se cansava rapidamente de conversar com outros seres humanos; os "verdadeiros companheiros e amigos íntimos" da sua vida eram seus autores favoritos – Gibbon, Virgílio, Milton, Lessing – e as questões que eles propuseram. Em suas próprias palavras, aqueles autores "eram muito mais importantes para mim e deixavam uma impressão muito maior na minha lembrança do que as pessoas reais à minha volta".

Nascido Benjamin Grossbaum,[2] Graham viveu seus primeiros 25 anos num período em que o país enfrentou quatro pânicos financeiros e três depressões.[3] A fortuna da sua família minguou depois da morte do pai, quando Graham tinha 9 anos; sua mãe, ambiciosa e materialista, perdeu a maior parte das suas poucas ações no pânico da Bolsa de Valores em 1907 e acabou tendo que penhorar suas joias. Uma das primeiras lembranças de Graham era estar na boca da caixa de um banco tentando descontar o cheque da sua mãe, quando o atendente perguntou alto e bom som a um colega se a Sra. Grossbaum valia cinco dólares. Nessa época, recordava Graham, graças à caridade de parentes, a família foi "salva da miséria – mas não da humilhação".[4]

Não obstante, Ben se destacou, no decorrer de sua vida estudantil, nas escolas públicas da cidade de Nova York, onde lia Victor Hugo em francês, Goethe em alemão, Homero em grego e Virgílio em latim. Depois da formatura queria cursar a Universidade Columbia, mas precisava de ajuda financeira. Quando o inspetor responsável pelas bolsas visitou os Grossbaum, recusou o pedido de Ben. Sua mãe ficou convencida de que ele agiu assim porque a família ainda se agarrava a algumas cadeiras Luís XVI e uma ou outra mobília fina, apesar de sua situação difícil. Ben, no entanto, teve certeza de que o inspetor detectara uma "deformidade secreta" na sua alma: "Durante anos eu vinha lutando contra algo que os franceses chamavam de *mauvaises habitudes* ("maus hábitos", um eufemismo para masturbação), que a combinação de um puritanismo inato com tratados de medicina de arrepiar os cabelos transformara numa questão moral e física de proporções gigantescas."[5]

Graham e seus maus hábitos foram parar na City College, uma instituição gratuita. Ele estava desolado e sem um tostão, convencido de que um diploma daquela faculdade não o ajudaria a ascender no mundo esnobe e erudito a que aspirava. A gota d'água veio quando dois livros que pegara emprestados foram roubados do seu armário e ele teve que pagar para substituí-los. Como não tinha dinheiro algum, ele abandonou o curso e conseguiu um emprego montando campainhas. Ele recitava a *Eneida* e o *Rubaiyat* para si mesmo enquanto trabalhava. Com o tempo, candidatou-se novamente a uma vaga em Columbia e dessa vez ganhou a bolsa que antes fora negada – por um erro burocrático, como se descobriu mais tarde. Em Columbia, ele se tornou um astro acadêmico, mesmo tendo que fazer trabalhos braçais para ajudar nas despesas – trabalhos durante os quais compunha mentalmente sonetos para se distrair. Após se formar, recusou uma bolsa de pós-graduação em Direito, bem como ofertas, de três departamentos diferentes, para ensinar filosofia, matemática e inglês. Preferiu seguir o conselho do seu diretor e entrar no ramo da publicidade.[6]

O senso de humor de Graham sempre pendeu para a ironia. Sua primeira tentativa de escrever um jingle para o produto de limpeza não inflamável Carbona foi rejeitada porque podia assustar os consumidores. Era um pequeno poema humorístico:

*There was this young girl from Winona
Who never had heard of Carbona
She started to clean
With a can of benzene
And now her poor parents bemoan her.**

Depois desse episódio, Dean Keppel, de Columbia, indicou Graham para um emprego na corretora Newburger, Henderson & Loeb. Graham declarou o seguinte sobre Wall Street: "Eu a conhecia apenas de ouvir falar, e da leitura de romances, como um lugar trágico e empolgante. Senti então a necessidade de participar dos seus rituais misteriosos e de seus grandes acontecimentos."

Ele começou em 1914, no degrau mais baixo da escadaria de Wall Street, ganhando 12 dólares por semana como mensageiro. Em seguida trabalhou como assistente no quadro de cotações, correndo para cima e para baixo na sala dos clientes, mudando preços de ações num quadro-negro. Graham transformou esses empregos numa carreira por meio de uma manobra clássica em Wall Street: ele pesquisava por conta própria, até que um dia um operador de pregão entregou um relatório que ele escrevera – avaliando negativamente os títulos da Missouri Pacific Railroad – a um sócio da Bache & Company, que o contratou como estatístico.[7] Mais tarde ele voltou como sócio à Newburger, Henderson & Loeb, onde permaneceu até 1923. Então um grupo de investidores, que incluía membros da família Rosenwald (um dos primeiros sócios da Sears), o persuadiu a deixar a companhia, concedendo-lhe um capital inicial de 250 mil dólares, com o qual pôde abrir seu próprio negócio.

Graham fechou essa empresa em 1925, quando ele e seus investidores discordaram quanto à sua remuneração, e abriu a "Conta Conjunta Benjamin Graham" no dia 1º de janeiro de 1926, com 450 mil dólares de clientes e do seu próprio bolso. Logo em seguida Jerome Newman, irmão de um cliente seu, se ofereceu para investir na empresa e se associou a Graham, sem receber salário algum até aprender o negócio e poder agregar valor. Graham, no entanto, insistiu em pagar uma quantia módica, a princípio, e Newman trouxe à sociedade um amplo conhecimento geral sobre negócios, além de competência administrativa.

Em 1932, Graham escreveu uma série de artigos, na revista *Forbes*, intitulada "Is American Business Worth More Dead than Alive?" (As empresas

---

* Numa tradução livre: "Era uma vez uma garotinha de Winona / Que nunca ouvira falar de Carbona / Ela começou a fazer faxina / com uma lata de benzina / Agora seus pobres pais lamentam sua partida." *(N. do T.)*

americanas valem mais mortas do que vivas?), na qual censurava os diretores de empresas por ficarem sentados em montanhas de dinheiro e investimentos e os investidores por fazerem vista grossa a esses valores, que não se refletiam nos preços das ações. Graham sabia como colocar aquele valor em circulação, mas tinha um problema: capital. Com as perdas na Bolsa de Valores, a conta da empresa tinha caído de 2,5 milhões para 375 mil dólares.* Graham se sentia responsável por restituir as perdas de seus sócios, mas isso significava que ele precisaria mais do que triplicar o dinheiro deles. Seria necessária uma façanha apenas para manter viva a conta conjunta. O sogro de Jerry Newman a salvou, depositando 50 mil dólares. Finalmente, em dezembro de 1935, Graham conseguiu de fato triplicar o dinheiro, recuperando as perdas.

Por questões tributárias, em 1936 Graham e Newman dividiram a conta conjunta em dois negócios – a Graham-Newman Corporation e a Newman & Graham.[8] A Graham-Newman cobrava uma comissão fixa e era uma empresa de capital aberto que negociava papéis na Bolsa. A Newman & Graham era um "fundo hedge", ou sociedade privada, com um número limitado de sócios sofisticados que pagavam a Graham e Newman baseados no seu desempenho como administradores.

Os dois homens continuaram sócios por 30 anos, embora, nas suas memórias, Graham critique a "falta de cordialidade" de Jerry Newman, a sua personalidade exigente e impaciente, a sua mania de encontrar defeitos nas pessoas e a sua tendência a ser "intransigente demais" nas negociações. Newman, Graham escreveu, não era "nem um pouco popular, mesmo entre seus amigos, que eram muitos" e "teve várias brigas com sócios de confiança", embora eles sempre reatassem no final. Ele e Graham conseguiam se dar bem por causa da "camada protetora" deste último; o comportamento das outras pessoas nunca parecia afetar a tranquilidade de Ben.

A única exceção a essa regra era a propensão de Newman a comprar brigas com homens de negócios consagrados. Após uma análise meticulosa de um relatório publicado pela Comissão Interestadual de Comércio, Graham descobrira que a Northern Pipeline, uma transportadora de petróleo cujas ações estavam sendo negociadas a 65 dólares, possuía títulos de dívida de companhias ferroviárias que valiam 95 dólares a cota, além dos seus ativos referentes aos oleodutos. Contudo, a Fundação Rockefeller, que controlava as ações, não estava fazendo nada para liberar os dividendos das companhias ferroviárias aos acionistas. A ação era negociada a uma cotação baixa, que não refletia o valor dos títulos, de modo que Graham começou a acumular ações na surdina, até sua empresa se tornar a maior acionista depois da Fundação Rockefeller.

---

* Incluindo distribuições, retiradas e perdas. *(N. da A.)*

Então ele fez pressão para que os títulos fossem distribuídos entre os acionistas. A diretoria da Northern Pipeline, que abandonara a Standard Oil quando ela estava quebrada, em 1911, tentou enrolá-lo. Disseram que a companhia precisava reter os títulos para poder pagar pela substituição dos oleodutos antigos no futuro. Mas Graham sabia que não era verdade. Finalmente os diretores se limitaram a dizer: administrar um oleoduto é um negócio complexo e especializado, sobre o qual você conhece muito pouco, enquanto nós fizemos isso a vida inteira. Se não concorda com a nossa política, por que não vende as suas ações para nós?

Graham, no entanto, acreditava que era seu papel proteger os interesses de todos os investidores da companhia, e não apenas os seus. Então, em vez de vender as ações, ele foi até a assembleia dos acionistas na remota Oil City, na Pensilvânia, onde era o único participante além dos funcionários da empresa. Lá ele fez uma moção sobre os títulos das companhias ferroviárias, mas a diretoria não quis reconhecer sua validade, pois não havia ninguém para apoiá-la. Durante as negociações, alguns diretores fizeram insinuações que ele considerou antissemitas – e que o deixaram ainda menos inclinado a desistir da briga. Ao longo do ano seguinte ele comprou mais ações, uniu-se a outros investidores e se preparou para travar uma batalha judicial contra os diretores, numa disputa de votos. Quando chegou a época da assembleia seguinte ele já reunira votos suficientes para conseguir que dois diretores adicionais fossem eleitos para o conselho, o que fez pender a balança a favor da distribuição dos títulos. A empresa capitulou e pagou em dinheiro e ações o equivalente a 110 dólares por ação aos seus acionistas.

A batalha ficou famosa em Wall Street e, a partir daí, Graham transformou a Graham-Newman Corporation em uma das mais renomadas, embora nem de longe uma das maiores, empresas de investimento no mercado.

E ele conseguiu fazer isso apesar de impor obstáculos ao seu próprio desempenho. Seu método de ensino utilizava exemplos tirados diretamente do escritório da Graham-Newman. Toda vez que mencionava uma ação em sala de aula, os alunos saíam correndo para comprá-la, elevando a sua cotação e a tornando mais cara para a Graham-Newman. Isso deixava Jerry Newman maluco. Por que tornar o trabalho da empresa mais difícil, informando às outras pessoas o que eles estavam fazendo? Ganhar dinheiro em Wall Street significava guardar segredo sobre suas ideias. Mas, nas palavras de Buffett: *"Ben não se importava tanto com a quantidade de dinheiro que tinha. Ele só queria ter o suficiente, e foi assim que atravessou aquele período muito duro de 1929 até 1933. Se ele tivesse o dinheiro que julgava necessário, o resto não tinha a menor importância."*

Nos seus 20 anos de existência, o desempenho da Graham-Newman Corporation superou o da bolsa de valores numa média de 2,5% ao ano – um recorde batido apenas por um grupo seleto de pessoas em Wall Street. Essa porcentagem pode parecer insignificante, mas, acumulada ao longo de duas décadas, significava que quem investisse na Graham-Newman terminaria esse período com quase 65% a mais no bolso do que uma pessoa cujos lucros estivessem na média da bolsa. E, o que era *muito* mais importante: Graham alcançara esse desempenho excelente correndo riscos consideravelmente menores do que alguém que simplesmente investisse no mercado de ações.

E Graham conseguiu esta façanha graças principalmente ao seu talento para analisar números. Antes dele, estimar o preço dos valores mobiliários era, em grande parte, um trabalho de adivinhação. Graham desenvolveu o primeiro método eficiente e sistemático de analisar o valor das ações. Ele preferia trabalhar investigando apenas informações públicas – geralmente o balanço financeiro de uma empresa – e dificilmente frequentava as assembleias gerais de acionistas.[9] Seu sócio Walter Schloss participava da assembleia da Marshall-Wells, mas por iniciativa própria, não por vontade de Graham.

A terceira mulher de Ben, Estey, o pegava no escritório da Graham-Newman Corporation, no número 55 da Wall Street, todas as tardes de quinta-feira, depois que a bolsa fechava. Ela levava o marido de carro até Columbia, onde ele dava seu "seminário sobre avaliação de ações ordinárias". Esse curso era o ápice do currículo de finanças de Columbia, tão conceituado que administradores experientes se matriculavam nele às vezes mais de uma vez.

Warren, obviamente, reverenciava Graham. Ele lera a história da Northern Pipeline diversas vezes quando tinha 10 anos, muito antes de compreender quem era Benjamin Graham no mundo dos investimentos. Em Columbia, esperava estabelecer uma relação com seu ídolo. Mas, fora da sala de aula, ele e Ben tinham poucos passatempos em comum. Graham flertava com as artes e as ciências em sua busca por conhecimento; escrevia poemas, fracassara redondamente como dramaturgo da Broadway e enchia blocos de anotações, sem muito empenho, com ideias para invenções malucas. Também se dedicava à dança de salão, tendo passado anos na academia de dança Albert Murray, onde dançava como um soldadinho de chumbo e contava os passos em voz alta. Nos jantares que dava, Graham muitas vezes desaparecia de repente, para trabalhar em fórmulas matemáticas, ler Proust (em francês) ou ouvir ópera sozinho, em vez de aturar a companhia maçante de seus convidados.[10] "Eu me recordo das coisas que aprendo", ele escreveu em suas memórias, "não das que vivencio." A única exceção em que a vivência era mais importante que o aprendizado foi a sua vida amorosa.

A única maneira de um ser humano competir com os autores clássicos pela atenção de Graham era se ele fosse do sexo feminino e fácil de levar para a cama.

Ele era baixinho e não impressionava fisicamente, mas havia quem o achasse parecido com o ator Edward G. Robinson[11] por conta dos seus lábios grossos e sensuais e seus olhos azuis penetrantes. Havia algo de malicioso na sua aparência, e ele não era um homem bonito. Mesmo assim, Graham parecia ser um monte Everest para mulheres que gostavam de um desafio: elas o conheciam e logo queriam escalá-lo até o topo.

Em relação às três mulheres que teve, o gosto de Graham variou bastante: de Hazel Mazur, uma professora passional e de personalidade forte, passando por Carol Wade, uma dançarina da Broadway 18 anos mais nova que ele, até sua ex-secretária Estelle "Estey" Messing, uma mulher inteligente e jovial. Um fator que dificultou todos esses casamentos foi a sua total indiferença pela monogamia. Posteriormente Graham escreveu uma biografia,[12] na qual começa dizendo: "Deixe-me descrever meu primeiro caso extraconjugal da forma mais sóbria possível" – uma sobriedade que ele abandona seis frases depois, ao explicar a receita para seu caso com Jenny, uma mulher de língua afiada e "de forma alguma bonita": "uma dose de atração e quatro doses de oportunidade". Se houvesse mais atração, ele precisaria de menos oportunidade, o que o tornava um pouco descarado, até inconveniente, nas suas investidas sexuais sobre as mulheres que achasse atraentes. Combinando dois dos seus passatempos, Graham era capaz de escrever às pressas um poeminha sedutor para uma mulher que chamasse a sua atenção no metrô. Mas ele era tão cerebral que, mesmo para as suas amantes, prender a sua atenção era um desafio. O salto que ele dá do amor aos negócios, nesse trecho das suas memórias, é puro Graham:[13]

> Tenho uma memória sentimental da última hora em que passamos juntos na cabine do navio a vapor da Ward Line. (Mal sabia na época que futuramente minha empresa controlaria aquele tradicional estaleiro.)

Seus casos levavam as suas mulheres à loucura. Mas, naquela época, Warren não sabia nada sobre a vida pessoal de Graham e se interessava apenas por aquilo que poderia aprender com seu brilhante professor. No primeiro dia do seminário de Graham, em janeiro de 1951, Warren entrou numa sala de aula minúscula, onde havia uma mesa retangular longa. Graham estava sentado no meio dela, cercado por 18 ou 20 homens. A maioria dos alunos era mais velha, alguns deles veteranos de guerra. Metade não era formada por estudantes de Columbia, mas por homens de negócios, que frequentavam o curso como ouvintes. Novamente Warren era o mais jovem – mas também o mais versado no assunto. Quando Graham fazia uma pergunta, inevitavelmente era ele "o primeiro a levantar a mão", e na mesma hora começava a falar, como lembra um de seus colegas de classe, Jack Alexander.[14] O resto da turma se transformava na plateia de um dueto.

Em 1951, muitas empresas americanas continuavam valendo mais mortas do que vivas. Graham utilizava exemplos reais do mercado de ações para ilustrar essa teoria: companhias inescrupulosas como a Greif Brothers Cooperage, uma fabricante de barris cujo negócio principal estava desaparecendo aos poucos, mas cujas ações estavam sendo negociadas por um preço muito menor do que o lucro que seria obtido se os seus bens e estoque fossem simplesmente liquidados e suas dívidas quitadas. Com o tempo, argumentou Graham, o valor "intrínseco" viria à tona, da mesma forma que um barril carregado pelo rio, preso sob o gelo do inverno, vem à superfície no degelo da primavera. Era só interpretar o balanço geral da empresa, decodificando os números, para entender que havia um barril de dinheiro preso debaixo do gelo.

Graham dizia que uma empresa era igual a uma pessoa que podia pensar que seu patrimônio líquido era de 7 mil dólares. Ela englobava sua casa, que valia 50 mil, menos a hipoteca de 45 mil, mais suas outras economias que somavam 2 mil dólares. Assim como as pessoas, a empresas têm ativos, como os produtos que fazem e vendem, e dívidas – ou passivos. Se você vendesse todos os ativos para pagar as dívidas, o que sobraria seria o lucro da empresa, ou o patrimônio líquido. Se a ação pudesse ser comprada a um preço que orçava a empresa num valor abaixo do seu patrimônio líquido, dizia Graham, *em algum momento* – e esta era uma expressão capciosa – o preço da ação subiria, revelando seu *valor intrínseco*.[15]

Parecia simples, mas a arte da análise de valores mobiliários estava nos detalhes: bancar o detetive, sondando quais ativos realmente valiam a pena, escavando ativos e passivos escondidos, levando em conta o que a empresa poderia arrecadar – ou não – e desvendando as letras miúdas, para entender os direitos dos acionistas. Os alunos de Graham aprendiam que as ações não eram pedaços de papel abstratos e que seus valores podiam ser analisados descobrindo-se quanto valia o bolo inteiro de um negócio, para em seguida dividi-lo em fatias.

Para complicar as coisas, contudo, havia a questão do "em algum momento". As ações muitas vezes eram negociadas em desacordo com seu *valor intrínseco* por um bocado de tempo. Um analista poderia entender tudo certinho e, ainda assim, parecer errado aos olhos do mercado, pelo equivalente a uma vida inteira no mundo dos investimentos. Era por isso que, além de ser um detetive, era preciso construir o que Graham e Dodd chamavam de *margem de segurança* – ou seja, ter bastante espaço para errar.

As pessoas que estudavam o método de Graham o interpretavam de duas formas diferentes. Algumas o entendiam imediatamente como uma caça ao tesouro fascinante e abrangente, enquanto outras fugiam dele como se fosse um dever de casa apavorante. A reação de Warren foi a de um homem que sai de uma caverna na qual passou a vida inteira e pisca sob a luz do sol, enquanto absorve pela primeira vez a realidade.[16] Seu conceito anterior de "ação" derivava de padrões formados pelos preços aos quais pedaços de papel eram negociados. Agora ele entendia que aqueles pedaços de papel eram apenas símbolos de uma verdade oculta. Compreendeu de imediato que os padrões formados pela negociação desses pedaços de papel não eram iguais às ações, da mesma forma que aquelas pilhas de tampinhas de garrafa da sua infância não eram iguais ao sabor efervescente e doce do refrigerante que despertava o desejo das pessoas. Seus velhos conceitos desmoronaram em um segundo, atropelados pelas ideias de Graham e iluminados pela maneira como ele ensinava.

Graham usava inúmeros truques engenhosos e eficientes nas suas aulas. Ele fazia perguntas correlacionadas, uma de cada vez. Seus alunos achavam que sabiam a resposta da primeira, mas, quando vinha a segunda, percebiam que talvez não soubessem. Ele apresentava descrições de duas empresas, uma em péssimo estado, praticamente falida, e outra em boa forma. Depois de pedir à turma que as analisasse, revelava que eram a mesma companhia em épocas diferentes. Todos ficavam surpresos. Aquelas eram lições inesquecíveis sobre como pensar de forma independente; eram características da forma como a mente de Graham funcionava.

Juntamente com o método "Empresa A e Empresa B", Graham costumava falar sobre "verdades de primeira e segunda ordem". Verdades de primeira ordem eram absolutas. Verdades de segunda ordem se tornavam verdades por convicção. Se um número suficiente de pessoas pensasse que a ação de uma empresa valia X, seu valor se tornava X até que um número suficiente de pessoas passasse a pensar o contrário. Mas isso não afetava o valor intrínseco da ação – que era uma verdade de primeira ordem. Portanto, o método de investimento de Graham não se resumia a comprar ações baratas. Ele levava em conta conceitos da psicologia, o que permitia aos seus seguidores evitar que as emoções influenciassem suas decisões.

Das aulas de Graham, Warren retirou três princípios fundamentais, que não exigiam nada além da disciplina rígida e da independência intelectual:

- *Uma ação é o direito de possuir uma pequena parcela de um negócio.* É uma fração do que você estaria disposto a pagar pelo negócio inteiro.
- *Empregue uma margem de segurança.* Investir se baseia em estimativas e incertezas. Uma ampla margem de segurança garante que os efeitos de uma boa decisão não sejam inutilizados por erros. Para avançar é preciso, acima de tudo, não retroceder.

• *O Sr. Mercado é seu servo, e não seu mestre.* Graham criara um personagem de humor instável, chamado Sr. Mercado, que se oferecia a comprar e vender ações todos os dias, muitas vezes a preços que não faziam sentido. Os humores do Sr. Mercado não devem influenciar a *sua* visão de preço. Contudo, de vez em quando ele oferece a chance de comprar barato e vender caro.

Desses preceitos, a margem de segurança era o mais importante. Uma ação pode ser o direito de possuir uma parcela de um negócio, e o seu valor intrínseco deve de fato ser estimado, mas é a margem de segurança que faz você dormir tranquilo. Graham construía sua margem de segurança de diversas maneiras. Além de comprar coisas por um valor consideravelmente menor do que achava que elas valiam, ele nunca se esquecia dos perigos de contrair dívidas. Mesmo que a década de 1950 fosse um dos períodos mais prósperos da história dos Estados Unidos, ele estava escaldado com suas experiências anteriores – e cultivava o hábito de esperar o pior. Continuava a encarar os negócios através das lentes dos seus artigos de 1932 para a *Forbes* – como se valessem mais mortos do que vivos – e pensava no valor de uma ação principalmente em termos de quanto a empresa valeria se estivesse morta – ou seja, de portas fechadas e liquidada. Graham sempre dava uma olhadela por cima do ombro para a década de 1930, quando diversos negócios faliram. Ele mantinha a sua empresa pequena, em parte, por ser tão avesso a riscos. E raramente comprava mais do que uma parcela pequena de ações de qualquer empresa, por mais seguro que fosse o negócio.[17] Cada empresa era dona de um grande conjunto de ações que exigiam muito cuidado. Embora muitas ações fossem de fato vendidas a preços abaixo do valor de liquidação das companhias, o que tornou Warren um seguidor fervoroso de Graham, ele discordava do seu professor quanto à necessidade de diversificar. Afinal de contas, ele apostara tudo numa só ação: *"Ben sempre me dizia que as ações da Geico eram muito caras. Pelos seus padrões, não era o tipo certo de ação para se comprar. Ainda assim, no final de 1951 eu tinha três quartos do meu patrimônio líquido, ou quase isso, investidos na Geico."* Mas, mesmo se afastando tanto de um dos princípios de Graham, Warren continuava a "venerar" seu professor.

Ao longo do semestre de primavera, os colegas de classe de Warren foram aos poucos aceitando a rotina do dueto em sala. "Warren era uma pessoa muito focada. Ele conseguia concentrar sua atenção como um holofote quase 24 horas por dia, quase sete dias por semana. Não sei quantas horas ele dormia", afirma Jack Alexander.[18] Ele era capaz de citar cada exemplo de Graham, bem como aparecer com os seus próprios. Vivia na biblioteca de Columbia lendo jornais velhos por horas a fio.

"Eu pegava aqueles jornais de 1929. Não enjoava nunca deles. Lia tudo – não apenas os artigos sobre negócios e sobre o mercado de ações. A História é uma coisa interessante, e os jornais contam um pouco dela; eu lia todas as matérias e até os anúncios. Assim era transportado para um outro mundo pelas palavras de alguém que tinha sido testemunha ocular. Era como se eu estivesse vivendo aquela época."

Warren colecionava informação eliminando os preconceitos impostos pela maneira de pensar de outras pessoas. Passava horas lendo os manuais da Moody's e do Standard & Poor's, procurando ações. Contudo, de tudo que fazia, era o seminário semanal de Graham o que ele aguardava com mais ansiedade. Chegou até a convencer seu discípulo Fred Stanback a assistir a uma ou outra aula como ouvinte.

Embora a química entre Warren e seu professor fosse óbvia para quase todos na sala, um aluno em especial a notara. Bill Ruane, um corretor da Kidder, Peabody, havia chegado a Graham através de sua *alma mater*, a Harvard Business School, depois de ler dois livros importantes e memoráveis – *Where Are the Customers' Yachts?* e *Security Analysis*. Ruane adorava contar histórias sobre seu trabalho de corretor, embora jurasse que sua primeira escolha de carreira fora trabalhar como ascensorista no Plaza Hotel, um futuro que só não vingou por causa da longa espera por um uniforme.[19] Ele e Warren se entenderam imediatamente. Mas nem Ruane, nem qualquer outro aluno de Graham, nem mesmo o próprio Warren tiveram a audácia de tentar encontrar Graham fora da sala de aula. Warren, contudo, conseguiu inventar desculpas para visitar seu novo amigo, Walter Schloss, na Graham-Newman Corporation.[20] Ele passou a conhecer melhor Schloss e descobriu que ele cuidava de uma esposa que vinha sofrendo de depressão durante a maior parte do seu casamento.[21] Schloss, como David Dodd, parecia extraordinariamente leal e decidido, qualidades que Buffett buscava nas pessoas. Também invejava o trabalho de Schloss; teria limpado banheiros de graça em troca de um daqueles paletós cinza, estilo jaleco, feitos de algodão fino, que todos na Graham-Newman usavam para não sujar suas camisas enquanto preenchiam os formulários que Graham usava para analisar ações segundo seus critérios de investimento.[22] Acima de tudo, Warren queria trabalhar para Graham.

À medida que o semestre se aproximava do fim, o resto da turma estava ocupado tentando descobrir o que fazer no futuro. Bob Dunn iria para a U. S. Steel, onde provavelmente estavam os cargos empresariais de maior prestígio dos Estados Unidos. Quase todo jovem executivo acreditava que a rota para o sucesso era subir na hierarquia de uma grande corporação industrial. Na América do pós-guerra e do pós-Depressão, sob o comando de Eisenhower, segurança profissional era a coisa mais importante, e os americanos acreditavam que as instituições – do governo às grandes corporações – eram essencialmente boas.

Encontrar um alvéolo na colmeia institucional e aprender como se enquadrar nela era a coisa normal e previsível a fazer.

"Não acho que houvesse um só sujeito na turma que não achasse a U. S. Steel um bom negócio. Quero dizer, era uma empresa grande, *mas ninguém pensava em que tipo de trem eles estavam embarcando.*"

Warren tinha um objetivo em mente. Ele sabia que se destacaria se Graham o contratasse. Embora lhe faltasse autoconfiança em vários aspectos, ele sempre se sentira seguro no ramo específico do mercado de ações. Então se ofereceu a Graham para trabalhar na Graham-Newman Corporation. Era preciso audácia até mesmo para *sonhar* em trabalhar para o mandachuva em pessoa, mas Warren era audacioso. Afinal de contas, era o melhor aluno de Ben Graham, o único que conquistou um A+ no seu curso. Se Walter Schloss podia trabalhar lá, por que ele não poderia? Para fechar o negócio, ele propôs trabalhar de graça. Chegou e pediu o emprego com muito mais confiança do que sentira ao viajar a Chicago para a entrevista da Harvard Business School.

Mas Graham recusou.

"*Ele foi maravilhoso. Disse apenas: 'Veja bem, Warren. Em Wall Street, as empresas 'brancas', os grandes bancos de investimentos, ainda não contratam judeus. Só podemos contratar um número muito limitado de pessoas aqui. E, por isso, só contratamos judeus.' Aquilo se aplicava às duas garotas do escritório e a todos ali. Era como uma versão pessoal dele de ação afirmativa. E a verdade é que havia muito preconceito contra os judeus na década de 1950. Eu entendi perfeitamente.*"

Era impossível para Buffett dizer qualquer coisa sobre Graham que pudesse ser interpretada como crítica, mesmo décadas mais tarde. É claro que deve ter sido uma decepção incrível. Graham não poderia ter aberto uma exceção para o seu melhor aluno? Para alguém que, além disso, não lhe custaria nada?

Warren, que idolatrava seu professor, teve que aceitar que Graham o via de forma impessoal, tanto que não passaria por cima de um princípio nem pelo melhor aluno que já tivera no seu curso. Não havia como apelar – pelo menos por ora. Desapontado, ele concluiu a pós-graduação. Então recompôs-se mais uma vez e pegou um trem.

Tinha dois consolos. Estaria de volta a Omaha, onde se sentia em casa. E seria muito mais fácil buscar o amor da sua vida ali, pois tinha conhecido uma garota da cidade e estava apaixonado. Como de hábito, a garota não estava apaixonada por ele. Mas dessa vez Warren estava decidido a fazê-la mudar de ideia.

18
Miss Nebraska

Cidade de Nova York e Omaha – 1950-1952

Warren sempre fora uma negação com garotas. Ele queria uma namorada, mas eram justamente as coisas que o tornavam diferente dos outros rapazes que atrapalhavam sua busca. "*Ninguém era mais tímido do que eu em relação às garotas*", diz. "*E eu provavelmente reagia me tornando uma máquina de falar.*" Quando ele não tinha mais o que dizer sobre ações e política, recorria a grunhidos. Tinha medo de chamar garotas para sair. Juntava coragem quando uma menina fazia algo que o levava a achar que não seria rejeitado, mas em geral pensava: "Por que ela iria querer sair comigo?" Ele não teve, portanto, muitos encontros durante o ensino médio ou a faculdade. E, quando teve, algo sempre parecia dar errado.

Uma vez levou uma garota chamada Jackie Gillian para assistir a um jogo de beisebol, e o ponto alto foi atropelar uma vaca na volta para casa. Ele chamou outra menina para dar algumas tacadas num campo de golfe, mas também não deu certo.[1] Apanhar Barbara Weigand em casa, com seu carro funerário, foi "uma medida desesperada", não uma proeza. Pode ter funcionado para quebrar o gelo, mas e depois, sobre o que conversar? Quando saía com uma garota tímida como Ann Beck, ficava mudo; era tão inseguro que não tinha ideia do que fazer. Garotas não gostavam de falar sobre Ben Graham e a margem de segurança. Se ele não conseguiu nem beijar Bobbie Worley, com quem saíra um verão inteiro, que esperança havia? Muito pouca, pensou, e talvez as garotas percebessem isso.

Finalmente, no verão de 1950, antes de ele ingressar em Columbia, Bertie arranjou para ele um encontro com sua colega de quarto da Northwestern. Sua irmã ficara imediatamente impressionada com Susan Thompson[2] – uma morena bochechuda, que parecia uma boneca e era um ano e meio mais nova que ela – e achou que ela era uma menina especial, com talento para compreender as pessoas.[3] Assim que Warren conheceu Susie, ficou fascinado, mas suspeitou que ela fosse boa demais para ser verdade: "*No começo, eu achava que ela era uma miragem. Mas fiquei intrigado e comecei a correr atrás dela, porque estava determinado a descobrir o que havia de errado ali. Não conseguia acreditar que alguém pudesse ser como ela."* Susie, no entanto, não estava interessada nele. Ela estava apaixonada por outra pessoa.

Depois que Warren foi para Columbia, ele leu na coluna de fofocas de Earl Wilson[4] no *New York Post* que Vanita Mae Brown, a Miss Nebraska de 1949, estava morando no Webster, um alojamento para mulheres no centro de Manhattan,[5] e se apresentaria num espetáculo com o cantor e ídolo adolescente Eddie Fisher.

Vanita tinha cursado a Universidade de Nebraska na mesma época que Warren, mas sempre dera um jeito de fugir de suas atenções e interesse até então. Mas algo naquela situação foi maior que a sua timidez. Quando soube que a glamourosa Miss Nebraska estava morando em Nova York, decidiu telefonar para ela, no Webster.

Vanita mordeu a isca. Logo ela e o Sr. Omaha marcaram um encontro. E ele descobriu que suas origens não eram nada parecidas com as dele. Ela crescera em South Omaha, perto dos currais, limpando galinhas no frigorífico local, depois da escola. Seu corpo sensual e rostinho de garota comum a tiraram dali. Ela conseguiu um emprego em Omaha, como lanterninha do Paramount Theater, e em seguida transformou sua paixão por se exibir no primeiro lugar em um concurso de beleza local. *"Acho que seu maior talento foi deslumbrar os juízes"*, diz Buffett. Depois de ganhar o título de Miss Nebraska, ela representou o estado como Princesa Nebraska no Cherry Blossom Festival, em Washington, D. C. De lá, ela se mudou para a cidade de Nova York, onde estava tentando desesperadamente entrar para o show business.

Embora Warren não fosse o tipo de cara que levaria uma garota para jantar no Stork Club ou para ver um show no Copacabana, ela deve ter recebido com prazer um rosto da sua cidade natal. Logo os dois estavam explorando juntos as ruas de Nova York. Procurando se aprimorar, eles foram até a Marbel Collegiate Church ouvir o Dr. Norman Vincent Peale, um famoso escritor, fazer uma palestra sobre desenvolvimento pessoal. Warren cantou "Sweet Georgia Brown" para ela, com sua guitarra havaiana, às margens do Hudson, levando sanduíches de queijo para compor o cardápio de um piquenique na beira do rio.

Embora Vanita odiasse sanduíches de queijo,[6] ela parecia disposta a continuar saindo com ele. Warren a achava tão divertida e esperta que conversar com ela era como jogar pingue-pongue verbal.[7] A aura de tecnicolor que a cercava a tornava ainda mais atraente. O interesse de Vanita, no entanto, não o iludiu quanto à sua calamitosa falta de habilidades sociais. A cada ano que passava ele se tornava mais desesperado para melhorá-las. Um dia ele viu o anúncio de um curso de oratória baseado no método de Dale Carnegie. Warren confiava em Dale Carnegie, que no passado o ajudara a se dar melhor com as pessoas. Ele foi até o curso com um cheque de 100 dólares no bolso.

"*Procurei Dale Carnegie porque tinha a dolorosa consciência de ser um desajustado social. Então fui até lá e entreguei o cheque a eles, mas depois o sustei, porque perdi a coragem.*"

A inadequação social de Warren tampouco era um bom augúrio para as suas chances com Susan Thompson, a quem passara o outono inteiro escrevendo cartas. Ela não o incentivava, mas também não dizia expressamente que ele a deixasse em paz. Warren adotou a estratégia de fazer amizade com os pais de Susie, como uma maneira de se aproximar da filha. No dia de Ação de Graças foi com os três a Evanston, para ver um jogo de futebol americano na Northwestern. Depois da partida, os três jantaram com Susie, mas ela saiu mais cedo, porque tinha um encontro.[8]

Warren voltou desiludido para Nova York depois do feriado, mas continuava intrigado. Ele continuou a sair com Vanita. "*Ela possuía uma das mentes mais criativas que já encontrei na vida*", diz.

Na verdade, sair com Vanita começou a assumir um quê de imprevisibilidade e risco. Várias vezes ela ameaçou brincando ir até Washington quando Howard estivesse falando na tribuna do Congresso, para se jogar aos seus pés e gritar: "Seu filho é o pai da criança que eu carrego no ventre!" Warren acreditava que ela era bem capaz de fazer aquilo. Em outra ocasião, ela armou uma cena tão grande quando eles estavam saindo de um cinema que, não aguentando mais aquela falação, Warren a ergueu no ar e a colocou em cima de uma lata de lixo numa esquina. Ela ficou lá gritando, com as pernas para o ar, enquanto ele fugia.[9]

Vanita era bonita, esperta e divertida. Mas também era perigosa, e Warren sabia que era arriscado se envolver com ela. Mas, de alguma forma, deve ter sido empolgante. Sair com Vanita era como colocar um leopardo na coleira para ver se ele daria um bom bichinho de estimação. Por outro lado, "*Vanita sabia se cuidar muito bem. Ela não tinha dificuldades em terminar um relacionamento, eu podia ficar tranquilo em relação a isso. O problema era saber se ela ia querer terminar ou não. Ela não me faria passar vergonha – a não ser que quisesse*".

Uma vez Warren a convidou para um jantar no New York Athletic Club, em homenagem a Frank Matthews, um advogado ilustre e secretário da Marinha dos Estados Unidos. Levar a bela Miss Nebraska a tiracolo contaria a seu favor. Matthews era de Nebraska, havia um monte de pessoas que valia a pena conhecer ali, e Warren queria fazer contatos. Durante o coquetel, Vanita garantiu que ele seria, de fato, o assunto da noite. Depois que ele a apresentou como sua namorada, ela o corrigiu, insistindo que era sua mulher. "Não sei por que ele faz isso", ela disse. "Será que tem *vergonha* de mim? *Você* teria? Toda vez que saímos, ele finge que somos apenas namorados, mas nós somos *casados*."

Finalmente Warren percebeu que, embora Vanita pudesse tomar conta de si tão bem quanto quisesse, *"a verdade é que ela sempre queria me constranger. Gostava de agir daquela forma comigo, e com frequência"*, diz. Mas Vanita também era fascinada por ele, de modo que é impossível saber o que teria acontecido se Warren não tivesse uma alternativa.[10]

Todas as vezes que Warren voltava para casa em Nebraska procurava ver Susan Thompson o máximo que ela permitia, embora isso fosse pouco. Ela parecia extremamente sofisticada, superior e generosa com suas emoções. Acabou caindo de quatro por ela e decidiu se livrar de Vanita, *"mesmo que fosse óbvio que eu não era o Pretendente Número Um"*[11] para Susie. *"Minhas intenções eram claras"*, diz. *"Apenas não surtiam efeito algum nela."*

A família de Susan Thompson era uma velha conhecida dos Buffett – na verdade, foi o pai dela, "Doc" Thompson, que coordenou a única campanha eleitoral fracassada de Howard –, mas, em muitos aspectos, ela não tinha nada em comum com a família de Warren. Dorothy Thompson, a mãe de Susie – uma mulher meiga e pequenina, afetuosa, autêntica e experiente –, era conhecida na família como "a esposa companheira". O jantar sempre estava na mesa às 18 horas em ponto, e ela apoiava as diversas vidas que o Dr. William Thompson, seu marido, levava. Homem baixo e vaidoso, de cabelos prateados – que usava gravata-borboleta e ternos de lã cor de alfazema, rosa algodão-doce ou amarelo-esverdeados –, ele era uma figura imponente que se movimentava com a postura de alguém que tinha a certeza de estar sendo admirado. Descendia, nas suas palavras, "de uma longa linhagem de professores e pastores" e parecia querer exercer todas as funções de seus antepassados simultaneamente.[12]

Além de diretor da Faculdade de Artes e Ciências da Universidade de Omaha, ele ensinava psicologia. Como vice-diretor do Departamento de Educação Física, coordenava as atividades esportivas com a alegria de um ex-jogador de futebol americano fanático por esportes – e se destacara tanto na função que *"todos os policiais da cidade o conheciam"*, diz Buffett, *"o que era bom, levando-se em conta o jeito como ele dirigia"*. Também formulava testes psicológicos e de QI, supervisionando a sua aplicação em todas as crianças em idade escolar da cidade.[13] Ele gostava de mandar nas pessoas e testar seus filhos. Ignorando os dias de descanso, nos domingos ele vestia o hábito de pastor e pregava mui...to len...ta...men...te, com uma voz grave e sonora, na pequena Irvington Christian Church, onde suas filhas compunham o coro de duas vozes.[14] No tempo que sobrava, empenhava-se em transmitir sua crenças políticas, bastante semelhantes às de Howard Buffett, para qualquer um que estivesse ao alcance da sua voz.

Doc Thompson expressava suas vontades com um sorriso jovial, mas gostava de ser obedecido imediatamente. Ele falava da importância das mulheres, mas esperava que elas o servissem. Seu trabalho girava em torno do seu ego, e ele era claramente vaidoso. Agarrava-se aos seus entes queridos e ficava irascível quando eles não estavam por perto. Hipocondríaco que sofria de ansiedade crônica, sempre achava que algum tipo de desastre aconteceria com as pessoas com quem se importava. E esbanjava afeto por aqueles que correspondiam ao seu estilo exigente.

Dorothy, a filha mais velha dos Thompson, conhecida como Dottie, não fazia parte desse grupo. Segundo o folclore da família, um dia, nos primeiros anos de vida de Dottie, quando seu pai estava especialmente zangado com ela, ele a trancou dentro de um armário.[15] Numa interpretação condescendente, a pressão de tentar estudar para o doutorado com um bebê engatinhando à sua volta o tirara do sério.

Quando Dottie tinha 7 anos, nasceu Susie, a segunda filha do casal. Dorothy Thompson, vendo como Dottie reagia mal ao rude método de criação de seu marido, juntou coragem e lhe disse: "A primeira foi sua, eu vou criar a próxima."

A saúde de Susie era frágil desde que ela nascera. Tinha alergias e otites crônicas que a fizeram suportar uma dúzia de intervenções cirúrgicas no ouvido durante seus primeiros 18 meses. Sofria longas crises de febre reumática, que a confinavam no quarto por quatro ou cinco meses a fio, no período do jardim de infância até à segunda série. Mais tarde ela se recordaria de ficar observando pela janela seus amigos brincarem, desejando se juntar a eles.[16]

Durante suas muitas doenças, os Thompson confortavam, afagavam e mimavam a filha o tempo inteiro. Seu pai a amava cegamente. *"Não havia nada na sua vida que chegasse aos pés dela"*, diz Warren. *"Susie estava sempre certa, mas tudo o que Dottie fazia estava errado. Eles sempre foram muito críticos em relação à Dottie."*

Um filme caseiro da família mostra Susie, com cerca de 4 anos, gritando "Não!" e dando ordens a Dottie, que tinha 11, enquanto as duas brincavam com um conjunto de chá.[17]

Finalmente a saúde de Susie melhorou, e ela deixou de ser prisioneira em seu quarto. Ela jamais gostou de praticar esportes ou brincar na rua, mas sempre se mostrou disposta a fazer amizades.[18] Durante seus longos dias de convalescença, era de pessoas que ela sentia mais falta.

"Quando você passa por um sofrimento", recordaria Susie posteriormente, "o fim dele pode ser completamente libertador. É maravilhoso. Estar livre da dor é uma sensação ótima. Aprendi isso numa idade muito tenra. Quando você tem essa consciência, pode encarar a vida de uma forma muito simples. Então você começa a se relacionar com as pessoas e, nossa!, percebe que elas são realmente fascinantes."[19]

À medida que Susie crescia, ela mantinha suas bochechas redondas de menina e uma voz sussurrada enganosamente infantil. Na adolescência frequentou a Central High de Omaha, uma escola mista com um corpo discente de diferentes credos e raças, o que era incomum na década de 1940. Embora fizesse parte de um círculo que alguns consideravam esnobe, seus colegas de classe lembram que ela tinha amizades em todos os grupos.[20] Sua simpatia exuberante e o jeito suave de falar podiam dar a impressão de que ela era "um pouco falsa" ou até "meio avoada",[21] mas seus amigos diziam que não havia falsidade alguma nela. Tinha mais interesse pela oratória e pelas artes cênicas do que por assuntos acadêmicos. Argumentava de forma apaixonada e persuasiva no grupo de debates da Central High, onde as pessoas notavam que suas ideias políticas eram muito diferentes das de seu pai. Ela atuava de forma graciosa em peças estudantis e cantava, num contralto suave, nas operetas da escola, como líder do coral. Sua atuação como a docemente impulsiva protagonista de *Our Hearts Were Young and Gay* (Nossos corações eram jovens e alegres) foi tão fascinante que seus professores se lembravam dela anos depois.[22] De fato, seu charme e personalidade forte fizeram dela a garota "mais popular" e a favorita para o concurso de beleza da escola, a Miss Central, além de representante de classe, eleita pelos colegas de turma.

O primeiro namorado de Susie foi John Gillmore, um menino tranquilo e meigo que ela adorava. Quando eles passaram a namorar firme, na Central High, Gillmore já era quase 30 centímetros mais alto que ela, mas, apesar de ele ter um jeito "manhoso", era ela que o dominava.[23]

Na mesma época ela também começou a sair com um rapaz educado e inteligente que conhecera num debate entre calouros. Aluno da Thomas Jefferson High School em Council Bluffs, Iowa, do outro lado do rio Missouri, Milton Brown era um jovem alto de cabelos negros e sorriso caloroso e largo. Eles se encontravam várias vezes por semana durante o ensino médio.[24] Embora suas amigas mais íntimas soubessem de Milt, era Gillmore que continuava a acompanhá-la em todas as festas e eventos da escola.

O pai de Susie não aprovava Milt Brown, que era filho de um imigrante russo judeu e iletrado que trabalhava na Union Pacific Railroad. Nas três ou quatro vezes que ela ousou levá-lo em casa, Doc Thompson o deixou constrangido, ao fazer um sermão sobre Roosevelt e Truman. O pai de Susan não escondia sua determinação em evitar que sua filha namorasse um judeu.[25] Como os Buffett, Doc Thompson tinha todos os preconceitos típicos de Omaha, onde grupos étnicos e religiosos viviam cada um no seu canto, e a vida de um casal de religiões diferentes seria no mínimo reprovável. Susie, no entanto, ousou romper essas barreiras sociais – mas ao mesmo tempo conseguia manter sua imagem de secundarista certinha e popular.

Susie navegou nessas águas agitadas até entrar na faculdade, quando ela e Milt partiram para a liberdade – juntos – na Universidade Northwestern, em Evanston, Illinois. Lá, ela dividiu o quarto com Bertie Buffett, e as duas entraram em fraternidades estudantis. Bertie levava suas aulas na flauta e foi imediatamente coroada Rainha do Pijama da Phi Delt.[26] Susie, que cursava jornalismo, programou seus horários para poder se encontrar com Milt quase todos os dias.

Os dois entraram juntos para o Wildcat Council e se encontravam na biblioteca quando ele saía de um dos vários empregos em que trabalhava depois das aulas, para pagar os estudos.[27] A escolha nada convencional de Susie, namorar abertamente um rapaz judeu, entrava em conflito com sua vida de típica universitária. Membros da sua fraternidade a proibiram de levar Brown a um baile porque ele fazia parte de uma fraternidade judia. Susan, embora magoada, continuou lá.[28] Ela e Milt começaram a estudar zen-budismo, buscando uma fé que pudesse refletir suas crenças espirituais em comum.[29]

Sem saber de nada disso, Warren fez sua inútil viagem a Evanston, no feriado de Ação de Graças, e depois visitou Susie em Omaha durante as férias de inverno. Naquela altura ele já estava decidido a conquistá-la. Ela possuía qualidades que ele sempre buscara numa mulher. Uma vez ela se descreveu como "uma das poucas pessoas de sorte que cresceram com a sensação de serem amadas incondicionalmente. Este é o maior presente que você pode dar a alguém."[30] Mas a pessoa a quem ela queria dar o seu amor incondicional era Milt Brown.

Naquela primavera de 1951, Milt foi eleito representante de classe do segundo ano, e Bertie era sua vice. Susie chorava todas as vezes que abria uma carta de casa exigindo que ela terminasse seu relacionamento com Brown. Bertie percebia o que estava acontecendo, mas Susie nunca se abria com ela, embora as duas tivessem ficado amigas.[31] Ela parecia fazer questão de não deixar ninguém saber o que sentia. Então, certo dia, próximo do fim do semestre, estavam sentadas no quarto do alojamento quando o telefone tocou. "Venha para casa *agora*", ordenou seu pai. Ele a queria longe de Milt e avisou que ela não voltaria para a Northwestern no outono. Susie desmoronou, aos prantos, mas as decisões do seu pai eram inapeláveis.

Depois de se formar em Columbia naquela primavera, Warren também voltou para Omaha. Ele ia morar na casa dos seus pais, que agora estavam em Washington, mas teria que passar parte daquele verão servindo à Guarda Nacional. Embora não fosse exatamente talhado para o serviço, aquilo era muito melhor do que a alternativa: partir para lutar na Coreia. A Guarda, no entanto, exigia que ele frequentasse um campo de treinamento em La Crosse, Wisconsin, por várias semanas, todos os anos. O campo de treinamento não o ajudou em nada a amadurecer.

"*No começo os caras desconfiavam muito de mim na Guarda Nacional, porque o meu pai estava no Congresso. Eles achavam que eu era uma espécie de prima-dona, ou coisa parecida. Mas aquilo não durou muito.*

Era uma organização muito democrática. Quero dizer, o que você fazia fora dela não tinha muita importância. Para se enquadrar, tudo o que precisava fazer era estar disposto a ler gibis. Cerca de uma hora depois de chegar lá, eu já estava fazendo isso. Todo mundo lia, por que não eu? Meu vocabulário diminuiu para quatro palavras, e você pode imaginar quais são.

Aprendi que vale a pena andar com pessoas melhores do que você, pois elas fazem você melhorar seu nível. Se ficar andando com gente que se comporta pior que você, logo, logo estará rolando ladeira abaixo. É assim que funciona."

A experiência incentivou Warren a cumprir outra promessa assim que voltasse do campo da Guarda Nacional. "Eu morria de medo de falar em público. Ninguém imaginava como era difícil para mim quando eu tinha que fazer uma palestra. Ficava tão apavorado que simplesmente não conseguia. Eu até vomitava. Na verdade, organizei minha vida de modo a nunca precisar falar diante de uma plateia. Quando voltei para Omaha, depois de me formar, vi outro anúncio daquele curso de oratória. Eu sabia que teria que falar em público algumas vezes. Minha agonia era tanta que, só para me livrar daquele sofrimento, voltei a me matricular." Aquele não era o seu único objetivo: para conquistar o coração de Susan Thompson ele sabia que precisava ser capaz de conversar com ela. A probabilidade de ter sucesso com Susan era pequena, mas ele faria de tudo para aumentá-la; e poderia ter sua última chance naquele verão.

A turma do curso de Dale Carnegie se reunia no Rome Hotel, o favorito dos pecuaristas. "Levei 100 dólares em dinheiro vivo para entregar a Wally Keenan, o instrutor, e falei: 'Pegue antes que eu mude de ideia.'

Havia uns 25 ou 30 de nós lá. Estávamos todos simplesmente aterrorizados. Não conseguíamos sequer dizer nossos nomes. Ficamos parados, sem falar uns com os outros. A primeira coisa que me impressionou foi que, depois de conhecer todas aquelas pessoas de uma vez só, Wally conseguia lembrar o nome de todo mundo. Era um bom professor e tentou nos ensinar o truque da associação mental, mas nunca consegui aprender essa parte.

Eles nos deram um livro de discursos eleitorais, e nós tínhamos que recitá-los toda semana. A ideia era aprender a colocar a coisa para fora. Quero dizer, por que alguém consegue conversar normalmente com uma pessoa só, mas congela diante de um grupo? Eles ensinavam alguns truques psicológicos para superar esse bloqueio. Parte do processo é só praticar – ter disciplina e persistir. Acabamos ajudando bastante uns aos outros. E funcionou. Esse é o diploma mais importante que eu tenho."

No entanto, Warren não tinha como testar sua nova habilidade com Susie, que se mantinha afastada. Ciente da influência que Doc Thompson exercia sobre a filha, Warren aparecia todas as noites, com a guitarra havaiana a tiracolo, para conquistar o pai no lugar dela. "Ela saía com outros caras", diz Buffett, "e eu não tinha mais nada para fazer quando ia até lá. Então ficava com ele, jogando conversa *fora.*" Doc Thompson, que adorava o calor do verão, sentava-se na sua varanda com tela, nas noites tórridas de julho, usando seu terno em tons pastel, enquanto Susie saía às escondidas com Milt. Warren, suando, cantava e tocava a sua guitarra havaiana, acompanhado por Doc Thompson, que tocava bandolim.

Warren se sentia à vontade com Doc Thompson, cujo estilo lembrava o jeito que seu pai tinha de discorrer sobre como o mundo estava indo para o inferno por causa dos democratas. A autobiografia de Whittaker Chambers, *Witness* (Testemunha), que relata sua conversão de espião comunista a anticomunista ardoroso durante a Guerra Fria, acabara de ser lançada. Warren a leu com grande interesse, em parte por conta da descrição que o livro fazia do caso Alger Hiss. Chambers acusara Hiss de ser espião comunista, hipótese que foi rejeitada por aquelas pessoas que os Buffett consideravam inimigos políticos, ou seja, o bando de Truman. Apenas Richard Nixon, um jovem senador que fazia parte da Comissão de Investigações de Atividades Antiamericanas, perseguiu Hiss, levando-o a ser condenado por perjúrio em janeiro de 1950. Este era o tipo de assunto que Doc Thompson podia remoer interminavelmente. Ao contrário de Howard, porém, ele também conversava sobre esportes. Não tinha filhos, de modo que achava que Warren era a melhor invenção desde a goma de mascar.[32] Warren era inteligente, protestante, republicano e, acima de tudo, não era Milt Brown.

O apoio de Doc Thompson não era uma vantagem tão grande quanto poderia parecer. Warren estava lutando contra probabilidades desfavoráveis para conquistar o coração de Susie. Ela até conseguia fazer vista grossa às suas meias folgadas e ternos baratos; era o resto que trabalhava contra ele. Susie o via como um filho de congressista, uma pessoa considerada "especial", um garoto que tinha todos os privilégios – um diploma de pós-graduação e um bom dinheiro – e estava obviamente destinado ao sucesso. Ele falava sobre ações o tempo inteiro, um assunto pelo qual ela não tinha o menor interesse. Sua forma de entreter uma garota era contar piadas ensaiadas, fazer charadas e enigmas. Além disso, o fato de seu pai gostar tanto de Warren a fazia pensar que ele seria uma extensão das rédeas dele. Doc Thompson "praticamente atirou Susie em cima de Warren".[33] "*Eram dois contra um*", diz Buffett.

Milt, que precisava dela, estava sendo injustiçado por ser judeu e vir "do lugar errado". Mas ele se tornava ainda mais atraente por ser o cara que seu pai não conseguia suportar.

Naquele verão, Brown estava trabalhando em Council Bluffs. Quando recebeu uma carta da Northwestern notificando-o de um aumento na sua mensalidade, soube que não teria dinheiro para voltar para Evanston. Então foi até à casa dos Buffett e entregou a Bertie, que era sua vice-representante de classe, uma carta dizendo que ia pedir transferência para a Universidade de Iowa.[34] No outono,

Susie se matriculou na Universidade de Omaha e, naquela altura, ela e Milt já admitiam que, por causa do pai dela, só poderiam se ver "de vez em quando". Ela passou o verão em prantos.

Enquanto isso, apesar da sua falta de interesse inicial em Warren, Susie nunca conseguia passar algum tempo com alguém sem querer descobrir tudo a seu respeito. Logo ela começou a perceber que sua primeira impressão tinha sido equivocada. Ele não era o cara privilegiado, convencido e presunçoso que ela pensava. *"Eu era um desastre"*, ele lembra, *"estava à beira de um colapso nervoso. Sentia-me estranho, era socialmente inábil e, principalmente, ainda não tinha engrenado na vida."* Até as amigas de Susie notavam a vulnerabilidade que se escondia atrás daquele verniz de autoconfiança. Aos poucos ela entendeu como ele se sentia imprestável por dentro.[35] Todo aquele papo convencido sobre ações, a aura de prodígio, o sonzinho metálico da guitarra havaiana na verdade envolviam um núcleo frágil e carente: ele era um garoto que atravessava os dias cambaleando sob um manto de desolação. *"Eu era um caos ambulante"*, diz. *"É incrível como Susie conseguiu vislumbrar isso."* De fato, uma pessoa que se sentisse um desastre e um caos ambulante era um prato cheio para ela. Warren comentaria mais tarde a necessidade que Susie tinha de pensar nele como "judeu o suficiente para ela, mas não a ponto de irritar seu pai". Depois disso ela começou a mudar de ideia.

Warren, que era praticamente cego quanto à maneira como as outras pessoas se vestiam – incluindo as mulheres –, estava tão apaixonado por Susie que passou a notar suas roupas. Jamais se esqueceria do vestido azul que ela usava nos seus encontros, ou do conjunto preto e branco que ele chamava de "roupa de jornal".[36] Entre os vaga-lumes de verão no pavilhão do Peony Park, eles se atrapalhavam na pista de dança, ao som de uma canção de Glenn Miller. Warren ainda não tinha aprendido a dançar, mas se esforçava ao máximo. Ele ficava tão à vontade na pista de dança quanto um aluno da sexta série numa festa de fraternidade. *"Mas eu faria qualquer coisa que ela pedisse"*, ele diz. *"Deixaria ela jogar minhocas dentro da minha camisa, se quisesse."*

No Dia do Trabalho, quando Warren a levou à feira estadual, eles já eram namorados. Susie matriculou-se no segundo ano da faculdade como aluna de jornalismo, entrou no grupo de debates[37] e se registrou na Associação de Estudos de Dinâmica de Grupo, um seminário de psicologia.[38]

Warren escreveu à sua tia Dorothy Stahl em outubro de 1951, no seu melhor estilo espertalhão: *"As coisas no departamento 'garotas' nunca estiveram melhores... Uma moça aqui da cidade me fisgou de jeito. Assim que tiver sua aprovação e a do [tio] Fred, darei o próximo passo. Ela só tem um defeito: não entende nada de ações. Fora isso, é imbatível, e acho que consigo passar por cima desse calcanhar de aquiles."*[39]

Dar o próximo passo "com cautela" era a maneira certa de colocar a questão. Warren juntou coragem. Em vez de pedi-la em casamento, ele "simplesmente aventou a hipótese e continuou falando". Susie, por sua vez, "percebeu que tinha sido escolhida", embora "não soubesse ao certo como".[40]

Triunfante, Warren chegou pontualmente para sua aula do curso de Dale Carnegie. "*Naquela semana, ganhei o lápis. Eles davam um lápis de prêmio a quem fizesse algo difícil e aproveitasse ao máximo o treinamento. Ganhei o lápis na semana em que a pedi em casamento.*"

Mais tarde Susie escreveu uma carta longa e triste para Milton Brown, dando a notícia. Ele ficou chocado. Sabia que ela havia saído algumas vezes com Warren, mas não fazia ideia de que o caso era sério.[41]

Warren foi conversar com o pai de Susie, para pedir sua bênção. Isso, ele sabia, seria fácil de obter. No entanto, Doc Thompson levou um tempo – um bom tempo – para chegar ao assunto. Ele começou explicando que Harry Truman e os democratas estavam mandando o país direto para o inferno. Despejar dinheiro na Europa depois da guerra, com o Plano Marshall e a ponte aérea Berlin Airlift[42] tinha sido apenas mais uma prova de que as políticas daquele demônio chamado Roosevelt continuavam em vigor. Truman levaria o país à falência: "Veja como os soviéticos se apossaram da bomba atômica logo depois de ele desmantelar parte do Exército." A Comissão de Investigações de Atividades Antiamericanas, do senador Joe McCarthy, estava provando o que Doc Thompson já sabia o tempo todo: que o governo estava cheio de comunistas. A Comissão descobria comunas em toda parte. O governo era ineficiente – ou algo pior – no que dizia respeito a dar um jeito nos comunistas. Truman tinha deixado a democracia ser derrotada na China. E jamais o perdoaria por afastar o heroico general Douglas MacArthur por insubordinação depois de ele tentar repetidas vezes obter sua aprovação para atacar os comunistas chineses na Manchúria. Mas provavelmente já era tarde demais para salvar o país. Os comunistas estavam dominando o mundo, e as ações logo não seriam nada além de pedaços de papel sem valor. Por tudo isso, o plano de Warren de trabalhar na bolsa de valores iria por água abaixo. Mas Doc Thompson jamais o culparia quando sua filha passasse fome. Ele era um rapaz inteligente. Se não fossem os democratas arruinando o país, ele provavelmente se sairia bem. O futuro cruel que aguardava Susie não seria culpa dele.

Bastante acostumado com aquele tipo de conversa da parte do seu próprio pai e do pai de Susie, Warren aguardou pacientemente o crucial "sim". Três horas depois, Doc Thompson concluiu finalmente a conversa, dando o seu consentimento.[43]

Já no Dia de Ação de Graças, Susie e Warren estavam planejando seu casamento para abril.

19
Medo de palco
Omaha – Verão de 1951-primavera de 1952

Warren compreendia a preocupação de Doc Thompson em relação a como ele sustentaria uma família, mas não compartilhava sua incerteza. Já que não podia trabalhar para a Graham-Newman, decidira se tornar corretor – e em Omaha, longe do centro financeiro de Wall Street. Aquela era uma decisão estranha, pois o senso comum dizia que, se você quisesse ganhar dinheiro no mercado de ações, o lugar certo era Nova York. Mas ele se sentia livre das convenções de Wall Street, queria trabalhar com seu pai, Susie estava em Omaha e ele nunca ficava realmente feliz longe de casa.

Com quase 21 anos, Warren tinha uma confiança suprema no seu próprio talento como investidor. No final de 1951, já tinha aumentado seu capital de 9.804 para 19.738 dólares – um lucro de 75% em um só ano.[1] Mesmo assim ele foi se aconselhar com seu pai e Ben Graham. Para sua surpresa, os dois disseram: "Talvez você devesse esperar alguns anos." Graham – como sempre – achava que os preços do mercado estavam altos demais. Howard, com uma visão pessimista, preferia ações de mineradoras, ouro e outros investimentos que tinham a função de proteger o país da inflação. Ele não acreditava que nenhum outro negócio pudesse representar um bom investimento – e se preocupava com o futuro do filho.

Aquilo não fazia sentido para Warren. Desde 1929 o valor das empresas tinha crescido de forma considerável.

"Era exatamente o efeito oposto do que se viu em outras épocas, quando o mercado passava por uma supervalorização inacreditável. Eu tinha analisado as companhias. Não conseguia entender por que alguém não iria querer ser sócio delas. Eu estava em um nível básico – não levava em conta o crescimento da economia ou coisa parecida – e trabalhava com um capital mínimo. Mas me parecia uma loucura não querer ser sócio daquelas empresas. Por outro lado, Ben, com seu QI de 200 e toda a sua experiência, me dizia para esperar. E também meu pai, a quem eu

obedeceria mesmo se me pedisse para pular da janela." Tomar a decisão de desafiar o conselho de suas duas maiores autoridades – seu pai e Ben Graham – era um passo enorme para ele. Implicava considerar a hipótese de que seu julgamento era superior ao deles, isto é, achar que os dois homens que ele mais respeitava não estavam pensando de forma racional. Mas Warren tinha certeza de estar com a razão. Poderia ter pulado de uma janela se seu pai mandasse – mas não se isso significasse deixar para trás um *Moody's Manual* cheio de ações baratas.

Na verdade, as oportunidades que ele enxergava eram tamanhas que justificaram que ele pedisse dinheiro emprestado pela primeira vez na vida. Warren estava disposto a contrair uma dívida no valor de um quarto do seu patrimônio. "*Eu estava sempre ficando sem dinheiro para investir. Se eu ficasse entusiasmado com uma ação, teria que vender outra para comprá-la. Tinha aversão a pedir dinheiro emprestado, mas acabei pegando mais ou menos 5 mil dólares no Omaha National Bank. Como eu era menor de 21 anos, meu pai teve que entrar como avalista. O Sr. Davis, que era o banqueiro, conduziu aquilo como um rito de passagem. Ele disse algo como: 'Você está entrando na vida adulta agora.' E se referiu àqueles 5 mil dólares da seguinte maneira: 'Esta é uma obrigação séria, e sabemos que você tem o caráter para pagar esse dinheiro de volta.' Isto durou meia hora, comigo sentado ali, do outro lado daquela mesa enorme.*"

Howard provavelmente se sentiu orgulhoso – e um pouco tolo – ao avalizar um empréstimo para o seu filho, que já era um homem de negócios completo havia pelo menos 12 anos. Uma vez que Warren tomara a decisão, Howard também estava disposto a recebê-lo na sua própria firma, a Buffett-Falk – mas somente depois de sugerir que ele fizesse uma entrevista numa corretora de renome na cidade, a Kirkpatrick Pettis Co., para ver o que a melhor do ramo em Omaha tinha a lhe oferecer.

"*Fui encontrar Stewart Kirkpatrick e falei, durante a entrevista, que queria clientes inteligentes. Eu procuraria pessoas que conseguissem entender as coisas. E Kirkpatrick disse, no fim das contas, que eu não deveria me preocupar se eles eram inteligentes, e sim se eram ricos. O que está certo, não dá para discordar. Mas eu queria mesmo era trabalhar na firma do meu pai.*"

Na Buffett-Falk, Warren foi instalado num dos quatro escritórios sem ar-condicionado da empresa, perto da "gaiola", um espaço envidraçado onde um escriturário cuidava do dinheiro e dos valores mobiliários. Ele começou vendendo sua ação favorita às pessoas mais confiáveis que conhecia, sua tia e seus colegas da faculdade, como seu companheiro de quarto na Wharton, Chuck Peterson, que naquela altura trabalhava no mercado imobiliário de Omaha e havia retomado contato.

"*A primeira pessoa para quem liguei foi minha tia Alice. Vendi para ela 100 ações da Geico. Ela fazia com eu me sentisse bem comigo mesmo. Interessava-se por mim. Em seguida liguei para Fred Stanback, Chuck Peterson e qualquer um que eu conseguisse convencer a comprá-las. Mas muitas vezes eu mesmo me encarregava de comprar aquelas ações quando outras pessoas não o faziam. Eu simplesmente dava um jeito de comprar mais cinco ou seis ações por conta própria. Tinha uma ambição grande. Queria ser dono de um décimo de 1% da companhia. Ela tinha 175 mil ações em circulação, e eu calculei que, se a empresa algum dia valesse um bilhão de dólares, e eu fosse dono daquela fração, teria um milhão. Então eu precisava de 175 ações.*"[2]

Mas o seu trabalho era vender e ganhar a comissão e, além daquele círculo restrito de familiares e conhecidos, Warren passou a achar isso quase impossível. Ele sentiu um gostinho dos obstáculos que o pai enfrentara para erguer sua corretora numa época em que as grandes famílias tradicionais de Omaha – os donos de bancos, currais, cervejarias e lojas de departamentos – olhavam com desdém para o neto de um dono de mercearia. Vendo-se sozinho em Omaha, com seus pais morando em Washington, Warren percebeu que não era respeitado.

Naquela época, todas as ações eram vendidas por corretores que ofereciam um serviço completo, e a maioria das pessoas comprava ações individuais, e não fundos mútuos. Todos pagavam comissões fixas de 6 centavos por ação. As transações eram feitas pessoalmente ou por telefone, como parte de um relacionamento. Cada negociação era precedida por alguns minutos de conversa com o "seu corretor", que era parte vendedor, parte conselheiro, parte amigo. Ele poderia morar na sua vizinhança, de modo que você o encontrava em festas, jogava golfe com ele no country club e o convidava para o casamento da sua filha. Todo ano a General Motors colocava novos modelos de carro no mercado, e um homem de negócios trocava de carro com mais frequência do que de ações. Isto é, se ele tivesse alguma.

Donos de contas importantes não levavam Warren a sério. Certa vez a Nebraska Consolidated Mills, que era cliente de seu pai, marcou uma reunião com ele às 5h30.[3] "*Eu tinha 21 anos. E apareci na frente de todas aquelas pessoas para tentar vender ações. Quando terminei de falar, elas disseram: 'O que o seu pai acha?' Eu ouvia aquilo o tempo todo.*" Warren, que "*parecia um panaca*", lutava para realizar vendas.[4] Mas não sabia interpretar as pessoas, era incapaz de jogar conversa fora e, com certeza, não era um bom ouvinte. Seu jeito de dialogar consistia em veicular informação, não recebê-la. Quando ficava nervoso, despejava dados sobre as suas ações favoritas como uma mangueira de incêndio. Alguns clientes em potencial ouviam suas exposições, conferiam as informações com outras fontes e usavam suas ideias, mas preferiam comprar as ações com outros corretores, de forma que ele não recebia a comissão. Warren ficava chocado com a deslealdade dessas pessoas, com quem falara pessoalmente e que voltaria a encontrar pela cidade. Sentia-se traído. Outras vezes ficava simplesmente perplexo. Certa feita, entrou na sala de um setentão e o encontrou sentado com uma pilha de notas de 1 dólar na mesa e a secretária no colo. A cada vez que ela o beijava, o homem lhe dava uma nota.

"*Meu pai não me tinha ensinado a lidar com aquele tipo de situação. De um modo geral, eu não estava recebendo ajuda. Quando comecei a vender ações da Geico para as pessoas, a Buffett-Falk tinha um pequeno escritório no centro da cidade, e os comprovantes de vendas chegavam com o nome de Jerry Newman impressos. Daí, o pessoal da Buffett-Falk dizia: 'Que diabo. Se você acha que é mais esperto do que Jerry Newman...'*"

Na verdade, a Graham-Newman estava formando uma nova sociedade, e alguns dos investidores deram à empresa ações da Geico para injetar dinheiro na parceria. Então, na realidade, eram eles que estavam vendendo, e não a Graham-Newman. Warren não sabia disso.[5] Mas, quando o assunto era a Geico, não importava quem era o vendedor. Nem lhe ocorreu perguntar a qualquer pessoa da empresa por que estava vendendo. Ele tinha uma confiança inabalável na sua própria opinião. E não escondia isso de ninguém.

"*Eu me via como uma espécie de sábio, por ter uma pós-graduação em meio a pessoas que não tinham sequer feito faculdade. Uma vez um corretor de seguros, Ralph Campbell, disse ao Sr. Falk: 'Por que esse moleque está andando por aí representando a companhia?' A Geico era uma empresa que não usava corretores de seguros. E eu falei, como sábio que era: 'Sr. Campbell, talvez seja melhor comprar ações da Previdência Social.'*"

A ficha da primeira regra de Dale Carnegie – não critique – ainda não tinha caído. Warren usava o que mais tarde se tornaria a habilidade patenteada de Buffett de mostrar que sabia mais que qualquer um; mas por que alguém estaria disposto a achar isso de um rapaz de 21 anos? No entanto, era verdade. O pessoal da Buffett-Falk devia ficar pasmo ao vê-lo devorar os manuais – de manhã à noite –, acrescentando informações aos seus fichários de conhecimento.

"*Eu lia os Moody's Manuals de cabo a rabo. Dez mil páginas, incluindo os manuais industriais, de transportes, bancários e financeiros – duas vezes. Eu de fato analisava cada empresa, embora não desse muita atenção a algumas.*"

Seu fascínio pelo jogo de encontrar ações era ilimitado, mas Warren queria ser mais do que um investidor, mais do que um corretor. Ele queria ensinar, seguindo o modelo de Ben Graham. Então se inscreveu para dar um curso noturno na Universidade de Omaha.

A princípio, ele se associou ao seu amigo Bob Soener, um corretor que dava as quatro primeiras semanas de aulas sobre "investimentos lucrativos em ações". Enquanto Soener explicava à turma o básico – como ler o *Wall Street Journal*, por exemplo –, Warren ficava no corredor, para ver se ouvia alguma boa ideia de investimento. Então assumia o curso pelas seis semanas restantes.[6] Com o tempo, ele passou a ministrar o curso inteiro e lhe deu o nome mais prudente de "investimentos seguros em ações". Diante da sua turma, ele ganhava vida, andando de um lado para outro como se não conseguisse fazer as palavras saírem rápido o bastante da sua boca – embora os alunos tivessem que lutar para não se afogar na torrente de informações que Warren atirava em sua direção. Mas, apesar do seu conhecimento profundo, ele jamais prometia aos alunos que eles ficariam ricos, ou que fazer seu curso lhes renderia algum resultado específico. Tampouco se gabava do seu sucesso como investidor.

Seus alunos iam desde profissionais do mercado de ações até pessoas que não tinham pendor para os negócios – donas de casa, médicos e aposentados. Eles simbolizavam uma mudança sutil: investidores há muito afastados do mercado estavam começando a voltar pela primeira vez desde a década de 1920 – o que era parte do motivo que levava Graham a achar que o mercado estava supervalorizado. Ele tomava como modelo o estilo didático de seu mentor, usando o método "Empresa A, Empresa B" e outros pequenos truques de Graham. Dava notas com a mais rígida imparcialidade. Sua tia Alice fez o curso e ficava sentada na sala de aula, encarando-o com um olhar de adoração.[7] Ele lhe deu um C.

As pessoas diziam nomes de ações o tempo inteiro, perguntando se deviam comprar ou vender. Ele conseguia passar cinco, até 10 minutos discorrendo de memória sobre qualquer ação que apresentassem: seus dados financeiros, o índice preço/lucro, o volume de cotas negociadas – e, aparentemente, era capaz de fazer aquilo com centenas de ações, como se estivesse enumerando estatísticas de beisebol.[8] Às vezes uma mulher na fileira da frente dizia: "Minha falecida mãe me deixou uma ação X, e agora ela subiu um pouco. O que devo fazer?" Ele respondia: "Bem, acho que a senhora deveria vendê-la e talvez comprar...", dando em seguida três ou quatro opções, como a Geico ou outra das poucas ações nas quais tinha plena confiança (e que ele próprio já comprara).[9] Os alunos comentavam seu conservadorismo incomum nas respostas às suas perguntas sobre investimentos.

Warren trabalhava como um pica-pau na primavera para ganhar mais dinheiro. Logo teria que tomar conta de uma família, o que dividiria sua renda em dois fluxos. Parte do dinheiro que ele ganhava – o seu fluxo – voltaria para o moinho e continuaria a crescer. E outra parte seria gasta no sustento dele próprio e de Susie, uma mudança considerável. Até então ele fora capaz de conter suas despesas, morando num quartinho em Columbia, comendo sanduíches de queijo, levando garotas para palestras ou tocando guitarra havaiana para elas, em vez de acompanhá-las ao luxuoso Club 21. De volta a Nebraska conseguira reduzir ainda mais seus gastos morando na casa de seus pais, embora isso significasse ter contato com Leila quando eles vinham de Washington.

Ele nunca precisou de incentivo para tentar tirar o máximo do seu capital, e agora, sentado no escritório da Buffett-Falk com os pés em cima da mesa, buscava sistematicamente novas ideias no livro de Graham e Dodd.[10] Encontrou uma ação da Philadelphia and Reading Coal & Iron Company, uma empresa que extraía antracito, um tipo de carvão. Parecia barata, pois estava sendo vendida a 19 dólares e uns quebrados, mas cerca de 8 dólares por ação correspondiam a montes de escória.* Warren teve prazer em passar horas tentando descobrir quanto valiam as minas de carvão e a escória, para tomar a decisão racional quanto àquela ação. Ele comprou cotas da Philadelphia and Reading e as vendeu para sua tia Alice e para Chuck Peterson. Quando a ação despencou imediatamente para 9 dólares, ele interpretou aquilo como motivo para comprar mais ainda.

Comprou também ações de uma companhia têxtil chamada Cleveland Worsted Mills. Ela possuía ativo circulante** de 146 dólares por ação, e cada uma estava sendo vendida por menos que isso. Ele achou que o preço não refletia o valor de "diversas tecelagens bem equipadas".

Warren escreveu um relatório curto sobre essa ação. Gostava do fato de a companhia estar pagando boa parte do que ganhava aos acionistas – dando-lhes um pássaro na mão. "O dividendo de 8 dólares gera um lucro muito seguro de 7% sobre o preço atual da ação, que é de aproximadamente 115 dólares", apontava o relatório.[11] Ele escreveu "muito seguro" por achar que a Cleveland Worsted Mills tinha lucro suficiente para arcar com seus dividendos. Isso não foi exatamente visionário.

"*Passei a chamá-la de Cleveland's Worst Mill*** depois que eles pararam de pagar os dividendos.*" Warren ficou com tanta raiva que decidiu gastar algum dinheiro para descobrir o que estava acontecendo. "*Fui a uma assembleia anual da Cleveland's Worst Mill, pegando um avião até Cleveland. Cheguei lá com cinco minutos de atraso, e a assembleia tinha sido encerrada. E lá estava eu, um garoto de 21 anos de Omaha, com meu dinheiro naquela ação. O presidente da empresa disse: 'Sinto muito,*

---

* Resíduo da remoção de impurezas, como xisto e terra, do carvão bruto. Embora já se tenha acreditado que tinham valor, hoje em dia os montes de escória estão abandonados, causando incêndios difíceis de se apagar e chegando a obrigar cidades inteiras a serem reassentadas. (N. da A.)

** Ativos circulantes servem de medida para a liquidez – a velocidade com que a empresa pode levantar dinheiro. Eles incluem caixa, investimentos fáceis de vender, estoque e crédito de terceiros. Não estão incluídos itens como imóveis, equipamento, dívidas e pensões, que não podem ser rapidamente liquidados ou são devidos a terceiros. (N. da A.)

*** Literalmente, a Pior Tecelagem de Cleveland. (N. do T.)

tarde demais.' Mas o agente de vendas deles, que fazia parte da diretoria, ficou com pena de mim. Ele me chamou num canto, conversou comigo e me deu algumas respostas." As respostas, no entanto, não mudaram nada. Warren se sentiu péssimo; tinha convencido outras pessoas a também comprarem ações da Cleveland's Worst Mill.

A coisa que ele mais odiava era vender às pessoas investimentos que as fizessem perder dinheiro. Não suportava desapontar os outros. Era isso que tinha acontecido lá atrás, na sexta série, quando a ação da Cities Service Preferred, na qual ele convencera Doris a investir, despencou. Ela não hesitara em "recordar-lhe" aquilo, e ele se sentiu responsável. Faria de tudo para evitar a sensação de ter decepcionado alguém.

Warren começou a procurar uma maneira de se tornar menos dependente daquele emprego, que estava começando a odiar. Sempre gostara de ser dono dos seus próprios negócios e decidiu comprar um posto de gasolina em sociedade com um amigo da Guarda Nacional, Jim Schaeffer. Eles compraram um posto Sinclair que ficava próximo de um Texaco *"que sempre vendia mais do que nós, o que nos deixava loucos"*. Warren e seu cunhado Truman Wood, que se casara com Doris, chegaram a trabalhar pessoalmente no atendimento nos fins de semana. Eles lavavam para-brisas *"com um sorriso no rosto"* – apesar da aversão de Warren por trabalhos braçais – e faziam de tudo para atrair novos clientes. Mas os motoristas continuavam parando no posto Texaco, do outro lado da rua. Seu dono *"tinha o nome estabelecido e era muito popular. Dava uma surra na gente todos os meses. Foi então que aprendi o poder da lealdade do freguês. O cara estava no ramo desde sempre e tinha uma clientela. Nada que fizéssemos mudaria aquilo.*

O posto de gasolina foi a maior burrice que fiz na vida – perdi 2 mil dólares, o que era muito dinheiro para mim na época. Nunca tinha sofrido um prejuízo de verdade antes. Foi doloroso."

Warren tinha a impressão de que tudo que ele fazia em Omaha reforçava sua sensação de que era jovem e inexperiente demais. Não era mais o garoto precoce que agia como um homem, e sim um jovem – prestes a se casar – que parecia um garoto e às vezes agia como um. A Kaiser-Frazer, a empresa cujas ações ele vendera a descoberto dois anos antes na corretora de Bob Soener, continuava teimosamente por volta dos 5 dólares por ação, em vez de despencar até zero conforme ele esperava. Carl Falk sempre lançava olhares desconfiados para ele, questionando sua opinião. E Warren se sentia cada vez mais desconfortável quanto à natureza do seu trabalho. Começou a se considerar um "farmacêutico". *"Tinha que dar explicações a pessoas que não sabiam se deveriam tomar aspirina ou Anacin"*, e elas faziam tudo o que o "cara de jaleco branco" – o corretor – mandasse. O corretor era pago de acordo com as vendas, não por seus conselhos. Em outras palavras, *"é como se ele fosse pago pela quantidade de comprimidos que vende. Alguns pagam melhor que outros. Mas ninguém consultaria um médico cujo salário depende de quantos comprimidos você toma"*. Mas era assim que o ramo dos corretores funcionava às vezes.

Warren sentiu que havia um conflito de interesses inerente ao negócio. Ele recomendava uma ação como a da Geico para sua família e seus amigos, dizendo que a melhor coisa a fazer era segurá-la por 20 anos. Isso significava que ele não receberia deles mais nenhuma comissão. *"Assim não dá para ganhar a vida. O sistema gera um conflito entre os seus interesses e os dos seus clientes."*

Por outro lado, ele começou a desenvolver uma pequena clientela própria, por meio do seu círculo de amigos da pós-graduação. Na primavera de 1952 foi a Salisbury, na Carolina do Norte, passar a Páscoa com Fred Stanback. Ele encantou e divertiu os pais de Fred e entreteve a família falando sobre ações, citando Ben Graham e pedindo uma Pepsi e um sanduíche de presunto de café da manhã.[12] Pouco depois, de volta a Omaha, o pai de Fred pediu que ele vendesse algumas ações de uma empresa de máquinas de lavar, a Thor Corporation. Warren encontrou por meio de outro corretor, Harris Upham, um cliente que queria comprá-las. Então recebeu outra ligação do banco de Stanback sobre a venda e achou que era um segundo pedido. Assim, acabou vendendo as ações da Thor Corporation duas vezes, sendo que, na segunda, vendeu por engano ações que não tinha. Então teve que encontrar ações adicionais – e conseguiu comprá-las para cobrir a segunda venda, mas abaixo do preço.

O Sr. Stanback o tratou com bondade, apesar do erro. Assumiu todo o prejuízo, apesar de a culpa ter sido de Warren – que ficou grato e jamais se esqueceu daquilo. Tinha mais motivos para se preocupar com o segundo comprador, um homem conhecido como Baxter "Cachorro Louco", um remanescente da época em que Omaha era um grande centro de repasse de apostas* e sócio de algumas das muitas casas de jogos ilegais da cidade. Baxter foi pessoalmente à Buffett-Falk, andou até o caixa e retirou um maço de notas de 100 dólares, que sacudiu no ar de forma ostensiva. *"Carl Falk me lançou um olhar inquisitivo."* A Buffett-Falk estaria sendo usada para lavar dinheiro ilegal de jogo? Situações como essa reforçavam a antipatia de Warren pelo seu emprego. Mesmo quando não estava vendendo ações, sentia-se em conflito. A Buffett-Falk estava se tornando um *market maker*, uma empresa que agia como intermediária, comprando e vendendo ações.[13] A empresa lucrava vendendo ações para os clientes por um preço um pouco maior do que pagara e comprando-as de clientes por um preço abaixo do que vendia.

---

* Em um "centro de repasse", corretores de apostas se reuniam para fazer um balanço dos jogos e zerar suas contas. *(N. da A.)*

A diferença, ou o "spread", era o lucro. O spread era invisível para os clientes. Atuar como *market maker* elevava uma corretora da condição de simples executora de ordens a participante do jogo de Wall Street. Embora Warren sentisse orgulho de ter o know-how para estabelecer a Buffett-Falk como *market maker*, o conflito o incomodava.

"*Eu não queria estar do outro lado da mesa em relação ao cliente. Jamais vendia algo em que não acreditava ou que não fosse meu. Por outro lado, havia uma margem de lucro oculta. Se algum cliente me perguntasse a respeito, eu contava a ele. Mas não gosto desse tipo de coisa. Quero estar do mesmo lado da mesa que os meus sócios, com todos cientes do que está acontecendo. E um corretor não faz isso.*"

Independentemente do que Warren pensasse de seu trabalho como corretor, sempre havia um conflito de interesses em potencial, sem falar na possibilidade de ele perder dinheiro dos seus clientes, correndo o risco de desapontá-los. Ele preferiria administrar o dinheiro das pessoas, em vez de vender ações para elas, de forma que seus interesses e os dos clientes ficassem do mesmo lado. O problema era que esse tipo de modelo não existia em Omaha. Mas, na primavera de 1952, ele escreveu um artigo sobre a Geico que chamou a atenção de um homem poderoso e, com isso, a sua sorte parecia prestes a mudar. O artigo, "The Security I Like Best" (Minha ação preferida), que foi publicado no *Commercial and Financial Chronicle*, não era apenas uma propaganda da ação favorita de Warren, e sim uma explicação das suas ideias sobre investimentos. Ele chamou a atenção de Bill Rosenwald, filho de Julius Rosenwald, filantropo e presidente de longa data da Sears, Roebuck & Co. O Rosenwald mais jovem era diretor da American Securities, uma empresa gestora de recursos aberta com as ações da família na Sears,[14] que buscava altos lucros minimizando riscos e protegendo o capital. Depois de entrar em contato com Ben Graham, que recomendou efusivamente Warren, Rosenwald lhe ofereceu um emprego. Poucos cargos na área de gestão de recursos eram tão prestigiados, e Warren estava louco para aceitá-lo, mesmo que isso significasse voltar para Nova York. Mas, para deixar Omaha, ele teria que obter a autorização da Guarda Nacional.

"*Perguntei ao meu comandante se havia alguma chance de eu me transferir para Nova York, para aceitar aquele emprego. Ele disse: 'Você vai ter que falar com o general.' Então fui até Lincoln, à sede do governo do estado, esperei um pouco, entrei na sala do general Henninger e disse: 'Cabo Buffett se apresentando.' Escrevera para ele com antecedência, explicando a situação e pedindo a permissão.*

E ele disse imediatamente: 'Permissão negada.'

E acabou ali. Aquilo significava que eu ficaria em Omaha o tempo que eles quisessem me manter prisioneiro."

Assim, Warren estava preso à Buffett-Falk, preenchendo receitas como um farmacêutico para ganhar a vida. O seu principal conforto, frente aos desafios daquele primeiro ano de volta a Omaha, era a sua noiva. Ele começara a se apoiar em Susie. Durante todo esse período ela tentou entender Warren. Começou a compreender o estrago que os rompantes de Leila Buffett tinham feito na autoestima do seu filho – e tentou consertá-lo. Sabia que o que ele mais precisava era receber amor e nunca ser criticado. Também queria sentir que poderia ter sucesso socialmente. "*As pessoas me aceitavam melhor quando eu estava com ela*", ele diz. Embora ela ainda estivesse cursando a Universidade de Omaha enquanto Warren trabalhava, no relacionamento com sua futura esposa ele parecia um bebê olhando para um adulto. Os dois ainda viviam nas casas dos pais. Com o tempo, Warren desenvolveu uma maneira de lidar com a mãe, que se resumia em evitar ficar sozinho com ela; mas, na sua presença, ele se aproveitava da natureza prestativa de Leila, enchendo-a de solicitações. Os longos períodos que Warren passara longe dela na faculdade tinham diminuído a sua tolerância à companhia da mãe, ao invés de aumentá-la. Quando ela e Howard vieram de Washington para o casamento, Susie notou que seu noivo evitava a mãe o máximo possível. Quando era forçado a ficar perto dela, ele virava o rosto na direção oposta e trincava os dentes.

Estava na hora de Warren mudar de casa. Ele ligou para Chuck Peterson, dizendo: "*Chas-o, não temos um lugar para morar*", e Chas-o alugou para ele um apartamento pequeno, a poucos quilômetros do centro da cidade. Quando Warren deu a Susie – que sabia expressar suas vontades muito bem – a quantia de 1.500 dólares para mobiliar o primeiro apartamento deles, ela e sua futura cunhada Doris foram a Chicago comprar móveis, no estilo moderno e colorido que ela gostava.[15]

A data do casamento, 19 de abril de 1952, se aproximava, mas não se sabia ao certo se haveria cerimônia. Na semana anterior o rio Missouri enchera na direção de Omaha. Com as águas seguindo para o sul, as autoridades previram que ele transbordaria, inundando a cidade durante o fim de semana. Isso tornava muito provável que a Guarda Nacional fosse convocada.

"*A cidade inteira apareceu com sacos de areia. Eu tinha um monte de amigos vindo para o casamento – Fred Stanback seria o padrinho, além de vários outros padrinhos e convidados. Estavam todos tirando sarro de mim, porque eu fazia parte da Guarda Nacional. Eles diziam: 'Bem, não se preocupe, Warren, nós vamos substituí-lo na lua de mel.' Esse tipo de piada. Aquilo durou a semana inteira.*"

Com alguns dias de antecedência, Howard levou Warren e Fred de carro até o rio. Milhares de voluntários estavam construindo barreiras duplas de sacos de areia, com 1,80 metro de altura e 1,20 metro de largura. O solo afundava sob as rodas dos enormes caminhões, que transportavam areia e terra como se estivessem passando por cima de borracha.¹⁶ Warren ficou tenso, torcendo para não ser chamado pela Guarda para aquele serviço, pois só assim sua dispensa temporária continuaria valendo.

"O sábado chegou, e o casamento estava marcado para as 15 horas. Lá pelo meio-dia o telefone tocou. Minha mãe disse: 'É para você.' Atendi. O cara do outro lado falou: 'C-C-C-Cabo Buffett?' Eu tinha um comandante que gaguejava inconfundivelmente. 'Aqui é o c-c-c-capitão Murphy', ele disse.

Se ele não tivesse gaguejado, eu teria dito algo que provavelmente me levaria à corte marcial, por achar que era um dos meus amigos me pregando uma peça. Mas, naquelas circunstâncias, fiquei calado. Ele disse: 'Nós fomos acionados. A que horas você pode chegar ao depósito de armas?'" Warren quase teve um ataque do coração.¹⁷ "Então eu falei: 'Bem, eu vou me casar às 15 horas. Acho que consigo chegar às 17 horas.' Ele disse: 'Apresente-se para o s-s-s-serviço. Nós iremos p-p-p-patrulhar as m-m-margens do rio em East Omaha.' Então eu respondi: 'Sim, senhor.'

Desliguei o telefone completamente deprimido. Mas recebi outra ligação uma hora depois. E, dessa vez, o sujeito tinha uma voz perfeitamente normal. Ele falou: 'Cabo Buffett?' Eu respondi: 'Sim, senhor.' 'Aqui é o general Wood.'¹⁸ Aquele era o general responsável pela 34ª Divisão, que morava no oeste de Nebraska. O general Wood disse: 'Estou revogando a ordem do capitão Murphy. Divirta-se.'"

Ele tinha duas horas antes do acontecimento mais importante da sua vida. Warren apareceu no santuário gótico e altivo da Dundee Presbyterian Church bem antes das 3h da tarde. O casamento do filho de um congressista e da filha de Doc Thompson era um grande acontecimento em Omaha. Esperavam-se várias centenas de convidados, entre eles diversos membros da elite da cidade.¹⁹

"Doc Thompson estava tão orgulhoso que se pavoneava por todo lado. Eu fiquei tão nervoso que pensei: bem, é melhor nem colocar os óculos, para não conseguir ver todas aquelas pessoas." Warren também pediu ao geralmente reservado Stanback para distraí-lo conversando, para ele não ter que se concentrar no que estava acontecendo.²⁰

Bertie foi dama de honra de Susie, e Dottie, sua irmã, foi madrinha. Depois das fotografias, os convidados beberam ponche sem álcool e comeram bolo de casamento no porão de piso de linóleo da igreja. Aquela era a coisa certa a fazer, pois os Thompson e os Buffett não eram de frequentar clubes. O sorriso de Susie era largo como um leque de marfim. Warren estava radiante, incandescente, e envolvia a cintura dela com o braço como se tentasse evitar que os dois saíssem flutuando no ar. Depois de mais algumas fotografias, eles trocaram de roupa, saíram correndo pelo meio da multidão de convidados eufóricos e entraram agachados no carro de Alice Buffett, que ela emprestara para a lua de mel. Warren já tinha enchido o banco de trás de *Moody's Manuals* e livros contábeis. De repente Susie viu o que o futuro lhe reservava.[21] E, de Omaha, os recém-casados partiram para a lua de mel – uma viagem de automóvel de uma ponta a outra do país.

"*Na noite do meu casamento, comi um filé de frango grelhado no Wigwam Café, em Wahoo, Nebraska*", diz Buffett.[22] O Wigwam era um restaurante fuleiro a menos de uma hora de Omaha, com algumas mesas num espaço reservado e uma decoração estilo caubói. De lá, Warren e Susie pegaram 50 quilômetros de estrada até o Cornhusker Hotel, em Lincoln, para passar a noite, "*e isso é tudo o que tenho a dizer sobre o assunto*", afirma Buffett.

"*No dia seguinte comprei um exemplar do* Omaha-World Herald, *e eles tinham publicado uma matéria que dizia: 'Somente o amor consegue parar a Guarda'.*"[23] A enchente de 1952 foi a pior da história moderna de Omaha, e o esforço para preveni-la, hercúleo. "*O resto do pessoal ficou dias levantando sacos de areia e monitorando a enchente em meio a cobras e ratos. Eu fui o único que não foi convocado.*"

Os recém-casados viajaram por todo o Oeste e Sudoeste dos Estados Unidos. Warren nunca tinha estado lá, mas Susan conhecia bem a Costa Oeste. Eles visitaram a família, viram os pontos turísticos, foram até o Grand Canyon e se divertiram muito. "*Não paramos para visitar a companhia e conferir investimentos, como já foi dito*", insiste Buffett. No caminho de volta pararam em Las Vegas, que estava cheia de ex-moradores de Omaha. Os corretores de apostas Eddie Barrick e Sam Zeigman tinham mudado para lá pouco antes e comprado o Flamingo Hotel.[24] Logo em seguida outro sócio os acompanhara, Jackie Gaughan, que vinha investindo em cassinos, do Flamingo até a Barbary Coast, em São Francisco. Todos tinham sido fregueses da Mercearia Buffett, e Fred Buffett se dava bem com eles, embora não fosse jogador. Para Warren, Vegas pareceu quase aconchegante: trazia ecos do hipódromo e estava cheia de gente que conhecia sua família. De modo que não sentiu medo do lugar. "*Susie tirou a sorte grande no caça-níqueis. Como ela só tinha 19 anos, eles não queriam pagar. Eu argumentei: 'Mas vocês aceitaram as moedas dela.' Então eles me deram razão.*"

Depois de Vegas, os Buffett voltaram para Omaha. Warren não conseguia parar de rir dos seus colegas azarados da Guarda. "*Ah, a lua de mel foi ótima. Maravilhosa. Três semanas. E durante todo esse tempo o pessoal da Guarda estava atolado na lama.*"

PARTE TRÊS

A pista
de corrida

PARTE TRÊS

A pista
de corrida

3

20
Graham-Newman
Omaha e Cidade de Nova York – 1952-1955

Alguns meses depois do casamento, Susie foi a Chicago com seus pais e os sogros para a convenção republicana de julho de 1952. Os Thompson e os Buffett desembarcaram lá não como delegados, mas como membros de um verdadeiro exército. Ao menos politicamente eles passaram a ser uma família unida e, na eleição daquele ano, estavam numa cruzada para tomar de volta a Casa Branca para os republicanos depois de 20 anos aflitivos sob o domínio dos democratas.[1] Doris atuaria nos bastidores junto ao pai, enquanto Bertie, que era muito mais jovem, e Susie, ainda inocentes naquele espetáculo, passariam o tempo olhando boquiabertas celebridades como John Wayne, que tinha aparecido para a "boa e velha festança".[2]

Warren, é claro, ficou em Omaha suando a camisa. Políticos o fascinavam, mas não tanto quanto o dinheiro. Ele ainda odiava trabalhar como "farmacêutico", mas continuava dando duro enquanto tentava encontrar uma maneira de escapar. Seu ex-professor David Dodd tentou ajudá-lo, indicando-o para a Value Line Investment Survey, uma editora de consultoria de investimentos e pesquisa que estava procurando "novos talentos". O emprego pagaria bem – "pelo menos 7 mil dólares por ano".[3] Mas Warren não pretendia ser um pesquisador anônimo. Então continuou tentando vender ações da Geico para clientes desinteressados, enquanto lia as notícias sobre a convenção nos jornais, com manchetes em letras garrafais. Pela primeira vez na História uma convenção estava recebendo cobertura televisiva, e Warren via tudo com atenção, impressionado com o poder daquela mídia de engrandecer e influenciar os acontecimentos.

O candidato com mais chances de ganhar na convenção era o senador Robert Taft, de Ohio.[4] Conhecido como "Sr. Integridade", Taft presidia uma ala minoritária do Partido Republicano que girava em torno de isolacionistas do Meio-Oeste e defendia um Estado mínimo, que não se intrometesse nos negócios de ninguém e, acima de tudo, perseguisse os comunistas de uma maneira mais agressiva do que Truman.[5] Taft fez do amigo Howard Buffett coordenador da sua campanha presidencial em Nebraska e do seu grupo de porta-vozes. Para se opor a Taft, a comunidade liberal da Costa Leste,[6] que Howard tanto desprezava, escalara o general reformado Dwight D. Eisenhower – um moderado que serviria como comandante supremo das forças da OTAN na Europa durante a Segunda Guerra Mundial. Eisenhower, um diplomata politicamente habilidoso, era popular, visto por muitos como um herói de guerra. À medida que a convenção se aproximava, "Ike" – como Eisenhower era chamado – começou a subir nas pesquisas.

Aquela seria a convenção republicana mais controversa da História. Os partidários de Eisenhower aprovaram uma emenda às regras da convenção numa votação polêmica, o que concedeu ao general o número de delegados necessários para ser indicado no primeiro turno. Indignados, os partidários de Taft se sentiram logrados. Mas Eisenhower logo fez as pazes com eles, ao prometer combater o "socialismo que se alastrava". O próprio Taft pediu aos seus seguidores para engolirem a raiva e apoiarem Eisenhower, em prol da reconquista da Casa Branca. Os republicanos se uniram em torno dele e de seu vice, Richard Nixon; broches com os dizeres "I Like Ike" (Eu gosto de Ike) começaram a aparecer em toda parte.[7] Quer dizer, menos no peito de Howard Buffett. Ele rompeu com o partido por se recusar a apoiar Eisenhower.[8]

Foi um ato de suicídio político. O apoio que tinha dentro do partido evaporou da noite para o dia. Restavam-lhe apenas seus princípios – e mais nada. Warren reconheceu que seu pai "se isolou num canto".[9] Desde a mais tenra infância, Warren sempre tentara evitar quebrar promessas, cortar laços e entrar em conflitos. Agora as lutas de Howard imprimiam três princípios ainda mais profundamente em seu filho: que aliados eram essenciais; que compromissos são tão sagrados que, por natureza, devem ser raros; e que jogar para a plateia dificilmente leva a algum lugar.

Eisenhower derrotou Adlai Stevenson nas eleições de novembro, e, em janeiro, os pais de Warren voltaram a contragosto para Washington, para concluir o restante do mandato de Howard, que não fora reeleito. Warren, que já identificara havia algum tempo traços obsessivos em Howard e Leila que os desabonavam de diferentes maneiras, começou a absorver algo do estilo dos seus sogros. Dorothy Thompson era uma pessoa fácil de lidar, e seu marido, embora autoritário, era mais agradável e astuto no quesito relações pessoais do que o rigorosamente idealista Howard Buffett. Quanto mais tempo Warren passava com Susie e sua família, mais eles o influenciavam.

"Warren", dizia Doc Thompson, que lhe dava conselhos com a autoridade do

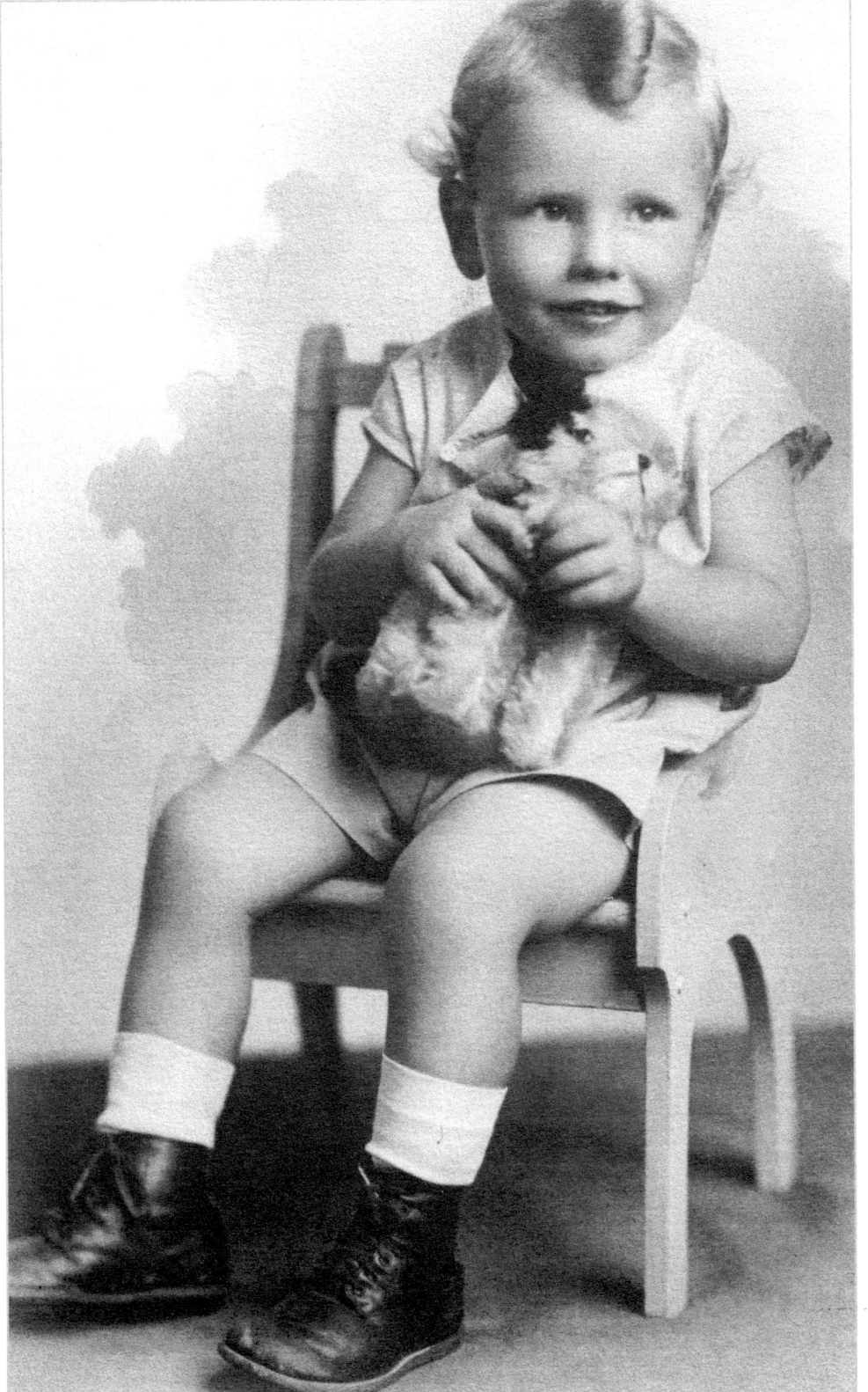

1

◄ página anterior
Warren, com aproximadamente 2 anos.

Warren, no estribo do primeiro carro da família, um Chevrolet de segunda mão, em 1933.

Warren vestido de caubói, fantasia que seu pai trouxe de uma viagem de negócios a Nova York.

Ernest Buffett cercado pelos netos, destacando-se Warren e Doris, à esquerda, e Bertie, no colo.

Sidney Buffett, que fundou a mercearia da família em 1869, com a neta Alice, em 1930.

Howard (ao fundo, meio encoberto), pai de Warren, brinca com seus irmãos George, Clarence e Alice no cabriolé da família. Sua mãe, Henrietta (com o caçula Fred no colo), está sentada no banco traseiro.

As irmãs Stahl em West Point, Nebraska, por volta de 1913. A mãe de Warren, Leila, está no alto, à direita. Ao seu lado está Edith e, à frente, Bernice.

Howard e Leila Buffett pouco depois de seu casamento, em 1925.

Bertie e Warren diante do carro da família, um Buick, por volta de 1938.

Um belo retrato de família, por volta de 1937.

Warren, aos 6 anos, ao lado das irmãs, no inverno de 1936-1937. Ele segura o seu brinquedo favorito: um porta-moedas niquelado. Mais tarde, ele e Doris se recordariam da infelicidade estampada em seus rostos.

Turma da oitava série da Rosehill School, em maio de 1938, destacando as meninas e meninos que participaram do desastroso "encontro triplo", e uma das paixões de Warren, Clo-Ann Kaul.

Fred e Ernest Buffett diante da mercearia Buffett & Son.

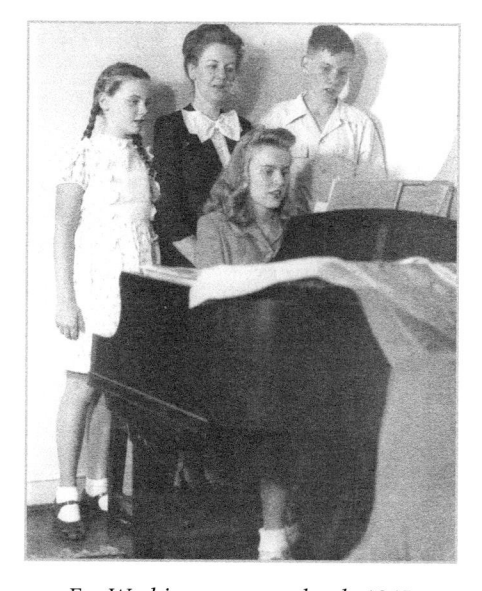

Em Washington, por volta de 1945, Bertie, Leila e Warren cantam, acompanhados ao piano por Doris.

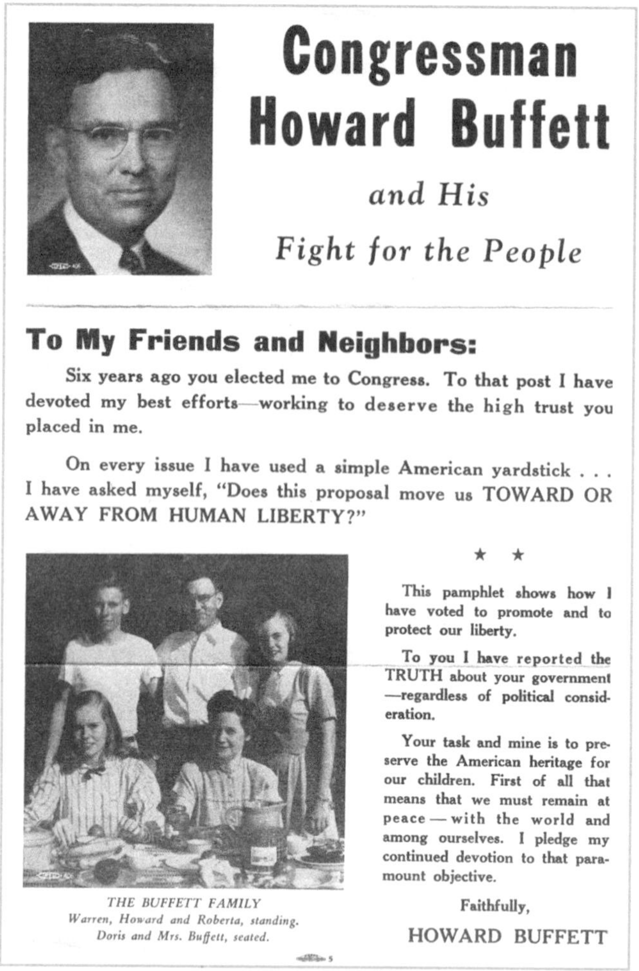

Folheto da campanha eleitoral de 1948,
a única eleição que Howard perdeu.

Howard Buffett
no Congresso.

Warren (segundo da
esquerda para a direita)
e o pai (quarto da
esquerda para a direita)
em viagem de pescaria
com a bancada
de Nebraska no
Congresso, por volta
de 1945.

Na pré-adolescência, a primeira paixão de Warren foi Violeta Buscapé. O amor incondicional que ela nutria por Ferdinando sensibilizou Buffett.

Warren assume o papel de "advogado do diabo", em janeiro de 1946, num debate sobre os problemas do Congresso que foi transmitido pelo programa American School of the Air, *da rádio WTOP, de Washington.*

Warren no final dos anos 1940, tocando guitarra havaiana com seus famosos tênis velhos e meias largas.

Os Buffett no verão de 1950: "Doris e Bertie eram de arrasar", diz Warren, que se sentia desajustado socialmente.

Warren ao entrar para a fraternidade Alpha Sigma Phi, na Universidade da Pensilvânia, em janeiro de 1948. Howard Buffett também fez parte da Alpha Sig.

Warren, Norma Thurston e Don Danly posam ao lado do Rolls-Royce Springfield Brewster Coupé. Don e Warren compraram o carro só de brincadeira, em 1948.

Sermão da Montanha, "esteja sempre cercado de mulheres. Elas são mais leais e trabalham mais duro."[10] Seu genro mal precisava ouvir aquilo. De fato, Warren sempre almejou os cuidados das mulheres – desde que elas não tentassem lhe dar ordens. Susie percebeu que ele estava ansioso para que ela assumisse um papel maternal. Então colocou o marido debaixo das asas enquanto se empenhava em "corrigi-lo", o seu "desastre", o seu "caos ambulante". "Oh, meu Deus", ela disse, "ele era um caso sério. Eu nunca tinha visto ninguém tão sofrido."[11]

Warren podia não ter consciência da profundidade ou da dimensão da sua dor, mas descreve assim o papel marcante que ela desempenhou na sua vida:

"Susie exerceu uma influência tão grande em mim quanto o meu pai, ou talvez maior, de outra forma. Eu tinha todos aqueles mecanismos de defesa que ela sabia explicar, mas eu não. Provavelmente via coisas em mim que outras pessoas não conseguiam ver. Mas sabia que levaria tempo e muito cuidado para que elas viessem à tona. Ela me fazia sentir que eu tinha alguém com um regador para garantir que as flores cresceriam."

Susie reconhecia a vulnerabilidade de Warren: o quanto ele precisava ser tranquilizado, confortado e acalmado. Cada vez mais ela conseguia ver o efeito que a mãe dele exercera nos filhos. Doris foi a mais prejudicada, mas Leila convencera tanto ela quanto Warren de que, no fundo, eles eram imprestáveis. Susie estava descobrindo que, em todas as áreas da vida, exceto nos negócios, seu marido era um poço de insegurança. Ele jamais se sentira amado e, ela percebia, não se considerava digno de amor.[12]

"Eu precisava dela como um louco", ele diz. *"Estava satisfeito com meu trabalho, mas não comigo mesmo. Ela literalmente salvou minha vida, me ressuscitou.*[13] *Juntou meus cacos. Era o mesmo tipo de amor incondicional que alguém receberia de um pai."*

Mas Warren queria coisas da sua mulher que normalmente ninguém receberia de um pai. Além disso, ele crescera com o tipo de mãe que fazia tudo por ele. Agora era Susie quem estava no comando. Embora a estrutura básica da vida matrimonial fosse típica da sua época – ele ganhava o dinheiro, ela cuidava dele e ficava encarregada do front doméstico –, o casal levava isso ao extremo. Tudo no lar dos Buffett girava em torno de Warren e seus negócios. Susie compreendia que seu marido era especial, aceitando de bom grado ser o casulo para as suas ambições embrionárias. Ele passava os dias trabalhando e as noites debruçado sobre o *Moody's Manual*. E organizava sua agenda de modo a também ter tempo para o lazer. Jogava golfe e pingue-pongue e chegou até a se inscrever como membro júnior do Omaha Country Club.

Susie, que mal completara 20 anos, não era nenhuma Betty Crocker (personagem criada pela companhia de alimentos General Mills), mas assumira a tarefa de cozinhar o básico e cuidar minimamente da casa, como qualquer esposa da década de 1950 – uma época em que as mulheres de Omaha faziam testes para participar do programa *Typical Housewife* (Típica dona de casa) da estação de televisão KTMV. Ela se dedicava a cumprir as exigências do marido, que eram poucas mas específicas: Pepsi na geladeira, uma lâmpada na sua luminária, alguma variação de carne com batatas para jantar, um saleiro cheio, pipoca no armário e sorvete no congelador. Ele também precisava de ajuda para se vestir e lidar com as pessoas, e de carinho, cafunés, chamegos e abraços. Ela até cortava seu cabelo, pois ele dizia que tinha medo de ir ao barbeiro.[14]

Warren era *"louco por Susie"*, e ela sentia as coisas que se passavam dentro dele. Ele descreve o papel dela como o de doadora, enquanto o seu era o de beneficiário. *"Susie estava absorvendo mais a meu respeito e percebendo muito mais sobre mim do que eu sobre ela."* Eles sempre eram vistos se beijando e abraçadinhos. Susie muitas vezes ficava no colo de Warren; ela costumava dizer que isso a fazia se lembrar do pai.

Seis meses depois do casamento, Susie ficou grávida e largou a Universidade de Omaha. Dottie também esperava um bebê, o seu segundo. Ela e Susie ficaram especialmente íntimas. Uma bela morena, Dottie herdara a inteligência do pai e, segundo dizia a família, tinha o QI mais alto da escola quando estudava na Central High. No entanto, tanto na aparência quanto no gosto pela vida doméstica, ela se parecia mais com a mãe.[15] Casara-se com Homer Rogers, um piloto e herói de guerra com um vozeirão de barítono, a quem todos chamavam de Buck Rogers, embora ele fosse modesto em relação às suas façanhas de guerra. Homer era um criador de gado sociável e enérgico, tão robusto quanto as reses enormes que comprava e vendia. A família Rogers sempre gostou de ter a casa cheia, com Dottie tocando piano enquanto Homer cantava algo como "Katie, Katie, get off the table, the money's for the beer".* Susie e Warren não faziam parte da vida social agitada do casal, já que tendiam a ser mais sisudos e não bebiam, mas as irmãs passavam muito tempo juntas. Dottie sempre teve dificuldade em tomar decisões e, desde que tivera Billy, seu primeiro filho, parecia confusa diante das exigências da maternidade. Susie, naturalmente, assumiu o controle e a ajudou.

Susie também se aproximou de sua cunhada Doris, que passara a trabalhar como professora em Omaha depois de casada. Seu marido, Truman Wood, era um homem bonito, com uma personalidade agradável, que vinha de uma família importante da cidade, mas Doris estava começando a se perguntar se não era uma égua de corrida amarrada a um burro de carga. Garota de ação, Doris queria que Truman corresse mais. Ele trotou um pouco mais depressa, mas não muito.

---

* Literalmente: "Katie, Katie, saia de cima de mesa, o dinheiro é para a cerveja." *(N. do T.)*

Susie se tornou um pouco mais protetora em relação a Warren e a sua irmã em janeiro de 1953, depois que Eisenhower assumiu a presidência. O último mandato de Howard no Congresso chegou ao fim, e ele e Leila voltaram de vez para Nebraska. Doris e Warren sentiram a pressão de ter Leila novamente na cidade. Warren mal suportava ficar no mesmo cômodo que a mãe, que ainda atacava Doris com frequência.

De volta a Omaha, Howard ficou à deriva. Warren montou uma sociedade, Buffett & Buffett, que formalizava a maneira como eles eventualmente compravam ações juntos. Howard entrava com o capital e Warren, além de uma quantia simbólica, se concentrava mais nas ideias e no trabalho. Mas Howard encarava com desânimo uma terceira volta ao ramo da corretagem de valores. Warren cuidara das suas contas antigas quando ele estava no Congresso, mas Howard sabia que o filho detestava aquilo. Ele nunca desistira de tentar convencer Ben Graham a contratá-lo – e iria embora num piscar de olhos se pudesse trabalhar em Nova York. Howard, por sua vez, sentia falta da sua verdadeira paixão, a política. Ele nutria o desejo de entrar no Senado, especialmente agora, com um republicano na Casa Branca. Mas suas ambições entravam em conflito com suas ideias políticas radicais.

No dia 30 de julho de 1953 – aniversário de Alice Buffett – nasceu o primeiro bebê de Susie e Warren, uma menina. Eles a batizaram de Susan Alice e a chamavam de pequena Susie e, às vezes, de pequena Sooz. Susie se tornou uma mãe apaixonada, brincalhona e dedicada.

A pequena Susie era a primeira neta de Howard e Leila. Uma semana mais tarde, a irmã de Susie, Dottie, deu à luz seu segundo filho, Tommy. Poucos meses depois, Doris ficou grávida de seu primeiro bebê, uma menina, Robin Wood. Na primavera de 1954, Susie engravidou do seu segundo filho. Então os Buffett e os Thompson passaram a ter um novo foco de atenção: os netos.

Alguns meses mais tarde houve um momento em que parecia que a vez de Howard tinha finalmente chegado. Na manhã de 1º de julho de 1954 chegou de Washington a notícia de que o senador mais antigo de Nebraska, Hugh Butler, tinha sido levado às pressas para o hospital, após um derrame, e não se esperava que sobrevivesse. O prazo de inscrição para a eleição preliminar para preencher sua cadeira terminava naquela mesma noite. O senso de dignidade de Howard era tamanho que ele se recusou a protocolar sua candidatura até Butler ter de fato morrido, de modo que os Buffett aguardaram ansiosamente o dia inteiro por notícias. A popularidade de Howard no condado de Douglas significava que, se ele concorresse em uma eleição extraordinária, sem a necessidade de passar pelo processo de indicação do partido, as chances de vitória eram excelentes – ainda que os figurões da legenda estivessem desiludidos com ele.

A notícia da morte de Butler chegou à tardinha, depois que o gabinete do secretário de governo, Frank Marsh, já tinha fechado, como de hábito, às 5 horas da tarde. Howard jogou seu formulário de candidatura no carro e ele e Leila seguiram para Lincoln, supondo ter tempo de sobra, uma vez que o prazo era até meia-noite. Eles tentaram entregar os papéis na casa de Marsh, mas este se recusou a aceitá-los, embora Howard tivesse pago a taxa de registro mais cedo naquele dia. Furiosos, eles voltaram para Omaha.

A convenção republicana estadual estava no meio de uma sessão. Ao receberem a notícia da morte de Butler, os delegados presentes elegeram um sucessor interino para assumir seu mandato.[16] Qualquer um naquela situação seria eleito quase automaticamente para o cargo de Butler. Como principal republicano do seu estado, Howard era uma escolha óbvia. No entanto, ele era visto como um fanático, um homem que lutava contra moinhos de vento, inflexível em questões éticas triviais e desleal ao seu próprio partido, por não ter apoiado Eisenhower. Em vez dele, a convenção elegeu Roman Hruska, o popular congressista que assumira a cadeira de Howard quando ele se afastou. Howard e Leila voltaram às pressas para Lincoln e ainda deram entrada num processo na Suprema Corte do Estado para forçar o partido a aceitar sua indicação. Mas, 24 horas depois, eles desistiram da luta inglória e retiraram o processo.

Warren ficou possesso quando recebeu a notícia sobre Hruska. *"Eles enfiaram uma faca nas costas de papai"*, disse. Como o partido ousava recompensar décadas de lealdade daquela forma?

Aos 51 anos, Howard tinha acabado de ver seu futuro desaparecer. À medida que sua raiva diminuía, sua depressão se intensificava. Um político veterano como ele até teria um papel a cumprir. Mas ele acabara de ser expulso da arena que era o centro da sua vida, aquilo que o fazia se sentir útil no mundo. Tentou um cargo de professor na Universidade de Omaha, o que a família achava razoável, dadas sua experiência e longevidade como congressista. Mas sua fama de excêntrico era tão grande na cidade que a faculdade não quis contratá-lo, embora seu próprio filho lecionasse ali e Doc Thompson fosse diretor da Faculdade de Artes e Ciências. Ele acabou voltando a trabalhar na Buffett-Falk. Com o tempo, arranjou um emprego de meio expediente, dando aulas na Faculdade Luterana Midland, que ficava a 50 quilômetros de Omaha.[17] A família passou a nutrir rancor contra a elite local, que tinha praticamente expulsado Howard da cidade.

Leila desabou num poço de tristeza. Por conta do verniz de glória que a proeminência de Howard lhe concedia, aquela derrota teve um significado ainda maior para ela do que para o próprio marido. Sua irmã Edith estava vivendo no Brasil, Bertie morava em Chicago, e seu relacionamento com Doris e Warren era, na melhor das hipóteses, conturbado, de modo que ela só podia contar com Susie, que tinha 21 anos. Susie, no entanto, era uma jovem mãe grávida e, além disso, já estava ocupada cuidando de Warren.

Além disso, logo Susie já não estaria em Omaha. Warren mantinha uma correspondência de anos com Ben Graham. Ele sugeria ideias de investimento, como as ações da Greif Bros. Cooperage, uma empresa na qual ele e seu pai tinham apostado em sua sociedade. Viajava a Nova York com frequência e sempre visitava a Graham-Newman.

"Eu sempre tentava encontrar o Sr. Graham."

Certamente não era comum ex-alunos andarem pela Graham-Newman.

"Não mesmo, mas eu era perseverante."

Quando o diretório local do Partido Republicano rechaçou a indicação do seu pai para o Senado, Warren já estava a caminho de Nova York. "*Ben escreveu dizendo: 'Volte.' O sócio dele, Jerry Newman, explicou: 'Sabe, a gente analisou o seu caso um pouco mais a fundo.' Senti que tinha acertado na veia.*" Ninguém questionou se Warren aceitaria ou não o cargo. E dessa vez a Guarda Nacional disse sim.

Warren ficou tão empolgado em ser contratado que chegou a Nova York no dia 1º de agosto de 1954 e se apresentou no seu novo emprego na Graham-Newman no dia seguinte, um mês antes da data em que começaria oficialmente. Lá chegando, descobriu que na semana anterior uma tragédia se abatera sobre Ben Graham. Quatro semanas antes do seu aniversário de 24 anos, Warren escreveu ao pai: "*O filho de Ben Graham, Newton (26), que estava no serviço militar na França, se suicidou na semana passada. Ele sempre foi um pouco desequilibrado. Mas Graham só ficou sabendo que foi suicídio ao ler um comunicado do Exército no New York Times, o que, obviamente, é muito duro.*"[18] Quando foi à França buscar o corpo, Ben conheceu a namorada de Newton, Marie Louise Amingues, conhecida como Malou, vários anos mais velha que seu filho. Ele retornou algumas semanas depois, mas nunca mais foi o mesmo. Passou a se corresponder com Malou e fazia visitas periódicas à França. Mas, naquela época, Warren não sabia nada sobre a vida pessoal do seu ídolo.

Por outro lado, ele precisava cuidar da própria vida, pois uma de suas primeiras tarefas era encontrar um lugar para sua família morar. Susie e a pequena Susie ficaram em Omaha durante seu primeiro mês na cidade de Nova York. "*Tentei morar primeiro no Peter Cooper Village, um dos dois grandes condomínios construídos pela Metropolitan Life imediatamente após a Segunda Guerra Mundial. Meu amigo Fred Kuhlen, de Columbia, morava lá. Walter Schloss também.*

Todo mundo queria entrar no Peter Cooper. Era uma beleza e, por conta de algum artigo especial da lei, o aluguel era muito razoável – 70 ou 80 dólares por mês. Eu me candidatei antes de ir, mas só recebi um cartão postal uns dois anos depois dizendo que tinha sido aceito. Se isso tivesse acontecido antes, eu teria morado na cidade."

Em vez disso, Warren procurou em toda parte um apartamento barato. Apesar da localização impessoal e da distância do trabalho, acabou se estabelecendo num apartamento de três quartos num prédio de tijolos brancos, no bairro de classe média de White Plains, a cerca de 50 quilômetros do centro, no condado de Westchester, Nova York. Quando Susie e a pequena Susie chegaram, algumas semanas depois, o apartamento ainda não estava pronto, então a família se mudou para um quarto numa casa em Westchester, tão apertado que eles tiveram que improvisar um berço com uma gaveta da penteadeira. Os Buffett ficaram ali apenas um ou dois dias.

Assim como ocorreu com outras histórias que seriam contadas no futuro sobre os hábitos frugais de Warren, esta criou vida própria: logo nasceu a lenda de que ele era sovina demais para comprar um berço para a pequena Susie, e que por isso ela teria passado boa parte da sua infância em White Plains dormindo numa gaveta.[19]

Enquanto uma Susie grávida desempacotava a mudança e arrumava seu novo lar, ao mesmo tempo que cuidava do seu bebê e conhecia seus vizinhos, Warren se levantava cedo toda manhã e pegava o trem na estação New York Central até a Grand Central. Naquele primeiro mês, ele estacionou na sala de arquivos da Graham-Newman e, disposto a aprender tudo sobre o funcionamento da empresa, leu cada pedaço de papel em cada gaveta de uma sala enorme repleta de fichários de madeira.

Apenas oito pessoas trabalhavam ali: Ben Graham; Jerry Newman; seu filho Mickey Newman; Bernie Warner, que era o tesoureiro; Walter Schloss; duas secretárias; e agora Warren. O paletó fino e cinza, estilo jaleco, que Warren almejara, finalmente era seu. *"Foi um grande momento quando eles me deram meu paletó. Todos usavam. Ben o usava, Jerry Newman também. Éramos todos iguais com aquele paletó."*

Bem, não exatamente. Warren e Walter ocupavam uma sala sem janela, onde ficavam a impressora de cotações, as linhas de telefone diretas com as corretoras, algumas obras de referência e os arquivos. Walter se sentava perto dos aparelhos e fazia a maioria das ligações para os corretores. Ben, Mickey Newman e, com mais frequência, Jerry Newman costumavam aparecer, vindos dos seus escritórios particulares, para conferir um valor na máquina de cotações. *"Nós pesquisávamos informações e líamos muito. Analisávamos o* Standard & Poor's *ou um* Moody's Manual*, em busca de empresas que estivessem vendendo abaixo do capital de giro. Havia muitas"*, recorda-se Schloss.

Essas companhias eram o que Graham chamava de "guimbas de charuto": ações baratas e impopulares que tinham sido jogadas fora, como o toco pegajoso e amassado de um charuto numa calçada. Graham era especialista em identificar esses restos insossos que todos ignoravam. Ele reacendia aquelas guimbas e dava uma última tragada de graça.

Graham sabia que um determinado número de guimbas estaria estragado e achava inútil perder tempo examinando a qualidade de cada uma delas. A lei das médias dizia que a maioria ainda servia para uma tragada. Ele estava sempre pensando em termos de qual seria o valor das empresas se estivessem mortas – quanto valeriam seus ativos caso fossem liquidadas. Comprar por um preço abaixo daquele valor era a sua "margem de segurança" – sua proteção contra a parcela da empresa que supostamente iria à falência. Como proteção extra, ele comprava posições minúsculas em um número enorme de ações – o princípio da diversificação. O conceito de diversificação de Graham era extremo; algumas de suas posições chegavam a valores tão pequenos quanto 1.000 dólares.

Warren, que tinha tanta confiança no seu próprio juízo, não via motivo para se precaver daquela forma e secretamente desprezava a diversificação. Ele e Walter estudavam números dos *Moody's Manuals* e preenchiam centenas dos formulários simples que a Graham-Newman usava para tomar decisões. Warren queria conhecer todos os dados disponíveis sobre cada companhia. Depois de uma olhada geral, ele se restringia a um punhado de ações que justificavam uma análise mais demorada e então concentrava seu dinheiro no que considerava as melhores apostas. Ele estava disposto a colocar a *maioria* dos seus ovos em um só cesto, como fizera com a Geico. Naquela altura, no entanto, já tinha vendido suas ações daquela empresa, pois nunca tinha dinheiro suficiente para investir. Cada decisão representava um *custo de oportunidade* – ele precisava comparar cada oportunidade de investimento com outra melhor. Por mais que gostasse da Geico, Warren tomou a decisão dolorosa de vender suas ações, depois de descobrir outra ação que desejava mais ainda, de uma empresa chamada Western Insurance. Essa companhia estava projetando um lucro de 29 dólares por ação, e cada uma estava sendo vendida por até 3 dólares.

Isso era como encontrar um caça-níqueis que desse uma trinca de cerejas todas as vezes que alguém jogasse. Se você colocasse 25 centavos e puxasse a alavanca, era praticamente garantido que a máquina da Western Insurance pagaria pelo menos 2 dólares.[20] Qualquer um com juízo jogaria naquela máquina o tempo que conseguisse ficar acordado. Era a ação mais barata e com a maior margem de segurança que ele já tinha visto na vida. Comprou o máximo que pôde e incluiu seus amigos na jogada.[21]

Warren era um cão de caça no que dizia respeito a achar qualquer coisa gratuita ou barata. Com sua capacidade prodigiosa de absorver e analisar números, ele logo se tornou o queridinho da Graham-Newman. Aquilo era algo natural para ele; as guimbas de charuto de Ben Graham lhe lembravam o seu antigo hobby de vagar pelo hipódromo em busca de bilhetes premiados jogados fora.

Ele prestava muita atenção ao que estava acontecendo nos fundos, onde os sócios – Ben, Jerry e Mickey – trabalhavam. Ben Graham fazia parte do conselho da Philadelphia and Reading Coal & Iron Company, que a Graham-Newman controlava. Warren descobrira essa ação sozinho e, já no fim de 1954, tinha investido 35 mil dólares nela. Seu chefe ficaria horrorizado, mas Warren estava confiante – e gostava de escutar às escondidas, com fascinação.[22] Na verdade, a Philadelphia and Reading – que vendia antracito e possuía os supostamente valiosos montes de escória – não valia muito. Com o tempo passaria até a dar prejuízo. Mas naquele momento tinha caixa e poderia usar seu capital para se transformar em um negócio melhor, comprando outra companhia.

"Eu era apenas um peão sentado num canto do escritório. Um dia um sujeito chamado Goldfarb veio até a empresa ver Graham e Newman. Ele negociou com os dois, e eles compraram dele a Union Underwear Company para a Philadelphia and Reading Coal & Iron, criando o que se tornou a Philadelphia and Reading Corporation.[23] Foi o começo da transformação da companhia em algo mais diversificado. Eu não participei diretamente, mas estava interessadíssimo naquilo, sabendo que algo importante estava acontecendo."

O que Warren estava aprendendo ao manter as orelhas em pé era a arte da alocação de capital – colocar o dinheiro onde ele daria um retorno maior. Nesse caso, a Graham-Newman estava usando dinheiro de um negócio não lucrativo para comprar outro, que dava lucro. Ao longo do tempo isso poderia fazer a diferença entre a falência e a prosperidade.

Transações desse tipo faziam Warren se sentir como se estivesse sentado no parapeito da janela olhando para as altas finanças em tempo real. Mas ele logo descobriu que Graham não se comportava como ninguém mais em Wall Street. Estava sempre recitando poemas, ou citando Virgílio, e era capaz de perder embrulhos no metrô. Como Warren, era indiferente quanto à aparência. Quando alguém comentava: "Que par interessante de sapatos", Graham baixava os olhos para o sapato marrom em um pé e o preto no outro e dizia, sem titubear: "Pois é, por sinal, tenho outro par igualzinho em casa."[24] Ao contrário de Warren, no entanto, ele não dava a mínima importância ao dinheiro em si – e tampouco estava interessado nos negócios como se fosse uma competição. Para ele, escolher ações para investir era um exercício intelectual.

"Uma vez estávamos esperando o elevador. Nós íamos comer na lanchonete do térreo do Chanin Building, na Rua 42 com a Lexington. E Ben me disse: 'Lembre-se de uma coisa, Warren: o dinheiro não tem tanta influência na maneira como eu e você vivemos. Estamos os dois indo almoçar numa lanchonete, trabalhando todos os dias e nos divertindo. Então não se preocupe demais com dinheiro, pois ele não influi tanto assim na maneira como você vive.'"

Warren reverenciava Ben Graham, mas, mesmo assim, *preocupava-se* com dinheiro. Queria acumular muito dele e via aquilo como uma competição. Se lhe pedissem para abrir mão de um pouco que fosse do seu dinheiro, ele reagiria como um cachorro defendendo ferozmente seu osso ou como se tivesse sido atacado. Sua resistência a se desfazer mesmo das quantias mais irrisórias era tão clara que era como se Warren fosse possuído pelo dinheiro, e não o contrário.

Susie compreendeu isso bem até demais. Mesmo dentro do seu prédio residencial, Warren logo conquistou a fama de pão-duro e excêntrico. Somente depois de passar vergonha por conta do estado das suas camisas no trabalho – pois Susie só passava o colarinho, o bolso da frente e os punhos –, ele permitiu que ela as mandasse para uma lavanderia.[25] Além disso, fez um acordo com uma banca de jornal do bairro para comprar revistas da semana anterior com desconto quando estivessem para ser jogadas fora. Não tinha carro e, quando pegava o de um vizinho emprestado, nunca enchia o tanque. Quando finalmente comprou um carro, ele o lavava apenas se estivesse chovendo, para que a chuva fizesse o trabalho braçal de enxaguá-lo.[26]

Para Warren, segurar cada centavo daquela forma, desde que vendeu sua primeira embalagem de chicletes, foi uma das duas coisas que o tornaram relativamente rico aos 25 anos. A outra era ganhar mais dinheiro. Já em Columbia ele tinha começado a juntar dinheiro num ritmo acelerado. Naquela altura, Warren passava a maior parte do tempo em um devaneio, com estatísticas sobre empresas e cotações de ações girando na sua cabeça. Quando não estava estudando, estava ensinando. Para colocar em prática aquilo que aprendera com Dale Carnegie, sem congelar diante de uma plateia, ele arranjou um bico dando aulas de investimento no curso para adultos Scarsdale, na escola secundária de um bairro próximo. Enquanto isso, o círculo social dos Buffett se resumia a casais cujos chefes de família estavam particularmente interessados em ações.

De vez em quando, ele e Susie eram convidados para um country club ou para um jantar com outros jovens casais de Wall Street. Bill Ruane o apresentou a várias pessoas novas, como Henry Brandt, um corretor que parecia um Jerry Lewis desgrenhado e se formara como primeiro da turma na Harvard Business School, e sua mulher, Roxanne. Em Wall Street, as pessoas achavam Warren "o maior caipira de todos", nas palavras de uma delas. Mas, quando ele começava a tagarelar sobre ações, todos ficavam petrificados, como "os apóstolos diante de Jesus", diz Roxanne Brandt.[27]

As esposas ficavam sozinhas e tinham suas próprias conversas – nas quais Susie se destacava tanto quanto o seu marido entre os homens. Warren lançava seus feitiços financeiros, e Susie encantava as mulheres com sua simplicidade cativante. Ela queria saber tudo sobre seus filhos ou seus planos de tê-los. Sabia como fazer as pessoas se abrirem com ela. Fazia perguntas sobre alguma grande decisão na vida das pessoas e então, com um olhar comovente, dizia: "Algum arrependimento?" E a pessoa derramava seus sentimentos mais profundos. Logo alguém que ela conhecera meia hora antes sentia ter uma nova melhor amiga, embora Susie jamais confidenciasse intimidades em troca. As pessoas a amavam por Susie se interessar tanto por elas.

Mas ela passava a maior parte do tempo sozinha enquanto esperava seu segundo filho nascer. Seus dias eram ocupados com roupas para lavar, compras, limpeza para fazer e comida para preparar, além de ter que alimentar a pequena Susie, trocar suas roupas e brincar com ela. Como disse Ricky Ricardo na primeira temporada de *I Love Lucy*, que fora ao ar três meses antes: "Quero uma esposa que seja só uma esposa."[28] As ambições de Lucy e suas tentativas vãs de alcançá-las davam mais graça ao programa. Além de servir o jantar a Warren, ela o apoiava no seu trabalho como se fosse um ritual sagrado diário; Susie sabia da reverência que seu marido tinha pelo Sr. Graham. Ela também gostava de observar à distância. Warren não dividia com ela os detalhes da sua rotina, que, de qualquer forma, não lhe interessavam. Ela continuava exercendo a lenta tarefa de reforçar sua confiança e "juntar os seus cacos", enchendo-o de carinho e lhe ensinando como lidar com as pessoas. Uma das coisas nas quais insistia em casa era a importância de criar laços com sua filha. Warren não era do tipo que brincava de pique-esconde ou trocava fraldas, mas cantava todas as noites para a pequena Susie.

"*Eu cantava 'Over the Rainbow' para ela o tempo todo. Chegava a ser hipnótico, quase como os cachorros de Pavlov. Não sabia se era maçante demais ou, sei lá – mas ela dormia assim que eu começava. Eu a colocava no meu ombro e ela simplesmente derretia nos meus braços.*"

Depois de acertar com um sistema confiável, Warren nunca mais mexia nele. Enquanto cantava, ele podia remexer seus arquivos mentais. E dá-lhe "Over the Rainbow" todas as noites.

Sozinha, criando um bebê, cuidando da casa e de Warren num bairro asséptico de Nova York, Susie daria boas-vindas a qualquer um que batesse à sua porta.

Um dia, no final de 1954, um vendedor da revista *Parents* apareceu no apartamento. Independentemente do que o homem disse a Susie, quando Warren chegou em casa concluiu que a papelada que ela assinara os comprometia com condições menos favoráveis do que ela imaginara. Ele ficou furioso por sua mulher ter sido enganada. Fez diversas ligações e conversou com os representantes da revista, mas eles aparentemente disseram "sem chance" quando ele pediu seu dinheiro de volta.

Warren empreendeu uma cruzada. Queria mais do que os 17 dólares de volta; queria corrigir uma injustiça, deixar a perversa revista *Parents* de joelhos. Percorreu o prédio e encontrou outras pessoas dispostas a se unirem à missão. Processou a revista num tribunal de pequenas causas em Manhattan e aguardou ansiosamente para testemunhar a favor de todos os assinantes supostamente enganados pela revista. Ele batia os calcanhares de alegria diante da ideia de levar a melhor sobre os advogados da revista. Havia algo do seu pai nessa atitude, mas com um aspecto monetário e boas chances de vitória, de modo que sua mãe teria aprovado.

Mas, para seu desgosto, antes de o julgamento acontecer, ele recebeu um cheque pelo correio. A revista *Parents* pagando o que devia. A cruzada foi frustrada.

No dia 15 de dezembro de 1954, Warren tinha voltado correndo para casa, porque Susie entrara em trabalho de parto. Então a campainha tocou. Ela atendeu a porta e se deparou com um missionário itinerante. Susie o convidou educadamente a entrar e se sentar na sala de estar. E ouviu.

Warren, que pensava com seus botões que só mesmo Susie para deixar aquele homem entrar, também ouviu. Ele tentou apressar o fim da conversa. Agnóstico havia vários anos, não tinha interesse em ser convertido, e sua mulher estava em trabalho de parto. Eles precisavam ir para o hospital.

Mas Susie continuou ouvindo. "Conte-me mais", dizia. De vez em quando tinha palpitações e gemia, enquanto o missionário não parava de falar.[29] Ela ignorou os sinais de Warren, obviamente achando mais importante ser educada com o visitante e fazê-lo se sentir compreendido do que ir para o hospital. O missionário, por sua vez, parecia não perceber que ela estava em trabalho de parto. Warren ficou sentado ali, impotente e cada vez mais agitado, até que o fôlego do pregador acabou. "*Eu queria matar aquele cara*", diz. Mas eles conseguiram chegar ao hospital com tempo de sobra, e Howard Graham Buffett nasceu na manhãzinha do dia seguinte.

21

O lado bom para jogar

Nova York – 1954-1956

Howie foi um bebê "difícil". A pequena Sooz tinha sido tranquila, mas Howie parecia um despertador que não podia ser desligado. Os pais esperaram que a sua agitação diminuísse, mas ela só aumentava. De uma hora para outra, o apartamento parecia estar cheio e barulhento o tempo inteiro.

"*Ele tinha algum tipo de problema digestivo. Experimentamos todos aqueles diferentes modelos de mamadeira. Não sei se ele engolia ar ou não, mas ficava acordado o tempo todo. Comparado com a pequena Sooz, Howie era uma verdadeira provação.*"

Era a Susie grande quem pulava da cama com o som do despertador. Como Warren tinha sido criado por um pai propenso a fazer discursos e uma mãe que alternava crises de raiva com tagarelice vazia, talvez não seja surpreendente que ele tivesse aprendido a fechar os ouvidos e ignorar o que acontecia à sua volta. Nem mesmo as noites que Howie passava berrando o incomodavam muito. Ele podia passar horas no pequeno escritório montado no terceiro quarto do apartamento, perdido em pensamentos.

No trabalho, estava mergulhado em um novo e complicado projeto, que se tornaria um marco em sua carreira. Pouco depois de Warren entrar na Graham-Newman, o preço do cacau disparou de 13 centavos para mais de 1,10 dólar o quilo. Com a Brooklyn, Rockwood & Co., uma fábrica "de rentabilidade limitada",[1] ele enfrentou um dilema. Seu principal produto eram pedacinhos de chocolate do tipo usado para se fazer biscoitos *chip*. A empresa não tinha condições de aumentar muito o preço desse artigo e começou a dar um prejuízo enorme. Mas, com os preços dos grãos de cacau subitamente tão elevados, a Rockwood tinha uma chance de se livrar da sua produção e ainda obter um lucro inesperado. Infelizmente, a declaração de imposto de renda seguinte devoraria mais da metade desses ganhos.[2]

Os donos da Rockwood procuraram a Graham-Newman na expectativa de que comprassem a empresa, mas o preço pedido era alto. Então eles procuraram o investidor Jay Pritzker, que descobrira uma forma legal de diminuir a carga de impostos.[3] O que ele percebeu é que, em 1954, o Código Tributário dos Estados Unidos dizia que, se uma empresa estivesse reduzindo o escopo das suas atividades, ela poderia não pagar impostos sobre a "liquidação parcial" de seus bens. Assim, Pritzker comprou ações em quantidade suficiente para assumir o controle da Rockwood, mas manteve a empresa em funcionamento apenas como fabricante de pedaços de chocolate, abandonando o negócio de manteiga de cacau. Ele declarou à Receita que 5,9 milhões de quilos de grãos eram relativos ao negócio da manteiga de cacau, e portanto era uma parcela da empresa que seria "liquidada".

Em vez de vender os grãos, porém, Pritzker os ofereceu aos outros acionistas, em troca de ações. Ele fez isso porque queria as ações para aumentar a sua participação na empresa. Por isso lhes ofereceu um bom negócio como incentivo – 36 dólares em grãos[4] por ações que estavam sendo negociadas a 34 dólares cada.[5]

Graham encontrou uma forma de ganhar dinheiro com esse negócio – a Graham-Newman poderia comprar ações da Rockwood e entregá-las a Pritzker em troca de grãos de cacau, que poderiam ser vendidos com um lucro de dois dólares por ação. Isso era arbitragem: duas coisas quase idênticas sendo negociadas por preços diferentes, o que permitia que o operador esperto comprasse uma e vendesse a outra quase simultaneamente e lucrasse com a diferença, praticamente sem risco. "Em Wall Street, o antigo provérbio foi reescrito", escreveu Buffett mais tarde. "Dê um peixe a um homem e você o alimentará por um dia. Ensine ao homem os princípios da arbitragem e você o alimentará para sempre."[6] Em troca, Pritzker daria à Graham-Newman certificados de armazenagem, que são exatamente o que parecem: um pedaço de papel dizendo que o portador possui tantos grãos de cacau. Esses certificados podiam ser negociados como se fossem ações. Ao vendê-los, a Graham-Newman faria dinheiro.

34 dólares (custo da G-N por uma ação da Rockwood – que reverte para Pritzker)
<u>36 dólares</u> (Pritzker entrega um recibo de armazenagem para a G-N – que pode ser vendido por esse preço)
2 dólares (Lucro em cada ação da Rockwood)

Mas "praticamente sem risco" significa que existe ao menos *algum* risco. E se os preços do cacau baixassem e os certificados de armazenagem passassem a valer subitamente apenas 30 dólares? Ao invés de ganhar 2 dólares, Graham-Newman perderia 4 dólares por ação. Para garantir seu lucro e eliminar aquele risco, a Graham-Newman vendeu contratos futuros de cacau. Também acabou sendo uma coisa boa, porque os preços do cacau estavam a ponto de baixar.

O mercado de "futuros" permite que o comprador e o vendedor concordem em negociar commodities como cacau, ouro ou bananas no futuro, mediante um preço estabelecido hoje. Em troca de uma pequena comissão, a Graham--Newman poderia garantir a venda dos grãos de cacau por um determinado preço, por um período específico, eliminando assim o risco de os preços de mercado baixarem. A pessoa do outro lado da negociação – que assumia o risco da queda de preços – estava especulando.[7] Se os grãos de cacau ficassem mais baratos, a Graham-Newman estava protegida, pois o especulador teria de comprar os grãos de cacau dela por mais do que valiam.[8] O papel do especulador, do ponto de vista da Graham-Newman, era o de vender o que representava uma espécie de seguro contra o risco da queda de preços. Naquele momento, naturalmente, ninguém sabia para que lado os preços do cacau iriam.

Dessa forma, a meta da arbitragem era comprar tantas ações da Rockwood quantas fosse possível e, ao mesmo tempo, vender o equivalente em futuros.

A Graham-Newman designou Warren para cuidar do negócio da Rockwood. Ele era talhado para aquilo; arbitrara ações por vários anos, comprando preferenciais conversíveis e vendendo a descoberto ações ordinárias emitidas pela mesma empresa.[9] Tinha estudado os retornos possíveis com arbitragem, analisando detalhadamente o que fora feito nos últimos 30 anos, e descoberto que esses negócios "sem risco" geralmente devolviam 20 centavos para cada dólar investido – muito mais do que os 7 ou 8 centavos que se lucrava com uma ação normal. Ao longo de muitas semanas, Warren passou os dias fazendo o caminho do Brooklyn de metrô, para trocar ações por certificados de armazenagem na Schroder Trust. Passou as noites estudando a situação, imerso em seus pensamentos enquanto cantava "Over the Rainbow" para a pequena Sooz e ignorava os gritos de Howie quando a mãe lutava para lhe dar a mamadeira.

Superficialmente, a Rockwood parecia uma transação simples para a Graham--Newman. Seu único custo eram as passagens de metrô, seus pensamentos e o tempo. Mas Warren reconheceu um potencial para mais "pirotecnias financeiras" do que a empresa tinha imaginado.[10] Diferentemente de Ben Graham, ele não fez a arbitragem. Assim, também não precisou mandar vender o cacau no mercado futuro. Em vez disso, ele comprou 222 ações da Rockwood para si mesmo e simplesmente as manteve.

Warren estudou a oferta de Pritzker cuidadosamente. Ao dividir todos os grãos da Rockwood – não apenas aqueles correspondentes ao negócio de manteiga de cacau – pelo número de ações da empresa, o resultado era superior aos 36 quilos por ação que Pritzker oferecia. Assim, quem não abrisse mão das ações acabaria com mais grãos de cacau para cada uma. E não era apenas isso – todo o cacau extra deixado na mesa por aqueles que entregavam as ações aumentaria ainda mais o número de grãos por ação.

Aqueles que mantivessem suas ações também lucrariam de outra maneira, porque teriam uma participação na fábrica, em seus equipamentos, no dinheiro devido pela clientela e na parcela restante do negócio da Rockwood, que não seria fechada.

Warren inverteu a situação, pensando do ponto de vista de Pritzker. Se Jay Pritzker estava comprando, ele pensou, *"por que a venda faria sentido?"*. E, depois de fazer as contas, ele comprovou que não fazia mesmo sentido algum. O lado bom para se jogar era o de Jay Pritzker. Warren enxergara as ações como apenas uma pequena fatia do negócio.

Com menos ações em circulação, a sua fatia valeria mais. Ele estava correndo mais risco do que se estivesse simplesmente fazendo a arbitragem – mas também estava fazendo uma aposta calculada, com muito mais a seu favor. Por outro lado, os 2 dólares de lucro decorrentes da arbitragem eram mais fáceis de ganhar, e sem riscos. Quando o preço dos grãos de cacau baixasse, os contratos futuros protegeriam a Graham-Newman. Por isso eles e um bom número de outros acionistas aceitaram a oferta de Pritzker – e deixaram muito cacau sobre a mesa.

Manter as ações, entretanto, acabou sendo um golpe brilhante. Os que jogaram com a arbitragem, como a Graham-Newman, ganharam seus 2 dólares por ação. Mas as ações da Rockwood, que eram negociadas a 15 dólares antes da oferta de Pritzker, dispararam para 85 dólares depois. Assim, em vez de ganhar 444 dólares com suas 222 ações, como teria conseguido com a arbitragem, a aposta calculada de Warren lhe rendeu uma soma extraordinária – cerca de 13 mil dólares.[11]

Nesse processo, ele fez questão de conhecer Jay Pritzker. Entendia que qualquer um que fosse esperto o bastante para ter pensado naquele negócio "faria muitas outras coisas espertas mais tarde". Foi a uma reunião de acionistas, fez perguntas e se apresentou a Pritzker.[12] Warren tinha 25 anos e Pritzker, 32.

Mesmo trabalhando com um capital relativamente pequeno – menos de 100 mil dólares –, Warren percebeu que, ao colocar em prática aquele tipo de raciocínio, abria um mundo de possibilidades. Era um trabalho de lenhador, mas ele adorava. Não era nada parecido com a forma com que a maioria das pessoas costumava investir – trancar-se num escritório e ler relatórios que descreviam pesquisas feitas por outros. Warren era um detetive e fazia a sua própria pesquisa, da mesma maneira que colecionara tampas de garrafa e pensara em coletar impressões digitais de freiras.

Para fazer seu trabalho de detetive, ele utilizava os *Moody's Manual – Industrial, Banks and Finance and Public Utility*. Com frequência ia em pessoa até a Moody's ou a Standard & Poor's. *"Eu era o único que aparecia nesses lugares.*

Nunca perguntaram sequer se eu era cliente. Eu pegava aqueles arquivos de 40 ou 50 anos atrás. Não havia copiadoras, e por isso eu me sentava ali e rabiscava todas aquelas notinhas, números e mais números. Eles tinham uma biblioteca, mas não era possível selecionar o material pessoalmente. Era preciso solicitar. Então eu dava o nome de diversas empresas – Jersey Mortgage, Bankers Commercial, coisas que ninguém jamais tinha solicitado. Traziam tudo, e eu ficava sentado tomando notas. Se você quisesse olhar documentos da SEC (U. S. Securities and Exchange Comission), como eu fazia com frequência, era preciso ir até lá. Era a única forma de consegui-los. Então, se a empresa ficasse por perto, eu passava lá para ver como era a administração. Não anotava nada, mas conseguia aprender muita coisa."

Uma de suas fontes favoritas era o *Pink Sheets*, um semanário publicado em papel cor-de-rosa, que dava informações sobre ações de empresas tão pequenas que não chegavam a ser negociadas na Bolsa. Outra era o livro *National Quotation*, que saía semestralmente e descrevia ações de empresas ainda mais minúsculas, que não chegavam ao *Pink Sheets*. Nenhuma empresa era pequena demais, nenhum detalhe era obscuro demais para ser ignorado pela sua peneira. *"Eu passava os olhos em toneladas de negócios e então encontrava um ou dois papéis nos quais valia a pena aplicar 10 ou 15 mil dólares, por estarem ridiculamente baratos."*

Warren não era orgulhoso. Sentia-se honrado em pegar emprestadas ideias de Graham, Pritzker ou de qualquer outra fonte útil. Chamava isso de "se agarrar nas casacas" e não se importava se a ideia fosse glamourosa ou mundana. Uma vez ele seguiu uma pista de Graham, a Union Street Railway.[13] Era uma companhia de ônibus em New Bedford, Massachusetts, que estava sendo vendida com grande desconto em relação ao seu ativo líquido.

"A empresa tinha 1.600 ônibus e um pequeno parque de diversões. Comecei a comprar aquela ação, porque eles tinham 800 mil dólares em títulos do Tesouro, uns 200 mil em dinheiro e passagens de ônibus a receber no valor de 96 mil dólares. Calculei algo em torno de 1 milhão de dólares, cerca de 60 dólares por cota. Quando comecei a comprar, as ações estavam sendo vendidas por algo em torno de 30 ou 35 dólares." Ou seja, a empresa inteira estava sendo vendida pela metade do valor do dinheiro que ela tinha guardado no banco. Comprar aquelas ações era como brincar num caça-níqueis que garantia o pagamento de 1 dólar para cada moeda de 50 centavos que se depositasse ali.

Naquelas circunstâncias, era natural que a empresa tentasse comprar as suas próprias ações de volta: ela colocou um anúncio no jornal da cidade de New Bedford, convidando os acionistas a vender. Ao enfrentar a concorrência, Warren resolveu publicar seu próprio anúncio. "Escreva para Warren Buffett no endereço tal se você quiser vender suas ações."

"Então, por se tratar de um serviço público regulamentado, consegui a lista da comissão de serviços públicos de Massachusetts, que mostrava quem eram os maiores acionistas. E trabalhei para encontrar e comprar mais ações. Mas eu queria mesmo era encontrar Mark Duff, que comandava a empresa."

Visitar os administradores era uma parte do jeito de Warren de fazer negócios. Ele usava essas reuniões para aprender tudo que pudesse sobre a empresa. Para obter acesso pessoal à administração, ele utilizava sua habilidade de encantar e impressionar pessoas poderosas com seus conhecimentos e sua argúcia. Também achava que, ao se tornar amigo dos administradores da empresa, poderia ter influência para que eles fizessem as coisas certas.

Graham, por sua vez, não visitava os administradores e muito menos tentava exercer sobre eles qualquer tipo de influência. Chamava isso de "autoajuda" e achava que era uma forma irregular de "cola" para se descobrir os podres de uma empresa, mesmo que não fosse ilegal. Ele achava que, por definição, ser investidor significava ser um estranho, alguém que confrontava as diretorias, em vez de trocar gentilezas com elas. Graham queria estar no mesmo patamar dos pequenos, utilizando apenas as informações que estavam disponíveis para todos.[14]

Seguindo seus próprios instintos, contudo, Warren decidiu visitar a Union Street Railway num final de semana.

"Acordei às 4 horas da manhã e dirigi até New Bedford. Mark Duff foi muito simpático e educado. Quando eu estava pronto para partir, ele disse: 'Aliás, estamos pensando em fazer uma distribuição de dividendos para os acionistas.' Isso queria dizer que iam devolver o dinheiro extra. Eu disse: 'Puxa, que bom.' E ele falou: 'Sim, e há uma cláusula que talvez você não conheça nos estatutos de serviços públicos de Massachusetts que exige que os dividendos sejam pagos em múltiplos do valor nominal da ação.' A ação tinha um valor nominal de 25 dólares, então isso significava que estariam distribuindo pelo menos 25 dólares por ação.* Eu disse: 'Bem, é um bom começo.' Então ele continuou: 'Tenha em mente que estamos pensando em distribuir duas unidades.' Isso queria dizer que estariam anunciando dividendos de 50 dólares por ação para algo que estava sendo vendido a 36 ou 40 dólares na época."

Assim, se você comprasse uma ação, receberia de volta o seu dinheiro em dobro e ainda mais algum. E continuaria possuindo uma parte do negócio, representada por suas cotas.

---

* Valor nominal é o valor impresso em uma ação, normalmente estabelecido em um nível baixo pela empresa na sua fundação. Suas raízes legais são arcaicas – projetadas para assegurar que a empresa não ofereça ações a um valor inferior – e não têm nenhuma real significação econômica no mercado atual. *(N. da A.)*

"Ganhei 50 dólares por ação e continuava com os papéis nas minhas mãos. E ainda havia valor neles. As empresas de ônibus escondiam ativos em lugares como as chamadas reservas especiais e em terrenos, edifícios e garagens, onde mantinham os antigos bondes. Eu nunca saberei se foi a minha viagem que precipitou aquilo ou não."

O Buffett cioso de evitar conflitos tinha aprimorado ao máximo sua habilidade de conseguir o que queria sem ter que pedir explicitamente. Assim, embora achasse que podia ter influenciado Duff, ele não podia ter certeza do que desencadeara a sua decisão. O que importava é que ele tinha conseguido o resultado que queria sem brigar. Ele ganhou quase 20 mil dólares nessa transação. Quem poderia imaginar que ônibus davam tanto dinheiro?[15]

Ninguém na história da família Buffett tinha lucrado 20 mil dólares com uma única ideia. Em 1955, esse valor representava várias vezes o que um trabalhador médio ganhava por ano. Duplicar o dinheiro, ou pouco mais que isso, com o trabalho de algumas semanas era algo espetacular. Mas o mais importante, para ele, foi ter tido sucesso sem correr qualquer risco significativo.

Susie e Warren não falavam sobre os detalhes da arbitragem dos grãos de cacau e das ações da empresa de ônibus. Ela não estava interessada em dinheiro, a não ser como algo que pudesse gastar. E o que ela sabia era que, apesar de montanhas de dinheiro entrarem no pequeno apartamento de White Plains, Warren dava a ela apenas o suficiente para as despesas da casa. Susie não tinha sido criada para controlar cada despesa ínfima, nem para estar casada com um homem que economizava dinheiro negociando com os jornaleiros a compra das revistas velhas. Esse era um modo de vida completamente estranho para ela. Tentou ao máximo cuidar sozinha da casa, mas a disparidade entre o que Warren ganhava e o que ele dava à sua mulher era colossal. Um dia, Susie telefonou em pânico para sua vizinha Madeline O'Sullivan:

"Madeline, uma coisa horrível aconteceu", ela disse. "Você precisa vir aqui agora!" Madeline foi correndo até o apartamento dos Buffett e encontrou Susie fora de si. Tinha jogado acidentalmente um punhado de cheques de pagamentos de dividendos, que estavam na mesa de Warren, na lixeira do apartamento que ia direto para o incinerador do prédio.[16]

"Talvez ele não esteja funcionando", disse Madeline, e as duas chamaram o supervisor do prédio, que as deixou descer até o porão. De fato, o incinerador estava frio. Cataram o lixo procurando pelos cheques, ao mesmo tempo que Susie esfregava as mãos e repetia: "Não vou conseguir encarar Warren." Quando encontraram os cheques, Madeline ficou de olhos arregalados. Eram relativos a milhares de dólares, e não a 25 ou 10 dólares, como ela imaginava.[17] Os Buffett, morando naquele pequeno apartamento, estavam ficando ricos de verdade.

Enquanto Howie chorava e o dinheiro crescia, Warren acabou ficando ligeiramente mais benevolente com o talão de cheques. Apesar da frugalidade, estava tão embevecido com Susie que teria dado a ela qualquer coisa que pedisse. Em junho voltaram a Omaha para o casamento de Bertie com Charlie Snorf. Nessa altura, Warren já tinha concordado que Susie poderia contratar alguém para ajudá-la nas tarefas do lar. Enquanto estavam em Omaha, começaram a procurar apressadamente uma candidata ao posto de doméstica para voltar a White Plains com eles.

Depois de colocar anúncios no jornal, contrataram uma moça de um vilarejo que *"parecia ser uma pessoa muito direita"* – mas não era. Warren a jogou dentro do primeiro ônibus de volta para Omaha. Susie procurou uma substituta, porque precisava da ajuda – cuidar de Howie era trabalho para mais de duas pessoas – e eles podiam bancar.

A atuação brilhante de Warren na Graham-Newman o transformou no menino prodígio da empresa. Ben Graham desenvolveu um interesse pessoal por Warren e sua simpática e extrovertida mulher. Graham deu a eles de presente uma câmera de cinema e um projetor quando Howie nasceu. E até apareceu no apartamento com um ursinho de pelúcia para o bebê.[18] Em uma ou duas ocasiões, quando ele e sua mulher, Estey, receberam os Buffett para jantar, ele percebeu que Warren ficava de olhos colados em Susie e que os dois ficavam muito tempo de mãos dadas. Mas também reparou que Warren não era muito gentil e que Susie teria apreciado um gesto romântico ocasional.[19] Depois de ouvi-la mencionar, com tristeza, que Warren não dançava, Graham deu a Warren uma bolsa da academia de dança de Arthur Murray, em White Plains, onde ele próprio fazia aulas de dança de salão. Mais tarde Graham descobriu na academia que seu protegido nunca utilizara o presente. Ele comentou o fato com Warren, incentivando-o a ir em frente. Contra a parede, Warren encarou três aulas com Susie e depois parou. Nunca aprendeu a dançar.[20]

Isso não atrapalhou sua rápida ascensão na Graham-Newman. Dezoito meses depois de ele começar ali, tanto Ben Graham quanto Jerry Newman tratavam Warren como um sócio em potencial, o que incluía certa socialização familiar. Em meados de 1955, mesmo o enjoado Jerry Newman convidou os Buffett para algo que parecia ser um "piquenique" em Meadowpond, a mansão dos Newman em Lewisboro, Nova York. Susie chegou usando uma roupa adequada para rolar no feno e encontrou as outras mulheres com vestidos finos e pérolas. Embora ela e Warren tivessem se sentido como uma dupla de caipiras, a mancada não feriu em nada o status de menino prodígio dele.

Walter Schloss nunca era convidado para eventos assim. Ele tinha sido classificado como um empregado aplicado, mas que nunca chegaria a se tornar um sócio. Jerry Newman, que raramente se dava ao trabalho de ser gentil com alguém, tratava Schloss com um desprezo maior que sua dose habitual. E assim

Schloss, casado, pai de duas crianças pequenas, decidiu tentar a sorte sozinho. Levou um tempo até criar coragem e falar com Graham,[21] mas, no final de 1955, ele começou sua própria sociedade de investimentos, fundada com 100 mil dólares levantados por um grupo de sócios cujos nomes, como Buffett descreveria mais tarde, "*saíram direto de uma lista de chamada de Ellis Island*".[22]

Buffett tinha certeza de que Schloss podia aplicar com êxito os métodos de Graham e o admirava por ter a coragem de abrir sua própria empresa. Mas, embora fosse algo preocupante que o "Grande Walter" estivesse começando com tão pouco capital que talvez não tivesse como alimentar a família,[23] Buffett não colocou um tostão seu na sociedade de Schloss, da mesma forma que não investira na Graham-Newman. Seria impensável para Warren Buffett deixar que outra pessoa administrasse o seu dinheiro.

Ele logo descobriu alguém para substituir Schloss. Buffett conhecera Tom Knapp num almoço na Blythe and Company, em Wall Street, ali perto.[24] Dez anos mais velho que Warren, alto, bonitão, com cabelos escuros, dono de um senso de humor perverso, Knapp tinha feito um dos cursos noturnos de David Dodd e ficara encantado. Trocara a química pelos negócios na mesma hora. Graham contratou Knapp como o segundo gentio da firma. "*Eu disse a Jerry Newman: 'É a velha história – você contrata um gentio, e eles tomam conta do lugar'*", lembra Buffett.

Quando Knapp ocupou a antiga mesa de Walter Schloss, ao lado de Buffett, Warren estava começando a perceber um aspecto particular da vida de Graham. O próprio Knapp entendeu isso quando Graham o convidou para assistir a uma palestra na New School of Social Research (Nova Escola de Pesquisa Social), onde se viu sentado na mesma mesa com seis mulheres. "Enquanto Ben falava", diz Knapp, "percebi que cada uma daquelas mulheres estava apaixonada por ele. Elas não demonstravam ter ciúme umas das outras, mas todas pareciam conhecê-lo muito, muito bem."[25]

De fato, no início de 1956, Graham estava entediado com os investimentos, e outros interesses – as mulheres, os livros clássicos e as belas-artes – o atraíam com tanta força que ele já estava com um pé do lado de fora. Um dia, quando Knapp não estava, a recepcionista levou um jovem alto e magro até a toca sem janelas onde Warren preenchia formulários. Seu nome era Ed Anderson, e ele explicou que era químico, como Knapp, e não investidor profissional. Trabalhava no Laboratório Livermore, da Comissão de Energia Atômica, na Califórnia, mas acompanhava o mercado nas horas vagas. Tinha lido *O investidor inteligente* e ficara impressionado com os numerosos exemplos de ações baratas citados no livro, como as da Easy Washing Machine. "Nossa!", pensou. "Não pode ser verdade." Como seria possível comprar papéis de todas aquelas empresas por menos do que elas possuíam em dinheiro no banco?[26]

Intrigado, Anderson ficou na cola de Graham. Depois de comprar uma única ação da Graham-Newman, usava os extratos quinzenais para entender o que Graham estava fazendo e, em seguida, comprava as mesmas ações. Graham nunca desencorajou isso. Ele gostava que outras pessoas aprendessem com ele e o imitassem.

Anderson apareceu lá porque estava pensando em comprar outra ação da Graham-Newman, mas tinha percebido uma coisa estranha e queria fazer algumas perguntas. Graham se enchera de ações da American Telephone & Telegraph. Era a ação mais diferente do seu estilo que poderia existir – era comprada, conhecida e valorizada por todos, com tão pouco potencial quanto risco. "Está acontecendo alguma coisa?", ele perguntou a Warren.

Warren pensou por um segundo. Era impressionante que aquele homem sem bagagem no ramo, um químico, tivesse percebido que a aquisição de AT&T fugia do padrão. Gente demais acreditava que os "negócios" eram uma espécie de sacerdócio, praticado apenas por aqueles que recebiam treinamento especial. Ele disse a Anderson: "Talvez não seja o melhor momento para comprar outra ação."[27] Conversaram um pouco mais e se despediram amigavelmente, com intenções de manterem contato. Nesse momento Warren ficou feliz por seu amigo Schloss ter partido para cuidar de seu próprio negócio. Ao observar os padrões de transação da empresa e manter os ouvidos abertos, ele percebeu que Graham planejava acabar com a sociedade.

A carreira de Ben Graham estava chegando ao fim. Ele tinha 62 anos, e o mercado ultrapassara a alta de 1929.[28] As cotações o deixavam nervoso. Tinha superado a média do mercado em 2,5% por mais de 20 anos seguidos.[29] Queria se aposentar e se mudar para a Califórnia, para aproveitar a vida. Jerry Newman também estava se aposentando, mas seu filho Mickey permaneceria na empresa. Na primavera de 1956, Graham avisou formalmente seus sócios. Mas primeiro ofereceu a Warren a oportunidade de se transformar em sócio pleno da firma. O fato de Graham escolher alguém da idade e experiência de Warren demonstra o quanto ele se valorizara em tão pouco tempo. Apesar disso: "*Se eu tivesse ficado, faria o papel de Ben Graham da sociedade, e Mickey seria o Jerry Newman; mas Mickey seria o sócio sênior, com quilômetros de vantagem. A empresa teria que se chamar Newman-Buffett.*"

Embora se sentisse lisonjeado, ele tinha entrado na Graham-Newman para trabalhar com Ben. Não valia a pena ficar, nem mesmo sendo considerado o herdeiro intelectual de Graham. Além do mais, o tempo todo em que estivera ocupado com a empresa de ônibus e as manobras com os grãos de cacau, ele pensou: "Não gosto de morar em Nova York. Fico o tempo todo no trem." Acima de tudo, ele não tinha sido feito para trabalhar como um sócio – menos ainda como sócio júnior de qualquer pessoa. Ele recusou a proposta.

22
Esplendor oculto
Omaha – 1956-1958

"Eu tinha juntado cerca de 174 mil dólares e ia me aposentar. Aluguei uma casa na Underwood Avenue, 5.202, em Omaha, por 175 dólares mensais. Íamos viver com 12 mil dólares anuais. Meu capital cresceria."

Quem olha para trás talvez ache estranho a forma como, aos 26 anos, Warren empregou o termo "se aposentar". Talvez tenha sido uma maneira de diminuir as pressões. Ou talvez ele quisesse dizer que seu capital trabalharia para ele, como uma espécie de servo, para torná-lo rico. Quem toma conta do dinheiro não é um empregado.

Do ponto de vista matemático, Warren podia, pelo menos teoricamente, se aposentar e ainda alcançar o objetivo de se tornar milionário aos 35 anos.* Desde que entrara em Columbia, com 9.800 dólares, ele conseguira rendimentos superiores a 60% ao ano. Mas tinha pressa e precisaria de uma taxa composta muito agressiva para cumprir sua meta.[1] Assim, decidiu abrir uma sociedade parecida com o fundo hedge da Graham-Newman, o Newman & Graham.[2] Talvez ele não pensasse nisso como um "emprego". Na verdade, era uma forma quase perfeita de não ter um emprego. Não teria patrão, poderia investir de casa e aplicar o dinheiro de amigos e parentes nas mesmas ações que comprava para si. Se pegasse 25 centavos de cada dólar que ganhasse para seus sócios como comissão e então reinvestisse essa quantia na sociedade, ele poderia se tornar milionário bem depressa. Armado com o método Graham de compra de ações e com um fundo hedge inspirado em Graham, ele tinha todas as razões do mundo para acreditar que era um homem rico.

Só havia um problema. Ele não toleraria se os sócios o criticassem quando as ações caíssem. Por isso planejou convidar apenas os amigos e a família – gente que ele tinha certeza de que confiava nele – para fazer parte da sociedade.

---

* Naqueles dias, 1 milhão de dólares seria o equivalente a 8 milhões em 2007. *(N. da A.)*

Em 1º de maio de 1956 deu início à Buffett Associates Ltd., uma sociedade inspirada no modelo da Newman & Graham,[3] com sete integrantes.

Doc Thompson investiu 25 mil dólares. *"Doc Thompson era um sujeito assim. Ele me deu cada centavo que tinha basicamente porque me considerava o seu garoto."* Doris, irmã de Warren, e seu marido Truman Wood aplicaram 10 mil dólares. A tia Alice Buffett entrou com 35 mil.

"Eu tinha vendido papéis para outros antes, mas agora me tornara um fiduciário – e estava trabalhando em nome de pessoas que eram tremendamente importantes para mim e que acreditavam em mim. De forma alguma eu teria mexido nas economias da minha tia Alice ou da minha irmã ou do meu sogro se achasse que corria o risco de perdê-las. Naquele momento eu não acreditava que pudesse perder dinheiro ao longo do tempo."

Ele já tinha uma sociedade em separado com o pai, e sua irmã Bertie e o marido tinham apenas um pouco de dinheiro para investir. Assim, seu colega de quarto de Wharton, Chuck Peterson, que aplicou 5 mil dólares, tornou-se o quarto sócio. Deixando de lado a parte relativa a Al Jolson, Chuck conhecia bem a inteligência de Warren e sua maturidade para finanças, por ter sido seu colega de alojamento. Ele foi um dos primeiros a aceitar indicações de Warren sobre investimentos, comprando ações antes de ele ir para Nova York. "Aprendi bem rápido como ele é esperto, honesto e competente", diz. "Confiaria nele até prova em contrário."[4] O quinto sócio era a mãe de Peterson, Elizabeth, que investiu os 25 mil dólares que herdara quando seu marido morreu, um ano antes.

O sexto sócio, Dan Monen, era um jovem moreno, corpulento e tranquilo, que costumava brincar com Warren quando criança revirando os canteiros de dentes-de-leão no quintal de Ernest. Era advogado de Warren e não tinha muito dinheiro, mas investiu o que podia: 5 mil dólares.

Warren foi o sétimo. Aplicou apenas 100 dólares. O resto de sua participação viria das comissões que ele receberia por administrar a sociedade. *"De fato, conquistei minha alavancagem com a gestão da sociedade. Estava transbordando de ideias, mas não transbordava de capital."* Na verdade, pelos padrões vigentes no país, Warren estava com capital sobrando. Mas ele encarava a sociedade como uma máquina de acumulação – uma vez que o dinheiro tivesse entrado, não pretendia fazer retiradas. Assim, precisava obter do restante de suas aplicações os 12 mil dólares anuais de que sua família necessitava. Aquele investimento era separado.

Warren concebeu uma fórmula para cobrar sua remuneração aos sócios. *"Eu ganhava metade do que excedesse um patamar de 4% e assumia um quarto do que ficasse abaixo disso. Assim, se eu empatasse, perdia dinheiro. E minha obrigação de cobrir os prejuízos não estava limitada ao meu capital. Ia além."*[5]

Na época, Warren já estava administrando recursos para Anne Gottschaldt e Catherine Elberfeld, mãe e tia de Fred Kuhlken, seu amigo de Columbia. Quando Fred partiu para a Europa, um ano antes, pediu que Warren cuidasse de parte do dinheiro da tia e da mãe.⁶ Desde então, Warren vinha fazendo investimentos, com a maior cautela, em títulos do governo, com comissões bem mais modestas.

Ele poderia ter convidado Gottschaldt e Elberfeld para entrar na sociedade, mas sentia que seria injusto cobrar delas uma comissão mais alta que aquela que já estavam pagando. Naturalmente, se a sociedade desse tão certo quanto ele imaginava, isso significaria privá-las de uma oportunidade de ouro. Se, contudo, algo desse errado com os investimentos, sua tia, sua irmã e Doc Thompson nunca o condenariam. Ele não tinha essa certeza em relação a mais ninguém.

Agir como "fiduciário" significava, para Warren, que qualquer responsabilidade que ele assumisse seria ilimitada. Para deixar claras aos sócios as regras do jogo, ele convocou a primeira reunião oficial da Buffett Associates no mesmo dia em que fundou a sociedade. Chuck fez uma reserva para jantar no Omaha Club, o melhor lugar da cidade quando se procurava uma sala reservada. A ideia de Warren era definir e limitar cuidadosamente suas responsabilidades. E uma responsabilidade que ele não pensava em assumir era pagar a conta do jantar: mandou Chuck avisar que cada um pagaria a sua parte.⁷ Então falou não apenas sobre as regras básicas da sociedade, mas também sobre o mercado de ações, aproveitando aquela oportunidade para ensinar algumas coisas.

Os sócios logo se dividiram em dois times: os abstêmios e os outros. Do seu lado da mesa, Doc Thompson sugeriu, de forma brincalhona, que a outra facção estaria condenada ao inferno. Foi Warren, entretanto, quem assumiu o papel de pregador naquela noite. Todos estavam ali para ouvi-lo.

"Comecei com uma proposta de acordo entre os investidores, que não precisou ser muito modificada enquanto evoluíamos. Daí resultaram várias coisas boas, sabe? É algo menos complicado do que se pode imaginar.

Fiz um pequeno resumo das regras, dizendo: 'Isso é o que eu posso fazer, e isso é o que não posso fazer. E aqui estão as coisas que não sei se posso fazer ou não. Nesses casos, quem vai decidir sou eu.' Fui sucinto. Se não concordassem, não deveriam participar, porque eu não queria ninguém infeliz quando eu estivesse feliz, nem vice-versa."⁸

Depois que Warren lançou a sociedade, os Buffett voltaram a Nova York, onde passariam seu último verão. Warren ajudaria Ben Graham e Jerry Newman a fazer o encerramento da firma. Mickey Newman era agora CEO da Philadelphia & Reading, um trabalho que consumia integralmente seu tempo. Sem ele nem Warren disponíveis como sócios plenos, Graham preferiu fechar a empresa.⁹ Warren alugou de Tom Knapp uma casinha rústica de praia em Long Island para sua família. A casa, parte de um conjunto construído para pessoas que fugiram de uma epidemia de gripe muitas décadas antes, ficava em West Meadow Beach, próximo a Stony Brook, no litoral norte de Long Island, de frente para Connecticut, do outro lado de um braço de mar.

Durante a semana, Warren economizava dinheiro acampando na casa de seu amigo Henry Brandt, um corretor de ações cuja mulher e filhos também estavam passando o verão em Long Island. Nos finais de semana encontrava a família na praia e trabalhava num quarto minúsculo da casa. Os vizinhos disseram aos Knapp que nunca o viram.[10] Enquanto Warren trabalhava, Susie, que tinha medo de água e nunca aprendeu a nadar, fazia caçadas ao tesouro com as crianças, junto dos penhascos à beira-mar. Como as instalações hidráulicas da casa eram precárias, os Buffett se abasteciam com água potável de uma bica que ficava do outro lado da rua. Susie dava banho na pequena Susie, agora com quase 3 anos, em Howie, com 18 meses, e também se banhava em um chuveiro de água fria que ficava do lado de fora.

O verão trouxe duas notícias chocantes. O pai de Bob Russell, amigo de infância de Warren, cometeu suicídio. E Anne Gottschaldt e Catherine Elberfeld, mãe e tia de Fred Kuhlken, colega de Warren em Columbia, telefonaram para dizer que Fred tinha morrido em Portugal depois que seu carro deslizou por uma ribanceira de 25 metros de altura até bater numa árvore.[11]

No final do verão, a família Buffett planejou a volta para Omaha. A extrema cautela que Warren demonstrava no esforço de nunca desapontar ninguém contrastava dramaticamente com sua decisão ousada de se arriscar sozinho a seguir uma carreira no mundo dos investimentos longe de Nova York. O mercado era formado por pessoas que almoçavam juntas na Bolsa de Valores ou jogavam pôquer uma vez por semana. Vivia de dicas e boatos, fofocas transmitidas por contatos pessoais e relações estabelecidas em almoços executivos, em bares, em quadras de squash ou em encontros casuais nas chapelarias de clubes universitários. É claro que toda cidade pequena tinha uma ou outra firma de corretagem, como a própria Buffett-Falk, mas elas não eram consideradas *players* importantes. O interior estava repleto de corretores – mas eles eram uma espécie de farmacêuticos que sobreviviam ou prosperavam preenchendo receitas escritas pelos médicos do dinheiro sediados em Manhattan. Naquela época nenhum investidor sério dos Estados Unidos trabalhava fora de Nova York. Deixar tudo isso para trás, sozinho, e pensar em ficar rico em algum lugar fora do alcance de um passeio de limusine era um golpe realmente ousado – e perigoso.

De fato, para um recém-formado, trabalhar por conta própria, em casa, sozinho, era algo gritantemente incomum nos anos 1950. O "Homem no Terno de

Flanela Cinza" era o sujeito que progredia.[12] Homens de negócios entravam para uma grande corporação – quanto maior, melhor – e então competiam com ferocidade pelo melhor emprego, numa constante escalada do sucesso, esforçando-se para não suar demais nem tropeçar num taco de golfe pelo caminho. Eles competiam para juntar poder, mais do que riqueza – o bastante para comprar o tipo certo de casa num bom bairro residencial, trocar de carro todos os anos e abrir caminho para uma vida de segurança.

Ao tomar essa decisão, portanto, Warren estava sendo tão surpreendente quanto um Buffett que votasse no Partido Democrata. Conhecendo as características incomuns de seu marido – embora talvez não o risco aparente do rumo que ele estava tomando –, Susie organizou a mudança, despediu-se dos vizinhos, enviou cartões comunicando o novo endereço, mandou desligar o telefone e arrumou as malas. Voou para Omaha com a pequena Susie e Howie e acomodou as crianças na casa que Warren alugara de Chuck Peterson, na Underwood Avenue. Ele escolhera uma aconchegante residência em estilo Tudor, com dois andares, vigas aparentes, uma grande chaminé de pedra e teto de catedral. Até mesmo a decisão de alugar uma casa fugia do convencional. A casa própria era a essência das aspirações da maioria dos jovens americanos em meados dos anos 1950. O desespero da Depressão e os dias sombrios da guerra, quando era preciso lutar pela sobrevivência, viviam apenas na memória. Os americanos equipavam suas casas com todas as novidades que se tornavam subitamente disponíveis, como lavadoras de pratos, freezers, máquinas de lavar, liquidificadores. Os Buffett tinham dinheiro suficiente para comprar tudo isso. Mas Warren tinha outros planos para o seu capital e, por isso, preferiu alugar. E a casa que escolheu, embora bonita, mal dava para eles. Howie, que estava com quase 2 anos, teria que dormir numa espécie de closet.

Enquanto Susie começava a acomodar a família em Omaha, Warren encerrava seus negócios em Nova York. Mandou embalar sua mesa e arquivos e enviou avisos pessoais às empresas das quais possuía ações, para garantir que os cheques com os dividendos seriam enviados a Omaha. Então pegou o carro e começou a viagem para Nebraska, parando no caminho para visitar algumas companhias.

"*Fiz um verdadeiro zigue-zague pelo país. Pensei que era uma ótima hora para dar uma olhada naquelas empresas. Atravessei Hazleton, Pensilvânia, e visitei a Jeddo-Highland Coal Company. Passei por Kalamazoo e vi a Kalamazoo Stove and Furnace Company. Essa pequena odisseia incluiu Delaware, Ohio. Também visitei a Greif Bros. Cooperage. Era uma empresa cujos papéis estavam sendo vendidos a preços ridiculamente baixos.*" Era uma ação que ele descobrira em 1951, ao folhear os *Moody's Manuals*. Ele e o pai tinham comprado 200 ações cada um, incorporando-as à sua pequena sociedade.

Warren chegou a Omaha no final do verão e descobriu que sua presença era necessária em casa. A pequena Sooz, calma e tímida, assistia às demandas incessantes do irmão sugarem todas as energias da mãe.[13] Mas, à noite, queria o pai. Ficava com medo de ir para a cama. Quando chegaram à casa nova na Underwood, um funcionário da companhia de mudanças, que usava óculos, disse alguma coisa a ela. Embora não se recordasse de ter ouvido nada inapropriado, ela ficou apavorada e desde então ficara convencida de que o "homem dos óculos" espreitava do lado de fora de seu quarto, que ficava próximo a um balcão protegido por grades de ferro, dando para a sala de estar. Warren precisava inspecionar o balcão todas as noites e garantir a ela que era seguro dormir.

Depois de procurar o "homem dos óculos", Warren atravessava o corredor até a minúscula varanda do quarto de casal para tratar dos negócios – fazia trabalhos relativos à sociedade ou preparava aulas, pois assumira, durante o outono, dois cursos na Universidade de Omaha: um de análise de investimentos, só para homens, e outro de investimentos inteligentes. Logo ele iniciaria outra turma, de investimentos para mulheres. O menino aterrorizado, que até recentemente não conseguia iniciar uma conversa em sala no curso de Dale Carnegie, tinha desaparecido. Em seu lugar estava um jovem ainda desajeitado, mas que deixava uma impressão marcante quando se movimentava incansavelmente pela sala, estimulando os alunos e despejando uma série inesgotável de dados e números. Vestido, como sempre, com um terno barato alguns números acima do seu, parecia mais um jovem pastor de alguma seita missionária do que um palestrante de universidade.

Apesar de sua inteligência brilhante, Warren ainda era muito imaturo. Para Susie, sua incapacidade em dar qualquer ajuda em casa era como ter mais uma criança para cuidar. Sua personalidade e seus interesses também moldaram a vida social do casal. Em Omaha, uma cidade típica do Meio-Oeste americano, com relativamente poucas instituições culturais dignas de nota, os fins de semana eram repletos de festas de casamento, chás e eventos de caridade. Mas os Buffett tinham uma vida muito mais sossegada que a maioria dos jovens casais de sua idade e de seu tempo. Embora Susie tivesse começado a galgar os degraus da Junior League e os dois tivessem entrado para um "grupo gourmet" – onde Warren pedia, educadamente, para a anfitriã do mês lhe preparar um hambúrguer –, eles não costumavam se reunir com seus amigos em grandes grupos, apenas em encontros individuais ou em duplas. A maior parte de sua vida social acontecia em jantares com outros casais, em pequenos grupos ou numa festa ocasional, onde Warren pudesse conversar sobre ações. Era sempre a mesma coisa: Warren entretinha as pessoas discursando para a plateia ou tocando guitarra havaiana. Sob a tutela de Susie, ele agora até conseguia fazer comentários sobre outros assuntos com alguma facilidade, mas sua mente continuava focada em ganhar dinheiro. Durante as refeições e as festas em casa, frequentemente ele fugia da mesa e se recolhia ao segundo andar. Mas, ao contrário de Ben Graham, ele não fazia isso para ler Proust. Ia trabalhar. Susie não sabia muito bem o que Warren fazia, nem se interessava. "Costumava escrever 'analista de valores' quando precisava dizer o que ele fazia. E algumas pessoas achavam que ele verificava alarmes contra ladrões", ela conta.[14]

As recreações de Warren eram repetitivas ou competitivas – e, algumas vezes, as duas coisas ao mesmo tempo. Achava insuportável jogar bridge com Susie, porque ela queria que os outros ganhassem, e ele logo procurou outros parceiros.[15] Sua mente era como um macaco inquieto. Para relaxar, ele precisava de uma forma ativa de concentração que mantivesse o macaco ocupado. Pingue-pongue, bridge, pôquer, golfe, todas essas atividades conseguiam absorvê-lo e tirar o dinheiro de sua cabeça temporariamente. Mas ele nunca receberia os amigos para um churrasco no quintal, nem lagartearia à beira de uma piscina, nem contemplaria longamente as estrelas, nem daria uma simples caminhada pela mata. Se Warren olhasse para as estrelas, provavelmente veria um cifrão na Ursa Maior.

Tudo isso se somava a uma tendência ao inconformismo, que tornava Warren avesso a "participar": ele mal suportava reuniões de conselhos e comitês. Ainda assim, a lealdade familiar o levou a aceitar o convite, feito durante uma visita do tio Fred Buffett, para entrar para o Rotary Club. Ele gostava de Fred, dono da mercearia Buffett. Os dois passaram a jogar boliche no Rotary (uma atividade repetitiva e competitiva) e, além disso, seu avô tinha sido presidente do clube.

Por outro lado, quando foi convidado a entrar para a Sociedade dos Cavaleiros de Ak-Sar-Ben, um grupo de líderes cívicos de destaque, que combinava filantropia, negócios, promoções e atividades sociais, ele se recusou. Para um gestor de recursos em início de carreira, que precisava levantar capital para os negócios, foi como colocar o dedo no nariz dos homens que mandavam em Omaha. Um ato de insolência, de arrogância até, que o marcou em seu grupo social. Sua irmã Doris tinha debutado como princesa de Ak-Sar-Ben. A irmã de seu cunhado e ex-colega de quarto Truman Wood tinha sido rainha de Ak-Sar-Ben. Amigos como Chuck Peterson frequentavam esse círculo social. Como congressista, Howard tinha sido obrigado a entrar. Mas Warren considerava repugnante a hierarquia social e desprezava os ambientes enfumaçados, a atmosfera de clubinho e o conformismo social da turma do Ak-Sar-Ben. Aquelas eram as pessoas que tinham desdenhado do seu pai, tachando-o de "filho do dono da mercearia". Warren alegrou-se com a chance de menosprezar o Ak-Sar-Ben, a que se referia com comentários cáusticos.

Susie tinha seu próprio estilo de inconformismo e tentou aproximar Warren de sua rede incrivelmente diversificada de amigos. Desde o ensino médio ela se orgulhava de seu espírito desarmado e do compromisso com a inclusão social, numa época em que a maioria das pessoas escolhia amigos que eram seus clones do ponto de vista religioso, cultural, étnico e econômico. Ao contrário de sua própria família, Susie não seguia esses princípios, e muitos de seus amigos – que nessa altura eram também amigos de Warren – eram judeus. Na Omaha segregada – isso sem falar nos preconceitos das famílias Buffett e Thompson –, atravessar essas linhas sociais era um ato ousado e até desafiador. Susie sabia disso, da mesma forma que sabia, na escola secundária e na faculdade, que namorar um judeu era algo chocante. Embora viesse de uma família proeminente, o status social tinha valor para ela apenas na medida em que pudesse beneficiar seus amigos. Warren, o antielitista, achava muito atraente esse aspecto da personalidade de Susie. E a convivência com os amigos judeus que ele fizera em Columbia lhe abrira os olhos para o antissemitismo.

Em contraste com Susie, a mãe de Warren sempre fora obcecada com a ideia de se encaixar socialmente. Leila pesquisara seus ancestrais e entrou para as Filhas da Revolução Americana e para a Sociedade Huguenote, talvez procurando no passado uma estabilidade que não conseguia encontrar no presente, pelo menos não no seu ambiente familiar. Recebera recentemente, do Hospital Estadual de Norfolk, a notícia de que sua irmã Bernice se jogara nas águas do rio, numa aparente tentativa de suicídio. Leila, que agora era responsável por Bernice e pela mãe, sempre tentou cuidar de sua vida de uma maneira profissional, esforçando-se para ser uma filha obediente, ao mesmo tempo que procurava manter alguma distância dos problemas da família. Ela e a irmã Edith iam visitar Bernice e a mãe de tempos em tempos, Leila com menos entusiasmo. Naquela época, o histórico de doenças mentais na família Stahl era um assunto vergonhoso e ameaçador para os Buffett, bem como para a sociedade em geral. Ozzie e Harriet Nelson, Ward e June Cleaver, protótipos das famílias brancas, anglo-saxãs e protestantes dos Estados Unidos – eles apareciam tanto na televisão que pareciam definir uma espécie de normalidade idílica –, não tinham parentes com tendências suicidas ou doenças mentais. A percepção que os Buffett tinham do histórico familiar era complicada pela incerteza dos diagnósticos de Stella e Bernice. Os médicos conseguiam dar apenas vagas descrições daquilo que era claramente um problema sério. Obviamente a doença mental era uma herança que se manifestava na idade adulta. Warren e Doris, que eram próximos à tia Edith, sabiam que a mãe se afastara dela na medida em que Edith também se tornara mais impulsiva e sujeita a mudanças de humor. Havia suspeitas de que o comportamento e a personalidade da própria Leila tivessem, pelo menos em parte, alguma relação com a linhagem familiar. Eles ouviam o tique-taque de uma bomba-relógio sobre as suas cabeças e se examinavam, em busca de sinais de anormalidade.

Warren, que queria desesperadamente ser, mas nunca se sentira, completamente "normal", aplacava sua ansiedade com estatísticas, argumentando que a doença misteriosa parecia afetar apenas as mulheres da família. Nunca se detinha muito em assuntos desagradáveis. Mais tarde ele compararia a sua memória a uma banheira. Ele a enchia com ideias, experiências e assuntos que lhe interessavam. Quando não encontrava mais utilidade para as informações – tibum! –, tirava a tampa e a memória se esvaía. Se aparecia uma informação nova sobre determinado assunto, ele substituía a versão antiga. Se não queria pensar sobre alguma coisa, deixava descer pelo ralo. Alguns acontecimentos, episódios e até pessoas desapareciam assim. Lembranças dolorosas eram as primeiras a ser descartadas. A água ia para algum lugar, e com ela sumiam também o contexto, a nuance e a perspectiva, mas o que importava era que desaparecia. A vantagem da "memória-banheira" era liberar imensos espaços para o que era novo e produtivo. Às vezes, contudo, pensamentos perturbadores afloravam, vindos não se sabe de onde, como ocorria quando ele sentia preocupação por outras pessoas; por exemplo, pelos diversos amigos que cuidavam de esposas com problemas de saúde. Buffett considerava a memória-banheira um ajudante que lhe permitia "olhar para a frente", em vez de "olhar para trás" o tempo todo, como sua mãe. E lhe permitia, aos 26 anos, ruminar profundamente sobre negócios, excluindo praticamente qualquer outra coisa de sua cabeça. Tudo para cumprir sua meta de se tornar um milionário.

A maneira mais rápida de alcançar esse objetivo era levantar mais dinheiro para administrar. Em agosto ele voltou a Nova York para assistir a uma última reunião da Graham-Newman. Todo mundo que tinha alguma importância em Wall Street parecia ter comparecido àquele velório. O investidor Lou Green, com seus 2 metros de altura e a cabeça envolta nas nuvens da fumaça malcheirosa de seu enorme charuto, dominava o ambiente.[16] Ele acusou Graham de ter cometido um imenso erro. "Por que Graham e Newman não cultivaram talentos?", perguntou. "Passaram 30 anos erguendo esse negócio", declarou para todos os presentes. "E tudo o que eles encontraram para tomar conta foi esse garoto chamado Warren Buffett. É o melhor que conseguiram. Mas quem iria atrás dele?"[17]

O erro longínquo de Warren em dizer a Lou Green que tinha comprado ações da Marshall-Wells "porque Ben Graham comprou" tinha voltado para manchar o endosso de Graham ao seu nome, diante de uma plateia, com consequências desconhecidas. Mas o selo de qualidade concedido por Graham já lhe rendera um dividendo importante. Homer Dodge, um professor de física formado em Harvard, que fora reitor da Universidade Norwich, em Northfield, Vermont, até

1951, e era um antigo investidor da Graham-Newman, tinha procurado Graham para perguntar o que devia fazer com seu dinheiro, agora que a empresa estava encerrando suas atividades. *"E Ben respondeu: 'Bom, tem um sujeito que trabalhava conosco e que é uma boa alternativa.'"*

Assim, num dia quente no Meio-Oeste, naquele mês de julho, Dodge parou em Omaha, no caminho de sua viagem de férias, com um caiaque azul amarrado no teto da caminhonete. *"Ele conversou um pouco comigo e perguntou: 'Você cuidaria do meu dinheiro?' E fiz uma sociedade em separado com ele."*

Dodge lhe deu 120 mil dólares para administrar no Fundo Buffett, em 1º de setembro de 1956.[18] Era mais dinheiro do que o capital inicial da Buffett Associates, um enorme passo* que transformaria Warren em um gestor de recursos profissional, deixando de ser apenas um ex-corretor que aplicava um dinheirinho para a família e os amigos. Agora ele estava fazendo investimentos para alguém recomendado por Ben Graham.[19]

"Perto do final do ano, um amigo meu, John Cleary, que tinha sido secretário de meu pai no Congresso, viu um relatório legal sobre a formação da sociedade e me perguntou o que era. Eu expliquei, e ele falou: 'Bem, que tal fazer a mesma coisa comigo?' Assim, formamos algo chamado B-C Ltd. Era a terceira sociedade. Ele aplicou 55 mil dólares."[20]

Com a formação da sociedade B-C, em 1º de outubro de 1956, Warren passou a administrar mais de meio milhão de dólares, incluindo seu próprio dinheiro, que não estava em nenhuma das sociedades. Ele fazia todas as operações em um minúsculo escritório dentro de casa, aonde só era possível chegar atravessando o quarto de dormir. Notívago como Susie, trabalhava em horas incomuns, lendo relatórios anuais de pijama, bebendo Pepsi e mastigando batatas fritas Kitty Clover, desfrutando a liberdade e a solidão. Vasculhava sem parar os *Moody's Manuals* procurando ideias e absorvendo estatísticas sobre empresas e mais empresas. Durante o dia ia à biblioteca ler jornais e revistas especializadas. Como nos tempos de garoto, quando entregava jornais, sentia prazer em cuidar pessoalmente de tudo o que era importante. Datilografava suas próprias cartas numa máquina de escrever IBM, ajustando cuidadosamente o papel no rolo. Para fazer cópias, colocava folhas de carbono azul e uma folha de papel fino atrás da primeira

---

* Imaginemos que Warren ganhasse 15% para a Buffett Associates. Sua comissão seria de 5.781 dólares depois que cada um dos sócios recebesse seus 4% prefixados. Com o dinheiro de Homer Dodge ele ganharia um total de 9.081 dólares em comissões. Reaplicaria esse dinheiro nas sociedades. No ano seguinte obteria 100% de rendimentos sobre os 9.081, mais uma rodada de comissões sobre o capital de terceiros, e assim por diante. (N. da A.)

folha. Cuidava de seus arquivos. Fazia a contabilidade sozinho e preparava todos os documentos para a restituição dos impostos. Por envolver números, precisão e avaliação de resultados, cuidar dos registros era uma atividade agradável para ele.

Todos os certificados de ações, preenchidos com os nomes das sociedades, eram entregues diretamente a ele, em vez de serem depositados com um corretor, como era praxe. Quando chegavam, ele os levava – diplomas de investimento em papel liso, cor creme, gravados com desenhos delicadamente executados de estradas de ferro e águias, monstros marinhos e mulheres de toga – até o Omaha National Bank e os colocava pessoalmente num cofre. Quando vendia uma ação, ia ao banco, vasculhava a coleção de certificados e enviava os correspondentes pelo correio, na agência postal da Rua 38. Quando o banco telefonava para avisar da chegada de um cheque com dividendos para ser depositado, ele ia até lá, examinava o cheque e o endossava pessoalmente.

Warren ocupava a única linha telefônica da família com ligações diárias para um pequeno grupo de corretores que costumava utilizar. Seus gastos eram tão próximos a zero quanto possível. Ele listava as despesas à mão numa folha amarela de papel pautado: 31 centavos para correios, 15,32 dólares para o *Moody's Manual*, 4 dólares para o *Oil & Gas Journal*, 3,08 dólares para telefonemas.[21] A não ser pela contabilidade bem mais meticulosa e pelo grau em que aquilo ocupava os seus pensamentos, ele cuidava dos negócios como se fosse uma pessoa qualquer que negociasse ações na sua conta pessoal usando um corretor.

No final de 1956 Warren escreveu uma carta aos sócios, apresentando os resultados do período. Informou que os rendimentos tinham totalizado pouco mais de 4.500 dólares, superando o mercado em 4%.[22] Nessa altura, Dan Monen, o advogado, se retirara da primeira sociedade, e Doc Thompson comprara a sua parte. Monen se juntara a Warren num projeto pessoal que ele desenvolvia havia algum tempo: comprar ações de uma seguradora de Omaha, a National American Fire Insurance. Os papéis sem valor dessa empresa tinham sido vendidos em 1929 aos fazendeiros de Nebraska por promotores inescrupulosos, em troca dos Liberty Bonds emitidos durante a Primeira Guerra Mundial.[23] Desde então, os certificados jaziam apodrecendo no fundo de gavetas, enquanto seus donos gradualmente perdiam a esperança de reaver o dinheiro aplicado.

Warren tinha descoberto a National American quando trabalhava para a Buffett-Falk, enquanto folheava um *Moody's Manual*.[24] A empresa tinha sua sede a apenas um quarteirão de distância do escritório de seu pai. William Ahmanson, um destacado corretor de Omaha, se envolvera na história sem saber onde estava se metendo: foi colocado como testa de ferro no que acabou se revelando uma fraude. Mas a família Ahmanson, aos poucos, conseguiu transformar aquilo num negócio legítimo. Agora, o filho de William, Howard Ahmanson, estava atraindo negócios de seguros de primeira linha para a National American por intermédio da Home Savings of America, empresa que ele tinha fundado na Califórnia e que estava se tornando uma das maiores e mais bem-sucedidas firmas de empréstimos e poupança dos Estados Unidos.[25]

Os fazendeiros enganados não faziam ideia de que aqueles papéis mofados agora valiam alguma coisa. Por muitos anos Howard comprara de volta as ações, a preços baixos, com ajuda de seu irmão mais novo, Hayden, que comandava a National American. Naquela altura os Ahmanson já possuíam 70% da empresa.

Warren admirava Howard Ahmanson. "*Ninguém era tão audacioso ao administrar capital quanto Howard Ahmanson. Era muito astuto em diversos aspectos. Antigamente, muita gente que vinha para o interior pagava suas hipotecas pessoalmente. Howard colocava a hipoteca na filial mais distante possível da sua casa, para pagá-la pelo correio, sem precisar perder meia hora ouvindo um cliente contar tudo sobre as últimas gracinhas de seus filhos. Todo mundo tinha visto o filme* A felicidade não se compra *e achava que era certo agir como o personagem de Jimmy Stewart, mas Howard não queria ver seus clientes. Ninguém tinha custos operacionais tão baixos quanto ele.*"

A National American estava obtendo rendimentos de 29 dólares por ação, e o irmão de Howard, Hayden, comprava os papéis por 30 dólares cada. Assim como acontecia com as mais raras e atraentes ações baratas que Warren perseguia, os Ahmanson podiam pagar praticamente todo o custo de cada ação com os lucros dela. A National American era a ação mais barata que Warren jamais tinha visto – com exceção da Western Insurance. E era uma bela empresinha também, não apenas uma guimba de charuto amassada.

"*Tentei comprar aquelas ações por muito tempo. Mas nada chegava às minhas mãos, porque havia um corretor de valores na cidade a quem Hayden tinha dado a lista de todos os acionistas. Esse sujeito me considerava apenas um garoto esquisito. Mas ele tinha a lista, e eu não. Assim, ele comprava as ações a 30 dólares para a conta de Hayden.*"

Dinheiro em caixa vindo de Hayden Ahmanson parecia bom para alguns dos fazendeiros quando comparado àqueles certificados sem valor. Embora tivessem desembolsado 100 dólares por ação muitos anos antes e estivessem recebendo apenas 30, a maioria deles estava convencida de que era melhor se livrar logo daquilo.

Warren estava determinado. "*Procurei livros sobre seguros e coisas do gênero. Voltando aos anos 1920, eu podia ver quem eram os diretores. Eles tinham transformado os maiores acionistas em executivos, que cuidariam das vendas em suas* respectivas cidades. Havia um vilarejo chamado Ewing, em Nebraska, que mal tinha uma população. Mas alguém vendeu muitas ações ali. E deve ter sido assim que levaram o banqueiro local para o conselho, 35 anos antes."

Assim, Dan Monen, parceiro de Warren e seu procurador, partiu para a zona rural com os bolsos cheios do dinheiro de Buffett e algum do seu. Rodou pelo estado num Chevrolet vermelho e branco: ele visitava tribunais municipais e bancos, perguntando casualmente se alguém ali tinha ações da National American.[26] Sentava-se na varanda das casas, bebia chá gelado, comia torta com os fazendeiros e suas mulheres e lhes oferecia dinheiro em troca de seus certificados de ações.[27]

"*Eu não queria que Howard soubesse a razão pela qual eu estava oferecendo mais. Ele estava comprando por 30 dólares, e eu tinha que pagar um pouco mais. Os acionistas deviam estar ouvindo falar em 30 dólares havia 10 anos, provavelmente, e devia ser a primeira vez em que viam o preço subir.*"

No primeiro ano, Warren comprou cinco ações pagando 35 dólares por ação. Os fazendeiros entraram em alerta. Agora percebiam que os compradores estavam competindo pelo papel e começaram a achar que talvez fosse melhor não se livrar dele.

"*Já no final da operação, paguei 100 dólares. Era o número mágico, porque era o que eles tinham desembolsado lá atrás. Cem dólares, eu sabia, fariam aquela ação aparecer. De fato, um sujeito disse a Dan Monen: 'Compramos como se fossem ovelhas e agora estamos vendendo como se fossem ovelhas.'*"[28]

E eram. Muitos tinham vendido seus papéis por menos de um terço do valor que a empresa estava lucrando. Aos poucos, Monen acumulou 2.000 ações, que correspondiam a 10% da National American. Warren manteve os nomes dos proprietários originais, acrescentando um poder de procurador que lhe garantia o controle, em vez de transferir tudo para seu nome. "*Isso teria feito Howard desconfiar que eu estava ali competindo com ele. Ele não sabia. Ou, se sabia, tinha informações insuficientes. Continuei a juntar ações. Então, um dia, entrei no escritório de Hayden, joguei tudo sobre a mesa e disse que queria transferi-las para o meu nome. E ele disse: 'Meu irmão vai me matar.' Mas, no final, ele realizou a transferência.*"[29]

O raciocínio por trás da jogada da National American não se baseava apenas no preço. Ele tinha aprendido a importância de se reunir o máximo de uma coisa escassa. Das placas de carro às impressões digitais de freiras, moedas e selos, da Union Street Railway à National American, ele sempre agia da mesma maneira. Era um colecionador nato.[30]

Por outro lado, esse instinto voraz podia levá-lo, ocasionalmente, à direção errada. Tom Knapp, que foi trabalhar na pequena corretora Tweedy, Browne and Reilly depois de ajudar Jerry Newman a encerrar o que restava da Graham-Newman, veio visitar Warren, e os dois foram juntos assistir a uma palestra de Ben Graham em Beloit, Wisconsin. Ao atravessar os milharais de Iowa, no caminho, Knapp mencionou que o governo americano estava prestes a retirar de circulação o selo Blue Eagle, de 4 centavos. A registradora tilintou na cabeça de Warren. *"Vamos parar em algumas agências de correio e ver se eles têm esses selos de 4 centavos"*, disse na volta. Knapp entrou na primeira agência postal e voltou para dizer que havia 28 selos. *"Vá comprá-los"*, disse Buffett. Conversaram um pouco mais e decidiram escrever para agências dos correios quando voltassem para casa se oferecendo para comprar o seu estoque de selos. Eles começaram a chegar, alguns milhares por vez. Então Denver respondeu que tinham 20 blocos. Cada bloco tem 100 folhas com 100 selos cada. Isso queria dizer que Denver tinha 200 mil selos.

"Podemos acabar controlando a edição inteira", disse Warren. Eles gastaram 8 mil dólares e compraram todos os blocos.

"E este foi nosso erro", diz Knapp. "Devíamos ter deixado que Denver os enviasse de volta a Washington, para reduzir o estoque disponível."

Depois de um esforço imenso para se transformarem praticamente em agências postais – esforço que foi, em sua maior parte, de Knapp –, eles juntaram mais de 600 mil selos Blue Stamp, gastando algo em torno de 25 mil dólares. Para Warren, era uma quantia e tanto, considerando-se sua atitude em relação ao dinheiro e seu patrimônio líquido. Armazenaram as pilhas de selos nos porões de suas casas. Só então perceberam o que tinham feito. À custa de muito trabalho haviam enchido os porões com selos que nunca valeriam mais do que 4 centavos. "Com tantos selos assim", explica Knapp, "não é possível encontrar colecionadores."

A tarefa seguinte era se livrar dos selos. Habilidosamente, Warren delegou o problema a Tom. Em seguida simplesmente tirou aquilo da cabeça, a não ser pelo fato de ser uma história engraçada, e voltou sua atenção para o que era realmente importante: levantar dinheiro para as sociedades. Em junho de 1957, uma das sócias iniciais, Elizabeth Peterson, mãe de Chuck, pediu que Warren abrisse uma quarta sociedade, que se chamaria Underwood, com um investimento inicial de 85 mil dólares.[31]

"Meses depois, no verão de 1957, recebi um telefonema da senhora Davis. Os Davis eram fregueses da mercearia Buffett. Seu marido, o Dr. Edwin Davis, era um urologista conhecido em todo o país. Moravam a alguns quarteirões daqui. Ela disse: 'Ouvi dizer que você administra recursos. Poderia vir até aqui e nos explicar como funciona?'"

Um dos pacientes do Dr. Davis, Arthur Wiesenberger, de Nova York, era um dos mais famosos gestores de recursos da época. Em algum momento tinha ido a Omaha para tratar de problemas na próstata e Davis se tornara seu cliente.

Wiesenberger publicava a *Investment Companies*, uma "bíblia" anual sobre fundos de investimento fechados. Eram como fundos mútuos negociados publicamente, a não ser pelo fato de não aceitarem novos investidores. Quase sempre eram vendidos com um desconto em relação ao valor de seus ativos, o que tornou Wiesenberger um defensor de sua compra.[32] Em resumo, eram as guimbas de charuto dos fundos mútuos. No verão antes de fazer a pós-graduação, Warren sentara-se numa cadeira no escritório da Buffett-Falk para ler a bíblia de Wiesenberger, enquanto Howard trabalhava. *"Antes de ir para Columbia"*, conta, *"eu costumava passar horas e horas lendo aquele livro de cabo a rabo, religiosamente."* Então comprou duas guimbas de charuto de Wiesenberger, papéis da United States & International Securities e da Selected Industries, que constituíam, em 1950, mais de dois terços de seus ativos.[33] Enquanto trabalhava na Graham-Newman, conseguiu se apresentar a Wiesenberger e deixou uma boa impressão, *"embora eu não fosse muito impressionante naquela época"*.

Em 1957, Wiesenberger ligou para o Dr. Davis do nada e explicou que, embora não fosse exatamente uma coisa favorável aos seus próprios interesses, ele gostaria de recomendar um jovem a ele. "Tentei contratá-lo", disse Wiesenberger, "mas ele estava formando uma sociedade de investimentos, e não consegui."[34] Ele encorajou Davis a investir com Buffett.

Pouco depois Warren marcou uma reunião com a família Davis, numa tarde de domingo. *"Fui até a casa deles e me sentei na sala de estar. Conversei com eles cerca de uma hora. Disse: 'É assim que eu administro recursos e arranjo o que tenho.' Acho que tinha 26 anos. E tinha aparência de 20 na época."* Na verdade, há quem diga que ele parecia ter 18, como Eddie Davis. "O colarinho ficava aberto. O paletó era grande demais. E ele falava muito rápido." Naquela época, Warren rodava por Omaha vestido com um suéter asqueroso – alguém observou que aquilo devia ser doado para a caridade –, calças velhas e sapatos gastos. *"Eu não demonstrava maturidade para a minha idade"*, recorda-se Buffett. *"As coisas que eu falava eram do tipo que você espera ouvir de pessoas bem mais jovens."* De fato, ainda havia mais do que simples vestígios do garoto que cantava "Mammy" e batia palmas na Penn. *"Era preciso relevar um monte de coisas."*

Mas tudo isso desaparecia quando ele falava sobre as sociedades. Warren não estava ali para tentar vender seu peixe aos Davis. Ele deixou claras suas regras básicas. Queria controle absoluto sobre o dinheiro e não diria aos sócios uma palavra sobre como ele estava sendo investido. Este era o ponto principal. Ao contrário de Ben Graham, ele não queria saber de ter um bando de gente se agarrando na sua casaca. E a solução que encontrara para o possível desapontamento das pessoas era não revelar a contagem de pontos a cada momento da partida, mas apenas uma vez por ano, depois de completar os 18 buracos do campo de golfe. Os investidores receberiam um resumo anual do seu desempenho e poderiam escolher se aplicavam mais dinheiro ou se resgatavam somente a cada 31 de dezembro. No resto do ano o dinheiro ficava preso na sociedade.

"*O tempo todo, durante a conversa, Eddie não me deu a menor atenção. Dorothy Davis escutava atentamente, fazendo boas perguntas. Eddie ficava num canto, sem fazer nada. Parecia um sujeito muito velho para mim, mas não tinha ainda 70 anos. Quando chegamos ao fim da conversa, Dorothy virou para Eddie e disse: 'O que você acha?' Eddie disse: 'Vamos dar a ele 100 mil dólares.' De uma forma bem mais delicada, eu disse: 'Doutor Davis, eu ficarei muito feliz em receber esse dinheiro, mas o senhor não estava prestando muita atenção em mim enquanto eu falava. Por que está fazendo isso?'*"

E ele disse. 'Bom, é que você me lembra Charlie Munger.'[35]

Eu disse: 'Bom, não sei quem é Charlie Munger, mas já gosto muito dele.'"

Outro motivo que levou os Davis a quererem investir com Warren foi que, para sua surpresa, ele "sabia mais sobre Arthur Wiesenberger do que eles".[36] Também gostaram da forma como ele apresentou seus termos – de maneira clara, transparente, para que soubessem de que lado ele estava. Ganharia ou perderia com eles. Como disse Dorothy Davis, "ele é esperto, inteligente, e posso ver que é honesto. Gosto de tudo nesse jovem". Em 5 de agosto de 1957 o dinheiro dos Davis e de seus três filhos sedimentou a quinta sociedade com 100 mil dólares. Ganhou o nome Dacee.[37]

Com a Dacee os negócios de Warren alcançaram um patamar diferente. Ele agora podia ocupar maiores posições com ações maiores. Em sua carteira pessoal de negócios, ainda brincava com coisas como ações de companhias de urânio que valiam 1 centavo e que andaram em voga alguns anos antes – quando o governo estava comprando urânio – e agora estavam absurdamente baratas.[38] Pessoalmente, Warren ainda comprava de empresas como Hidden Splendor, Stanrock e Northspan. "*Havia alguns aspectos atraentes – era como pescar em um barril. Não se pegavam peixes grandes, mas era um barril. Eu sabia que ia ganhar um bom dinheiro, mas com coisas pequenas. Nas maiores, eu aplicava pelas sociedades.*"

Ter novos sócios significava, naturalmente, ganhar mais dinheiro, mas também que o volume de certificados de ações e a quantidade de papelada relativa às cinco sociedades, além da Buffett & Buffett, aumentaram consideravelmente. Ele tinha que se desdobrar, mas achava isso bom. O problema, como sempre, era o dinheiro – ele nunca parecia ter o bastante. O tipo de empresa que ele pesquisava geralmente tinha valor de mercado de 1 a 10 milhões de dólares, por isso ele queria ter pelo menos 100 mil dólares para conseguir uma participação significativa em suas ações. Conseguir mais dinheiro era crucial.

Nessa altura, Dan Monen estava pronto para voltar. Ele e a mulher, Mary Ellen, formaram o núcleo da sexta sociedade, a Mo-Buff, em 5 de maio de 1958. Graças à National American, os Monen, que tinham apenas 5 mil dólares para investir dois anos antes, puderam entrar com 70 mil.[39]

Nesse momento, Warren Buffett provavelmente compreendia melhor do que ninguém em Wall Street o potencial da administração de recursos para gerar mais dinheiro. Cada dólar que acrescentava na sociedade lhe renderia uma parcela do que ele ganhasse para os sócios.[40] Cada dólar reinvestido geraria rendimentos próprios.[41] Quanto melhor o seu desempenho, mais ele ganharia, e maior ficaria sua participação na sociedade, permitindo-lhe ganhar ainda mais. Sua habilidade para os investimentos o fazia explorar ao máximo aquele potencial da gestão de recursos. Apesar da aparente falta de charme de Warren, ele era indiscutivelmente bem-sucedido em se promover. Mesmo sendo quase invisível para o mundo dos investimentos, a bola de neve começava a rolar.

Com esse impulso, Warren percebeu que estava na hora de deixar a casa, onde mal havia espaço para uma família com duas crianças pequenas – uma delas um menino de 3 anos e meio, com energia acima da média – e um terceiro a caminho. Os Buffett compraram sua primeira casa. Ficava na Rua Farnam, era em estilo colonial holandês e ocupava um amplo lote numa esquina cercada de árvores, perto de uma das vias mais movimentadas de Omaha. Apesar de ser a maior casa do quarteirão, tinha um jeito despretensioso e charmoso, com janelinhas que se abriam do telhado inclinado e uma claraboia.[42] Warren pagou 31.500 dólares a Sam Reynolds, um negociante local, e logo a batizou com o nome "Insensatez de Buffett".[43] Na sua cabeça, 31.500 dólares eram 1 milhão, calculando-se juros compostos sobre a quantia por 12 anos, mais ou menos. Ele poderia investir aquele dinheiro com uma impressionante taxa de retorno, por isso se sentia como se estivesse gastando a ultrajante soma de 1 milhão de dólares naquela casa.

Assim que o caminhão de mudanças deixou a casa na Underwood Avenue, Warren levou a pequena Susie, de 5 anos, escada acima, até o balcão com grades de ferro. *"O homem dos óculos vai ficar aqui"*, ele disse. *"Você precisa se despedir."* Susie Jr. disse adeus e, de fato, o homem dos óculos ficou para trás.[44]

Como mãe e dona de casa, o trabalho de Susie era supervisionar a mudança, acomodar a família no novo lar e ainda manter Howie sob controle, tudo isso aos oito meses da gravidez de seu terceiro filho. Segundo velhos amigos, Howie era "um pestinha". A inesgotável energia dos Buffett transbordava dele como um turbilhão e lhe rendeu o apelido de "Tornado", parecido com aquele recebido por Warren na infância, "Relâmpago" – mas com uma conotação diferente. Tão logo

Howie aprendeu a andar, tornou-se hiperativo. Cavava buracos no jardim para encher de terra seus caminhõezinhos de brinquedo. Susie os tomava, e ele virava a casa de cabeça para baixo até encontrá-los e recomeçar a fazer a mesma coisa. Susie então tirava dele o caminhãozinho e a batalha se repetia.[45]

Uma semana depois de chegar à Farnam Street, na véspera do início da sociedade Mo-Buff, nasceu o terceiro filho dos Buffett, Peter. Desde o início, foi um bebê calmo e tranquilo. Mas logo depois do parto Susie teve uma infecção renal.[46] Depois de um período de sua infância em que sofreu com febres reumáticas e infecções do ouvido, ela passara a se considerar uma pessoa saudável. A infecção renal não a inquietou muito. A sua maior preocupação era não deixar que aquilo afetasse Warren. O desconforto do marido diante de qualquer doença era tão grande que a família estava condicionada a cuidar dele quando alguém adoecia, como se ele também estivesse combalido e precisasse de atenção. Além disso, ela estava concentrada no fato de que finalmente tinha uma casa própria. Nem a doença, nem as demandas decorrentes dos cuidados com um recém-nascido e duas crianças pequenas eram capazes de diminuir sua vontade de decorar a casa nova. Para dar vida ao imóvel, ela optou por um estilo alegre e contemporâneo, com mobília em couro e cromo, além de imensas e coloridas pinturas modernas, que enchiam as paredes brancas. A conta de 15 mil dólares correspondia a pouco menos da metade do valor do imóvel, o que "quase matou Warren", segundo Bob Bilig, um parceiro de golfe.[47] Ele não prestava atenção em cores nem tinha qualquer prazer estético visual – e era, portanto, completamente indiferente ao resultado da decoração. Só conseguia enxergar aquela conta absurda.

"*Tenho mesmo que gastar 300 mil dólares em um corte de cabelo?*", era a sua atitude. Se Susie quisesse gastar alguma ninharia, ele dizia: "*Não sei se quero torrar 500 mil dólares dessa maneira.*"[48] Mas, como Susie queria gastar o dinheiro que ele queria guardar, e como ele queria fazer Susie feliz e ela queria agradá-lo, suas personalidades gradualmente se combinavam, num sistema de trocas e barganhas.

A conta absurda incluía o custo de um aparelho que se tornou objeto de admiração entre os amigos e vizinhos – uma das primeiras televisões em cores de Omaha.[49] Susie gostava que sua casa funcionasse como uma espécie de ponto de encontro do bairro. Assim, em pouco tempo, nas manhãs de sábado todos os meninos do quarteirão passaram a se amontoar no sofá de couro preto na pequena sala de televisão para assistirem a desenhos animados.[50]

Willa Johnson, uma empregada negra, corpulenta e muito competente, que se transformou silenciosamente num segundo par de mãos, olhos e ouvidos de Susie, integrou-se a casa, liberando-a para encontrar outras formas de usar sua criatividade. Susie e uma amiga, Thama Friedman, decidiram montar uma galeria de arte contemporânea. Como sempre acontecia quando o assunto envolvia dinheiro, a decisão tinha que passar por Warren. Antes de desembolsar a parte de Susie, ele "entrevistou" as duas e perguntou: *"Vocês esperam ganhar dinheiro?"* Friedman respondeu: "Não." Buffett então replicou: *"Tudo bem, Susie pode participar como 'investidora'."*[51] Ele gostava da ideia de que ela fizesse alguma coisa. Segundo Thama, ele queria que as duas pensassem na galeria como um negócio, mas que, ao mesmo tempo, fossem realistas, assumindo que também era um hobby. Warren sempre pensou em dinheiro em termos de retorno para um determinado capital e, como a galeria não ia ter lucros, queria que elas limitassem seus gastos. Para Susie, aquilo era realmente um hobby, conta Friedman, que cuidava do dia a dia da galeria.

Susie era considerada uma mãe flexível, tranquila e atenciosa pelos amigos e parentes. Agora que os Buffett viviam mais perto dos pais, seus filhos passavam mais tempo com os avós. A atmosfera na casa dos Thompson, a menos de dois quarteirões, era relaxada e agradável. Não ligavam se Howie quebrasse uma janela ou se os meninos fizessem bagunça. Dorothy Thompson entrava no clima, participando de jogos, organizando caçadas a ovos de Páscoa ou produzindo elaboradas casquinhas com várias camadas de sorvete. As crianças adoravam Doc Thompson, apesar da sua presunção austera e da forma como gostava de pontificar sobre tudo. Uma vez, ele colocou no colo Howie, que tinha 5 anos, e disse: "Não beba álcool. Vai matar as células do cérebro, e você não pode desperdiçar nenhuma."[52]

Às vezes Doc Thompson aparecia aos domingos, vestido com um terno cor de jujuba, e fazia seus discursos na sala de estar de Warren e Susie. Outras vezes Howie e Susie Jr. visitavam os avós paternos, e Leila os arrastava para a igreja. Em comparação com os Thompson, ela e Howard pareciam rígidos e puritanos. Howard continuava a se comportar como um sobrevivente da era vitoriana. Ele só conseguiu pronunciar uma única frase – "O mundo acabou" – quando telefonou para Warren e Doris para contar que sua irmã Bertie tinha perdido um bebê. Howard não foi capaz de dizer que ela sofrera um aborto espontâneo.

Instalados na casa nova e espaçosa, Warren e Susie começaram a receber visitas de suas famílias. Em seu primeiro jantar de Ação de Graças com os parentes, Susie preparou o peru sozinha, achando que a maneira mais simples de fazê-lo seria deixá-lo assar a 37 graus durante a noite toda. Quando a ave se desmanchou, ela chamou a senhora Hegman, uma cozinheira herdada de Leila, para ajudá-la. Mas alguém precisou destrinchar a ave no lugar de Warren, porque ele era inútil com uma faca na mão. E, nas reuniões familiares, quando a mãe estava presente, assim que podia ele desaparecia no andar de cima para trabalhar.

Susie revestiu o novo escritório de Warren, junto à suíte principal, com um papel de parede estampado num padrão de papel-moeda. Assim, confortavelmente cercado por dinheiro, ele partiu para a compra de ações baratas tão rápido quanto seus dedos podiam percorrer a lista do *Moody's Manual*, em busca de empresas que produziam itens básicos ou mercadorias de valor imediato, como Davenport Hosiery (lingerie), Meadow River Coal & Land (carvão e terra), Westpan Hydrocarbon (indústria química) e Maracaibo Oil Exploration (petróleo). Para a sociedade, para si próprio, para Susie ou qualquer outra pessoa, sempre que tinha dinheiro ele o colocava para trabalhar assim que cruzava a porta.

Com frequência, Warren precisava de sigilo para executar suas ideias e usava pessoas inteligentes e disponíveis, como Dan Monen, como procuradores. Um deles era Daniel Cowin, um caçador de valores que trabalhava para uma pequena corretora, Hettleman & Co., em Nova York. Warren conhecera Dan por intermédio de um amigo em comum de Columbia, o falecido Fred Kuhlken.[53] A Hettleman fazia investimentos em pequenas ações, com capitalização de alguns milhões, o tipo de pechincha obscura que atraía Warren.

"Fred me apresentou Dan como uma jovem estrela de Wall Street, dizendo que tínhamos sido feitos um para o outro. Imediatamente decidi que Fred tinha 100% de razão nas duas coisas. Nos anos seguintes, Dan e eu estávamos sempre juntos quando eu visitava Nova York."[54]

Cowin era nove anos mais velho, com olhos profundos e penetrantes. Quando os dois estavam juntos, a primeira impressão era a de que um homem maduro estava passando seu tempo com um estudante, mas eles tinham muito em comum. Cowin crescera pobre durante a Depressão, depois que o pai perdeu todo o seu dinheiro e precisou sustentar a família quando era adolescente. Quando fez 13 anos, aplicou em ações as pequenas quantias que recebeu de presente.[55] Depois de servir na Marinha, começou uma carreira no mercado financeiro trabalhando numa corretora, mas guardando suas ideias para si. Ao contrário de Buffett, contudo, ele tinha uma grande paixão pela arte de vanguarda, era criativo em casa – pintava com spray prateado as pinhas que enfeitavam a mesa de Natal – e colecionava fotografias e antiguidades. O que atraiu Buffett foi que Cowin fazia boas negociações seguindo suas próprias ideias.[56] Cowin também ganhara a estima de Warren bem antes, quando ele estava na Graham-Newman, ao emprestar-lhe 50 mil dólares por uma semana para que Warren pudesse comprar fundos mútuos e obtivesse uma economia de 1.000 dólares em impostos.[57] Com o tempo, passaram a colaborar com Dan, o sócio mais velho, já calvo, mais experiente e com mais dinheiro para investir, compartilhando informações e ideias.

Buffett e Cowin costumavam se falar ao telefone uma vez por semana, quando saía o *Pink Sheets*, que listava as pequenas ações; e então os dois trocavam observações e comentários. "Viu essa?" "Sim, eu comprei. Essa é minha!" – ambos se sentiam ganhadores quando descobriam ter feito as mesmas escolhas. "Era como escolher um cavalo numa corrida", diz Joyce, mulher de Dan.[58] Quando pensaram em assumir o controle da National Casket Company, usaram o codinome Empresa de Contêineres. *"Dan era um cavador",* diz Buffett, *"e eu consigo entender isso muito bem."*

Então, segundo Buffett, os dois tentaram comprar uma "cidade" em Ohio, que estava sendo vendida pela Administração Geral de Serviços por uma ninharia; o pacote consistia em uma agência postal, a sede da prefeitura municipal e um grande número de imóveis que estavam alugados por preços inferiores aos de mercado. A cidade tinha sido construída na Depressão. Buffett lembra que o anúncio fez os dois salivarem como Snidely Whiplash,* sonhando em aumentar rapidamente os aluguéis para valores compatíveis. Mas, mesmo por uma "ninharia", a cidade era cara, e eles não conseguiram levantar o capital.[59]

Warren nunca conseguia ter dinheiro suficiente. Estava sempre tentando levantar mais. A ligação com Graham voltaria a dar bons frutos. Bernie Sarnat – pioneiro na cirurgia plástica reconstrutora – teve uma conversa com Ben Graham, que era primo de sua mulher. Ben se mudara para uma casa em frente à dos Sarnat quando ele e Estey se transferiram para a Califórnia. Sarnat conta que perguntou a Graham o que deveria fazer com "aquele dinheirinho que ele tinha posto na sociedade". "Ele disse 'Compre AT&T' e me entregou cotas de três fundos fechados e mais algumas ações. Então mencionou: 'Um dos meus antigos alunos está fazendo algumas aplicações. Warren Buffett.' Falou tão casualmente que nem prestei atenção."

Quase ninguém conhecia Warren Buffett. Podia muito bem ser o nome de alguma espécie de musgo sob as rochas de Omaha. A mulher de Sarnat, Rhoda, assistente social, costumava caminhar diariamente com Estey, sua prima por afinidade. "Um dia, não muito depois disso", ela lembra, "Estey me falou: 'Escute, Rhoda, as pessoas estão sempre nos procurando para que a gente invista em suas sociedades, porque, se puderem contar que Ben Graham investe com eles, estão feitos. Dizemos não para todo mundo. Mas Warren Buffett, ele tem potencial. Estamos fazendo investimentos com ele, e se eu fosse você faria o mesmo.'"

"Minha única pergunta foi a seguinte", lembra Rhoda. "'Estey, sei que você acha que ele é inteligente, mas eu preferiria saber se ele é honesto.' Estey disse: 'Completamente. Confio nele 100%.'"

---

* Vilão característico dos desenhos animados, de bigodes retorcidos e cartola na cabeça. *(N. do T.)*

Alguns alunos das aulas de investimento ministradas por Warren se juntaram às sociedades, como acontecera antes com Wally Keeman, seu antigo instrutor do curso Dale Carnegie. De fato, em 1959 ele já tinha uma reputação na cidade, em parte por suas aulas. Não mais secretas, as suas características – boas e ruins – começavam a ser reconhecidas em Omaha. Aquele lado de Warren que gostava de ser do contra no programa de rádio para adolescentes *American School of the Air* se manifestava, em Omaha, na forma de um jeito insolente de sabe-tudo. "*Eu adorava tomar o lado oposto em qualquer discussão*", diz. "*Não importava do que se tratasse, eu conseguia mudar a opinião da outra pessoa em segundos.*" Muita gente achava que era arrogância pedir dinheiro para investir sem sequer informar como o aplicaria. "*Havia pessoas em Omaha que achavam que eu estava fazendo alguma espécie de esquema Ponzi*",* ele conta. Essa atitude teve desdobramentos. Quando Warren se recandidatou a sócio titular do Omaha Country Clube, seu pedido foi recusado. Uma recusa em um clube campestre era coisa séria. Alguém desgostava dele o suficiente para demonstrá-lo de uma maneira concreta e constrangedora. Uma coisa era se identificar com os excluídos, mas Warren nunca deixara de querer se encaixar socialmente. Além do mais, ele gostava de jogar golfe, e o clube tinha um bom campo. Graças às suas relações, ele conseguiu continuar no clube.

Mas agora seus talentos eram evidentes para um número muito maior de pessoas – e lhe traziam sócios cada vez mais importantes. Em fevereiro de 1959, Casper Offutt e seu filho Cap Jr., membros de uma das famílias mais destacadas de Omaha, o procuraram para começar uma nova sociedade. Quando Warren explicou que não saberiam o que ele estava comprando, Casper falou. "Bem, eu não vou colocar nenhum dinheiro se não souber onde ele está, nem se você tiver controle total e eu não tiver qualquer voz no assunto."[60] Mas Casper, junto com o irmão John e William Glenn, um homem de negócios cujos imóveis eram administrados por Chuck Peterson, investiram mesmo assim. Puseram 50 mil dólares na Glenoff, a sétima sociedade.

Durante todo o tempo em que Warren investia, nesses primeiros anos das sociedades, ele nunca se afastou dos princípios de Ben Graham. Tudo o que ele comprava era extraordinariamente barato, guimbas de charuto quase apagadas, mas que continham uma baforada extra. Mas isso foi antes de ele conhecer Charlie Munger.

---

* Esquema Ponzi é uma expressão usada para designar uma forma fraudulenta de se ganhar dinheiro rápido, batizada com o nome do imigrante italiano Charles Ponzi (1862-1949), que deu um golpe famoso no mercado nos anos que se seguiram à Primeira Guerra Mundial. (*N. do T.*)

23
O Omaha Club
Omaha – 1959

Como a porta de aço de um banco, os portais arqueados do Omaha Club se fechavam atrás de banqueiros, donos de seguradoras e executivos de estradas de ferro enquanto George, o porteiro negro, lhes dava as boas-vindas. Depois de partidas de squash no subsolo ou vindo dos escritórios no centro da cidade, aqueles homens matavam o tempo diante da lareira revestida em cerâmica, no saguão principal, tagarelando, até que suas mulheres entrassem por uma porta lateral, separada, na fachada do prédio no estilo da Renascença italiana, para se juntarem a eles. Os casais subiam uma escadaria em caracol até o segundo andar, passando no caminho por uma pintura em tamanho natural de um escocês pescando uma truta num rio. O Omaha Club era aonde a cidade inteira ia para dançar, arrecadar fundos, casar e comemorar aniversários. Mas, acima de tudo, era aonde a cidade ia para fazer negócios, pois nas suas mesas era possível conversar em paz.

Numa sexta-feira de verão, em 1959, Buffett cruzou a entrada do clube para almoçar com dois de seus sócios, Neal Davis e seu cunhado Lee Seeman, que tinham combinado apresentá-lo a um amigo de infância de Davis. O pai de Neal, o Dr. Eddie Davis, dissera a Warren, quando os Davis entraram para a sociedade: "Você me lembra de Charlie Munger." Agora Munger estava na cidade para cuidar dos bens do pai.[1]

Munger sabia pouco sobre o "jovem Buffett de cabelo escovinha", seis anos mais novo que ele. De forma coerente com sua visão geral da vida, ele não tinha expectativas muito altas sobre o encontro.[2] Desenvolvera o hábito de esperar pouco, para não se desapontar. E Charles T. Munger raramente encontrava alguém a quem gostasse de ouvir tanto quanto a si mesmo.

Os Munger tinham começado na pobreza, mas, no final do século XIX, T. C. Munger, avô de Charlie, se tornou juiz federal e deu proeminência à família, que passou a ser bem recebida nos salões de Omaha – e não apenas na porta dos fundos, entregando mercadorias, como os Buffett. O juiz Munger, um férreo disciplinador, obrigou a família inteira a ler *Robinson Crusoé*, para absorver a mensagem do livro sobre a conquista da natureza por meio da disciplina. Ele era conhecido no Meio-Oeste por dar longuíssimas instruções ao júri.[3] Gostava de dar lições aos parentes sobre as virtudes de economizar e sobre os vícios do jogo e dos saloons. A puritana Ufie, tia de Charlie, que prestava atenção naquilo tudo, "continuou ativa até passar dos 80 anos. Dominava sua paróquia, economizava dinheiro e ainda se sentiu na obrigação de participar, com naturalidade, da autópsia de seu bem-amado esposo".[4]

Al, filho do juiz Munger, seguiu os passos do pai e tornou-se um respeitado advogado, embora não chegasse a ficar rico. Tinha entre seus clientes o jornal *Omaha World-Herald* e outras importantes instituições locais. Despreocupado e muito diferente de seu pai, era visto com frequência desfrutando um cachimbo, caçando ou pescando. Seu filho, mais tarde, disse que Al Munger "conquistou exatamente aquilo que queria, nem mais nem menos... Com menos barulho que seu pai e seu filho, que passaram um tempo considerável prevendo problemas que nunca aconteceram".[5]

A esposa de Al, a bela e inteligente Florence "Toody" Russell, vinha de outro clã criado à base do dever e da retidão moral, uma família de empreendedores da Nova Inglaterra, intelectuais conhecidos por aquilo que Charles chamava de "muita austeridade na vida e pensamentos elevados". Quando anunciou que ia se casar com Al Munger, sua avó idosa observou aqueles óculos de lentes grossas, aquela figura com 1,65 metro de altura e ficou estupefata. "Quem imaginaria que ela teria essa ideia!", foi a frase que supostamente disse.

Al e Toody Munger tiveram três filhos: Charles, Carol e Mary. Uma foto de Charles quando pequeno já mostra a expressão petulante que seria tão típica dele mais tarde. Na Dundee Elementary School, suas características mais marcantes eram um par de orelhas de abano, como as de um duende, e, quando ele queria, um enorme sorriso. Era considerado inteligente, "vigoroso" e "independente demais para curvar-se diante das expectativas dos professores", segundo sua irmã Carol Estabrook.[6] "Inteligente e espertinho" é como uma vizinha dos Munger, Dorothy Davis, se lembra de Charles desde a mais tenra infância.[7] A senhora Davis tentou controlar a influência de Charlie sobre seu filho Neal, mas nada domava sua boca, nem mesmo a presença dela, de vara na mão, correndo atrás dos dois para dar um corretivo.

Warren suportara os dissabores da infância com pouquíssima rebeldia, tendo aprendido a esconder seu sofrimento e a adotar ardilosas estratégias de sobrevivência. Orgulhoso demais para se submeter, Charlie sofreu as desgraças da juventude aplicando seu talento em um sarcasmo cortante. Escalado, todas as noites de sexta-feira, como parceiro de Mary McArthur – a única menina mais baixa que ele – nas aulas de dança de Addie Fogg, Charlie não escondia sua irritação diante daquela rotina, que realçava sua condição de segunda criança mais baixa da turma.[8] Na Central High School, ele ganhou o apelido de "Cérebro" e a reputação de agitado e arredio.[9]

Como membro de uma família que dava valor ao saber, ele cresceu com ambições intelectuais e se matriculou na Universidade de Michigan aos 17 anos, formando-se em Matemática. Serviu o Exército por um ano, depois de Pearl Harbor, na metade do curso. Durante o serviço militar frequentou a Universidade do Novo México e o Caltech, o Instituto de Tecnologia da Califórnia, cumprindo créditos em meteorologia, embora nunca tenha concluído o curso. Depois de mais algum estudo, trabalhou em Nome, no Alaska, como meteorologista do Exército. Mais tarde Munger faria questão de dizer que nunca esteve na ativa, enfatizando sua sorte por servir longe do perigo. O principal risco que corria era financeiro. Incrementou seu soldo com ganhos no pôquer. Descobriu que era bom no jogo, que acabou se transformando na sua versão pessoal das corridas de cavalo. Aprendeu a sair depressa da mesa quando as chances eram ruins e a apostar pesadamente quando eram boas – uma lição que ele usaria em benefício próprio, algum tempo depois, na vida.

Com a ajuda de bons contatos familiares, depois da guerra ele entrou com arrogância na Harvard Law School, mas não conseguiu o diploma universitário.[10] Ele já estava casado com Nancy Huggins – uma união impulsiva, feita quando ele tinha 21 anos e ela, 19. Tornara-se um jovem elegante, de estatura mediana, com os cabelos escuros cortados rente e um olhar alerta que lhe dava um ar refinado. Mas sua característica mais marcante – além das orelhas, agora menos afastadas do crânio – era uma expressão de permanente ceticismo. Ele a empregou constantemente em Harvard – onde não aprendeu nada, diz.[11] Depois, como contaria mais tarde aos amigos, olhou um mapa e se perguntou: "Qual é a cidade que está em crescimento e cheia de oportunidades para ganhar muito dinheiro e, ao mesmo tempo, não é tão grande e desenvolvida a ponto de tornar difícil entrar para o rol dos homens mais importantes do lugar?" Escolheu Los Angeles.[12] Pasadena – o gracioso subúrbio com sabor espanhol onde ele frequentara o Caltech – causou uma boa impressão. Foi ali que conheceu sua mulher, de uma família importante da região. Nancy era "determinada e mimada", diz sua filha Molly, características que não eram exatamente adequadas ao temperamento de seu jovem marido.[13] Em poucos anos o casamento começou a atravessar dificuldades. Apesar de tudo, depois de Harvard eles voltaram com o filho Teddy para a cidade natal de Nancy e se estabeleceram em Pasadena, onde Charlie se tornou um bem-sucedido advogado.

Em 1953, depois de três filhos e oito anos de incompatibilidades, brigas e sofrimento, Munger se divorciou, numa época em que o divórcio era considerado uma desgraça. Apesar dos problemas, ele e Nancy chegaram a um entendimento civilizado em relação ao filho e às duas filhas. Munger mudou-se para um quarto no University Club, comprou um Pontiac amarelo amassado e com uma pintura malfeita, "para desencorajar interesseiras", e se transformou num devotado "pai de fim de semana".[14] Então, um ano depois da separação, Teddy, na época com 8 anos, foi diagnosticado com leucemia. Munger e a ex-mulher procuraram toda a comunidade médica, mas descobriram que a doença era incurável. Juntos, passavam um longo tempo sentados na ala dos pacientes graves, ao lado de outros pais e avós que assistiam às suas crianças sucumbirem à doença.[15]

Teddy entrava e saía do hospital com frequência. Charlie o visitava, apertava-o nos braços e saía pelas ruas de Pasadena chorando. Considerava quase insuportável a combinação do casamento fracassado com a doença terminal do filho. A solidão de ser um pai divorciado, nos anos 1950, também o feria. Sentia-se um fracasso, sem uma família completa, quando queria viver cercado de crianças.

Quando as coisas estavam mal, Munger estabelecia novas metas, em vez de afundar no pessimismo.[16] Isso podia ser interpretado como pragmatismo e até insensibilidade, mas para ele era uma forma de manter um horizonte à vista. "Nunca se deve permitir, ao enfrentar uma incrível tragédia, que ela se transforme em duas ou três, por falta de força de vontade", ele diria mais tarde.[17]

Assim, mesmo enquanto cuidava de seu filho moribundo, Munger decidiu se casar de novo. Mas seu método de analisar as chances de um casamento bem-sucedido o deixava pessimista.

"*Charlie sofria por não saber se algum dia conheceria outra pessoa. 'Como posso encontrar alguém? Entre os 20 milhões de habitantes da Califórnia, metade são mulheres. Desses 10 milhões, apenas 2 milhões estão na idade certa. Desse grupo, 1,5 milhão estão casadas, ou seja, sobrariam apenas 500 mil. Dessas, 300 mil seriam burras demais, 50 mil espertas demais. E das restantes 150 mil, aquelas com quem eu gostaria de casar caberiam numa quadra de basquete. Tenho que encontrar uma delas. E preciso estar na quadra de basquete dela também.'*"

O hábito mental de Munger de manter as expectativas baixas era bem arraigado. Ele o considerava uma rota segura para a felicidade, pois achava que esperar muita coisa levava as pessoas a buscarem defeitos em tudo. Baixas expectativas reduziam as chances de desapontamento. Paradoxalmente, entretanto, também podiam atrapalhar o sucesso.

Em desespero, Munger começou a acompanhar notícias de divórcios e mortes, para encontrar mulheres que tivessem ficado sozinhas recentemente. Aquilo chamou a atenção dos amigos, que acharam tudo um tanto patético e resolveram intervir. Um de seus sócios no escritório de advocacia apareceu com outra Nancy, uma divorciada com dois meninos pequenos. Nancy Barry Borthwick, uma morena baixinha, jogava tênis, esquiava e gostava de golfe. Também era formada em Economia, por Stanford, com louvor – tinha sido membro da sociedade Phi Beta Kappa, que recebia apenas os melhores alunos.

No primeiro encontro, ele avisou: "Sou didático." A ideia de ter por perto um homem com a necessidade de ensinar não abalou Nancy, o que era um bom sinal para o relacionamento. Começaram a levar os filhos juntos para passeios. A princípio, Teddy ia com eles, mas logo ficou doente demais. Mais tarde, Charlie, com 31 anos, passou muito tempo ao lado da cabeceira da cama de Teddy, em suas últimas semanas. Quando Teddy morreu, em 1955, aos 9 anos, Charlie tinha perdido quase 10 quilos. "Não posso imaginar uma experiência pior na vida do que perder um filho centímetro por centímetro", diria mais tarde.[18]

Charlie se casou com Nancy Borthwick em janeiro de 1956. Logo ela se transformou na sua âncora. Ele precisava desesperadamente de alguém que arrumasse a sua vida. Nancy tinha coragem de furar, sem hesitação, o balão de Charlie quando ele se inflava demais. Era uma administradora excelente, calma, observadora, racional e prática. Nancy continha os caprichos de Charlie, em seus ocasionais acessos de impulsividade. Com o tempo, tiveram outros três meninos e uma menina, que se juntaram às duas meninas dele e aos dois meninos dela. Nancy dedicou-se a cuidar de oito crianças, da casa e de Charlie.[19] As crianças o chamavam de "livro com pernas", pois estudava sem parar as ciências e as conquistas dos grandes homens.

Ao mesmo tempo, ele continuava a buscar a fortuna no escritório de advocacia Musick, Peeler & Garrett, mas percebeu que o Direito não o tornaria rico. Começou então a se dedicar a projetos paralelos mais lucrativos. *"Charlie, como um advogado muito jovem, ganhava provavelmente uns 20 dólares por hora. Pensou então: 'Quem é meu cliente mais importante?' E resolveu que era ele mesmo. Decidiu gastar uma hora trabalhando para si mesmo, todos os dias. Ele fazia aquilo no início das manhãs, antes de trabalhar naqueles projetos de construção e contratos de imóveis. Todo mundo deveria fazer o mesmo, ser seu próprio cliente, e então trabalhar para os outros também. Gastar consigo uma hora por dia."*

"Eu tinha uma vontade considerável de ficar rico", diz Munger. "Não por querer uma Ferrari – queria independência. Desesperadamente. Considerava pouco digno enviar faturas para outras pessoas. Não sei de onde tirei essa ideia, mas era o que eu pensava."[20] Ele se via como uma espécie de escudeiro. O dinheiro não era uma questão de competição. Ele queria estar no clube certo, mas não se importava se os outros membros fossem mais ricos que ele. Sob aquela superfície arrogante havia uma genuína humildade, decorrente do respeito profundo que ele sentia pelas conquistas autênticas – uma qualidade que seria crucial para a relação que manteria com o homem que estava para conhecer.

Aquele homem sentado do outro lado da mesa, numa sala privativa do Omaha Club, e que agora começava a falar, estava vestido como um vendedor de seguros novato abordando um cavalheiro. Bem vivido, Munger já estava estabelecido no mundo dos negócios e na sociedade de Los Angeles, e sua aparência indicava isso. Tão logo Davis e Seeman fizeram as apresentações, os dois começaram uma conversa particular. Charlie contou que tinha chegado a ser "explorado", durante um curto período, na mercearia dos Buffett, onde "ficava ocupado da primeira hora da manhã até à noite".[21] Mas até que Ernest dava uma "boa vida" aos filhos das suas clientes favoritas, como Toody Munger, pelo menos se comparada com o resto de seus sobrecarregados funcionários.[22] Depois da troca de delicadezas a conversa ganhou velocidade. O resto do grupo ouvia, encantado, enquanto Warren falava de investimentos e de Ben Graham. Charlie captou os conceitos imediatamente. *"Ele já tinha passado muito tempo pensando sobre aplicações e negócios",* diz Buffett.

Ele contou a Charlie a história da seguradora National American. Munger tinha sido colega de Howard e Hayden Ahmanson na Central High. Ficou surpreso que alguém como Buffett, que não era da Califórnia, pudesse saber tanto sobre os Ahmanson e seus negócios. Logo os dois estavam falando ao mesmo tempo, mas de alguma forma pareciam se entender perfeitamente.[23] Depois de um tempo, Charlie perguntou: "Warren, o que é que você faz, exatamente?"

"Bom, cuido de umas sociedades", explicou Buffett, *"e faço isto, isso e aquilo."* Em 1957, disse, as sociedades tinham obtido lucros de mais de 10% ao ano, enquanto o mercado tinha caído 8%. No ano seguinte elas tinham aumentado o valor de seus investimentos em mais de 40%.[24] Até então as comissões de Buffett pela administração das sociedades, reinvestidas, chegavam a 83.085 dólares para uma contribuição inicial sua de apenas 700 dólares – 100 dólares para cada sociedade[25] – ou seja, o equivalente a 9,5% do valor de todas as sociedades juntas. Além disso, seu desempenho estava perto de bater novamente o índice Dow Jones em 1959, o que o deixaria ainda mais rico e elevaria a sua participação. Os investidores estavam animados, e novos sócios não paravam de chegar. Charlie escutava. Depois de um tempo, perguntou. "Você acha que eu poderia fazer alguma coisa parecida lá na Califórnia?" Warren fez uma pausa e olhou para ele. Era uma

pergunta inesperada a que lhe fazia um bem-sucedido advogado de Los Angeles. "Bem", ele disse, "estou certo de que você poderia fazê-lo."[26] Quando a refeição chegou ao fim, Seeman e Davis decidiram que era hora de partir. Ao entrarem no elevador, a última visão que eles tiveram foi a de Buffett e Munger ainda na mesa, completamente absortos.[27]

Algumas noites depois os dois levaram suas mulheres ao Johnny's Café, um restaurante especializado em carnes decorado com veludo vermelho, onde Munger ficou tão inebriado com uma de suas próprias piadas que caiu da cadeira e rolou no chão de tanto rir. Quando os Munger voltaram para Los Angeles, a conversa prosseguiu a prestações, e os dois passaram a falar-se por telefone, por uma ou duas horas, com uma frequência cada vez maior. Buffett, que já fora um aficionado do pingue-pongue, encontrara algo bem mais interessante.

"Por que você dá tanta atenção a ele?", Nancy perguntou ao marido.

"Você não compreende", disse Charlie. "Ele não é um ser humano comum."[28]

24

A locomotiva

Cidade de Nova York e Omaha – 1958-1962

Warren e Susie pareciam pessoas comuns. Eram discretos. A casa era grande, mas sem ostentação. No quintal havia uma cabana de madeira para as crianças. A porta dos fundos nunca ficava trancada. Crianças da vizinhança entravam e saíam. Dentro de casa, os Buffett trilhavam caminhos diferentes, numa velocidade cada vez maior. Enquanto Susie adicionava mais escalas em sua agenda diária, Warren partia para uma viagem sem paradas até a Montanha do Dólar.

Até 1958, sua rota direta era comprar uma ação e esperar que a guimba de charuto reacendesse. Então, normalmente, vendia, algumas vezes com pesar, para comprar outra ação que quisesse mais. Suas ambições eram limitadas pelo capital das sociedades.

Naquele momento, porém, ele estava cuidando de mais de 1 milhão de dólares em sete sociedades diferentes, além da Buffett & Buffett e de seu dinheiro pessoal,[1] o que lhe permitia operar numa escala diferente. Sua rede de parceiros de negócios, com Stanback, Knapp, Munger, Brandt, Cowin, Schloss e Ruane, tinha crescido. As contas de telefone – a sua e a de Munger – eram ultrajantes para os seus padrões. Munger lhe apresentara seu amigo Roy Tolles, um ex-piloto alto e magro, de sorriso plácido, que guardava seus pensamentos rápidos para si – a não ser quando lançava algumas farpas muito bem aplicadas, o que fazia com que as pessoas "precisassem manter à mão uma caixa de band-aids", segundo um amigo. Buffett, como Munger, era capaz de se desviar e contra-atacar com habilidade – e por isso acrescentou Tolles à sua coleção. A capacidade de arregimentar voluntários para a sua causa criara uma ampla estrutura de apoio que talvez só pecasse pela organização um pouco frouxa. De uma forma mais ou menos automática, Warren tirava partido desses admiradores, organizados em células separadas, conseguindo que ajudassem a defender seus interesses – que tinham se multiplicado tão depressa que ele não dava mais conta de cuidar pessoalmente de todos os detalhes.

Haviam ficado para trás os dias em que Warren podia se sentar em seu escritório em casa, escolhendo ações com a ajuda do *Security Analysis* ou dos *Moody's Manuals*. Cada vez mais se envolvia em projetos de maior escala, mais lucrativos, que necessitavam de tempo e planejamento para serem executados – mais até do que o projeto de compra das ações da National American Insurance. Algumas vezes esses projetos se desdobravam em episódios complicados e até dramáticos, que absorviam sua atenção por meses ou mesmo anos. E havia diversos desses projetos de investimento se desenrolando ao mesmo tempo. Nessa altura, ele já se preocupava por estar ausente da vida familiar. O crescimento da escala dos negócios pioraria ainda mais essa tendência, ao mesmo tempo que o aproximaria mais dos amigos.

O primeiro episódio complicado envolveu uma empresa chamada Sanborn Map. Ela publicava mapas detalhados das linhas de energia, tubulações de água e esgoto, rodovias e saídas de incêndio de todas as cidades dos Estados Unidos, mapas que geralmente eram adquiridos por empresas de seguros.[2] Não era um negócio campeão. Sua base de clientes estava diminuindo à medida que as seguradoras se fundiam. Mas as ações estavam baratas, a 45 dólares cada, enquanto só a carteira de investimentos da Sanborn valia 65 dólares por cota. Para colocar as mãos nessa carteira, porém, Warren precisava não apenas do dinheiro das sociedades, mas também da ajuda de outras pessoas.

Em novembro de 1958 ele aplicou mais de um terço dos recursos das sociedades na Sanborn. Comprou também ações para si mesmo e para Susie. Fez com que a tia Alice, seu pai, sua mãe e suas irmãs comprassem. Passou a ideia para Cowin, Stanback, Knapp e Schloss. Algumas pessoas entraram na jogada, considerando aquilo um favor pessoal. Pegou uma porcentagem do lucro das sociedades para alavancar o capital. Para ter mais ações sob seu controle, colocou no negócio Don Danly, seu companheiro de fliperama e de furtos na escola secundária; o melhor amigo do pai, Vic Spintler; o marido de Dottie, Homer Rogers; e Howard Browne, o cabeça da Tweedy, Browne e Reilly, a firma de corretagem onde Tom Knapp trabalhava. Também comprou ações com dinheiro de Catherine Elberfeld e Anne Gottschaldt, tia e mãe de seu amigo Fred Kuhlken. Como, até então, ainda não tinha incluído Gottschaldt nem Elberfeld numa sociedade, havia fortes indícios de que ele considerava a Sanborn uma aposta garantida. Com o tempo, ele passou a controlar um volume suficiente de ações da Sanborn para ser eleito para o conselho de administração.

Em março de 1959, Warren fez uma de suas viagens regulares a Nova York, hospedando-se em Long Island, na casinha branca em estilo colonial de Anne Gottschaldt. Na época, ela e a irmã já tinham adotado Warren como uma espécie de filho, talvez para substituir Fred, falecido havia tantos anos. Warren mantinha pijamas e roupas de baixo sobressalentes na casa, e Gottschaldt preparava hambúrgueres para seu café da manhã. Ele partia para essas viagens com uma lista de 10 a 30 assuntos que queria resolver. Ia até à biblioteca da Standard & Poor's para fazer pesquisas. Visitava algumas empresas, conversava com alguns corretores e sempre passava algum tempo com Brandt, Cowin, Schloss, Knapp e Ruane, sua rede social de Nova York.

Essa viagem em particular seria longa, de quase 10 dias. Tinha encontros para examinar possíveis projetos para as sociedades e outro compromisso importante: sua primeira reunião como membro do conselho da Sanborn Map.

O conselho da Sanborn era formado quase exclusivamente por representantes de empresas de seguros – sua maior clientela – e funcionava mais como um clube do que como um negócio, a não ser pelo fato de que as reuniões não eram seguidas por uma partida de golfe. Nenhum dos conselheiros possuía mais do que uma quantidade simbólica de ações.[3] Na reunião, Warren propôs que a empresa distribuísse os dividendos entre os acionistas. Mas, desde a Depressão e a Segunda Guerra Mundial, os negócios americanos tratavam o dinheiro como uma mercadoria rara que deveria ser acumulada e economizada. Essa maneira de pensar se tornara automática, uma premissa inicial que nunca era questionada, apesar de as justificativas econômicas terem desaparecido. O conselho considerou ridícula a ideia de separar a carteira de investimentos do negócio de mapas. Então, já no final da reunião, trouxeram uma caixa de charutos, que foram distribuídos. Enquanto os conselheiros fumavam, Warren soltava fogo pelas ventas. "É o meu dinheiro que está pagando esses charutos", pensou. Na volta para o aeroporto, tirou da carteira as fotos das crianças e ficou olhando para elas, para baixar sua pressão sanguínea.

Frustrado, Warren decidiu que, em nome dos outros acionistas, tomaria a empresa das mãos daquele conselho de incompetentes. Eles mereciam mais. Assim, o grupo de Buffett – Fred Stanback, Walter Schloss, Alice Buffett, Dan Cowin, Henry Brandt, Catherine Elberfeld, Anne Gottschaldt e alguns outros – continuou a comprar. Warren também usou dinheiro novo que entrava nas sociedades. Fez com que Howard fizesse investimentos na Sanborn para alguns de seus clientes. Warren estava fazendo provavelmente um favor financeiro ao pai enquanto apertava seu controle sobre a empresa.

Em pouco tempo, amigos de Warren, incluindo o famoso gestor de recursos Phil Carret, que tinham comprado ações da Greif Bros. e da Cleveland's Worst Mill depois de ouvirem Warren falar nesses papéis, encurralaram cerca de 24 mil ações. Assim que ganharam controle efetivo, Warren decidiu que era hora de agir. O mercado de ações estava em alta e ele queria que a Sanborn descarregasse seus investimentos no momento certo. Booz Allen Hamilton, que fazia a consultoria estratégica da empresa, já tinha um plano para fazer isso,[4] mas o ponto crucial eram os impostos. Se a Sanborn se desfizesse dos investimentos, teria que pagar impostos de quase 2 milhões de dólares. Warren ofereceu uma solução parecida com a que fora empregada na Rockwood & Co., o truque de trocar investimentos por ações, que não pagavam imposto.

Outra reunião do conselho aconteceu, na qual nada se resolveu além de mais dinheiro dos investidores ser transformado em fumaça de charutos. Pela segunda vez Buffett fez o caminho do aeroporto olhando os retratos dos filhos para se acalmar. Três dias depois ameaçou convocar uma reunião especial e assumir o controle da empresa, a menos que os diretores tomassem providências até 31 de outubro.[5] Sua paciência tinha acabado.

Agora o conselho não tinha escolha. Concordaram em separar os dois negócios. Mesmo assim, a questão continuava sendo como lidar com os impostos. Um dos representantes das seguradoras falou: "Vamos entubar os impostos."

"E eu disse: 'Espere um momento. Vamos significa nós vamos. Quem é o nós em questão? Se todo mundo em torno desta mesa quiser fazer isso igualmente, tudo bem, mas se quiserem fazê-lo proporcionalmente à posse das ações, vocês vão pagar o valor de 10 ações em impostos, e eu vou pagar o equivalente a 25 mil ações. Esqueçam!' O sujeito estava falando em entubar os 2 milhões em impostos só porque não queria se dar ao trabalho de fazer a recompra de ações.[6] Pensei na distribuição dos charutos. Eu estava pagando 30% de cada um daqueles charutos. E era o único cara que não fumava charutos. Eles deveriam pagar por um terço dos meus chicletes!"

No final das contas, o conselho se rendeu. Assim, pela simples combinação de energia, organização e vontade, no início de 1960 Warren ganhou a briga. A Sanborn fez aos seus acionistas uma oferta semelhante à da Rockwood, trocando uma parcela de sua carteira de investimentos por ações.[7]

O negócio com a Sanborn representou um novo marco. Buffett podia usar seu cérebro e o dinheiro da sociedade para alterar o curso até mesmo de uma empresa teimosa e reticente.

Durante aquele episódio, enquanto Buffett ia e voltava de Nova York e trabalhava no projeto Sanborn, tentando descobrir onde poderia achar as ações de que precisava para assumir o controle e como fazer o conselho se comportar de forma a não precisar pagar os impostos e ainda procurando novas ideias para investimentos, sua mente rodava com milhares de números, que apareciam e desapareciam dentro de sua cabeça. Em casa, ele se enfurnava no andar de cima para fazer leituras e pensar.

Susie compreendia seu trabalho como uma espécie de missão sagrada. Apesar disso, tentava fazer com que ele saísse do escritório e vivesse o mundo familiar: passeios programados, férias, jantares em restaurantes. Susie tinha um ditado: "Qualquer um pode ser pai, mas é preciso ser papai também."[8] Entretanto, estava se dirigindo a alguém que nunca tivera o tipo de pai do qual ela estava falando. "Vamos ao Bronco's", ela dizia, colocando no carro uma penca de meninos das redondezas para comer hambúrgueres. À mesa, Warren ria quando algo engraçado acontecia, mas raramente falava. Seus pensamentos pareciam estar em outra parte.[9] Uma vez, durante férias na Califórnia, ele levou um bando de crianças para a Disneylândia e ficou sentado num banco, lendo, enquanto os meninos corriam de um lado para outro, se divertindo.[10]

Peter tinha agora quase 2 anos. Howie estava com 5, e a pequena Sooz – que tinha seu próprio reino forrado com algodão em xadrez rosa e uma cama com dossel a que se chegava por uma escada – tinha 6 anos e meio. Howie testava os pais, destruindo coisas para ver que reação teriam. Implicava com Peter, que demorou a começar a falar, beliscando o irmão o dia inteiro, como se fosse uma espécie de experimento científico, só para ver como reagiria.[11] A pequena Susie, que tentava fiscalizar os dois para manter tudo sob controle, começou a descobrir maneiras de acertar as contas com Howie. Certa vez sugeriu a ele que furasse o fundo da caixa de leite com um garfo. Enquanto Howie se divertia com a visão do leite jorrando sobre a mesa da cozinha, ela correu até o outro andar berrando: "Mãããããe, o Howie está sendo mau de novo!"[12] Warren simplesmente deixava que Susie lidasse com a energia explosiva do filho. E tudo de que Howie se recorda é que a mãe "quase nunca ficava zangada e sempre me dava apoio".[13]

Susie fazia malabarismos para dar conta de tudo e ainda cumprir o papel esperado de uma esposa da classe média nos anos 1960: estar todos os dias perfeitamente bem-arrumada, com vestidos de bom corte ou terninhos e os cabelos modelados à base de laquê; tomar conta cuidadosamente da família; tornar-se uma líder comunitária e receber com gentileza os companheiros de negócios do marido, como se isso não exigisse esforço maior do que jogar no forno uma refeição congelada. Warren permitiu que ela contratasse empregadas para ajudá-la, e logo uma série de babás passou a morar num quarto claro e arejado, com banheiro próprio, no segundo andar. Letha Clark, a nova governanta, assumiu uma parte das tarefas. Susie geralmente começava sua agenda social por volta de meio-dia, recebendo pessoas em almoços de caridade. Depois da escola levava a pequena Susie para as reuniões das bandeirantes. Ela sempre se descreveria como uma pessoa simples, mas constantemente acumulava tarefas que tornavam a sua vida complicada. Organizou um grupo chamado Bureau de Voluntários[14] para fazer desde trabalhos de escritório até dar aulas de natação na Universidade de Omaha. "Você também pode ser um Paul Revere", era o lema, evocando a imagem de um indivíduo que salva uma nação inteira com seus feitos ousados e altruístas.

Susie – como Paul Revere – estava impaciente para montar e sair a cavalo.[15] Corria de um lado para outro em meio a obrigações familiares e um número crescente de pessoas que queriam sua atenção. Muitas delas estavam perdidas ou traumatizadas por alguma razão.

Sua melhor amiga, Bella Eisenberg, era uma sobrevivente de Auschwitz que chegara à América e a Omaha depois da libertação do campo. Pensava em Susie como alguém a quem podia recorrer às 4 horas da manhã, quando os demônios costumavam atacar.[16] Outra amiga, Eunice Denenberg, era apenas uma criança quando viu o pai se enforcar. Coisa incomum entre as famílias brancas de bom nível, os Buffett tinham amigos negros, incluindo o astro do beisebol Bob Gibson e sua mulher Charlene. Ser considerado uma estrela dos esportes não era muita coisa nos anos 1960, se você fosse negro. "Eram tempos em que os brancos não queriam ser vistos andando com os negros em Omaha", confirma um amigo de infância de Buffett, Byron Swanson.[17]

Susie procurava ajudar todo mundo. De fato, quanto mais atormentada era a pessoa, mais vontade Susie tinha de ajudar. Interessava-se profundamente pela vida pessoal de gente que mal conhecia. Warren se recorda de um jogo de futebol, quando a deixou na fila de um quiosque e, ao voltar do banheiro minutos mais tarde, a mulher que estava do lado de Susie na fila dizia: "Olhe só, nunca contei isso para ninguém antes...", enquanto ela ouvia, parecendo fascinada. Quase todo mundo que Susie conhecia parecia se sensibilizar com o tipo de atenção que ela oferecia. Mas, mesmo com os amigos mais próximos, Susie quase sempre tomava o cuidado de não dividir seus próprios problemas.

Ela assumia o mesmo papel de anjo da guarda com a própria família, especialmente com a irmã Dottie, que gostava de música como Susie, fundara a Opera Guild e continuava a ser a bela da família, mas parecia se sentir vazia e, como alguém descreveu, "corajosamente infeliz". Ela se mantinha serena na superfície, mas contou a Susie que nunca chorava porque, se começasse, não conseguiria mais parar. Homer, seu marido, parecia frustrado por não conseguir penetrar no casulo da mulher. Ainda assim, os Rogers mantinham uma vigorosa agenda social e à noite, entre bebidas e celebrações, os dois filhos pequenos ficavam soltos. Às vezes Homer os punia severamente, ou então Dottie implicava de forma cruel com Billy – por isso, Susie dispensava aos sobrinhos os mesmos cuidados que tinha com os filhos.

Ela também ajudava os Buffett mais velhos, que estavam sobrecarregados com os problemas de saúde de Howard e seu radicalismo. No momento em que o resto da América começava a compartilhar uma espécie de paranoia coletiva em relação ao comunismo, Howard foi além. No final dos anos Eisenhower, os americanos sentiam que seu país, amolecido e esbanjando prosperidade, estava perdendo a corrida armamentista e viviam assombrados pela amedrontadora imagem do premier Nikita Krushchev batendo o sapato na mesa, nas Nações Unidas, e exclamando: "Vamos enterrar vocês!" Todos os 180 milhões de americanos haviam feito algum tipo de treinamento antiaéreo, sendo que os mais jovens se agachavam sob as carteiras escolares. Em 1961, o Muro de Berlim separou a Alemanha Ocidental da Oriental. Mais de um bilhão de pessoas viviam agora sob o comunismo em 20 países do globo. O rápido avanço do comunismo, numa área tão ampla, deixava a nação atônita. Howard entrou para um grupo recém-formado, a Sociedade John Birch, que combinava a paranoia com o comunismo com aquilo que ele descrevia como uma "preocupação com os problemas morais e espirituais da América, que permanecerão conosco mesmo se o comunismo for detido amanhã".[18] Ele cobriu as paredes do seu escritório com mapas que mostravam em vermelho o ameaçador avanço do comunismo. Ele e Doris ajudaram a levar para Omaha a Cruzada Cristã Anticomunista[19] e se lançaram no apoio ao movimento de conservadores radicais que se aglutinavam em torno do senador do Arizona Barry Goldwater. Howard era respeitado por ser um purista filosófico na ala mais liberal do Partido Republicano, mas qualquer um ligado à Sociedade John Birch atraía ao mesmo tempo repulsa e desprezo. Depois de ter procurado a imprensa local para defender sua associação, as pessoas cada vez mais o classificavam como excêntrico. Saber que Omaha debochava do seu querido pai era doloroso para Warren.

Mas sua ansiedade no tocante ao pai tinha mais relação com os estranhos sintomas que Howard vinha apresentando já havia 18 meses e que os médicos pareciam não conseguir diagnosticar, apesar de ele ter feito uma visita à Clínica Mayo, em Rochester, Minnesota.[20] Finalmente, em maio de 1958, Howard foi informado de que tinha câncer no cólon e que precisava ir imediatamente para a mesa de cirurgia.[21] Warren ficou perturbado pelo diagnóstico – e furioso com o que considerou uma indesculpável demora dos médicos no diagnóstico. A partir daí, Susie procurou protegê-lo dos detalhes sobre a doença do pai.[22] Fazia massagens para ele relaxar e mantinha sua casa funcionando como sempre. Também se dedicou a apoiar Leila durante a internação e a cirurgia de Howard e em sua longa recuperação. Fez tudo isso com um ânimo elevado. Ela se destacava ainda mais com sua presença serena e tranquilizante, com a qual todos podiam contar nos momentos de crise. Ajudou os filhos mais velhos a entenderem a doença e garantiu que todos, mesmo o pequeno Peter, visitassem o avô regularmente. Howie assistia aos jogos de futebol universitário de tarde com Howard, que ficava sentado numa cadeira reclinável, mudando de posição constantemente durante os jogos e torcendo pelo time que estivesse perdendo. Quando Howie quis saber por quê, ele respondeu: "Porque eles agora são os desvalidos."[23]

Enquanto o pai vivia esse suplício, Warren usava os negócios como distração. Mantinha a cabeça enterrada no *American Banker* ou no *Oil & Gas Journal*, com exceção dos rápidos intervalos em que entrava na cozinha para pegar pipoca ou uma Pepsi dos engradados de madeira, nos quais só ele tinha permissão de tocar.

Mas, de alguma forma, apesar do sofrimento e da doença de Howard, o Warren Buffett quieto e introvertido que a família conhecia se tornou aos poucos uma figura pública, independentemente do que estava acontecendo em casa. Agora ele demonstrava, diante de uma plateia, uma autoridade que parecia carregada de eletricidade. "Ele simplesmente emanava essa energia aonde quer que fosse", diz Chuck Peterson.[24] O homem que tinha impressionado Charles Munger falava de forma constante e convincente sobre investimentos e fundos. Levantava dinheiro quase tão depressa quanto conseguia falar – mas não tão depressa quanto conseguia investir.

Munger ouvia Buffett discorrer sobre suas façanhas nos investimentos e na captação de recursos, nos telefonemas quase diários que trocavam, espantando-se com a capacidade de vendas inata do amigo, que lhe permitia se promover tão bem. Dinheiro não parava de ser derramado nos cofres das sociedades. O ano de 1960 foi um divisor de águas. Tia Katie e tio Fred aplicaram quase 8 mil dólares na Buffett Associates no início do ano. Outros 51 mil dólares entraram na Underwood, em parte por meio de contatos feitos por Chuck Peterson. "*Chuck me disse: 'Gostaria que você e Susie aparecessem para jantar e conhecer os Angle.' Bem, eu não os conhecia. Ele disse que era um casal de médicos, gente muito inteligente.*"

Carol e Bill Angle moravam em frente a Peterson. Bill Angle, médico cardiologista, era um sujeito extravagante que passava as noites de inverno borrifando água na frente de casa e produzindo homens de neve perfeitamente envernizados, réplicas rechonchudas dele próprio, que ficavam ao lado dos "lagos" gelados. Sua mulher se especializara em pesquisa pediátrica.

"*Passamos para pegá-los e fomos os seis no carro para o Omaha Club. Carol Angle era uma mulher muito bonita e inteligente. Durante todo o tempo no jantar ela não conseguia tirar os olhos de mim. Quero dizer, ela estava fascinada. Eu estava ficando maluco, falando qualquer coisa e tentando desesperadamente impressioná-la. E ela parecia absorver cada palavra.*"

Depois desse falatório, que Peterson lembra ter sido persuasivo como sempre, "*deixamos o clube de campo e voltamos de carro. No caminho todo, ela continuava sem tirar os olhos de mim. Deixamos os Angle em casa. E eu disse a Chuck: 'Causei uma impressão e tanto esta noite.' Ele disse: 'Não, seu bobo. Ela é surda. Estava lendo seus lábios.' Como eu não parava de falar, ela não parava de olhar para mim.*"[25]

Mas certamente ele deixara uma boa impressão, porque depois os Angle organizaram um jantar no Hilltop House com uma dúzia de médicos que conheciam, no qual Bill sugeriu que eles formassem uma sociedade e cada um entrasse com 10 mil dólares. Um médico disse: "O que acontece se perdermos todo o dinheiro?" Bill Angle lhe deu um olhar de desgosto e respondeu: "Então formamos outra sociedade."

A sociedade Emdee, a oitava de Buffett, foi iniciada em 15 de agosto de 1960, com 110 mil dólares. O décimo segundo médico, aquele que se preocupara em perder todo o dinheiro, não entrou.

Havia outros céticos. Nem todo mundo em Omaha gostava do que ouvia sobre Warren Buffett. Sua mania de sigilo afastava as pessoas. Alguns achavam que um jovem tão bem-sucedido não daria em nada e que a autoridade que ele emanava era somente uma arrogância injustificada. Alguns resistiam à ideia de um zé-ninguém que conseguia se dar bem sem carregar pedras no caminho para o topo. Um membro de uma importante família de Omaha estava almoçando com meia dúzia de pessoas no Blackstone Hotel quando o nome de Buffett foi mencionado. "Vai quebrar em um ano", disse o homem. "Mais um ano, e ele desaparece."[26] Um sócio da Kirkpatrick Pettis, uma empresa que se fundiu à de Howard em 1957, disse várias vezes sobre a parceria: "O júri ainda não chegou ao veredicto."[27]

Naquele outono o mercado de ações, que andava inconstante, teve um rompante de alta. A economia estava se arrastando, num período de recessão branda, e o humor do país era sombrio porque os soviéticos pareciam estar ganhando as corridas armamentista e espacial. Mas quando John F. Kennedy chegou à presidência, após uma eleição apertada, a iminente mudança da administração para as mãos de um homem que representava uma geração nova e vigorosa animou a nação. Num de seus primeiros discursos, Kennedy estabeleceu uma meta: mandar o homem à Lua e trazê-lo de volta à Terra. O mercado disparou e mais uma vez surgiram comparações com 1929. Warren nunca tinha trabalhado num mercado tão especulativo, mas permaneceu sereno. Era como se ele estivesse esperando por aquele momento. Em vez de recuar, como Graham teria feito, ele fez uma coisa notável. Iniciou uma corrida para levantar ainda mais capital para as sociedades.

Colocou Bertie e o marido, o seu tio George, de Albuquerque, e seu primo Bill na Buffett Associates, a sociedade original. Wayne Eves, sócio de seu amigo John Cleary, também entrou no conselho. Finalmente, atraiu para o negócio a mãe e a tia de Fred Kuhlken, Anne Gottschaldt e Catherine Elberfeld. A presença delas ali sugeria que, para ele, o momento não era apenas muito propício, mas também muito seguro.

Três outras pessoas passaram a integrar a Underwood. Enquanto esperava um táxi na chuva, depois de assistir a uma palestra de Ben Graham em Nova York, Warren conheceu Frank Matthews Jr., filho do ex-secretário da Marinha diante do qual Vanita Mae Brown se apresentara como mulher de Warren – e Matthews se tornou um sócio.[28] Warren montou a Ann Investments, sua nona sociedade, para um membro de outra importante família de Omaha, Elizabeth Storz. Ele colocou Mattie Topp, dona da melhor loja de roupas de Omaha, e suas duas filhas e genros na décima sociedade, que começou com 250 mil dólares, a Buffett-TD.

Legalmente, ele podia ter apenas 100 sócios sem precisar de um registro junto à SEC como consultor financeiro. Conforme as sociedades floresciam, ele começou a incentivar as pessoas a se juntarem e entrarem como um sócio único. Com o tempo, formaria grupos, fazendo ele próprio os arranjos societários.[29] Mais tarde descreveu essa tática como sendo questionável – mas funcionava. Era dominado por uma compulsão para conseguir mais dinheiro, ganhar cada vez mais. Warren estava a todo o vapor, indo e voltando de Nova York num ritmo frenético. Começou a sentir dores nas costas por causa do estresse. Geralmente a dor piorava após as viagens de avião, mas ele tentou de tudo para minimizá-la – tudo, menos ficar em casa.

Nessa altura, seu nome era transmitido de boca em boca como se fosse um mistério: *Invista com Warren Buffett para enriquecer*. Mas seus procedimentos tinham mudado. Em 1960, era preciso ter no mínimo 8 mil dólares para passar pela porta. E ele não pedia mais para investirem com ele. Os outros é que tinham que abordá-lo. *"Tinha que ser ideia deles."* As pessoas não apenas não tinham a menor ideia do que ele fazia com o capital, mas precisavam aceitar essa posição.* Isso transformava os investidores em fãs e torcedores de Buffett – e reduzia as chances de que reclamassem de qualquer coisa que ele fizesse. Em vez de pedir favores, ele fazia concessões. As pessoas se sentiam em dívida com ele por lhe entregarem seu dinheiro. Ao fazer com que lhe pedissem, ele ficava no comando, do ponto de vista psicológico. Usaria essa técnica com frequência, em diferentes contextos, pelo resto da vida. Além de ajudá-lo a conseguir o que queria, ela parecia atenuar seus medos persistentes em relação a ser responsável pelo destino de outras pessoas.

Embora o seu sentimento de insegurança permanecesse, o sucesso, os cuidados e a tutela de Susie tinham lhe dado polimento e elegância. Ele começava a

---

* Embora Dan Monen ou algum outro prestativo representante geralmente inteirasse o aspirante do que fosse necessário. *(N. da A.)*

parecer poderoso, e não mais vulnerável. Muita gente ficava feliz ao lhe pedir que investisse suas economias. Buffett formou a décima primeira e última sociedade, a Buffett-Holland, em 16 de maio de 1961, para Dick e Mary Holland, amigos que ele conhecera por intermédio do seu advogado e sócio Dan Monen. Quando Dick Holland decidiu investir na sociedade, alguns parentes o pressionaram para que não o fizesse. As habilidades de Buffett eram evidentes para ele, diz Holland, apesar de as pessoas de Omaha "ainda caírem na risada" diante das suas ambições.[30] Apesar disso, as sociedades superaram o mercado em 6% em 1959. Em 1960, saltaram para quase 1,9 milhão de dólares em ativos, superando a média do mercado em 29%. Mais impressionante do que qualquer rendimento anual isoladamente era a sua comprovada capacidade para o crescimento repetido. Cada 1.000 dólares investidos no Fundo Buffett, a segunda sociedade, valiam agora 2.407, quatro anos depois. Com o índice Dow Jones, a mesma quantia seria de apenas 1.426 dólares.[31] O mais importante é que ele obtivera êxito em conquistar esse retorno maior assumindo riscos menores do que o mercado como um todo.

As comissões de Buffett, reinvestidas, tinham lhe rendido, no final de 1960, 243.494 dólares. Mais de 13% dos ativos das sociedades agora pertenciam somente a ele. Mesmo com o crescimento de sua participação, ele ganhara tanto dinheiro para os sócios que eles não estavam apenas felizes. Alguns o olhavam com veneração.

Bill Angle, sócio na Emdee, principalmente. Ele também se tornou "sócio" de Warren na construção de uma gigantesca ferrovia de brinquedo em escala HO (1/87, a escala padrão das miniaturas) no terceiro andar da casa dos Buffett, que no passado havia sido um salão de baile e agora funcionava como sótão. Warreny, o menino que se demorava na loja Brandeis todo Natal sonhando com um imenso e mágico trenzinho que não podia ter, ressurgiu no adulto. "Supervisionou" Angle enquanto o outro trabalhava para criar a sua fantasia de infância.

Warren também tentou convencer Chuck Peterson a investir no projeto. "Warren, você deve estar fora de si", disse Peterson. "Por que eu desejaria dividir com você os custos de um trem que é seu?" Mas Warren não captava isso, tão entusiasmado ele se encontrava pelo trem e os acessórios. "Você pode ir lá e usar", respondeu.[32]

O trem ocupou a maior parte do antigo salão de baile. A pista era elevada, com passagens por baixo para que um diorama pudesse ser visto por dentro das maquetes. Três locomotivas puxando uma série de vagões percorriam a enorme pista em espiral. Cortavam aldeias e mergulhavam em florestas, desapareciam em túneis, subiam montanhas e mergulhavam em vales, parando e recomeçando, conforme a sinalização, e descarrilando com frequência suficiente para dar um toque de emoção quando Buffett ligava os motores.[33]

Reluzindo com o fulgor de uma infância adiada, decorado com a ferrugem da história das ferrovias de Omaha, o trem era um totem para Warren. Seus filhos estavam proibidos de se aproximar dele. Nessa época, a sua incessante obsessão com o dinheiro e o alheamento em relação à família já eram motivo de piada entre os amigos. "Warren, aqueles são seus filhos, você os reconhece, não é?", diziam as pessoas.[34] Quando não estava viajando, podia ser encontrado vagando pela casa com o nariz enterrado em algum relatório anual. A família gravitava em torno dele e de sua missão sagrada – era uma presença afastada e silenciosa na mesa do café da manhã, com os pés para cima, ainda vestido em um roupão gasto e com os olhos grudados no *Wall Street Journal*.

A contabilidade, as tarefas bancárias, os depósitos no cofre e a correspondência exigidos por seu complicado império pessoal – que já tinha crescido para quase 4 milhões de dólares, 11 sociedades e bem mais de 100 investidores – tornaram-se avassaladores. O mais incrível é que Warren ainda cuidava sozinho de todo o dinheiro e de todo o trabalho burocrático, preenchendo os documentos para a restituição de impostos, datilografando cartas, depositando cheques de dividendos e capital, parando no caminho para uma refeição no Spare Time Café e guardando os certificados de ações no cofre do banco.

Em 1º de janeiro de 1962 Buffett reuniu todas as sociedade numa só entidade, a Buffett Partnership Ltd., ou BPL. As sociedades tinham rendido impressionantes 46% em 1961, contra 22% do Dow Jones. Depois que os sócios investiram mais dinheiro naquele 1º de janeiro, a nova Buffett Partnership Ltd. começou o ano com um patrimônio líquido de 7,2 milhões de dólares. Em apenas seis anos as sociedades se tornaram maiores que a Graham-Newman. Mas, quando a empresa de auditoria Peat, Marwick, Mitchell apareceu, o auditor Verne McKenzie precisou se debruçar sobre a documentação da BPL não em uma sala de reuniões de Wall Street, mas no quarto de Warren, no segundo andar da casa, onde os dois trabalharam lado a lado.

Até mesmo Buffett percebia agora que a sua crescente coleção de arquivos, contas telefônicas e certificados de transações tinha chegado ao limite do que ele poderia administrar trabalhando em casa. Ele não gostava da ideia de aumentar suas despesas, mas podia bancá-las.

Incluindo seus investimentos próprios, que já somavam mais de meio milhão de dólares, Warren se tornara milionário aos 30 anos.[35] Assim, ele alugou uma sala no Kiewit Plaza, um prédio novo em granito branco, ali mesmo na Rua Farnam, a uns 20 quarteirões de sua casa e a menos de 3 quilômetros do centro da cidade. Ele e o pai dividiam o espaço – uma antiga meta de Warren –, bem como uma secretária. Mas Howard estava obviamente muito doente. Apresentava-se no escritório corajosamente, com passos duros e muito esforço. Uma sombra passava pelo rosto de Warren quando ele ouvia alguma novidade sinistra sobre o estado de saúde do pai, mas, na maior parte do tempo, ele evitava saber dos detalhes.

A nova secretária tentou dizer a Warren o que fazer. "*Ela pensava que estava sendo maternal*", conta ele, "*ao tentar me conduzir.*"

Ninguém dizia a Warren Buffett o que fazer. Ele a demitiu imediatamente.

Mas ele precisava de ajuda. Pouco antes de se mudar para o Kiewit Plaza contratou também Bill Scott, da área de crédito do Banco Central americano, que lera no *Comercial & Financial Chronicle* um artigo que Warren havia escrito sobre uma obscura companhia de seguros. Scott matriculou-se no curso de investimentos de Buffett e então, ele diz, "fiquei no pé dele até conseguir um emprego". Buffett começou a visitar a família Scott nas manhãs de domingo para falar de ações, depois de deixar as crianças na igreja, e acabou lhe oferecendo um emprego.[36]

Scott começou a ajudar Buffett, que acumulava dinheiro na sociedade mais depressa do que os dois conseguiam abrir a correspondência. Buffett trouxe a mãe, pela primeira vez, para o negócio, bem como Scott, Don Danly e Marge Loring, viúva de Russ Loring, parceiro de Warren no bridge, e até mesmo Fred Stanback, que cuidava dos negócios da família e até então trabalhara com Warren apenas em casos específicos.[37] E, pela primeira vez, Warren aplicou seu próprio dinheiro – todo ele, quase 450 mil dólares – na sociedade.[38] Com isso, sua participação – e de Susie – chegou a mais de 1 milhão de dólares depois de seis anos de trabalho. Juntos, possuíam 14% da BPL.

A hora não podia ser melhor. Em meados de março de 1962, o mercado finalmente cedeu. Continuou a cair até o fim de junho. As ações ficaram subitamente mais baratas do que estiveram em muitos anos. Buffett agora comandava uma única sociedade, com um monte de dinheiro para investir. E sua carteira de investimentos permaneceu relativamente incólume àquela virada. "*Se comparado a métodos mais convencionais (muitas vezes chamados de* conservadores, *o que não é a mesma coisa) de se investir em ações ordinárias, aparentemente nosso método envolve bem menos risco*", escreveu aos sócios.[39] E correu para as ações. Com frequência costumava repetir uma frase de Graham: "Seja temeroso quando os outros estiverem vorazes e seja voraz quando os outros estiverem temerosos." Era a hora de ser voraz.[40]

25
A guerra do moinho
Omaha e Beatrice, Nebraska – 1960-1963

No final dos anos 1950 e início dos 1960, Buffett lutou com a Sanborn, consolidou as sociedades e mudou-se para um escritório com seu pai. Também embarcou em outro projeto que estava a alguma distância de Omaha. Sendo a segunda grande orquestração de seu grupo de apoio, era a primeira em que ele realmente assumia o controle de uma empresa. E seria algo que consumiria bem mais tempo e energia do que a Sanborn Map.

A Dempster Mill Manufacturing, uma empresa familiar na pior acepção do termo, fabricava moinhos e sistemas de irrigação de água em Beatrice, Nebraska. Esse episódio da carreira de Buffett começou como se fosse outro caça-níqueis que pedia 25 centavos para devolver um dólar – ou, pelo menos, era o que parecia. Cada ação era vendida por 18 dólares, e a empresa tinha um valor contábil de 72 dólares por ação, e esse valor vinha crescendo ("valor contábil" é o valor declarado dos ativos de uma empresa, subtraindo-se as dívidas – como uma casa menos a hipoteca, ou o dinheiro no banco menos o que se deve ao cartão de crédito). No caso da Dempster, os ativos eram moinhos, equipamentos de irrigação e a sua própria fábrica.

Em 1958, Warren dirigiu até Beatrice, uma cidade na pradaria varrida pelo vento e que dependia da Dempster como sua única empregadora importante. Ele estava armado com uma lista de 19 perguntas, como "Quantos distribuidores trabalham para a empresa?" e "Durante a Depressão, qual foi a gravidade da inadimplência?".[1] Depois da visita, ele concluiu que a empresa estava "bem calçada, do ponto de vista financeiro, mas não ganhava dinheiro".[2] O presidente, Clyde Dempster, estava acabando com ela.[3]

Como a Dempster era só mais uma guimba de charuto, Warren aplicou a técnica adequada nesses casos, que era comprar ações sem parar enquanto estivessem sendo vendidas abaixo do valor contábil. Se o preço aumentasse por qualquer razão, ele podia vender com lucro. Se não subisse, acabaria tendo tantas ações que passaria a controlar a empresa e então poderia vender tudo – ou, melhor ainda, liquidar seus ativos com lucro.⁴

Como acontecera com a Sanborn, Buffett não podia bancar tanto da Dempster quanto gostaria. Ele ligou para Walter Schloss e Tom Knapp e disse: *"Quero que cada um de vocês entre com um terço, junto comigo."*⁵ Depois de alguns anos, o trio se apoderou de 11% das ações, só perdendo para a família Dempster – e Warren entrou para o conselho. No início de 1960, o conselho se reunia em torno de Lee Dimon, ex-gerente de compras da Minneapolis Molding Co., que agora era gerente geral da Dempster, apesar de Buffett encará-lo com reservas.⁶ Buffett fez manobras para tornar Clyde Dempster uma figura decorativa e continuou a comprar ações.⁷ Queria todas que pudesse conseguir. Ligou para Schloss em Nova York e disse: *"Walter, quero comprar as suas ações."*

"Puxa, não quero vendê-las para você", disse Schloss. "Sabe, é uma bela empresinha."

"Olha só, estou fazendo o trabalho todo nesse projeto. Gostaria de ter suas ações", disse Buffett.

"Warren, você é meu amigo. Se você quer, pode pegar", disse Schloss.⁸

Numa versão adulta do episódio da bicicleta de Doris, Buffett as pegou. Ele tinha uma fraqueza. Se achava que precisava de alguma coisa, ele *precisava mesmo*, e essa necessidade tinha que ser satisfeita. Mas agia assim sem malícia ou arrogância aparente. Talvez até o contrário: ficava terrivelmente carente. Pessoas como Schloss geralmente lhe davam o que queria porque gostavam dele e, além do mais, fosse o que fosse, obviamente ele parecia precisar bem mais do que eles.

Adquirindo mais e mais ações, Buffett acabou assumindo as cotas da família Dempster. Com essa transação, obteve o controle, amansou Clyde Dempster e fez uma oferta semelhante aos outros acionistas.⁹

Buffett estava caminhando em terreno perigoso. Como presidente do conselho, sentia que não tinha direito de insistir com os outros investidores para que vendessem quando era ele que estava comprando. Então fez o que pôde para avisá-los que, na sua opinião, as ações da Dempster renderiam bem. De qualquer forma, o dinheiro e a natureza humana fazem o seu trabalho. As pessoas se convenceram de que preferiam ter o dinheiro, em vez de uma ação de valor duvidoso. Em pouco tempo a Dempster passou a constituir 21% dos ativos da sociedade.

Em julho de 1961, Warren escreveu aos sócios informando que a sociedade tinha investido numa empresa, cujo nome não citava inicialmente, e que poderia ser *"prejudicial ao desempenho a curto prazo, mas que promete fortemente apresentar resultados superiores, no período de alguns anos."*¹⁰ Então falou da Dempster, agora controlada pela sociedade, e escreveu um pequeno sermão sobre o assunto, na carta de janeiro de 1962, explicando a filosofia de Ben Graham sobre as guimbas de charuto.[11] A parte relativa a ser "prejudicial ao desempenho a curto prazo" acabou se mostrando mais acurada do que ele esperava.

Durante o ano de 1962, Buffett tentou instruir Lee Dimon sobre como administrar um inventário. Mas Dimon parecia achar que podia simplesmente continuar comprando peças para moinhos, independentemente de quantos a Dempster vendesse. Com sua experiência de ex-gerente de compras, ele sabia comprar – e foi o que fez. O armazém começou a transbordar de peças,[12] e a Dempster estava engolindo dinheiro. No início de 1962, o banco quis botar as mãos no estoque como garantia pelos empréstimos, e então soou o alarme, alto o bastante para que se falasse sobre o fechamento da Dempster.

Buffett estava no comando havia apenas alguns meses quando tudo aconteceu. E teria de relatar aos sócios que um negócio onde ele colocara 1 milhão de dólares tinha quebrado. Tentou convencer seu antigo colega de Columbia, Bob Dunn, a deixar o emprego na U. S. Steel e se mudar para Beatrice, para cuidar da Dempster. Dunn chegou a fazer uma viagem até à cidadezinha, mas no final das contas não se interessou. Buffett raramente pedia conselhos, mas em abril ele relatou a situação ao seu amigo Munger, quando ele e Susie visitavam Los Angeles.

"Íamos jantar com os Graham e os Munger. Susie e eu os encontramos no Captain's Table em El Segundo, em Los Angeles. Durante o jantar, eu disse a Charlie: 'Arranjei uma confusão danada com uma empresa. Tenho um imbecil cuidando da Dempster, e os estoques não param de aumentar.'" Munger, que tinha o hábito de dissecar os negócios de seus clientes e pensava como administrador, falou imediatamente: "Bem, conheço um sujeito que costumava resolver situações difíceis como essa. Harry Bottle." Um conhecido já havia falado de Bottle, que se especializara em recuperação de empresas.

Seis dias depois, atraído por um bônus de 50 mil dólares para começar, Harry Bottle estava em Beatrice. Isso significava que, pela segunda vez – se contasse a secretária maternal –, Buffett precisaria demitir alguém. Ele sabia por experiência própria que odiava demitir. Mais que isso, a Dempster era o único negócio de alguma monta na cidade, e Warren soube, pelo conselho, que quando Dimon assumiu o cargo de gerente geral sua mulher fora coroada "rainha de Beatrice".

Buffett odiava confrontos. Seu primeiro instinto era evitá-los, e ele corria como um gato escaldado de qualquer um que ameaçasse explodir diante dele, como fazia com sua mãe. Mas também tinha aprendido a se blindar emocionalmente diante de uma possível erupção. O truque, segundo ele, era *"criar uma concha em torno de você com relação a um assunto, sem criar uma concha que vá além da situação, para evitar se tornar uma pessoa endurecida"*.

Seja lá o que tenha acontecido quando ele demitiu Lee Dimon, Harriet Dimon escreveu mais tarde uma carta a Warren onde o acusava de ser "rude e antiético" e de ter, com sua frieza, destruído a confiança de seu marido. Buffett, com quase 32 anos, ainda não tinha aprendido a usar a empatia na hora de demitir.

Alguns dias depois ele enviou a Beatrice seu novo contratado, Bill Scott, para ajudar Harry Bottle a inspecionar o estoque de peças e decidir o que deveria ser descartado e o que deveria ser remarcado.[13] Varreram o lugar como se fossem um exército de gafanhotos, enxugaram o estoque, venderam equipamentos, fecharam cinco filiais, aumentaram o preço das peças de reposição e encerraram linhas de produtos que davam prejuízo. Demitiram uma centena de pessoas. O encolhimento drástico do negócio, feito por forasteiros, somado às demissões, deixou o povo de Beatrice cada vez mais desconfiado de Buffett, suspeitando que ele fosse um liquidante implacável.

No final de 1962, Bottle conseguiu fazer a Dempster sair do vermelho. Na carta aos sócios de janeiro de 1963, Buffett classificou a empresa como o ponto alto do ano e Bottle como o homem do ano.[14] Estimou o valor da companhia em 51 dólares por ação, contra os 35 dólares por ação de um ano antes. O banco estava feliz. Conforme os ativos foram vendidos e o inventário retalhado, a Dempster acumulou cerca de 2 milhões de dólares em dinheiro, o equivalente a 15 dólares por ação. Nesse meio-tempo, Buffett pegara emprestados outros 20 dólares por ação para ter fundos para investir. Com isso, a carteira de investimentos da Dempster se tornava tão grande quanto a do resto da sociedade.

Agora Buffett enfrentava um problema parecido com o que enfrentara com a Sanborn. Ironicamente, ele se tornara um daqueles executivos sentados em um monte de dinheiro. O mercado se recuperara bem da queda de junho de 1962. Em busca de uso para o dinheiro extra da Dempster, enviou Bottle e Scott para o norte do estado de Nova York para darem uma olhada na fábrica da Oval Wood Dish Company, que fazia palitos de pirulito, colheres de pau e coisas do gênero, mas decidiu não comprar.[15] Buffett tentou vender a Dempster a algum comprador particular, mas não encontrou interessados, pelo preço que queria. Assim, em agosto, avisou os acionistas de que a empresa estava à venda e colocou um anúncio no *Wall Street Journal*.

Fábrica lucrativa à venda

Empresa líder em implementos para agricultura, equipamentos para aplicação de fertilizantes e fabricante de sistemas de irrigação [Dempster] será vendida em plenas condições de funcionamento em oferta pública em 30 de setembro de 1963, sujeita a negociações até 15 de setembro de 1963. Contato: Senhor Harry T. Bottle, presidente.

Ele deu aos compradores um mês para preparar os lances antes do leilão público. Já vinha conversando com os candidatos mais prováveis.

Beatrice estava em pé de guerra diante da ideia de ter que lidar com um novo dono que talvez impusesse mais demissões ou mesmo o fechamento da fábrica que era seu maior e possivelmente único empregador. No boom do pós-guerra, as fábricas abriam, não eram fechadas. Menos de 25 anos depois do fim da Grande Depressão, a perspectiva do desemprego em massa trazia de volta lembranças perturbadoras de homens de semblante pálido na fila da sopa, andarilhos com casacos remendados, um quarto da nação desempregada, faminta e mal nutrida, humilhando-se em trabalhos sem função prática criados pelo governo.

O povo de Beatrice empunhou os forcados.[16] Buffett ficou atônito. Tinha salvado uma empresa moribunda. Como não entendiam isso? Sem ele, a Dempster teria afundado.[17] Ele não esperava que lhe dirigissem aquela ferocidade e aquele veneno. Não imaginava que fossem odiá-lo.

Os moradores da cidade iniciaram uma cruzada para derrubar Buffett, levantando quase 3 milhões de dólares para que o controle da fábrica ficasse ali.[18] Dia a dia, o jornal *Beatrice Daily Sun* fazia uma contagem regressiva, enquanto todos lutavam para salvar sua única fábrica. No dia em que o prazo acabou, alarmes de incêndio soaram e sinos tocaram, e o prefeito anunciou ao microfone que Buffett tinha sido derrotado. Charles B. Dempster, neto do fundador da fábrica, encabeçou um grupo de investidores que se comprometia a manter a fábrica aberta.[19] Com o dinheiro na mão, Buffett distribuiu mais de 2 milhões de dólares aos seus acionistas.[20] Mas a experiência o deixou assustado. Em vez de endurecer ante a animosidade, ele jurou nunca mais deixar que nada parecido acontecesse. Não suportaria que uma cidade inteira o odiasse.

Pouco depois Buffett telefonou para Walter Schloss dizendo: "*Sabe, Walter, tenho posições pequenas em cinco empresas diferentes e quero vendê-las para você.*" Eram papéis de Jeddo-Highland Coal, Merchants National Property, Vermont Marble, Genesee & Wyoming Railroad e outra empresa cujo nome se perdeu na história. "Bem, e quanto você quer, Warren?", perguntou Schloss. "*Venderei pelo preço que paguei*", disse Buffett. "Certo, comprarei de você", disse Schloss imediatamente.

"Ele não disse 'Bom, você sabe, tem de olhar cada uma e ver quanto valem'", diz Schloss. "Eu confiava em Warren. Se eu tivesse dito 'Muito bem, então compro por 90% do valor que você está pagando', ele diria 'Deixa pra lá'. Eu lhe fiz um favor, e ele queria fazer outro para mim também. Se ele tinha lucrado, estava ótimo. E todos saíam muito bem. Acho que aquela era sua forma de agradecer por eu lhe ter vendido as ações da Dempster. Não digo que tenha sido a única razão, mas é por isso que digo que ele é um sujeito honesto."

26
Palheiros de ouro
Omaha e Califórnia – 1963-1964

Warren podia ter dito que queria ser milionário, mas nunca disse que pararia por aí. Mais tarde ele se descreveria como alguém com "pouquíssimo espírito esportivo para fazer o que não queria". E o que ele queria fazer era investir. Seus filhos agora tinham idades que variavam entre 5 e 10 anos, e um amigo descreveu Susie como "uma espécie de mãe solteira". Warren aparecia em eventos escolares e até jogava bola quando era solicitado, mas nunca começava uma brincadeira. Parecia sempre preocupado demais para perceber que os filhos ansiavam por sua atenção. Susie ensinou às crianças que a missão especial do papai precisava ser respeitada: "Ele não pode fazer além do que já faz. Não esperem mais dele." Aquilo também se aplicava a ela. Warren era obviamente devotado à mulher e demonstrava isso em público, fazendo carinhos amorosos em "Susan-o" e recontando versões engraçadas e comoventes de como ela, o anjo doce, tinha descido dos céus para se casar com ele, o prodígio financeiro que tocava guitarra havaiana mas era secretamente um desastre. Ao mesmo tempo, estava tão acostumado com as suas atenções e continuava tão desatento que uma vez, quando Susie estava enjoada e lhe pediu para trazer uma bacia até à cama, ele apareceu com uma peneira. Ela apontou para os furos, ele vasculhou a cozinha e voltou, triunfante, com a peneira sobre um tabuleiro. Depois disso, Susie soube que ele era um caso perdido.

Mas os hábitos de Warren eram previsíveis, o que dava certa estabilidade ao lar dos Buffett, enquanto Susie criava uma atmosfera de informalidade, na qual qualquer um podia chegar a qualquer hora. De noite, ele reproduzia a antiga rotina de seu pai, chegando em casa sempre na mesma hora, batendo a porta da garagem e gritando "Cheguei!", antes de seguir para a sala de estar, onde lia os jornais. Não era negligente e costumava estar disponível. Mas, quando conversava, as suas palavras tinham um tom sutilmente preparado, quase ensaiado.

Ele sempre estava um passo à frente. O que passava na sua cabeça ficava nas entrelinhas, nos silêncios, nos rasgos de sagacidade, na fuga titubeante de alguns assuntos. Seus sentimentos se ocultavam atrás de tantos véus que ele mesmo parecia incapaz de reconhecê-los a maior parte do tempo.

A própria Susie andava menos disponível. Como seu pai, estava sempre ocupada e cercada de gente e evitava ficar sozinha e desocupada. Era vice-presidente do clube de teatro e participava dos United Community Services. Fazia compras e jantava com um grande número de amigas, passando mais tempo com aquelas que pertenciam às comunidades judia e negra do que com as socialites brancas.

Susie ganhara destaque num grupo de mulheres de Omaha que defendia apaixonadamente os direitos civis. A batalha para acabar com a segregação no emprego e nos serviços públicos e para remover os obstáculos ao exercício pleno do voto se acelerava em todo o país. Ela ajudou a organizar a filial de Omaha do Panel of Americans (Mesa-redonda dos americanos), uma agência de palestrantes que enviava um judeu, um católico, um protestante branco e um protestante negro para falarem sobre suas experiências com grupos da sociedade civil, igrejas e outras organizações. Era uma forma de reunir as pessoas. Um dos amigos de Susie fazia graça sobre sua participação, dizendo que era "uma forma de pedir desculpas por ser branca, protestante e anglo-saxã". Os integrantes da mesa-redonda respondiam perguntas da plateia, como "Por que um negro ia querer morar numa parte diferente da cidade?", "Vocês sentem preconceitos entre si?", "Os judeus acreditam que o Cristo já veio ou ainda esperam sua vinda?", "Vocês acham que as manifestações só estão causando problemas?". Numa época em que os negros não podiam usar banheiros públicos "só para brancos" em quase todo o Sul do país, a visão de uma mulher negra que dividia o palco com uma branca, como sua igual, mexia com a plateia.[1]

De tarde, geralmente com Susie Jr. a reboque, Susie ia de um lado para outro, entre reuniões e comitês na parte norte da cidade, tentando enfrentar os piores problemas locais: as moradias em ruínas e as péssimas condições de vida no gueto.[2] A polícia a parou diversas vezes. "O que a senhora está fazendo aqui neste bairro?", perguntavam.

"Querida", disse a Susie Jr. o preocupado Doc Thompson, certa vez, "a sua mãe vai acabar sendo morta." Ele obrigou a menina a carregar um apito de policial, quando acompanhasse a mãe. "Você vai acabar sendo sequestrada", disse Doc.[3]

O papel de Susie como solucionadora de problemas e ombro amigo fazia as pessoas procurarem por ela sempre que apareciam dificuldades de qualquer tipo. Ela se referia a Warren como seu "primeiro paciente",[4] mas havia outros. Ela agora costumava intervir com mais frequência na vida de Dottie, pois reconhecia a incapacidade da irmã em enfrentar problemas, ao mesmo tempo que passara a beber cada vez mais. Aconselhou Dottie quando ela se divorciou de Truman e lhe deu um exemplar do livro *Em busca do sentido*, de Viktor Frankl, que Doris folheava sem parar, buscando alguma esperança em meio à sua miséria.[5] Susie hospedou, durante vários dias, uma estudante etíope que estava sendo apadrinhada pela amiga Sue Brownlee, pois o pai de Sue tinha ido visitá-la e ficaria horrorizado se encontrasse "uma negra dormindo na sua cama".[6] Tentando promover uma experiência cultural para a família, Susie recebeu, durante um semestre, um estudante egípcio que fazia o programa de intercâmbio na Universidade de Omaha.[7] Com exceção do espaço usado como escritório por Warren, a casa dos Buffett nunca chegou a ser um refúgio do mundo, e as oportunidades para se ficar sozinho eram poucas. Apesar dessa atmosfera exuberante, as crianças cresciam com equilíbrio entre a liberdade e a disciplina, os fortes princípios éticos transmitidos pelos pais e uma excelente educação, que valorizava as experiências enriquecedoras. Warren e Susie tinham muitas conversas sobre como educar filhos na riqueza de forma que se tornassem independentes e não desenvolvessem a ideia de estarem com a vida ganha.

O que faltava era atenção para as crianças. O pai vivia concentrado quase exclusivamente no trabalho. A mãe era como um agricultor com pés de tomate em excesso para cuidar, correndo com o regador na direção daquele que precisasse mais de água no momento. Os filhos tinham diferentes reações a esse tipo de criação. A mais velha, a pequena Susie, era quem recebia menos atenções da mãe e a que assumia mais autoridade diante dos irmãos. Ela começou a trabalhar como auxiliar de trânsito, num cruzamento movimentado perto de casa, e passava muito tempo com seus amigos.[8]

Howie, o "tornado", escavava o quintal, escorregava de corrimãos, pendurava-se nas cortinas e demolia a casa. Pregava peças todos os dias. Um dia derrubou, do telhado, um balde de água sobre Phillys, sua babá. Todo mundo sabia que era perigoso beber de qualquer copo que ele entregasse. Mas ele também se magoava com facilidade, pois herdara o coração mole da mãe e tinha uma necessidade de atenção muito maior do que ela podia oferecer. Quando Susie chegava ao limite, às vezes trancava Howie no quarto.[9]

Peter, que sempre teve uma natureza tranquila, sentia-se premiado por ficar em segundo plano, enquanto os irmãos se envolviam em disputas e a pequena Susie, mandona, tentava controlar o redemoinho levantado por Howie.[10] De temperamento plácido, Peter se recolhia em seu mundinho quando a energia ao seu redor estava intensa demais. Tocava "Yankee Doodle" em tom menor no piano, quando se sentia infeliz, em vez de exprimir seus sentimentos com palavras.[11]

WARREN APROVAVA A VARIEDADE DE INTERESSES DE SUSIE, sentia orgulho de sua generosidade e de seu papel de liderança em Omaha e apreciava seus cuidados com os filhos, o que lhe permitia se concentrar no trabalho. Ele também estava sempre adicionando alguma coisa à agenda, mas, ao contrário dela, nunca passava de seus limites. Quando alguma coisa nova entrava na sua vida, outra saía. As duas exceções eram dinheiro e amigos.

Graças a isso, em 1963 um bom número de investidores profissionais já tinha compreendido que o tal Buffett, lá em Omaha, sabia o que fazia. Mesmo pessoas que dificilmente teriam ouvido falar de Warren Buffett começavam a procurá-lo. Ele não precisava mais atrair, muito menos correr atrás de clientes em potencial. Simplesmente colocava na mesa as condições necessárias para que ele assumisse o dinheiro dos outros.

As pessoas de fora de Omaha com frequência sabiam mais sobre ele do que seus vizinhos. Uma amiga da pequena Susie estava no carro com a família, a caminho da Feira Mundial de Nova York, em 1964, quando os pais pararam para abastecer. Começaram a conversar com uma mulher que estava próxima a outra bomba e que fora professora de Susie na escola secundária. A mulher estava viajando de Elmira, em Nova York, para Omaha, levando 10 mil dólares para investir com Warren Buffett. "Vocês o conhecem?", perguntou. "Devo investir com ele?" "É nosso vizinho", respondeu a família. "Sim, você deve." Voltaram para o carro e foram em frente, sem voltar a pensar no assunto. Com cinco filhos e uma casa nova, nem lhes passava pela cabeça a ideia de falar sobre investimentos.[12]

Outro candidato a sócio, Laurence Tisch, um dos dois irmãos que estavam construindo um império hoteleiro em Nova York, enviou um cheque de 30 mil dólares nominal a Charlie Munger. Buffett ligou para ele e disse que ficaria feliz em ter Tisch na sociedade, mas que na próxima vez preferia *"que ele fizesse o cheque em meu nome"*.

Munger podia ter encontrado bom uso para o dinheiro. Mas, não importa o que Laurence Tisch pensasse, em 1963 ele e Buffett não eram sócios. Munger tinha acabado de abrir sua própria sociedade depois de esperar um bom tempo até ter guardado uma bela soma em dinheiro – algo em torno de 300 mil dólares – com investimentos em imóveis. Mas isso era ninharia pelos padrões de Warren, apenas uma fração da sua riqueza.

"Charlie tinha um monte de filhos desde o início. Era mais difícil para ele trabalhar por conta própria. É uma grande vantagem poder começar sem nenhum encargo. Quero dizer, quando saí da Graham-Newman, já tinha meus 174 mil dólares. Sentia como se pudesse fazer qualquer coisa que quisesse. Podia ter aulas com meu sogro, o psicólogo. Podia ir para a universidade ou me sentar na biblioteca e ficar lendo o dia inteiro."

De fato, Buffett vinha encorajando Munger a pensar seriamente numa carreira em investimentos desde o dia em que se conheceram. Dizia a ele: "*É bom ser advogado e cuidar de imóveis como bico, mas, se quiser ganhar dinheiro de verdade, deve começar alguma coisa parecida com a minha sociedade.*"[13] Em 1962 Munger iniciou uma sociedade com Jack Wheeler, seu parceiro no pôquer. Wheeler era operador na Bolsa da Costa do Pacífico, a versão em miniatura do que se passava no Leste com tempero do Oeste: um pavimento repleto de operadores aos berros, homens agressivos tentando ganhar uma bolada o mais rápido possível. Sua sociedade de investimentos, a Wheeler, Cruttenden & Company, incluía dois "postos de especialistas" na bolsa, onde os operadores recebiam pedidos das corretoras para negociar ações. Eles mudaram o nome da firma para Wheeler, Munger & Co. e se desfizeram da parte de operações.

Munger continuou com a advocacia, mas deixou o antigo escritório junto com vários outros advogados, entre eles Roy Tolles e Rod Hills. Fundaram uma nova firma, a Munger, Tolles, Hills & Wood, que se adequava melhor aos seus ideais de como um escritório de advocacia deveria ser gerido.[14] O tempo todo, naturalmente, Munger resistira à ideia de seguir as regras de um escritório comandado por alguém que não fosse ele.

"*Não é coincidência que ele tenha iniciado sua sociedade no mesmo ano em que abriu seu novo escritório de advocacia. Os sócios no escritório antigo consideravam desprezível que um jovem advogado da firma quisesse fazer parte daquele antro de jogadores, a Bolsa da Costa do Pacífico. Quando Charlie e Roy saíram, sentaram-se com aqueles sócios e disseram que ainda veriam o dia em que toda firma de advocacia de primeira linha teria um membro na bolsa. Ninguém sabe quem foi que contou essa história, mas é fácil imaginar Charlie dando esse recado como um golpe final.*"

Na nova empresa, Munger e Hills impuseram uma ética elitista e darwiniana, com o objetivo de atrair os clientes mais inteligentes e ambiciosos. Os sócios votavam no que seria pago a cada um, de forma que essa informação circulava e todos ficavam sabendo. Já no início do empreendimento, contudo, Munger passava um tempo significativo na bolsa. Em três anos, aos 41, abandonou o Direito completamente para trabalhar em tempo integral nos investimentos. Mas ainda prestava consultoria para a firma e mantinha ali uma sala, onde permanecia como uma presença quase espiritual mas importante. Tolles também passou a priorizar os investimentos. Hills, de longe o mais ambicioso e dedicado à advocacia, comandava o escritório e o mantinha em funcionamento.

Em seu novo papel como gestor de recursos, Munger precisava levantar dinheiro para trabalhar. Buffett sempre disputara investidores de forma discreta, geralmente usando outras pessoas como seus agentes – pessoas como Bill Angle e

Henry Brandt, que descobriam e preparavam candidatos em potencial –, de forma que ele podia exibir seu currículo impressionante com uma agradável modéstia. Mas independentemente da graça com que ele corria atrás de clientes, o fato é que ele corria. Munger considerava isso humilhante. "Não gostava de levantar dinheiro", ele diz. "Sempre achei que um cavalheiro deve ter o seu dinheiro." Nessa ocasião, entretanto, ele se valeu dos contatos mantidos em seu trabalho como advogado para trazer negócios para a sociedade de investimentos, levantando fundos com suas poderosas relações em Los Angeles. Embora sua sociedade fosse, naturalmente, muito menor do que a de Buffett, aquele dinheiro seria suficiente.

Jack Wheeler explicara a ele que, como membro da bolsa, sob suas regras ele poderia pegar emprestado mais 95 centavos por dólar investido.[15] Dessa forma, se aplicasse 500 dólares, poderia pegar emprestados 475 e investir 975 ao todo. Se o investimento assim alavancado tivesse rendimentos de 25%, o lucro sobre o capital de Munger, de 500 dólares, seria quase o dobro disso.[16] Mas, da mesma forma que esse empréstimo podia quase duplicar o retorno, também dobrava o risco. Se perdesse 25%, perderia quase a metade de seu capital. Mas Munger, mais do que Buffett – bem mais do que Buffett –, assumiria o risco de ter perdas se estivesse certo de que as chances eram boas.

Ele e Wheeler se instalaram na bolsa em um escritório "feio e barato", decorado com tubulações, e colocaram Vivian, a secretária, numa minúscula saleta com vista para um beco.[17] Wheeler era um sujeito gastador, que gostava de fartura; ele acabara de passar por uma cirurgia de quadril, mas logo começou a marcar ponto muitas manhãs no campo de golfe.[18] Sobre Munger recaiu a rotina de chegar às 5 da manhã, antes da abertura do mercado na Costa Leste, e verificar o quadro de cotações.[19] Buffett lhe apresentara Ed Anderson, o investidor da Graham-Newman que trabalhava na Comissão de Energia Atômica e que parecia muito inteligente. Munger o contratou como assistente.

A maioria dos operadores da bolsa ignorou a chegada de Munger, mas um deles, J. Patrick Guerin, prestou atenção. Guerin tinha comprado a parte de operações da sociedade de Wheeler quando ele começara o negócio com Munger. Sujeito acostumado a brigas de foice, sempre lutando para melhorar, Guerin tinha sido criado por um "pai divorciado", segundo Munger, "e uma mãe beberrona. Assim, ele teve que aprender a se virar nas ruas. Tinha um QI alto, mas era rebelde e um pouco desajustado".[20] Depois de uma temporada na Força Aérea, Guerin trabalhara como vendedor da IBM e virara corretor de algumas firmas pequenas que negociavam papéis de terceira classe dos quais cobravam um spread, a comissão sobre os lucros, elevado. Era a parte da corretagem que Buffett detestava. Guerin também achou um alívio escapar daquela vida de "farmacêutico".

Quando Munger o conheceu, Guerin, alto e bonitão, já tinha aprendido a abaixar as mangas de suas camisas impecáveis para esconder a tatuagem no braço bronzeado. Parecia ter muitos amigos e um toque de Hollywood no sangue. Chegou a levar seu amigo, o ator Charlton Heston, para fazer uma visita à bolsa.[21] Ele fazia operações para a Wheeler, Munger e conta que reconheceu imediatamente o talento de Munger para fazer dinheiro. Chegou rapidamente à conclusão de que estava do lado errado do negócio com Wheeler e começou a imitar Munger e Buffett com o objetivo de formar sua própria sociedade de investimentos.

"Para alguns, a ideia de comprar notas de dólar por 40 centavos é atraente, e para outros não é. É algo que pega ou não pega, como uma vacina. Para mim, é extraordinário. Mas, se a ideia não conquista imediatamente, você pode falar por anos com a pessoa, mostrar registros, tudo – e não vai fazer a menor diferença. Em 10 anos, nunca vi ninguém se converter. É sempre uma coisa imediata ou nada. Seja lá o que for, nunca entendi. Mas um sujeito como Rick Guerin, mesmo sem uma educação formal em negócios, compreendeu como aquilo funcionava – e estava aplicando os princípios cinco minutos depois. E Rick era esperto o bastante para saber que era preciso ter um grande professor. Eu tive a sorte, justamente, de ter Ben Graham nesse papel."

Enquanto o dia avançava na Bolsa da Costa do Pacífico, Munger ficava sentado, imerso em pensamentos, geralmente lendo. "Charlie! Charlie", Ed Anderson geralmente gritava da outra mesa. Munger não dizia nada ou simplesmente grunhia em resposta.[22] Com o tempo, Anderson aprendeu a fazer Munger responder perguntas com toda a clareza, eliminando a ambiguidade. Um simples grunhido não era o suficiente. Mas levava tempo e experiência para que a maioria das pessoas compreendesse que a mente e a boca de Munger muitas vezes estavam em lugares diferentes.

Guerin ainda não sabia disso. Um dia, entrou no escritório, direto do pregão. "Charlie", disse ele, "recebi uma oferta de 50 mil ações da empresa XYZ por 15 dólares. Me parece um ótimo negócio."

"Hmmm, ahm", disse Munger.

"Veja bem, Charlie", prosseguiu Guerin. "Se for do seu interesse, vou comprar."

"Sim, sim", disse Munger.

Um pouco mais tarde, Guerin voltou para o escritório e disse: "Charlie, nós as compramos."

"Compramos o quê?", disse Munger.

"Compramos 50 mil ações a 15 dólares." Um dinheirão.

"O quê?", gritou Munger. "Do que você está falando? Não as quero. Venda! Livre-se delas imediatamente!"

Guerin tentou explicar o que tinha acontecido. Pediu ajuda a Anderson: "Ed, você ouviu o que eu disse antes?"

"Charlie, eu estava aqui e ouvi exatamente o que Rick disse", interveio Anderson. "Não quero saber! Não quero saber! Venda! Venda! Venda!", gritava Munger. Guerin saiu correndo e se livrou das ações. "Foi uma aula prática", diz Anderson.[23]

Munger comprava guimbas de charuto, fazia arbitragem, até adquiria pequenos negócios – bem no estilo de Buffett –, mas parecia estar se encaminhando para uma direção ligeiramente diferente. Periodicamente falava para Ed Anderson: "Adoro grandes negócios." Mandou Anderson escrever um relatório louvando empresas como Allergan, fabricante de solução para lentes de contato. Anderson entendeu errado e escreveu um relatório no estilo de Graham, destacando o balanço da empresa. Munger lhe deu uma bronca. Queria ouvir as qualidades intangíveis da Allergan: a força da administração, a durabilidade da marca, o que seria necessário para competir com ela.

Munger investira numa revenda de tratores Caterpillar e viu como aquilo engolia dinheiro depressa, enquanto os tratores eram vendidos muito lentamente. Para levar o negócio adiante, seria preciso investir na compra de mais tratores, e, assim, mais dinheiro seria engolido. Munger queria ser dono de um negócio que não necessitasse de investimentos contínuos e que cuspisse mais dinheiro do que consumia. Mas qual negócio seria assim? E o que daria a esse negócio uma vantagem competitiva duradoura? Munger estava sempre perguntando às pessoas: "Qual é o melhor negócio de que você já ouviu falar?" Mas ele não era um homem muito paciente e tendia a achar que as pessoas podiam ler seus pensamentos.[24]

Sua impaciência falava mais alto que qualquer teoria que se estivesse formando na sua cabeça. Queria ficar muito rico muito rápido. Ele e Roy Tolles fizeram uma aposta para ver qual carteira de investimentos passaria a marca de 100% em um ano. E ele estava disposto a pegar dinheiro emprestado para fazer dinheiro, ao passo que Buffett nunca pegou emprestada uma quantia significativa em toda a sua vida. "Preciso de 3 milhões de dólares", disse Munger, numa das suas muitas visitas ao Union Bank of California. "Assine aqui", o gerente do banco respondeu.[25] Com essas grandes quantias, Munger fazia transações enormes, como a da British Columbia Power, que estava sendo vendida por volta de 19 dólares a ação e seria assumida pelo governo canadense por pouco mais de 22 dólares. Munger não se limitou a colocar todo o dinheiro da sociedade, mas também todo o dinheiro que tinha e tudo que pôde pegar emprestado, na arbitragem de uma única ação[26] – mas só porque praticamente não havia chance de que o negócio desse errado. Quando a transação foi concluída, deu um belo retorno.

Entretanto, apesar das diferenças de abordagem, Munger considerava Buffett o rei dos investimentos e se via apenas como um amigável candidato ao trono.[27] "Vivian, ligue para Warren", gritava várias vezes por dia para todas as secretárias que vieram ocupar o lugar de Vivian.[28] Cultivava sua relação com Buffett cuidadosamente, como se fosse um jardim. Buffett explicou sua filosofia. "*Você precisa se agarrar nas casacas*", disse.[29] Mas ele não queria os amigos nas suas casacas e considerava antiético quando o faziam. Assim, enquanto Munger, que cultivava Buffett, era aberto em relação aos negócios – levou Buffett a participar da transação com a British Columbia Power, por exemplo –, Buffett sempre ficava quieto sobre o que estava fazendo, a não ser quando estava trabalhando numa ideia com um parceiro.

No início dos anos 1960, os Buffett começaram a passar férias na Califórnia para que Warren pudesse ficar mais tempo com Graham e Munger. Uma vez, Warren e Susie saíram com as crianças numa longa viagem pela costa, mas normalmente fixavam residência num motel no Santa Monica Boulevard, e ele e Munger falavam horas e horas sobre ações. As diferenças em seus modos de encarar o assunto rendiam longas conversas. Enquanto Buffett fazia muitos investimentos parecidos, deixando passar uma chance de lucro se lhe parecesse arriscada e encarando a preservação de seu capital como uma imposição quase divina, Munger acreditava que, a menos que você já fosse muito rico, devia correr algum risco – se as chances fossem boas – para enriquecer. Sua audácia o colocou numa categoria diferente dos outros seguidores de Buffett, pois a grande opinião que tinha de si mesmo limitava a deferência ao amigo. "Charlie ficava tão animado com suas próprias palavras que tinha acessos de hiperventilação", conta Dick Holland, um amigo e sócio de Buffett que esteve presente em alguns desses encontros na Califórnia.[30]

Em sua busca por grandes negócios, Munger não compreendia bem a fascinação de Buffett por Ben Graham. "Por ser tão bom explicando Ben Graham", mais tarde escreveria Munger, Buffett "se comportava como um veterano da Guerra Civil que, depois de alguns minutos de uma conversa qualquer, sempre exclamava: 'Bum, bum! Isso me lembra da batalha de Gettysburg.'"[31]

O pecado de Graham, para Munger, era considerar o futuro "mais sobrecarregado de riscos do que maduro de oportunidades". Graham era um homem, disse ele, "cuja história favorita era a de Creso, que examinou a ruína de sua vida e de seu império depois de uma desastrosa aventura na Pérsia e se lembrou das palavras de Sólon: 'Que nenhuma vida seja considerada feliz até se encerrar'".[32] Munger tentava afastar Buffett do sombrio pessimismo de Graham. Ele considerava uma vulgaridade se abaixar para pegar guimbas de charuto para dar uma última baforada.

Buffett sentia um otimismo alegre em relação ao futuro econômico dos negócios americanos a longo prazo, o que lhe permitia investir no mercado contrariando os conselhos de seu pai e de Graham. Mas seu estilo ainda refletia os padrões fatalistas de Graham, que olhava os negócios baseado no que valiam mortos, ao invés de vivos. Munger queria que Buffett definisse a sua margem de segurança em termos que não fossem puramente estatísticos. Ao fazê-lo, Munger lutava contra uma sutil tendência de Buffett ao catastrofismo, que às vezes vinha à tona quando ele precisava resolver problemas teóricos. Seu pai, Howard, sempre se preparara para o dia em que a moeda perderia seu valor, como se esse dia estivesse próximo. Warren era bem mais realista. Mesmo assim, tendia a extrapolar probabilidades matemáticas ao longo do tempo para chegar à conclusão inevitável (e muitas vezes correta) de que, se algo pode dar errado, acaba mesmo dando errado. Essa maneira de pensar evocava a proverbial faca de dois gumes. Tornava Buffett um talentoso visionário cujos pensamentos eram orientados pela expectativa do juízo final. Ele usava essa faca para cortar problemas complexos, algumas vezes de forma pública.

Alguns anos antes, outro amigo de Buffett, Herb Wolf, da New York Hanseatic, uma corretora independente, o ajudara a domar outro traço da sua personalidade que atrapalhava sua missão financeira. Wolf, investidor da companhia de águas American Water Works, procurou Buffett no início dos anos 1950, depois ler um artigo que ele escrevera sobre a IDS Corporation no *Commercial & Financial Chronicle*.[33]

"*Herb Wolf foi um dos sujeitos mais inteligentes que conheci. Era capaz de prever qual seria o efeito sobre os rendimentos da American Water Works se alguém resolvesse tomar um banho em Hackensack, Nova Jersey. Era inacreditável. Um dia, Herb me disse: 'Warren, se você estiver procurando uma agulha de ouro num palheiro de ouro, é melhor nem começar.' Quanto mais obscura alguma coisa fosse, mais eu gostava dela, como se estivesse numa caça ao tesouro. Herb mudou a minha forma de pensar sobre isso. Eu adorava aquele sujeito.*"

Em 1962, Buffett já deixara de lado caças a tesouros obscuros, mas conservava a paixão de Wolf pelos detalhes. Mesmo com a chegada de Bill Scott, as operações tinham crescido tanto que ele precisou contratar outro funcionário, mas conseguiu deixá-lo fora da sua folha de pagamentos. Buffett sempre iria a extremos para controlar suas despesas gerais, só fazendo gastos que pudesse classificar de estritamente necessários ou, melhor ainda, como nesse caso, que poderiam ser cobertos de tal forma que se tornassem gratuitos.

Henry Brandt, um corretor amigo de Buffett que trabalhava na Wood, Struthers & Winthrop, era um detetive nato que trabalhava em meio período para a sociedade BPL. Buffett andara pagando pelo tempo de Brandt à Wood, Struthers com as comissões de corretagem que ele pagava ao negociar ações por intermédio daquela empresa. Como ele ia mesmo pagar aquelas comissões para alguém, Brandt de fato trabalhava para ele de graça.[34] Se Buffett decidisse que não precisava mais das pesquisas de Brandt, poderia utilizar os serviços de outra corretora para executar suas operações.

Brandt trabalhava para Buffett quase 100% do seu tempo. Buffett pagava Brandt abrindo mão de sua comissão em algumas operações da sociedade e também deixando de cobrar uma porcentagem de outras jogadas em que o colocava. Os dois tinham o mesmo interesse em conhecer os mínimos detalhes de uma empresa. Brandt não tinha medo de fazer perguntas. Ao contrário de Buffett, nunca hesitava em se tornar desagradável, se era o que a situação pedia. Sempre com um sorriso nos lábios, fazia extensas e meticulosas pesquisas, que envolviam seguir e amolar pessoas. Brandt não conseguia parar antes de encontrar a agulha de ouro. Assim, Buffett estabelecia os planos e guiava o processo de forma a evitar que aquilo se tornasse uma caça ao tesouro.

Brandt produzia pilhas volumosas de notas e relatórios.[35] Parte do seu trabalho para Buffett era descobrir mexericos, um termo empregado pelo autor especializado em investimentos Phil Fisher, apóstolo do crescimento, que disse que muitos fatores qualitativos, como a habilidade em manter o crescimento das vendas, boa administração e pesquisa e desenvolvimento, caracterizavam um bom investimento.[36] Eram as qualidades que Munger estava procurando quando falava em grandes negócios. A ideia de Fisher de que aqueles fatores deviam ser empregados para avaliar o potencial de uma ação a longo prazo começou a se insinuar na mente de Buffett e, com o tempo, passou a influenciar a sua maneira de fazer negócios.

Agora Buffett tinha Brandt pegando no pesado e uma ideia que teria agradado a Munger, se ele a conhecesse. O episódio que se sucedeu seria um dos pontos altos da carreira de Buffett. Era uma oportunidade que tinha raízes nas maquinações de um grande negociante de commodities, Anthony "Tino" de Angelis, que se convencera, no final dos anos 1950, de que tinha encontrado um atalho para ganhar dinheiro com óleo de soja. De Angelis – que tinha um passado suspeito, tendo vendido carne estragada para um programa governamental de refeições escolares – se tornara, naquela altura, o mais importante e legítimo negociante de óleo de soja.

Um belo dia, ocorreu a De Angelis que ninguém realmente sabia quanto óleo havia em seu armazém. Ele estava usando óleo como garantia para tomar empréstimos bancários[37] e, se ninguém sabia ao certo quanto óleo de soja havia nos tanques, por que não enfeitar um pouco os números para poder pegar mais dinheiro?

Os tanques ficavam num armazém em Bayonne, Nova Jersey, administrado por uma microscópica subsidiária, uma parte quase invisível do gigantesco império da American Express. Esse braço do negócio emitia recibos de armazenamento, documentos que declaravam quanto óleo havia num tanque e como ele poderia ser vendido e comprado, algo parecido com aqueles recibos de armazenagem dos grãos de cacau que a Graham-Newman comprara de Jay Pritzker em troca das ações da Rockwood.

Depois que a American Express verificava o óleo nos tanques, De Angelis e sua empresa, a Allied Crude Vegetable Oil Refining Corporation, vendiam aqueles recibos ou os usavam como garantia para pegar empréstimos bancários – de 51 bancos diferentes. Além disso, a American Express assumia a garantia pela quantidade de óleo registrada nos recibos.

Os tanques eram interligados por um sistema de tubulações e válvulas, e De Angelis descobriu que o óleo de soja podia ser desviado de um tanque para o outro. Dessa forma, um galão de óleo podia servir como garantia dupla, tripla ou quádrupla para um empréstimo. Logo os empréstimos garantidos pelos recibos de armazenagem estavam ancorados por quantidades cada vez menores de óleo de soja.

Com o passar do tempo, De Angelis chegou à conclusão de que, de fato, era necessário bem pouco óleo. Apenas o bastante para enganar os inspetores seria suficiente para fazer a mágica. Assim, os tanques foram enchidos com água do mar, e o óleo era colocado dentro de um pequeno tubo que os inspetores usavam para guiar suas réguas métricas. Eles não percebiam a diferença, nem pensaram em pegar uma amostra que não fosse do tubo.[38]

Naquela altura, negociar com o próprio óleo já não dava dinheiro suficiente para satisfazer De Angelis, e ele começou a fazer transações no mercado de futuros. Contratos de futuros são o compromisso de comprar ou vender óleo de soja numa data posterior, apostando no seu preço no futuro em relação ao preço de hoje. Eram como os contratos que Graham-Newman fizera para garantir o preço de seus grãos de cacau. Por 1 ou 2 dólares a tonelada, De Angelis podia comprar toneladas de óleo de soja para serem entregues em nove meses, a um preço determinado, que seria pago na data da entrega. Os contratos podiam ser vendidos antes da hora do pagamento, o que tornava a especulação com óleo bem mais barata do que pagar 20 dólares para comprar o óleo diretamente e vendê-lo mais tarde. Esticado dessa forma, o dinheiro emprestado ia bem mais longe. De Angelis podia, através do mercado de futuros, controlar muito óleo de soja.

Mas as pessoas na American Express não estavam completamente adormecidas. Depois de uma denúncia anônima, em 1960, de que algo não andava bem em Nova Jersey, eles inquiriram De Angelis e seus empregados. Mas De Angelis, que era tão rechonchudo quanto os tanques cheios de água do mar que estavam diante dos olhos dos investigadores, conseguiu dar respostas que aparentemente os deixaram satisfeitos.

Em setembro de 1963, De Angelis viu uma oportunidade de se dar bem novamente. A safra soviética de girassóis tinha sido ruim, e se espalharam boatos de que os russos iam ter que arranjar soja para fazer óleo. De Angelis decidiu controlar o mercado de soja, forçando os comunistas a comprar dele a preços inflacionados. Não havia um limite específico para quantas negociações futuras ele podia fazer. De fato, ele podia controlar – e controlava – mais soja do que a existente em todo o planeta,[39] pegando pesados empréstimos da Ira Haupt & Co., sua corretora, e assumindo obrigações no mercado futuro de comprar 500 milhões de toneladas de óleo de soja. Mas essa aposta tão alta só daria certo se os preços do produto andassem numa só direção: para cima.

Então, subitamente, pareceu que o governo americano poderia não autorizar que a negociação com os soviéticos fosse adiante. O preço do óleo de soja despencou, derrubando o mercado em 120 milhões de dólares. Haupt começou a ligar para De Angelis cobrando o cumprimento de suas obrigações, mas De Angelis se limitava a enviar desculpas. Quando Haupt ficou sem dinheiro, a Bolsa de Nova York fechou a empresa, e Haupt foi forçado a pedir falência.[40] Os credores de De Angelis, que agora possuíam certificados de armazenagem sem valor, contrataram investigadores e se voltaram para a American Express, que emitira os recibos, para tentar recuperar prejuízos de 150 a 175 milhões de dólares. E a American Express – surpreendida com tanques cheios de água do mar – viu suas ações caírem assustadoramente. A história começou a chegar aos jornais.

Dois dias depois, em 22 de novembro de 1963, o presidente John F. Kennedy foi assassinado enquanto desfilava de carro pelas ruas de Dallas.

Buffett tinha descido para almoçar na lanchonete de Kiewit Plaza com seu conhecido Al Sorenson quando alguém veio dar a notícia de que Kennedy fora baleado. Subiu de volta ao escritório e descobriu que o pregão da Bolsa de Nova York estava em estado de estupefação, com ações afundando-se em pesadas negociações. Com a queda de 20 pontos no Dow Jones em meia hora, o mercado perdera 1 bilhão de dólares.[41] Então a bolsa fechou, naquele que foi o primeiro fechamento de emergência durante as operações desde a Grande Depressão.[42] Pouco depois o Federal Reserve divulgou uma declaração de confiança que queria dizer – depois da tradução do economês para o inglês – que os bancos centrais internacionais trabalhariam juntos para evitar especulações contra o dólar.[43]

Enquanto o país, atônito, explodia em demonstrações de tristeza, raiva e vergonha, as escolas suspenderam as aulas e os negócios fecharam. Buffett foi para casa para se sentar diante da televisão, como todo mundo, e assistir ao noticiário, que não parou durante todo o fim de semana. Como era característico, ele não demonstrou nenhum sinal de intensa emoção, e sim uma seriedade distante.

Pela primeira vez na História americana o assassinato de um presidente recebia cobertura das televisões do mundo inteiro. Pela primeira vez choque e tristeza uniram o mundo através da televisão. Por um breve momento a América parou de pensar em outro assunto que não fosse o assassinato.

Naturalmente, por muitos dias, os jornais relegaram o escândalo com a American Express às páginas internas, enquanto manchetes dramáticas sobre Kennedy recebiam prioridade.[44] Mas Buffett estava prestando atenção. A ação não se recuperou do golpe que levara na sexta-feira, quando o mercado fechou, e continuava a cair. Os investidores fugiam em massa dos papéis de uma das mais prestigiosas instituições financeiras. A cotação tinha caído à metade.[45] De fato, não estava claro se a American Express seria capaz de sobreviver.

A empresa era uma potência financeira emergente. Agora que o cidadão comum podia subitamente pagar por viagens aéreas, meio bilhão de dólares em cheques de viagem da empresa vagavam pelo mundo. Seu cartão de crédito, lançado cinco anos antes, era um enorme sucesso. O valor da companhia estava na sua marca. American Express vendia confiança. Teria aquela mancha em sua reputação alcançado a consciência dos consumidores a ponto de eles deixarem de confiar na marca? Buffett começou a aparecer nos restaurantes de Omaha e a visitar os lugares que aceitavam o cartão e os cheques de viagem da American Express.[46] E pôs Henry Brandt para trabalhar no caso.

Brandt pesquisou usuários dos cheques de viagem e dos cartões de crédito, caixas de banco, funcionários de restaurantes e hotéis para avaliar como a American Express andava em relação à concorrência e também se o uso dos cheques e dos cartões havia diminuído.[47] Voltou com a pilha habitual de material. O veredicto de Buffett, depois de examinar tudo, era que os clientes ainda estavam felizes por se associarem ao nome American Express. A mancha em Wall Street ainda não chegara à Rua Main.[48]

Durante os meses em que Buffett investigava a American Express, a saúde de seu pai declinou de forma acentuada. Apesar de ter passado por diversas cirurgias, o câncer de Howard se espalhara pelo corpo inteiro. Enquanto havia tempo, Warren fez com que Howard o retirasse do testamento, para que aumentasse a fatia deixada para Doris e Bertie em um fundo fiduciário. A quantia – 180 mil dólares – era uma fração do patrimônio líquido dele e de Susie. Achou que não fazia sentido para ele ter uma parcela daquilo, quando podia ganhar seu próprio dinheiro. Separou outro fundo para os filhos, para que Howard deixasse para eles a fazenda para onde a família Buffett planejava fugir quando o dólar perdesse seu valor. Warren seria o responsável por esses fundos. O testamento anterior de Howard especificava que o enterro seria feito num caixão de madeira ordinária, da forma mais econômica, mas a família o convenceu a eliminar essa parte.[49] Uma das coisas mais difíceis que Warren achou que devia fazer era contar ao pai que tinha deixado de ser republicano.[50] A razão, explicou, eram os direitos civis.[51] Mas, por incrível que pareça, ele não conseguiu mudar seu registro de eleitor enquanto Howard estava vivo.[52]

"*Não ia jogar aquilo na cara dele. De fato, se ele continuasse vivo, teria restringido minha vida. Não poderia assumir em público uma posição política diferente da de meu pai. Posso ver seus amigos imaginando por que Warren estaria se comportando desse jeito. Não ia conseguir fazer isso.*"

Embora a família não conversasse sobre a proximidade da morte de Howard,[53] Susie assumiu boa parte dos cuidados com ele no lugar de Leila. Também fez com que as crianças participassem de alguma forma. Combinou com elas que ficariam do lado de fora da janela do hospital, com um cartaz dizendo: "Amamos você, vovô." Aos 10 e 9 anos, Susie Jr. e Howie compreendiam o que se passava. Peter, com 5, tinha uma vaga noção sobre a doença do avô. Susie também fez questão de que Warren – que tinha dificuldade de enfrentar doenças sob qualquer circunstância – fosse ao hospital todos os dias para ver o pai.

À medida que Howard piorava, Warren voltava toda a sua atenção para a American Express. Na época ele dispunha da maior reserva de dinheiro para trabalhar que já chegara à sociedade: os imensos lucros de 1963 significavam que em 1º de janeiro de 1964 mais 5 milhões de dólares entravam na roda, e a sociedade ainda tinha os 3 milhões obtidos no ano anterior. O dinheiro do próprio Buffett havia decolado. Ele tinha agora 1,8 milhão. O capital da BPL, no início de 1964, estava um pouco abaixo de 17,5 milhões de dólares. Durante as últimas semanas de Howard, Warren começou a investir em papéis da American Express numa correria hiperativa, despejando dinheiro nas ações tão depressa quanto podia, trabalhando incansável e metodicamente para conseguir o máximo que pudesse antes que o preço aumentasse. Cinco anos antes tivera que penar para encontrar algumas dezenas de milhares de dólares para aplicar na National American. Ele nunca tinha investido daquela maneira. Nunca, na sua vida, tinha colocado em prática nada que se aproximasse daquele valor com tanta velocidade.

Nos últimos dias da vida de Howard, Susie ficou sozinha com ele, muitas vezes por horas a fio. Ao mesmo tempo que temia e compreendia a dor, não tinha medo da morte e reunia forças para acompanhar Howard mesmo quando todos a seu redor ficavam desesperados. Seu dom para confortar os desesperançados e aqueles que sofriam desabrochou, e Leila, devastada, deixou que ela assumisse a tarefa. Em tal proximidade com a morte, Susie descobriu que a distância entre ela e o outro se dissolviam. "Muita gente fugia, mas para mim era uma coisa natural", conta. "Era uma bela experiência estar tão próxima, física e emocionalmente, de alguém que eu amava, pois eu sabia exatamente do que ele precisava. Você sabe quando precisam virar a cabeça. Você sabe quando precisam de um pedacinho de gelo. Você sabe. Você sente. Eu o amava muito. E ele meu deu de presente esse conhecimento, essa experiência e a oportunidade de saber como me sentia em relação a tudo isso."[54]

Susie Jr., Howie e Peter estavam em volta da mesa da cozinha certa noite quando seu pai chegou parecendo mais deprimido do que nunca. "Vou para a casa da vovó", disse. "Por quê?", perguntaram. "Não vai para o hospital?" "Vovô morreu hoje", disse Warren e saiu pela porta dos fundos sem dizer mais nada.

"Achei que não queríamos falar sobre aquilo", recorda-se Susie Jr. "Era uma coisa tão grande que falar sobre ela seria doloroso demais." Sua mãe representou a família no planejamento do funeral, enquanto seu pai ficou em casa, perdido em silêncio. Leila estava perturbada, mas antecipava o reencontro com o marido no céu. Susie tentou fazer com que Warren se abrisse e explorasse seus sentimentos em relação à morte do pai, mas ele literalmente não conseguia pensar no assunto, aproveitando-se de qualquer coisa para evitá-lo. Com uma recaída em seu conservadorismo financeiro, discutiu com Susie porque ela teria sido enganada, gastando muito dinheiro com o caixão de Howard.

No dia do funeral, Warren sentou-se em silêncio durante a cerimônia, enquanto 500 pessoas homenageavam seu pai. Independentemente de as ideias de Howard Buffett serem consideradas polêmicas enquanto estava vivo, as pessoas foram lhe render tributo, no fim. Depois, Warren passou alguns dias em casa.[55] Afastou os pensamentos indesejáveis distraindo-se com a transmissão televisiva dos debates no Congresso em torno da histórica Lei dos Direitos Civis de 1964. Quando voltou ao escritório continuou a comprar ações da American Express num ritmo alucinante. Ao final de junho de 1964, dois meses depois da morte de Howard, ele já tinha aplicado quase 3 milhões de dólares naquele papel. Era agora o maior investimento da sociedade. Embora nunca tivesse demonstrado nenhum sinal visível de dor,[56] mais tarde ele colocou um enorme retrato do pai na parede em frente à sua escrivaninha. Algumas semanas depois do funeral, duas entradas de calvície apareceram nas laterais de sua cabeça. Seu cabelo tinha começado a cair por causa do choque.

27

Insensatez

Omaha e New Bedford, Massachusetts – 1964-1965

Seis semanas depois da morte de Howard, Warren fez algo inesperado. Não se tratava mais de dinheiro. A American Express tinha feito uma coisa errada, e ele achava que a empresa devia admitir isso e pagar pelo prejuízo. O presidente da empresa, Howard Clark, tinha oferecido 60 milhões de dólares aos bancos para acertar suas demandas, dizendo que a empresa se sentia moralmente comprometida. Um grupo de acionistas moveu um processo, alegando que a American Express deveria se defender, em vez de pagar, mas Buffett se ofereceu para defender o plano da administração de fazer um acordo financeiro – contra seus próprios interesses.

"*Sentimos que, em três ou quatro anos, aquele problema poderia até aumentar a estatura da empresa, ao estabelecer padrões de integridade financeira e responsabilidade que iam além daqueles normalmente praticados por empresas comerciais.*"

Mas a American Express não estava oferecendo dinheiro para ser exemplar. Queria apenas deixar para trás o risco de perder um processo que tinha lançado uma sombra sobre as suas ações. Na verdade, a sua clientela não se importava. O escândalo do óleo de soja tinha passado, em grande parte, despercebido.

Buffett dizia que havia dois caminhos diante da empresa, e que uma American Express que assumisse a responsabilidade e pagasse 60 milhões de dólares aos bancos seria "*substancialmente mais valiosa do que uma American Express que fugisse da responsabilidade pelos atos de sua subsidiária*".[1] Ele descrevia o pagamento de 60 milhões como sem importância a longo prazo, como um cheque de dividendos que foi "perdido pelo caminho".

Susie, que já havia jogado cheques de dividendos no incinerador e nunca tivera coragem de mencionar o incidente ao marido, talvez ficasse chocada ao ouvi-lo dispensar de forma tão altiva um cheque de 60 milhões de dólares perdido pelos correios se tivesse sabido da história.[2] E por que Buffett deveria agora ter interesse no fato de a American Express ter "*padrões de integridade financeira e responsabilidade (...) que vão além daqueles normalmente praticados por empresas comerciais"*? De onde vinha a noção de que uma reputação de integridade se traduziria em negócios "que valeriam substancialmente mais"? Por que Warren tomou essa atitude? Se ele sempre compartilhou o compromisso do pai com a honestidade, agora parecia ter herdado de Howard a queda para pontificar em questões de princípios.

Buffett sempre quis influenciar a administração das empresas nas quais investia. Mas, no passado, nunca tentara transformar seus investimentos numa igreja onde ele pudesse pregar enquanto passava o prato para coletar moedinhas. Agora aparecia sem aviso na porta de Howard Clark para apoiar sua iniciativa, mesmo diante do processo movido pelos acionistas.

"Eu tinha o hábito de aparecer e falar com pessoas diferentes. Houve uma vez em que Howard me disse que seria melhor se eu prestasse um pouco mais de atenção ao organograma.... Foi muito gentil ao dizê-lo."[3]

Como que confirmando a ideia de Buffett sobre o valor financeiro da retidão moral, quando a American Express fechou o acordo e trabalhou para colocá-lo em prática, suas ações, que tinham caído abaixo de 35 dólares, subiram para 49. Em novembro de 1964 a sociedade possuía mais de 4,3 milhões de dólares em ações da empresa. Tinha feito outras grandes apostas: 4,6 milhões na Texas Gulf Producing e outros 3,5 milhões na Pure Oil, ambas na categoria de guimba de charuto. Juntas, as três compunham mais de metade da carteira de investimentos.[4] Em 1965, a American Express sozinha correspondia a um terço.

A sociedade inteira era constituída por 7,2 milhões de dólares no início de 1962. Buffett, sem medo de concentrar suas apostas, continuaria comprando até 1966, até ter gastado 13 milhões de dólares em papéis da American Express. Ele sentiu que os sócios deviam ficar sabendo de uma nova "regra básica". *"Diversificamos consideravelmente menos que a maioria das operações de investimento. Podemos investir até 40% de nossos ativos em um único valor, sob condições favoráveis e se, diante dos nossos dados e do nosso raciocínio, for muito pequena a possibilidade de uma mudança drástica no valor do investimento."*[5]

Warren se aventurara para longe da visão de seu mentor Ben Graham. A abordagem durona, "quantitativa", defendida por Graham era o mundo dos calculadores de velocidade, do sujeito que se abaixava para catar uma guimba de charuto e trabalhava com a estatística pura. Venha trabalhar de manhã, folheie o *Moody's Manual* ou o relatório semanal da Standard & Poor's, procure por ações baratas baseando-se num punhado de números, ligue para Tom Knapp na Tweedy, Browne & Knapp e compre deles, vá para casa quando os negócios forem encerrados, durma bem à noite. Como Buffett dizia sobre a sua abordagem favorita:

"O dinheiro mais certo tende a ser feito com as decisões quantitativas óbvias." Mas o método tinha algumas falhas. A oferta de pechinchas baseadas em estatísticas reduzira-se a quase nada e, como as guimbas de charuto tendiam a ser empresas pequenas, não funcionavam quando uma grande quantia estava envolvida.

Enquanto ainda trabalhava com essa abordagem, Buffett teve algo que chamaria mais tarde de "intuição de alta probabilidade" a respeito da American Express que entrava em conflito com o preceito básico de Graham. Ao contrário das empresas cujo valor estava relacionado ao dinheiro, equipamentos, imóveis e outros ativos que podiam ser calculados e, se necessário, liquidados, a American Express tinha pouco mais além da credibilidade do consumidor. Apostou o dinheiro dos sócios – a herança de Alice, as economias de Doc Thompson, de Anne Gottschaldt e Catherine Elberfeld, a poupança de uma vida inteira dos Angle e o dinheiro de Estey Graham – naquela credibilidade, a vantagem competitiva de que Charlie Munger falava quando se referia a "grandes negócios". Esse era o "método da avaliação de classe" de Phil Fisher, que envolvia estimativas qualitativas, ao invés de quantitativas.

Buffett escreveria mais tarde aos sócios que *"comprar a companhia certa (com as perspectivas certas, com as condições inerentes ao seu desenvolvimento e boa administração, etc.)"* significa que *"o preço toma conta de si mesmo... É o que faz a caixa registradora realmente cantar. Entretanto, é uma ocorrência rara, como costumam ser as intuições, e naturalmente nenhuma intuição é necessária em relação ao aspecto quantitativo – os números batem na sua cabeça com a força de um taco de beisebol. Por isso, o dinheiro grande tende a ser feito pelos investidores que estão certos em suas decisões qualitativas".*[6]

Essa nova ênfase na abordagem pela qualidade foi recompensada pelos resultados estupendos que Buffett pôde anunciar aos sócios no final de 1965. Quando fez seu relatório anual, ele comparou os imensos ganhos às previsões anteriores de que jamais poderia superar o Dow Jones em 10% ao ano – e se referiu ao desempenho atordoante dizendo: *"Naturalmente, nenhum autor gosta de ser publicamente humilhado por um erro de tal porte. Dificilmente será repetido."*[7] Apesar da ironia, ele tinha iniciado a tradição de se precaver contra expectativas muito altas dos sócios. Enquanto os registros de resultados notáveis aumentavam, as suas cartas também começaram a demonstrar preocupação com as medidas do sucesso e do fracasso. Passou a usar termos como "constranger", "desapontar" ou "culpar" com uma frequência incrível, até para descrever seus supostos erros – pois ele permanecia obcecado com a ideia de nunca desapontar ninguém.[8] À medida que seus destinatários começaram a reconhecer esse padrão, alguns presumiram que estavam sendo manipulados, enquanto outros o acusaram de falsa modéstia. Quase ninguém sabia como ele era profundamente inseguro.

No ano que se seguiu à morte de Howard, Warren pensou em fazer alguma coisa em homenagem à sua memória – como, por exemplo, patrocinar uma cadeira na universidade com o nome do pai. Mas não parecia conseguir achar o veículo perfeito. Ele e Susie organizaram a Buffett Foundation, que fazia pequenas doações para causas educacionais. Mas tampouco era isso o que ele tinha em mente para o pai, nem queria se tornar um filantropo. Era Susie que gostava de distribuir dinheiro e era ela que cuidava da fundação. Warren, ao contrário, trabalhava sem dar sinais de diminuir a intensidade de sua dedicação. Depois dos incríveis resultados com a American Express contratou John Harding, do departamento de crédito do Omaha National Bank, em abril de 1965, para cuidar da administração. Mas, quando Harding assumiu o posto, Buffett lhe avisou: *"Não sei se vou fazer isso para sempre, e, se eu parar, você vai ficar desempregado."*[9]

Mas não havia sinal de que iria parar. Harding tinha esperança de aprender sobre investimentos, mas logo essa ambição foi destruída. "Qualquer ideia que eu tinha a respeito de cuidar de investimentos se desfez quando vi como Warren era bom", diz. Harding resolveu simplesmente colocar a maior parte do seu dinheiro na sociedade.

Além de abastecer a BPL com milhões de dólares em ações da American Express, Warren agora perseguia negócios maiores, que exigiam viagens e organização, que eram guimbas de charuto gigantes ou intuições com base numa classificação "qualitativa", o que era algo muito diferente de folhear o *Moody's Manual* de roupão de banho em casa. Seu próximo alvo, uma guimba de charuto, ficava muito longe de Omaha.

Cada um dos discípulos de Graham da rede social de Buffett estava sempre procurando ideias novas, e Dan Cowin tinha levado para ele uma indústria têxtil de New Bedford, Massachusetts, que estava sendo vendida por preços bem mais baixos que o valor de seus ativos.[10] O nome era Berkshire Hathaway. Quando o cabelo voltou a crescer na cabeça de Warren, depois do choque pela morte do pai, ele já estava completamente envolvido com essa nova ideia.

Buffett começou a circundar a empresa e observá-la. Iniciou uma lenta acumulação de ações da Berkshire Hathaway. Dessa vez, para o bem e para o mal, ele escolhera um negócio comandado por alguém com o ego do tamanho de Massachusetts.

Seabury Stanton, presidente da Berkshire Hathaway, tinha fechado mais de 12 fábricas com relutância, uma a uma, ao longo da última década. As remanescentes se espalhavam nas margens de rios de cidadezinhas ligeiramente decadentes, na região costeira da Nova Inglaterra, como se fossem templos em tijolos vermelhos erguidos em nome de uma fé há muito esquecida.

Ele era o segundo Stanton a dirigir a empresa e se sentia um predestinado. Nas praias rochosas de New Bedford, ele era uma espécie de rei Canuto, ordenando que as marés da devastação se recolhessem. Mas, ao contrário de Canuto, ele realmente acreditava que seria obedecido. Sendo uma versão viva, ao estilo da Nova Inglaterra, de *American Gothic*,* Seabury olhava friamente para seus visitantes, encarando-os de cima para baixo, do alto de seus mais de 2 metros. Isto é, se alguém conseguisse achá-lo. Ele ficava escondido em um escritório na cobertura, protegido por uma escada estreita e comprida e pela secretária da secretária, longe do trabalho dos teares.

New Bedford, onde funcionava o seu quartel-general, já tinha brilhado como um diamante na coroa da Nova Inglaterra. Houve uma época em que os navios que partiam de seu porto para caçar baleias fizeram dela a cidade mais rica da América.[11] O avô de Stanton, comandante de uma baleeira, foi líder de uma das famílias que mandavam na cidade, a capital do negócio mais aventureiro do mundo. Mas, em meados do século XIX, as baleias se tornaram raras, e os grandes navios com arpões precisaram se aventurar ainda mais ao norte, até o oceano Ártico. No outono de 1871, as famílias de New Bedford esperaram em vão por seus maridos e filhos. Surpreendidos por um inverno precoce, 22 barcos ficaram presos no gelo do Ártico e nunca mais voltaram.[12] New Bedford jamais seria a mesma novamente. E também não haveria recuperação para o negócio de baleias, que fora seu ganha-pão. À medida que o número de baleias se reduzia, também diminuía a demanda pelos produtos derivados delas. Depois de 1859, quando o petróleo jorrou do chão na Pensilvânia, o querosene se tornou cada vez mais popular como substituto do óleo de baleia. As flexíveis e afiladas barbatanas de baleia,[13] usadas nos espartilhos femininos, na armação de saias, em guarda-sóis, chicotes de charrete e outros ícones da vida na era vitoriana deixaram de encontrar mercado, e aqueles produtos desapareceram das prateleiras.

Em 1888, Horatio Hathaway, cuja família tinha ancestrais envolvidos no comércio de chá com a China,[14] e Joseph Knowles, seu tesoureiro, organizaram um grupo de sócios para seguir o que eles consideravam ser a próxima tendência em negócios. Criaram duas fábricas têxteis, Acushnet Mill Corporation e Hathaway Manufacturing Company.[15] Um dos sócios era Hetty Green, a famosa "Bruxa de Wall Street", herdeira de baleeiros criada em New Bedford, que saía de seus aposentos

---

* Pintura de Grant Wood, de 1930, que retrata um fazendeiro, de ar severo, segurando um forcado, e uma mulher diante de uma casa. (*N. do T.*)

numa casa de cômodos de Hoboken e tomava a barca para Nova York para fazer empréstimos e investimentos. Vagava pelas ruas ao sul de Manhattan usando um vestido velho de alpaca preta, com um manto enrolado e um chapéu com véu cor de ferrugem. Ela parecia um morcego idoso: sua aparência era tão excêntrica e sua sovinice tão célebre que espalharam boatos dizendo que suas roupas de baixo eram feitas de jornal. Ao morrer, em 1916, Green era a mulher mais rica do mundo.[16]

Com o financiamento daqueles investidores, surgiram fábricas para pentear, fiar, tecer e tingir os grandes lotes de algodão descarregados de navios do Sul no cais de New Bedford. O congressista William McKinley, presidente do Comitê de Assuntos Internos, que visitava a região de tempos em tempos para inaugurar novas fábricas, defendeu a criação de uma tarifa para proteger as fábricas do comércio estrangeiro, pois era mais barato produzir tecidos em outros lugares.[17] Dessa forma, desde o início as indústrias têxteis do Norte precisaram de ajuda política para sobreviver. No início do século XX, uma nova tecnologia – o ar-condicionado – revolucionou as fábricas ao permitir o controle preciso da umidade e a quantidade de partículas no ar. Assim, deixou de ser justificável, do ponto de vista econômico, que se embarcasse o algodão do Sul, onde o trabalho era mais barato, para as costas enregeladas da Nova Inglaterra. O sucessor de Knowles, James E. Stanton Jr., observou a metade dos seus competidores fechar as portas.[18] Encurralados por uma série de cortes em seus salários, os trabalhadores das fábricas que permaneciam abertas fizeram uma greve de cinco meses, com consequências desastrosas para os proprietários. James Stanton "hesitava em gastar o dinheiro dos acionistas em novos equipamentos, quando os negócios iam tão mal e as perspectivas eram tão incertas", contou seu filho.[19] Ele retirava capital dos negócios mediante o pagamento de dividendos.

Na época em que o filho de Stanton, Seabury, formado em Harvard, assumiu o comando, em 1934, as instalações envelhecidas e dilapidadas da Hathaway ainda produziam, trepidantes, algumas peças de tecido de algodão por dia. Seabury foi tomado pela visão de si mesmo como o herói que salvaria as fábricas de tecidos. "Havia um lugar na Nova Inglaterra para uma indústria têxtil que empregasse os equipamentos mais modernos e uma administração competente", ele disse, e com seu irmão Otis concebeu um plano de modernização em cinco anos.[20] Gastaram 10 milhões de dólares na instalação de aparelhos de ar condicionado, elevadores elétricos e esteiras rolantes, além de melhorias na iluminação e vestiários modernos, nos venerandos prédios de tijolo vermelho da empresa. Trocaram o algodão pelo raiom, a seda de pobre, e fabricaram paraquedas de raiom durante a guerra, quando viveram um momento de bonança. Mesmo assim, com o passar do tempo, a produção estrangeira, mais barata, continuava a baixar os preços. Para competir pelos clientes, Seabury espremeu ao máximo os salários dos trabalhadores de sua fábrica moderna.

Mas, ano após ano, as marés cobriam a sua costa – havia tecido estrangeiro mais barato, competidores mais bem equipados e custos de mão de obra mais em conta no Sul – e se apresentavam como uma ameaça crescente às fabricas.

Em 1954, o quartel-general da Hathaway, na rua Cove, foi atingido por ondas de 4,5 metros, consequência do furacão Carol. Apesar de a torre do relógio, marca registrada da firma, ter escapado incólume, um mar de lama e detritos invadiu os teares e os fios armazenados no prédio. Em vez de reconstruir a fábrica, a reação óbvia seria a de juntar-se à marcha rumo ao Sul. Mas Seabury Stanton fundiu a Hathaway com outra fábrica, a Berkshire Fine Spinning, tentando, com efeito, erguer uma barreira contra um maremoto.[21]

A Berkshire Fine Spinning fazia de tudo, desde a mais rígida sarja à mais transparente marquisete, robustos blecautes para cortinas e linhos elegantes para camisaria. Malcolm Chace, seu dono, recusava-se peremptoriamente a gastar qualquer centavo com modernização. Seu sobrinho Nicholas Brady escrevera um estudo sobre negócios na Harvard Business School, em 1954, chegando a conclusões tão desencorajadoras que resolveu vender suas ações da Berkshire.

Naturalmente, Chace opôs-se às demandas de Seabury Stanton relativas à modernização, mas a nova Berkshire Hathaway era governada pelo senso de predestinação de Stanton. Ele simplificou a linha de produção, concentrando-se no raiom, e passou a produzir o forro de metade dos ternos masculinos dos Estados Unidos.[22] Enquanto a Berkshire Hathaway, sob a gestão de Stanton, produzia quase 240 milhões de metros de tecido por ano, ele prosseguia sua "incansável" modernização, despejando outro milhão de dólares nas fábricas.

Nessa altura, o irmão Otis começava a ter dúvidas sobre a viabilidade de permanecerem em New Bedford, mas Seabury achava que a hora de uma mudança para o Sul já tinha passado[23] e se recusou a desistir do sonho de reviver as fábricas.[24]

Quando Dan Cowin procurou Buffett para falar sobre a Berkshire, em 1962, ele já tinha ouvido alguma coisa sobre o assunto, como de qualquer outro negócio de tamanho significativo nos Estados Unidos. O dinheiro que tinha sido despejado na empresa significava que a Berkshire valia – segundo os contadores – 22 milhões de dólares enquanto negócio, ou 19,46 dólares por ação.[25] No entanto, depois de nove anos de prejuízos, qualquer um podia adquirir o papel por apenas 7,50 dólares. Buffett começou a comprar.[26]

Seabury também vinha comprando ações da Berkshire, usando o dinheiro extra que não estava sendo empregado nas fábricas para fazer uma oferta de compra a cada dois anos. A teoria de Buffett era que Seabury continuaria lá, e assim ele podia planejar as próprias transações, adquirindo a ação quando ela ficasse barata e vendendo de volta para a empresa quando o preço se elevasse.

Ele e Cowin começaram a comprar. Se alguém ficasse sabendo que Buffett estava comprando, os preços começariam a subir, por isso ele fez as aquisições por intermédio de Howard Browne, da Tweedy, Browne. Eram os seus corretores favoritos, porque ali todo mundo, especialmente Browne, mantinha a boca fechada, coisa da maior importância para Buffett, que gostava do sigilo. A Tweedy, Browne deu um codinome para a conta da sociedade de Buffett: BWX.[27]

Quando Buffett chegava à Tweedy, Browne, que mantinha um minúsculo escritório em Wall Street, 52, no mesmo prédio *art déco* onde Ben Graham trabalhara, era como se estivesse entrando numa barbearia antiquada, com piso em cerâmica preta e branca. Na pequena sala à esquerda ficavam a secretária e o gerente administrativo. À direita, a sala de operações. Depois, um pequeno compartimento alugado, quase completamente ocupado por um bebedouro, um cabide para casacos – na verdade, uma espécie de armário – e Walter Schloss, comandando sua sociedade de uma mesa caindo aos pedaços. Aplicando o método de Graham sem a menor variação, ele vinha conseguindo médias de retorno de mais de 20% ao ano desde que saíra da Graham-Newman. Para pagar seu aluguel na Tweedy, Browne, em vez de dinheiro, entregava comissões da negociação de ações. As operações eram poucas, e o aluguel, na realidade, saía por uma pechincha. Ele limitava suas outras despesas a uma assinatura de *Value Line Investment Survey*, lápis e papel, bilhetes de metrô e nada mais.

No centro da sala de operações ficava uma mesa de madeira com 6 metros de comprimento, que a firma provavelmente adquirira quando já se encontrava a meio caminho do depósito de lixo. A superfície trazia marcas de várias gerações de estudantes e seus canivetes. Para escrever números, era preciso colocar uma prancha sob o papel, porque de outra forma coisas como "Todd ama Mary" apareceriam gravadas no texto.

Num dos lados da mesa toda marcada, Howard Browne reinava com uma autoridade benevolente. Ele e os sócios ficavam de frente para o operador da firma, que – como todos os operadores – era nervoso, indócil, sempre à espera de que o telefone tocasse para poder negociar. Ao seu lado, um lugar vazio servia como "cadeira dos visitantes". Os arquivos de madeira mais baratos do mercado ocupavam as paredes.

Em nenhum outro lugar de Nova York Buffett se sentia tão em casa quanto na "cadeira dos visitantes" da Tweedy, Browne. A firma se diversificara, passando a fazer arbitragem, *workouts* (casos de mudança de posição que estavam praticamente concluídos mas ainda podiam dar algum dinheiro) e *stubs*, companhias sendo compradas e desmembradas – todas as coisas de que ele gostava. Negociava títulos, tais como papéis de 15 anos da Jamaica Water (do Queens), *warrants* da empresa de água – direitos de comprar ações dela, que costumavam subir sempre que se especulava que a cidade de Nova York assumiria o abastecimento e cair novamente quando a especulação diminuía. A Tweedy, Browne comprava todas as vezes que o preço caía e os vendia sempre que subiam – e repetia a manobra sem parar.

A firma também se especializou em esgrimir contra a administração de negócios obscuros e desvalorizados, na tentativa de extrair o seu valor oculto, como acontecera com a Sanborn Map. "Estávamos sempre nos tribunais, processando alguém", diz um sócio.[28] Tudo cheirava aos velhos dias na Graham-Newman e tinha pouca semelhança com a gigantesca negociação em torno da American Express, mas Buffett amava aquele clima. Tom Knapp pesquisava ações e passava o dia pensando em pregar peças nos outros quando não estava organizando operações. Tinha confiscado para si um enorme armário e o enchera com os selos Blue Eagle, de 4 centavos, que ele e Buffett tinham comprado equivocadamente, e com mapas topográficos da costa do Maine. A pilha de mapas aumentava, pois Knapp estava usando o dinheiro que ganhava com ações para a compra de terrenos na costa do Maine.[29] A pilha de selos Blue Eagle diminuía lentamente à medida que a Tweedy, Browne usava 40 selos no pacote de *Pink Sheets* que era enviado para Buffett todas as semanas.

As cotações do *Pink Sheets* para ações que não estavam listadas na Bolsa de Nova York já estavam velhas na hora em que eram publicadas. Buffett usava o *Pink Sheets* apenas como um ponto de partida para o seu bazar telefônico, quando fazia uma dúzia ou mais de ligações até completar uma transação, com a ajuda de seus corretores. A ausência de um preço divulgado publicamente ajudava a diminuir a competição. Alguém que estivesse disposto a ligar para todos os corretores e espremê-los sem piedade levava uma vantagem significativa sobre os menos enérgicos e mais tímidos.

Browne ligava para Buffett para que ele soubesse, por exemplo, que eles tinham a ação XYZ a 5 dólares.

"*Hummmm, meu lance é de 4,75 dólares*", dizia Buffett, sem hesitação. A manobra, chamada "Traçando o limite", permitia descobrir o grau de ansiedade do vendedor.

Depois de ligar para o cliente para saber se ele aceitaria um preço mais baixo, Browne telefonava para Buffett com a resposta. "Lamento, ele não aceita nada menos do que 5 paus."

"*Impensável*", responderia Buffett.

Dias mais tarde, Browne voltava a ligar para Buffett. "Conseguimos a ação por 4,75. Aceitamos seu lance."

"*Sinto muito*", dizia Buffett imediatamente, "*meu lance agora é 4,50.*"

Browne voltava ao vendedor, que dizia "Mas que raios aconteceu com o lance de 4,75?"

"Estamos apenas transmitindo a mensagem. O lance é 4,50."

Mais telefonemas iam para lá e para cá, até que, uma semana depois, Browne voltava para Buffett. "Tudo certo. Lance de 4,50 aceito."

"*Sinto muito*", dizia Buffett, e baixava mais um oitavo, "4,375."

Assim, do jeito que lhe era peculiar, ele baixava ainda mais o preço. E raramente – quase nunca – queria tanto uma ação a ponto de aceitar aumentar o lance.[30]

Encomendou o primeiro lote de 2 mil ações da Berkshire Hathaway através da Tweedy, em 12 de dezembro de 1964, por 7,50 dólares cada uma, pagando ao corretor uma comissão de 20 dólares.[31] Mandou que Browne continuasse a comprar.

Cowin ouviu o falatório a respeito da Berkshire de um dos membros do conselho de administração, Stanley Rubin, o principal vendedor da empresa, que também era amigo de Otis Stanton, outro integrante. Otis Stanton achava que seu irmão estava fora do ar. Protegido pelas secretárias em sua torre de marfim, Seabury bebia cada vez mais, à medida que piorava o conflito entre sua visão grandiosa e a dura realidade.[32] Agora Otis tinha sérias divergências com Seabury.[33] Achava que era melhor que o irmão aceitasse a possibilidade de uma greve, em vez de concordar com as exigências de salários maiores.[34] Também desaprovava o sucessor escolhido por Seabury, seu filho Jack, um jovem muito simpático mas que não estava pronto para a tarefa, segundo Otis. Otis tinha ideias próprias sobre quem deveria substituir Seabury – Ken Chace, o vice-presidente de produção.

Seabury Stanton reagiu às aquisições de Buffett como se a ameaça de tomada de poder fosse iminente e fez diversas ofertas de compra da ação. Era exatamente o que Buffett queria, pois sua teoria era que, em algum momento, Seabury compraria a sua parte. Queria a ação da Berkshire não para mantê-la, mas para vendê-la. Mesmo assim, em toda transação precisa haver um vendedor e um comprador. Até ali, Seabury Stanton tinha resistido às pressões do tecido estrangeiro mais barato e do furacão Carol. Então havia uma chance de que Seabury levasse a melhor.

Após algum tempo, Warren foi a New Bedford conhecer o lugar. Dessa vez não apareceu sem ser anunciado. A Srta. Tabor, a secretária ferozmente leal a Seabury, decidia quais visitantes seriam autorizados a atravessar as portas de vidro e subir a estreita escadaria até o escritório de Stanton, na cobertura. Acompanhado pela mulher de ar soturno até o esconderijo do tamanho de um salão de baile, com mobília digna de um palácio, Warren percebeu que não havia cadeiras em frente à mesa de Stanton. Era claramente um homem acostumado a convocar pessoas para ficarem em pé diante dele enquanto dizia o que deviam fazer.

Os dois homens se sentaram em torno de uma mesa de vidro retangular, que ficava num canto, e Buffett perguntou como Stanton se comportaria na próxima oferta de compra. Stanton olhou para ele através de seus óculos de aros metálicos, apoiados na ponta do nariz. "*Ele foi razoavelmente gentil. Mas então disse: 'Provavelmente teremos uma oferta por esses dias. Qual seria o preço para venda, Sr. Buffett?', mais ou menos com essas palavras. A ação estava sendo vendida a 9 ou 10 dólares.*

Eu disse que venderia por 11,50 dólares, numa oferta de compra, se ela acontecesse. E ele disse: 'Bem, então o senhor promete que, se acontecer, colocará suas ações à venda?'

Respondi: 'Bom, você sabe, se isso acontecer num futuro relativamente próximo, e não daqui a 20 anos... Tudo bem.'

Então fiquei congelado. Achava que não podia comprar mais ações, porque estava ciente do que ele podia fazer. Fui para casa e, não muito tempo depois, recebi uma carta da Old Colony Trust Company, subsidiária do First National of Boston, oferecendo 11,375 dólares para qualquer pessoa que quisesse entregar suas ações da Berkshire." Eram menos 12,5 centavos por ação do que tinha sido conversado.

Buffett ficou furioso. "*Aquilo me deixou de cabeça quente. Imagina, aquele sujeito estava tentando espremer um oitavo de ponto percentual depois de ter apertado minha mão e dizer que o negócio estava fechado.*"

Warren estava acostumado a usar aquelas táticas, e agora Stanton tentava lhe aprontar uma. Ele enviou Dan Cowin a New Bedford para tentar argumentar com Stanton e não desfazer o acordo. Os dois homens discutiram, e Stanton negou ter feito um acordo com Buffett. Disse a Cowin que aquela empresa era sua e ele faria o que quisesse. Foi um erro. Seabury Stanton se arrependeria muito, muito mesmo, de tentar aprontar com Warren Buffett. Buffett decidiu que – ao invés de vender – agora queria comprar.

Jurou que a Berkshire seria sua. Compraria tudo. Seria dono de cada cadeado, ação, tear e carretel. Não se intimidava com o fato de a Berkshire Hathaway ser um empreendimento decadente e fútil. Era barato e era o que almejava. Acima de tudo, queria que Seabury Stanton a perdesse. Buffett e os outros acionistas mereciam mais. Em sua determinação, ignorou todas as lições aprendidas com sua experiência na Dempster – menos uma. E aquela era justamente a que ele deveria ter ignorado.

Buffett enviou seus batedores em busca de mais lotes daquelas ações, difíceis de encontrar. Cowin conseguiu o suficiente para entrar no conselho de administração da Berkshire. Mas outras pessoas começaram a reparar no que estava acontecendo. Jack Alexander, amigo de Buffett nos tempos de Columbia, tinha uma sociedade de investimentos com seu colega de turma Buddy Fox. "Um dia vimos que Warren estava comprando Berkshire Hathaway", conta ele. "E também começamos a comprar." Durante uma viagem a Nova York – a empresa deles estava sediada em Connecticut – contaram a Buffett que estavam seguindo seus passos com aquela ação. "Ele ficou muito perturbado. *'Olha só'*, disse, *'vocês estão se agarrando na minha casaca. Não está certo. Parem com isso.'*"

Fox e Alexander ficaram desconcertados. O que estavam fazendo de errado? Buffett deu a entender aos dois que estava disputando o controle. Ainda assim, agarrar-se nas casacas mesmo em situações como essa era um esporte popular entre os discípulos de Graham. Era considerada uma conduta esportiva. Com efeito, Buffett comprou as ações deles. *"Preciso mais do que vocês."* Eles concordaram em vender pelos preços de mercado na época, porque claramente aquilo era muito importante para ele. Parecia ter algum tipo de estranha ligação com a Berkshire Hathaway. "Não era tão importante para a gente. E obviamente era muito importante para ele."

Como Fox e Alexander, alguns outros investidores tinham se transformado em observadores de Buffett, seguindo as suas pegadas como se fossem as do Pé Grande. Aquilo criou uma competição pelo papel. Ele avisou aos discípulos de Graham para ficarem bem longe de Berkshire. A única exceção foi Henry Brandt. Em recompensa por seus serviços, permitiu que Brandt comprasse a ação a menos de 8 dólares. Ele tinha começado a assumir uma postura fanfarrona, que algumas pessoas consideravam irritante. Contudo, como ele parecia saber exatamente o que fazer para acertar, sempre deixava todos fascinados. Até o seu pão-durismo parecia fazer parte do seu charme. Durante anos ele deve ter sido a única pessoa com negócios regulares em Nova York que procurava não apenas hospedagem gratuita (na casa da mãe de Fred Kuhlken, Anne Gottschaldt, em Long Island), mas também espaço gratuito para trabalhar (na Tweedy, Browne).

Nessa época, porém, Susie passou a acompanhá-lo nessas viagens, e, para seu conforto, ele parou de ficar na casa da mãe de seu falecido colega e passou a se hospedar no Plaza Hotel. Além de ser mais conveniente para os negócios, o Plaza, do ponto de vista de Susie, colocava ao alcance da mão lojas de departamentos como Bergdorf Goodman, Best & Company e Henri Bendel. Um boato circulava entre os amigos de Buffett – do tipo que sempre havia a respeito dele, como o que dizia que sua filha dormia numa gaveta da cômoda para economizar o berço. Ele estaria hospedado no quarto mais barato do Plaza, um cubículo sem janela parecido com seu alojamento em Columbia, pagando um valor ridículo para ficar lá quando fosse sozinho a Nova York.[35] Verdade ou não, cada vez que chegava ao Plaza, sem dúvida ele sentia uma pontada de tristeza por não ficar mais em Nova York completamente de graça.

As viagens para a Bergdorf eram mais um aspecto de como a rotina em Nova

York tinha mudado. Susie passava os dias saindo para almoçar e fazer compras. À noite, jantavam e então iam para a Broadway e assistiam a espetáculos musicais. Ele gostava de vê-la se divertir, e agora ela estava se acostumando a fazer compras nas melhores lojas. Mesmo assim, embora tivesse o poder de abrir a carteira de Warren, ele continuava implicando com o dinheiro que Susie gastava. A sua maneira de justificar as despesas era dizer que estava fazendo compras para outra pessoa. A filha, Susie Jr., era uma beneficiária frequente, com armários recheados de roupas da Bergdorf. Certa vez, Susie voltou de Nova York com um casaco de pele de arminho. Tinha encontrado um amigo de Warren, que a levara a um peleteiro. "Achei que precisava comprar alguma coisa", ela disse. "Eles foram tão gentis comigo." Tinha feito aquilo para ser simpática com o vendedor de peles.

Proteger a Berkshire dos agarradores de casaca não serviria de nada se Buffett não encontrasse uma maneira de comandar o negócio bem o bastante para garantir que Susie continuasse a usar casacos de pele. Fez outra visita a New Bedford, passando na fábrica para encontrar Jack Stanton, o presumível herdeiro. Alguém ia precisar tomar conta do lugar quando saísse das mãos de Seabury, e Warren precisava descobrir quem seria essa pessoa.

Stanton alegou estar muito ocupado e enviou Ken Chace para acompanhar Buffett na visita.* Stanton não imaginava que o tio já tinha sugerido Chace como um possível substituto para Seabury.

Ken Chace era engenheiro químico por formação, tinha 47 anos, era tranquilo, controlado e sincero. Não sabia que estava na disputa pelo comando da empresa. De qualquer maneira, passou dois dias ensinando a Buffett o negócio têxtil, enquanto o outro fazia pergunta atrás de pergunta e Chace falava sobre os problemas das fábricas. Buffett ficou impressionado com sua franqueza e também com sua atitude. Chace deixou claro que considerava os Stanton tolos por despejar dinheiro num negócio que estava descendo pelo ralo.[36] Quando a visita acabou, Buffett disse a Chace que "manteria contato".[37]

Um mês e pouco depois Stanley Rubin precisou entrar em ação para persuadir Chace a não aceitar um emprego numa fábrica concorrente. Enquanto isso, Buffett lutava para conseguir mais ações, inclusive aquelas que pertenciam a vários integrantes da família Chace.

O alvo final de Buffett era Otis Stanton, que queria que o irmão se aposentasse. Não confiava no filho de Seabury, Jack, e duvidava que Seabury realmente soltasse as rédeas.

---

* Nenhum parentesco com Malcolm Chace, que tinha sido presidente do conselho quando a Berkshire Fine Spinning se fundiu com a Hathaway Manufacturing. *(N. da A.)*

Otis e sua mulher, Mary, concordaram em se encontrar com Buffett no Wamsutta Club, em New Bedford.[38] Durante o almoço na simpática casa em estilo italiano, remanescente do passado grandioso da cidade, Otis admitiu que venderia suas cotas caso Buffett fizesse uma oferta semelhante à de Seabury. Warren concordou. Então Mary Stanton perguntou se podiam manter algumas ações, das 2 mil que venderiam, por razões sentimentais. Só umas duas.

Buffett disse não. Era tudo ou nada.[39]

As 2 mil ações de Otis Stanton levaram Warren a possuir 49% da Berkshire Hathaway – o suficiente para lhe dar o controle efetivo. Com o prêmio ao seu alcance, ele foi se encontrar com Ken Chace em Nova York, numa tarde de abril, e caminhou com ele pela movimentada praça na Quinta Avenida com Central Park South, onde comprou dois picolés. Depois de uma ou duas mordidas, foi direto ao assunto. *"Ken, gostaria que você se tornasse presidente da Berkshire Hathaway. O que você acha?"* Agora que controlava a empresa, ele disse, podia mudar a administração na reunião de diretoria seguinte.[40] Chace ficou atônito com a proposta, apesar de alguns comentários feitos por Rubin quando tentou convencê-lo a não aceitar o outro emprego. Ele concordou em ficar quieto até a reunião.

Sem perceber que seu destino já estava traçado, Jack Stanton e a mulher saíram correndo de New Bedford para encontrar Warren e Susie no Plaza para um café da manhã. Kitty Stanton, mais agressiva do que o marido, defendeu sua posição. Em busca de um argumento que tivesse apelo para os Buffett, Kitty deu o golpe que seria fatal. Buffett, com toda certeza, não derrubaria a aristocracia industrial hereditária da Nova Inglaterra, que supervisionara o negócio por gerações, para entregá-lo a um desqualificado como Ken Chace. Ela e Jack se enquadravam melhor no ambiente do Wamsutta Club. Kitty, afinal, era da Junior League, como Susie.[41]

"Ela era uma pessoa boa. Mas tenho a impressão de que achava que Jack tinha direitos adquiridos, por causa do pai. Parte do seu argumento era afirmar que Ken Chace não pertencia à mesma classe à qual Jack Stanton, ela, Susie e eu pertencíamos."

Pobre Kitty. Usar este golpe contra um homem que desprezava tanto a hierarquia que se recusara a entrar na Ak-Sar-Ben, torcendo o nariz para a alta sociedade de Omaha...

Já era tarde demais para Jack. E também para Seabury, um déspota sem amigos no conselho. Até seu presidente, Malcolm Chace, não gostava dele. Dessa forma, quando os partidários de Buffett combinaram que ele seria nomeado para o conselho numa reunião especial em 14 de abril de 1965, ele foi rapidamente eleito diretor, com o apoio de boa parte do conselho.[42]

Semanas mais tarde, Buffett pousou em New Bedford, onde foi recebido por uma manchete no *New Bedford Standard Times* sobre "interesses externos" que assumiam a empresa.[43] A matéria "plantada" o enfureceu. Não esquecera a lição do caso Dempster, a de jamais ficar marcado como liquidante, para não atrair o ódio de uma cidade inteira. Buffett jurou para os jornalistas que o negócio continuaria como sempre. Negou que a mudança no comando provocaria o fechamento da fábrica – e se comprometeu publicamente ao assumir esse encargo.

Em 10 de maio de 1965 o conselho se reuniu no quartel-general da Berkshire, em New Bedford. Primeiro presenteou com uma bandeja de prata o vice-presidente de vendas, que estava se aposentando. Depois aprovou as minutas da última reunião e concordou em conceder um aumento de 5% nos salários. Em seguida a reunião ficou surreal.

Seabury, com quase 70 anos, a cabeça calva marcada com manchas senis, anunciou que tinha planejado se aposentar em dezembro, para que Jack o sucedesse. Ele não podia continuar como presidente "de uma organização sobre a qual ele não exerceria completa autoridade", disse.[44] Com tanta altivez quanto sua personalidade permitia – algo considerável, já que os amotinados tinham assumido o comando do navio –, Seabury fez um pequeno discurso elogiando suas conquistas. Então entregou sua carta de demissão, e o conselho a aceitou. Jack Stanton adicionou um pequeno e amargo epílogo, ao dizer que, se tivesse assumido a presidência em dezembro, com toda a certeza teria um "sucesso continuado e operações lucrativas". O conselho ouviu pacientemente e, em seguida, aceitou também sua demissão.

Nessa altura, Jack Stanton já havia pousado sua caneta e parara de fazer as minutas onde ficaram registrados esses dois discursos, e os dois Stanton deixaram a sala. O conselho fez uma pausa e respirou aliviado.

Dando rápido prosseguimento aos trabalhos, o conselho elegeu Buffett para a sua presidência e confirmou Ken Chace no comando daquela empresa condenada que Buffett – num momento de insensatez – adquirira por meio de tanto esforço. Dias mais tarde ele explicou seu raciocínio sobre o setor têxtil numa entrevista. "*Não somos contra nem a favor. É uma decisão de negócios. Vamos tentar avaliar a empresa. O preço é um fator importante para o investimento. É o que determina as decisões. Compramos a Berkshire Hathaway por um bom preço.*"[45]

Mais tarde, ele reformularia suas palavras.

"*Comprei minha própria guimba de charuto e tentei fumá-la. Você está na rua e vê uma guimba de charuto um tanto amassada e nojenta, um tanto repulsiva, mas é de graça... E talvez tenha sobrado uma baforada. A Berkshire não tinha mais baforadas a oferecer. Tudo o que sobrara era uma guimba de charuto amassada na boca. Isso era a Berkshire em 1965. E eu tinha muito dinheiro preso naquela guimba.*[46]

Teria sido melhor se eu nunca tivesse ouvido falar da Berkshire Hathaway."

28
Pavio seco
Omaha – 1962-1966

"A dinâmica mudou 100% com a morte do meu pai", diz Doris. "Tudo foi para o espaço. Meu pai era o eixo da família. Sem ele, perdemos o centro."
Leila suportara múltiplas perdas nos últimos anos. A mãe, Stella, morrera em 1960, no Hospital Estadual de Norfolk, e a irmã Bernice faleceu um ano depois, vítima de câncer nos ossos. Sem Howard, ela precisava encontrar um novo sentido para sua existência e passou a depender de Warren, Susie e sua família. Os netos iam visitá-la aos domingos, quando ela lhes dava saquinhos de doces para comerem na igreja, ou os levava para almoçar e depois lhes dava algum dinheiro, se calculassem a conta corretamente. De tarde, ela os levava para a Woolsworth e comprava brinquedos. Como Howard, que pagara aos filhos para que fossem à igreja, ela encontrou uma solução *à la* Buffett para o problema da solidão – pequenos acordos com os netos para que ficassem com ela o máximo possível.

A presença de Howard era o que sempre tornara tolerável a proximidade de Leila para Doris e Warren. Sem ele, os dois achavam insuportáveis as visitas à casa da mãe. Warren tremia quando era forçado a ficar perto dela. No dia de Ação de Graças, pegou seu prato e foi para o andar de cima jantar sozinho. Leila continuou a ter acessos ocasionais de raiva. Por décadas, seu comportamento bizarro tinha mirado apenas os integrantes de sua família, embora uma vez ela tenha passado uma hora berrando com um conhecido por algum motivo trivial, num estacionamento, enquanto Susie e Howie contemplavam a cena, atônitos. Mas Doris, que idolatrara o pai ainda mais do que o irmão, continuava a ser sua vítima preferencial. Doris sentia que decepcionara a família ao se divorciar de Truman. O contraste entre o sucesso de Warren e Susie e sua "vida de divorciada", numa época em que o divórcio ainda era raro, apenas reforçava seus sentimentos permanentes de desvalorização. Pouco antes de morrer, Howard lhe dissera que ela devia se casar novamente para dar um pai aos seus filhos. E foi o que ela fez. Casou-se com George

Lear, o primeiro que apareceu.[1] Era um homem adorável, mas Doris se sentira obrigada a casar novamente, o que não trazia bons augúrios para a nova união.

Bertie, sempre a menos prejudicada pelo comportamento da mãe e a mais independente do pai, foi a menos afetada pela morte de Howard. Como acontecia com Warren, contudo, a sua relação obsessiva com o dinheiro refletia sua ansiedade e dava a ela uma sensação de controle. Ela mantinha registros de cada dólar que gastava e, quando estava estressada, fazia contas para relaxar.

Todos os Buffett tinham "problemas" tão profundos com dinheiro que nenhum deles percebia que formavam uma família incomum. Depois da morte de Howard, Warren e Susie assumiram naturalmente a liderança da família – parcialmente por causa da sua fortuna, mas também em função de suas personalidades. Leila, Doris e Bertie procuravam Warren e Susie quando precisavam de apoio, como o resto da família. O tio de Warren, Fred Buffett, e sua mulher Katie, que agora eram os donos da mercearia, faziam Warren suar para saber quem era o mais pão-duro da família. Eram especialmente apegados a Warren e Susie e se aproximaram mais ainda, à medida que a riqueza e a importância do sobrinho aumentavam. Leila, que sempre sentira ciúmes da cunhada, não tirava da cabeça um incidente ocorrido décadas antes, quando Ernest tirara para dançar a animada Katie, e não ela, num baile do Rotary Club. Agora ela sentia ainda mais ciúmes de Katie, e Susie – que merecia a confiança de todos – precisava fazer malabarismos com as visitas para evitar conflitos. Considerando todo o trabalho que ela já tinha para separar Leila de Warren e de Katie, Susie devia ser uma exímia malabarista na época em que acompanhou Howard nos estágios finais de sua doença. Talvez não seja surpreendente, portanto, que a tia Alice, a parenta mais querida de Warren desde a infância, tivesse aprendido a confiar em Susie mais do que em qualquer outra pessoa da família, com exceção do próprio Warren.

Assim, foi Susie, e não Leila, quem Alice procurou numa segunda-feira de 1965. Susie estava no cabeleireiro, com Doris, quando recebeu um telefonema. Saiu do secador para atender o chamado na recepção. Alice explicou que estava preocupada com a irmã de Leila, Edith, que lhe telefonara no domingo dizendo estar extremamente deprimida. Alice, que era professora, levou Edith para dar uma volta de carro, as duas conversaram e depois pararam para tomar sorvete. Edith idolatrava Warren, Susie e Alice, na verdade todos os Buffett. Ela confidenciou que sentia ter trazido desgraça para uma família perfeita com sua vida imperfeita.[2] Seu casamento corajoso e impulsivo fracassara. O marido, a quem seguira até o Brasil, demonstrou ser um vigarista mulherengo e a trocou por outra pessoa. Depois de voltar do Brasil, ela sentia dificuldades em se adaptar à vida de mãe sozinha, divorciada e com duas filhas, em Omaha.

Alice contou a Susie que Edith não tinha aparecido na Technical High School para dar suas aulas de economia doméstica. Preocupada, Alice foi até o apartamento de Edith. Ninguém atendeu quando ela tocou a campainha e bateu na porta. Alice disse a Susie que temia que algo tivesse acontecido.

Susie então saiu correndo e pegou seu Cadillac conversível dourado, ainda com rolinhos no cabelo, e dirigiu até o prédio onde Edith morava. Começou a tocar a campainha e a bater na porta. Como ninguém atendeu, ela deu um jeito de entrar e começou a procurar. Parecia não haver ninguém, a casa estava perfeitamente arrumada. Não havia bilhetes nem recados, e o carro de Edith estava estacionado na garagem. Susie continuou a busca até chegar ao porão. Lá, descobriu Edith. Ela havia cortado os pulsos e já estava morta.[3]

Susie chamou a ambulância e se viu forçada a dar a notícia à família. Ninguém sabia que Edith estava tão deprimida e, até então, ninguém havia considerado seriamente a possibilidade de que fosse também vítima do histórico de instabilidade mental dos Stahl.

Aqueles a quem Edith deixou precisaram lidar com uma complexa rede de sentimentos: culpa por ela estar tão desesperada sem que percebessem; pena por ela se sentir tão inferior aos Buffett; dor diante da perda. Warren, Doris e Bertie ficaram abalados e tristes com a morte da tia gentil e amorosa a quem estimavam tanto desde a infância.

Não é preciso dizer o que Leila, aos 62 anos, sentiu com a morte da irmã. Mas por que Leila – que sempre se considerava maltratada – deveria ter sentimentos diferentes daqueles compartilhados por pessoas próximas à suicida? Era normal ela experimentar raiva e abandono, além de outras emoções. No mínimo, a morte de Edith significava que Leila era a única sobrevivente de sua família mais próxima. Edith também levava consigo a chance de as duas refazerem seu relacionamento. E mais um Stahl criara constrangimento para os Buffett, dessa vez marcando a família com o estigma do suicídio. Seja o que for que Leila tenha sentido, menos de um mês depois ela se casou abruptamente com Roy Ralph, um homem de maneiras agradáveis, 20 anos mais velho do que ela, que a vinha cortejando desde a morte de Howard. Até então ela recusara suas propostas. Os parentes tinham ouvido infinitas vezes, até ficarem entorpecidos de tédio, as evocações incessantes do passado e dos 38 anos e meio de felicidade com Howard. Assim, ficaram atônitos com aquela reviravolta, que a fez mudar seu nome para Leila Ralph. Alguns acharam que ela talvez estivesse fora de si, e provavelmente ela estava, pelo menos temporariamente. Howard, que permanecera como uma presença invisível mas constante desde sua morte, dois anos antes, agora deixava de ser mencionado nas reuniões familiares para evitar constrangimentos, enquanto os filhos se adaptavam com dificuldade ao padrasto, já na casa dos 80 anos.

Susie, enquanto isso, assumia ainda mais obrigações do que antes, não apenas junto à família, mas também na comunidade. Ela começou a pressionar Warren a diminuir seu ritmo. A Buffett Partnership estava estufada como um peru de Ação de Graças após a operação da American Express. Terminou 1965 com ativos de 37 milhões de dólares, incluindo mais de 3,5 milhões de lucro só com aquela ação, que subira para 50 dólares, e depois 60, e depois 70, por unidade. Warren ganhara mais de 2,5 milhões em comissões, elevando a participação dele e de Susie para 6,8 milhões de dólares. Ele tinha 35 anos. A família já era riquíssima pelos padrões de 1966. De quanto dinheiro precisavam? Quanto tempo mais ele pretendia passar daquela maneira? Agora que estavam tão ricos, Susie achava que deveriam fazer mais por Omaha.

Em 1965, ela reluzia com o fulgor de uma mulher que tinha descoberto uma razão para viver. Tornara-se próxima de muitos líderes da comunidade negra e rodava por toda a cidade dando ideias, coordenando, bajulando, divulgando, trabalhando relacionamentos de bastidores numa cidade onde a tensão racial estava atingindo o limite da violência. Agora, durante o verão, nas principais cidades do país tumultos raciais eclodiam depois de pequenos incidentes com a polícia. Martin Luther King Jr. dera um alerta no ano anterior. Depredar locais de trabalho e instalações públicas não era o bastante. A segregação na moradia precisava ser eliminada. A ideia aterrorizava muitos brancos, principalmente depois dos confrontos no bairro de Watts, em Los Angeles, que foi transformado em verdadeira zona de guerra, com incêndios, tiros e saques, e custara a vida de 34 pessoas. Levantes semelhantes aconteceram em Cleveland, Chicago, Brooklyn, Jacksonville (na Flórida) e em outras cidades menores.[4] Durante uma onda de calor que durou 15 dias, em julho de 1966, distúrbios surgiram em Omaha. O governador convocou a Guarda Nacional, atribuindo a culpa a "um ambiente inadequado à habitação humana".[5] Susie transformou o fim da segregação da moradia em Omaha em sua causa principal. Tentou envolver Warren numa parte de seu trabalho comunitário e na defesa dos direitos civis. Ele concordou, embora não fosse muito simpático a comitês. Nos anos 1960, Buffett geralmente ignorava o que considerava baboseiras, sem desperdiçar com elas sequer um comentário. *"Eu me envolvi com meia dúzia de coisas. É assim mesmo. Quando uma pessoa concentra toda a sua vida em apenas uma coisa, fica um pouco obcecada depois de um tempo. E Susie via o que estava acontecendo comigo – eu ficava sentado com aqueles sujeitos, e ela percebia como a minha expressão mudava quando eles começavam a falar e se perdiam em divagações."*

Reuniões de comitê também o deixavam com uma "tremenda dor de cabeça", segundo Munger. Por isso preferia colocar outras pessoas nos comitês e alimentá-las com ideias. Mas Warren estava longe de ser indiferente às causas políticas e sociais. Ficara profundamente preocupado com a possibilidade de uma guerra nuclear – uma ameaça viva e iminente no início dos anos 1960, desde que o presidente Kennedy encorajara as famílias a construírem abrigos para sobreviver a um ataque; os Estados Unidos mal conseguiram impedir um confronto depois do impasse entre Kennedy e Krushchev sobre a remoção de mísseis soviéticos de Cuba. Quando Buffett leu *Tem futuro o homem?*, tratado antinuclear escrito por Bertrand Russell em 1962, sentiu um profundo[6] impacto. Identificava-se com Russell, admirava seu rigor filosófico e citava frequentemente suas opiniões e aforismos. Chegou a manter uma plaquinha na mesa, com uma frase tirada do *Manifesto Russell-Einstein* (assinado em Londres a 9 de julho de 1955 por Bertrand Russell e Albert Einstein, que alertavam para os perigos da proliferação de armamentos nucleares) que teve muita repercussão: "Lembre-se da sua humanidade e esqueça o resto."[7]

Mas era o movimento contra a guerra que ocupava mais espaço na cabeça de Buffett depois que o Congresso aprovou a Resolução do Golfo de Tonkin, em 1964, autorizando o presidente Johnson a usar a força militar no Sudeste asiático, no Vietnã do Norte, sem declarar guerra oficialmente, a pretexto de um suposto ataque naval – nunca provado – contra um destróier americano. Jovens estavam queimando suas convocações, indo para a cadeia ou fugindo para o Canadá para evitar o serviço militar. Centenas de milhares de pessoas tomaram conta das ruas no mundo inteiro para protestar contra a guerra. Fizeram passeatas em Nova York, na Quinta Avenida, Times Square e na Bolsa de Valores. Demonstrações aconteciam em Tóquio, Londres, Roma, Filadélfia, São Francisco, Los Angeles e muitas outras cidades.

Warren não era pacifista ideológico como muitos daqueles que participavam das demonstrações, nem isolacionista extremado como o pai, mas sentia profundamente que aquela guerra era um erro e que o envolvimento americano estava baseado em mentiras – coisa perturbadora para um homem que dava tanto valor à honestidade.

Ele começou a convidar oradores para aparecerem em casa e a falar com seus amigos sobre o assunto. Certa vez, levou da distante Pensilvânia um palestrante.[8] Mas ele, pessoalmente, não participaria de manifestações contra a guerra.

Warren tinha ideias firmes a respeito da especialização. Sabia que suas habilidades especiais eram pensar e ganhar dinheiro. Quando lhe pediam doações, sua primeira escolha era sempre doar ideias, inclusive ideias que fariam com que outras pessoas dessem dinheiro. Mas ele também dava dinheiro – não muito, mas algum – para políticos e para as causas de Susie. Nunca batalhou nas trincheiras, preenchendo envelopes ou trabalhando como voluntário, pois, por mais urgentes e importantes que fossem aquelas causas, elas consumiriam um tempo que seria empregado de forma mais eficiente refletindo e ganhando mais dinheiro para poder fazer cheques maiores.

Nos anos 1960, muita gente sentia um desejo intenso de derrubar "o sistema" que tinha criado a guerra e que operava o "complexo militar-industrial" – um desejo de não "se vender". Para algumas pessoas, portanto, a consciência social entrava em conflito com a necessidade de ganhar a vida. Warren, entretanto, via-se trabalhando para os sócios, e não para "o sistema", e como um homem cujos negócios e dinheiro contribuíam para causas em prol dos direitos civis e contra a guerra. Assim, ele se concentrava nos negócios com a sensação de ter um duplo objetivo – e não sentia qualquer conflito sobre a forma como gastava seu tempo.

Sua luta era para encontrar novos investimentos para a sociedade. Ao longo do ano anterior ele colocara dinheiro em guimbas de charuto seguras, mas cada vez mais escassas, como a Philadelphia & Reading e a Consolidation Coal. Conseguira encontrar algumas poucas ações subvalorizadas que ainda apareciam nos relatórios semanais da Standard & Poor's: Employers Reinsurance, F. W. Woolworth e First Lincoln Financial. Também adquirira algumas ações da Disney, depois de conhecer pessoalmente Walt Disney e de compreender a visão singular do empresário do entretenimento, seu amor pelo que fazia e a forma como isso se traduzia num trabalho inestimável. Mas o conceito de "grande negócio" ainda não estava completamente absorvido, e ele não comprou todo o estoque disponível. Naturalmente continuava a aumentar sua participação na Berkshire Hathaway. Mas também aplicara 7 milhões de dólares em posições vendidas a descoberto em ações como Alcoa, Montgomery Ward, Travellers Insurance e Caterpillar Tractor – pegando as ações emprestadas e as vendendo para criar margem contra o risco de uma queda do mercado.[9] Quando os investidores mudavam de ideia, as ações costumavam cair como pombas abatidas em meio ao voo. Ele queria proteção para a carteira de investimentos dos seus sócios.

Em janeiro de 1966, outros 6,8 milhões de dólares entraram na sociedade. Buffett percebeu que estava à frente de uma sociedade com 44 milhões de dólares e não tinha guimbas de charuto para acender. Por isso, pela primeira vez, ele separou algum dinheiro e não o aplicou – uma decisão extraordinária.[10] Desde o dia em que deixara a Columbia Business School, o problema sempre fora conseguir capital suficiente para abastecer aquilo que parecia ser um suprimento infindável de ideias de investimento.

Então, em 9 de fevereiro de 1966, o Dow Jones esbarrou rapidamente na mítica marca de 1.000 pontos, antes de fechar alguns pontos abaixo. O refrão começou a ecoar: O Dow a mil! O Dow a mil! O mercado não voltaria a romper aquela barreira novamente, naquele ano, mas a euforia continuou.

Durante o ano inteiro, Buffett vinha se preocupando com a possibilidade de desapontar os sócios. Embora tivesse começado sua última carta a eles de forma animadora, com a notícia dos grandes lucros com a American Express – *"Nossa guerra contra a pobreza foi bem-sucedida em 1965"*, escreveu, fazendo uma alusão ao projeto do presidente Johnson de criar uma "Grande Sociedade" através de uma ampla gama de novos serviços sociais –, continuou com a verdadeira notícia, naquele que seria o primeiro de muitos avisos parecidos. *"Agora sinto que estamos mais próximos do ponto em que o crescimento se tornaria desvantajoso."* E, com isso, anunciou que fecharia a porta de entrada da sociedade, trancando e jogando a chave fora.

Não haveria novos sócios. Ele fez algumas piadas sobre isso. Nem Susie poderia ter mais filhos, escreveu, porque não teriam permissão para entrar. A piada não se aplicava particularmente, pois nenhum de seus filhos tinha sido incluído na sociedade – nem seria. Ele estava determinado a administrar suas expectativas sobre dinheiro para garantir que eles encontrassem seu próprio caminho na vida. Desde muito cedo, cada uma das crianças aprendeu a não esperar auxílio financeiro, a não ser para pagar sua educação. Ele poderia ter trazido os filhos para a sociedade, numa espécie de aprendizado prático – para lhes ensinar o valor do dinheiro e mostrar o que eram os seus investimentos e como ele gastava seu tempo. Certamente era assim que ele agia com aqueles que faziam parte da sociedade. Mas Warren raramente – talvez nunca – "ensinava" aqueles a quem via diariamente. Para ele, ensinar era uma performance, um ato consciente que acontecia diante de uma plateia. Seus filhos não receberam aquelas aulas.

Em vez disso, comprou para eles ações da maldita Berkshire Hathaway. Como responsável pelo fundo fiduciário deixado pelo pai para as crianças, ele vendeu a fazenda que Howard comprara como refúgio da família e usou o dinheiro em ações. Considerando que Warren não aprovava riqueza que não houvesse sido conquistada – era a maneira como ele encarava heranças –, bem que ele poderia ter deixado a fazenda em paz. Uma pequena fazenda em Nebraska nunca valeria muito, e seus filhos nunca ficariam ricos por conta da herança do vovô. Mas, ao investir esse dinheiro no enfraquecido negócio têxtil, ele aumentou seu controle da Berkshire com mais 2 mil ações. Por que ele se importava tanto com aquela empresa era um mistério, mas, desde que usara o "jeito Buffett" para assumir o controle da Berkshire, parecia estar obcecado.

As crianças Buffett não esperavam enriquecer. Não sabiam sequer que a família era rica.[11] Os pais queriam que elas fossem criadas sem excessos de mimos, e foi o que aconteceu. Como qualquer criança, tinham tarefas para fazer e ganhavam mesada. Mas, quando se tratava de dinheiro, Susie e Warren discutiam sobre as despesas como se a família estivesse à beira da miséria. No final das contas, ela conseguia o dinheiro e o usava para garantir a todos um estilo de vida de classe média alta. As crianças faziam boas viagens nas férias, divertiam-se no clube campestre, usavam roupas de qualidade e viam a mãe dirigindo um Cadillac e vestindo casacos de pele. Mas nunca acharam que dinheiro dava em árvores. O pai implicava com quantias mínimas o tempo inteiro e frequentemente negava pequenos pedidos. Se os levava ao cinema, talvez não comprasse pipoca. Se apenas um dos filhos pedia alguma coisa, a resposta muito provavelmente seria negativa. *"Se eu fizer para você, vou ter que fazer para todos."*

Fosse qual fosse a mensagem que ele e Susie tentassem passar aos filhos em relação a dinheiro, um tema era invariável: dinheiro era importante. Estavam crescendo num lar onde ele era rotineiramente utilizado como ferramenta de controle. Warren levava Susie a uma loja, no aniversário, e lhe dava 90 minutos para correr e comprar o que pudesse pegar. O lado Buffett da família sempre fizera acordos. Embora sentisse que a obsessão de Warren por ganhar dinheiro era algo indigno, Susie se esforçava para conseguir tirar mais dele. Agora estava lutando contra a balança, e isso logo se tornou também uma questão de dinheiro. A obsessão de Warren com balanças, que começara na infância – quando era capaz de se pesar 50 vezes ao dia –, não tinha passado. Era obcecado com o peso dos familiares e sempre se preocupava em mantê-los magros.

Os hábitos alimentares da família não ajudavam nem a causa de Warren nem a saúde de todos. Susie, que sofrera uma misteriosa e dolorosa crise abdominal dois anos antes, cozinhava com pouco entusiasmo. Ela e Warren, de boa vontade, comeriam a mesma coisa todos os dias – basicamente carne e batatas. Ao contrário de Warren, Susie comia legumes, mas dispensava qualquer tipo de fruta, a não ser melancia. Falava de alimentação saudável, mas vivia à base de chocolate e doces com flocos de arroz, cobertura de bolo comida diretamente da lata, biscoitos, balas e leite, leite, leite. Warren comia frituras e tomava Pepsi no café da manhã, consumia chocolate e pipoca em grandes quantidades e, como refeição principal, adorava hambúrgueres, filé e um ou outro sanduíche.

Finalmente, Susie propôs a ele um acordo: pagar a ela para manter seu peso em torno de 60 quilos. Mas, como ela não se importava com dinheiro tanto quanto o marido, era um problema manter a motivação. Ao longo do mês, beliscava e fugia da dieta, mas, quando se aproximava o dia da pesagem, subia na balança. Se as notícias fossem ruins e ela precisasse emagrecer depressa, procurava uma das amigas de Susie Jr. "Kelsey, preciso pedir aquelas pílulas diuréticas para sua mãe."[12]

Warren tinha outro jeito de manter o peso. Quando as crianças eram menores, preenchia cheques sem assinatura no valor de 10 mil dólares e acenava para elas. Dizia que, se não pesasse 80 quilos em tal data, assinaria os cheques para eles. A pequena Susie e Howie ficavam malucos, tentando seduzi-lo com sorvete e bolo de chocolate. Mas a perspectiva de abrir mão de dinheiro era mais dolorosa para Warren do que dispensar gulodices. Fez os tais cheques várias vezes, mas nunca precisou assinar nenhum.[13]

No lugar das crianças, um dos últimos sócios que Warren permitiu que entrasse na sociedade foi Marshall Weinberg, um corretor amigo de Walter Schloss, que assistira duas vezes ao seminário de Graham. Homem culto, com gosto para arte e filosofia, Weinberg conheceu Buffett durante uma palestra de Graham na New School, em Nova York. Almoçaram juntos algumas vezes, conversaram sobre ações e acabaram amigos. Weinberg logo desistiu de tentar fazer Buffett se interessar por arte, música, filosofia ou viagens, mas os dois faziam operações juntos de tempos em tempos e Weinberg ficou interessado em entrar na sociedade. Assim, numa das frequentes viagens de Buffett a Nova York, Warren concordou em encontrá-lo e conversar sobre o assunto.

Warren desceu do quarto no Plaza para se encontrar com Weinberg no saguão. Então Susie entrou suavemente na cena, e Warren se iluminou. Ela se aproximou dele e lhe deu um abraço, depois pôs a mão nas suas costas, como se ele fosse uma criança, e olhou para Weinberg com seus grandes olhos castanhos. "Como vai?", perguntou sorrindo. Ela queria saber tudo a seu respeito. Ele se sentiu recebido como membro de uma família e foi embora achando que acabara de fazer uma nova amiga, Susie. Também intuiu que acabara de conhecer o ativo mais importante de Buffett.[14]

Weinberg esgueirou-se porta adentro bem na hora. Os tumultos urbanos continuaram ao longo de 1966, a guerra no Vietnã se intensificou e os protestos contra ela se multiplicaram em Nova York, Boston, Filadélfia, Chicago, Washington e São Francisco. O mercado de ações começou a cair, chegando a menos 10%, em relação ao início do ano. Buffett nunca tinha parado de procurar papéis para comprar, por mais difíceis que as coisas parecessem. Mas, mesmo quando o mercado melhorou um pouco, tinham ficado para trás os dias em que as guimbas de charuto eram encontradas em profusão. Ele estava seriamente preocupado com seu desempenho. Pensava com mais frequência em adquirir negócios inteiros. Na verdade, tinha começado um empreendimento completamente novo, que consumiria muito de seu tempo.

29
O que é estambre
Omaha – 1966-1967

Buffett comandava uma sociedade de 50 milhões de dólares que tinha ramificações no setor têxtil, mas nunca deixou de ter a aparência de um boneco de trapos.[1] Sua única concessão às costeletas e cabelos longos que os homens usavam na época era um pequeno tufo que ele ocasionalmente deixava brotar de seu corte escovinha, como grama nova a cobrir sua testa arqueada.

O resto do mundo embarcava na moda de vanguarda. Homens usavam paletós com cortes inspirados no Oriente, golas rulê e gravatas com estampas florais ou geométricas. Buffett nunca deixou de usar suas gravatas com listras finas e camisa branca, embora o colarinho estivesse ficando mais apertado e o paletó do velho terno cinza, que usava dia após dia, sobrasse nos ombros e tivesse a gola puída. Ele se recusava a deixar de lado seu suéter favorito, cor de camelo, com gola em V, mesmo gasto nos cotovelos. Os sapatos tinham buracos nas solas. Quando Chuck Peterson tentou apresentá-lo a um investidor em potencial numa festa, a reação do homem foi: "Você está brincando?" Não quis sequer falar com Buffett, após ver a forma como ele se vestia.[2] Susie não tinha qualquer influência nisso: os gostos do marido haviam se formado lá atrás, em 1949, quando ele vendia ternos na JC Penney's e o Sr. Lanford lhe disse que "ninguém sabe o que é estambre".

Agora ele comprava seus ternos na Parsow's, no saguão do Kiewit Plaza, onde Sol Parsow sempre se esforçava para aprimorar seu gosto. Buffett achava que Parsow tinha *"um gosto muito avançado"* e não dava atenção às suas sugestões. A ideia de Warren sobre um bom terno era *"um que pudesse servir para o enterro de um banqueiro de 90 anos numa cidadezinha no oeste de Nebraska"*.[3] Por outro lado, Parsow podia se orgulhar de dar a Buffett bons conselhos sobre ações. Ele o afastara da chapelaria Byer-Rolnick ao informá-lo que os chapéus estavam saindo de moda. Também o impedira de investir na Oxford Clothes ao explicar que a produção de ternos não era um negócio em expansão nos Estados Unidos dos anos 1960.⁴ Buffett, no entanto, ignorou o alerta de Parsow para não comprar a fabricante de forros Berkshire Hathaway.⁵

Como não entendia nada de roupas, a razão pela qual o episódio seguinte de sua carreira seria a compra de uma loja de departamentos permanece um pouco misteriosa. Naqueles dias era preciso uma senhora ideia para fazer Warren abrir sua carteira. Mas, em 1966, era difícil encontrar o que comprar para a sociedade.

Foi um de seus amigos mais recentes, David "Sandy" Gottesman, que lhe trouxe a proposta. Gottesman era como Fred Stanback, Bill Ruane, Dan Cowin, Tom Knapp, Henry Brandt, Ed Anderson e Charlie Munger: alguém que trabalhava com suas próprias ideias e trazia contribuições úteis. Bill Ruane, sempre eficiente, fizera as apresentações durante um almoço em Nova York. Gottesman, colega de outra turma em Harvard, trabalhava para um pequeno banco de investimentos e às vezes encontrava uma ou outra guimba de charuto.⁶ Buffett o classificou como um capitalista assumido, ardiloso, disciplinado, durão e cheio de opiniões. Naturalmente ficaram amigos.

"Daquele momento em diante", diz Gottesman, "toda vez que eu tinha uma boa ideia ligava para Warren. Era como um teste. Se ele ficasse interessado, eu sabia que a ideia era boa." Apesar de ser um típico nova-iorquino, Gottesman valorizava tanto o tempo que passava com Buffett que se dispunha a fazer com frequência viagens a Omaha. "Ficávamos acordados até tarde, conversando sobre ações", diz, "e então eu voltava na manhã seguinte a Nova York para trabalhar. Também conversávamos nos domingos à noite, por volta das 22 horas, durante uma hora e meia, sempre sobre ações. Eu esperava a conversa ansiosamente durante a semana, pensando em quais seriam os papéis que eu apresentaria a ele. Não importa o que eu dissesse, ele já sabia tudo sobre eles a maior parte do tempo. Depois que eu desligava, por volta da meia-noite ou mais tarde, levava uma ou duas horas até conseguir dormir. Eu ficava elétrico."

Em janeiro de 1966, Gottesman deu uma sugestão a Buffett: comprar a Hochschild-Kohn, uma respeitável loja de departamentos sediada num prédio que ocupava um quarteirão inteiro, no centro de Baltimore. Embora estivesse encurralada por três concorrentes – Hutzler's, Hecht Col e Stewart's –, as quatro empresas tinham prosperado desde a época em que as damas usavam chapéus e luvas e pegavam bondes para passar o dia na cidade almoçando e fazendo compras. Com boa reputação, a Hochschild-Kohn vendia roupas, móveis e objetos para o lar. Seus proprietários, da família Kohn, dirigiam carros velhos e viviam modestamente – o tipo de gente de que Buffett gostava.

Martin Kohn, CEO da empresa, chamara Gottesman para avisar que vários membros da família estavam pensando em vender – e que provavelmente aceitariam um preço baixo. Os Kohn "tinham imenso orgulho da loja", diz Gottesman, "mas, se ela tivesse um bom departamento de moda feminina, jamais comprariam um vestido ali. Achariam caro demais."

Quando Charlie Munger estava em Omaha, ele, Buffett e Gottesman costumavam jogar golfe e depois se sentar em volta da churrasqueira do Omaha Country Club, bebendo baldes de chá gelado, conversando sobre ações e brincando. Embora gostassem do mesmo tipo de papéis, os três nunca haviam se associado num negócio. Dessa vez Gottesman chamou Buffett e contou a ele a parte sobre o baixo preço da Hochschild-Kohn e a parcimônia com que viviam os Kohn. Buffett adorou. Não tinha nenhuma ação do varejo, além de umas poucas da F. W. Woolworth. Além disso, lojas de departamentos apareciam e saíam de moda, ou perdiam a preferência dos clientes. E ele entendia tanto do assunto quanto sabia fazer um suflê.

Ele queria que Munger fizesse o contato com seu jeito incisivo de agarrar as oportunidades. Os dois voaram até Baltimore e imediatamente simpatizaram com os Kohn. Eles eram a encarnação da integridade, pessoas confiáveis com boas relações por toda a cidade.[7] Depois dos episódios com Lee Dimon, na Dempster, e com Seabury Stanton, na Berkshire, Buffett sabia que, se quisesse comprar uma empresa, precisaria de um gerente em quem pudesse confiar para cuidar do negócio. Ele sentiu que Louis Kohn era aquele homem. Kohn tinha experiência em finanças e compreendia números e margens de lucro muito bem. Buffett confiava cada vez mais em sua habilidade de avaliar pessoas com rapidez graças à experiência acumulada com seus 300 sócios e em incontáveis reuniões com executivos ao longo dos anos. Os dois homens olharam o balanço e imediatamente fizeram um lance de 12 milhões de dólares.

Munger fez a negociação com um parente de Louis Kohn, Martin, o extrovertido CEO – "aquele sujeito incrível que chefiava o lugar". Ele disse a Martin Kohn: "Estive aqui e vi muitas velhas com pernas inchadas atrás dos balcões de perfumes, com a cabeça na aposentadoria. Você realmente quer deixar esse negócio, que é o trabalho da sua vida inteira, nas mãos de pessoas que só pensam em se aposentar? Não é melhor cuidar do seu próprio futuro?"[8] Kohn jogou a toalha tão depressa que Charlie Munger mal conseguiu pegá-la.[9]

Em 30 de janeiro de 1966, Buffett, Munger e Gottesman formaram uma holding, a DRC, Diversified Retailing Company Inc., "para adquirir negócios diversificados, especialmente no ramo do varejo".[10] Buffett possuía 80% da DRC. Gottesman e Munger tinham, cada um, 10%. Buffett e Munger foram então ao Maryland National Bank pedir um empréstimo para fazer a aquisição. O funcionário encarregado de analisar os pedidos olhou para os dois, estarrecido, e exclamou: "Seis milhões de dólares pela velha Hochschild-Kohn!?"[11] Mesmo depois de ouvir isso, Buffett e Munger – como era de se esperar – não questionaram seu próprio julgamento nem saíram gritando porta afora.

"*Achamos que estávamos comprando uma loja de departamentos de segunda classe por um preço de terceira*", é como Buffett descreve a compra da velha Hochschild-Kohn.

Ele nunca pegara emprestada nenhuma quantia significativa para comprar uma empresa. Mas concluiu que, naquele caso, a margem de segurança reduzia o risco, e as taxas de juros andavam baixas na época. Lucros em lojas de departamentos costumavam ser magros. Mas, à medida que crescessem ao longo dos anos, os juros permaneceriam os mesmos, e qualquer aumento da receita reverteria para os sócios. Isto é, se os lucros crescessem ao longo dos anos.

"A compra da Hochschild-Kohn foi parecida com a história do sujeito que compra um iate", diz Munger. "Ele tem dois dias de felicidade: aquele em que ele compra o barco e aquele em que ele o vende."[12]

Louis Kohn e Sandy Gottesman voaram para Laguna Beach, onde os Buffett tinham alugado uma casa, e se acomodaram num hotel das redondezas. Buffett discutiu estratégias com Kohn e Gottesman. Já estava começando a gostar de Louis Kohn. "*Era um sujeito de primeira classe, com um QI lá em cima, muito boa pessoa, e entrou na sociedade quando compramos a Hochschild-Kohn. Eu adorava aquele cara.*" Os Kohn eram outro casal com quem ele e Susie podiam se relacionar – isto é, ele e Kohn falariam de negócios, enquanto Susie cuidaria da mulher de Kohn. A vida social dos Buffett agora incluía um número significativo de pessoas que moravam fora de Omaha, que eles encontravam nas viagens de negócios de Warren ou quando os amigos visitavam os Buffett na Califórnia.

Mas, na sua viagem seguinte a Baltimore, Buffett começou a ficar preocupado quando Kohn lhe mostrou um plano, que vinha sendo desenvolvido pela empresa, de abrir duas novas lojas, uma em York, na Pensilvânia, e outra em Maryland. A ideia era aproveitar o êxodo urbano em direção à periferia dos grandes centros, que levava os consumidores a fazerem mais compras nos shoppings do subúrbio.

"*Eles estavam fazendo o planejamento daquelas duas lojas havia uns dois anos. O sujeito que cuidava do departamento de artigos masculinos já tinha até organizado a sua seção. Sabia exatamente como ia decorá-la. A mulher que cuidava do departamento de vestidos caros também já tinha planejado tudo.*" Buffett não gostava de conflitos e temia desapontar as pessoas, mas ele e Charlie concordaram que aquelas lojas não faziam sentido. Quando vetaram a loja de York, os empregados e a administração da Hochschild-Kohn resistiram. Sem estômago para comprar uma briga, Warren voltou atrás. Mas se manteve firme em relação à loja de Columbia, em Maryland. "*Acabei assassinando a ideia. Todos morreram. Simplesmente morreram.*"

Em seguida apareceram mais sinais de problemas, na forma de números, que chegavam de Baltimore. Toda vez que uma das quatro lojas de departamentos no centro da cidade instalava um elevador, as outras três tinham que fazer o mesmo, pois não podiam ficar para trás. Toda vez que uma loja incrementava suas vitrines ou comprava novos sistemas de caixas registradoras, as outras tinham que copiá-la também. Buffett e Munger compararam isso a "ficar na ponta dos pés, durante um desfile". Quando alguém começa, todos têm que fazer a mesma coisa.[13]

Apesar disso, pela primeira vez Buffett e Munger tinham encontrado um pretexto para se associarem. Através da DRC, eles e Gottesman, com efeito, criaram uma empresa para trabalhar especificamente no comércio varejista. Mas o desempenho da Hochschild-Kohn não foi bom, um padrão que se repetiria outras vezes em mercados voláteis. Buffett tinha baixado suas exigências para justificar o investimento. Não foi coincidência que isso tenha acontecido numa época em que era cada vez mais difícil encontrar um novo e bom investimento.

"Estávamos ainda sob muita influência do espírito de Graham", diz Munger, "e achávamos que, se tivéssemos ativos suficientes para os nossos dólares aplicados, de alguma forma conseguiríamos fazer aquilo funcionar. E não demos atenção suficiente à intensa competição que existia entre as quatro diferentes lojas de departamentos de Baltimore, numa época em que lojas de departamentos já não tinham uma vantagem automática."

Depois de dois anos com a Hochschild-Kohn, Buffett entendeu que a habilidade essencial no varejo era a promoção de vendas, e não as finanças. Ele e seus sócios também tinham aprendido o suficiente sobre varejo para entender que aquilo era muito parecido com cuidar de um restaurante: uma maratona exaustiva, na qual, a cada quilômetro, um novo e agressivo competidor podia entrar na pista e passar a sua frente. Mesmo assim, quando os três tiveram a chance de adquirir outra empresa de varejo por intermédio da DRC, foram em frente. Mas era algo muito diferente, comandado por alguém que verdadeiramente entendia de vendas. Esse homem se aproximou deles por meio de Will Felstiner, o advogado que trabalhara na negociação da Hochschild-Kohn, e disse: "Se vocês estão interessados em varejo, aqui estão os números da Associated Cotton Shops." A Cotton Shops vendia vestidos, ou seja, Buffett estava ainda mais distante do seu "círculo de competências" básico. Mas aquele novo projeto trouxe para o seu rebanho um dos maiores administradores que ele conheceria na vida.

"Uma lojinha barata", era como Munger descrevia a Associated Retail Stores, matriz da Cotton Shops.[14] Ao verem um conjunto de lojas de terceira por um preço de quarta, ele e Buffett ficaram imediatamente interessados. A Associated possuía 80 lojas, com uma receita de 44 milhões de dólares em vendas e um lucro líquido anual de mais de 2 milhões de dólares. O proprietário, Benjamin Rosner, de 63 anos, mantinha lojas de roupas baratas em bairros mais pobres de cidades como Chicago, Buffalo, Nova York e Gary, em Indiana, sob nomes como Fashion Outlet, Gaytime e York. Às vezes ele instalava várias lojinhas com os mesmos produtos e nomes diferentes no mesmo quarteirão. Em tamanho, essas lojas costumavam variar entre um modesto conjugado nova-iorquino e uma boa casa em área residencial. Rosner reduzia as despesas a níveis microscópicos e só aceitava dinheiro vivo. Comandar todos aqueles pontos de venda exigia uma habilidade incomum. Em Chicago, a gerente da loja da Milwaukee Avenue, uma mulher grande e durona, "*apitava toda vez que entrava alguém que ela achava que tinha cara de ladrão. Todos os empregados se viravam e observavam o sujeito. Ela conhecia todo mundo e tinha um 'encolhimento de estoque'* menor que qualquer outra loja de uma região 'barra-pesada'*".

Nascido em 1904, filho de imigrantes austro-húngaros, Ben Rosner largara a escola na quarta série. Em 1931, no auge da Grande Depressão, abriu uma lojinha no North Side de Chicago, com um sócio, Leo Simon, e 5.200 dólares de capital. Eles vendiam vestidos a 2,88 dólares cada.[15] Simon morreu em meados dos anos 1960, mais de três décadas depois, e Rosner continuou pagando à viúva, Aye Simon (filha do empresário de comunicações Moses Annenberg), o salário de Leo, em troca da tarefa simbólica de assinar os cheques dos aluguéis das 80 lojas.

"*Isso continuou por mais uns seis meses, mas então ela começou a reclamar, mudar de ideia e fazer críticas, o que realmente incomodou Ben. Ela era uma mulher muito, muito mimada. E, como Ben me explicou mais tarde, seu princípio básico era: você pode acabar com todo mundo, menos com um sócio. Na sua cabeça, ela já não era mais uma sócia. Assim, decidiu que tinha que colocar um ponto final naquela história.*

Por isso, como se um interruptor tivesse ligado na sua cabeça, ele resolveu acabar com ela. Decidiu que venderia o negócio para mim por um preço muito barato, apesar de possuir metade dele, apenas para dar uma lição nela. Quando nos encontramos e ele começou a falar, eu entendi tudo bem depressa."

Buffett já tinha passado por situações assim – pessoas que estavam convencidas de que ficariam melhor se desfazendo de alguma coisa – e sabia que não deveria fazer nada para interferir. "*Ele falou sobre a venda do negócio que levara a vida inteira para construir. Estava enlouquecendo porque não podia suportar aquela situação, aquela mulher. Ele estava péssimo. Charlie voltou para a sala comigo. E, depois de uma meia hora, Ben pulou da cadeira e disse: 'Me disseram que você é*

---

* "Encolhimento de estoque" é exatamente o que parece: a parte do estoque que desaparece, principalmente por furtos nas lojas, feitos por clientes ou por funcionários. (N. da A.)

o revólver mais rápido do Oeste. Atire!' E eu respondi: 'Pode deixar que vou atirar ainda esta tarde, antes de ir embora.'"

Buffett precisava de um gerente, mas Rosner disse que ficaria apenas até o fim do ano e então entregaria o negócio aos novos proprietários. Buffett podia ver, entretanto, que, da mesma maneira que o negócio não podia ir em frente sem Rosner, Rosner também não podia ir em frente sem o negócio.

"Ele amava aquilo demais para simplesmente abandonar tudo. Mantinha uma duplicata do conjunto dos registros da loja no banheiro, para poder examiná-los enquanto usava o vaso. Tinha um rival, Milton Petrie, das Lojas Petrie. Certa vez, Ben foi a uma noite de gala no Waldorf. Milton estava lá. Logo começaram a falar sobre negócios. Ben disse: 'Quanto você paga pelas lâmpadas? Quanto você cobra...?' E isso era tudo o que interessava a Ben. Finalmente, ele se virou para Milton e disse: 'Quanto você gasta em papel higiênico?' E Milton disse uma quantia. Ben estava comprando o dele por um preço bem mais baixo, mas sabia que o importante não era apenas ser mais barato, mas ser o mais adequado. Milton disse: 'Este é o melhor que consigo.' 'Com licença', Ben falou. Então se levantou, deixou a festa black tie, pegou o carro e foi até seu armazém em Long Island, onde começou a abrir as embalagens de papel higiênico para contar as folhas, porque suspeitava de algo. Milton não podia estar pagando tanto dinheiro a mais assim, e isso significava que ele devia estar sendo enganado de alguma maneira nas compras de papel higiênico.

E, naturalmente, os vendedores diziam que havia 500 folhas por rolo, mas não havia. Ele estava mesmo *sendo enganado."*

Buffett sabia que queria fazer negócio com um sujeito capaz de deixar uma festa black tie para contar folhas de papel higiênico. Um sujeito que poderia acabar com o cara que estivesse do outro lado da mesa, mas que nunca faria o mesmo com seu sócio. Por isso fez um acordo de 6 milhões de dólares com Rosner. Para ter certeza de que Rosner ficaria lá depois de fechar o negócio, caprichou nas lisonjas e garantiu seu acesso aos números para avaliar o desempenho da empresa, e depois o deixou em paz.[16]

Buffett se identificava com os "Ben Rosner" do mundo – enxergava em seu desassossego o segredo do sucesso. Estava cansado de empresas problemáticas como a Hochschild-Kohn e procurava por mais gente como Rosner, pessoas que tivessem erguido excelentes negócios – que ele pudesse comprar. Ele e Rosner tinham uma obsessão em comum. Como Buffett gostava de dizer: *"Intensidade é o preço da excelência."*

30
Jet Jack
Omaha – 1967

Em 1967 Susie ainda acreditava que Warren seria mais atencioso com ela e a família se parasse de trabalhar. Na sua cabeça, os dois estariam com a vida arrumada assim que ele juntasse uns 8 ou 10 milhões de dólares. As comissões conquistadas em 1966, de 1,5 milhão, e os ganhos de capital elevaram o patrimônio líquido da família para mais de 9 milhões de dólares.[1] Ela o pressionou, dizendo que a hora tinha chegado. Mas o ritmo de Warren nunca diminuía, transferindo sua atenção de uma preocupação para outra: levantar dinheiro para as sociedades, comprar papéis da National American, Sanborn Map, Dempster, Hathaway, Hochschild-Kohn, American Express, descobrir novos investimentos. Às vezes sentia dores nas costas quando entrava num avião e ocasionalmente precisava ficar de cama alguns dias, com Susie cuidando dele. O médico não conseguia encontrar uma razão específica para o problema, sugerindo que poderia ter relação com o excesso de trabalho e o estresse. Mas Warren estava tão disposto a trabalhar menos por causa de uma dor nas costas quanto a comer um prato cheio de brócolis para melhorar sua saúde.

Ele estava sempre sentado, curvado diante de alguma coisa: um livro, o telefone ou uma partida de bridge ou pôquer com amigos como Dick Holland e Nick Newman. Newman era um homem de negócios importante, dono da Hinky Dinky, a mesma rede de mercearias de onde Warren fugira humilhado, ainda menino, quando o avô o mandou comprar pão lá. Ele e sua mulher eram ativos na comunidade e nos círculos ligados à causa dos direitos civis e, como os discretos Holland, eram típicos amigos de Buffett. Warren e Susie se mantinham afastados do circuito social de Omaha. A vida social do casal girava em torno de uma série de eventos recorrentes, que seguiam o ritmo do trabalho de Warren, como as visitas que faziam durante as suas viagens. Na cidade, Susie se mantinha permanentemente ocupada. Ia de um lado para outro visitando gente que precisava de ajuda e fazendo trabalho comunitário. Agora havia uma placa na porta dos fundos dos Buffett que nunca era trancada: "A doutora está." Era comum encontrar um ou outro "paciente" de Susie perambulando pela casa. Sua clientela era de todas as idades e situações na vida. Alguns exigiam mais que outros. Eles pediam, e Susie dava, e quanto mais pediam, mais ela dava.

Quando Susie pedia, Warren também dava, e quando Susie pedia mais, Warren obedecia. Irredutível em relação à forma como empregava seu tempo, ele fazia o que ela queria em relação a quase todo o resto. Aquele foi o ano em que reformaram a casa. Já era a maior do quarteirão e, sob a direção de Susie, uma ala nova substituiu a antiga garagem, dando aos garotos da vizinhança um lugar para se reunirem. Warren ficou animado com a perspectiva de ter, no porão, a sua própria quadra de raquetebol – uma espécie de mesa de pingue-pongue em escala humana – aonde levaria os amigos e companheiros de negócios para jogar.

Apesar de Warren parecer um garoto em muitos aspectos e de Susie desejar que fosse um pai mais atencioso, ele era leal e responsável. Aparecia nos eventos escolares e levava as crianças em viagens de férias. Embora 1967 tenha representado o auge da cultura de drogas e rock-and-roll, o ano de *White Rabbit* e *Sgt. Pepper's Lonely Hearts Club Band*, os Buffett não enfrentaram problemas comuns a outros pais, mesmo com Susie Jr. na oitava série, Howie na sexta e Peter na terceira.

Susie Jr. tinha deixado de ser uma criança tímida para se tornar uma adolescente autossuficiente – e a indiscutível líder dos irmãos. Enquanto a mãe enchia a casa com baladas e música soul, cantando ou ouvindo seus discos, a pequena Sooz gostava de rock. Apresentou os irmãos a bandas como The Byrds e The Kinks. Entretanto, era uma menina careta que nunca se sentiu atraída pelos colegas de escola que usavam drogas. Howie, que agora tinha 12 anos, ainda era jovem o bastante para tentar assustar a irmã e os amigos pendurando-se na macieira, perto da janela do quarto dela, vestido de gorila. Mas as suas brincadeiras estavam ficando mais sofisticadas e perigosas. Ele pôs Scout, seu cachorro, no telhado, desceu e o chamou, para ver se ele atendia. Scout atendeu – e acabou no veterinário, com uma perna quebrada. "Mas eu só queria saber se ele viria", protestou Howie.[2] Para evitar que a mãe, de tanta frustração, o trancasse no quarto, ele comprou um cadeado numa loja e passou a trancá-la do lado de fora. Peter, por sua vez, passava horas no piano, tocando sozinho ou com o amigo Lars Erickson. Estava ganhando competições de novos talentos e parecia tão absorto na música quanto seu pai na arte de ganhar dinheiro.

A pessoa da família que se deixou seduzir pelo lado negro dos psicodélicos anos 1960 foi Billy Rogers, de 17 anos, filho de Dottie, irmã de Susie. Ele estava se tornando guitarrista de jazz – e experimentando drogas. A mãe fazia algum trabalho voluntário e era uma costureira de mão-cheia, mas também gostava de dormir até o meio-dia e parecia paralisada quando precisava tomar decisões. Às vezes Dottie ficava tão distante e perdida em seus devaneios que era literalmente impossível se manter uma conversa coerente com ela. Além disso, estava bebendo cada vez mais e não prestava atenção nos filhos. Tentando endireitar o rapaz, Susie, com frequência, levava Billy para ouvir Calvin Keys, um músico de jazz local, para que ele observasse sua técnica na guitarra.[3]

Susie tinha uma missão e tanto pela frente numa época em que a cultura de drogas como a maconha e o LSD estava em toda parte. Timothy Leary convidara a América a "se ligar, se sintonizar, cair fora". A contracultura comandada pelos jovens se rebelava contra qualquer forma de autoridade, contra tudo que tivesse relação com as décadas anteriores. "Esta não é mais a América de Eisenhower", disse um dos 100 mil hippies que desfilaram por Height-Ashbury, em São Francisco, naquele verão. Como se a explicação bastasse.[4]

Warren ainda vivia na América de Eisenhower. Nunca sofreu de beatlemania. Não cantava "Kumbaya" nem colava cartazes que diziam que a guerra não era saudável para crianças e outras criaturas viventes. Seu estado de consciência permaneceu inalterado. As indagações filosóficas profundas que dividiam a sua mente diziam respeito às guimbas de charuto, defendidas por Ben Graham, e ao conceito de "grande negócio", de Phil Fisher e Charlie Munger.

"Eu estava na transição para essa nova forma de pensar, influenciado por Charles Munger, mas ainda ia e voltava. Era como na Reforma protestante. Eu ouvia Lutero um dia e o Papa no outro. Ben Graham, naturalmente, era o Papa."

Munger pregava sua tese bem na porta da catedral da guimba de charuto, e o mercado como um todo estava abandonando todas as autoridades do passado e do presente. Enquanto a década de 1960 progredia, conversas sobre ações passaram a animar os coquetéis, e donas de casa telefonavam para corretores, do salão de beleza. O volume de negócios aumentou em um terço.[5] Buffett, aos 36 anos, parecia um senhor envelhecido, num mundo que ansiava por Transition, Polaroid, Xerox, Electronic Data Systems – empresas cuja tecnologia ele não compreendia. Ele disse aos sócios que ia diminuir o ritmo. *"Nós simplesmente não temos tantas ideias boas assim"*, escreveu.[6]

Ele não relaxou na busca de novas maneiras de manter o dinheiro trabalhando. Mas se impôs duas novas regras, que tornariam ainda mais difícil um novo investimento. Essas restrições, baseadas em preferências pessoais, se tornaram parte do seu cânone:

1. *Não vamos fazer negócios nos quais a tecnologia está além da minha compreensão, pois o conhecimento é crucial para qualquer decisão nos investimentos. Sei tanto sobre semicondutores e circuitos integrados quanto sobre os hábitos reprodutivos dos besouros.*
2. *Não vamos participar de operações de investimento, mesmo que elas ofereçam esplêndidas oportunidades de lucros, se houver uma possibilidade grande de aparecerem problemas pessoais sérios.*

"Problemas pessoais sérios" significava demissões, fechamento de fábricas e questões trabalhistas que pudessem resultar numa greve. Ele também estava dizendo que, dali em diante, ia pensar uma vez, duas vezes, três vezes, antes de fumar mais guimbas de charuto.

As guimbas de charuto que ele tinha já eram suficientemente problemáticas. A Berkshire Hathaway estava "respirando por aparelhos". Buffett contratara recentemente Verne McKenzie, o auditor da Peat, Marwick, e o enviara a New Bedford para supervisionar a maldita fábrica. Ele estava arrependido de um erro que cometera numa recente reunião do conselho de administração da Berkshire Hathaway. Empolgado com o que seria apenas um breve momento de sucesso financeiro – *"Estávamos vendendo forros de raiom havia alguns meses e ganhando um bocado de dinheiro"*[7] – Buffett se deixou convencer a distribuir dividendos de 10 centavos por ação. Os advogados da empresa argumentaram que a empresa estava indo tão bem que poderia ser acusada de reter ganhos sem justificativa. Talvez num momento de divagação ou de simples fraqueza, Buffett concordou com a distribuição. Dez centavos por ação parecia pouco. E foram necessárias 24 horas para que ele percebesse a falácia da argumentação. Mas então já era tarde demais, e sua benevolência atípica fizera chover sobre os sócios e acionistas 101.733 dólares, que ele sabia que poderia ter convertido em milhões algum dia.[8] Ele nunca mais cometeria um erro desses.

Oito meses depois Buffett ofereceu aos acionistas da Berkshire uma troca. Qualquer um que quisesse um papel que produzisse renda poderia ficar com uma debênture com taxa de 7,5% ao ano em troca de uma ação. Um total de 32 mil ações voltou para as suas mãos. Dessa forma, Buffett se livrou de um grupo de acionistas que só queria os rendimentos, ficando com aqueles que estavam mais preocupados com o crescimento da empresa do que com dividendos. "Foi uma ideia brilhante", diz Verne McKenzie.[9] Naturalmente, com menos ações em circulação, ele foi capaz de apertar ainda mais o seu controle sobre a Berkshire – curiosamente, ao mesmo tempo que a magnitude do erro original de adquirir a empresa se tornava mais evidente. Ken Chace seguia com estoicismo as ordens de Buffett de encolher o negócio. Mas, em vez de precipitar uma reação cheia de ódio, como acontecera na Dempster, Buffett ficou atento às recomendações de Chace para tratar bem os sindicatos. Ele aceitou engolir alguns prejuízos para manter uma parte da empresa em operação – e deixar a comunidade de New Bedford satisfeita.

Em 1967, Chace e McKenzie conseguiram colocar num ponto de equilíbrio aquela desafortunada fábrica de forros para ternos. Mas a expressão "inflação" – moribunda desde a Segunda Guerra Mundial – estava voltando a circular em todas as bocas. Os custos de salários e matérias-primas aumentavam como lodo nas margens de um rio, e as indústrias sulistas e estrangeiras, com mão de obra mais barata, estavam acabando com as vendas da Berkshire Hathaway.

Buffett deu a má notícia aos sócios. *"A B-H está enfrentando muitas dificuldades. Embora eu ainda não consiga prever como isso se manifestará em valores, também não vejo perspectivas de bons retornos nos ativos empregados no setor. Portanto, esse segmento de nossa carteira de investimentos poderá emperrar consideravelmente nosso desempenho relativo... Isso se o Dow Jones continuar a subir."*[10]

Ele tentou tirar seu dinheiro do ramo têxtil o mais depressa que pôde. Envolveu-se intimamente com as mais insignificantes decisões das fábricas e falava ao telefone quase diariamente com Chace e McKenzie.[11] Chace tinha sido forçado, em outubro de 1966, a fechar a divisão de teares durante uma semana por causa da competição dos importados. Menos de seis meses depois Buffett mandou que fechasse definitivamente a divisão King Phillip D, em Rhode Island, de tecidos finos de algodão penteado, que respondia por cerca de um décimo da produção da Berkshire. A eliminação de 450 empregos marcou o fim da indústria de algodão em Rhode Island.[12] *"A maré continua a ser mais importante do que os nadadores":* essa era a moral da história, segundo Buffett.[13]

Não foi o bastante. À medida que os números chegavam, Buffett percebeu que as divisões de tecidos para vestuário e de teares perdiam tanto dinheiro que a única forma de salvá-las seria modernizar os equipamentos. Mas jogar um bom dinheiro nisso tinha sido o erro de Seabury Stanton. Buffett se recusava a investir no negócio. Seria como tentar irrigar o deserto com uma mangueira de jardim. Por outro lado, o fechamento das fábricas acabaria com o emprego de centenas de pessoas. Ele ficava na sua escrivaninha, balançava-se na cadeira e pensava no assunto; depois pensava mais ainda.

A ironia era que a sociedade nadava num mar de dinheiro.[14] E, em Wall Street, corretores usando ternos risca de giz estavam eufóricos. Havia ascendido uma nova raça de homens, que chegaram à maioridade depois da Segunda Guerra Mundial – sem as lições da queda da bolsa e da Grande Depressão gravadas na memória. Enquanto empurravam as ações a uma valorização nunca antes vista, Buffett começou a vender sua posição na American Express, que agora valia 15 milhões de dólares a mais que os 13 milhões que custara, correspondendo a dois terços dos lucros da sociedade. Mas ele não queria jogar mais dinheiro na Berkshire Hathaway.

Em vez disso, a sua tarefa mais importante naquele ano seria encontrar alguma coisa nova onde amarrar a égua velha da Berkshire, antes que ela "emperrasse consideravelmente" o seu desempenho e se tornasse intolerável. Em Omaha, já havia algum tempo ele estava de olho numa empresa, a National Indemnity, com sede a alguns quarteirões de seu escritório no Kiewit Plaza. Buffett conhecia o fundador, Jack Ringwalt, desde o início dos anos 1950, da sala de reuniões da corretora Cruttenden and Company. Ringwalt era um dos mais inteligentes e audaciosos empresários da cidade. Alice, tia de Warren, chegou a tentar trazê-lo para a Buffett Partnership.[15] Mais tarde, Ringwalt alegou que Buffett exigira um investimento mínimo de 50 mil dólares (embora, na mesma época, ele estivesse aceitando bem menos do que isso de quase todo mundo). "Se você acha que vou deixar um menino esquisito como você cuidar de 50 mil dólares meus, então você é ainda mais maluco do que eu pensava", foi a suposta resposta de Ringwalt, recusando-se a investir. Ringwalt considerava-se um especialista em investimentos, e a tendência de Buffett de manter sigilo afastava muita gente.[16]

Mesmo assim, Buffett continuou de olho na National Indemnity. Com seu apetite insaciável para o aprendizado, ele quis saber tudo sobre o negócio de seguros. Pegou montanhas de livros emprestados na biblioteca e acabou compreendendo a estratégia de Ringwalt, que era a de oferecer seguros para clientes incomuns. Buffett viu que Ringwalt era versátil naquele negócio – um corretor ao mesmo tempo cauteloso e disposto a correr riscos, igualmente agressivo e avarento, que rodava o escritório à noite para desligar todas as luzes.[17] Por um bom preço, vendia seguros para artistas de circo, domadores de leão, vedetes.[18] "Não existe risco ruim", gostava de dizer, "mas taxas ruins". Ele agarrou sua primeira grande chance quando um banco lhe pediu para dar a garantia de que um contrabandista de bebidas alcoólicas – presumidamente assassinado – não voltaria a Omaha, pois a suposta viúva queria fechar sua conta sem esperar o prazo legal de sete anos. Ringwalt imaginou que o advogado do provável assassino devia ter informações sobre o contrabandista desaparecido ainda estar vivo ou não. Ele ajudara o acusado a escapar da cadeia, mas a viúva (e o banco) achavam que isso era consequência de um bom trabalho da defesa, e não da sua inocência. Naturalmente, esse advogado não podia *dizer* se o seu cliente tinha confessado o crime. Ringwalt propôs então que o advogado oferecesse seu próprio dinheiro como garantia. Sua teoria era que, se o contrabandista pudesse coaxar mais alto do que um sapo, o advogado não assumiria o risco. E assim foi. O contrabandista nunca reapareceu e o banco nunca precisou cobrar o pagamento da garantia. Jack Ringwalt era um avaliador de circunstâncias nato e um ótimo empreendedor.

Depois disso, ele passou a fazer seguros de táxis e a coordenar concursos promovidos por estações de rádio: escondia as pistas em caixas de batom que ele mesmo enterrava e dava dicas tão obscuras aos ouvintes que o prêmio principal só foi conquistado uma vez. Logo ele se tornou o mais rápido, aventureiro e enérgico dos empreendedores de Omaha. Sua filha o chamava pelo apelido de "Jet Jack" (Jato Jack). Administrava sozinho os investimentos da National Indemnity, adquirindo minúsculas posições de centenas de ações, rabiscadas de forma quase ilegível em folhas de livros de contabilidade: 50 ações da National Distillers, 25 da Shaver Food Marts. Carregava por toda parte centenas de certificados de ações dentro de uma velha bolsa de ginástica.

No início dos anos 1960, Buffett procurou seu amigo Charlie Heider, que estava no conselho da National Indemnity, e perguntou se Ringwalt teria qualquer interesse em vender a companhia. A resposta de Heider foi intrigante: "Durante 15 minutos por ano Jack tem vontade de vender a National Indemnity. Alguma coisa o deixa com raiva. Alguma solicitação de indenização que aparece para irritá-lo, ou coisa parecida."

"Charlie Heider e eu conversamos sobre esse fenômeno, sobre como Jack ficava ensandecido uma vez por ano, durante 15 minutos. Eu disse que gostaria de ficar sabendo se ele, por acaso, Charlie o encontrasse nessa fase."

Num dia sombrio e cinzento de fevereiro, em Omaha, em 1967, Heider estava almoçando com Ringwalt, que disse: "Não gosto desse tempo." A conversa evoluiu para a ideia de vender a National Indemnity. Mais uma vez Ringwalt estava convencido de que ficaria melhor livrando-se dela. A janela de 15 minutos se abrira. "Há alguém aqui na cidade que pode querer comprá-la", disse Heider. "Warren Buffett." Ringwalt demonstrou interesse. Heider telefonou para Buffett em seguida, dizendo que Jack Ringwalt poderia concordar em vender a empresa por tantos milhões. "Você gostaria de se encontrar com ele nos próximos dias?"

"*Que tal hoje à tarde?*", respondeu Buffett imediatamente. Ringwalt estava de partida para a Flórida na manhã seguinte, mas Heider o convenceu a passar primeiro no Kiewit Plaza.[19]

Buffett pediu a Ringwalt que explicasse por que ainda não tinha vendido o negócio. Ringwalt disse que só recebera até então ofertas vindas de larápios. E começou a impor condições. Disse que queria manter a empresa em Omaha. Pressentindo que a janela de 15 minutos estava prestes a se fechar, Buffett concordou em não mudar a firma de lugar.

Ringwalt disse que não queria que nenhum empregado fosse demitido. Buffett concordou. Ringwalt disse que todas as outras ofertas tinham sido muito baixas. *"Quanto você quer?"*, perguntou Buffett. *"Cinquenta dólares por ação"*, disse Ringwalt, 15 dólares a mais do que Warren achava que valiam. *"Feito"*, disse Buffett.

"Assim, fechamos o negócio dentro daqueles preciosos 15 minutos. Então, depois de tudo resolvido, senti que Jack não queria mais ir adiante. Mas era um sujeito honesto e não recuaria num acordo. Mesmo assim, ele me disse, depois de apertarmos as mãos: 'Bem, suponho que você deseje demonstrações financeiras auditadas.' Quando eu disse que sim, ele falou algo como 'Puxa, que pena. Não podemos fechar negócio.' Eu respondi: 'Eu nem sonharia em olhar demonstrações financeiras verificadas por uma auditoria – não há nada pior.' Então Jack me disse: 'Imagino que você queira que eu venda minhas agências de seguro também.'" Seria natural que Buffett quisesse as agências. Elas controlavam as relações com alguns clientes que faziam negócios com a National Indemnity. *"Eu disse apenas: 'Jack, eu não compraria aquelas agências em nenhuma circunstância.' Se eu dissesse que queria comprar, ele teria dito: 'Puxa, não posso fazer isso, Warren. Houve uma falha de comunicação entre nós.'*

Passamos por essa situação mais umas três ou quatro vezes. Finalmente, Jack cedeu e vendeu o negócio para mim, embora eu achasse que, na verdade, ele não queria mais fazê-lo."

Buffett queria fechar aquela compra porque a Berkshire Hathaway era um negócio péssimo que ele precisara liquidar parcialmente, e esta era a chance de empregar aqueles fundos num belo empreendimento. Como ele sabia que Ringwalt mudaria de ideia enquanto estivesse na Flórida, correu para selar o acordo antes que ele pudesse voltar atrás. Os dois queriam um contrato que não tivesse mais de uma página.[20] Buffett preparou os papéis definitivos bem depressa e depositou o dinheiro no U. S. National Bank.[21]

Quando Ringwalt voltou da Flórida, uma semana depois, Buffett praticamente o atropelou, com o negócio pronto para ser fechado. Ringwalt compareceu ao encontro com 10 minutos de atraso. Mais tarde Buffett e Heider explicariam isso dizendo que Ringwalt tinha ficado dando voltas no quarteirão, até encontrar um parquímetro que não precisasse mais de moedas.[22] Ringwalt sempre disse que só estava mesmo atrasado. Mas talvez tivesse percebido que não era tão bom assim se livrar da empresa e estivesse fazendo corpo mole, aborrecido por ter convencido a si mesmo de que devia se livrar da National Indemnity.

Buffett, naturalmente, sabia muito bem que a sua sociedade ficaria melhor com ela. A National Indemnity era a chance de dar um gigantesco empurrão na sua fortuna. Um pouco mais tarde ele escreveu um ensaio sobre o assunto, com o título sem graça de "Reflexões sobre os ganhos de capital de companhias de seguros".

A palavra "capital" – dinheiro – dava uma pista importante do que Buffett pensava ao adquirir a National Indemnity: o capital era o oxigênio da sua sociedade. O dinheiro que ele estava retirando da Berkshire precisava trabalhar para ele em outro lugar. Como a National Indemnity assumia muitos riscos, precisava de capital para isso. *"Pelos padrões da maioria"*, escreveu, *"a National Indemnity está esticando demais o seu capital. Mas é a disponibilidade de recursos da Berkshire Hathaway que nos capacita a seguir a filosofia de utilizar agressivamente nosso capital – o que, a longo prazo, poderá demonstrar a grande rentabilidade da National Indemnity... A Berkshire poderia entrar com capital adicional, caso ocorresse um número excessivo de pedidos de indenização de seguro."*[23]

Buffett vislumbrara um tipo de negócio inteiramente novo. Se a National Indemnity desse dinheiro, ele podia usá-lo para comprar outros negócios e ações, em vez de deixá-lo hibernando no cofre da empresa. Mas, se o leão devorasse o domador segurado, a National Indemnity poderia precisar de dinheiro para pagar a família enlutada. Nesse caso o dinheiro voltaria para a empresa, provindo de outros negócios.

Enxertando o negócio de seguros dentro da Berkshire Hathaway, aquela ineficiente fábrica de tecidos, Buffett tornou o seu capital homeostático: ele podia reagir internamente ao ambiente, mediante um comando seu, em vez de hibernar como uma lagartixa no frio ou fugir quando o sol brilhasse, para encontrar uma rocha onde aproveitar a luz.

A chave era saber calcular os riscos. Por isso ele precisava de Jack Ringwalt, que estava decidido a sair do negócio. Mas Buffett pagou muito bem a Ringwalt e cultivou uma boa relação com ele. Como acontecera com Ben Rosner e a Associated Cotton Shops, ele não comprou apenas uma excelente empresa, mas também um administrador competente.

Os dois costumavam jogar tênis na Califórnia. Ringwalt, que tinha um gosto para roupas parecido com o de Buffett, aparecia usando um velho suéter feito pela filha, com seu velho apelido, Jet Jack, bordado bem na sua barriga proeminente. Certa vez, enquanto ele e Buffett almoçavam num restaurante Jolly Roger, um menino se aproximou e pediu: "Posso ter seu autógrafo, Jet Jack?" Ringwalt ficou todo orgulhoso. O menino pensou que ele fosse uma celebridade, um astronauta ou um artista de cinema. Talvez ninguém além de um garotinho pudesse acreditar que ele se encaixaria nesses papéis, mas no fundo ele ainda se sentia Jet Jack.

E estava certo, porque o espírito de aventura vem de dentro, e não das aparências. Ringwalt podia ter vendido a empresa, mas acabou recuperando alguma coisa dela – porque o que ele fez com o dinheiro que ganhou, ao vender a National Indemnity, foi comprar ações da Berkshire Hathaway.[24]

31
O cadafalso embala o futuro
Omaha – 1967-1968

A maior onda de tumultos, saques e incêndios ocorrida desde a Guerra Civil varreu o país durante o verão de 1967. Pouco depois, o Dr. Martin Luther King diria: "Com mais distúrbios como esses que aconteceram no verão passado, correremos o risco de um golpe de direita, do tipo fascista."[1] Embora secretamente enfurecido pela falta de êxito do movimento, King se recusava a apoiar a resistência violenta. Alguns ativistas acreditavam que o Comitê Não Violento de Coordenação Estudantil e a Conferência de Liderança Cristã do Sul, do Dr. King, deveriam ter adotado uma abordagem mais agressiva diante da força terrível dos cassetetes e das cruzes em chamas naquele verão.

Os ativistas da não violência de Omaha contabilizavam os Buffett – agora com uma influência ainda maior na cidade – como integrantes de sua rede informal. Rackie Newman, mulher de Nick Newman, o melhor amigo de Warren em Omaha, trabalhava com Susie para pressionar as associações cristãs de moços e as diretorias de outras organizações a aumentarem as contribuições em dinheiro para as suas representações nas áreas empobrecidas. Por intermédio do centro comunitário da Igreja Metodista, comandado por Rodney Wead,[2] um amigo afro-americano, Susie e Rackie puderam enviar meninos negros para colônias de férias e montaram um grupo inter-racial de debates com estudantes secundaristas.[3] Wead era agora frequentador assíduo da casa dos Buffett. John Harding, que cuidava do departamento administrativo de Buffett, conseguiu milhares de assinaturas para um abaixo-assinado que pedia o fim da discriminação racial na venda e no aluguel de residências. Nick Newman levou Warren diretamente para a luta, ao promover a sua participação em diversos grupos locais em prol dos direitos civis. O papel de Warren não era trabalhar, mas sim falar. Ele, Newman e Harding fizeram diversas declarações, dirigidas aos legisladores de Lincoln, defendendo o acesso igualitário à moradia. Por sua vez, Susie agia: em mais de uma ocasião ela chegou a comprar casas em seu nome, servindo de fachada para negros que queriam se mudar para bairros de brancos.[4]

Pouco tempo antes Warren tinha sido apresentado a Joe Rosenfield, que comandava a rede Yonkers de lojas de departamentos, sediada em Des Moines, perto dali.[5] Rosenfield tinha bons contatos na política local e nacional e compartilhava a visão ideológica dos Buffett. Também era conselheiro do Grinnell College, uma espécie de enclave radical no meio da comunidade rural de Grinnell, Iowa.[6] Seus alunos, liberais, costumavam se dedicar a trabalhos sociais depois de formados, e a faculdade estava angariando fundos com o objetivo de incentivar matrículas de estudantes afro-americanos.

Pouco mais de 80 anos depois da sua fundação, em 1846, Grinnell quase foi à falência, mas nos 25 anos de gestão de Rosenfield a instituição acumulara quase 10 milhões de dólares na conta das contribuições.[7] Ele tinha o raciocínio rápido e uma aura de tristeza em torno de si, pois perdera o filho único num trágico acidente. Susie Buffett logo desenvolveu um relacionamento especial com ele. Considerando todas as suas afinidades, era natural que Rosenfield quisesse envolver os Buffett com Grinnell, que era a sua causa mais importante.

Em outubro de 1967, a instituição realizou um evento para arrecadação de fundos que durou três dias, com o tema "Uma escola de artes liberais num mundo em transformação", obtendo a adesão de alguns luminares da cultura nos anos 1960. Entre os palestrantes estavam o escritor Ralph Ellison, cujo romance *O homem invisível* conquistara o National Book Award; o sociobiologista Ashley Montagu, que questionara a validade do conceito de raça do ponto de vista biológico; o teórico das comunicações Marshall McLuhan, que popularizou a ideia de uma "aldeia global" dominada pela mídia; o artista plástico contemporâneo Robert Rauschenberg; e Fred Friendly, ex-presidente da CBS News, agora aposentado. Mas o palestrante por quem todos esperavam era mesmo o Dr. Martin Luther King Jr.[8] Afinal de contas, não era todos os dias que ganhadores do Prêmio Nobel da Paz visitavam Iowa. Rosenfield convidara os Buffett para o encontro. Eles estavam entre as 5 mil pessoas que se amontoaram no Ginásio Darby para assistir à programação matinal de domingo.

King chegou de avião com o presidente do Waterhouse College, encarregado de apresentá-lo à plateia. Estavam atrasados. Patrulheiros estaduais, guardas, policiais e seguranças particulares se mantinham em alerta desde muito antes das 10 horas da manhã, prontos para qualquer problema. Enquanto esperavam, os espectadores começaram a ficar impacientes e esfomeados.

Finalmente King se encaminhou ao palanque, usando suas roupas de pregador. Ele tinha escolhido o tema "Permanecer desperto durante uma revolução", e sua voz retumbante ecoou, recitando os versos do poema "Present Crisis" (Crise atual), de James Russell Lowell, uma espécie de hino do movimento pelos direitos civis.

Truth forever on the scaffold,	(A verdade sempre no cadafalso,
Wrong forever on the throne:	O erro sempre no trono:
Yet that scaffold sways the future,	No entanto, o cadafalso embala o futuro,
And beyond the dire unknown,	E para além do completo desconhecido,
Standeth God within the shadow	Está Deus dentro das sombras
Keeping watch above His own.	A velar pelos Seus.)[9]

Ele falou sobre o significado do sofrimento. Inspirado pela resistência pacífica de Gandhi, King invocou também as lições do Sermão da Montanha. Abençoados são os perseguidos, disse, pois deles será o reino dos céus. Abençoados os humildes, pois eles herdarão o mundo.

Por mais emocionada que Susie estivesse com as poderosas palavras do Dr. King, ela também ficou profundamente comovida pela forma como elas afetaram o seu marido.[10] Buffett sempre absorvia as palavras de oradores carismáticos e poderosos. Naquele momento, enxergou em King a coragem moral encarnada: um homem que tinha sido surrado e preso, algemado e condenado a trabalhos forçados, que levara facadas e pauladas por causa de suas crenças, um homem que carregava nas costas um movimento com a simples força de suas ideias havia quase uma década, apesar de uma oposição encarniçada, da violência e do reduzido sucesso. King certa vez descrevera o poder da não violência como "um jeito diferente de lidar com os adversários, expondo os seus preconceitos e suas fraquezas morais, enfraquecendo o seu ânimo e, ao mesmo tempo, trabalhando na sua consciência... Podem até tentar matá-lo, mas você desenvolve uma convicção íntima de que há coisas tão preciosas, caras e importantes que vale a pena morrer por elas. Se um homem não descobriu algo pelo qual seria capaz de morrer, ele tampouco é capaz de viver. Quando ele descobre isso, entende o poder desse método".[11]

King era um profeta, um homem que teve uma inspiração gloriosa – a de mostrar a maldade por meio do sofrimento visível, a de despertar as pessoas do sono ao lhes mostrar alguns horrores. Ele conclamou os seus seguidores a se agarrarem a essa ideia, organizando-se em fileiras e espalhando-a pelas ruas. A cristandade, ele disse, sempre insistiu que a cruz que suportamos antecede a coroa que nos está destinada. Uma de suas frases, repetida em muitos discursos, atingiu em cheio o coração de Buffett, muito além de sua razão:[12]

"As leis não foram feitas para mudar os impulsos que os homens carregam no cora-

ção', ele falou, 'mas para impedir a ação daqueles que não têm coração.' Ele disse essas palavras com aquele seu vozeirão, e a partir dali passou a utilizá-las como tema."

Susie sempre dissera ao marido que havia mais coisas na vida além de ficar sentado numa sala ganhando dinheiro. Naquele outubro de 1967, em meio ao furor da luta pelos direitos civis, ele escreveu uma carta especial aos seus sócios. A carta mostrava que alguma coisa tinha mudado na sua maneira de pensar. Ela foi distribuída um pouco antes do relatório que ele enviava todos os anos, apresentando a sua visão estratégica sem revelar ainda os resultados do período. Depois de descrever *"o padrão de comportamento hiper-reativo do mercado, diante do qual as minhas técnicas analíticas têm pouco valor"*, ele prosseguiu: "*Interesses pessoais me ditam hoje uma abordagem menos compulsiva em relação a resultados superlativos dos investimentos. Uma visão diferente daquela que eu defendia quando era mais jovem e mais magro... Diante das circunstâncias atuais, me sinto um pouco fora de esquadro. Mas tenho muita clareza em relação a um ponto. Não abandonarei uma abordagem antiga, cuja lógica eu compreendo (embora ela possa ser difícil de aplicar), mesmo que isso signifique deixar de lado lucros grandes – e aparentemente fáceis – para abraçar outra, que não consigo entender totalmente, que nunca pratiquei com sucesso e que, possivelmente, me levaria a uma perda de capital substantiva e permanente.*"

Buffett também deu outra justificativa para essa "abordagem menos compulsiva". Como ele disse, havia metas pessoais em jogo: "*Eu gostaria de ter uma meta econômica que me permitisse manter uma atividade considerável sem qualquer relação com a economia... É possível que eu me limite a lidar com o que for razoavelmente fácil, seguro, lucrativo e prazeroso, de agora em diante.*"

Em seguida Buffett deixou os seus sócios atônitos ao reduzir a meta de ganhar 10 pontos anuais no mercado para apenas 5 pontos, ou 9%, o que fosse *menor*. Se eles conseguissem encontrar resultados melhores em outra parte, poderiam partir, e ele não os culparia por isso.

Ele sabia que estava correndo um risco. Alguns dos novos e promissores fundos mútuos estavam rendendo bem mais do que a sociedade propunha, chegando a duplicar um investimento em um ano. A cada mês de janeiro os sócios podiam aumentar a sua participação – ou retirar-se. Muitos outros timoneiros prometiam céus mais limpos.

Mas o timing para anunciar a redução da meta era favorável. A bolsa teve um ano de baixa incomum em 1966.[13] Abalados pela instabilidade do mercado, alguns dos seus sócios o aconselharam a vender ações. Ele não prestou atenção nem aos conselhos nem ao mercado, e o resultado foi que a rentabilidade da sociedade superou o índice Dow Jones em 30%, o maior recorde em seus 10 anos de atividade. "*Se você não pode se unir a eles, vença-os*", ele escreveu.[14] Dessa forma, aquela não foi uma hora ruim para oferecer a seus parceiros a alternativa de levar o dinheiro para outro lugar.

Um efeito colateral da estratégia seria testar a confiança que seus sócios depositavam nele. Eles teriam que tomar as decisões sem conhecer o resultado real do último ano – na verdade, em 1967, Buffett estava prestes a divulgar o segundo ano consecutivo de sucesso retumbante. Se permanecessem com ele, seria por conta daquela confiança e por estarem dispostos a aceitar metas mais modestas. Superar o mercado em 5 pontos por ano, a longo prazo, produziria uma riqueza estupenda, afinal de contas. O próprio Ben Graham só tinha superado o mercado em 2,5 pontos naquele ano. A meta revista de Buffett estabelecia um piso para os seus resultados que ainda seria superior em 2% ou mais aos títulos de renda fixa. Essa consistência, ano após ano, sem perder dinheiro, levaria a resultados impressionantes. Com ele, um investidor, assumindo um mínimo de risco, poderia alcançar um retorno extraordinário, e com segurança. De qualquer forma, do ponto de vista psicológico, Buffett colocou uma faca na garganta de seus parceiros ao reduzir sua meta – e os resultados refletiram isso.

Pela primeira vez, ao invés de os investidores correrem para colocar mais dinheiro na sociedade, eles resgataram 1,6 milhão de dólares, em janeiro de 1968. Ainda assim, foi apenas uma pequena fração do que poderia ter sido: menos de um dólar em cada 30. Semanas mais tarde, ao divulgar os resultados de 1967, a Buffett Partnership Ltd. havia crescido 36%, contra os 19% do índice Dow Jones. Dessa forma, em dois anos, 1 dólar sob a guarda de Buffett ganhara mais de 60 centavos, enquanto 1 dólar investido no Dow Jones continuava valendo 1 mísero dólar.

Buffett desejou boa viagem aos sócios que o deixaram, com o que poderia ser entendido como um sutil traço de ironia. *"Faz sentido para eles, pois a maioria tem a habilidade e a motivação necessárias para superar as nossas metas, e eu me sinto aliviado por não precisar mais lutar por resultados que provavelmente não conseguiria obter nas condições atuais."*[15]

"O gênio financeiro é um mercado em ascensão", diria mais tarde John Kenneth Galbraith.[16]

Agora Buffett tinha mais tempo para se dedicar aos interesses pessoais que mencionara e estava sob menos pressão, pelo menos teoricamente. Depois do discurso de King, Rosenfield não teve dificuldade em recrutar Buffett como conselheiro do Grinnell College. Levando-se em consideração o quanto Buffett detestava comitês e reuniões, dá para avaliar o quanto ele se comoveu com aquele evento – e também quão próximo ele estava de Rosenfield. É claro que Buffett foi encaminhado diretamente ao comitê de finanças da faculdade, onde descobriu, nos outros conselheiros, homens com ideais semelhantes. Bob Noyce, que comandava uma empresa chamada Fairchild Semi-Conductors, produtora de circuitos eletrônicos – um assunto sobre o qual Buffett entendia pouco e pelo qual se interessava menos ainda –, era o presidente. Noyce, ex-aluno da Grinnell, fora expulso da escola por ter roubado um porco para assar num luau – uma infração séria, num estado criador de suínos –, mas tinha aquela aura de alguém que sabe o que faz.[17] Apesar disso, *"era um sujeito como os outros. Não parecia um cientista ou coisa parecida"*, diz Buffett. Acima de tudo, Noyce tinha verdadeira aversão à hierarquia e lutava pelos oprimidos, bem no espírito que guiava Grinnell.

Buffett parecia sentir uma premência em fazer algo mais pelos direitos civis. E sabia que a melhor maneira de servir à causa seria nos bastidores, utilizando seu cérebro e sua sabedoria financeira. Rosenfield passou a apresentar Buffett à rede de poder do Partido Democrata. Ele se aproximou do senador de Iowa Harold Hughs e de Gene Glenn, que disputava uma vaga no Senado.

Então, em março de 1968, o homem mais polêmico da América, o ex-governador do Alabama George Wallace, chegou ao auditório de Omaha, em sua campanha eleitoral para a presidência.[18]

Mais de 5 mil pessoas se amontoaram num salão com capacidade para 1.400, para ouvir o homem que concorrera a governador, sete anos antes, com a plataforma: "Segregação agora, segregação amanhã, segregação sempre."[19] Bastaram oito minutos para que seus simpatizantes obtivessem as assinaturas necessárias para garantir a presença do seu nome na cédula de votação em Nebraska. De repente o cheiro de bombas de gás encheu o ar. Quando Wallace começou a falar, manifestantes bombardearam o palco com pedaços de pau, cartazes, copos de papel e pedras.[20] Cadeiras voaram, cassetetes entraram em ação, sangue espirrou – e a polícia borrifou gás lacrimogênio na multidão. A turba tomou conta da Rua 16, onde desordeiros arrancavam motoristas de seus carros para espancá-los. Alguém começou a atirar coquetéis molotov, e chamas lambiam as imediações. As calçadas estavam cheias de vidro quebrado, e saqueadores atacavam as lojas. A violência só acabou horas mais tarde, e a calma finalmente voltou a tomar conta das ruas. Foi então que um policial de folga fez um disparo e matou um garoto negro de 16 anos, numa loja de penhores, ao confundi-lo com um saqueador.[21]

Nos dias seguintes, estudantes secundaristas deixaram as salas de aula arrebentando vitrines e provocando novos incêndios.[22] Alguns dias depois a polícia e franco-atiradores com armas automáticas deram mais tiros e prenderam várias pessoas, inclusive membros dos Panteras Negras de Omaha.[23]

A violência racial prosseguiu por todo o verão, e mesmo assim Susie nunca parou de visitar o North Side. Ela confiava em suas excelentes relações com a comunidade e desprezava a ideia de que pudesse estar correndo perigo. Warren nem sempre tinha conhecimento detalhado do que ela fazia, mas achava que às vezes ela ia longe demais ao colocar os interesses dos outros na frente dos seus. Pessoalmente, o seu horror pela violência e o seu medo das turbas tinham raízes que alcançavam a geração anterior.

Howard Buffett contou e recontou aos filhos, incansavelmente, uma cena que presenciara no dia em que fez 16 anos – o mesmo dia em que milhares de pessoas invadiram o tribunal de Douglas County para tentar linchar o prefeito de Omaha. Elas surraram, castraram e lincharam um negro idoso que tinha sido acusado de estupro. Depois arrastaram o corpo pelas ruas, crivaram-no de balas e o queimaram. O tumulto no tribunal se tornou um dos mais vergonhosos episódios da história de Omaha. Howard não chegou a ver a violência de perto, mas estava lá quando a multidão transformou um poste de luz numa forca improvisada, de onde o prefeito de Omaha chegou a pender, com a corda no pescoço, até ser resgatado no último minuto.[24] Essa lembrança o perseguiria pelo resto da vida.[25] Ele tinha visto, com seus próprios olhos, a velocidade com que gente comum, reunida numa turba, podia se comportar, expondo os instintos mais vis da natureza humana.

Para Warren Buffett, o alerta de King, no início daquele ano, sobre a possibilidade de a agitação das massas conduzir ao fascismo dispensava explicações. Seu compromisso pessoal com o auxílio aos desfavorecidos era mais do que instintivo: baseava-se na lógica, ao menos em parte. Muitos achavam que coisas assim seriam inconcebíveis nos Estados Unidos, mas o que parecia impossível costumava acontecer de tempos em tempos. A lei não foi feita para mudar os impulsos que os homens carregam no coração, dissera King, mas para reprimir os que não têm coração. Mas quem seriam aqueles que não têm coração? Isso ele não respondeu.

Semanas depois, King voou para Memphis, onde faria uma palestra num templo maçom. Lá ele teceu reflexões sobre o episódio da mulher que tentou esfaqueá-lo em Nova York – e sobre os rumores persistentes de que assassinos estariam atrás dele. "Não sei o que vai acontecer agora", ele declarou à plateia. "Sei que teremos dias difíceis pela frente. Mas isso não importa tanto para mim agora, pois já estive no topo da montanha." No dia seguinte, 4 de abril, na varanda do Motel Lorraine, King se preparava para liderar uma manifestação de trabalhadores do setor de saneamento quando foi assassinado com um tiro no pescoço.[26]

Pesar, raiva e frustração tomaram conta das comunidades negras em todo o país, transformando os centros urbanos em flamejantes zonas de combate.

Nessa altura, dezenas de milhares de estudantes faziam manifestações contra a guerra do Vietnã, dentro das universidades. Os vietcongues tinham iniciado a grande ofensiva do Tet, atacando centenas de cidades do Vietnã do Sul. Os americanos ficaram horrorizados com uma fotografia que mostrava um chefe de polícia sul-vietnamita atirando, à queima-roupa, na cabeça de um soldado vietcongue. Com essa imagem, pela primeira vez os comunistas deixavam a condição de simples abstrações para se transformarem em seres humanos. O governo dos Estados Unidos tinha acabado de negar a maior parte dos pedidos de dispensa do serviço militar e começava a colocar em risco de alistamento os filhos da classe média alta. A opinião pública se voltava decisivamente contra a guerra. Na época da morte de King parecia que uma revolução poderia acontecer no país a qualquer momento.

De formas diferentes, muitas pessoas decidiram que não aguentavam mais o preconceito. Nick Newman, amigo de Buffett, anunciou subitamente que não participaria mais de reuniões em clubes que discriminassem os judeus.[27] Warren também queria fazer alguma coisa. Desde seus dias na Graham-Newman, ele se afastara dos valores da cultura de segregação dos anos 1950 e do antissemitismo da geração anterior de sua família, criando amizades sólidas – e fazendo negócios – com um amplo círculo de judeus. Segundo algumas pessoas, ele parecia até sentir uma certa identificação pessoal com o judaísmo. A condição de forasteiro combinava com a sua sensação de desajuste e sua simpatia pelos desfavorecidos. Algum tempo antes, Buffett se desligara discretamente do Rotary Club, desgostoso com os preconceitos que testemunhava como membro de seus comitês. Mas nunca tinha dito a ninguém os motivos de seu afastamento. Agora ele fazia questão de apadrinhar um judeu – seu amigo Herman Goldstein – que se candidatava a sócio do Omaha Club.

Uma das justificativas usadas por instituições como o Omaha Club para defender seus princípios discriminatórios era a de que "eles têm os seus próprios clubes, onde não somos aceitos". Por isso Buffett resolveu pedir a Nick Newman que o indicasse para o Highland Country Club, frequentado apenas por judeus.[28] Alguns membros se opuseram, usando a mesma lógica do Omaha Club. Por que aceitar gentios, se tivemos que criar nosso próprio clube porque os deles não nos aceitavam?[29] Mas dois rabinos se envolveram na questão e um porta-voz da Liga Antidifamação tomou o partido de Buffett.[30] Assim que foi admitido, ele atacou silenciosamente o Omaha Club, fortalecido pela sua nova condição de membro de um clube judeu. Herman Goldstein foi admitido, e a antiga barreira religiosa para admissão de sócios foi finalmente demolida.

Buffett imaginou uma solução inteligente, uma forma de levar o clube a fazer a coisa certa sem entrar em confronto com ninguém. Ele evitou o conflito, é verdade, pois era algo que detestava. Mas também reforçou a sua opinião – provavelmente correta – de que passeatas e manifestações não mudariam a mentalidade de empresários bem-sucedidos.

A estratégia também funcionou porque agora Buffett era uma figura bem conhecida em Omaha. Não era mais um recém-chegado. Tinha estofo. O sujeito que, no passado, precisara se esforçar para sair da lista negra do Omaha Country Club conquistava sozinho aquela que talvez fosse a mais significativa mudança nas suas regras, desde os seus primórdios, como uma das instituições mais elitistas de Omaha.

Mas Buffett queria mais do que um papel regional. Com sua riqueza, ele sabia que poderia ter impacto a nível nacional, pois 1968 era ano de eleições, e seria preciso muito dinheiro para tentar tirar do poder o presidente Lyndon Johnson – e eleger um candidato contrário à guerra.

O Vietnã era o tema central da campanha eleitoral, e Eugene McCarthy, o senador liberal de Minnesota, era, a princípio, o único democrata disposto a concorrer nas primárias contra Johnson.

A campanha foi iniciada em New Hampshire, onde uma "cruzada das crianças" contra a guerra, formada por partidários de McCarthy, contou com a adesão de quase 10 mil jovens ativistas e estudantes universitários, que enfrentaram pesadas nevascas para bater de porta em porta. Ele ganhou 42% dos votos de New Hampshire, um resultado marcante quando se leva em conta que seu adversário era um presidente que buscava a reeleição. Muitos estudantes, operários e eleitores que se opunham à guerra consideravam McCarthy um herói. Buffett assumiu o posto de tesoureiro da campanha em Nebraska. Ele e Susie compareceram a um evento político: ela sorria intensamente, usando um vistoso vestido e uma capa em tecido estampado, com o nome de McCarthy.

Foi então que Johnson anunciou que não concorreria mais à reeleição, e o irmão de John F. Kennedy, Robert Kennedy, entrou no páreo. Ele e McCarthy disputaram uma dura batalha nas primárias, e não havia um favorito, até Kennedy ganhar as primárias da Califórnia, conquistando uma maioria decisiva no número de delegados. Mas, na noite da vitória, ele sofreu um atentado e foi baleado, morrendo 24 horas depois. O vice-presidente de Johnson, Hubert Humphrey, anunciou sua candidatura: ele conquistou a indicação numa tumultuada convenção do Partido Democrata em Chicago, marcada por batalhas entre policiais armados de cassetetes e bombas de gás e manifestantes contrários à guerra. Buffett apoiou Humphrey contra o candidato republicano, Richard Nixon, que acabou vencendo a eleição. Anos mais tarde McCarthy mudaria de partido várias vezes, fazendo diversas e erráticas tentativas de concorrer à Presidência, o que comprometeu a sua credibilidade como político sério.

Buffett era incrivelmente leal aos seus amigos próximos. Mas seu entusiasmo pelos relacionamentos mais distantes, em particular os que envolviam figuras públicas, era instável, variando de acordo com o olhar de outras pessoas. Inseguro, ele se preocupava constantemente com a forma como esses laços poderiam se refletir nele. Com o tempo, por exemplo, arrependeu-se e minimizou a sua associação com McCarthy. Mas o envolvimento com a política assinalou uma mudança enorme na vida de Buffett. Pela primeira vez, ele abriu espaço para outra coisa além dos investimentos, para uma "atividade não econômica", que tinha raízes no seu passado familiar e se estendia em direção ao futuro desconhecido.

32
Fácil, seguro, lucrativo e prazeroso
Omaha – 1968-1969

Em janeiro de 1968 Buffett convocou seus colegas discípulos de Graham para se reunirem pela primeira vez, em meio a uma crise do mercado de ações. *"Houve uma tremenda mudança de atitude nesses últimos anos, e acho que a turma que vai se reunir em La Jolla é tudo o que sobrou da velha guarda"*,[1] ele escreveu no convite enviado a antigos alunos de Graham, como Bill Ruane, Walter Schloss, Marshall Weinberg, Jack Alexander e Tom Knapp. Convidou também Charlie Munger, a quem havia apresentado Graham, bem como o sócio de Munger, Roy Tolles, além do sócio de Jack Alexander, Buddy Fox. Ed Anderson, que deixara a sociedade com Munger para adquirir uma participação na Tweedy, Browne, também estava na lista de convidados, assim como Sandy Gottesman, que Buffett descreveu para Graham como *"um grande amigo meu e um grande admirador seu"*. Por fim, disse: *"Acho que você provavelmente se lembra de Henry (Brandt), que desenvolve um trabalho bem próximo ao nosso."*[2]

Fred Stanback, sócio de Buffett em negócios como a Sanborn Map e seu padrinho de casamento, estava ocupado demais para comparecer. Anos depois de Warren ter se formado em Columbia, ele e a Miss Nebraska 1948, Vanita Mae Brown, marcaram um jantar em Nova York. Era uma espécie de encontro de casais, com Susie e Fred, que já tinha visto Vanita antes, apresentada por Warren. Na época, ela era Vanita Mae Brown Nederlander, depois de um breve casamento com um integrante da família Nederlander, proprietária de teatros, uma verdadeira dinastia no entretenimento americano. Depois do jantar, Fred, o amigo mais introvertido de Warren, "tinha perdido completamente a cabeça", como diria outro amigo, numa demonstração do velho ditado de que os opostos se atraem. A princípio, o casamento deles parecia um epílogo encantador para a carreira de Warren em Columbia, formando um casal com duas pessoas do seu círculo de amizades. Warren realmente tinha uma tendência a "arrumar" a vida de seus amigos quando lhes pedia que se associassem a ele nos negócios, quando os nomeava membros dos conselhos de suas empresas e quando, em geral, os envolvia em sua própria vida por meio de vínculos variados. Dois amigos que se casavam soavam quase como uma homenagem, mas aquela acabou se transformando na pior decisão da vida de Fred.

Ele e Vanita foram morar em Salisbury, na Carolina do Norte, onde Fred tinha crescido e sua família construíra um negócio centrado num remédio para dor de cabeça, conhecido pelo slogan "Contra-ataque com Stanback". Mas era o próprio Fred que agora precisava de toneladas de remédio para dor de cabeça, pois estava tentando escapar de um casamento sufocante. Vanita tinha fincado os pés em Salisbury e permanecia ali para atormentá-lo com toda a sua considerável criatividade, enquanto duelavam no tribunal. Assim, ao contrário do que acontecia com os outros discípulos de Graham, a atenção de Fred estava temporariamente desviada do mercado de ações. Naquele momento, de qualquer maneira, era um mercado pouco atraente. Centenas de milhões de dólares tinham sido despejados ali por pessoas que confiavam insensatamente nos chamados "especialistas", gente que não tinha mais que dois anos de capacidade comprovada em ganhar dinheiro. Mais de 50 novos fundos de investimento tinham aparecido, e cerca de outros 65 esperavam nos bastidores.[3] Pela primeira vez na história dos Estados Unidos virou moda para uma grande parcela de indivíduos aplicar na bolsa de valores.[4] Buffett descreveria essa fase como uma *"corrente que não parava de crescer"*, ou mesmo como uma *"mania"*, adotada principalmente pelos *"esperançosos, crédulos, mesquinhos, aqueles que buscavam qualquer desculpa para acreditar"*.[5]

As compras e vendas ainda eram realizadas por meio de comprovantes de transações em papel e pela entrega física de certificados de ações. O volume de negócios chegou a um tal ponto que a bolsa estava quase desabando sob o peso da papelada. Era imenso o número de pedidos duplicados, ou jamais executados, de comprovantes que foram perdidos ou simplesmente jogados no lixo, enquanto o equivalente a arquivos inteiros de certificados de ações desapareciam, presumivelmente roubados, em meio a boatos de que a Máfia estaria infiltrada no mercado. Diversas reformas foram feitas em 1967 e 1968, introduzindo computadores nos sistemas de negociação, num esforço desesperado de corrigir aquelas falhas. Uma das medidas mais importantes acabaria para sempre com o antigo mercado de operações "por baixo do pano". A National Association of Securities Dealers (Associação Nacional dos Operadores de Valores) anunciou a criação de um sistema conhecido como Nasdaq, que estabeleceria a cotação das ações de menor monta.⁶ Em vez de aparecer em pedacinhos de papel cor-de-rosa com preços já antigos no momento em que eram impressos, a cotação da maior parte das empresas não listadas nas bolsas agora seria divulgada e atualizada eletronicamente, à medida que se alterasse. Os *market makers* precisariam mostrar o que tinham nas mãos e honrar as cotações que divulgavam. Mas o sistema não agradaria a nenhum operador que dispusesse de bons contatos, boa capacidade de barganha e nervos de aço. Em meio a um mercado que já andava difícil, as mudanças tornariam ainda mais árduo o trabalho de Buffett.

Warren enviou instruções para cada um dos discípulos de Graham que iriam a La Jolla. *"Por favor, não traga nada mais atual do que uma edição do* Security Analysis *de 1954"*, escreveu.⁷ E, independentemente das suas idades, as respectivas mulheres deveriam ficar em casa.

Nessa carta, Buffett lembrou que estariam ali para ouvir Graham, o Grande, e não para tagarelar. Vários integrantes do grupo – Munger, Anderson, Ruane – tendiam a ser bem falantes. Quando se tratava de investimentos, é claro, em ninguém essa tendência era mais evidente que no próprio Buffett. Aos 37 anos, ele finalmente era reconhecido como um igual: já podia chamar seu antigo professor de "Ben", mas às vezes ainda escorregava e o chamava de "Senhor Graham". Portanto, ele próprio devia se lembrar de não tentar aparecer em primeiro plano, como o "melhor aluno da turma".

Assim instruídos, os 12 adoradores de Graham se reuniram no Hotel Del Coronado, do outro lado da baía de San Diego. Warren preferiria ter marcado a reunião em algum lugar mais barato, como um Holiday Inn, e fez questão de que soubessem que a opção pelo extravagante palacete vitoriano branco e rosa tinha sido de Graham.

Bem na hora em que o grupo chegou a San Diego, uma tempestade com chuvas torrenciais e ventos fortes baixou na região, mas ninguém parecia se importar com isso. Estavam ali para falar sobre ações. Buffett mal se continha de tanto orgulho diante da homenagem que organizara para seu mestre – e pela oportunidade de exibir a sabedoria de Ben Graham aos seus novos amigos. Graham chegou tarde ao Coronado. Sempre no papel de professor, logo que chegou submeteu o grupo a uma prova.

Era quase doloroso ouvir Graham em qualquer situação. Todas as suas frases eram complexas e carregadas de alusões aos clássicos. A prova que ele passou era no mesmo estilo. *"Não eram perguntas terrivelmente difíceis, embora fossem um pouco... Bem, algumas eram relativas à História da França ou coisas do gênero. Mas a gente achava que sabia as respostas"*, diz Buffett.

Eles não sabiam. Apenas Roy Tolles acertou mais de metade das questões. Isso porque ele marcou "certo" para todas, menos para uma ou duas que ele tinha certeza de que estavam erradas: assim ele acertou 11 em 20. A "provinha" era um dos truques de professor de Graham, criada para mostrar que mesmo um jogo aparentemente fácil pode ser manipulado. Buffett, mais tarde, adotaria uma frase sua: saber que um sujeito esperto está amontoando sacos no convés não garante que o navio esteja protegido.

Durante o resto do encontro Graham tolerou com benevolência a discussão sobre a promoção de ações, os desempenhos fabricados, a contabilidade manipulada, a especulação institucional e a "síndrome da corrente de aquisição".[8] Mas não se envolveu no debate. Em vez disso, preferiu propor enigmas e charadas, acompanhando com entusiasmo jogos de números e palavras.

Buffett, por sua vez, estava tão envolvido como sempre, apesar do mote de sua carta aos sócios em outubro de 1967, quando escreveu que se limitaria a atividades que fossem "fáceis, seguras, lucrativas e prazerosas". Ao deixar San Diego e voltar a Omaha, ele se dedicou intensamente aos problemas da sociedade. Ele precisava deixar os sócios cientes de que nem tudo estava bem numa parte do negócio que dividiam, e as suas duas cartas seguintes deram dicas sutis. Depois de descrever com eloquência as dificuldades do setor têxtil em 1967, não fez sequer uma menção aos negócios de 1968, quando as perspectivas de resultados das indústrias Berkshire não apresentavam melhoras. Os lucros com a DRC tinham diminuído por causa da Hochschild-Kohn.[9] No entanto Buffett não dera o lógico passo seguinte, que seria se desfazer da Berkshire Hathaway e da Hochschild-Kohn.

Aqui seu instinto comercial colidiu contra outras características suas: a compulsão de colecionar, a necessidade de ser admirado, a preocupação em evitar confrontos que manifestava desde a guerra do moinho de Dempster. Em janeiro de 1968, num intricado minueto, ele explicou o seu raciocínio, em mais uma carta aos sócios. *"Quando lido com pessoas com quem gosto de fazer negócios, quando me sinto estimulado (e que negócio não é estimulante?) e quando estou conquistando retornos gerais dignos de nota para o capital empregado (10 a 12%, digamos), me parece uma tolice ficar correndo de uma situação para outra, em busca de mais alguns pontos percentuais. Também não me parece sensato trocar relacionamentos pessoais agradáveis, com gente de alto nível e com taxas decentes de retorno por possíveis aborrecimentos, indisposições ou coisa pior, apenas para tentar retornos um pouco maiores."*[10]

Alguns membros da crescente plateia de observadores de Buffett podem ter recebido essas palavras com surpresa. Ao medir os retornos de forma "geral", ele permitia que alguns negócios andassem bem pior que a média. Ouvir Buffett –

que costumava espremer o último décimo de um ponto percentual de cada dólar como um avarento apertando o finalzinho de um tubo de pasta de dentes – falar desinteressadamente sobre deixar de ganhar "mais alguns pontos percentuais" era algo atordoante.

Mas o seu desempenho calava as reclamações, pois, mesmo ao baixar as expectativas, continuava a se superar. Apesar dos pesos mortos, a sociedade faturara mais de 31% ao longo dos seus 12 anos de existência, enquanto o índice Dow Jones marcara apenas 9%. A margem de segurança sobre a qual Buffett sempre insistiu jogara a sorte abruptamente para o seu lado.[11] Junto com sua habilidade para os investimentos, o impacto acumulativo da superação da média significava que mil dólares aplicados no Dow Jones eram agora 2.857 dólares, enquanto ele tinha transformado os mesmos mil dólares em quase 10 vezes aquele valor, 27.106 dólares. Naquela altura os sócios de Buffett acreditavam que ele obteria resultados superiores aos prometidos. Ele representava confiabilidade e segurança em 1968, o ano tumultuado em que estudantes invadiriam e fechariam a Universidade Columbia, em que as manifestações de hippies ganhariam um caráter militante e em que ativistas lançariam a candidatura de um porco à presidência.[12]

Em meados de 1968, Buffett tomou a decisão de se desfazer da incontrolável Berkshire Hathaway – um negócio que não era nem fácil, nem seguro, nem lucrativo, nem prazeroso – e de seus desventurados funcionários. Ele fez uma proposta de venda da empresa a Munger e Gottesman, que foram a Omaha para visitá-lo e conversar a respeito. Depois de três dias de confabulações, contudo, nenhum dos dois tinha vontade de comprar uma coisa de que Buffett julgava melhor se desfazer. Ou seja, ele estava empacado com a Berkshire Hathaway.

Como as divisões de teares e de tecidos para vestuário não conseguiam se sustentar e seriam necessárias pilhas de dinheiro para mantê-las em funcionamento, Buffett se viu forçado a agir. Descartar capital sem esperanças de retorno era, para ele, um pecado mortal; então disse a Ken Chace o que deveria ser feito. Chace ficou desolado, mas seguiu as ordens de forma estoica, fechando as duas divisões.[13] Mesmo assim, Buffett não conseguia enterrar o assunto.

O que sobrava agora era uma sociedade que possuía dois negócios, um de sucesso – a National Indemnity – e outro que fracassava – a Berkshire Hathaway –, além de 80% da DRC, a holding das firmas de varejo, e, naturalmente, participações numa grande variedade de outras empresas. No final de 1968 as ações de empresas menores começaram a despencar, com os investidores preferindo se concentrar nas marcas mais fortes e seguras. De fato, o próprio Buffett passou a comprar as ações mais previsíveis e populares que ainda estavam com cotações razoáveis: 18,8 milhões de dólares da AT&T, 9,6 milhões da BF Goodrich, 8,4 milhões da AMK

Corp. (que mais tarde se transformaria na United Brands), 8,7 milhões da Jones & Laughlin Steel. Mas, acima de tudo, continuou a acumular papéis da Berkshire Hathaway – apesar de suas restrições a investir em qualquer negócio em dificuldades e de o setor têxtil estar chafurdando cada vez mais na lama. Pouco tempo antes Buffett tinha tentado vendê-la para Munger e Gottesman, mas, como não conseguiu, agora ele parecia querer todas as ações da empresa que pudesse obter.

Ele e Munger também tinham descoberto outra companhia que julgavam promissora e estavam comprando todas as ações que podiam. Era a Blue Chip Stamps, uma empresa de cupons de troca. Eles comprariam os papéis separadamente e em parceria. Com o passar do tempo, a Blue Chip mudou dramaticamente o rumo de suas carreiras.

Os cupons eram um brinde e uma ação de marketing. Os lojistas os davam à clientela junto com o troco. Os clientes os guardavam em alguma gaveta, para depois colá-los em caderninhos. Na hora da troca, uma determinada quantidade de caderninhos valia um bônus para comprar qualquer coisa, de uma torradeira a uma vara de pescar ou uma peteca. A pequena emoção embutida em guardar cupons se encaixava perfeitamente num mundo que estava prestes a entrar em extinção, um mundo de parcimônia, um mundo que temia dívidas e que considerava esses "presentes gratuitos" uma espécie de recompensa pelo trabalho de colecioná-los e guardá-los, sem nunca desperdiçar nada.[14]

Mas os cupons não eram realmente gratuitos.[15] As lojas pagavam por eles e repassavam o custo para as mercadorias. A empresa líder no mercado de cupons era a Sperry & Hutchinson, em todo o país, menos na Califórnia. Lá, um grupo de cadeias de lojas tinha fechado as portas da S&H Green Stamp ao começarem seu próprio negócio – a Blue Chip –, pois assim vendiam para si mesmas os cupons que produziam, com desconto.[16] Dessa forma, a Blue Chip derrotou um monopólio clássico.

"Como todas as principais empresas e mercados estavam distribuindo um único tipo de cupom, ele se transformava em algo parecido com dinheiro. Algumas pessoas eram capazes de esquecer o troco e pegar os cupons. As prostitutas os usavam como moeda. Pensei que a coisa mais engraçada do mundo seria se uma cafetina chamasse uma das meninas e disesse: 'De agora em diante, cobre o dobro de cupons, meu bem.' Todo mundo os guardava. Eles eram até falsificados."

Em 1963, o Departamento de Justiça abriu um processo contra a Blue Chip por controle abusivo do mercado, ao monopolizar o negócio da emissão de cupons na Califórnia.[17] A S&H também processou a empresa. Com as ações em queda, Rick Garrin, que fundara a sua própria sociedade, a Pacific Partners, reparou na Blue Chip e informou Munger. Buffett também tinha notado. "É claro que a Blue Chip não teve uma concepção imaculada", admite Charles Munger. Mesmo assim, eles decidiram fazer uma aposta calculada de que a empresa sairia daquele sufoco – levando em conta que o processo movido pela S&H era a principal ameaça.

Eles queriam os papéis porque a Blue Chip tinha uma coisa chamada "float". Os cupons eram pagos antecipadamente, os prêmios eram trocados depois. Buffett esbarrara pela primeira vez nesse conceito tentador na Geico, e essa foi, em parte, a razão para ele querer adquirir a National Indemnity. As seguradoras também recebiam o prêmio antes de pagarem as indenizações. Isso significava que podiam investir uma corrente contínua de float. Para alguém como Buffett, que tinha suprema confiança em suas habilidades de investidor, era um negócio inebriante.

Vários tipos de negócios tinham float. Depósitos em banco, por exemplo. A clientela muitas vezes imaginava que os bancos lhes prestavam um favor ao manterem seu dinheiro num lugar seguro. Mas os bancos convertiam os depósitos em empréstimos pelas mais altas taxas de juros que conseguiam cobrar. Eles lucravam dessa maneira. Isso era float.

Buffett, Munger e Guerin sabiam como virar de ponta-cabeça qualquer situação financeira. Se alguém lhes oferecesse cupons de troca, examinavam a ideia e refletiam: "Hum, ser proprietário da empresa que faz os cupons de troca deve ser a melhor coisa do mundo" – e, em seguida, pensavam nas razões para fazê-lo. Pessoalmente eles tinham tanta intenção de guardar cupons para comprar um forno japonês ou um jogo de croqué quanto de usar anáguas para ir ao escritório. Mesmo Buffett – que ainda sonhava com as coleções de seus tempos de menino e, por razões sentimentais, guardava no seu sótão uma pilha de selos Blue Eagle – preferia ser o dono da Blue Chip a colecionar seus selos.

Em 1968, a Blue Chip começou a se livrar dos processos movidos por seus concorrentes.[18] Primeiro fez um "termo de compromisso" com o Departamento de Justiça que estabelecia que a rede de mercados que era a proprietária venderia 45% da empresa para os varejistas que distribuíam os cupons.[19] Para diminuir ainda mais o controle por parte dos atacadistas responsáveis pela nada imaculada Blue Chip, o Departamento de Justiça solicitou que a empresa encontrasse outro comprador para 30% do negócio. Mesmo assim, parecia que a Blue Chip sobreviveria à batalha judicial.[20]

A sociedade de Munger tinha comprado 20 mil cotas, e Guerin adquiriu um volume semelhante. No processo, Munger desenvolveu a mesma atitude de proprietário que Buffett demonstrava em relação à Berkshire Hathaway: ele afugentou outros interessados. "Não queremos ninguém comprando a Blue Chip", dizia às pessoas. "Não queremos que ninguém a compre."[21]

Enquanto o mercado se aquecia, Buffett aumentou a posição de caixa da sociedade em algumas dezenas de milhões de dólares, embora continuasse adquirindo grandes lotes de ações. A sociedade incorporou o grande volume de cotas da Blue Chip que pertenciam ao Lucky Store Market Basket e também as cotas do Alexander Market e continuaria comprando nos meses seguintes, até que tivesse adquirido mais de 70 mil cotas. Para a National Indemnity e a Diversified Retailing Company, ele também adquiriu 5% das ações das lojas Thriftimart, um dos maiores acionistas da Blue Chip. Buffett imaginou que poderia, com o tempo, conseguir que a Thriftimart trocasse as cotas da Blue Chip por suas próprias ações. Por sorte, as apostas se basearam principalmente no resultado do acordo judicial com a S&H, caso contrário o timing poderia ter sido péssimo.

Justamente quando ele, Munger e Guerin estavam assumindo grandes compromissos com a Blue Chip, as vendas, que até então haviam crescido constantemente, começaram a despencar ladeira abaixo. As mulheres estavam perdendo o interesse em ficar em casa colando cupons de troca em um caderno. O florescente movimento de liberação das mulheres colaborava para isso: elas sentiam que tinham coisas mais importantes para fazer com seu tempo e adquiriam um senso de merecimento maior. Se elas quisessem uma batedeira elétrica ou uma panela de fondue, podiam simplesmente sair e comprar, em vez de se preocuparem com cadernos de cupons e trocas. Os papéis sociais e as convenções estavam sendo virados de cabeça para baixo, e a cultura do *sistema* era tão desprezada que os jovens afirmavam categoricamente: "Não confie em ninguém com mais de 30 anos." Aos 38, Buffett não se sentia um velho – ele nunca se sentiria um velho –, mas escreveu para um de seus sócios: *"Do ponto de vista filosófico, eu me encontro na ala geriátrica."*[22] Ele estava fora de sintonia com a cultura e as finanças modernas.

Em 1968, a perspectiva de que conferências em Paris levariam à paz no Vietnã desencadeou outra corrida ruidosa ao mercado. Embora estivesse orgulhoso de ter cultivado e feito crescer, com risco mínimo, a sua sociedade – dos sete investidores e 105 mil dólares iniciais, ela chegara a mais de 300 investidores e 105 milhões –, Buffett se tornara um ancião do mercado e aparentemente seria eclipsado por jovens aventureiros que exibiam números vistosos, obtidos em apenas dois anos, e conseguiam seduzir novos investidores a lhes entregar 500 milhões de dólares praticamente da noite para o dia.

Ele parecia especialmente – e conformadamente – antiquado quando se tratava das empresas de novas tecnologias que começavam se formar. Numa reunião na Grinnell College, ele encontrou Bob Noyce, outro conselheiro, que lhe disse que estava com comichão de deixar a Fairchild Semiconductors. Noyce, Gordon Moore (diretor de pesquisas) e o diretor-assistente de pesquisa e desenvolvimento,

Andy Grove, tinham decidido começar uma nova empresa, ainda sem nome, em Mountain View, Califórnia, baseando-se num vago plano de levar a tecnologia de circuitos "ao mais alto nível de integração".[23] Joe Rosenfield e o fundo de dotação da faculdade se comprometeram, cada um, a entrar com 100 mil dólares, acompanhando dúzias de outras pessoas que estavam ajudando a levantar os 2,5 milhões de dólares necessários para a nova empresa – que logo seria denominada Intel (do inglês, Integrated Electronics).

Buffett tinha um velho preconceito contra investimentos em tecnologia, que ele acreditava não oferecerem uma boa margem de segurança. Anos antes, em 1957, Katie Buffett, esposa do tio Fred Buffett, aparecera na porta dos fundos da casa de Warren com uma pergunta. Será que ela e Fred deveriam investir na nova empresa do seu irmão Bill? Bill Norris estava deixando a divisão de computadores da Remington Rand,* a Univac, para abrir uma empresa chamada Control Data Corporation, com o objetivo de competir com a IBM.

Warren ficou horrorizado. *"Bill achava que a Remington Rand estava ficando para trás em relação à IBM. Pensei que estivesse doido. Quando deixou a Remington Rand, ele tinha seis filhos e nenhum dinheiro. Não acho que Bill tenha saído da empresa para enriquecer. Acho que partiu apenas por se sentir frustrado, porque todas as decisões tinham que ser aprovadas em Nova York. Tia Katie e tio Fred queriam colocar alguns dólares na Control Data logo no início. Bill não tinha dinheiro. De certa forma, ninguém tinha dinheiro."* Bem, ninguém a não ser Warren e Susie. *"Eu poderia ter financiado metade do negócio, se quisesse. Mas fui muito negativo. Disse a eles: 'Não me parece grande coisa. Quem precisa de mais uma empresa de computadores?'"*[24]

Mas, como Bill era irmão de Katie, pela primeira vez ela e Fred ignoraram o conselho de Warren e decidiram investir 400 dólares de qualquer maneira, comprando ações a 16 centavos o lote.[25]

O fato de a Control Data ter subido até os céus e inundado de dinheiro os seus investidores não mudou em nada a opinião de Buffett sobre tecnologia. Muitas outras companhias do ramo tinham começado na mesma época e fracassado. Contudo, mais por respeito a Rosenfield que por qualquer outra razão, Buffett aprovou um investimento em tecnologia da Grinnell.[26] *"Estávamos fazendo a aposta no jóquei, não no cavalo"*, ele explica.[27] O mais importante era que Rosenfield garantira a margem de segurança ao afiançar o investimento da faculdade. Mas, por mais que admirasse Noyce, Buffett nunca comprou ações da Intel para a sua sociedade, deixando passar assim uma das maiores oportunidades de inves-

---

* Mais tarde, a Remington Rand fundiu-se com a Sperry e tornou-se a Sperry Rand, para em seguida, depois de uma fusão com a Burroughs, em 1986, transformar-se na Unysis. *(N. da A.)*

timento da sua vida. Mesmo reduzindo seus padrões de investimento – algo que voltaria a fazer –, um compromisso que ele nunca abandonaria seria o de manter a margem de segurança. Foi essa qualidade em particular – a de abrir mão de possíveis fortunas se não fosse possível limitar o risco – que fez dele Warren Buffett.

Mas para ele, naquele momento, o mercado inteiro estava ficando parecido com a Intel. A carta que escreveu aos seus sócios no final de 1968 sugere isso de forma discreta, ao declarar que as ideias para novos investimentos tinham chegado ao seu ponto mais baixo.[28] *"A nostalgia não é mais o que era"*, concluiu.

Como explicou mais tarde: *"Era um mercado multitrilionário, e ainda assim eu não conseguia encontrar um jeito de investir 105 milhões de dólares de forma inteligente. Eu sabia que não queria mais cuidar do dinheiro dos outros num ambiente em que eu não tinha certeza de que conseguiria me dar bem, e ao mesmo tempo me sentia obrigado a me dar bem."*

Sua atitude era marcadamente diferente daquela de 1962, quando o mercado passava por uma alta parecida. Nas duas vezes ele se lamentou. Mas, no passado, ganhara dinheiro com uma energia que contradizia a tal incompetência para fazer com que as coisas dessem certo.

Os sócios ficaram atônitos com o contraste entre as palavras sombrias de Buffett e a aparente facilidade que ele demonstrava em fazer o dinheiro crescer. Alguns deles tinham um nível de confiança quase absoluto em seus talentos. Quanto mais ele superava previsões desencorajadoras, mais sua lenda parecia crescer. Mas ele sabia que aquilo não ia durar.

33
O desfecho
Omaha – 1969

Na antessala do oitavo andar do edifício Kiewit Plaza, Gladys Kaiser guardava a porta que conduzia ao escritório de Warren Buffett. Esquelética, sempre com a maquiagem perfeita e o cabelo platinado recendendo aos cigarros que fumava sem parar, Gladys cuidava da papelada, telefonemas, contas e bobagens em geral com rapidez e eficiência.[1] Ela mantinha Buffett fora do alcance de todos – até mesmo de sua família em certas ocasiões. Aquilo levava Susie à loucura, mas com Gladys tomando conta da porta não havia nada que ela pudesse fazer.

Susie culpava Gladys. E naturalmente Warren nunca daria mesmo uma ordem para que Gladys barrasse Susie. Mas todos em seu escritório sabiam como interpretar o que ele queria pela forma sutil com que dizia alguma coisa sem realmente dizer. Ninguém sequer tossia se achasse que ele desaprovaria. As pessoas tinham que se guiar por pistas e sinais como se fossem regras lavradas em cartório, simplesmente para poder trabalhar na Buffett Partnership. Fronte enrugada e "humms" queriam dizer *"Nem pense nisso"*. *"Verdade"* significava *"Discordo, mas não vou dizê-lo diretamente"*. Um meneio de cabeça, olhos semicerrados e passos para trás significavam *"Socorro, não consigo"*. Gladys não perdia tempo em cumprir os pedidos e ordens silenciosas e algumas vezes feriu os sentimentos de outras pessoas. Mas seu trabalho era proteger o chefe, e isso incluía fazer coisas que ele não conseguia. Precisava ser dura o bastante para assumir a culpa.

Nas paredes desbotadas sobre a cabeça de Gladys estavam emoldurados recortes de jornais, lembretes da Crise da Bolsa de 1929. Mobília de metal e uma velha máquina de cotações decoravam o escritório. Do outro lado do pequeno corredor, atrás dela, ficavam outras pessoas que sabiam como interpretar os sinais de Buffett. À esquerda ficava o pequeno escritório de Bill Scott, de onde ele rugia "Depressa, estou ocupado!" para os corretores, enquanto executava as transações de Buffett. À direita, no corredor, numa sala entupida com arquivos e uma pequena geladeira que Gladys mantinha cheia de garrafas de Pepsi, a contadora Donna Walters cumpria meio período cuidando meticulosamente dos registros da sociedade e preparando a documentação para as restituições de impostos.[2] Perto de Walters ficava John Harding, que cuidava dos assuntos dos sócios e da sociedade. Bem atrás de Gladys ficava o reino do próprio Buffett, mobiliado com duas poltronas reclináveis, uma escrivaninha e pilhas de jornais e revistas. O que mais chamava a atenção era um grande retrato de Howard Buffett que ficava na parede em frente à escrivaninha.

Warren chegava todas as manhãs, pendurava o chapéu e desaparecia em seu santuário para ler os jornais. Pouco depois aparecia e dizia a Gladys: "Encontre Charlie." Então fechava a porta, pegava o telefone e passava o resto do dia revezando-se entre o telefone e a leitura, garimpando informações sobre empresas e ações para comprar. De vez em quando reaparecia e ia contar a Bill Scott alguma transação que realizara.

Com a alta do mercado, Scott andava menos ocupado naqueles dias. Buffett, com os bolsos recheados com o dinheiro produzido pela National Indemnity, tinha como meta a aquisição completa de negócios, pois assim os preços ficavam menos sujeitos aos caprichos dos investidores. Ele acabara de descobrir o Illinois National Bank & Trust, um dos mais lucrativos bancos que já vira, comandado por Eugene Abegg, de 71 anos, em Rockford, Illinois. Buffett queria que o rabugento Abegg fizesse parte do pacote. Abegg parecia Ben Rosner, avarento a ponto de contar as folhas de papel higiênico no banheiro. Buffett conversou com Abegg sobre coisas que ele queria mudar e então disse: *"Já fiz todas as concessões, tirei todos os meus sapatos. Mas não sou uma centopeia. Se quiser seguir em frente, ótimo. Se não quiser, continuamos amigos."*

Gene já fechara um acordo para vender o banco a outra pessoa, mas o comprador fez algumas exigências: ele queria uma auditoria, e Gene nunca tinha passado por uma, por isso não quis levar o negócio adiante. Ele era bem dominador e extremamente conservador em tudo que fazia.

Ele andava por aí com milhares de dólares em dinheiro dentro do bolso e costumava trocar os cheques das pessoas no final de semana. Levava a toda parte uma lista de cofres disponíveis para aluguel e tentava fazer você alugar um até mesmo durante um coquetel. Preste atenção, aquele era o maior banco da segunda maior cidade de Illinois na época! Ele estabelecia todos os salários e pagava a cada funcionário em dinheiro, de forma que o chefe do departamento de finanças não podia saber quanto ganhavam as suas secretárias. Então eu fui lá e disse um número que acabou sendo 1 milhão de dólares mais baixo que a oferta do outro sujeito. E Gene, que possuía um quarto das ações, chamou o maior acionista, que tinha mais de metade dos papéis, e disse: 'Este jovem de Omaha veio aqui e ofereceu este valor. Estou cansado desses caras da empresa X. Se você quiser vender para eles, então vá em frente e cuide do banco, porque eu não vou fazê-lo.'"

De fato, Abegg aceitou a oferta. E fechar esse negócio confirmou a intuição de Buffett de que empreendedores teimosos e éticos frequentemente se importavam mais com a forma como eles e as empresas que criaram seriam tratados pelos próximos proprietários do que com lutar até o último centavo de uma venda.

O Illinois National Bank, que logo passaria a ser tratado por Buffett pelo nome coloquial de Rockford Bank, fora criado antes de o Tesouro americano assumir o direito exclusivo de emitir dinheiro. Buffett ficou fascinado ao descobrir que ele ainda produzia sua própria moeda: as notas de 10 dólares traziam o retrato de Abegg. Buffett, cuja riqueza agora ultrapassava 26 milhões de dólares, poderia comprar quase qualquer coisa que quisesse, mas não aquilo. Abegg o superava. Ele e o Tesouro americano tinham o privilégio de emitir moeda, mas nem a Buffett Partnership nem a Berkshire Hathaway poderiam fazer isso.[3] Ele foi cativado pela ideia de ter notas de dinheiro com o seu retrato e passou a andar com uma nota Rockford na carteira.

Até então, Buffett nunca desejara ter o seu retrato numa cédula ou em qualquer outro lugar. Geralmente ele evitava ficar sob os holofotes, preferindo cuidar da sociedade. É verdade que muitas histórias e fotografias de sua família tinham chegado às páginas do jornal local, mais do que seria esperado de alguém que realmente fizesse questão de manter sua privacidade.[4] De qualquer forma, a não ser pelas cartas que escrevia aos sócios, ele atravessara a década de 1960 com a boca fechada. Não queria ter ninguém atrás dele. Não falava sobre a forma como fazia investimentos e não divulgava os resultados, ao contrário do estardalhaço demonstrado por outros investidores da época, promovidos à fama instantânea pelo marketing pessoal.

Mesmo quando as oportunidades de autopromoção batiam na sua porta, ele as desprezava. Poucos anos antes, John Loomis, corretor de valores, visitara Buffett no Kiewit Plaza. A esposa de Loomis, Carol, assinava uma coluna de investimentos para a revista *Fortune*. Um dia ela entrevistou um gestor de recursos chamado Bill Ruane, que lhe disse que o investidor mais esperto dos Estados Unidos morava em Omaha. Tempos depois, seu marido chegou ao monólito pálido do Kiewit Plaza e foi até a sala de 21 metros quadrados que não parecia em nada o escritório de um dos homens mais ricos da cidade.

Buffett o levou ao restaurante do Blackstone Hotel, do outro lado da rua, onde se deliciou com um milk-shake de morango e explicou a Loomis o que fazia. Loomis falou sobre o trabalho de sua mulher como jornalista, e Buffett achou interessante. Disse que, se não tivesse se tornado gestor de recursos, teria tentado carreira no jornalismo.[5]

Warren e Susie se encontraram com o casal Loomis quando foram a Nova York pouco tempo depois. *"Eles nos levaram para almoçar num lugar que tinha uma salinha reservada"*, diz Buffett. O bem relacionado gestor de recursos de Omaha, com um currículo estelar, e a repórter ambiciosa da *Fortune* descobriram que tinham muito em comum: um gosto por desmascarar as trapaças dos "cachorros grandes", uma obsessão por detalhes e uma tendência à competitividade maior que a distância entre Nova York e Omaha. Carol Loomis era alta, de porte atlético e tinha os cabelos castanhos curtos. Era uma mulher com os pés no chão, que odiava jornalismo de segunda tanto quanto Buffett odiava perder dinheiro. Era uma editora meticulosa. Os dois começaram a se corresponder, e ela o apresentou à linha de frente do jornalismo. Ele passou a ajudá-la a encontrar pautas. *"Carol logo se tornou minha melhor amiga depois de Charlie"*, diz.[6] Ao menos a princípio ela não publicou nada sobre Buffett.

No final dos anos 1960, contudo, o mercado em ascensão estava tornando o investimento em ações menos acessível para a sociedade. A vantagem de se fazer barulho em torno da aquisição de uma empresa começou a superar a vantagem de se manter segredo ao comprar ações. E foi assim que, no final da década de 1960, o antigo interesse de Buffett por jornais e publicações se alinhou com suas metas de investimento recentemente revistas. Seu desejo por atenção pessoal cresceu de uma forma tal que mudaria a própria essência do seu mundo.

Não demorou muito tempo para Buffett mergulhar no mundo em preto e branco do jornalismo. Jornais passaram a cobrir as pilhas de relatórios financeiros espalhadas por sua escrivaninha. Quando ia dormir, mais jornais – retirados de um monte e dobrados cuidadosamente – embalavam os seus sonhos. Nas noites mais agitadas, ele sonhava que tinha dormido demais e não conseguiria cumprir a rota de entrega de periódicos que fazia quando era menino.[7]

A fortuna de Buffett já aumentara o suficiente para permitir a aquisição de um jornal ou uma revista, ou ambos. Seu sonho era não ser apenas investidor, mas também editor – exercer aquela influência que decorre de ser dono do meio pelo qual o público recebe as notícias. Por volta de 1968, ele e alguns amigos tentaram comprar o jornal de entretenimento *Variety*, mas o negócio não vingou.[8] Mas outro relacionamento deu frutos. Stanford Lipsey era um amigo de Susie que costumava acompanhá-la a casas noturnas para ouvir jazz. Um dia ele apareceu no escritório de Warren e disse que queria vender os jornais do grupo *Sun*, de Omaha. Buffett se interessou imediatamente. Na verdade ele já tentara realizar essa compra antes.

O *Sun* era uma rede de jornais de bairro semanais que Stan e Jeannie Blacker

Lipsey tinham herdado do pai dela. Saíam sete edições diferentes nos subúrbios de Omaha. O feijão com arroz eram as notícias policiais, as informações sobre a sociedade local, as notas sobre os negócios da região, os esportes colegiais – e as fofocas sobre quem estava saindo com quem, o que tornava os jornais uma leitura obrigatória para pais e filhos. Embora o *Sun* tivesse pouco prestígio em Omaha, seu editor, Paul Williams, especializara-se em jornalismo investigativo e publicava matérias que o principal jornal da cidade, o *Omaha World-Herald*, deixava passar – muitas vezes reportagens que expunham os erros e pecadilhos dos maiorais da cidade e que poderiam ofender os anunciantes do *World-Herald*. Normalmente esses anunciantes ignoravam o *Sun*.

Apesar de sua própria ascensão na sociedade de Omaha, Buffett se interessou particularmente pelo tipo de jornalismo de denúncia praticado pelo *Sun*. Desde a época em que anotava números de placas de automóveis para colaborar com a captura de potenciais ladrões de banco, ele queria brincar de policial. "E ele sempre teve essa imensa admiração pelos jornais", diz Lipsey. "Reconheci instintivamente que Warren compreendia o papel dos jornais na nossa sociedade. Uma nova autoestrada ia cortar minha gráfica e eu precisava de um dinheirão emprestado para mudar as instalações. Não estava gostando das perspectivas do *Sun* enquanto negócio, mas sabia que Warren tinha dinheiro suficiente para que o jornalismo não fosse prejudicado por questões de economia. Em 20 minutos fechamos o negócio."

"*Imaginei que pagaríamos 1,25 milhão de dólares e conseguiríamos uma receita de 100 mil por ano*", diz Buffett. Era um retorno de 8%, quase a mesma coisa que um título de renda fixa daria – ou seja, menos, muito menos do que ele esperava ganhar com um empreendimento ou investimento. Além disso, a longo prazo, havia sinais de que a taxa de retorno diminuiria, ao invés de aumentar. Mas o dinheiro da sociedade andava ocioso, e ele realmente queria se tornar editor. "Parte do acordo", conta Lipsey, "era que, apesar de sua sociedade estar fechada, ele me deixaria entrar." Buffett queria tanto o *Sun* que concordou com isso, mesmo que já estivesse começando a considerar a possibilidade de encerrar a sociedade.

A Berkshire Hathaway tornou-se proprietária da cadeia *Omaha Sun* em 1º de janeiro de 1969. Mas o pequeno grupo de jornais de bairro foi apenas o começo. Buffett queria ser editor em escala nacional. Joe Rosenfield o apresentou ao secretário de governo de Virgínia Ocidental, Jay Rockefeller, a quem Rosenfield considerava uma estrela política em ascensão. Logo os Buffett estavam recebendo os Rockefeller para jantar em Omaha. Rockefeller, por sua vez, apresentou Warren a Charles Peters, um idealista cuja primeira publicação, a revista *Washington Monthly*, parecia ser o veículo certo, com expressão nacional, para discutir ideias importantes. Buffett conversou com Gilbert Kaplan, que comandava a revista *Institutional Investor*, para ganhar algumas noções sobre a publicação de periódicos.⁹ Em seguida escreveu a Rockefeller: *"Você achou meu calcanhar de aquiles. Sou um completo trouxa quando se trata de negócios envolvendo a imprensa – se eu gosto do produto. Pode-se dizer que o meu entusiasmo pelos empreendimentos jornalísticos é inversamente proporcional à minha avaliação sobre suas perspectivas financeiras."*¹⁰

Buffett apresentou a Fred Stanback e Rosenfield a ideia de investir na *Washington Monthly*, mas avisando de antemão que as chances de retorno financeiro eram escassas. Mas os escândalos que poderiam ser desvendados! As ideias que poderiam ser divulgadas! As mentes que poderiam despertar! As revelações que poderiam ser feitas! Eles acabaram entrando com algum dinheiro.¹¹

Em pouco tempo a *Washington Monthly* esgotou o seu capital inicial. Buffett admitiu a possibilidade de entrar com mais 50 mil dólares. Então ele e Peters tiveram uma conversa telefônica que durou 50 minutos. "Meu Deus", diz Peters, "como investimento, aquilo fedia com seu potencial de fracasso. De um lado estava seu instinto de duro homem de negócios, e do outro, seu instinto de bom cidadão e filantropo, e os dois lados estavam travando uma batalha. Buffett se preocupava com sua reputação nos negócios e parecia prestes a dar para trás, e eu, de forma cuidadosa, tentava fazê-lo voltar. Warren buscava rotas de fuga plausíveis, e eu tentava bloquear as saídas. Felizmente ele decidiu continuar no negócio."¹² Mas Buffett estipulou que os editores também teriam que entrar com seu próprio dinheiro, enquanto Peters levantaria mais algum. E determinou que entraria com mais 80% sobre o que fosse arrecadado.¹³

Peters era melhor como jornalista do que como contador. Levantaram o dinheiro e os cheques foram descontados, mas se passaram meses sem que chegassem notícias da *Washington Monthly*. "Eles desapareceram", diz Buffett. *"Fred Stanback reclamou que estava demorando a receber a documentação para a restituição do imposto de renda e que precisaria retificar sua declaração."*¹⁴ Embora a revista estivesse, de fato, publicando grandes reportagens – como Buffett queria –, isso não era o bastante. Ele sabia desde o início que não ia ganhar dinheiro, mas queria ter o controle do capital empregado. Ele começou a se sentir constrangido por ter arrastado Stanback e Rosenfield para uma canoa furada. Os investidores achavam que estavam sendo tratados como meras caixas de banco. Buffett queria ser parceiro no jornalismo, colega caçador de notícias, e não apenas o sujeito que bancava o idealismo.

Mesmo com resultados não totalmente satisfatórios, Buffett estava agora perseguindo aqueles interesses pessoais dos quais falara em outubro de 1967, na carta aos sócios. Nesse meio-tempo, o mercado continuava a secar – e a privá-lo de oportunidades. Passar parte do tempo como magnata da imprensa não o ajudava a se adaptar a essa realidade. Fossem quais fossem as suas ocupações, ele continuava inteiramente comprometido com a sociedade, e estava claro que a tal "abordagem menos compulsiva" em relação aos investimentos ia contra a sua natureza. Assim, ele começou a pensar em qual seria a melhor maneira de encerrar a sociedade. Buffett diz que recebeu ofertas de algumas pessoas interessadas na compra, o que representava uma oportunidade de vendê-la com grandes lucros, mas achou que não era certo. Não era comum que um gestor de recursos abrisse mão de uma grande soma de dinheiro, mesmo naqueles dias. Buffett já demonstrara não ter pendor para querer parar de enriquecer. Mas sempre ficara do lado de seus sócios, controlando a sua avareza em benefício deles e de si próprio. Por volta do *Memorial Day*, em maio de 1968, Buffett voltou a lhes escrever, declarando que baixar suas metas não tinha reduzido a sua ansiedade.

"*Se eu tiver alguma participação, não vou conseguir deixar de ser competitivo. Por outro lado, sei que não quero passar o resto da minha vida totalmente ocupado em tentar superar cada investimento realizado. A única forma de diminuir o ritmo é parar.*"[15] Em seguida soltou a bomba. Anunciou que entraria com o aviso-prévio de aposentadoria no final do ano, encerrando a sociedade no início de 1970. "*Não estou mais afinado com o ambiente do mercado e não quero estragar um currículo decente me arriscando num jogo que não compreendo só para ver se consigo ser um herói.*"[16]

O que ele ia fazer agora?

"*Não tenho uma resposta para essa pergunta*", escreveu. "*Só sei que, quando tiver 60 anos, vou estar em busca de metas pessoais diferentes daquelas a que dei prioridade quando estava na casa dos 20.*"[17]

Os sócios uivaram de desapontamento – e alguns, de medo. Muitos eram ingênuos, como a tia Alice. Eram pastores, rabinos, professores, avós e sogras. O anúncio provocou a venda de ações no mercado. Ele não achava que valia a pena se precipitar. Ensinara até os mais inexperientes a terem cautela num mercado superaquecido. Alguns só confiavam nele. Mas ele simplesmente "não queria operar num ambiente onde não se sentia à vontade com as oportunidades que surgiam", diz John Harding. "Especialmente sendo alguma coisa à qual ele sentia que devia dedicar tempo integral."

Susie Buffett ficou feliz com o fato de Warren encerrar a sociedade, sobretudo por causa dos filhos. Eles se importavam desesperadamente com a opinião do pai. Susie Jr. sempre ficara com a maior parte da pouca atenção que Warren conseguia dar, e Peter se contentava em ficar quieto, em segundo plano. Mas Howie, com 14 anos, sempre buscara uma ligação emocional com o pai – que nunca aconteceu – e se tornara o mais rebelde. Um dia Susie Jr. encontrou um par de pernas de manequim cobertas de sangue falso saindo do armário. Howie escalava o telhado fantasiado de gorila para espioná-la quando ela voltava de encontros, e a molhava com spray de cozinha quando ela se vestia para ir a um baile. Quando os pais foram para Nova York, Howie aproveitou a oportunidade para fazer uma experiência com a anarquia.[18] Warren, que dependia de Susie para tudo, presumia que ela daria conta de qualquer coisa de que Howie e as outras crianças precisassem. Mas, naquela altura, Susie já tinha desistido de tentar controlar os filhos. Também deixara para trás, havia muito, qualquer expectativa idealizada em relação ao seu casamento. Sua atenção estava cada vez mais voltada para um crescente número de "vagabundos", como um amigo os chamou, que perambulavam pela casa, procuravam sua ajuda e preenchiam seu tempo.[19]

Como ela geralmente aceitava as pessoas de modo incondicional, alguns desses "clientes" tinham um passado de infratores, ex-presidiários, viciados em drogas ou mesmo, num caso específico, o suposto proprietário de uma casa de tolerância. De tempos em tempos, essa gente lhe tirava dinheiro. Ela, na realidade, não se importava. Buffett ficava furioso com a ideia de ser enganado, mas acabou considerando a despesa uma parte do "orçamento de presentinhos" de Susie. De certa forma, isso fazia parte do seu charme.

Seu enorme grupo de amigas continuava a crescer. Bella Eisenberg, Eunice Denenberg, Jeannie Lipsey, Rackie Newman e muitas outras. Embora Warren conhecesse a maioria delas, esse era o círculo de Susie, não dele. Outras relações dela, gente como Rodney e Angie Wead, vinham da comunidade de ativistas; outra turma de amigos frequentava as quadras de tênis em Dewey Park. E sempre havia a família: Leila, principalmente depois que Ray Ralph morrera e ela voltara a usar o sobrenome Buffett; Fred e Katie Buffett e o filho Fritz, que se casara com Pam, uma antiga babá do casal que agora, é claro, se tornara amiga de Susie. Os sobrinhos Tom e Billy Rogers costumavam aparecer com frequência, assim como David Styles, um guitarrista a quem ela fora apresentada por Billy. Como os "meninos Rogers" e David Styles, muitos amigos de Susie eram mais jovens. Ela era íntima de Renee e Annette Gibson, filhas do jogador de beisebol Bob Gibson e sua mulher Charlene. Diversos estudantes negros a quem ela dera bolsas de estudos continuavam sob sua proteção e apareciam de tempos em tempos. Russell McGregor, Pat Turner e Duane Taylor, filho do grande músico de jazz Billy Taylor, também. E assim por diante.

Embora Susie fosse a fonte de toda essa generosidade, ela também começava a precisar de alguma atenção. Não muita, segundo seus amigos: bastariam apenas alguns gramas de esforço por parte de seu marido. Ela não concordava que ganhar dinheiro fosse o principal objetivo na vida. Sentia-se mais pobre ao negar a si mesma viagens, visitas a museus, idas ao teatro e a exposições de arte, ou qualquer outra forma de cultura, por causa da falta de interesse de Warren. Em público, ele costumava elogiá-la efusivamente, mas quando estava em casa ou no trabalho recaía nas suas preocupações de sempre. Se ele fizesse o sacrifício de acompanhá-la a uma galeria de arte de vez em quando, ou uma viagem que ela escolhesse, isso faria toda a diferença do mundo, Susie dizia. Mas quando de fato ele a acompanhava, somente porque ela pedira, era um favor e não um presente.

Agora que sabia que Warren jamais viajaria pela Itália por semanas a fio, Susie começou a viajar sozinha, ou com amigas, algumas vezes para visitar a família – como Bertha, que morava na Califórnia –, outras vezes para participar de seminários de crescimento pessoal.

Um dia, no aeroporto de Chicago, um homem parou em frente a ela quando estava sentada num banco. "A senhora é Susie Thompson?", perguntou. Ela levantou o olhar, constrangida por ter sido surpreendida com a boca cheia de cachorro-quente. Era Milt Brown, seu namorado na época do colegial, que ela não via havia muitos anos. Ele se sentou, e os dois começaram a refazer a amizade.[20]

Susie, que estava sempre em busca de vínculos emocionais, diria mais tarde que seu marido não era imune a emoções: ele simplesmente estava perdendo contato com seus próprios sentimentos. Certamente, parecia que os laços emocionais mais sólidos de Buffett eram com seus amigos e sócios, com os quais ele se sentia intensamente comprometido, criando uma espécie de família. Os outros Buffett não podiam deixar de notar como ele se iluminava na companhia daqueles amigos, em contraste com a forma zelosa mas preocupada que ele demonstrava quando comparecia aos eventos de sua verdadeira família.

Assim, mesmo agora que se preparava para encerrar a sociedade que consumira a maior parte de seu tempo nos últimos 13 anos, ele se mantinha completamente ocupado com os sócios e parecia um pouco relutante em se desfazer de suas ligações com eles. Deu-se ao trabalho de ajudá-los a colocar o dinheiro em boas mãos, enviando-lhes outra carta em que detalhava meticulosamente suas opções.

Ao explicar sua dedicação, ele diz: *"A missão de encontrar outro conselheiro é difícil. Quando encerrei a sociedade, ia distribuir muito dinheiro aos meus sócios, que contavam comigo. Eu senti que era minha obrigação pelo menos sugerir algumas alternativas."*

Era, no mínimo, um comportamento incomum para um gestor de recursos. Mesmo Ben Graham se limitara a dizer "Oh, compre AT&T" quando indagado, e fizera comentários sobre a excentricidade de Buffett com algumas pessoas. Mas Buffett fez um elaborado esforço para guiar seus sócios nos seus investimentos futuros. Alguns deles já estavam se transferindo para a Sociedade Munger, e

Buffett fez a mesma recomendação a mais um ou dois. Mas Munger também andava cansado do mercado. "Quem quer ficar perto das pessoas quando você só lhes traz desapontamentos?", ele disse. "Especialmente quando foi você quem os atraiu para o relacionamento." Faltava-lhe o gênio de Buffett para a promoção.

"Recomendei para os sócios duas pessoas que eu sabia serem excepcionalmente boas e excepcionalmente honestas: Sandy Gotterman e Bill Ruane. Eu já estava no mundo dos investimentos havia um bocado de tempo e com os anos passei a conhecê-los muito bem. Eu não conhecia apenas os resultados que obtinham, mas sabia como eles haviam conquistado esses resultados, o que era terrivelmente importante."[21]

Assim, os mais ricos procuraram Gotterman, no First Manhattan. Mas Sandy não queria saber da arraia-miúda. Então Buffett enviou outros sócios para Ruane, que estava deixando a Kiddler Peabody para abrir sua própria empresa de consultoria em investimentos – Ruane, Canniff & Stires – com dois sócios, Rick Canniff e Sidney Stires, criando o Fundo Sequoia especificamente para as contas menores. Eles contrataram John Harding, que ficaria desempregado com o fim da sociedade, para administrar o escritório de Omaha da nova empresa. John Loomis, o vendedor de valores que era marido de Carol Loomis, e Henry Brandt, pesquisador de Buffett, também foram para a Ruane, Canniff & Stires, completando a equipe. Essas relações mantiveram Harding, Loomis e Brandt como parte da "família" ampliada de Buffett.

Buffett levou Ruane para Omaha e promoveu o Fundo Sequoia entre os seus sócios. Endossou Ruane em termos tipicamente matemáticos. Não é de espantar que, apesar de conhecer Ruane há muitos anos, ele ainda sentisse ser necessário deixar aberta uma pequena porta de emergência, temendo ser culpado caso as coisas não funcionassem, e escreveu: *"Não existe maneira de eliminar a possibilidade de erro ao julgar os seres humanos, [mas] considero Bill uma aposta com altíssima chance de acerto, em função do seu caráter e do seu desempenho nos investimentos."*[22]

Entretanto, enquanto Buffett fazia os arranjos para encerrar a sociedade, apareceram os primeiros sinais de que o fogo do mercado começava a diminuir. Em julho de 1968, quando as tropas americanas começaram a ser retiradas do Vietnã, o índice Dow Jones caiu 19%. Apesar de a triunfante viagem à Lua, naquele verão, ter levantado os ânimos do país, Wall Street não tinha reagido da mesma forma. Papéis exóticos como os da National Student Marketing e Minnie Pearl's Chicken System Inc. – que haviam conquistado numerosos seguidores num mercado onde metade dos gestores de recursos e corretores estava no negócio havia menos de sete anos – começavam a despencar.[23]

As ações da Blue Chip Stamps, a companhia de cupons de troca, cuidadosamente acumuladas por Buffett, Munger e Guerin, agora se tornavam uma exceção notável em meio à tendência geral de queda. Os três tinham apostado que a empresa conseguiria resolver suas questões judiciais com a Sperry & Hutchinson. Quando o acordo foi celebrado, esse papel – que os sócios de Buffett ignoravam possuir – devolveu um alucinante lucro de 7 milhões de dólares frente ao investimento de 2 milhões realizado menos de um ano antes.[24] Agora a Blue Chip faria uma oferta pública de ações, e Buffett decidiu vender as cotas da sociedade como parte do negócio.[25] Parecia que os sócios teriam um esplêndido final de ano em 1969.

Em outubro, Buffett convocou outra reunião dos discípulos de Graham, incluindo aqueles que haviam se reunido em San Diego no ano anterior, mas dessa vez sem o próprio Ben Graham. Nessa ocasião as esposas também foram convidadas, e, embora não participassem das reuniões em que os homens falavam de ações, a presença delas tornava tudo mais festivo, como se estivessem de férias. Buffett delegou o planejamento para Marshall Weinberg, que morava em Nova York e adorava viajar. Mas Weinberg, que também gostava de economizar trocados e tinha menos experiência com o jet set do que o próprio Buffett, tomou a infeliz decisão de escolher o Colony Club, um resort em Palm Beach, Flórida, após fazer algumas consultas. Lá eles foram tratados como caipiras e esnobados até pelos mensageiros.

Correu o boato de que, no jantar da primeira noite, um funcionário do hotel quis devolver a Bill Scott uma gorjeta de 5 dólares, com ar de desprezo, dizendo: "Você precisa disso mais do que eu." Scott lhe dera um punhado de moedinhas, que costumava carregar nos bolsos para telefonar a Buffett. Na saída, o sujeito jogou os trocados no chão do corredor.

Durante os cinco dias seguintes, enquanto o grupo desfrutava comida ruim e quartos pequenos, sem falar nas ventanias e chuvas torrenciais, os homens se reuniam como se estivessem numa sala de aula, geralmente com Buffett no seu lugar de costume, na frente. Lançavam ideias para lá e para cá, numa linguagem cifrada, produto de muitos anos de conversa e de um conjunto de conceitos e valores profundamente compartilhados.[26] *"Charlie contou algumas histórias horríveis"*, escreveria Buffett mais tarde. *"Cheguei às mesmas conclusões sombrias, apesar de Walter Schloss dizer que enquanto duas companhias de aço mal localizadas e com usinas obsoletas não tivessem quebrado nem tudo estaria perdido."*[27]

Buffett propôs o "Desafio da Ilha Deserta". Se você estivesse perdido numa ilha deserta por 10 anos, perguntou, em que ação investiria? O truque era encontrar uma empresa da maior confiabilidade, uma que estivesse menos sujeita às forças corrosivas da competição e do tempo – esta era a concepção que Munger tinha de um grande negócio. Enquanto Nancy Brandt não parava de anotar as diferentes respostas, Buffett revelou a sua própria escolha: investiria no *Wall Street*

Journal. Seu interesse em jornais era crescente – e ainda se tornaria mais intenso –, mas, curiosamente, na realidade ele não tinha essas ações.

A reunião terminou da mesma forma que começou, com mais demonstrações de grosseria dos funcionários do hotel, que tinham a convicção de que eles eram um bando de corretores de terceiro time numa época de mercado em baixa.[28] De forma impertinente, alguns funcionários pediram aos discípulos de Graham que se afastassem dos estojos das joias expostas no mezanino do hotel. No último dia, enquanto o grupo partia, Ed Anderson aproximou-se da recepção e perguntou qual seria a melhor forma de chegar ao aeroporto. "A maior parte de nossos hóspedes aluga uma limusine", foi a resposta, "mas para o seu pessoal vamos chamar um táxi."[29]

Mais tarde Buffett descreveria o Colony Club como *"um hotel amistoso e familiar – quer dizer, se você pertencesse à família Kennedy."*[30] Foi "um desempenho de segunda de um lugar de primeira", disse Anderson, por sua vez. Tempos depois, quando um executivo de Fort Lauderdale que tinha a hipoteca do Colony lhe pediu conselhos em relação a um negócio, Buffett disse que ficaria feliz de ajudá-lo sem receber nada por isso, mas pediu: *"Se, por acaso, algum dia você tiver a chance de executar aquela hipoteca, não deixe de fazê-lo."*[31]

Um dos convidados de Buffett no Colony Club foi Louis Kohn, da Hochschild-Kohn. Buffett cultivara uma afeição por Kohn e sua esposa, com quem ele e Susie haviam passado as férias em Cozumel. Mas o convite para o Colony Club acabou sendo desastrado, pois, assim que o encontro foi planejado, Buffett e Munger entenderam que a Hochschild-Kohn não daria certo para eles.

"O varejo é um negócio difícil", diz Charles Munger. "Percebemos que estávamos errados. Praticamente toda grande rede de lojas que fica muito tempo em atividade acaba tendo problemas, e isso é difícil de resolver. O varejista predominante num período de 20 anos não é necessariamente o que prevalece nos 20 anos seguintes." Algumas experiências os deixaram muito desconfiados do varejo – e essa desconfiança só faria crescer com o passar do tempo.

Os dois queriam negócios que os lambuzassem de dinheiro, negócios que tivessem algum tipo de vantagem competitiva sustentável e que pudessem passar a perna no ciclo natural de criação e destruição de capital pelo maior tempo possível. Pouco depois da reunião na Flórida, Munger e Buffett venderam a Hochschild-Kohn para a Supermarket General por algo parecido com o valor que tinham desembolsado.[32] Buffett quis agir rápido e se livrar da empresa antes de liquidar a sociedade e distribuir os ativos. E, da mesma forma que o negócio, os Kohn desapareceram da vida dos Buffett.[33]

A DRC emitira debêntures para financiar a aquisição da Hochschild-Kohn.

Buffett tinha tomado cuidados especiais em relação a isso, pois era seu primeiro financiamento via oferta pública, e ele insistiu com seus subscritores para que os títulos tivessem diversas características incomuns. Mas alguns deles argumentaram que uma estrutura diferente poderia torná-los mais difíceis de vender.

"Eu disse: 'Mesmo assim, quero que os títulos tenham essas cláusulas.' Aquela foi a primeira emissão de títulos que eu fiz, e pus algumas coisas ali que não interessavam aos subscritores. Mas eu já tinha pensado muito sobre a emissão de títulos ao longo dos anos. Principalmente na forma como os portadores de títulos costumam ser seduzidos."

Historicamente, os portadores de títulos ganhavam menos que os acionistas, porque deixavam de lado as oportunidades potencialmente ilimitadas de possuírem ações em troca de um risco menor. Mas Buffett sabia que, no mundo real, isso não era necessariamente verdade.

"Uma das coisas que acrescentei foi que, se não pagássemos os juros por qualquer motivo, os portadores dos títulos assumiriam o controle da empresa, para que não tivessem que enfrentar um bicho de sete cabeças em caso de falência e coisas do gênero." Ben Graham escrevera sobre o assunto em *Security Analysis*: com a paixão habitual que dedicava aos assuntos que dominava, ele demonstrou que os tribunais raramente permitiam que os portadores de títulos pusessem as mãos nos ativos que garantiam os papéis, a não ser quando os valores em questão eram irrisórios. Os juros dos portadores de debêntures eram negociados por uma curadoria por meio de um penoso processo que adiava o pagamento até ele se tornar praticamente irrelevante. Por isso, as debêntures da DRC também estabeleciam que a empresa não poderia pagar dividendos enquanto os títulos ainda aguardassem pagamentos, o que significava que acionistas não poderiam desviar lucros enquanto os juros dos títulos estivessem em atraso.

Outra condição era que as debêntures, que pagavam 8% de juros, poderiam, dependendo dos lucros da empresa, render 1% a mais.

E Buffett acrescentou uma terceira condição. Por sentir que os títulos seriam vendidos principalmente para pessoas que o conheciam ou sabiam de sua reputação, ele queria que pudessem ser resgatados caso ele vendesse um volume de ações da DRC que o fizesse deixar de ser o principal acionista da empresa.[34]

"Ninguém jamais colocara nada parecido em um contrato. Eu disse: 'Sabem, eles têm o direito de ter isso por escrito. Podem não querer resgatar os papéis, mas têm o direito de fazê-lo, se quiserem. Basicamente, estão me emprestando dinheiro.'"

Quando Nelson Wilder, seu banqueiro, protestou, alegando que tais cláusulas eram desnecessárias e sem precedentes, Buffett rejeitou o seu parecer.[35]

Como os juros estavam subindo e os bancos ainda relutavam em emprestar, as debêntures subitamente se transformaram numa forma valiosa de se obter um financiamento barato, uma espécie de poderoso prêmio de consolação. De qualquer forma, como Buffett sempre pensava no dólar do presente como sendo os 50 ou 100 dólares que ele poderia se tornar no futuro, era como se estivesse assumindo um prejuízo de muitos milhões com a Hochschild-Kohn, em função das oportunidades perdidas de empregar o dinheiro de maneira mais eficiente. Ele chegou a uma conclusão que mais tarde formalizaria assim:

"*O tempo é amigo do negócio maravilhoso e inimigo daquele que é medíocre. Você pode até achar que este é um princípio óbvio, mas tive que aprender da forma mais difícil... Ao terminar o casamento corporativo com a Hochschild-Kohn, veio à minha mente o marido da canção country 'My Wife Ran Away With My Best Friend and I Still Miss Him a Lot' (Minha mulher fugiu com meu melhor amigo e ainda sinto muita falta dele)... É muito melhor comprar uma ótima empresa por um preço razoável do que comprar uma empresa razoável por um preço ótimo. Charlie entendia isso perfeitamente. Demorei a aprender. Mas agora, ao comprar empresas ou ações ordinárias, procuramos sempre negócios de primeira classe, com administrações de primeira classe. O que nos leva a outra lição. Bons jóqueis vão ganhar as corridas se montarem bons cavalos, mas nunca se darão bem se montarem pangarés.*"[36]

Ao mesmo tempo que Buffett e Munger planejavam a venda da Hochschild-Kohn, no outono de 1969 a revista *Forbes* chegou às bancas com uma matéria sobre Buffett intitulada "Como Omaha ganha de Wall Street". O artigo começava de forma tão arrebatadora que continuou a ser copiado por décadas pelos redatores que tratavam de Buffett e seus negócios.[37]

"Dez mil dólares investidos na Buffett Partnership em 1957", dizia o artigo, "valem agora 260 mil." A sociedade, que tinha ativos de 100 milhões de dólares, crescera a uma taxa composta de 31% ao ano. Ao longo de 12 anos "não houve um ano sequer em que tivesse perdido dinheiro... Buffett conseguiu isso seguindo princípios de investimento consistentes e fundamentalistas". O articulista anônimo da *Forbes* escreveu então uma das mais profundas observações já feitas sobre Buffett:

"Buffett não é uma pessoa simples, mas tem gostos simples."

O Buffett não tão simples com gostos simples sempre insistira no sigilo total em suas negociações de ações enquanto comandou a sociedade e nunca deixara uma revista publicar um perfil ou uma entrevista sua. Naquele momento, porém, quando o sigilo não era mais importante, ele tinha cooperado com uma matéria de grande repercussão sobre a sua carreira.

A matéria não revelava nem mesmo especulava sobre qual era o seu patrimônio. O repórter não sabia que, desde que Buffett fechara a sociedade para novos sócios, em 1966, as suas comissões tinham quadruplicado a sua fortuna para 26,5 milhões de dólares em apenas três anos. Nem sabia que, sem a entrada de dinheiro de novos sócios que diluísse a sua participação, a sua parte nos ativos da sociedade tinha crescido de 19 para 26%. A matéria citava a "velha casa barulhenta de Omaha"[38] e a falta de computadores e de uma equipe numerosa em seu escritório de aparência comum. É verdade que o homem de gostos simples enxugava quatro ou cinco garrafas de Pepsi por dia, pedia o refrigerante no lugar de vinho em jantares e se limitava a comer pãezinhos se lhe servissem qualquer coisa mais complicada que um bife ou um hambúrguer. Prisioneiro indefeso de quem quer que cuidasse das tarefas domésticas em sua casa, ele ainda aparecia em público apenas um pouco mais bem-vestido que um morador de rua, mas mal notava o estado de suas roupas. Seria feliz se vivesse num apartamento de dois cômodos sobre uma garagem. Para ele, o dinheiro era apenas um cartão de pontuação. Era Susie que se importava em viver bem. Era ela que achava que não havia uma razão de ser para tanto dinheiro se não fosse para usá-lo com algum objetivo.

De qualquer maneira, os Buffett já viviam confortavelmente havia algum tempo – embora não com o luxo que poderiam sustentar. Susie até conseguiu convencer Warren a comprar um Cadillac como o dela, mas só depois de encontrar o modelo mais básico, sem qualquer acessório extra. E ela ainda teve que ligar para todos os vendedores de automóveis das redondezas para garantir o melhor negócio. As pessoas achavam reconfortante o contraste entre os gostos caseiros de Buffett e a sua fortuna cada vez maior. Suas maneiras cordiais, seu humor autodepreciativo e seu jeito tranquilo deixavam os outros à vontade. Ele tinha corrigido um pouco a falta de charme da juventude, sobretudo diminuindo a sua aparente arrogância, bem como os sinais mais óbvios de insegurança. A intolerância a críticas não tinha melhorado, mas ele estava aprendendo a esconder sua impaciência. Buffett demonstrava grande lealdade aos amigos antigos, e as pessoas ficavam impressionadas, basicamente, com a sua honestidade.

Aqueles que passavam muito tempo com ele, entretanto, consideravam exaustivo o redemoinho incontrolável da sua energia. "Insaciável", sussurravam, sentindo às vezes um alívio culpado quando ele cometia um escorregão. Buffett respirava informação e tinha tendência a soterrar os amigos sob montanhas de recortes de jornais e sugestões de leitura que ele achava que poderiam lhes interessar, até perceber com surpresa que não conseguiam manter o mesmo ritmo dele. As conversas eram menos casuais do que pareciam. Sempre tinham um objetivo, por mais obscuro que fosse para quem estava do outro lado. As pessoas às vezes percebiam que estavam sendo testadas. Buffett vibrava o tempo inteiro com uma tensão interior que contradizia o estilo casual de seu comportamento exterior.

Era difícil imaginar o que ele faria com toda aquela energia e intensidade sem a sociedade. Muitos de seus sócios, por sua vez, achavam difícil imaginar o que fariam sem ele. Muitos tinham se tornado seus seguidores e relutavam em deixá-lo. Essa relutância parecia irônica quando se pensava no destino de outros negócios da família Buffett. Fred Buffett jogara as mãos para o ar, desistindo da Mercearia Buffett, às vésperas de seu centenário. Nenhum de seus filhos queria tomar conta do negócio e, apesar de render meio milhão de dólares por ano em vendas, quando Fred resolveu se desfazer do negócio não apareceu nenhum comprador. Assim falava a voz massacrante do capitalismo.

Os Buffett não eram frequentadores das colunas sociais e nunca tinham dado uma festa muito grande. Mas, com o encerramento da loja e da sociedade, decidiram celebrar, de forma extravagante, numa noite do último fim de semana de setembro de 1969. Quase 200 pessoas de todas as idades e raças tomaram conta da casa. Homens de negócios, respeitáveis mulheres de sociedade, "clientes" pobres adotados por Susie, adolescentes, amigos que agora estavam ricos graças à sociedade, amigas de Susie, padres, rabinos, ministros e políticos regionais passaram por um corredor de luzes que piscavam e pelas garrafas de Pepsi de quase um metro de altura que enfeitavam as janelas. Susie escolhera um tema nova-iorquino – com comida e decoração fornecidas pela Stage Door Deli – e estabeleceu que o traje seria "*kosher* casual". Os convidados apareceram usando todo tipo de roupa, de ceroulas a trajes de gala. Um barril de cerveja cortado pela metade explodia com crisântemos de sua cor favorita, amarelo-vivo. Uma mesa estava arrumada como se fosse um carrinho de delicatéssen, coberta com sanduíches de pastrami e queijo, com linguiça pendurada e uma galinha de verdade depenada. Fiel ao tema, no solário, ao lado de um barril de cerveja, um pianista encorajava os convidados a cantarem as canções que tocava. O perfume da máquina de pipoca, nas imediações da quadra de raquetebol subterrânea, recepcionava os convidados a uma sala de cinema improvisada montada no porão. Com o teto da quadra tomado por balões de gás, ali passaram durante toda a noite filmes de W. C. Fields, Mae West e o Gordo e o Magro. No jardim de inverno, o idoso Fred Buffett "protegia" duas modelos de biquíni enquanto os convidados pintavam seus corpos.

"Eu me diverti tanto que odeio pensar que acabou", diria Susie mais tarde.[39]

PARTE QUATRO

Susie canta

34

Candy Harry

Omaha – 1970-primavera de 1972

Dois meses depois da festa da Stage Door Deli, enquanto Buffett tomava as providências formais para se desfazer da sociedade, o índice Dow Jones desceu 800 pontos. Um mês depois, em janeiro de 1970, sua amiga Carol Loomis destacou seu desempenho espetacular durante a história da sociedade – e sua expectativa sombria em relação ao mercado de ações – num artigo sobre fundos hedge para a revista *Fortune*.[1] Pouco antes de o artigo ser publicado, enquanto o mercado começava a desmoronar, ele enviou uma carta aos sócios explicando o que possuíam.

- A Berkshire Hathaway, segundo ele, valia 45 dólares por ação.[2] Desse valor, cerca de 16 dólares estavam comprometidos com a indústria têxtil, um negócio que Buffett achava insatisfatório e com potencial cada vez menor no futuro. Apesar de isso corresponder a um terço do valor total, ele não pensava em liquidar tudo para liberar o capital. *"Gosto das pessoas que estão no ramo têxtil"*, escreveu. *"Elas trabalharam duro para desenvolver um negócio em condições difíceis. Apesar dos retornos magros, esperamos continuar a operação têxtil enquanto ela estiver se pagando."* A Berkshire Hathaway também possuía uma empresa mais rentável, a seguradora National Indemnity.
- A Diversified Retailing Company, com ações que ele avaliava entre 11,50 e 12 dólares, consistia apenas nas decadentes lojas Associated Cotton, no dinheiro em caixa e nas promissórias da venda da Hochschild-Kohn, que ele planejava usar *"para reinvestimentos em novos negócios em operação"*. Não especificou que negócios seriam esses, implicitamente requisitando a confiança dos sócios em seu julgamento da mesma forma que tinham feito ao entrar na sociedade.
- A Blue Chip Stamps veio à luz pela primeira vez. Buffett informou aos sócios

que provavelmente converteria em dinheiro essa parte do investimento, pois a empresa planejava uma venda de ações para o fim do ano.
- O Illinois National Bank & Trust Company, de Rockford, Illinois, também era controlado pela Berkshire Hathaway.
- Os jornais da cadeia *Sun*, que ele descreveu como "não tendo significado do ponto de vista financeiro".[3]

Os sócios ficaram assombrados ao descobrir que, por meio da Berkshire Hathaway, eles possuíam uma empresa de cupons de troca, um banco e uma pequena cadeia de jornais.[4] Agora precisavam decidir se mantinham essas cartas na mão ou se as trocavam, porque poderiam receber tudo em dinheiro.

"Ele cortava o bolo e ainda queria ficar com as melhores fatias", disse John Harding. Foi uma manobra brilhante da parte de Buffett. É claro que ele queria que escolhessem o dinheiro e deixassem as ações da Berkshire Hathaway para ele. Ainda assim, queria ser honesto com todos. Numa carta de 9 de outubro de 1969 fez uma previsão do mercado, coisa que até então ele sempre se recusara a fazer. Com o mercado vivendo tamanha alta, escreveu, *"pela primeira vez em minha vida profissional eu acredito que não haja muita escolha para o investidor mediano entre o dinheiro profissionalmente aplicado em ações e o investimento passivo em títulos"*[5] – embora admitisse que os melhores gestores de recursos eram capazes de extrair mais alguns pontos percentuais de lucro em relação aos ganhos obtidos com títulos. De qualquer maneira, os sócios que partiam não deveriam ter grandes expectativas sobre o que poderiam fazer com o dinheiro.

Dois meses depois, em 5 de dezembro, ele fez outra previsão, esclarecendo o que esperava daquelas ações e revelando aos sócios o que pretendia fazer. *"Minha opinião pessoal é que o valor intrínseco da DRC e da B-H crescerá substancialmente com o passar dos anos... Ficaria desapontado se tal crescimento não fosse de aproximadamente 10% ao ano."* Foi uma declaração importante. Ele estava dizendo não somente que a Berkshire Hathaway e a Diversified Retailing Company teriam um desempenho melhor que os títulos, mas também melhor do que eles poderiam esperar dos melhores gestores de recursos, como dissera em outubro.

"Acho que os dois papéis serão, a longo prazo, propriedades muito decentes e estou feliz de ter uma parte substancial de meu capital investido neles... Acho que há uma grande probabilidade de que eu mantenha os investimentos na DRC e na B-H por muito tempo."[6]

Em separado, Buffett escreveu uma dissertação sobre como os sócios deveriam investir em títulos de renda fixa, mais uma vez indo muito além do que seria esperado de um gestor de recursos. *"Quatro pessoas entraram em pânico quando encerrei a sociedade. Eram quatro mulheres divorciadas. Elas confiavam em mim e não queriam confiar em mais ninguém. Tinham tido experiências ruins com homens e não achavam que conseguiriam passar por tudo de novo se perdessem aquilo que tinham conquistado. Elas me telefonavam no meio da noite e diziam 'Você precisa continuar ganhando dinheiro para mim', coisas assim."*[7]

Mas ele se recusava a agir como uma espécie de fiduciário se não pudesse ter um desempenho que correspondesse ao seu alto nível de exigência. *"Basicamente, se eu sou a garantia, simplesmente não posso fazê-lo sabendo como foi difícil para mim"*, diz ele, recordando-se do que sentira, aos 11 anos, quando a Cities Service Preferred desapontara sua irmã.

Buffett continuou trabalhando na dissolução da sociedade durante o Natal, em Laguna Beach. Ele tinha comprado presentes com a sua eficiência habitual. Da mesma maneira que em outros aspectos da sua vida, tinha um método. Foi até a Topps, a melhor loja de roupas de Omaha, e deu a eles uma lista dos tamanhos de todas as mulheres da sua vida.

"Depois eles traziam as roupas. Eu tomava várias decisões e comprava presentes para minhas irmãs, Susie, Gladys e assim por diante. Eu até gostava disso. Bertie, por exemplo, se vestia de uma forma mais conservadora, então eu escolhia alguma coisa um pouquinho mais moderna, e ela aceitava, porque vinha de mim.

Sabe de uma coisa? As roupas conservam seu valor mais do que as joias."

Em 26 de dezembro, depois da troca de presentes natalinos, ele enviou aos sócios outra longa carta, na qual se esforçava ao máximo para responder detalhadamente a uma série de perguntas.[8] Alguns sócios representaram um desafio em especial. Eles ainda estavam decidindo se ficavam com as ações da Berkshire. Se era um negócio tão ruim assim, por que não se livrar da fábrica de tecidos Berkshire Hathaway?

"Não tenho vontade de provocar severos transtornos para seres humanos em troca de alguns pontos percentuais a mais no lucro anual", escreveu Buffett, repetindo o que já tinha dito na carta de janeiro de 1968. Como o objetivo de seu negócio era justamente extrair alguns pontos percentuais a mais de lucro por ano, esse tipo de raciocínio seria inconcebível no início de sua carreira.

O que são os jornais *Sun*?, perguntavam a ele. *"Cada ação vale 1 dólar"*, ele respondia, meio que tentando evitar o resto da explicação econômica. Em seguida, para encerrar o assunto, vinha uma frase que ficou famosa. *"Não temos qualquer plano de expandir nossa ação na área das comunicações"*, escreveu.[9]

Por que ele não registrou as ações da Berkshire Hathaway e da Diversified Retailing Company de forma que pudessem ser negociadas livremente? A Berkshire era tão controlada que só podia ser negociada "com hora marcada" – o que tornava muito difícil para qualquer pessoa saber o seu real valor. Por sua vez, a DRC não era negociada de forma alguma.

Seguiu-se uma explicação longa e complicada, na qual Buffett argumentava que um mercado de livre negociação e liquidez para essas ações seria menos eficiente e menos justo, e *"os sócios mais sofisticados teriam uma significativa vantagem sobre os menos sofisticados"*. E era certamente verdade que os seus sócios mais ingênuos seriam preservados das garras do maníaco-depressivo Sr. Mercado, que poderia, em muitas ocasiões, avaliar por baixo as ações. O controle diminuía as chances de que um bando de corretores os convencesse a vender as ações para comprar as da IBM e da AT&T. Mas também significava que Buffett estava limitando as opções dos sócios – tornando mais difícil a compra e mais difícil a venda – e, se quisessem vender, tornava mais provável que vendessem para ele próprio.

Como sócio ilimitado da sociedade, ele estava acostumado a ter o controle total das duas companhias. Lavar as mãos e desistir desse controle em prol do Sr. Mercado era algo que ele simplesmente não conseguia fazer. Além do mais, logo que entregasse aquelas ações aos sócios que partiam, talvez se criasse, pela primeira vez, um conflito entre os seus próprios interesses e os dos outros. A complicada racionalização feita para justificar aquele modelo de negócio passava ao largo do fato de que Buffett era o sócio mais sofisticado de todos. Era ele quem levaria a maior vantagem, e não seus antigos parceiros. Por mais honestas que fossem as suas intenções, a decisão ampliava o conflito potencial entre os seus interesses e os deles. O tom dolorosamente sincero da carta de Buffett parece o de alguém que precisa se convencer de que está fazendo a coisa certa. Mas o conflito não poderia deixar de criar ressentimentos. Qualquer um que vendesse as ações para ele e mais tarde viesse a se arrepender poderia olhar para trás e pensar: ele se aproveitou de mim.

Mas uma parte de Warren que ele herdara de Howard exigia que apresentasse as suas opções com uma escrupulosa honestidade. A forma como ele respondeu à pergunta seguinte sinalizou claramente aos sócios o que eles deviam esperar.

A pergunta era: Devo me desfazer das ações?

Buffett lhes deu um conselho tão claro e direto quanto daria em público, quando consultado sobre um determinado papel.

"Tudo o que posso dizer é que eu vou mantê-las", disse. *"E que planejo comprar mais."*[10]

Os sócios que se afastavam também teriam que resolver o que fariam com uma terceira ação. Na mesma carta de 26 de dezembro, Buffett informou que a venda de ações da Blue Chip fracassara.[11] A ação despencara em pouco tempo de 25 para 13 dólares, porque as lojas da rede Safeway tinham parado de usar os cupons da Blue Chip. A sua base de clientes estava sendo erodida, e não havia comprador à vista para adquirir a terça parte do negócio que o Departamento de Justiça exigira que fosse vendida. Dois novos processos tinham sido impetrados na Corte Distrital de Los Angeles, um pela companhia Douglas Oil e outro por um grupo de postos de gasolina, que alegavam que a Blue Chip estava infringindo a lei antitruste – era um monopólio – e pediam compensações para as suas perdas, além das custas judiciais.[12]

Mesmo enquanto se multiplicavam os problemas da Blue Chip e sua cotação caía, Buffett continuava a comprar suas ações, em vez de vendê-las. Comprara para a DRC e para a National Indemnity. Comprara para a Cornhusker Casualty e para a National Fire & Marine, duas pequenas companhias de seguros que a Berkshire adquirira. Comprara também para si mesmo e para Susie.

Agora seus sócios sabiam que Buffett não apenas não venderia como, na realidade, planejava adquirir mais lotes de ações. Eles podiam escolher – ações ou dinheiro. Se pegassem o dinheiro, ele levaria as ações. Se mantivessem as ações, ainda seriam seus sócios, de certa forma.

Na ansiedade de saber se as pessoas confiavam nele – e gostavam dele –, Buffett valorizava a lealdade mais do que qualquer coisa. Ele procurava a lealdade em todos os relacionamentos. Nesse sentido, ele via a dissolução da sociedade um pouco como um teste de lealdade, como deixaria claro seu comportamento posterior.

Quando a sociedade se desfez, Buffett tinha mais dinheiro para comprar ainda mais ações, pois, mesmo conservando as suas cotas – ele possuía pessoalmente 18% da Berkshire Hathaway, 20% da Diversified Retailing Company e 2% da Blue Chip[13] –, ele e Susie levaram para casa cerca de 16 milhões de dólares em dinheiro no fim de 1969. Ao longo do ano seguinte as participações da Berkshire e da DRC começaram rapidamente a mudar de mãos, como se um gigante estivesse embaralhando cartas. Como havia prometido – mas numa escala que teria surpreendido seus parceiros, se eles soubessem disso –, Buffett aplicou o dinheiro vivo que ganhou da sociedade na compra de mais ações da Berkshire e da DRC. Ele usou dinheiro da Berkshire para adquirir as próprias ações e propôs a algumas pessoas que vendessem suas ações da empresa em troca da garantia de lucros de 9%.[14] Comprou das mais variadas pessoas, desde o ex-cunhado Truman Wood ao seu primeiro investidor, Homer Dodge, e o filho deste, Norton.[15] Aqueles que rejeitavam suas ofertas deviam estar dispostos a encarar o risco e deixar que Buffett reinvestisse os lucros sem a garantia de ganhar nada. A demonstração de confiança era importante para ele.[16]

Daí em diante ele sempre sentiria lealdade em relação aos que preferiram manter as ações – uma lealdade tão profunda e intensa que a maioria dos CEOs contemporâneos consideraria incompreensível. A Berkshire, em suas reflexões posteriores, continuava sendo *"como uma sociedade. É a coisa mais próxima de um negócio privado com acionistas que se identificam com você e que gostam de ir para Omaha"*. Ele pensava nos sócios como gente que se reunira a partir de um conjunto complexo de valores e interesses compartilhados, e não apenas pela conveniência econômica de curto prazo. Dizia, com frequência, que tentava tratar os sócios da mesma forma que tratava a família. Eram pessoas que confiavam nele, pessoas com quem tinha um dever especial. Em contrapartida, esperava lealdade delas.

Mas as pessoas tomam decisões pelas mais diferentes razões. Algumas precisavam do dinheiro. Outras simplesmente investiram no Fundo Sequoia depois de conversar com Bill Ruane. Muitos corretores insistiam para que se desfizessem das ações de uma indústria têxtil que só engolia dinheiro. Alguns ouviram. Outros não. Alguns investidores profissionais tinham outras opções e achavam que ficariam melhor sem esses papéis sem graça. Quando Warren foi pessoalmente à Costa Oeste e propôs a compra – com uma promissória da DRC como garantia –, Betty, irmã de Estey Graham, vendeu as suas ações. Estey não. Rhoda Sarnad, prima de Ben Graham, e o marido Bernie decidiram não vender, dizendo para si mesmos que, se Warren estava comprando, era um bom negócio para ele, então seria um bom negócio para eles também.[17] Quando ele apresentou a promissória da DRC à sua irmã Doris, ela recusou, pensando: "Se ele está comprando, por que eu deveria vender?"

Alguns sócios interrogaram Buffett pessoalmente com mais profundidade para saber sua opinião sobre o comportamento das ações. Ele respondeu, cordial, que achava que iam render bem, mas que poderia levar um bom tempo. Pessoas como Jack Alexander e Marshall Weinberg ponderaram essas palavras, levaram em conta o fato de que também eram bons investidores e venderam para Buffett parte de suas ações.

Munger chamaria Buffett mais tarde de "um comprador implacável", como John D. Rockfeller na época da construção de seu império, quando não deixava que nada ou ninguém interferisse em seus planos.[18] Ao olharem para trás, algumas pessoas se sentiram maltratadas, manipuladas ou mesmo enganadas. Com efeito, algumas disseram: "Bem, eu deveria ter imaginado, esse é Warren."

No final de 1970 muitos dos antigos parceiros haviam pegado o dinheiro, enquanto Warren continuava a comprar ações. A participação dele e de Susie na Berkshire disparou de 18 para quase 36%. Já na DRC, havia quase dobrado a sua fatia para 39%. Do ponto de vista prático, agora Buffett controlava ambas.[19] Também tinha adquirido mais ações da Blue Chip, passando de 2% para uma participação de 19% na empresa.

Mas estava claro para Susie Buffett que as manobras de Warren para obter o controle da Diversified Retailing Company e da Berkshire Hathaway significavam que a segunda "aposentadoria" do marido seria idêntica à primeira. Uma das razões era que a Blue Chip passava pelo mesmo aperto que a Berkshire Hathaway.[20] O negócio não estava apenas encolhendo, estava moribundo, e por isso ele e Munger precisavam comprar alguma coisa nova para vitalizar o capital.

No final de 1971, depois que o presidente Nixon aboliu o padrão-ouro, o preço da gasolina foi para o espaço e metade das empresas petrolíferas do país parou subitamente de emitir cupons de troca. Com os preços de tudo aumentando quase que diariamente por causa da inflação, a estratégia clássica do varejo, que consistia em atrair clientes para as lojas por meio de um arsenal de serviços e brindes, foi jogada para escanteio. Os clientes queriam os menores preços e os varejistas correram para o modelo dos descontos.[21] Simplesmente evaporaram todas as possibilidades de uma dona de casa planejar as compras de tal forma que pudesse juntar cupons suficientes para trocar por uma frigideira elétrica.

Um belo dia Buffett recebeu uma ligação de Bill Ramsey, presidente da Blue Chip, dizendo que uma companhia de doces de Los Angeles, a See's Candies, estava à venda. Buffett se dedicara a um estudo bem específico sobre empresas de doces, mantendo um dossiê sobre a Fanny Farmer[22] e analisando a que produzia os biscoitos Necco. Mas fábricas de doces eram caras. Até então ele nunca se animara a ir adiante. *"Chame Charlie!"*, exclamou.[23] Munger estava encarregado da Blue Chip, o negócio que mantinham na Costa Oeste.

A See's, fundada em 1921 por um vendedor de doces canadense, competia no mercado utilizando ingredientes da melhor qualidade, como manteiga, creme, chocolate, frutas e nozes, para atingir cuidadosamente o "padrão See's de qualidade", que era "superior ao melhor". Durante a Segunda Guerra Mundial, em vez de economizar nas receitas para que os ingredientes racionados rendessem mais, a See's colocou um letreiro em suas lojas, sempre decoradas em preto e branco: "Estoque esgotado. Compre bônus de guerra para dar de presente de Natal".[24] Com isso, a empresa se tornou uma instituição.

"A See's conquistou uma reputação que ninguém mais tem na Califórnia", disse Munger. "Podemos adquiri-la por um preço razoável. E seria impossível competir com aquela marca sem gastar rios de dinheiro." Ed Anderson achou muito caro, mas Munger transbordava de entusiasmo. Ele e Buffett visitaram a fábrica, e Munger disse: "Que negócio fantástico. E o gerente, Chuck Huggler? Rapaz, ele é esperto, e podemos mantê-lo!"[25]

A See's já tinha uma negociação em andamento e queria 30 milhões de dólares por ativos que valiam 5 milhões.[26] A diferença correspondia à marca See's, sua reputação e suas marcas registradas – mas principalmente, à boa vontade da clientela. Susie Buffett, por exemplo, era louca pela See's, que ela descobrira na Califórnia.

Decidiram que a See's era como um título de renda fixa – valia os 25 milhões de dólares. Se a empresa tivesse distribuído seus lucros como "dividendos", estes teriam sido em média de 9%. Não parecia ser o bastante – administrar um negócio envolvia mais riscos do que comprar um título, e a "taxa de dividendos" não era garantida. Mas os lucros estavam aumentando, beirando a casa de 12% ao ano. Portanto, a See's era como um título cujos rendimentos estivessem crescendo.[27] E não era só isso:

"Achamos que havia uma margem inexplorada para a elevação de preços. Na época, os produtos da See's eram encontrados por preços semelhantes aos da Russell Stover, e a grande questão que eu tinha era: se cobrarmos mais 15 centavos por quilo, isso representará lucros adicionais de 2,5 milhões de dólares acima dos 4 milhões atuais. Assim, na verdade eu estava comprando um negócio que podia gerar 6,5 ou 7 milhões de dólares, bastava adotar uma política de preços um pouco mais agressiva."

A princípio tiveram que negociar a compra com duas pessoas. A primeira era Charles B. See – ou "Candy Harry" (Harry dos Doces), como era chamado por Buffett, Munger e Guerin –, que administrava o espólio de seu irmão mais velho, Larry See, recentemente falecido. Os dois irmãos eram sócios, mas era Larry quem cuidava do negócio.

"Candy Harry realmente não queria cuidar da See's. Estava mais interessado em vinhos e mulheres. Queria correr atrás de garotas. Mas naturalmente, no último minuto, sentiu um certo arrependimento em relação à venda. Rick e Charlie foram vê-lo, e Charlie fez um dos maiores discursos de todos os tempos sobre as vantagens de uvas e moças, e de como Candy Harry utilizaria seu tempo de melhor forma com as mulheres."

O outro envolvido era "Number Harry" (Harry dos Números), Harry W. Moore, responsável pelas finanças da empresa e também seu diretor. Por meio de seus advogados, a Blue Chip começou a cortejar Number Harry, mostrando as vantagens financeiras do acordo, enquanto, ao mesmo tempo, sugeria a Candy Harry que a venda o aliviaria de um potencial conflito de interesses que poderia resultar do fato de ele ser executor do testamento do irmão.[28]

Pelo valor de 25 milhões de dólares, oferecido pela Blue Chip, o lucro de 4 milhões, sem descontar os impostos, representaria, após o desconto, rendimentos de 9% para Buffett e Munger já no primeiro dia após a compra – sem considerar o crescimento futuro. Ao somar os 2 ou 3 milhões adicionais que seriam obtidos com o aumento de preços que a See's tinha margem para promover, o retorno de capital subiria para uma taxa de 14%, bem razoável para o investimento, embora nada fosse garantido. A questão era saber se os lucros continuariam a crescer. Buffett e Munger quase desistiram. A colheita estava sendo tão fácil até aquele momento, e eles tinham um hábito tão arraigado de pechinchar, que pagar o valor pedido parecia algo tão repulsivo quanto engolir peixinhos de um aquário.

"Vocês estão malucos", disse Ira Marshall, funcionário de Munger. "Há coisas que devem ser bem pagas – qualidade humana, qualidade de negócios e daí por diante. Vocês estão desvalorizando a qualidade."

"Warren e eu aceitamos a crítica", diz Munger. "Mudamos de ideia. No final, chegaram ao valor exato que estávamos dispostos a pagar."[29]

Durante as negociações, Buffett descobriu que a Tweedy, Browne já possuía mil cotas da See's. Buffett exigiu que a firma transferisse essas ações para ele. Os sócios da Tweedy, Browne sabiam como a See's era valiosa e achavam que o preço estava baixo demais. Por isso resistiram e debateram a questão com Buffett. Eles não entendiam por que deveriam dar a ele as ações da See's. Ele insistiu que precisava delas mais do que a Tweedy, Browne. Buffett ganhou. Eles lhe entregaram as ações.[30]

No momento em que o acordo foi assinado e o trio formado por Buffett, Munger e Guerin passou a fazer parte da diretoria, Buffett mergulhou no negócio dos doces com um entusiasmo que nunca demonstrara com empresas como a Dempster e a Berkshire Hathaway, para as quais ele indicava representantes. Enviou caixas de doces da See's a todos os amigos discípulos de Graham. Em poucos dias escreveu uma minuciosa carta para Chuck Huggins, o vice-presidente executivo, explicando que estivera conversando com donos de shopping centers do país inteiro sobre a abertura de novas lojas See's em lugares como Colorado Springs, Fayeteville e Galveston. Ele sugeriu que Huggins evitasse Iowa, porque os executivos de lá lhe disseram que *"de uma forma geral os moradores de Iowa não são muito fãs de doces"*.[31] Autorizou Huggins a suspender o envio mensal de caixas de bombons para a longa lista de mulheres que Candy Harry designara como "amigas especiais". Passou a acompanhar o mercado de futuros de açúcar e cacau. Este último andava pela casa de 1,27 dólar por quilo e se aproximava de preços inéditos desde o ano das manobras com o cacau da Rockwood.[32]

Buffett sugeriu experiências com doces pré-embalados. Queria ver os resultados, os orçamentos e ter o máximo de informações financeiras. Escreveu a Huggins sobre uma loja em Las Vegas. *"É interessante ver quantos dólares a mais conseguimos extrair de uma comunidade quando identificamos o lugar certo. Você está fazendo um trabalho de primeira classe ao estender a nossa área de influência."* Buffett sugeriu que Huggins "brincasse" com slogans publicitários e tentasse chegar a alguma coisa parecida com o da Coca-Cola, "a pausa que refresca", ou "a água cristalina das Montanhas Rochosas", usado pela cerveja Coors.[33] Até parecia que, ao consumir seu cereal matutino, Huggins poderia imaginar um slogan tão atraente quanto o da Coca-Cola.[34] Um antigo funcionário chegou a definir o estilo gerencial de Buffett à maneira de Dale Carnegie: "Ele sempre elogiava você enquanto lhe arranjava mais o que fazer."[35]

Conforme o nível subia sutilmente 2 ou 3 centímetros a cada novo obstáculo, ele era como um atleta, seguro de que poderia continuar saltando cada vez mais alto. Mas o efeito era semelhante ao de um minúsculo esguicho de água: sua pressão suave e constante parecia ótima – até enlouquecer quem a recebia. Dessa forma, quando Buffett desviava a sua atenção – o que sempre acabava acontecendo – era um alívio. Enganado pelo jorro inicial de entusiasmo, Huggins fez assinaturas de várias revistas especializadas no setor de doces para Buffett. Com o tempo e a atenção voltados para algum novo interesse, Buffett deu um basta. *"Charlie talvez tenha pensado em se tornar um doceiro algum dia"*, ele escreveu, *"mas, pessoalmente, vou me limitar a ler os relatórios."*[36] Ele descobrira que gostava de ser dono de uma fábrica de doces, mas não queria administrá-la.

A mesma coisa acontecia em casa. Buffett dizia a algumas pessoas, com sinceridade, *"Por favor, venham nos fazer uma visita, quero muito vê-los"*, mas quando elas apareciam ele enterrava a cabeça atrás dos jornais, aparentemente satisfeito com sua simples presença. Mas havia também a possibilidade de ele querer falar sem parar, e nesse caso os amigos iriam para casa exauridos. Susie observava o ir e vir dessas ondas de entusiasmo.

Warren continuava inebriado pela sua mulher. Ele lhe fazia elogios frequentes em público e a colocava no colo. Mas em casa, como sempre, retirava-se para tratar de seus assuntos e queria que cuidassem do resto para ele. Susie se referiu a ele como "um iceberg" para uma de suas amigas. Entretanto, nada realmente mudara no relacionamento desde o início – apenas os sentimentos dela estavam se transformando. Ele estava satisfeito. Raciocinava que, como Susie gostava tanto de se doar, ele estava lhe prestando um serviço ao receber. Baseado em seu passado em comum e no comportamento dela com as pessoas em geral, e com ele em particular, não havia razões para ele pensar de outra forma. Mas os desejos de Susie estavam em mutação. Ela, a máquina de doação emocional, estava tomando conta de muito mais gente do que o próprio Warren. Recentemente ficara ao lado de Alice Buffett enquanto ela sucumbia a uma dolorosa batalha contra o câncer. Mas agora Susie começava a sentir necessidade de cuidar de si mesma.

Assim, enquanto o marido cuidava de seus negócios fora de Omaha ou se recolhia no escritório, Susie passava cada vez mais tempo fora de casa, frequentando almoços e jantares, indo a clubes de jazz com amigos e viajando mais e mais. Agora tinha um novo grupo de amigos bem mais jovens que ela. Eles a admiravam e devolviam a sua generosidade e carinho com declarações que variavam da expressão de uma afeição calorosa à completa adoração. Eram menos filhos adotivos que amigos genuínos, embora, como todos os outros, precisassem dela.

Em casa, Susie começara a prestar atenção de uma forma diferente em Peter, o filho introspectivo, tratando-o também como amigo, confidente e fonte de suporte emocional, agora que ele estava mais velho e prestes a ingressar na escola secundária.

Susie Jr. estava morando em Lincoln, matriculada na Universidade de Nebraska. Howie, que havia batido o recorde familiar de número de punições escolares, estava no segundo ano do ensino médio, e Susie se dedicava a garantir o seu ingresso na universidade. Ela o levava a debates e o ajudava a se empenhar para melhorar as notas dos boletins. Warren, como sempre, ficava feliz em deixar que ela assumisse todas essas responsabilidades.

Susie obtinha sucesso em atrair Warren para participar – fazendo mais do que simplesmente preencher cheques – quando encontrava uma causa para a qual ele podia emprestar seus conhecimentos. Um amigo de Susie, Rodney Wead, e outros líderes da comunidade negra tiveram a ideia de fundar um banco administrado por minorias, para reforçar o orgulho da comunidade e intensificar o desenvolvimento econômico do North Side. Com a meta de promover o "capitalismo negro", procuraram Buffett e seu amigo Nick Newman, que havia apresentado Warren aos movimentos locais em prol dos direitos civis.[37]

Wead era uma figura respeitada em Omaha, e Buffett gostava de bancos. Ele tinha acabado de entrar para o conselho do Omaha National Corporation, o maior banco da cidade, realizando uma antiga ambição.[38] Tinha uma predisposição favorável – e racional – a qualquer negócio em que as pessoas entravam com dinheiro mais depressa do que o empreendimento era capaz de gastar. Por isso, ele se dispôs a ouvir Wead, mas queria saber se era viável a criação de um banco de minorias. Como se esperava que um banco comunitário atraísse uma clientela diversificada, ele contratou Peter e um de seus amigos para ficarem na porta de outro banco similar e contarem quantas pessoas entravam, classificando-as por raças.[39] As informações de Peter deixaram Warren otimista, e ele entrou para o conselho consultivo de diretores do Community Bank of Nebraska, além de conseguir que John Harding, da Ruane, Canniff, também entrasse.[40] Buffett disse aos fundadores que, se pudessem levantar 250 mil dólares em ações junto à comunidade negra, o conselho consultivo entraria com a mesma soma.[41] O banco organizou seus escritórios em um trailer. "Você está chegando ao ponto mais baixo, Warren", disse Joe Rosenfield. "Estamos pedindo às pessoas que ponham seu dinheiro numa coisa que pode sair do lugar no meio da noite e levar o banco inteiro junto."

A maioria dos gerentes e dos diretores do conselho – que incluía Bob Gibson, amigo de Buffett que jogava beisebol – era negra e caloura em finanças. Para evitar um desastre, Buffett adotou seu estilo professoral e tentou ensinar aos fundadores a necessidade de criarem padrões rígidos para empréstimos. Ele enfatizou que bancos não eram instituições de caridade ou organizações de serviço social. Ele comparecia às reuniões mensais do conselho, que entravam noite adentro, mas, como acontecia com as suas empresas, nunca se envolvia na administração cotidiana.[42] Harding, entretanto, passava todos os dias no banco para garantir que as contas fechassem. "A administração da comunidade era bem-intencionada", diz Harding, "mas não tinha experiência financeira." Quando lhe pediram mais dinheiro para cobrir empréstimos ruins, Buffett negou. Wead sentiu que Buffett "não compreendia o ciclo da pobreza" e "nunca entenderia seu papel de homem rico diante de nossa comunidade sitiada".[43] Mas Buffett compreendia os números e sabia que o banco não ajudaria ninguém ao relaxar seus padrões e fazer empréstimos ruins, o que só serviria para ensinar uma lição errada sobre finanças. Assim, o banco se arrastou durante anos, sem crescer.

Mas ele teve uma chance de ajudar de outra forma quando Hallie Smith, uma amiga de Susie, passou a dar a ela uma lista de nomes de jovens negros que precisavam de dinheiro para arcar com as despesas da universidade. Susie começou distribuindo mil dólares aqui e ali. "Você precisa pedir a Warren", disse Susie repetidas vezes. "Susie, você tem dinheiro, por que você simplesmente não desembolsa a quantia?", perguntava Smith, surpresa. "Não, eu não posso fazer isso", Susie sempre respondia. "Tem que passar por Warren." Smith achava incrível que alguém tão rico quanto Susie permitisse que o marido tomasse todas as decisões que envolviam dinheiro.[44]

Assim, enquanto Susie cuidava da fundação familiar, os dois trabalhavam juntos levantando fundos e fazendo doações. Ela teria doado fortunas se Warren não pisasse no freio. A fundação fazia pequenas doações para a educação e não tinha uma administração profissional. Para fazer aquilo direito era preciso olhar para a frente. O que aconteceria com todo aquele dinheiro quando algum dia ele fosse parar na fundação? Mesmo que Warren sentisse que esse dia estava distante, Susie tinha um desejo apaixonado de ajudar, e alguém precisava fazer o papel de estrategista e planejar o futuro.

Um ano antes, Warren tivera aquilo que muitos quarentões chamariam de "um chamado à realidade". Durante um jantar na casa dos Sarnat, na Califórnia, um de seus dedos começou a inchar. Ele tinha tomado uma dose dupla de penicilina de ação retardada no começo do dia por conta de uma pequena infecção. Bernie

Sarnat, que era médico, suspeitou de uma reação alérgica. Deu anti-histamínicos para Warren e o aconselhou a procurar um hospital.[45]

Buffett não queria ir para um hospital. Já tinha se cansado de ficar doente desde 1971, quando sofreu uma infecção por salmonela.[46] Além disso, segundo Susie, ele era um péssimo paciente, tinha horror a médicos e hospitais, doenças e remédios.[47] Ele fez com que Susie dirigisse de volta para a casa que tinham alugado durante o verão. Mas, como o dedo continuava a inchar e ele se sentia tonto, Susie começou a busca de um médico que pudesse ver Warren urgentemente. O único que ela conseguiu encontrar insistiu que eles fossem para a emergência de um hospital imediatamente. Nessa altura, Buffett estava quase inconsciente, e a equipe médica teve trabalho para salvar sua vida.

Três dias depois ainda estava no hospital. Teve sorte, foi o que os médicos lhe disseram. Sua alergia a penicilina era tão severa que, se tomasse o medicamento de novo, com certeza morreria. Enquanto ele se recuperava, Roy e Martha Tolles tentaram animá-lo com um exemplar da revista *Playboy*, mas, como ele ainda estava fraco demais para conseguir segurá-la, Susie precisou virar as páginas para ele. Warren reclamou que ela virava as páginas depressa demais.

Mesmo depois desse encontro com a própria mortalidade, de volta a Omaha ele continuou tão fixado nos negócios quanto antes. Aposentadoria, na percepção de Buffett, significava apenas que ele não precisava mais agir como procurador de investimentos alheios. Mas continuaria a investir enquanto respirasse. Buffett não conseguia deixar de ser competitivo – tanto que, pouco tempo antes, quando Jonathan Brandt, de 6 anos, filho de seus amigos Henry e Rouanne Brandt, o desafiou para uma partida de xadrez, Warren ficou aflito quando pareceu que ia perder. Mas, à medida que o jogo se aproximava do fim, ele começou a usar seus truques contra o pequeno Jonny, até derrotá-lo.[48]

Na época em que seu marido derrotou o pequeno Jonny Brandt, Susie vinha cultivando uma atitude de distanciamento irônico em relação à teimosia de Warren. "O que Warren quer, Warren consegue", era sua forma de descrever o homem que, como a irmãzinha Bertie observara anos antes, sempre conseguia as coisas ao seu jeito.[49] Durante uma visita a Des Moines com uma amiga, para assistir a uma palestra do escritor e sobrevivente do Holocausto Elie Wiesel na sinagoga local, Susie passou horas conversando numa recepção[50] com Milt Brown, que agora morava nas redondezas. Por alguns momentos ela se arrependeu de ter interrompido aquele relacionamento. Agora ela indagava abertamente aos seus amigos mais próximos se seria tarde demais para seguir um caminho diferente. Embora raramente falasse de seus problemas ou demonstrasse autocomiseração, ela reconhecia que estava deprimida com o estado de seu casamento. Mas, apesar da sua infelicidade, ela nunca deu um passo para resolver diretamente as questões ou para partir. Em vez disso, Susie retomou seu relacionamento com Milt. E ela parecia se sentir cada vez mais atraída pela Califórnia. Ela ficara "apaixonada" pela casa que alugaram em Emerald Bay, em Laguna Beach, encarapitada quase 20 metros acima do mar, ao lado de outros imóveis de veraneio.[51]

Warren não gostava particularmente de comprar casas, considerando-as um sumidouro de capital que não compensava as despesas. Susie o alfinetava sobre o dinheiro. "Se fôssemos ricos", ela disse, "você simplesmente iria até aquela casa e perguntaria à dona quanto ela quer e pagaria o que pedisse. Mas sei que não somos ricos." Nessa eterna brincadeira de cabo de guerra, contudo, Susie geralmente conseguia levar a melhor no final. Buffett acabou enviando a mulher de Roy Tolles, Martha, uma rainha da pechincha, para negociar a compra a casa. Ela conseguiu baixar a proposta do dono para 150 mil dólares.[52] Quando Roy Tolles telefonou para Warren para dar a notícia, falou: "Tenho más notícias. Você comprou a casa."

35
O *Sun*
Omaha – 1971-1973

Susie começou a decorar a casa de Emerald Bay com móveis leves, de palhinha. Ela instalou uma linha telefônica exclusiva para Warren, pois, quando estava na Califórnia, ele passava a maior parte do tempo assistindo ao noticiário de negócios na televisão e falando ao telefone.

Mas os tais "interesses pessoais" e Joe Rosenfield estavam arrastando seu marido numa direção oposta à da Califórnia – rumo a Washington e à política eleitoral. Os Buffett organizaram um jantar em Omaha para o senador George McGovern, candidato do Partido Democrata à presidência em 1972. E Warren fez uma doação para a campanha de Allard Lowenstein, um ex-congressista liberal conhecido como "o flautista de Hamelin", que lembrava Gene McCarthy pelo poder de mobilizar jovens na militância dos direitos civis. Também apoiou John Tumney, filho do peso-pesado Gene Tumney, que lembrava Kennedy na sua segunda e bem-sucedida disputa por uma cadeira no Senado pela Califórnia.[1] A carreira de Tumney como menino prodígio da política inspirou o filme *O candidato*, sobre um político que é "jovem demais, bonito demais, liberal demais e perfeito demais" para ganhar, e justamente por isso tem condições de incomodar a elite conservadora. *O candidato* era o tipo de político que costumava atrair Buffett – homens com aquele magnetismo inexplicável das estrelas de Hollywood, cuja simples presença mexia com as emoções dos eleitores. Mas ele queria que seus candidatos *vencessem*.

Buffett teve uma ideia que achou que ajudaria os políticos, algo que chamou de "índice de desconforto" – a taxa de inflação somada ao índice de desemprego –, e falou sobre isso com Harold Hughes, de Iowa, a quem fora apresentado por Rosenfield.[2]

"Hughes trabalhou como motorista de caminhão e tinha sido alcoólatra. Fisicamente era grande e tinha um vozeirão. Ele se parecia um bocado com Johnny Cash e tinha o mesmo tipo de voz. Saiu do nada, de uma boleia de caminhão, e se tornou

governador de Iowa, além de importante membro do Partido Democrata. Joe era um bom amigo seu, e por isso se tornou influente no Senado. Apoiamos sua candidatura com contribuições modestas. Ele se manifestava de forma muito eloquente contra a guerra do Vietnã. Esse era o seu cavalo de batalha."

Hughes tinha o curso superior incompleto, era cristão messiânico e alcoólatra recuperado. Algumas vezes era descrito como "o populista de Iowa", pois era capaz de faltar a uma reunião só para ajudar alguém com problemas com álcool a atravessar uma crise. Em diversas ocasiões conseguiu impedir o suicídio de colegas, mas numa delas – para sua profunda tristeza – fracassou. Com sua presença magnética, era considerado ao mesmo tempo um azarão e uma estrela em ascensão, o tipo de candidato capaz de atrair os eleitores jovens, os operários e os liberais rebeldes que tinham votado em McCarthy. Em outras palavras, ele era a grande esperança de renovação popular em meio a um panorama de candidaturas insípidas. Na época, nenhum outro candidato democrata conseguia atrair um apoio significativo. McGovern, o líder da matilha, tinha apenas cinco pontos nas pesquisas nacionais de opinião.[3]

Na primavera de 1971 Hughes convocou "seis de seus conselheiros e assistentes mais próximos", inclusive Buffett e Joe Rosenfield, e lhes pediu que apresentassem todos os argumentos possíveis a favor e contra a sua candidatura.[4]

"No final de maio de 1971 fizemos uma reunião num hotel de Washington. Estávamos prontos para ir em frente a todo vapor. Tudo já estava mais ou menos predeterminado e planejado, mas era preciso se organizar e juntar as tropas.

Cerca de um mês antes dessa reunião, Hughes apareceu no programa Meet the Press *(Encontro com a Imprensa). No final do programa o apresentador Leny Spivak disse: 'Senador, falam sobre seu interesse em percepção extrassensorial e no ocultismo. Poderia nos esclarecer suas crenças nessa área?' Hughes mal começara a responder quando o programa foi interrompido.*[5]

Por isso, no final da reunião em Washington eu disse: 'Senador, assisti ao programa na semana passada. Se voltarem a perguntar aquilo, antes mesmo de começar sua resposta explique ao entrevistador que existe uma grande diferença entre percepção extrassensorial e ocultismo. Não deixe que os entrevistadores o peguem, fazendo esse tipo de associações, porque daqui a seis meses podem dizer que o senhor falou sobre o ocultismo, quando na verdade se referia à percepção extrassensorial.'

As comportas se abriram. Hughes disse: 'Dez anos atrás acordei na banheira de um hotel de luxo. Não sabia onde estava. Não sabia onde minha família estava. Não sabia como tinha chegado ali e não conseguia fazer nada. Então, naquele momento, eu me tornei consciente, e foi isso que me fez querer alimentar os famintos.' Então ele disse: 'A experiência veio de visões que eu tenho.'

E continuou: 'Eu acredito na premonição. Minha filha teve uma visão com as manchas de seus gatinhos antes de eles nascerem e as descreveu para mim. E eram exatamente como ela havia dito. E outra pessoa conhecida minha teve a visão de um incêndio que de fato estava acontecendo.'

Eu disse: 'Então, senador, se eu fosse Leny Spivak, a pergunta seguinte que eu lhe faria seria a seguinte: se a sua filha lhe falasse sobre uma visão em que os soviéticos se preparam para lançar mísseis de longo alcance sobre os Estados Unidos, o senhor ordenaria um ataque antecipado à União Soviética?'

Ele respondeu: 'Eu teria de considerar o assunto seriamente.'

Eu insisti: 'Agora, senador, e se eu fosse Leny Spivak e perguntasse se o senhor acredita que alguém pode fazer um copo d'água atravessar uma mesa usando apenas o poder da mente, mesmo estando a metros de distância?'[6] E ele disse: 'Sim, acredito que isso pode ser feito.'

Tinha um bocado de gente naquela sala. Algumas pessoas estavam investindo toda a sua carreira naquele sujeito como um líder e já o viam na Casa Branca. E começaram a negar o que tinham ouvido: faziam sinais com as mãos e diziam que aquilo não era o que parecia. Enquanto eu continuava com as minhas perguntas, eles interrompiam, aflitos, e diziam: 'Não foi isso o que ele quis dizer', ou 'Não se preocupe com isso, pode ser resolvido', ou ainda que Abraham Lincoln também acreditava naquelas coisas. Obviamente já sabiam daquilo antes. Tudo desceu pelo ralo. Nunca vi nada parecido. Era simplesmente fascinante pensar que aquelas pessoas se preparavam há anos, sonhando em trabalhar para um presidente dos Estados Unidos.

Finalmente, em algum momento, Joe disse: 'Senador, diga a Warren que, se ele fizer mais uma pergunta, o senhor vai fazer com que ele desapareça!'

Então eu falei: 'Veja, senador: há todo tipo de vigarista na política americana. O senhor sabe, professam seu amor a Deus e dizem que vão à igreja todos os domingos, e assim por diante. Não acreditam sequer em uma palavra que pronunciam. Mas funciona. O senhor, por outro lado, acredita em alguma coisa com muita sinceridade e deve ter seus motivos, mas eu lhe asseguro que o senhor vai perder uns 10% dos votos democratas, ou um percentual ainda mais significativo, apenas por manifestar sua crença com tanta honestidade, enquanto outro sujeito vai ficar com esses votos por conta de uma coisa em que ele não acredita. Essa é a realidade.' Os sujeitos à volta dele continuaram dizendo: 'Não preste atenção. O que ele sabe?' Mas Hughes disse que estava de saída, e mais tarde fez algo que arrasou as chances de sua candidatura."

O que aconteceu foi que, 10 dias depois, Hughes deu uma entrevista para o jornal *Des Moines Register*, na qual relatava que recentemente, com a ajuda de um médium,[7] passara uma hora conversando com seu irmão falecido, E assim se acabaram as ambições presidenciais do senador Harold Hughes.[8]

O EPISÓDIO COM HAROLD HUGHES REPRESENTOU O AUGE E – GRAÇAS EM PARTE à reeleição de Richard Nixon – por muitos anos também o fim da carreira de Buffett como mentor político. Mas, durante todo o episódio, Buffett prestou cuidadosa atenção à avassaladora influência dos meios de comunicação na política. Ele queria ter parte dessa influência. Depois de entregar jornais na infância, depois de sua amizade com a repórter Carol Loomis, da revista *Fortune*, depois da aquisição do *Sun*, da busca por outros jornais para comprar e de seu investimento na *Washington Monthly*, o interesse de Buffett em publicações estava maior e mais sofisticado. Ele tinha visto o poder devastador da televisão de mobilizar a atenção durante os tumultuados anos 1960, do assassinato de Kennedy à guerra do Vietnã, passando pelo movimento em prol dos direitos civis. Agora que a lucratividade da televisão se tornava evidente, ele também queria um pedaço daquele negócio.

Então Bill Ruane arranjou um jantar em Nova York com um conhecido seu, Tom Murphy, que comandava a Capital Cities Communications, uma empresa que possuía estações retransmissoras.

Murphy, filho de um juiz do Brooklyn, tinha crescido em meio ao fervilhante caldeirão da política nova-iorquina até ingressar na Harvard Business School, na turma de 1949. Com queixo duplo, cabelo rarefeito e temperamento tranquilo, Murphy começou cuidando da administração de uma estação de televisão falida, em Albany, sob condições tão frugais que ele só teve recursos para pintar a fachada do prédio. Então começou a adquirir emissoras, estações de televisão a cabo e editoras, criando um verdadeiro império de comunicações. Pouco depois ele se mudou para Nova York, onde recrutou Dan Burke, seu colega em Harvard, que era irmão do CEO da Johnson & Johnson, Jim Burke.

Depois do jantar Murphy traçou com Ruane uma estratégia para tornar Buffett membro de seu conselho de diretores. Ruane disse que o caminho para o coração de Warren era visitá-lo em Omaha. Murphy prontamente fez a peregrinação. Buffett retribuiu com um jantar num restaurante, para em seguida levá-lo até sua casa para conhecer Susie. Nessa altura, ela já devia saber o que esperar. O marido tinha encontrado um novo objeto de interesse. Buffett gostava de mostrar seus totens para gente nova: o escritório, Susie e, às vezes, até o trenzinho. Depois de mostrar a propriedade, ele e Murphy jogaram algumas partidas de raquetebol na quadra subterrânea, com Murphy correndo de um lado para outro com seus finos sapatos Oxford. Buffett percebeu o rumo da conversa antes que Murphy pudesse abrir a boca. "*Sabe, Tom*", ele disse, "*não posso me tornar diretor, pois teria um cargo importante na sua empresa, e as ações estão muito altas.*"[9] Apesar de o resto do mercado estar despencando, os investidores pareciam animados com as ações das companhias de televisão. TV a cabo era um negócio novo, e as franquias locais estavam se consolidando em novas e atraentes companhias abertas, o que aumentava o entusiasmo dos investidores em relação à mídia. Então Buffett continuou: *"Mas veja, você pode ter minha ajuda sem lhe custar um centavo. Não precisa de mim na diretoria."*[10]

Assim, Murphy passou a telefonar para Buffett toda vez que fazia um negócio. Com pouco mais de 40 anos, Buffett se sentia lisonjeado e concedia um tempo ilimitado a Murphy – que já se aproximava da casa dos 50 –, embora pensasse: "Nossa, esse cara é velho." *"Mas ele entendia de tudo, e eu fiquei impressionado"*, diz Buffett. *"Achava que ele era o homem de negócios perfeito."* Uma noite Murphy telefonou para a casa de Buffett e lhe ofereceu a primeira oportunidade de compra de uma estação de TV, em Fort Worth.[11] Ele ficou interessado, mas por alguma razão que não lembra, recusou a proposta de Murphy – uma decisão que ele consideraria mais tarde um dos maiores erros de sua carreira.[12]

O que Buffett realmente queria era se tornar editor. Um dia ele achou que tinha um furo nas mãos, mas quando procurou os editores da *Washington Monthly* eles desdenharam. "Do fundo do coração, tenho certeza de que os editores ficaram ofendidos pelo fato de um investidor telefonar para propor uma pauta", diz Charles Peters, editor responsável da *Monthly*. Disseram a Peters que "não era uma reportagem para a *Monthly*", e Peters não insistiu. Buffett procurou então o *Sun*, de Omaha, que podia não ter penetração nacional, mas era melhor do que nada. O rumo que as coisas tomaram depois fez Peters dizer: "Eu poderia matar todos os integrantes da redação."

O que Buffett ouvira é que a instituição Boys Town, um dos orgulhos de Omaha, tinha virado um chiqueiro. Um abrigo para meninos sem lar, Boys Town foi fundada em 1917, numa velha mansão próxima do centro da cidade, pelo padre Edward Flanagan, um sacerdote irlandês que queria impedir que órfãos e crianças rejeitadas se tornassem vagabundos, criminosos e viciados. *"O padre Flanagan ficou famoso na época por conseguir uma doação de 5 dólares"*, conta Buffett, *"e gastar tudo na mesma hora com um garoto. Pouco depois ele conseguiu 90 dólares e abrigou 25 meninos numa casa."*[13] Nos primeiros anos, Boys Town passou por muitas dificuldades financeiras, mas cresceu mesmo assim. Em 1934 ocupava um terreno de 65 hectares, 15 quilômetros a oeste de Omaha, com uma escola, dormitórios, capela, refeitório e instalações esportivas. Com a ajuda de Howard Buffett, Boys Town ganhou seu próprio posto dos correios em 1934 para facilitar a arrecadação de mais recursos.[14] Foi reconhecida como vilarejo em 1936. E, em 1938, um filme premiado com o Oscar, *Men of Boys Town* (Cidade dos meninos), estrelado por Spencer Tracy e Mickey Rooney, trouxe fama nacional para Boys Town.

Quando Ted Miller, um arrecadador de fundos profissional, viu o filme, percebeu como poderia levantar fundos para Boys Town por meio de uma imensa campanha nacional. Todos os anos, na época do Natal, Boys Town enviava milhões de cartas que começavam assim: "Não haverá um Natal alegre este ano para muitos meninos esquecidos e sem lar..." e anexava uma foto do filme que ficou famosa, a de um garoto com um bebê no colo, com a legenda: "Ele não é pesado, padre... É meu irmão."

As pessoas enviavam quantias pequenas, como um dólar, mas mesmo alguns centavos vindos de uma pequena parcela de dezenas de milhões de destinatários somavam muito dinheiro.[15] Recebendo uma enxurrada de doações, Boys Town expandiu suas instalações num terreno de 520 hectares com estádio, loja de suvenires, uma fazenda onde os meninos trabalhavam em troca de um salário e instalações para treinamento profissional. O padre Flanagan morreu em 1948, mas o dinheiro continuou a entrar, e seu sucessor foi o monsenhor Nicholas Wegner. Boys Town se tornou praticamente um santuário – e a maior atração turística do estado.

"Eu costumava ouvir histórias de como o U. S. National Bank contratava mão de obra extra durante várias semanas antes do Natal, só para lidar com o dinheiro de Boys Town que começava a entrar. Ao mesmo tempo, via que o número de meninos nas ruas estava diminuindo."

Nos primeiros anos, Flanagan analisou processos nos tribunais e aceitou um certo número de delinquentes endurecidos, até mesmo alguns assassinos. Mas, em 1971, o lar rejeitava portadores de distúrbios emocionais ou deficiência mental, bem como menores infratores. Tentava limitar seus ocupantes a meninos "sem lar", mas sem outros problemas significativos.[16] Construída para receber 1.000 ocupantes, Boys Town agora empregava 600 pessoas para cuidar de 665 meninos.[17] Parecia antiquado o conceito de abrigar meninos em instalações gigantescas feitas para apenas um sexo, isoladas da comunidade, com vigias e uma atmosfera de penitenciária.[18] As atividades dos meninos eram indicadas por toques de sino. Eles rezavam ao som do primeiro sino no refeitório enorme, sentavam-se no segundo, comiam no terceiro e abandonavam os talheres no quarto, tivessem acabado ou não sua refeição, levantavam-se, rezavam no quinto e deixavam o salão no sexto. A correspondência era censurada, e os meninos tinham permissão de receber apenas um visitante por mês, escolhido pela equipe e não por eles. Trabalhavam em tarefas inúteis, com pouca recreação, e nenhum contato com meninas. A ênfase do treinamento profissional de Boys Town era em trabalhos de baixa qualificação, como colher feijão e fazer gaiolas.

Assim, numa noite de julho de 1971, durante uma reunião na casa dos Buffett, Warren e o editor do *Sun*, Paul Williams, conversaram sobre boatos envolvendo Boys Town e decidiram publicar uma reportagem sobre a gestão da instituição, a forma como ela arrecadava e gastava o dinheiro. O *Sun* já tinha tentado apurar essa história algumas vezes, mas os responsáveis por Boys Town sempre declaravam: "Não falamos sobre finanças."[19] Dessa vez, Williams escolheu três repórteres da cidade, Wes Iverson, Doug Smith e Mick Rood, e os escalou para trabalhar no confidencial "Projeto B", planejando uma elaborada reportagem investigativa.[20] O material de divulgação de Boys Town afirmava que a instituição não recebia dinheiro de nenhuma igreja, nem dos governos estadual ou federal, mas o repórter Mick Rood mergulhou nos arquivos do governo estadual de Nebraska, em Lincoln, e descobriu que essa afirmação era falsa.[21] Aquilo fez com que começassem a suspeitar de outros dados divulgados por Boys Town.

Depois de novas investigações, eles tiveram acesso às declarações de bens, aos registros educacionais e aos estatutos da instituição. Descobriram que tinha um passado de relações tensas com o departamento estadual de serviço social. O monsenhor Wegner, que estava no comando de Boys Town, recusara-se a participar de programas de inspeção feitos por outras instituições, ignorando os conselhos de sua própria equipe.[22] Williams usou uma fonte no Congresso para obter um relatório sobre o posto de correio de Boys Town e descobriu que dali saía alguma coisa entre 34 e 50 milhões de cartas com pedidos de doações por ano. Era um número assustador. Arrecadadores de recursos de outras instituições calcularam, baseados nestas cifras, que Boys Town deveria estar recebendo cerca de 10 milhões de dólares anualmente. Com seu conhecimento financeiro, Buffett concluiu que os custos de operação não chegavam nem à metade disso.[23] Boys Town acumulava dinheiro mais depressa do que conseguia gastar. Passara por uma expansão significativa em 1948. Considerando que tivesse guardado 5 milhões de dólares por ano desde então, Buffett calculou que deveria haver pelo menos 100 milhões de dólares em caixa. Mas ainda não havia provas.

Buffett fez contato com a diretoria da Liga Urbana local e, a partir desse envolvimento, conheceu o Dr. Claude Organ, médico da região e único negro no comitê de gestores de Boys Town. Buffett achou que o médico era uma pessoa direita.

"Tomamos o café da manhã no Hotel Blackstone, do outro lado da rua. Eu falei sem parar, tentando arrancar alguma coisa dele. Organ não queria me dar detalhes, mas reconheceu que eu não estava errado. Fez mais do que isso. Confirmou que havia uma história por trás daquilo, embora não tenha me passado qualquer dado concreto."

Discretamente o Dr. Organ passou a orientar a equipe de reportagem, sugerindo o caminho certo sem revelar informações confidenciais.[24] Os repórteres tinham conversado com várias pessoas na cidade, mas pareciam perdidos. A maior parte dos funcionários de Boys Town tinha medo de falar. Buffett, bancando o farejador de notícias, vagou por Omaha com seus tênis mais velhos, um suéter corroído por traças e uma calça manchada.[25] *"Foi o máximo"*, ele diz. *"Se alguma vez houve um equivalente masculino para Brenda Starr, a repórter prodígio, fui eu.*" Nessa altura Warren também tinha adotado o editor do *Sun* Stan Lipsey, amigo de Susie, como um dos seus parceiros de corrida ou de partidas de raquetebol na quadra subterrânea dos Buffett.

Então Warren usou a cabeça. Ele sabia que o Congresso aprovaria uma lei que, entre outras coisas, exigia que organizações sem fins lucrativos preenchessem um formulário para restituição do imposto de renda.

"*Eu estava na sala de casa preenchendo o formulário 990 para a Fundação Buffett quando me ocorreu: se eu tinha que enviar aquela papelada para o imposto de renda, talvez eles tivessem de fazer o mesmo.*"[26]

Os repórteres acionaram o escritório da Receita Federal na Filadélfia e esperaram impacientemente que os funcionários revirassem os arquivos em busca do formulário da Boys Town.[27]

Dois dias depois o documento chegou a Omaha. Paul Williams contratara Randy Brown, um novo editor-assistente, para ajudar a coordenar a reportagem sobre Boys Town, o que deixou a equipe com quatro repórteres. "Em meu primeiro dia de trabalho os formulários 990 foram jogados sobre a minha mesa", conta Brown.[28] Buffett, que tinha acabado de comprar a See's e ainda enviava caixas de doces para amigos em todas as partes dos Estados Unidos, estava tão mobilizado pelo tema Boys Town que se ofereceu para ajudar Brown a entender o que estava acontecendo. De fato, Boys Town tinha um patrimônio líquido de 209 milhões de dólares, que crescia à razão de 18 milhões ao ano, quatro vezes mais do que a quantia gasta com a operação. Buffett ficou exultante. Por toda sua vida estivera esperando que uma freira cometesse um crime, para revelar sua culpa ao sacar seu arquivo de impressões digitais. Agora ele usara relatórios do imposto de renda para pegar um monsenhor com a boca na botija.

Transferiram mesas, arquivos e três telefones para o porão de Williams, que funcionava até então como sala de recreação. "No final, rastreamos tudo", diz Lipsey, "a não ser, se não me engano, duas contas na Suíça. Não conseguimos chegar a elas." Os repórteres do *Sun* ficaram atônitos ao descobrir que Boys Town recebia doações quatro vezes maiores que as da Universidade de Notre Dame. Um cálculo conservador estimava que havia 200 mil dólares em caixa para cada menino. Mick Rood passou a chamar a instituição de "Cidade dos Meninos com uma grande carteira de investimentos".[29] Aquela máquina de dinheiro produzia 25 milhões de dólares por ano e, tranquilamente, tinha capacidade de suprir todas as suas necessidades sem angariar mais nenhum centavo.[30] Quando todas as partes da história foram finalmente reunidas, a equipe de reportagem se reuniu num quarto do Hotel Blackstone, que ficava em frente ao escritório de Buffett. Por coincidência, o conselho de Boys Town estava reunido na mesma hora, em outro quarto, no final do corredor. Os repórteres entraram e saíram na ponta dos pés, rezando para não serem vistos.[31] A trama chegou ao clímax quando esbarraram na pergunta óbvia. O que Boys Town planejava fazer com tanto dinheiro? Por que precisavam continuar levantando mais fundos? A última fase da investigação tentou encontrar essas respostas.

O reverendo monsenhor Nicholas H. Wegner, de 74 anos, um dos administradores de Boys Town, era o encarregado de angariar fundos. O monsenhor já sabia que o *Sun* andava fazendo perguntas. Por isso Boys Town começou a organizar, a toque de caixa, um improvisado plano de reformas. Mas os repórteres acreditavam que, ao menos por enquanto, ele não fazia ideia de que eles tinham obtido os documentos do imposto de renda de Boys Town. O que eles receavam era perder a história para o *Omaha World-Herald*, que poderia investir seus recursos superiores ao se dar conta da reportagem suculenta que estava prestes a chegar aos leitores. Um risco ainda maior era que Boys Town trabalhasse em cooperação e com exclusividade junto com o *World-Herald* para se antecipar ao ataque com uma reportagem mais simpática.[32]

Os repórteres tramaram como chegariam a Wegner e ao arcebispo Sheehan, seu superior na arquidiocese. Rood, um sujeito mal-humorado, na casa dos 30, com cabelos na altura dos ombros e um bigode em formato de guidom de bicicleta, foi visitar o monsenhor. Sua primeira reação foi sentir pena de Wegner, cujo crânio calvo e enrugado saía de seu manto como a cabeça de uma tartaruga anciã. Obviamente o monsenhor era frágil, um sobrevivente de 15 cirurgias, algumas delas bem sérias. Enquanto a entrevista prosseguia, entretanto, ele falou sem a menor cautela, negando ter recebido fundos estaduais. Quando interrogado sobre a justificativa dos intensos esforços para arrecadação de fundos, ele disse: "Passamos o tempo todo afundados em dívidas." Sabendo que nada disso era verdade, Rood foi direto ao porão de Williams, com a fita contendo a gravação da entrevista. Depois de transcrevê-la, Williams a guardou num cofre.

Enquanto Rood entrevistava Wegner, Williams tentava pegar o arcebispo Sheehan. Eles queriam agendar as duas conversas para a mesma hora, mas não conseguiram. Sheehan – que nessa altura já tinha algumas informações – confirmou as declarações de Wegner, mas se recusou a acrescentar alguma coisa. Com essa confirmação nas mãos, uma equipe de repórteres e fotógrafos apareceu no escritório de arrecadação de fundos, que funcionava num prédio de Omaha com a placa "Wells Fargo", e não em Boys Town. Entraram sem avisar e tiraram fotos de moças que datilografavam cartas com solicitações de ajuda e notas de agradecimento aos doadores. Também conseguiram conversar com alguns funcionários da arrecadação de fundos, que disseram: "Por favor, não comente essa operação em seu artigo. As pessoas podem ficar com a impressão errada, vão imaginar que somos ricos. Só queremos que as pessoas pensem que os meninos enviaram as cartas."[33]

Nesse meio-tempo, os outros repórteres centraram suas forças no conselho diretor. Ele era constituído basicamente por pessoas que tinham interesses pessoais na instituição. Incluía o banqueiro que administrava a carteira de investimentos de Boys Town, o filho do arquiteto que construiu o lugar e comandava a empresa (e ficava a postos para executar qualquer serviço necessário), o varejista que fornecia todas as roupas dos meninos e o advogado que cuidava das questões legais de Boys Town. Fora os interesses financeiros que tinham em jogo, todos os diretores gozavam o prestígio de fazer parte do conselho da instituição mais respeitada de Nebraska sem precisar trabalhar. O próprio Wegner os considerava uma chateação e dissera a Rood: "Eles não ajudam muito. Não sabem nada sobre serviços sociais... Nem entendem de educação."[34] Segundo Williams, independentemente do que na verdade sabiam, as reações dos conselheiros às perguntas dos repórteres variaram "da consternação à inocência e total ignorância".[35] Outro funcionário de Boys Town diria mais tarde, olhando para trás: "O conselho não ajudou o padre Wegner... pois poderia ter recomendado desacelerar a arrecadação de fundos."[36]

E esta foi, sem dúvida, a ironia. Foi provavelmente o passado de Boys Town, criada na pobreza da Depressão, que levara Wegner a acumular dinheiro como se pudesse a qualquer momento "ficar à beira da miséria", como disse Randy Brown.[37] O mesmo histórico, provavelmente, entorpecera o conselho, que não questionava se as atividades de Wegner faziam sentido ou não. Mas Warren Buffett, criado no mesmo ambiente, dono dos mesmos impulsos, ia pegá-los por terem feito aquilo. O crime, a seus olhos, não era a simples acumulação de dinheiro. Era guardá-lo displicentemente, sem um plano para utilizá-lo. Boys Town não tinha sequer um orçamento.[38] O pecado maior, para Buffett, era a omissão em relação às obrigações como depositário, o fracasso em administrar com responsabilidade o dinheiro dos outros.

Os repórteres trabalharam febrilmente durante todo o fim de semana. Buffett e Lipsey liam cópias de todos os textos enquanto a história progredia. "*Éramos um jornalzinho semanal sem importância*", diz Buffett. Mas eles queriam atingir o padrão jornalístico de um diário de projeção nacional. Finalmente tomaram conta da sala de estar de Paul Williams, espalharam todo o material no chão e tentaram criar as manchetes e legendas. A chamada seria: "Boys Town, a cidade mais rica da América!" Um caderno especial de oito páginas, com quadros explicativos, abria com uma frase de efeito extraída da Bíblia, Lucas 16:2: "Presta contas da tua mordomia."

Na tarde da quarta-feira anterior à publicação, Williams enviou a história para a Associated Press, a UPI, o *Omaha World-Herald* e as estações de televisão. O dia seguinte, 30 de março de 1972, foi um dos melhores da vida de Warren Buffett. Ele não apenas realizara seu desejo de cuidar de negócios como quem cuida de uma igreja, mas a reportagem abria com uma citação da Bíblia sobre um de seus conceitos favoritos, a prestação de contas – a lente pela qual ele enxergava agora o dever, a obrigação moral e a responsabilidade que acompanhavam um cargo de confiança. No final da semana os serviços de telex já tinham espalhado a matéria sobre Boys Town por todo o país, transformando o caso num escândalo nacional.[39] No sábado, o conselho de Boys Town fez uma reunião de emergência e decidiu cancelar toda a arrecadação de fundos, incluindo a correspondência de primavera, cujos envelopes já tinham sido parcialmente preenchidos.[40] Numa nova era do jornalismo investigativo, o drama foi de tal magnitude que deu um empurrãozinho imediato nas reformas relativas à administração de instituições sem fins lucrativos em todo o país. A história foi assunto da *Time*, da *Newsweek*, da *Editor & Publisher* e do *LA Times*, entre outras publicações.[41] Um levantamento informal realizado junto a 26 lares para meninos demonstrou que, imediatamente após o escândalo, mais de um terço declarou estar com dificuldades na arrecadação de fundos.[42]

Mas o monsenhor Francis Schmitt, o substituto de Wegner que já estava assumindo algumas de suas tarefas, fez circular rapidamente entre os simpatizantes de Boys Town uma carta na qual classificava o *Sun* como "uma espécie de guia de compras". Ele dizia: "Só o jornalismo marrom, o preconceito, a inveja e, até onde eu sei, a discriminação podem explicar aquela reportagem", sugerindo que a motivação estaria no preconceito contra os católicos. Na verdade, os repórteres fizeram de tudo para evitar essa alegação. Além disso, Schmitt dizia que a matéria continha um monte de "insinuações maldosas", que eram como uma faca atravessando as suas entranhas, tudo por conta "do editor barato de um jornal barato cujo dono é, ele mesmo, um multimilionário".[43] Wegner também não dava sinais de arrependimento. "Boys Town", ele declarou, "continuará aqui quando aquele farrapo marrom, de que nem lembro o nome" – o *Sun* – "já tiver sido esquecido."[44] Para aqueles que escreviam fazendo perguntas sobre a reportagem, Wegner enviava uma carta-padrão afirmando que o *Sun* estava espalhando "histórias sensacionalistas sobre questões regionais", e que, embora no momento Boys Town não estivesse arrecadando doações, "as nossas propriedades e instalações aumentaram de valor (...) E o mesmo aconteceu com os nossos custos".[45] A carta era impressa no papel de sempre, que trazia no pé as frases "Sua contribuição poderá ser deduzida do seu imposto de renda" e "Não empregamos funcionários ou organizações para solicitar doações – não pagamos comissões".

Cerca de dois meses depois da reportagem do *Sun*, o Clube de Imprensa de Omaha realizou seu espetáculo anual. Uma dupla de cantores entreteve a nata da sociedade de Omaha (e alguns representantes de outras cidades). A canção parodiava o monsenhor Wegner e a Boys Town.

Abrimos um lar para meninos
Há uns 50 anos.
Pedimos contribuições
E a grana começou a chegar.
Pedimos toda caridade
Que o tráfego permitisse.
Nossos guris sem-teto finalmente
Receberam generosas doações,
Mas então chegou a tragédia
Da nossa conta bancária divulgada
E, graças a Warren Buffett,
Todas as carteiras nos foram fechadas.

(refrão)
Quem foi que tirou o macaco
Das ferramentas do padre Wegner?
Agora somos tão populares
Como se estivéssemos com a peste.
Vocês sabem que é um golpe baixo.
Por que Warren Buffett roubou o macaco
Das ferramentas do Padre Wegner?

Um povo veio de Hollywood
Para fazer um filme.
Mickey Rooney mostrou às pessoas
Onde a grana devia ficar.
Spencer Tracy fez o papel
Cheio de caridade romana.
Vendemos pipoca o bastante
Para comprar a AT&T.
Passamos o chapéu por aí
Para ficarmos numa boa.
Então Warren Buffett chegou
E mostrou nosso balanço anual.

Tínhamos cabanas palacianas
Para que os meninos tivessem classe.
Em vez de peixe, às sextas,

Comíamos faisão à francesa.
Falamos muita bobagem,
Mas nunca ficamos no vermelho.
Quer dizer, alguma coisa
Com 200 mil por cabeça.
Buffett fez um escarcéu
Por um capricho perverso e invejoso.
Deve ter percebido que estamos
Tão ricos quanto ele.[46]

Buffett nunca se divertiu tanto com a leitura de documentação relativa a restituições do imposto de renda – e queria aproveitar a situação para garantir que, ao contrário da previsão do monsenhor, o *Sun* não seria esquecido. A ideia de ganhar um Pulitzer, o maior prêmio do jornalismo, lhe deu *"uma injeção de adrenalina"*.[47] Ele pediu a Paul Williams que cuidasse da candidatura do jornal à premiação. Williams preparou um esboço minucioso para Buffett, que, por sua vez, já tinha algumas ideias estratégicas próprias, baseadas em seu longo envolvimento com o negócio do jornalismo. *"Num século em que a economia conduzia inevitavelmente as cidades menores a terem apenas um jornal diário"*, escreveu Buffett, a candidatura do *Sun* deveria enfatizar *"a necessidade de haver mais de um representante da imprensa"*. A presença de mais um jornal, mesmo a de um semanário suburbano, deve ser valorizada *"quando se trata de incomodar os Golias"* – ao passo que um jornal único pode ter medo de fazê-lo, para *"não parecer bobo"*.[48]

Mick Rood escreveu uma sequência sobre Boys Town – outra boa reportagem que também tinha como objetivo incomodar os Golias. Ele trouxe à luz alguns comentários que revelavam preconceitos raciais do padre Wegner, feitos durante a entrevista, bem como algumas indiscrições que ele cometera em relação ao plantio de maconha pelos garotos nas proximidades do lago de Boys Town. Mas Paul Williams rejeitou a matéria, dizendo que o *Sun* tinha que trilhar o caminho mais difícil, em parte para não prejudicar futuras reportagens, em parte para evitar que o jornal parecesse anticatólico. Ao mesmo tempo, as indicações ao Pulitzer estavam prestes a ser divulgadas. "Muito ruim", escreveu Rood, num bilhete para si mesmo.[49]

A equipe do *Sun* sabia que enfrentaria pesos-pesados na briga pelo Pulitzer. Competiria, por exemplo, com a série de reportagens do *Washington Post* assinadas pelos jornalistas investigativos Carl Bernstein e Bob Woodward, que se aprofundaram no que era aparentemente um episódio insignificante de arrombamento de um escritório do Comitê Nacional do Partido Democrata, em Watergate, durante a campanha para a eleição presidencial de 1972, disputada por Nixon e McGovern. Eles acabaram desvendando uma enorme operação de espionagem política e sabotagem. Mas o *Sun* se sairia bem nas premiações.

Em março de 1973, a sociedade nacional de jornalismo Sigma Delta Chi concedeu ao *Sun* o prêmio máximo por serviço de interesse público; o *Washington Post* ganhou na categoria de reportagem investigativa. Durante o coquetel que antecedeu a entrega dos prêmios, Stan e Jeannie Lipsey circulavam entre os convidados, esperando a chance de dar uma olhada em Woodward e Bernstein. Jeannie cutucou seu marido editor e disse: "Aposto 100 dólares que você vai ganhar o Pulitzer." Algumas semanas mais tarde veio o telefonema. O *Sun* tinha recebido o Pulitzer por reportagem investigativa especializada regional, levando a redação a uma comemoração ruidosa.⁵⁰ Dessa vez tinham trocado de prêmios com o *Washington Post*, que recebeu o Pulitzer de serviço de interesse público. Susie Buffett deu uma festa para celebrar, enfeitando a sala com um *pretzel* gigante com as palavras "Sun Pulitzer". Em parte eles também estavam comemorando alguns resultados concretos. Boys Town começara a investir seu dinheiro em projetos, anunciando rapidamente a criação de um centro para estudos e tratamento de crianças com dificuldades na fala e na audição. Já era alguma coisa e ajudaria pessoas. Boys Town, dali em diante, teria um orçamento e prestaria contas publicamente.

Em vez de enviar a carta de Natal com o pedido de doações, naquele ano se expediram apenas cartões de Natal com agradecimentos, além de uma mensagem do arcebispo Sheehan anunciando, "com profundo pesar", que o monsenhor Wegner estava se aposentando "devido a problemas de saúde". Embora o religioso estivesse realmente com a saúde debilitada, algum cínico no *Sun* fez um círculo em torno da frase e acrescentou: "devido a alguma coisa que ele leu".⁵¹

Na Páscoa seguinte, em 1974, Jet Jack Ringwalt mandou para Warren uma cópia da carta que ele recebera do padre Wegner – agora ele não era mais monsenhor. Ao invés de choramingar porque não haveria um Natal feliz para meninos abandonados e sem-teto, a carta falava detalhadamente dos novos e custosos projetos nos quais Boys Town estava investindo e dos especialistas que tinham sido contratados.⁵² Embora menores que as de anos anteriores, as doações enviadas depois da carta foram estimadas em 5,6 milhões de dólares, apesar do escândalo.

Assim, a história acabou do jeito que essas coisas costumam acabar: uma mistura de triunfo e certa dose de acomodação. Algumas reformas foram feitas em função do constrangimento público, e não por uma mudança de mentalidade na instituição. Embora a administração de Boys Town tivesse sido entregue a um conselho de curadores e administradores, isso não aconteceu da noite para o dia, e os conflitos de interesses no conselho também não desapareceram, pelo menos não num primeiro momento.

E até o período de glória do *Sun* provou ter curta duração. O jornal estava com sérios problemas financeiros, e Paul Williams, o editor que adorava uma manchete sensacionalista, aposentou-se pouco depois do Pulitzer. Um a um, os repórteres investigativos debandaram para outras publicações ou agências de notícias. A menos que Buffett estivesse disposto a manter o jornal como um hobby que custava dinheiro, as finanças do *Sun* não poderiam suportar um futuro igual ao passado. A *Washington Monthly* já o tinha demonstrado: mesmo com grande jornalismo, Buffett não faria mais aquilo. De certa forma o *Sun* era como uma guimba de charuto da qual ele já conseguira aproveitar uma profunda baforada.

Por outro lado, a onda temporária de fama que o *Sun* lhe proporcionara era uma nota de rodapé se comparada com outra coisa. O nome de Buffett tinha tomado conta da cabeça dos investidores por motivos diferentes. Sob o pseudônimo de Adam Smith, um escritor chamado George Goodman publicara o livro *Supermoeda*, um relato cáustico sobre a euforia da bolsa nos anos 1960, que vendeu mais de um milhão de exemplares.[53] Goodman demonizava os gestores de fundos que tinham ascendido à estratosfera de um dia para o outro, para então despencar, numa parábola dramática, como se o motor do foguete tivesse subitamente parado de funcionar por falta de combustível. Eles eram retratados como sedutores com chifres e tridente na mão que iludiam o pobre zé-ninguém investidor. Mas, quando se tratava de Ben Graham e seu protegido Buffett, Goodman sabia muito bem que eram duas personagens completamente diferentes. Por isso dedicou um capítulo inteiro a eles, no qual conseguiu captar suas personalidades de forma brilhante.

Goodman respeitava Graham – com quem se encantara – e suas frequentes citações em latim e francês. Mas, quando Graham era citado em *Supermoeda*, soava dolorosamente afetado, num estilo que beirava a autoparódia. Buffett, por sua vez, aparecia como um bom garoto americano, bebedor de Pepsi, fundamentalista nos investimentos, alguém que trabalhava em gloriosa solidão, distante dos demônios de Wall Street. Ao lado de Graham, Buffett parecia um filé de 3 centímetros de espessura dividindo o prato com uma fatia de patê de fígado de ganso. Todo mundo escolhia o filé.

Todas as críticas ao livro mencionaram Buffett. John Brooks, então o sumo sacerdote dos escritores de Wall Street, o descreveu como "um puritano na Babilônia" entre os "os mesquinhos bruxos de cavanhaque das carteiras de investimentos".[54] De uma hora para outra Buffett virou um astro.

Mesmo em Omaha, *Supermoeda* provocou alguma sensação. Buffett tinha sido coroado rei dos investimentos por um best-seller. Depois de 15 anos, o júri havia chegado a um veredicto. Agora ele era "*o* Warren Buffett".

36
Dois ratos molhados
Omaha e Washington, D. C. – 1972

Havia muito Buffett ansiava por um lugar no primeiro time da imprensa. Como os jornais, em sua maioria um negócio familiar, tinham acabado de atravessar uma sequência de vendas e pareciam estar baratos, ele e Charles Munger voltaram todas as suas energias para a aquisição de um deles. Já tinham tentado, sem sucesso, comprar o *Cincinnati Enquirer*, de Scripps Howard.[1] Buffett também tentara adquirir para a Blue Chip outra empresa de Scripps, a New Mexico State Tribune Company, que publicava o *Albuquerque Tribune*,[2] sem sucesso.

Em 1971, Charles Peters, editor da *Washington Monthly*, recebeu um telefonema de Buffett pedindo que apresentasse Munger e ele à editora-chefe do *Washington Post*, Katherine Graham. Buffett disse que ele e Munger tinham comprado ações da *The New Yorker* e estavam pensando em comprar a revista inteira. Já tinham falado com Peter Fleischmann, presidente e grande acionista da empresa, que parecia disposto a vender, mas queriam um sócio na compra – e achavam que o *Washington Post* seria o parceiro ideal.

Peters não ficou surpreso com o telefonema. "Aha", pensou, "Buffett deve estar interessado em ações do *Post* porque a família Graham está prestes a abrir o capital da empresa." Apesar de todas as recentes ofertas públicas de jornais, ele continuava sendo dono da *Washington Monthly*. Se a *Monthly* servisse de porta de acesso para arrematar o *Post*, então o investimento teria um grande retorno financeiro.

Às vésperas da primeira oferta pública de ações do *Post*, em 1972,[3] Peters agendou um encontro com o objetivo de criar uma sociedade para comprar a *The New Yorker*. Buffett nunca adquirira ações em ofertas públicas, porque considerava que os papéis ficavam excessivamente badalados e caros demais – exatamente o oposto das desprezadas guimbas de charuto, ou das "grandes-empresas-pelo-preço-justo" que ele e Munger buscavam, como a American Express e a See's Candies. Buffett não planejava, portanto, comprar ações do *Post*, mas

Em 1945, Warren e Lou Battistone "cobiçaram" Abbye "Pudgy" Stockton, pioneira do fisiculturismo feminino.

Para levantar o ânimo dos empregados, Warren cantava e tocava guitarra havaiana todas as manhãs antes do trabalho, no porão da loja JC Penney's, onde ele vendia roupas e artigos masculinos em 1949.

Warren finge bater a carteira de Lenny Farina, seu companheiro de fraternidade, em 1948.

Em 1951, Warren saiu com Vanita Mae Brown, Princesa Nebraska no Cherry Blossom Festival e Miss Nebraska 1949.

Susan Thompson e Warren Buffett irradiam felicidade durante a cerimônia de seu casamento, em 19 de abril de 1952.

Susie Thompson na pré-escola.

Warren se finge de prisioneiro na sua lua de mel, em abril de 1952.

Jerome Newman e Benjamin Graham, sócios da Graham-Newman.

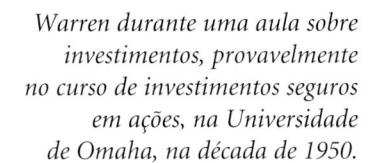

Warren durante uma aula sobre investimentos, provavelmente no curso de investimentos seguros em ações, na Universidade de Omaha, na década de 1950.

Susie Buffett com a filha Susie Jr., durante uma visita a Ben e Estey Graham, em Nova York. Estey segura o pequeno Howard Graham Buffett.

Susie e os filhos (no sentido horário) Peter, Howie e Susie Jr., em meados dos anos 1960.

O bebê Charlie Munger nos braços de seu pai, Al Munger, fazendo antever o ar cético que se tornaria sua marca registrada.

Warren Buffett e seu sócio Charlie Munger nos anos 1980. Buffett dizia que os dois eram "praticamente gêmeos siameses".

Primeira reunião do Grupo Graham no Hotel del Coronado, em San Diego, em 1968. Da esquerda para a direita: Buffett, Robert Boorstin (um amigo de Graham), Ben Graham, David "Sandy" Gottesman, Tom Knapp, Charlie Munger, Jack Alexander, Henry Brandt, Walter Schloss, Marshall Weinberg, Buddy Fox (meio de perfil) e Bill Ruane. Roy Tolles tirou o retrato e Fred Stanback não pôde comparecer.

Os Buffett em meados dos anos 1970. Da esquerda para a direita, Howie (segurando o cão Hamilton), Susie, Peter (atrás de Susie), Warren e Susie Jr.

Susie Buffett, usando um vestido de lantejoulas, numa de suas apresentações como cantora no French Café, em Omaha, pouco antes de se mudar para São Francisco.

Os Buffett celebram a conquista do prêmio Pulitzer pelo grupo de jornais Sun, depois das denúncias sobre Boys Town.

Susie Buffett Jr. e Allen Greenberg na cerimônia de seu casamento, em novembro de 1983. Ele depois se tornaria diretor executivo da Buffett Foundation.

Buffett e a editora do Washington Post, *Kay Graham, iniciaram em 1973 uma profunda amizade para toda a vida.*

Astrid Menks em 1974, aos 28 anos. Quatro anos depois, encorajada por Susie Buffett a cuidar de Warren, ela acabou indo morar com ele.

A imigrante russa Rose Blumkin superou dificuldades para erguer a maior loja de móveis da América do Norte. Trabalhou até os 103 anos, feito que Warren costuma dizer que deseja repetir.

Buffett em casa, na cozinha, usando seu suéter puído favorito.

Durante a comemoração pelos 95 anos de George Burns, no Hillcrest Country, em Los Angeles, em 1991, Buffett joga bridge com o homenageado. Não aparecem na foto Charlie Munger e um letreiro com os dizeres: "Proibido fumar a todos os menores de 95 anos."

Buffett fazendo o primeiro lançamento no jogo de abertura da temporada de beisebol do Omaha Royals, em 11 de abril de 2003.

mesmo assim ele e Munger voaram para Washington e foram se encontrar com Kay Graham na sede do *Washington Post* – um prédio dos anos 1950, na forma de um monólito branco de oito andares com o nome do jornal escrito na fachada com enormes letras em caracteres góticos.

Embora fosse a editora-chefe do *Washington Post*, Kay Graham comandava o jornal havia relativamente pouco tempo. Quando assumiu a direção, aos 46 anos, oito anos antes, era uma viúva com quatro filhos e nunca tinha trabalhado. Naquele momento ela se preparava para o desafio de comandar uma empresa de capital aberto, sob o escrutínio incessante dos investidores e da própria imprensa.

"Charlie e eu ficamos com ela por muito pouco tempo, apenas uns 20 minutos. Eu não tinha ideia de como ela era. Não sabia que ela estava com medo de seu próprio negócio. Chovia torrencialmente, e por isso entramos no prédio com a aparência de dois ratos molhados. Bom, você sabe bem como a gente costuma se vestir."

Na época, Graham não tinha qualquer interesse na aquisição da *The New Yorker*, razão da visita – e não havia nada no encontro que sugerisse que ela e Buffett se tornariam grandes amigos. Ele não lhe causou qualquer impressão. Por sua vez, ele não a achou particularmente atraente – embora fosse uma mulher bonita –, por lhe faltarem a suave feminilidade e delicadeza de seu ideal: Violeta Buscapé. Além do mais, os antecedentes dos dois não podiam ser mais diferentes.

Katharine Graham, nascida um pouco antes de os anos 1920 pegarem fogo, era filha de um rico investidor e editor do *Post*, Eugene Meyer, e de uma mulher egocêntrica, Agnes – ou "Big Ag" ("Grande Ag"), como era conhecida pela família, por sua estatura, imponência e, com o passar dos anos, pelo tamanho de sua cintura, cada vez maior. Agnes se casara, em parte por interesse, com Eugene, seu marido judeu, e era apaixonada por arte chinesa, música, literatura e outros assuntos culturais, mas mantinha completa indiferença em relação ao marido e aos cinco filhos. A família dividia o tempo entre a mansão de granito rosado em Mount Kisco, com vista para o lago Byram, em Westchester County, um apartamento que ocupava um andar inteiro na Quinta Avenida, em Nova York, e uma grande e escura casa vitoriana de tijolinhos vermelhos em Washington, D. C.

Katharine passou a juventude sob o domínio de Agnes na propriedade de Mount Kisco, que era chamada de "fazenda" pela família por conter um amplo pomar, jardim, estábulo e uma antiga sede de fazenda, onde os trabalhadores viviam em quartos de solteiro. Todos os legumes e frutas sobre a mesa vinham dos campos e dos pomares das redondezas. Geralmente Kay comia carne de porco e frango criados na própria fazenda e bebia leite das vaquinhas jersey. Extravagantes buquês de flores apareciam diariamente sobre as mesas das três residências, mesmo na de Washington, enviados diretamente dos jardins de

Mount Kisco. As paredes da mansão de Westchester eram cobertas por magníficas pinturas chinesas. O imóvel esbanjava todos os símbolos de status da época: piscina coberta, pista de boliche, quadras de tênis e um imenso órgão de foles.

Kay escolhia os cavalos de montaria no estábulo – habitado por corcéis belos o bastante para puxarem a carruagem de Cinderela – e passava férias incríveis, tendo visitado uma vez Albert Einstein na Alemanha. Quando Agnes levava as crianças para acampar, para que aprendessem a ser independentes, elas enfrentavam tudo na companhia de cinco empregados, 11 cavalos de montaria e 17 animais de carga.

Mas as crianças tinham de marcar hora para ver a própria mãe. Engoliam a comida às refeições porque Agnes – a primeira a ser servida na grande mesa de jantar – começava a comer enquanto os copeiros ainda se movimentavam para atender o resto dos comensais e mandava retirar os pratos assim que terminava. Ela própria admitia que não amava seus filhos. Deixou que fossem criados por babás, governantas e instrutores de montaria e os enviava para acampamentos de verão, colégios internos e aulas de dança. Eles só tinham uns aos outros como companheiros de brincadeiras. Agnes bebia muito, mantinha flertes e relacionamentos obsessivos, embora aparentemente platônicos, com uma série de homens famosos e tratava todas as mulheres como inferiores, inclusive a própria filha. Comparava Kay desfavoravelmente a Shirley Temple, a namoradinha da América, a criança sorridente que cantava e dançava, a estrela mirim com cachinhos dourados.[4] "Se eu dizia que tinha adorado *Os Três Mosqueteiros*", recorda Graham, "ela reagia dizendo que eu só poderia ter realmente apreciado o livro se tivesse lido em francês, como ela."[5] Kay foi treinada para ser uma espécie de orquídea de estufa, incrivelmente mimada, criticada quando mostrava algum potencial e ignorada na maior parte do tempo. Ainda assim, já na época em que entrou na Wood School, em Washington, D. C., tinha conseguido, de alguma maneira, dominar os mecanismos da popularidade, e foi eleita representante de turma – algo ainda mais surpreendente para a época e o lugar se levarmos em conta o fato de que ela era metade judia.

Em Mount Kisco, uma comunidade predominantemente protestante, sua família era ignorada pela sociedade local. Já que as crianças foram criadas como protestantes, por insistência de Agnes – mesmo que não fossem, de uma forma geral, muito praticantes –, e não tinham consciência de que o pai era judeu, Graham não entendia a razão de seu isolamento. De fato, ficaria chocada em Vassar ao ouvir o pedido de desculpas de um amigo porque alguém fizera um comentário preconceituoso sobre judeus na frente dela. Refletiu depois que esse choque com as próprias origens "ou deixa a pessoa com uma boa capacidade de sobrevivência ou então a transforma num desastre total".[6] Ou talvez as duas coisas.

Da mãe, Kay aprendeu a ser pouco generosa em relação a miudezas, temerosa de ser enganada, incapaz de dar e certa de que as pessoas estavam tentando tirar vantagem dela. Em suas próprias palavras, ela cresceu com tendência a ser mandona.[7] Ao mesmo tempo, outros viam nela ingenuidade, candura, generosidade e franqueza, qualidades que ela própria parecia incapaz de reconhecer.

Sentia-se mais próxima de seu desajeitado e distante pai, que ainda assim lhe dava apoio. Atribuiu a Eugene Meyer seu zelo pela economia nas menores coisas – desligava luzes compulsivamente, nunca desperdiçava nada. O talento do pai para a economia, bem como enormes injeções de dinheiro, tempo e energia, tinham sido cruciais para a sobrevivência do débil *Washington Post* enquanto Katharine crescia. O jornal chegou a ser classificado como o quinto em importância, entre os cinco da capital, muito distante do principal diário, o *Washington Evening Star*.[8] Mas, quando Meyer começou a pensar na aposentadoria, em 1942, o médico Bill, irmão de Kay, não tinha o menor interesse em comandar um jornal que só trazia prejuízos. Essa tarefa recaiu sobre ela e Philip Graham, com quem acabara de se casar. Kay era tão alucinada por Phil – e estava tão convencida da sua própria incapacidade – que aceitou com naturalidade a decisão de seu pai de vender a Phil quase dois terços das ações com direito a voto do *Post*, dando-lhe poder absoluto. Meyer fez isso porque, como ele mesmo disse, nenhum homem deveria ser obrigado a trabalhar para a mulher. Kay ficou com o resto das ações.[9]

Apesar da dedicação de Meyer em manter o jornal vivo, quando Phil Graham assumiu a direção a situação estava fora de controle. Algumas pessoas na redação e no departamento de circulação passavam a maior parte do dia apostando em corridas de cavalo e bebendo. Quando Meyer deixava a cidade, a primeira coisa que o contínuo fazia, todas as manhãs, era levar para a redação um copo de bebida e um periódico especializado em turfe, o *Daily Racing Form*.[10]

Phil Graham deu um jeito no lugar, forjando uma nova identidade para o jornal ao privilegiar uma vigorosa cobertura política e imprimir aos seus editoriais uma forte voz liberal. Ele comprou em seguida a revista *Newsweek* e várias estações de televisão e demonstrou que era um editor brilhante. Mas, com o passar do tempo, episódios de bebedeira se repetiram, e seu temperamento violento, sua instabilidade emocional e a crueldade do seu senso de humor vieram à tona, com um efeito particularmente devastador sobre a mulher. Quando Katharine engordou, ele passou a chamá-la de "Porquinha" e lhe deu de presente um porco de porcelana. A autoestima de Kay era tão baixa que ela achou a piada engraçada e colocou o porquinho na varanda.

"Eu era muito tímida", ela conta. "Tinha medo de ficar sozinha, sem ninguém, porque eu entediava as pessoas. Não falava quando saíamos. Deixava que ele falasse... Ele era realmente brilhante e engraçado. Uma combinação maravilhosa."[11]

O marido jogava com seus medos. Quando saíam com amigos, Phil olhava para ela de uma determinada forma quando ela estava falando. Ela sentia que era um sinal de que estava falando demais e aborrecendo as pessoas. Estava convencida de que pertencia a uma esfera inferior e que nunca seria capaz de cumprir as expectativas impossíveis de ser uma espécie de Shirley Temple. Não é de espantar que, com o tempo, ela tenha parado de falar em público, deixando que Phil ocupasse o centro das atenções.[12] Cresceu tão insegura que chegava a vomitar antes de ir a festas. Alguns relatos sugerem que, em particular, a forma como Phil a tratava era ainda pior.[13] Seus quatro filhos foram criados vendo o pai deixar a mãe arrasada. Ele bebia até estourar em violentos acessos de raiva. Ela congelava e se fechava.

Kay nunca enfrentou Phil, mesmo quando ele embarcou numa série de casos com outras mulheres, o que teria incluído uma suposta troca de amantes com Jack Kennedy.[14] Pelo contrário, ela o defendia, arrastada pela força da sua personalidade, sagacidade e inteligência. Quanto mais cruelmente ele agia, mais ela parecia querer agradá-lo.[15] "Eu achava que Phil, literalmente, havia me criado", ela diz. "Ele ampliava meus interesses e me fazia sentir segura."[16] Ele, por sua vez, achava que Kay tinha sorte em tê-lo como marido, e ela concordava. Quando Phil finalmente a trocou por Robin Webb, uma funcionária da *Newsweek*, Kay ficou atônita com a reação de um de seus amigos, que disse "Ótimo!". Nunca lhe ocorrera que ela poderia ficar melhor sem Phil. Mas, então, ele passou a tentar afastá-la do jornal. Como ele controlava dois terços das ações, Kay ficou apavorada com a possibilidade de perder o jornal da família.

Em 1963, no meio da batalha pelo *Post*, Phil Graham sofreu um constrangedor colapso nervoso em público, foi diagnosticado como maníaco-depressivo e se internou num sanatório. Seis semanas depois ele deu um jeito de passar um fim de semana fora da instituição. Foi para Glen Welby, a casa de campo da família Graham, que ocupava um espaçoso terreno na área rural da Virgínia. No sábado, depois de almoçar com Kay, ele se matou com um tiro, no banheiro do térreo, enquanto ela fazia a sesta no andar de cima. Tinha 48 anos.

O suicídio eliminou o risco de Kay perder o jornal. Ela temia ficar no comando, mas, apesar de terem lhe sugerido a venda, estava determinada a mantê-lo. Ela se via como uma espécie de procuradora, cuidando de tudo enquanto a geração seguinte ainda não estivesse pronta para assumir. "Não entendia nada de administração", ela conta. "Não sabia nada sobre aquelas complicadas questões editoriais. Não sabia como usar os serviços da secretária. Não sabia coisas grandes nem pequenas e, para piorar, não sabia diferenciar umas das outras."[17]

Ao mesmo tempo que tentava projetar determinação e confiança no trabalho, ela começou a confiar em outras pessoas à medida que pensava e repensava suas próprias decisões. "Eu simplesmente tentava aprender com quem cuidava de cada assunto", escreveu. "E, naturalmente, todos eram homens." Nunca confiara neles ou em qualquer outra pessoa, mas isso porque ninguém de suas relações a tratava de uma forma digna de confiança. Às vezes ela se esforçava para confiar em alguém, mas logo reconsiderava e recuava. Alternando entusiasmo e desencanto em relação aos seus executivos, ela ganhou uma reputação assustadora no trabalho. Mas, o tempo inteiro, nunca parou de procurar conselhos.

"Nenhuma decisão era tomada se ela não estivesse muito certa de como deveria agir", diz seu filho Don. "Ela ficava tentando reinventar a roda. Tinha sido içada a uma posição de alto nível gerencial sem nunca ter trabalhado no nível mais baixo de uma empresa. Nunca observara os diretores, a não ser da forma como se observa um marido ou um pai.

Além disso, quando era confrontada com uma decisão difícil – e geralmente tudo parecia ser uma decisão difícil –, tinha o hábito de telefonar para os diretores e para os amigos que pudessem ter uma experiência relevante no assunto. Era, em parte, para obter conselhos sobre a situação. Mas também era uma forma de testar os amigos como conselheiros, para selecionar a quais ela deveria ligar na vez seguinte."[18]

No começo, Graham se apoiou em Fritz Beebe, advogado e membro do conselho de direção da Washington Post Company, encontrando nele uma vigorosa fonte de apoio enquanto lutava com seu novo trabalho.[19] Nessa altura, o *Post* ainda era o menor dos três jornais que restavam em Washington, com 85 milhões de dólares de receita e 4 milhões de lucro.

Aos poucos, Graham ficou à altura do papel que devia desempenhar. Ela e o diretor de redação, Ben Bradlee, tinham como sonho um jornal nacional que estabelecesse um padrão de excelência capaz de rivalizar com *The New York Times*. Bradlee era membro da nata da elite de Boston, formara-se em Harvard e tivera como primeira mulher a filha de um senador. Antes de se dedicar ao jornalismo, envolvera-se com agências de inteligência. Era engraçado, brilhante e muito pragmático, algo surpreendente, considerando suas origens. Ele trazia à luz o melhor de Graham e encorajava os repórteres a batalharem numa atmosfera informal de ambição e competição. Em pouco tempo o *Post* desenvolveu uma excelente reputação com seu sólido jornalismo. Três anos depois de assumir a direção do jornal, Graham transformou Bradlee em editor executivo.

Em 1970, Kay ficou livre da tirania da mãe, que morreu dormindo durante uma visita da filha a Mount Kisco, no feriado do Dia do Trabalho. Kay foi até o quarto para verificar como estava a mãe depois que uma empregada disse que

Agnes ainda não pedira o café da manhã. Encontrou-a na cama "estranhamente inerte e já fria", como escreveu em suas memórias. Não derramou uma lágrima, apesar de filmes e livros a descreverem como uma "chorona" quando ficava zangada ou magoada. Mas ela nunca chorava quando alguém morria.[20] Se a morte de Agnes Meyer tirava um peso de cima dela, não curou suas inseguranças.

Em março de 1971, em meio a protestos constantes contra a guerra do Vietnã, The New York Times teve acesso a uma cópia dos Documentos do Pentágono – um relatório secreto e dolorosamente verdadeiro sobre o processo decisório que levara o país a entrar e permanecer no Vietnã, encomendado pelo ex-secretário de Defesa Robert McNamara.[21] Formados por 47 volumes que totalizavam 7 mil páginas, os Documentos do Pentágono provavam definitivamente que o governo perpetrara um enorme engodo à sociedade americana. O Times publicou uma reportagem sobre o assunto no domingo, 13 de junho.

Em 15 de junho, quase duas semanas depois do encontro de Buffett e Munger com Graham em Washington, um tribunal federal proibiu o Times de publicar a maior parte dos Documentos do Pentágono. Era a primeira vez na História americana que um juiz cerceava a publicação de uma reportagem por um jornal, o que provocou um enorme debate constitucional.

Abalado com o furo do concorrente, o Post estava determinado a pôr as mãos nos Documentos do Pentágono. Graças a hipóteses montadas a partir de informações e contatos, um editor identificou a fonte certa, Daniel Elsberg, um especialista na guerra do Vietnã. O editor voou para Boston com uma mala vazia e na volta a Washington trouxe dentro dela os Documentos do Pentágono.

Nessa altura, Graham já dominava os princípios básicos do seu cargo, embora permanecesse cerimoniosa e pouco à vontade. "Além disso, estávamos às vésperas da abertura do capital, [mas] ainda não tínhamos vendido as ações", recorda. "Era um momento muito delicado para a empresa, e poderíamos nos machucar seriamente se tivéssemos que ir aos tribunais ou se fôssemos indiciados criminalmente... Os responsáveis pela administração recomendavam que não publicássemos aquilo ou que esperássemos um pouco. E, na área jurídica, os advogados desaconselhavam abertamente a publicação. Enquanto isso, em outro telefone, os editores me diziam que tínhamos que publicar aquilo de qualquer maneira."

"Se não publicássemos, eu teria que pedir demissão", conta Ben Bradlee. "Muita gente teria pedido para sair."

"Todo mundo sabia que estávamos de posse daqueles documentos", escreveu Graham mais tarde. "Era incrivelmente importante manter o assunto vivo depois que o Times foi impedido, porque o xis da questão era o poder do governo de restringir previamente a atuação dos jornais. E eu sentia a mesma coisa que

Ben: que os editores e a redação ficariam desmoralizados e que muito dependia do que faríamos."

Naquela bela manhã de junho, na varanda da sua mansão em Georgetown, Graham foi chamada ao telefone, andou até a biblioteca e se sentou num pequeno sofá para atender. O conselheiro Fritz Beebe, do *Post*, estava do outro lado da linha. "Receio que você seja forçada a tomar uma decisão agora", ele disse. Graham perguntou a Beebe o que ele faria, e ele arriscou dizer que não publicaria.

"Por que não podemos esperar um dia?", indagou Graham. "O *Times* discutiu o assunto durante três meses." Bradlee e outros editores também entraram na linha. "Já existe um burburinho de que conseguimos os documentos", ele disse. "Jornalistas de todas as partes estão nos observando. Temos que publicar – e temos que publicar já."

Na biblioteca, Paul Ignatius, presidente do *Post*, ao lado de Graham, dizia, cada vez com mais insistência: "Espere mais um dia, espere mais um dia." "Tive um minuto para tomar uma decisão", ela conta.

Graham engoliu as palavras de Fritz Beebe e seu tom indiferente quando ele disse que não publicaria, mas concluiu que ele a apoiaria se ela escolhesse um caminho diferente.

"Então eu disse: 'Vão em frente, vão em frente. Vamos publicar.' E desliguei."[22]

Naquele momento, a mulher que sempre procurava o conselho dos outros em qualquer decisão percebeu que era a única que podia escolher. Ao ser forçada a buscar sua própria opinião, descobriu que sabia o que fazer.

Antes do fim da tarde o governo entrou com uma ação contra o *Post*. No dia seguinte, 21 de junho, o juiz Gerhard Gesell deu um parecer a favor do jornal, recusando-se a conceder um mandado de segurança que impedisse a publicação dos Documentos do Pentágono. Menos de duas semanas depois a Suprema Corte apoiou sua decisão ao dizer que o governo não tinha apresentado "os pesados requisitos" necessários para justificar a suspensão da publicação em nome da segurança nacional.

Com os Documentos do Pentágono, o *Post* superou sua condição de empresa medianamente bem conduzida que produzia bom jornalismo local para começar a se transformar num grande jornal de importância nacional.

"A grande habilidade de Graham", escreveu o repórter Bob Woodward, "era a de elevar o padrão de uma forma suave mas incansável."[23]

37
O farejador de notícias
Washington, D. C. – 1973

Quase dois anos depois o *Post* estava mergulhado na apuração do caso Watergate, enquanto em Omaha os repórteres do *Sun* colhiam os louros da denúncia sobre Boys Town. As reportagens sobre Watergate, iniciadas em junho de 1972, quando ocorreu o arrombamento, tinham pegado fogo à medida que Woodward e Bernstein estabeleciam uma relação entre um cheque pago a um dos gatunos e a campanha pela reeleição de Nixon. O escândalo se desdobrou ao longo de vários meses, e nesse período um informante secreto do FBI, Mark Felt – sob o codinome Deep Throat (Garganta Profunda), cuja identidade só Bob Woodward conhecia, até se passarem 33 anos –, fornecia informações a eles sobre a CREEP, a Campanha para Reeleger o Presidente, e sobre vários agentes da CIA e do FBI envolvidos em fornecer fundos e ajuda aos arrombadores. Mas outros jornais ignoravam o escândalo, assim como o público. Nixon foi reeleito no outono, com uma ampla maioria de votos, negando veementemente qualquer conhecimento ou envolvimento com o caso. A Casa Branca de Nixon, que já era assumidamente hostil ao *Post* por causa do episódio relativo aos Documentos do Pentágono, descartou Watergate como sendo "uma tentativa de arrombamento de terceira classe" e ergueu uma barreira de ameaças e aborrecimentos para o jornal. O procurador-geral da República John Mitchell, que comandara a campanha eleitoral de Nixon, disse a Woodward e Bernstein que Katie Graham podia "acabar com uma teta presa numa bela encrenca" se o *Post* continuasse a publicar matérias sobre o assunto. Um amigo de Wall Street e membros da administração a aconselharam a "nunca ficar sozinha".

No início de 1973, um dos financiadores da campanha republicana, amigo de Nixon, contestou a renovação das licenças de duas estações de TV do *Post* na Flórida. A contestação, provavelmente com motivações políticas, colocava em risco metade do faturamento da empresa, representando um ataque bem ao coração do negócio.¹ Imediatamente as ações da WPO despencaram de 38 para 16 dólares cada.

Mesmo com o Pulitzer nas mãos, com os arrombadores de Watergate condenados e presos e com um conjunto crescente de provas que vinculavam o mais alto escalão da administração Nixon ao arrombamento, Graham estava em dúvida, imaginando se o jornal não estaria caindo numa armadilha ou mesmo cometendo um erro.² A maior parte de seu tempo e sua atenção era consumida em apaziguar essas dúvidas. O conselheiro Fritz Beebe estava com câncer, e seu estado de saúde piorava rapidamente.³ Ainda sentindo a necessidade de uma figura de autoridade em quem pudesse confiar, Kay voltou-se para outro membro do conselho, André Meyer, sócio sênior do banco de investimentos Lazard Frères.

Vingativo, truculento, furtivo, esnobe e sádico, Meyer tinha fama de "esmagar a personalidade de outras pessoas". Era conhecido como "o Picasso do setor bancário", com "uma ligação quase erótica com o dinheiro", e chegou a ser chamado de "o maior banqueiro de investimentos do século XX", "um gênio na arte da avareza", segundo colegas.⁴ Era também o homem bem relacionado que alertara Graham, durante Watergate, para não ficar sozinha. "Ele tinha a habilidade de fazer amizade com pessoas em situações difíceis de uma forma que elas se tornavam leais e lhe ofereciam grandes oportunidades no futuro", disse um antigo executivo do Lazard.⁵ Logo ele começou a ser visto circulando com Graham em restaurantes, festas e teatros.

Beebe morreu no dia 1º de maio de 1973, e, uma semana depois, seu advogado George Gillespie, que também atendia Graham e um de seus conselheiros, começou a cuidar do inventário. Gillespie ouviu rumores de que um grande investidor em Omaha tinha começado a comprar ações do *Post*. Da sua casa de veraneio no Maine, ele ligou para Buffett e ofereceu um lote de 50 mil ações de Beebe que precisavam ser vendidas. Buffett não hesitou e comprou na hora.

Se pudesse, e o preço fosse justo, Buffett teria comprado à vista quase qualquer jornal para a Berkshire Hathaway. Quando os banqueiros da Affiliated Publications, editora do *Boston Globe*, lutavam para fazer negócio, Buffett quebrou sua regra tácita contra ofertas públicas e levou 4% da Affiliated com desconto. A Berkshire se tornou sua maior acionista, apropriando-se em seguida de ações da Booth Newspapers, da Scripps Howard e da Harte-Hanks Communications, uma cadeia baseada em San Antonio. O status elevado conquistado pelo *Sun* graças ao prêmio Pulitzer forneceu a Buffett muitos contatos no mundo da imprensa, permitindo-lhe conversar com editores de igual para igual. Ele entrou em contato com os donos do *Wilmington News Journal* na esperança de comprar o jornal. Infelizmente, embora as ações dos jornais andassem em baixa, porque os investidores não conseguiam identificar o seu valor, os seus donos não eram tão cegos. Nessa batalha, os esforços de Buffett e Munger para adquirir um jornal pareciam não ter dado em nada.

Contudo, no final da primavera de 1973, Buffett já tinha acumulado mais de 5% das ações do *Washington Post*.[6] Enviou então uma carta a Graham. Ela nunca perdera completamente o temor de que, de alguma forma, a empresa fosse arrancada de suas mãos, apesar de Beebe e Gillespie terem estruturado as ações do *Washington Post* em duas classes diferentes para evitar que um comprador hostil pudesse fazê-lo.[7] Buffett dizia na carta que já possuía 250 mil ações, mas ainda queria mais. Em vez de redigir um texto formal, dentro dos padrões de negócios, ele escreveu uma carta altamente pessoal e lisonjeira, que ressaltava o interesse comum no jornalismo e chamava a atenção para o Pulitzer do *Sun*. A carta começava assim:

"Essa aquisição representa, para nós, um considerável compromisso – e pode ser vista como um elogio concreto ao Post *enquanto negócio e a você enquanto sua principal executiva. Preencher um cheque separa a convicção da conversa. Reconheço que o* Post *é controlado por Graham e administrado por Graham. E assim está bem para mim."*[8]

Mesmo assim, Graham entrou em pânico. Procurou conselhos.

"Às vezes", segundo Jim Hoagland, um dos seus repórteres, "Graham se mostrava sujeita a ser seduzida por charlatães eventuais, particularmente se fossem hábeis num certo tipo de lisonja."[9] Ela era "tremendamente esnobe" e "ficava facilmente impressionada com pessoas que ostentavam títulos pomposos", diz outro repórter.[10] Além disso, ao mesmo tempo que perseguia instintivamente a igualdade entre homens e mulheres – foi ela quem deu à feminista Gloria Steinem o capital que serviu como pontapé inicial da revista *Ms.*, além de ser conhecida por repreender homens que se referiam aos profissionais no masculino, como se todos os membros da classe fossem homens, e uma vez atirou um peso de papel na cabeça de um executivo do *Post* que se recusara a permitir que meninas entregassem o jornal –, no fundo ela ainda achava que só os homens entendiam mesmo de negócios. Assim, quando André Meyer ficou "colérico" e lhe disse que Buffett não tinha boas intenções, ela o levou a sério.[11] Também pesaram os avisos semelhantes que ela recebeu de Bob Abboud, um colega no conselho da Universidade de Chicago.

"André Meyer, na realidade, gostava de pensar que controlava tudo. E era fácil quando ele encontrava uma mulher como Kay – ela era capaz de achar que não devia usar um banheiro antes de consultá-lo. Era o seu estilo. André insistia em se referir a mim como sendo o novo patrão dela porque eu comprei as ações. Então havia todos esses sujeitos imaginando que o seu poder seria diluído se eu penetrasse nesse círculo fechado.

Ela era muito sensível à ideia de que alguém pudesse manipulá-la, seja com objetivos políticos ou por causa do jornal, o que é compreensível. Estava acostumada a ter todo mundo tentando usá-la. O que dava para fazer com Kay era jogar com seus medos. Se você quisesse derrotá-la, tinha que fazer com que ela se sentisse insegura. E ela sabia o que estava acontecendo, mas não conseguia resistir."

"Ela mudava de ideia", diz seu colega no conselho do *Post*, Arjay Miller. "Rapidamente se apaixonava e se desencantava com as pessoas. Atormentava-se muito. Sentia-se subjugada por determinadas pessoas no mundo dos negócios. Era capaz de conhecer alguém e ficar maravilhada durante um tempo, achando que tinha encontrado todas as respostas. Achava que os homens sabiam tudo sobre negócios e que as mulheres não sabiam nada. No fundo, este era o verdadeiro problema. A mãe sempre disse isso, o marido sempre lhe disse isso, e foi algo repetido muitas e muitas vezes."[12]

Graham tentou descobrir o que poderia fazer em relação a Buffett. Mal se lembrava do rápido encontro que tivera com ele dois anos antes.[13] Ela e seus colegas compraram exemplares de *Supermoeda* e devoraram o capítulo sobre Buffett, tentando decifrar o que o homem de Nebraska queria deles. Aqueles que eram hostis a Buffett fizeram questão de que ela lesse um artigo sem assinatura, publicado na edição de 1º de setembro da revista *Forbes*, sobre a aquisição das ações da companhia San Jose Water Works, que lançava uma sombra no retrato ensolarado daquele homem misterioso pintado no livro *Supermoeda*.

A reportagem da *Forbes* tinha um tom muito diferente do artigo apaixonado publicado na revista dois anos antes. Falava de um acionista da San Jose Water Works que estava ansioso em se desfazer de suas ações. Um diretor da empresa o encaminhou a Buffett. A revista insinuava que Buffett devia saber que estava em andamento um acordo para que a cidade assumisse a companhia de fornecimento de água a preços mais altos do que ele estava pagando pelas ações – simplesmente porque um diretor lhe enviara um acionista que estava querendo vender seus papéis. Ele era bem relacionado, portanto deveria saber de alguma coisa, certo? A matéria terminava assim: "A Bolsa americana e o escritório de São Francisco da Securities Exchange Commission (SEC) estão fazendo investigações e perguntas."[14]

Mas não havia nada de ilegal em um diretor enviar um vendedor de ações a um comprador.[15] Na verdade o negócio nunca aconteceu. Mas, para qualquer um que estivesse procurando referências a Buffett, esta seria a menção mais notável, pública e recente, além do livro *Supermoeda*.[16] Buffett ficou aflito. Se aquilo desandasse e se transformasse numa sequência de matérias, poderia arruinar sua boa reputação, tão recentemente conquistada, mesmo que não houvesse qualquer consistência nas insinuações. Ele não era o tipo de sujeito que tinha um ataque e saía gritando, mas era o tipo que planeja, perdido em reflexões. Assim, embora estivesse zangado, era esperto demais para entrar em confronto com a revista e denunciar o repórter sem nome. Mas queria dar o troco, e assim ele decidiu chamar a atenção do editor da publicação, Malcolm Forbes, escrevendo uma carta magistral sobre as armadilhas do jornalismo em que o cumprimentava pela "boa média de acertos" das reportagens investigativas ao longo dos anos – na qual a matéria sobre a San Jose Water Works teria sido uma infeliz exceção – e mencionava o Pulitzer do *Sun*.[17] No mesmo dia escreveu uma carta mais dura, sem lisonjas, para o chefe de redação, relatando os fatos que demonstravam sua inocência.

Em pouco tempo a *Forbes* fez uma correção. Buffett sabia, entretanto, que correções raramente são lidas e não têm qualquer impacto, se comparadas com a história inicial. Assim, ele enviou um de seus representantes, o leal Bill Ruane, para conversar com os editores, não para fazer queixa, mas para apresentar Buffett como um especialista que poderia escrever um artigo sobre investimentos.[18] A tentativa fracassou, pelo menos num primeiro momento.

Buffett agora tinha uma nova causa – o ultraje como tendência no jornalismo – que se combinava com seu senso de justiça e seu próprio interesse na imprensa em geral. Que um repórter pudesse mentir, fazer inferências ou se omitir, sem assumir qualquer responsabilidade, era algo que o enlouquecia. Sabia que mesmo publicações bem-intencionadas se transformavam em fortalezas e defendiam o comportamento ambíguo de seus repórteres com base na ética corporativa e na independência da imprensa. Essa posição, como ele aprenderia mais tarde, era conhecida no *Washington Post* como "agachamento defensivo".[19]

No futuro, ele viria a ajudar a financiar o National News Council (Conselho Nacional de Notícias), uma entidade sem fins lucrativos que arbitrava reclamações sobre erros jornalísticos. A posição do conselho era que os meios de comunicação estavam dominados por monopólios, concentrados em poucas mãos. Essa falta de competição significava que a Primeira Emenda, que garantia a liberdade de imprensa, dava aos editores um "poder sem responsabilidade". O conselho oferecia apoio a vítimas que tivessem sido "caluniadas, difamadas, expostas ao ridículo injustificável, ou cujas opiniões legítimas tivessem sido ignoradas ou distorcidas em alguma reportagem que só abordava um lado da questão". Infelizmente aqueles mesmos monopólios e aqueles poucos editores que controlavam a mídia não tinham interesse em publicar os protestos do conselho, que expunham a parcialidade e a ignorância de seus repórteres. Este acabou encerrando suas atividades depois de ser impiedosamente açoitado pela imprensa livre e independente que supostamente deveria apoiar sua existência.[20]

O National News Council foi uma cruzada valorosa. De fato, talvez estivesse à frente de seu tempo, como muitas das causas em que Buffett despendeu sua energia. Mas, em 1973, Susie Buffett já o vira gastar um maremoto de energia em cada nova cruzada ou obsessão, algumas vezes alterando o relevo do litoral após a sua passagem. Enquanto muita gente se desinteressava das coisas, com o tempo o homem tímido e inseguro com quem ela se casara se agarrava a uma obsessão atrás da outra. Do seu hobby infantil de colecionar números de placas de carro à cruzada contra a escória do jornalismo, três papéis invariavelmente lhe interessavam. O primeiro era o de colecionador insaciável, aumentando sempre o seu império de dinheiro, pessoas e influência. O segundo era o de pregador, exaltando de seu púlpito o idealismo. O terceiro era o papel de policial, perseguindo os bandidos.

O negócio perfeito lhe permitiria fazer as três coisas ao mesmo tempo: pregar, bancar o policial e juntar mais dinheiro para fazer tilintar a caixa registradora. O negócio perfeito, portanto, era um jornal. Essa era a razão pela qual o *Sun* era como uma fatia de alguma coisa da qual ele queria mais e mais.

Mas ele e Munger não tiveram êxito no projeto de comprar jornais de grandes cidades. Agora lá estava Katharine Graham, insegura sobre negócios, manipulada por quem estava à sua volta, debatendo-se, procurando um salva-vidas em qualquer parte. Apesar da sua insegurança e vulnerabilidade, por conta de sua posição no timão do *Washington Post*, ela se tornara uma das mulheres mais poderosas do país. E Buffett sempre teve uma forte atração por pessoas poderosas.

Graham tinha medo dele. Perguntou a George Gillespie se ele era desonesto. Não podia arcar com um erro. Por vários anos, a administração Nixon vinha mantendo uma batalha suja para desacreditar o *Post*. A comissão de inquérito do Senado sobre Watergate estava realizando interrogatórios. Woodward e Bernstein tinham desencavado "a lista de inimigos" de Nixon. Um conjunto de fitas descobertas recentemente implicava o presidente, que se recusava a dar informações que alegava serem sigilosas e a explicar o que acontecera e quem estava envolvido. Graham trabalhava todos os dias no caso Watergate. De certa forma estava colocando em risco o bom nome do *Post*.

Ela confiava muito na opinião do respeitável Gillespie, um homem profundamente religioso. Ele trabalhava para a família Graham desde os 28 anos, quando, como advogado do escritório Cavath, Swaine & Moore, redigira o testamento de Eugene Meyer, testemunhando a assinatura do velho e debilitado patriarca. "Ele vai acabar controlando o *Washington Post*", ela disse sobre Buffett. "Kay, ele não pode assumir o *Post*", respondeu Gillespie. "Sem chance. É impossível, não importa quantas ações ele possua. Ele não tem direitos. O máximo que pode fazer é conseguir se eleger para o conselho se detiver a maioria das ações da classe B."

Gillespie telefonou para um diretor da San Jose Water Works e se convenceu de que Buffett não tinha de fato feito uso de informação privilegiada. E deixou claro que discordava do poderoso André Meyer – o que era uma forma de se expor, considerando-se a posição de Meyer e suas relações. Por fim, recomendou que ela conversasse com Buffett, pois seria bom conhecê-lo.[21]

Graham escreveu a Buffett, tremendo enquanto ditava a carta, sugerindo que eles se encontrassem na Califórnia, para onde ela estaria viajando a negócios mais tarde, naquele verão. Ele concordou, e quando ela chegou à reunião, no escritório que usava no *Los Angeles Times*, o parceiro de notícias do *Washington Post* na Costa Oeste, sua aparência era a mesma de dois anos antes: um terninho de corte impecável, o cabelo bem-arrumado com laquê, os lábios apertados formando um pequeno sorriso. Quando viu Buffett, Graham diz: "A sua simples aparição me surpreendeu."

"A grande bênção e maldição na vida de minha mãe", diz seu filho Don, "era que ela tinha gostos muito apurados. Estava acostumada a frequentar círculos de alto nível. Pensava que havia uma forma correta para se vestir e comer e um grupo de pessoas que mereciam atenção.[22] Warren violava todos os seus padrões quando se tratava dessas coisas. Ele não se importava com nada disso." Usando um terno que parecia emprestado e com o cabelo sem corte que ondulava com o vento, "ele não se parecia com qualquer figurão de Wall Street ou magnata dos negócios que eu já tivesse conhecido", ela escreveria mais tarde. "Buffett chegou com seu jeitão simplório do Meio-Oeste, mas também com aquela extraordinária combinação de qualidades que sempre me agradou – cérebro e humor. Gostei dele desde o início."[23]

Mas na época não parecia. Num primeiro momento ela pareceu amedrontada e insegura em relação a Buffett.

"Kay se mostrou cautelosa e assustada. Ela estava morrendo de medo de mim, mas, ao mesmo tempo, intrigada. Uma coisa sobre Kay era que você sempre percebia o que ela estava sentindo. Não era do tipo que consegue manter uma fachada impenetrável."

Buffett percebeu que Graham não entendia nada de finanças e achava que seu conselho e seus gerentes sabiam comandar o negócio melhor do que ela, apesar de já ter uma década de experiência. Ele lhe disse que Wall Street ainda não era capaz de reconhecer o valor do *Post*. Graham baixou ligeiramente a guarda. Com seu jeito aristocrático de falar, ela o convidou para uma nova reunião em Washington algumas semanas depois.

Warren e Susie chegaram a Washington em 4 de novembro, na noite anterior ao encontro, e pegaram um táxi até o Madison Hotel, bem em frente à sede do *Post*. Quando estavam se registrando na recepção, descobriram que o jornal estava em meio a uma greve, convocada pelo sindicato dos gráficos. Delegados federais estavam evacuando os gráficos rebeldes e havia rumores de que alguns funcionários estavam armados. Comoção, refletores e câmeras de televisão avançaram madrugada adentro. Levando-se em consideração o que estava acontecendo na esfera política, era difícil encontrar um momento pior para se paralisar o jornal – exatamente o que o sindicato pretendia. O vice-presidente Spiro

Agnew, que estava sob investigação, surpreendentemente não tentou contestar uma acusação de sonegação fiscal e renunciara menos de um mês antes. O Caso Watergate chegava a um momento explosivo. Duas semanas depois da renúncia de Agnew, o procurador-geral da República, Elliot Richardson, e seu vice, o general William Ruckelshaus, deixaram o cargo em protesto, em vez de cumprirem a ordem do presidente Nixon de demitir o promotor especial Archibald Cox – indicado para investigar o escândalo – e eliminar a função. Nixon fez o que queria no episódio que ficou conhecido como o "Massacre de Sábado à Noite".[24] A interferência presidencial no território supostamente independente do Poder Judiciário foi um marco no Caso Watergate, pois mudou de forma decisiva a opinião pública naquelas duas últimas semanas. No Congresso aumentava a pressão para o impeachment do presidente.

Na manhã seguinte à chegada dos Buffett, exausta por ter virado a noite trabalhando com seus diretores até às 6 horas, para garantir a publicação do jornal, Graham se sentiu constrangida pela recepção ao seu novo acionista – e nervosa em relação ao andamento da reunião marcada para aquele dia. Mas combinou um almoço de Buffett com Ben Bradlee, Meg Greenfield, Howard Simons e ela.

Graham considerava Meg Greenfield sua amiga mais próxima, mas se referia a ela como "uma fortaleza solitária... Ninguém nunca chega realmente a conhecer Meg". Editora de opinião do *Post*, Greenfield era uma mulher baixa e troncuda, com cabelo escuro curto e um rosto inteligente mas pouco atraente. Era a encarnação do humor, da honestidade, da persistência, das boas maneiras e da modéstia.[25]

Howard Simons, editor de negócios do *Post*, era conhecido pelo humor incisivo que usava com Graham. "*Howard Simons costumava dizer que não era preciso o sujeito estar morto para se escrever seu obituário. Era um grande cara, mas um pouco perverso. Ele costumava provocar muito Kay.*[26]

No almoço, conversamos sobre aquisições e empresas de comunicação. Eu percebia que, apesar de ela deter todas as ações da classe A, estava com medo de mim. Afinal de contas, tinha passado a vida inteira erguendo defesas em torno das suas ações. Então eu disse alguma coisa sobre como a amortização de ativos intangíveis tornava mais difícil a situação das empresas de comunicação, porque um bom nome valia muito, o que causava problemas se os profissionais estivessem cientes disso."* Buffett

---

* Se o valor contábil de uma empresa é de 1 milhão de dólares e um comprador paga 3 milhões, os 2 milhões restantes são relativos aos ativos intangíveis – alguns podem ser facilmente identificáveis, como marcas e patentes, enquanto o resto é o chamado "goodwill". As regras de contabilidade costumavam exigir que os vendedores descarregassem ou amortizassem esses custos com o passar do tempo. *(N. da A.)*

estava tentando mostrar a Graham que achava difícil tomar conta de empresas de comunicação. *"E Kay estava se exibindo. Ela disse: 'Claro, a amortização de ativos intangíveis é um problema' ou alguma coisa do gênero. Howard olhou bem na cara dela e perguntou: 'Kay, o que é a amortização de intangíveis?'*

Na hora eu adorei. Ela ficou congelada. Paralisada. Howard estava só se divertindo. Então entrei em cena e expliquei o que era amortização de intangíveis para Howard. E, quando terminei a explicação, Kay disse: 'Exatamente!'"

Buffett adorou ter-se antecipado a Simons, interrompendo o jogo e assumindo – de forma sutil e indireta – a defesa de Graham. O pequeno e forçado sorriso de Graham se descontraiu. *"Daí em diante nos tornamos grandes amigos. Eu era uma espécie de Sir Lancelot. Aquele foi um dos melhores momentos da minha vida. Transformar uma pequena derrota em triunfo para ela."*²⁷

Depois do almoço Buffett teve uma reunião com Graham que durou cerca de uma hora, e então lhe deu garantias por escrito. *"Eu disse: 'Kay, George Gillespie arranjou as coisas de tal forma que as ações de classe A lhe dão o controle. Mesmo assim, eu entendo a sua preocupação, não importa o que tenha nas mãos. Sei como isso é importante para você. É toda a sua vida.' E continuei: 'Quero dizer que, embora os meus dentes pareçam as presas do lobo da Chapeuzinho Vermelho, na verdade são apenas dentes de leite. De qualquer maneira, vamos arrancá-los. Traga os papéis hoje à tarde. Vamos rabiscar algumas coisas, e nunca mais comprarei uma ação sequer, a menos que você concorde.' Eu sabia que essa era a única forma de deixá-la à vontade."* Naquela tarde, Buffett – que já gastara 10.627.605 dólares para adquirir 12% da empresa – assinou um acordo com Graham se comprometendo a não comprar mais nenhuma ação do *Post* sem a permissão dela.

À noite, Warren e Susie foram homenageados em um dos famosos jantares de Kay, com 40 convidados. Apesar da insegurança pessoal de Graham, ela era considerada uma das melhores anfitriãs de Washington, acima de tudo por saber como ajudar as pessoas a relaxar e se divertir. Naquela tarde, apesar de estar exausta e sentir vontade de cancelar tudo, *"ela organizou uma festinha para mim. Era sua forma de retribuir. E, quando dava uma festa, todo mundo podia estar lá – até o presidente dos Estados Unidos. Qualquer um mesmo".*

"Ela viajava muito pelo mundo e sempre encontrava ocasiões para organizar jantares", diz Don Graham. "Depois de uma viagem à Malásia, se o primeiro-ministro do país viesse a Washington, ela organizaria um jantar para ele e o embaixador – que já conhecia bem as festas na casa da senhora Graham. Se alguém publicava um livro ou fazia aniversário, ela também organizava um jantar, porque adorava isso. Ela usava os eventos como uma forma de fazer novos amigos e também para apresentar uns aos outros. Assim ela acabou 'adotando' pessoas dos diferentes governos ao longo do tempo", conta Don.[28] Aquele governo, contudo, era o de Richard Nixon. Graham fez poucos amigos nessa administração além do secretário de Estado Henry Kissinger.

"Estou no Madison Hotel com Susie e de repente, por volta das 5 horas da tarde, alguém enfia um papel por baixo da porta, e o papel descreve a festa para a qual tínhamos sido convidados havia semanas. No pé, lia-se 'black tie'. Bem, eu não tinha esse tipo de roupa, nem preciso dizer. Eu seria o sujeito patético de Nebraska, de terno comum num jantar de gala em sua homenagem, o único sem black tie. Liguei para a secretária dela, em pânico.

A secretária, uma moça muito simpática, me disse: 'Bom, vamos botar a cabeça para funcionar.' Fui para a rua tentar encontrar uma loja que alugasse roupas, mas nenhuma estava aberta. Mas a assistente de Graham, Liz Hylton, ligou para outra loja e encontrou algo adequado."[29]

Os Buffett deixaram o Madison Hotel e enxergaram, ainda no táxi, as mansões de Embassy Row, a área das embaixadas. O carro dobrou a Rua Q e passou pelo histórico cemitério de Oak Hill, onde estava enterrado Phil Graham. Ao dobrarem outra esquina, passaram por um conjunto de casas históricas do século XIX, com pequenos e bem cuidados jardins. Era início de novembro. As folhas reluziam com vestígios de marrom, âmbar e dourado. Pareciam estar na fronteira de uma cidadezinha da era colonial. Fazendo esquina com o cemitério e se espalhando por uma colina coberta de árvores estava Dumbarton Oaks, a propriedade federal de quatro hectares onde fora realizada a conferência que criou a ONU.[30]

O táxi virou para a esquerda, entre um par de pilares de pedra. A vista logo à frente era arrebatadora. Enquanto o veículo subia ruidosamente pela ladeira coberta de pedrinhas brancas, os Buffett viram a distância uma respeitável mansão georgiana com três andares e paredes cor de creme, com telhado verde e mansardas. Os amplos gramados que a cercavam iam até o alto da antiga Rock of Dumbarton que originara Georgetown, de forma que era possível contemplar o cemitério de lá. À direita, colina abaixo, após uma densa fileira de árvores, estava o bairro da antiga casa dos Buffett em Spring Valley, não muito distante; mais ao longe, Tenleytown, onde Warren distribuíra jornais no Westchester e roubara bolas de golfe da Sears.

Os Buffett foram recepcionados e conduzidos até os outros convidados, que estavam tomando coquetéis na sala de estar. Obras de arte asiática que pertenceram à mãe de Graham podiam ser vistas em toda parte, nas parede brancas como casca de ovo, enfeitadas com cortinas de veludo azul, ao lado de uma tela de Renoir e uma gravura de Albrecht Dürer. Graham começou a apresentar os Buffett aos outros convidados. *"Ela disse coisas gentis sobre mim"*, diz Warren. *"Kay estava fazendo todo o possível para que eu me sentisse à vontade, mas sem muito sucesso."*

Ele nunca tinha comparecido a um evento social com tanta formalidade e grandeza. Quando o coquetel acabou, atravessar os corredores até o enorme salão de jantar onde Graham costumava dar suas famosas festas, com as paredes de madeira iluminadas por velas, não ajudou em nada a fazer Buffett se sentir em casa. Aquele cenário o intimidava ainda mais do que a sala de estar. Castiçais de cristal e porcelana com brasões reluziam sobre mesas redondas de imbuia, mas os convidados de Graham ofuscavam até mesmo esse esplendor. A qualquer momento o salão poderia ficar cheio de ex-presidentes americanos, líderes estrangeiros, diplomatas, ministros, congressistas de todos os partidos, advogados veteranos da cidade e alguns de seus eternos amigos – Ed Williams, Scotty Reston, Polly Wisner,[31] Roy Evans, Evangeline Bruce, Joseph Alsop, ao lado de gente como os Buffett, que por algum motivo se encaixavam na ocasião ou despertaram o interesse de Graham.

Buffett descobriu que estava sentado ao lado da mulher de Edmund Muskie, June, uma escolha óbvia para o jantar, pois os Buffett já tinham recebido o marido dela em Omaha. No outro lado estava Barbara Bush, cujo marido era então o embaixador americano nas Nações Unidas e logo se tornaria chefe da representação americana em Pequim, com o importante papel de conduzir os Estados Unidos no delicado processo de renovação dos laços diplomáticos com a China. Graham apertou um botão que se comunicava com a cozinha, e logo os garçons começaram a circular em torno das mesas de antiquário para servir o jantar. Warren bem que tentou não dar mostras de estar intimidado pelo protocolo. *"Susie estava ali, sentada ao lado de algum senador. E ele estava tentando bancar o espertinho com ela, botando a mão na sua perna, essas coisas. Mas eu estava à beira da morte, porque não sabia o que falar com toda aquela gente. Barbara Bush não poderia ter sido mais gentil. Ela percebeu como eu me sentia desconfortável."*

Os garçons seguiram a versão americana do serviço *à la russe*, servindo a entrada, seguida por peixe, depois o prato principal, tudo apresentado em bandejas de onde os próprios convidados se serviam. Ao mesmo tempo chegavam os vinhos, servidos ao som das tagarelices de Washington. Os garçons ajudavam e removiam utensílios de prata desconhecidos de Warren, como diferentes talheres de peixe. Enquanto lhe ofereciam comida que ele nunca comera e vinhos que ele nunca bebera, Buffett começou a achar a refeição cada vez mais complexa e intimidante. Os outros convidados de Graham pareciam relaxados e à vontade, mas quando a sobremesa foi servida ele estava apavorado. Então veio o café, que ele não tomava. O desconforto virou terror quando, como acontecia ao final de cada noite, Graham se levantou e leu uma saudação bem articulada, inteligente, bem escrita, pessoal e original ao convidado de honra, coisa que deveria ter exigido uma razoável dedicação para ser escrita, embora lhe faltasse um pouco de confiança na leitura. O convidado de honra, supostamente, deveria, por sua vez, levantar-se e brindar a anfitriã.

"*Não tive coragem de me levantar e fazer um brinde, coisa que esperavam que eu fizesse. Simplesmente não consegui. Estava tão pouco à vontade que achei que poderia acabar dando vexame. Não conseguiria ficar de pé e falar na frente da metade do ministério, que estava reunida ali.*" Tudo o que ele queria era fugir. Depois, enquanto ele e Susie se despediam, pensou que os caipiras de Nebraska dariam muito o que falar em Georgetown logo que partissem.

"*Aquele senador ainda estava tentando se dar bem com Susie quando nos levantamos para partir. Ele estava tão concentrado em explicar por que ela deveria ir ao Senado e conhecer o seu gabinete que, enquanto nos encaminhávamos para a saída, ele abriu sem querer a porta de um armário e quase entrou lá, sem se dar conta do que estava fazendo. Essa foi a minha introdução à alta sociedade de Washington.*"

Por outro lado, embora a sociedade formal e reluctante que cercava a senhora Graham deixasse Buffett fora de seu elemento, ele não foi capaz de esconder sua fascinação. E logo deve ter ficado óbvio para Susie Buffett que seu marido desejava experimentar mais daquele mundo.

38

Western spaghetti

Omaha – 1973-1974

Na ocasião do jantar com Katharine Graham, em 1973, Buffett não era mais simplesmente um investidor que comprava ações de jornais. Estava se tornando, em pequena escala, um nome influente no mundo dos negócios. A Berkshire Hathaway e a Diversified Retailing Company eram seus domínios. E Charlie Munger, o czar da Blue Chip Stamps.

O entrelaçamento dos controles dessas três empresas intensificara o relacionamento profissional entre Buffett e Munger e lembrava o início de outro império construído por outro investidor, a quem Buffett particularmente admirava, Gurdon W. Wattles.[1] Sua empresa, a American Manufacturing, era como uma boneca russa. Ao abri-la, encontrava-se outra empresa, e então outra e mais outra: Mergenthaler Linotype, Crane Co., Electric Auto-Lite. Essas ações eram todas negociadas publicamente, pois, embora Wattles as controlasse, não possuía 100% de nenhuma. Desde o início da sua carreira em investimentos, Buffett admirou o modelo de Wattles, que considerava a melhor maneira de tirar proveito das ações. Ele falava sobre Wattles com seus amigos o tempo todo. *"A única forma de ir em frente é seguir seus passos"*, dizia.[2]

"Wattles tinha sua própria companhia de investimentos, chamada Century Investor, que precisava se reportar à SEC. Ele fazia uma operação em cadeia, na qual comprava ações de uma companhia com desconto, e essa companhia por sua vez comprava ações de uma outra com desconto. A empresa grande, no fim da linha, era a Mergenthaler Linotype, da qual a American Manufacturing possuía dois terços. Naquela época, como não era obrigatório se cadastrar na SEC para revelar publicamente que estava comprando, ninguém sabia que ele continuava comprando até que adquirisse o controle. Assim assumiu parcialmente o controle da Electric Auto-Lite, por intermédio da Mergenthaler, e estava fazendo a mesma coisa com a Crane Co. (a empresa de encanamentos, não a de papel). Em algum ponto dessa cadeia estava

a Webster Tobacco. Estatisticamente falando, eram todos papéis baratos. Tudo era vendido com desconto, e ele continuava a comprar e ganhar dinheiro cada vez que fazia uma aquisição. Eu costumava comprar um pouco daquelas ações. Tinha papéis da Mergenthaler, da Electric Auto-Lite e da American Manufacturing. A questão era sempre saber se o valor apareceria no fim. Mas eu tinha uma intuição. Estava com um sujeito esperto, e com o tempo aquilo seguramente daria dinheiro."[3]

Um dia bem cedo ele foi visitar Wattles no escritório da White, Weld & Co., em Boston.[4]

"Eu estava um pouco apreensivo e disse alguma coisa do tipo: 'Senhor Wattles, espero poder lhe fazer algumas perguntas.' Ele disse: 'Vá em frente.' Ele me tratou muito bem. Por uns 10 ou 15 anos eu o segui. Na verdade, ele era bem parecido com Graham. E ninguém além de mim prestava atenção nele. Foi uma espécie de modelo do que eu esperava fazer por algum tempo. Era tudo tão compreensível e tão óbvio, uma forma tão segura de ganhar dinheiro. Embora não rendesse necessariamente grandes somas, você sabia que ia ganhar."[5]

O que mais interessava a Warren no "modelo Wattles" era a forma como uma empresa podia, legitimamente, comprar ações baratas de outra. "Você não precisa pensar em tudo. Foi Isaac Newton que disse: 'Vi um pouco mais do mundo que outras pessoas porque me apoiei nos ombros de gigantes.' Não há nada de errado em se apoiar nos ombros de outras pessoas."[6]

Com o tempo, Wattles reuniu seu império numa só empresa, a Eltra Corporation, criada pela fusão da Mergenthaler Linotype com a Electric Auto-Lite. Essa era agora a ação favorita de Bill Ruane, porque os dividendos da empresa chegavam a 15% ao ano.[7]

As empresas Buffett-Munger começavam a lembrar um pouco a Eltra antes da fusão. A Berkshire Hathaway era a maior acionista da DRC e também possuía ações da Blue Chip. Cada empresa funcionava como holding para companhias que não eram negociadas de forma pública. Além do mais, a Blue Chip possuía a See's Candies, que era tão lucrativa que rapidamente superou os prejuízos do negócio em extinção dos cupons de troca. Munger prosseguiu comprando 20% de uma firma de investimentos quase morta, a Source Capital, para a Blue Chip. "Compramos com desconto sobre o valor dos ativos", diz Munger. "E os vendedores eram dois bobocas. Tínhamos uma regra contra bobocas. Basicamente não fazíamos negócios com eles. Por isso, quando Warren soube da Source Capital, disse: 'Agora entendo a exceção feita a esses dois bobocas.'"[8]

Esses 20% significavam influência, mas não controle. Munger entrou no conselho da Source Capital ao lado de gerentes talentosos e nada bobocas, Jim Gibson e George Michaelis, e começou a dar um jeito na carteira de investimentos da empresa.

A Source Capital, contudo, era café-pequeno. Buffett e Munger estavam sempre alertas na busca por alguma novidade que pudessem adquirir, especialmente uma empresa de maior porte que pudesse dar à Blue Chip o mesmo tipo de empurrão que a See's Candies tinha representado. Encontraram uma sonolenta empresa de poupança e empréstimos na Costa Oeste, a Wesco Financial. Quando um corretor apareceu oferecendo a Buffett ações da empresa por um preço baixo, depois de uma rápida conversa com Munger os dois resolveram arrematá-las – e compraram os papéis para a Blue Chip Stamps.[9] Em seguida a Wesco anunciou sua fusão com a Santa Barbara Financial Corporation. A Santa Barbara era uma ação quente, com uma abordagem agressiva do tipo que fazia sucesso em Wall Street. Os analistas achavam que a empresa estava pagando caro pela Wesco.[10] Mas Buffett e Munger pensavam o contrário. Eles avaliaram que as ações da Santa Barbara estavam cotadas a um preço superior ao que valiam e que a Wesco estava entregando as suas ações por muito pouco.[11] Buffett ficou louco. Leu os termos e não conseguia acreditar. *"Será que eles ficaram malucos?"*, perguntou.[12]

Fundada pela família Casper, a Wesco tinha sua sede em Pasadena, cidade natal de Munger. Era proprietária da Mutual Savings, uma companhia de poupança e empréstimos que prosperara quando os soldados voltaram para casa depois da temporada na Ásia, durante o boom da construção no pós-guerra. Mesmo assim, a Wesco nunca explorara todas as oportunidades de crescimento. Mas era extremamente lucrativa, pois mantinha seus custos bem baixos.[13]

Betty Casper Peters, única representante da família dos fundadores que tinha interesse e condições de atuar no conselho, achava que os administradores da Wesco a tratavam com condescendência e descartavam suas sugestões para o crescimento da companhia. Em vez disso, usavam o legado da família para garantir um lugar de honra no tradicional desfile de ano-novo que antecedia o Rose Bowl.[14] Peters era um mulher elegante, com rosto bem delineado, uma ex-aluna de história da arte com filhos em idade escolar e nenhuma experiência em negócios. Passava a maior parte do tempo cuidando do vinhedo da família em Napa. Agora ia a Pasadena todas as quartas-feiras, para comparecer às reuniões do conselho. Cuidar de uma empresa de poupança e empréstimos não era exatamente um grande mistério, ela descobriu. Passou a assinar todas as publicações que pareciam relevantes sobre o assunto; então se sentava e lia, para entender como aquilo funcionava.

Conforme aumentavam as suas frustrações, Peters começou a fazer pressão em favor da fusão. Sabia que a oferta da Santa Barbara não era a melhor coisa do mundo, mas todos os executivos da empresa estavam na casa dos 40, eram inteligentes e agressivos. Embora passassem tempo de mais nos clubes de campo para seu gosto, eram vigorosos, estavam abrindo filiais e fazendo as coisas que ela achava que deviam ser feitas.

A Blue Chip já possuía 8% da Wesco quando a fusão foi anunciada. Munger achou que se continuasse a comprar papéis da Wesco poderia acumular ações suficientes para impedir o acordo com a Santa Barbara. Mas então descobriu que, para isso, seriam necessários 50% das ações, um obstáculo muito maior. Munger tinha mais estímulos do que Buffett para prosseguir, pois a Blue Chip era o investimento mais importante da sua sociedade. Queria ir em frente, mas Buffett achou que 50% eram demais e se conteve.[15]

Não muito depois, Munger foi se encontrar com o CEO da Wesco, Louis Vincenti, e tentou persuadi-lo a desistir da negociação com a Santa Barbara.[16] Vincenti dispensou Munger como se estivesse tirando vestígios de caspa do paletó – o que não foi muito agradável.

Munger e Buffett não tinham intenção de fazer uma aquisição hostil da companhia. Além do mais, Munger não conseguia imaginar que algo assim pudesse ser necessário. Escreveu então a Vincenti apelando aos seus valores mais elevados.[17] Com certeza a lógica de seu raciocínio poderia convencê-lo. Era um erro vender a Wesco por tão pouco, Vincenti simplesmente tinha que entender isso. Assim, Munger disse a Vincenti que gostava da administração da Wesco e que ele era o tipo de sujeito que Buffett e Munger apreciavam. Escreveu alguma coisa do tipo: "Você está noivo daquela moça, por isso não podemos conversar. Mas, quando estiver desimpedido, é o tipo de sujeito com quem gostaríamos de trabalhar."[18]

O senso de ética antiquado de Munger, inspirado em Benjamin Franklin, e sua noção de *noblesse oblige*, de uma conduta certa para cavalheiros no mundo dos negócios, devem ter soado como sânscrito para Vincenti. Mas pelo menos ele deixou escapar que Betty Peters era a acionista que estava pressionando a vender.

Munger enviou Don Koeppel, CEO da Blue Chip, para ver Peters. Ela o encarou como um capataz e o mandou de volta com as mãos abanando.[19] Era hora de usar armamento mais pesado. Dez minutos depois de Koeppel sair, Buffett telefonou para ela. Peters tinha acabado de ler o capítulo sobre ele no livro *Supermoeda*, de Jerry Goodman, que o marido lhe dera no Natal. "Você é o mesmo Warren Buffett que é citado em *Supermoeda*?", perguntou. Buffett confirmou. Era o homem que, segundo Jerry Goodman, representava o triunfo do raciocínio direto e dos padrões elevados sobre o blá-blá-blá, as sandices e os disparates. De boa vontade, Peters concordou em se encontrar com Buffett, na companhia de seus três filhos, no Lounge Ambassador da TWA no aeroporto de São Francisco, no dia seguinte.

Na reunião, Buffett, com uma Pepsi na mão, disfarçou seu talento e sua experiência ao fazer perguntas de uma forma calorosa e nem um pouco ameaçadora.

Conversaram por três horas, falando principalmente de Omaha, onde a mãe de Peters tinha sido criada. Também falaram de política. Peters, democrata a vida inteira, ficou satisfeita com as opiniões de Buffett. Finalmente, ele disse, com considerável contenção: *"Betty, acho que posso fazer mais pela Wesco do que essa fusão. Já que você está disposta a desistir da empresa, por que não nos deixa tentar?"*

Peters ficou balançada com as palavras de Buffett e achou que ele poderia estar certo sobre conseguir fazer mais pela empresa do que aqueles jovens da Santa Barbara. Sua preocupação então passou a ser que alguma coisa acontecesse a Buffett se ela mudasse de posição. Mas ele explicou que tinha um sócio, alguém que tomaria conta da Berkshire e das ações da família Buffett caso fosse atropelado por um caminhão.

Na viagem seguinte a Pasadena, Peters sentou-se para tomar o café da manhã com Buffett e Munger, no velho e grandioso Huntington Hotel, para que ela pudesse conhecer seu sócio misterioso. Os dois pediram para ter uma reunião com o conselho da Wesco. Peters então, correndo o risco de parecer caprichosa diante dos executivos, adotou uma posição corajosa para evitar que a empresa cometesse um erro grave. Na reunião seguinte, pediu ao conselho para mudar de curso e se reunir com Buffett e Munger. Mas o conselho rejeitou seu pedido e aprovou a realização de uma reunião especial "para tomar todas as providências necessárias para concluir o acordo com a Santa Barbara Financial Corporation".[20]

O erro do conselho foi esquecer quem, na realidade, era dono da empresa. Peters levou Munger e Buffett para conhecer seus irmãos e garantir os votos deles. Quando, uma semana depois, a reunião seguinte do conselho aconteceu, Peters, visando manter a sua posição, já tinha tomado uma decisão nos bastidores e trouxera a família inteira para votar contra o acordo com a Santa Barbara.

"Então minha tarefa", disse Peters, "era voltar para aquela salinha hermeticamente fechada em Pasadena e dizer para aqueles cavalheiros engravatados, inclusive os da administração, que não levaríamos adiante a negociação com a Santa Barbara." Quando voltou ao prédio em estilo espanhol, ela olhou o pátio com uma fonte decorada com azulejos, que podia ser vista pelas janelas da sala de reunião. "Se as janelas estivessem abertas", ela diz, "teriam me jogado dali. Sei o que estava passando pela cabeça de todos eles. Era: 'Meu Deus, é nisso que dá permitir no conselho a presença de uma mulher guiada pelos hormônios!'"[21]

Wall Street pensava da mesma maneira, o que fez com que as ações da Wesco caíssem de 18 para 12 dólares com a notícia. A administração da Wesco era "velha e não muito agressiva", segundo um analista. Outro alegou que a Santa Barbara estava pagando de mais pela Wesco, "uma empresa sonolenta, com administração antiquada". Outro, ainda, referiu-se ao negócio como "lixo".[22]

Pela demonstração de coragem de Peters, Buffett e Munger sentiam que agora estavam em dívida com ela.[23] Também tinham decidido que queriam a posse da Wesco e achavam que seria possível envolver Vincenti e conquistar sua colaboração. Mas nessa altura já devia estar claro que Lou Vincenti não saltitaria atrás deles como um cordeiro atrás da mãe. Assim, abriram a bolsa e disseram aos corretores, desta vez, para darem lances generosos pelas ações. A Blue Chip pagou 17 dólares pelos papéis da Wesco – o mesmo preço pelo qual as ações vinham sendo vendidas antes de a negociação ser suspensa.

"Admito que fomos excêntricos", diz Munger. "Pagamos deliberadamente mais do que devíamos, mas sentíamos que tínhamos interferido nas negociações da fusão e não queríamos ser beneficiados comprando as ações pelo preço de mercado. Achamos que era a coisa certa a fazer. Bem, ninguém conseguia entender isso. Pensavam que havia alguma coisa desonesta. Mas a verdade é que consideramos que causaríamos uma impressão melhor em Louie Vincenti assim do que se bombardeássemos o acordo e saíssemos comprando ações mais baratas. Isso pareceria sabe-se lá o quê. E queríamos Louie como parceiro a longo prazo. Tentamos nos comportar bem."[24]

Em março de 1973, a Blue Chip possuía um quarto das ações da Wesco. E Buffett, que nunca tinha parado de comprar papéis da Blue Chip, continuava sua campanha para conseguir mais. No ano anterior trocara as ações da Thriftimart que pertenciam à Diversified Retailing Company por mais Blue Chip. Incluindo os 13% que possuía diretamente, bem como sua participação nas ações da carteira da Berkshire e da DRC, que representavam outros 35%, Buffett se tornou, efetivamente, o maior acionista da Blue Chip. A Blue Chip começou oficialmente a fazer ofertas por ações da Wesco pagando, dessa vez, 15 dólares, até possuir mais da metade delas.[25] Após algumas semanas, Munger delineou para Lou Vincenti uma análise do empreendimento[26] que, não por acaso, era parecida com o que Buffett pensava sobre a Berkshire Hathaway e a DRC. A Wesco, com Munger como presidente, seria mais uma boneca russa entre outras[27] – dessa vez, uma que estava dentro da Blue Chip.

Então, pouco depois de a Blue Chip comprar a maioria das ações da Wesco, o mercado de ações desmoronou.[28] A participação de Buffett no *Washington Post* perdeu um quarto do seu valor.[29] Em circunstâncias normais, ele teria comprado mais. Mas tinha prometido a Graham que não o faria. Em vez disso, ele recomendou a ação para os seus amigos.[30]

Assim, no lugar de comprar mais ações do *Washington Post*, Buffett – que sempre acreditara na concentração – procurou novas oportunidades e começou a encher sua sacola de compras rapidamente, com enormes quantidades de outros papéis, entre eles os da National Presto, fabricante de panelas de pressão e máquinas de pipoca,[31] e da Vornado Realty Trust, num volume suficiente para torná-lo membro do conselho.[32]

Buffett herdara um grupo de acionistas da Berkshire Hathaway que compreendiam sua abordagem de investimentos e nunca questionariam seus critérios. Dessa forma, ele desfrutava o luxo de ignorar o Sr. Mercado, que reduzira o valor de sua carteira de investimentos a uma ninharia. Outros não tiveram tanta sorte. O Fundo Sequoia, de Bill Ruane, estava prestes a atravessar um ano péssimo, e o principal parceiro financeiro de Ruane, Bob Malott, ficou angustiado. Malott conhecia Ruane dos tempos de Harvard, e os dois chegaram a dividir um apartamento quando Ruane trabalhava na Kidder, Peabody, em Nova York. Mas Malott ficou encantado com a abordagem de Buffett e com seu histórico. Então lhe pediu para ajudá-lo no fundo de pensão da FMC Corporation, empresa que agora comandava. Buffett foi a San Diego e passou vários dias entrevistando gerentes de investimento e explicando sua forma de pensar para o pessoal da FMC. Durante esse processo, ele os transformou em discípulos de Graham, o que no futuro renderia sólidos resultados. A princípio, ele se recusou a administrar pessoalmente a carteira de investimentos – mas depois concordou em cuidar de uma parte dela.[33] Ao aceitar, deu um aviso: a FMC seria a última de suas prioridades, depois da Berkshire, da DRC e de sua carteira pessoal. Malott, de forma astuta, agarrou a oportunidade. O ponto principal era que, se Buffett estava disposto a assumir, ele o faria da melhor maneira possível.[34]

ENTRE SUAS OBRIGAÇÕES COM A FMC, A VORNADO, A BLUE CHIP E A WESCO E AS visitas constantes a Nova York, Buffett agora passava boa parte do tempo viajando. Também estava ocupado com a corte a Katharine Graham: tinha deixado uma impressão tão boa que ela começou a procurá-lo para pedir conselhos. Susie cuidava das coisas em Omaha, ocupada com o conselho da Liga Urbana e com a distribuição de bolsas de estudos – e envolvida com sua mais recente cruzada, o Comitê pelo Futuro da Central, que tentava impedir que a sua antiga escola, a Central High School, fosse obrigada a aumentar o número de alunos além de sua capacidade.[35]

Enquanto 1973 avançava, até Hamilton, o cachorro, deve ter estranhado o silêncio e o esvaziamento da casa dos Buffett, que costumava ser tão movimentada e barulhenta.[36] Howie estava a 400 quilômetros de Omaha, na Augustana College. Susie Jr., infeliz em Lincoln, conseguira transferência para a Universidade da Califórnia, em Irvine, onde estava terminando o curso de Direito Penal.[37] Peter, o filho que nunca exigira atenção, estava no segundo ano do ensino médio. Com planos de mudança para a Califórnia, Susie o levara para conhecer escolas em Orange County. Permaneceram em Omaha, entretanto, e agora Peter passava a maior parte do tempo no porão, onde Susie, que lhe apresentara a fotografia, instalou um laboratório.[38]

Muitas vezes Susie ficava acordada até tarde, sozinha, ouvindo música que a transportava para algum lugar diferente.[39] Adorava o jazz da guitarra de Wes Montgomery e a boa música soul de grupos como Temptations, que falavam de um mundo em que eram os homens que sentiam saudades.[40] Lia livros como *I Know Why the Caged Bird Sings* (Eu sei por que o pássaro canta na gaiola), um relato autobiográfico em que Maya Angelou conta como superou o racismo, o abuso sexual e a repressão que fizeram de seus anos de juventude uma espécie de prisão. "A ideia de estar confinada num lugar que não tinha escolhido calou fundo nela", diz Peter – nada surpreendente, considerando sua infância confinada a um leito e ter crescido com uma irmã que, para ser castigada, era trancada no armário. Susie sonhava com romance, mas agora sabia que ela e Milt nunca se casariam. De qualquer forma, não conseguia pôr um ponto final em sua ligação com Milt.

Ela estava passando mais tempo com os amigos do tênis, um grupo mais jovem de Dewey Park. Um deles, John McCabe, instrutor de temperamento suave, com uma tristeza semelhante à dela e uma certa fragilidade, parecia mais um da turma dos corações solitários. Mas ela se sentiu particularmente atraída por ele.[41] Agora que Susie tinha razões para ficar fora de casa a maior parte do tempo, o movimento diminuíra e os amigos passaram a encontrá-la em outros lugares. Assim, a casa perdeu a atmosfera e o ritmo de parque de diversões. Peter, que nunca se sintonizara muito com a vida dos pais, percebia o crescente silêncio, mas não a sua razão. Quando chegava em casa da escola, brincava com Hamilton, preparava alguma coisa para comer e ia para o laboratório de fotografia no porão.[42]

A concepção de Warren sobre o casamento nunca se alterara, mesmo que a instituição estivesse mudando inexoravelmente. Quando estava em casa, Susie ainda parecia tão devotada como sempre. Ele percebia que ela era ativa e ocupada e queria que se sentisse realizada, desde que continuasse a tomar conta dele – e ele imaginava que isso também a deixava realizada. Até onde sabia, o ato de equilibrismo que sempre funcionara para os dois ainda estava dando certo.

O "aposentado" Warren estava investindo em velocidade máxima, no final de 1973, em plena crise do mercado. Entre a Cap Cities e o *Washington Post*, com sua crescente amizade com Kay Graham, o interesse que manifestara pelos meios de comunicação nos últimos anos tinha se transformado num conhecimento profundo do assunto em todos os níveis. Uma noite, durante um jantar em Laguna Beach, ele e Carol Loomis começaram a castigar Dick Holland, amigo de Buffett que trabalhava com publicidade, com perguntas sobre o tema. "Quando ele fazia isso", lembra Holland, "eu sempre sabia que alguma coisa estava em andamento." Os quatro conversaram sobre negócios, enquanto Susie e Mary Holland, em outro canto, se ocupavam de outros assuntos. Como uma maneira indireta de atuar na mídia, Buffett ligou para seu corretor e aplicou quase 3 milhões de dólares em ações das agências de publicidade Interpublic, J. Walter Thompson e Ogilvy & Mather, que eram papéis extremamente desvalorizados.

Mas, enquanto ele continuava comprando, a maior parte das ações que acumulara estava fraquejando. No início de 1974, papéis pelos quais ele pagara 50 milhões de dólares tinham perdido um quarto do valor. A Berkshire, por sua vez, tinha caído para 64 dólares por ação. Alguns de seus antigos sócios, que tinham conservado as ações, começaram a se perguntar se não teriam cometido um erro.

Buffett enxergava exatamente o oposto. Queria comprar mais papéis da Berkshire e da Blue Chip. *"Mas meu combustível tinha acabado. Tinha usado os 16 milhões de dólares que recebi com o fim da sociedade para comprar ações da Berkshire e da Blue Chip. Assim, de repente, acordei e não tinha mais nenhum dinheiro disponível. Estava só recebendo os 50 mil dólares anuais de salário da Berkshire Hathaway, e mais alguma coisa como pagamento da FMC.*[43]

Eu teria que começar a construir meu patrimônio líquido do zero mais uma vez."

Ele estava agora muito, muito rico, mas sem dinheiro em caixa. Por outro lado, as empresas que controlava, especialmente a Berkshire Hathaway, tinham fundos para comprar ações. Para transferir algum dinheiro da Berkshire para a Diversified Retailing Company, Buffett criou uma companhia de resseguros – uma empresa que segura as seguradoras[44] – dentro da DRC. Essa empresa, a Reinsurance Corp. of Nebraska, concordou em participar nos negócios da National Indemnity, recebendo seguros e cobrindo perdas. Como a National Indemnity era tão lucrativa e gerava tanto float – os prêmios eram pagos em dinheiro vivo antes das indenizações –, passar parte do negócio para a Diversified Retailing Company era como colocar um oleoduto dentro de um rio de dinheiro. Ao longo do tempo isso daria à DRC milhões de dólares para investir.[45]

Buffett começou a comprar ações para a DRC. Seguiu basicamente o modelo criado por Wattles e comprou ações da Blue Chip e da Berkshire Hathaway. Logo a Diversified Retailing Company possuía 10% da Berkshire. Era quase como se a Berkshire estivesse comprando de volta suas próprias ações, mas não exatamente a mesma coisa. Os donos da DRC e da Berkshire não eram os mesmos. Buffett ainda proibia os amigos de comprarem Berkshire – enquanto ele, Munger e Gottesman eram sócios da DRC.[46]

Na época, embora os três trocassem favores nos negócios e ocasionalmente ideias sobre ações, seus interesses não eram necessariamente comuns. Mais tarde, quando lhe perguntaram se poderia ser considerado um "alter ego" de Buffett, Munger negou. Reconhecia maneirismos e um jeito de falar semelhantes. "Mas nunca escolhi o papel de sócio minoritário", ele disse. "Gosto da ideia de ter uma esfera própria de atividades."[47] Numa ocasião, Munger disse que tinha encontrado um lote de ações da Blue Chip e que Gottesman queria comprá-lo para a DRC. Buffett queria tirar o lote deles e comprá-lo para a Berkshire Hathaway. Após uma discussão – sobre quem precisava mais das ações –, a força combinada de Munger e Gottesman de alguma forma se sobrepôs à de Buffett, e a DRC levou a melhor.[48] Dessa forma eles mantiveram uma pequena participação.

Mas Buffett possuía 43% da DRC, portanto as aquisições da Berkshire acrescentaram quase 5% à sua propriedade pessoal. Comprar por intermédio da DRC era particularmente atraente, porque isso tendia a não aumentar o preço das ações da Berkshire. Quase ninguém estava prestando atenção.[49]

Mas por que ele queria tudo?

"Como negócio, a Berkshire não valia mais do que 40 dólares por ação. Seria impossível vender a indústria têxtil e a seguradora por mais do que isso. E metade do dinheiro estava empregada em uma empresa péssima, realmente péssima: ou seja, 20 dólares de cada cota de 40. E eu não sabia o que fazer. Literalmente, não tinha a menor ideia. Já estava bastante rico. Mas apostava que seria capaz de fazer alguma coisa. Apostava em mim. E, sem falsa modéstia, qualquer um que achasse que aquilo valia mais de 40 dólares estava pensando em mim. Porque a empresa não valia isso."

Ele não sabia o que fazer, a não ser investir. Verne McKenzie, que tinha voltado de New Bedford e se tornara um dos operadores da Berkshire, achou que, para Buffett, "parecia simplesmente um jogo interessante. Tudo o que ele estava fazendo era consolidar o controle". Era verdade, e ele o fazia da maneira como sempre encarara os investimentos – como um colecionador, alguém que comprava secretamente para evitar alertar outros caçadores de pechinchas. Mas, como presidente da Berkshire Hathaway e da DRC, ele comprava principalmente de vendedores que tinham sido seus sócios no passado. Embora fosse algo perfeitamente legal, não era exatamente uma conduta muito esportiva. Mas, se estavam dispostos a vender, na cabeça de Buffett isso encerrava qualquer obrigação especial em relação a eles.

Buffett também comprou ações da Blue Chip Stamps o tempo inteiro, embora, até ali, a Blue Chip permanecesse essencialmente território de Munger. Mas ele tinha os melhores negócios, começando pela See's. Buffett começou a perseguir ações da Blue Chip como se fosse um grande tubarão-branco atrás de uma foca bem alimentada. Como tinha mais recursos financeiros, a participação de

Buffett na Blue Chip rapidamente superou a proporção combinada entre os sócios naquele papel – Munger e Rick Guerin, seu sócio na Bolsa de Valores da Costa do Pacífico, que agora comandava sua própria sociedade de investimentos.

Buffett comprou papéis da Blue Chip em todas as ocasiões que se apresentaram. Comprou até da gerência da empresa e de outros diretores. Um deles, Z. Wayne Griffin, pediu 10,25 dólares contra o lance de Buffett de 10 dólares. Chegando a um impasse ao telefone, Buffett lembra que Griffin sugeriu que ele fizesse um cara ou coroa e dissesse o resultado. Ele ficou desconcertado com isso e, a partir desse episódio, percebeu não apenas que Griffin confiava nele, mas que também assimilara alguns de seus próprios princípios. Griffin disse "cara". Naturalmente, se estava fazendo essa aposta, estaria disposto a aceitar os 10 dólares, coisa que ele fez.

A acumulação dessas ações por Buffett, entretanto, era diferente das suas compras de guimbas de charuto. Duas grandes interrogações pairavam sobre a Blue Chip, a Diversified Retailing Company e a Berkshire. Buffett consolidava o seu controle, com todo aquele dinheiro chovendo sobre a Berkshire e a DRC proveniente do negócio de seguros, mas teria que ser bem usado. E a solução para os problemas legais da Blue Chip tinha que ser encontrada.

No final de 1973 a Blue Chip tinha resolvido 11 processos judiciais.[50] Só permanecia em aberto a decisão do Departamento de Justiça determinando a liquidação de um terço do negócio. Isso não seria fácil, porque "o congelamento dos preços de alimentos imposto pelo presidente foi mais uma joelhada em nossos rins", escreveu Don Koeppel. "Os donos dos mercados estavam chiando, prevendo imensos prejuízos, em alguns casos até a falência."[51] A inflação estava descontrolada. O presidente Nixon congelara o preço das mercadorias para tentar segurá-la, e o comércio embarcara em uma nova era, tentando ajustar seus custos crescentes enquanto encarava o congelamento dos preços ao consumidor.

O negócio de cupons estava morto, mas Buffett, o comprador implacável, tinha ações. Depois de uma série de gerações acostumadas a trocas, a Blue Chip se transformara numa montanha de bonecas russas. Levando-se em conta todas as formas indiretas que usou para comprar ações, ele possuía agora 40% da Berkshire e mais de 25% da Blue Chip Stamps. Apesar de essas ações serem negociadas a preços reduzidos, ele dispunha de fundos para novos negócios e podia comprar mais ações, porque todas as bonecas tinham suas próprias pilhas recarregáveis: float, capital para investimentos, antecipação do pagamento de prêmios. Essa inovação melhorou notavelmente as condições.

As operações em si também tinham progredido desde a época dos moinhos e das espeluncas que corriam risco de incêndio. Junto com a See's, a Berkshire agora dispunha não apenas do incrível gerador de float chamado National Indemnity como também de um punhado de pequenas companhias de seguros que Buffett esperava transformar um dia em pequenas usinas de energia, apesar de ainda estar lutando para colocá-las em forma. Nesse meio-tempo, o peso morto da Hochschild-Kohn desaparecera e Buffett continuava a diminuir o número de fábricas de produtos têxteis.

Uma visão mais abrangente revelava que a Berkshire, a Diversified Retailing Company e a Blue Chip tinham na verdade dois ativos. O primeiro era o modelo de negócios homeostático – a ideia de enxertar float numa holding para ela poder reagir internamente a um ambiente em transformação. O segundo era o poder de se recompor, à medida que o lastro e os investimentos duplicavam e reduplicavam ao longo do tempo.

A inovação e a força do modelo de Buffett não podem ser suficientemente louvadas. Não havia nada assim antes, nem surgiria nada parecido em muitos anos. *"Foi a era dourada da alocação de capitais, como consta dos manuais"*, ele diz.

O timing foi estupendo. O capital das empresas de seguros jorrava para a Berkshire e a DRC, ao mesmo tempo que o mercado estava entrando em colapso, o ambiente preferido de Buffett. Embora ainda não tivesse decidido exatamente o que fazer com o empreendimento coletivo que construíra, no final de 1974 ele tinha certeza de duas coisas: do poder daquele modelo de negócios e da sua habilidade em usá-lo. Acima de tudo, tinha confiança em si mesmo.

"Sempre", ele afirma. *"Sempre."*

39
O gigante
Omaha e Los Angeles – 1975-1976

Howard Buffett foi uma das raras pessoas que prosperaram no rastro da crise da Bolsa em 1929. Agora seu filho era uma estrela em ascensão na segunda grande crise do século.[1] Mas o mundo mudara, e o estrelato, mesmo nos negócios, tinha virado sinônimo de fama. Buffett encerrara a sua sociedade num momento de ebulição dos meios de comunicação nos Estados Unidos: emissoras a cabo transformavam a televisão, empresas jornalísticas abriam o capital, e a publicidade ainda vivia anos dourados, podendo se dar ao luxo de se dirigir a uma audiência monolítica – formada pela nação inteira, que se sentava diante da TV na mesma hora, nas terças à noite, para assistir a *Happy Days*.

Buffett ingressara no mundo das comunicações como investidor, atraído por uma afinidade natural. Mas, ao embarcar numa nova fase da vida, com o fim da sociedade, ele começou a apreciar os frutos do uso discreto da popularização promovida pela imprensa, com a repercussão do artigo da *Forbes*, em 1969, e do perfil traçado no livro *Supermoeda*. Agora ele era assunto de interesse dos meios de comunicação, e não apenas um investidor da área. E uma personalidade do porte de Katharine Graham lhe dava atenção e o levava a sério a ponto de levá-lo para a órbita de um dos jornais mais importantes dos Estados Unidos.

Como era seu hábito diante de homens poderosos, Graham lhe pediu ajuda. Não foi preciso insistir muito.

"*Na primeira vez que ela ia falar na New York Society of Security Analysts (Sociedade de Analistas de Mercado de Nova York), fui ao seu apartamento, numa manhã de domingo, para ajudá-la com o discurso. Ela estava à beira de um ataque de nervos, aterrorizada pela ideia de que todos aqueles homens estariam lá, diante dela. Falar em público sempre foi uma coisa meio complicada para Kay. O engraçado é que tinha um grande senso de humor, era inteligente, mas tendia a ficar paralisada diante de uma multidão. Principalmente se ela imaginava que lhe fariam perguntas sobre números.*"

Como disse Robert Redford numa entrevista, logo depois de tê-la encontrado para conversar sobre o filme *Todos os homens do presidente*, que reconstitui o caso Watergate, Graham tinha um ar "tenso e aristocrático" – e uma verdadeira aversão a qualquer exposição e invasão de privacidade. "Por que, então", perguntou Redford, "ela continuava a fazer discursos e a aceitar premiações",[2] já que ficava aterrorizada nessas ocasiões?

Buffett se sentou na sala de estar do imenso apartamento de Graham, localizado num dos andares mais altos do moderno UN Plaza, com vista para o East River de Nova York. Cercados por obras de arte asiática e antiguidades da coleção de Agnes Meyer, os dois começaram a trabalhar no discurso.

"*Ela ficava imaginando as perguntas que lhe fariam, do tipo 'quanto estava pagando por tonelada de papel'. Achava que seria uma espécie de interrogatório. E eu disse que não fazia diferença. Você está pagando o mesmo que os outros pelo papel, e daí? Mas ela estava convencida de que isso era uma coisa muito importante. Eu disse que ela não devia ficar tão presa a dados desse tipo. Que se limitasse a escolher um tema.*" Graham queria dizer que o bom jornalismo dá bons lucros. Buffett pensou sobre essa ideia e tentou reformulá-la. "*Achei melhor ela dizer que o bom jornalismo não é incompatível com bons lucros, ou algo assim. Números não importavam. Só tentei convencê-la de que ela era muito mais esperta do que todos aqueles machos idiotas que estariam na plateia. Foi isso que nos uniu num primeiro momento.*"

Numa reviravolta irônica, Buffett se tornou uma espécie de instrutor pessoal de Kay Graham, no estilo de Dale Carnegie. Ele, mais que qualquer outra pessoa, podia se identificar com alguém que congelava diante de uma multidão. Além do mais, graças à suave tutela de Susie, com o passar dos anos ele aprendera uma forma sutil de lidar com as pessoas. Sabia como antecipar suas reações e formular as coisas de uma forma que não parecessem ameaçadoras. Suas cartas, que costumavam ser um tanto tímidas, agora eram escritas com mais segurança e empatia. Ele aprendera a ouvir, a demonstrar interesse pelos outros e a falar de assuntos diferentes de ações. É claro que o fato de estar genuinamente fascinado por Graham ajudava.

Depois de terem terminado os preparativos e os ensaios, Graham disse que ia a uma festa na casa dos Agnelli naquela noite. "Pode ser que você se interesse pela paisagem. Por que não vem comigo?" Buffett nunca escondeu como se sentia constrangido e deslocado em eventos glamourosos e, por isso, não tinha qualquer interesse em frequentá-los. Mesmo assim, disse a Graham que iria. Naquela noite deixou seu quarto no Plaza para pegar Graham e levá-la ao Upper East Side.

"*Formávamos um casal bem improvável. Ela na casa dos 50, eu com 40 e poucos. Chegamos àquele apartamento – que era bem mais que isso, era um triplex imenso. E todo mundo se curvava e abraçava Kay. Parecia que estavam lá todos os personagens da cena da festa do filme* A doce vida, *de Fellini. E o meu papel era basicamente andar e fazer cara de paisagem. Seria bom que o tempo passasse em câmara lenta, para eu não perder nada daquilo. Gianni Agnelli, o presidente da Fiat, e sua mulher Mirella não estavam ali, mas era quase uma festa a fantasia – só que ninguém estava fantasiado."*

Quando Buffett voltou a Omaha, tinha conhecido o outro lado de Graham. À medida que a conhecia mais como pessoa, passou a entender as suas contradições. *"Medrosa mas voluntariosa. Aristocrática mas democrática. Ferida pelas pessoas de quem ela mais gostava."* Ficou surpreso ao constatar o quanto ela ainda falava do marido, mesmo uma década depois de seu suicídio.

"No início, ela fugia do assunto 'Phil' muito delicadamente, da mesma forma que Charlie faria em relação a qualquer assunto. E ela o descrevia em termos que eram difíceis de entender, se você considerasse o quanto ele a maltratou. Mas, depois de conhecê-la melhor, ela me contou tudo sobre o relacionamento. Ela não conseguia se imaginar à altura dele. Achava que era quase uma fraude, mesmo fingindo estar no mesmo ambiente que ele. Costumavam passar muito tempo com os Kennedy, e ela achava que não devia estar ali. Qualquer coisa que ele dissesse parecia engraçada, tudo que ele fazia estava certo. Quando batia nas crianças, bem na frente dela, não fazia nada para impedir. Nada mesmo."

Que ele e Graham – que sofria as consequências de ser criada por uma mãe cruel e negligente e ainda anos de abuso de um marido com um distúrbio bipolar não diagnosticado – sentissem uma atração mútua não chega a ser estranho, considerando as experiências de infância do próprio Buffett. Ele sabia como se comportar quando estava perto dela, de forma a não parecer ameaçador. Na primavera de 1974 ela passou a depositar mais confiança nele como conselheiro. Por sua vez, ele agarrou a chance de tutelar a CEO da Washington Post Company e lhe dar lições sobre negócios, como se estivesse bancando uma espécie de Pigmalião para a sua própria Eliza Doolittle. Mais paciente que Henry Higgins, ele foi um tutor gentil, que sempre enviava artigos interessantes e úteis para Kay e seu filho Don.

Enquanto a influência de Buffett aumentava, Graham percebeu que as palavras "Warren acha" provocavam calafrios em alguns conselheiros.[3] Mas o próprio Buffett esperava ser convidado a entrar no conselho. Quando Tom Murphy o procurou para convidá-lo a ingressar na Cap Cities, Buffett disse não. Estava esperando um convite do *Post*. Obedientemente, Murphy deixou que Graham ficasse sabendo, e ela se sentiu "estúpida" por não ter pensado naquilo antes.[4]

Susie achava que, em vez de assumir mais responsabilidades nos negócios, o marido deveria vender parte das ações e usar o dinheiro para ajudar alguma causa mais importante. No interior de um táxi em Washington, D. C., ela lhe falou sobre o filantropo Stewart Mott, que comandava o Stewart & Mott Charitable Trust – que apoiava financeiramente causas relativas à paz, ao controle de armamentos e ao planejamento familiar e populacional. Os Buffett agora eram mais ricos do que Mott, que tinha começado com 25 milhões de dólares. "Por que você não para?", perguntou Susie. "Stewart Mott está fazendo todas essas outras coisas e não precisa trabalhar todos os dias." Mas Warren era incapaz de parar. Agarrava-se à sua filosofia de que os 50 milhões de hoje podem valer 500 milhões algum dia. De qualquer forma, não estava totalmente alienado de sua família, nem era insensível às palavras da mulher. Já captara algumas vibrações emitidas por Susie, uma sensação de que ela queria mais da vida. Enquanto Peter avançava na escola secundária, Warren disse a ela: "Susie, você está como alguém que perdeu o emprego depois de 23 anos trabalhando. E agora, o que você vai fazer?"[5]

A resposta era: cantar. O sobrinho Billy Rogers preparara algumas faixas com acompanhamento de guitarra, para que ela pudesse gravar a si mesma cantando e depois ouvir seu desempenho. Rogers andava tocando guitarra no clube noturno de jazz Mr. Toad's Spaghetti Works e em outras casas noturnas de Omaha, e, sempre em sua companhia, Susie acabou se tornando um rosto conhecido na cena musical da região. "Mas quando comecei a cantar fiquei com medo, com muito medo", ela diz. "Eu era ruim." A última vez que ela se apresentara em público tinha sido 10 anos antes, num evento de caridade da Central High. Então Susie começou a fazer aulas e a trabalhar em baladas e canções de amor contemporâneas. Sua primeira apresentação como cantora foi em julho, diante de uma plateia de amigos, numa festa particular em Emerald Bay. "As pessoas pareceram gostar bastante", ela conta.[6] E seu marido se emocionou ao ver os amigos aplaudirem o talento de Susie.

Quando os Buffett veraneavam em Emerald Bay, Warren convidou Graham para visitá-lo durante uma viagem que ela faria para falar diante de um grupo de analistas de mercado. Prevendo que Graham aproveitaria o momento para propor seu ingresso no conselho do *Post*, Buffett passou dias feliz da vida, dançando no escritório do Kiewit Plaza como um menino na véspera de Natal.[7]

A casa dos Buffett em Emerald Bay ficava afastada da praia, e o acesso até o mar era feito por uma ladeira íngreme. Ainda parecia uma modesta casa de aluguel. Faltavam os toques pessoais que lhe dessem um ar de família. Warren não fazia ideia da impressão que o lugar causaria em Graham, que era proprietária de diversas casas enormes, decoradas e cuidadas de forma impecável – incluindo a fazenda em Glen Valley e uma imensa propriedade em Martha's Vineyard.

Ao que parece, ele passou a Susie a impressão de que teriam que fazer um esforço incomum para agradar Graham. Na manhã seguinte à chegada de Kay,

Susie levantou-se excepcionalmente cedo e brincou de dona de casa. Preparou no fogão um café da manhã completo para os três, que os Buffett apenas fingiram comer. O marido passou o resto do dia com Graham, conversando sobre jornalismo, imprensa, política – e dando todas as deixas para que ela o convidasse a entrar no conselho do *Post*.

A certa altura, ele deixou de lado os jornais, colocou um calção de banho comprado especialmente para a ocasião, pegou uma barraca de praia novinha em folha, adquirida em homenagem a Graham, e os dois deixaram a casa para caminhar algumas centenas de metros de descida íngreme até à praia e encontrar a família. Até então, a atitude de Buffett em relação ao mar era: *"Acho que ter o mar nas proximidades é agradável, ouvi-lo à noite e tudo mais. Mas entrar na água – vou deixar essa parte para a velhice."* Contudo, depois de ficar sentado na areia durante algum tempo olhando o mar, ele corajosamente adentrou o Pacífico. Segundo todas as testemunhas, Susie e os meninos "tiveram convulsões de riso" diante daquela estranha visão.

Não se sabe o que Susie pensou de um gesto tão extraordinário. Mas a explicação de Warren ficou registrada. *"Somente por Kay",* ele diz. *"Somente por Kay."*

Na manhã de domingo, eles deixaram de lado as boas maneiras, e Susie, quase como uma sonâmbula, cozinhou ovos com bacon para Graham, sem comer nada, enquanto Warren se sentava perto dela e comia colheradas de Ovomaltine de dentro de uma caneca.[8] Depois do café da manhã, ele e Graham voltaram a ter um tête-à-tête. Em algum momento, Graham finalmente lhe disse que queria que ele fizesse parte do conselho, mas estava esperando a hora certa. Ela sabia que alguns conselheiros, como André Meyer, não o receberiam bem. Mas ele perguntou: "E quando é a hora certa?", forçando-a a tomar uma decisão. Dessa forma, em pouco tempo estava feito. Os dois combinaram que Buffett entraria para o conselho da Washington Post Company. Ele não cabia em si de satisfação.

Naquela tarde Buffett deixou a família em Emerald Bay e levou Graham de carro até o aeroporto de Los Angeles. *"No caminho, repentinamente ela olhou para mim como se fosse uma criança de 3 anos de idade. A voz e o olhar mudaram e ela disse, praticamente implorando: 'Seja gentil comigo, por favor, não me ataque.' Aprendi mais tarde que Phil e outras pessoas do jornal, por pura diversão ou para conseguir seus objetivos, mexiam com ela só para vê-la se desmanchar em pedaços. Era cruel da parte de Phil. Era manipulação da parte dos outros. E era muito fácil, porque ainda funcionava."*

Buffett entrou oficialmente para o conselho em 11 de setembro de 1974, o que o promoveu de astro dos investimentos de Omaha a conselheiro oficial de uma das mais importantes empresas de comunicação do mundo. Já na primeira reunião, Buffett percebeu que Graham tinha como hábito implorar ajuda ao conselho. Buffett pensou com seus botões: *"Isso não funciona. Você não pode se colocar nessa posição se é a CEO."* Mas ele ainda não a conhecia bem o bastante para alertá-la. Em vez disso, ele estudou cuidadosamente o conselho do *Post*, repleto de pessoas conhecidas e influentes. Na ponta dos pés, abriu caminho até os poderosos que costumavam dominar Graham. Era um conselheiro discreto, mas usava suas habilidades nos bastidores.

Nessa época, Buffett tinha outras preocupações além de Kay Graham e o *Washington Post*. O mercado, cuja recuperação era esperada pelos investidores para 1974, vivia dias de colapso. Gerentes de fundos de pensão tinham reduzido suas aquisições de ações em 80%. A carteira de investimentos da própria Berkshire passara por um corte radical, perdendo um terço do valor na segunda grande crise – uma daquelas crises que só acontecem algumas vezes no mesmo século.

Munger manteve sua sociedade aberta, mesmo depois que Buffett se desfez da sua. Agora seu valor despencava. O desempenho sempre fora mais volátil do que o mercado – para cima e para baixo. Nos últimos dois anos tinha obtido retornos decentes, mas nada espetaculares. Mas, em 1974, Munger encontrava-se em dificuldades reais, com seus sócios perdendo quase metade do dinheiro.[9] Como Ben Graham, quase meio século antes, ele se sentia obrigado a recuperar esse capital.

"Se você é feito do jeito certo, tem um gene fiduciário como Warren e eu", ele diz. "E se você disse para as pessoas: 'Acho que posso conseguir resultados extraordinários', então realmente odeia a ideia de não obtê-los."

Quanto a ele próprio, "certamente o meu capital diminuiu. Não gostei disso, mas, se pensasse em quantos anos ele poderia durar, não fazia tanta diferença ter X dólares a mais ou a menos. A única coisa que me incomodava é que eu sabia como era difícil para os sócios. Era o que estava me matando – o lado fiduciário da minha posição".[10]

Munger ainda tinha 28 sócios limitados, entre eles alguns fundos familiares. Para recuperar as perdas de metade de seu capital, ele teria que mais do que duplicar o que sobrara. E o valor da Blue Chip Stamps teria um peso significativo no sucesso ou no fracasso dessa missão.

O Fundo Sequoia, de Bill Ruane, também estava passando por dificuldades. Tinha começado com 30 milhões de dólares, vindos de antigos sócios de Buffett, e ele investira bem o dinheiro, assumindo grandes quantidades de ações desvalorizadas, como as da Capital Cities Communications, de Tom Murphy. Esse não era o tipo de papel que atraía os gestores de recursos, que tinham se fartado, anos antes, com ações glamourosas de empresas dos ramos de televisão e eletrônica. Tinham todos disparado juntos em outra direção, para os braços das *Nifty Fifty* (50 elegantes), o pequeno grupo formado pelas empresas maiores e mais conhecidas.[11]

"Nesse negócio", disse Ruane, "você tem os inovadores, os imitadores e uma multidão de incompetentes." Os imitadores e a multidão de incompetentes estavam agora ao volante, e as ações que Ruane e seu parceiro Rick Cannif compraram em 1970 tinham perdido metade do valor. Para complicar seus problemas, eles tinham comprado um posto na Bolsa de Nova York logo antes de os preços despencarem.[12] A hora escolhida para iniciar o Sequoia tinha sido evidentemente infeliz – Ruane começou no mesmo momento que Buffett encerrava a sua sociedade alegando falta de novas oportunidades. O Sequoia tinha obtido rendimentos inferiores aos do mercado todos os anos – o que, com o efeito cumulativo, se transformou numa situação dramática.[13] O pior ano do Fundo Sequoia foi 1973, quando perdeu 25% enquanto o mercado perdia 15%. E ele estava a caminho de outro ano péssimo em 1974. Bob Malott, o principal investidor de Ruane, andava enfurecido. Já era conhecido, nos corredores da Ruane, Cannif, como um "pé no saco" pelo costume de telefonar para fazer reclamações sobre discrepâncias mínimas nas contas familiares. Agora ele repreendia Ruane por ter comprado um posto na bolsa e por seu péssimo desempenho, e com tanta persistência que Ruane temia que ele retirasse o capital da firma.[14] Buffett, entretanto, permanecia sereno, pois sabia que a opinião do Sr. Mercado sobre o preço de uma ação nunca tinha relação com seu valor intrínseco. Ele sabia que tipo de ação Ruane e seus sócios tinham adquirido – e estava confiante de que as suas decisões eram boas.

Embora não servisse exatamente para massagear os egos, devido ao esnobismo reinante no local, o encontro dos discípulos de Graham no Colony Club, em 1969, pelo menos fornecera uma chance de encontrarem apoio recíproco num mercado imprevisível. Desde então passaram a ser chamados por Buffett de Grupo Graham. Ed Anderson planejou um terceiro encontro em Williamsburg. Charles Munger coordenou o quarto em Carmel, Califórnia. Em 1971, Buffett transformou essas reuniões em encontros bienais. Por lealdade a Ruane, ele permitiu que Malott fosse convidado – uma concessão normalmente negada –, e Malott e sua mulher Ibby compareceram ao encontro seguinte, em Sun Valley, em 1973, organizado por Rick Guerin.

Malott, que ficou muito impressionado com aquilo, continuou sendo cliente de Ruane, embora reclamando com uma frequência e intensidade que ainda geravam o temor de sua partida. No final de 1974, contudo, enquanto o mercado penava uma baixa de mais de 25%, o Fundo Sequoia foi capaz de, pelo menos, apresentar perdas menores.

Mesmo assim, o impacto cumulativo das perdas sobre o Fundo Sequoia era tão grande que Henry Brandt e John Loomis, marido de Carol, que tinham ido trabalhar lá, temiam o pior e decidiram abandonar o navio que naufragava.[15]

A revista *Forbes* registrou a atitude de Buffett numa entrevista publicada em novembro, que começava com uma saborosa citação. Indagado sobre como se sentia diante da situação do mercado, ele respondeu: *"Como um homem com exagerado apetite sexual que passeia em um harém. Essa é a hora para começar a investir."*[16] Continuou dizendo: *"É a primeira vez que posso me dar ao luxo de comprar Phil Fisher (ações de grandes empresas) por preços de Ben Graham (guimbas de charuto)."* Ele achava que essa era a declaração mais significativa que poderia fazer, mas a *Forbes* não chegou a incluí-la. Os leitores em geral não entenderiam as referências a Fisher e a Graham.[17] Quando a *Forbes* lhe perguntou sobre ações específicas, em vez de mencionar o que estava comprando, Buffett decidiu fazer uma travessura e verificar se o repórter pesquisara direito antigas matérias da própria revista. *"Uma empresa de águas é a coisa mais simples"*, disse, acrescentando que a Blue Chip possuía 5% da... San Jose Water Works. O repórter caiu na armadilha. A San Jose Water Works entrou na matéria sem que fosse feita qualquer referência à reportagem anterior, que insinuava que ele tinha comprado seus papéis graças à informação privilegiada.

Mas, apesar desse entusiasmo com o mercado à medida que 1974 avançava, ele não investia quase nada, basicamente se limitando a mudar o dinheiro de lugar – para papéis da Studebaker-Worthington, da Handy & Harman, da Harte-Hanks Newspapers e da Multimedia Inc. –, além de aumentar sua posição nas ações da Coldwell Bunker. Também elevou sua participação em outras empresas para 10 ou 20%. Por fim, comprou de Rick Guerin 100 mil cotas da Blue Chip. *"Ele vendeu por 5 dólares porque estava apertado"*, conta Buffett. *"Foi um período brutal."*

O comentário a respeito do "harém" tinha um duplo significado. Embora fosse, de fato, uma hora boa para começar a investir, Buffett podia basicamente olhar, mas não tocar. Uma corretora parceira da National Indemnity tinha perdido o controle, vendendo apólices de seguros de aviação que certamente representariam prejuízos. A empresa tentou detê-la, revogando sua autoridade, mas por muitos meses foi incapaz de fechá-la.[18] Os registros da contabilidade estavam em petição de miséria e as perdas não eram claras. A National Indemnity não tinha ideia da extensão do estrago do "Caso Omni", mas na pior das hipóteses a conta a pagar seria de dezenas de milhões de dólares. A esperança era de que fosse bem menos, porque a National Indemnity não tinha dezenas de milhões. Buffett estava suando frio.[19]

Alguns meses depois, no início de 1975, seus problemas ganharam proporções monumentais. Chuck Rickershauser, sócio da firma de advocacia de Munger –

que agora se chamava Munger, Tolles & Rickershauser –, chamou Munger e ele para dizer que a Securities and Exchange Commission (SEC) estava considerando entrar com ações contra eles, por violarem as leis que regiam a negociação de valores mobiliários. O que parecia ser um problema crescente mas administrável explodiu e se transformou numa emergência em grande escala.

Rickershauser tinha começado a prestar consultoria jurídica para Buffett e Munger durante a transação da See's. Mais recentemente trabalhava na retaguarda, desde que um advogado da SEC telefonara dizendo que tinha algumas perguntas a fazer. Supondo que eram assuntos de rotina, Rickershauser enviara o homem para Verne McKenzie, o operador da Berkshire.

Quando o telefone de McKenzie tocou em Nebraska, ele atendeu e descobriu que do outro lado da linha estava o chefe da divisão de investigações da SEC, Stanley Sporkin, o temido "tira ruim" do mundo dos negócios. Sporkin passava as noites semiacordado, trabalhando em sua mesa com um abajur aceso, cuidando pessoalmente de rascunhar acusações contra grandes corporações – que pela primeira vez na história americana ficaram assustadas o bastante para fazerem acordos com a SEC sem colocar os pés em um tribunal.[20] Pelo telefone, McKenzie foi interrogado sobre uma ampla gama de assuntos, da Wesco à Blue Chip, passando pela Berkshire e muito mais. O tom não era amistoso, mas McKenzie atribuiu isso a seu modus operandi. McKenzie ficou com a impressão de que, para Sporkin, se você era rico, devia ter feito alguma coisa errada.[21]

Quando Rickershauser ouviu que tinha sido o próprio Sporkin e não um dos advogados da SEC quem interrogara McKenzie longamente pelo telefone, quase teve um infarto. O retrospecto de acertos de Sporkin tornara o seu perfil de queixo duplo um dos mais conhecidos no mundo dos negócios americano. Na prática, ele tinha mais poder que o seu chefe, o presidente da SEC.

O que parece ter atraído a atenção da SEC foi o esforço de quase dois anos que Buffett e Munger fizeram para tentar desembaraçar suavemente os muitos fios de espaguete que conectavam as suas empresas. O primeiro passo tinha sido a tentativa de fundir a Diversified Retailing Company, a peça menos essencial, à Berkshire Hathaway. Em 1975, a DRC se tornara pouco mais do que um meio de adquirir ações da Berkshire e da Blue Chip. Mas a Securities and Exchange Commission – cujo aval era obrigatório para a operação – tinha adiado a decisão sobre o negócio da DRC. Munger disse a Buffett que não devia ser nada sério. Orientou Rickershauser a "convidar qualquer um da SEC" que tivesse perguntas a fazer a procurá-lo diretamente, "se isso servir para agilizar o trabalho deles e liberar nossos papéis".[22]

Mas, nos 18 meses seguintes, funcionários da SEC se dedicaram a fuxicar a Blue Chip Stamps e outros investimentos. Concluíram que Buffett e Munger tinham deliberadamente bombardeado as negociações entre a Wesco e a Santa Barbara, oferecendo um preço alto por um quarto das ações com o objetivo de controlar o resto. Pelo menos, foi assim que pareceu à Santa Barbara, pois aparentemente tinha sido ela que denunciara a Blue Chip junto à SEC.[23]

Pela primeira vez, todos perceberam que a Blue Chip estava encrencada.[24] Nem bem Buffett conquistara a glória de participar do conselho do *Post*, ele e Munger teriam que procurar ajuda legal com estonteante rapidez. Rickershauser, que já sabia como era trabalhar com Buffett, explicara uma vez a um colega que "O sol é bom e cálido, mas é bom não se aproximar demais dele".[25] Ele passaria os dois anos seguintes testando o que poderia ser chamado de "Lei da Termodinâmica de Rickershauser".

Em fevereiro de 1975, a SEC fez intimações e deslanchou uma investigação completa sobre a aquisição da Wesco pela Blue Chip: "Sobre a Blue Chip Stamps e a Berkshire Hathaway Inc., Warren Buffett [sic], HO-784." Os membros da comissão especulavam que Buffett e Munger tinham cometido fraude: "Blue Chip, Berkshire, Buffett [sic] sozinhos ou em consórcio com outros (...) podem ter se envolvido em ações que, direta ou indiretamente, funcionaram como um recurso, esquema ou artifício para enganar, ou ter incluído uma declaração falsa sobre um fato material, ou ter cometido omissão..."

Os advogados da SEC defendiam a tese de que a Blue Chip planejara desde o início o controle da Wesco Financial sem revelar esse fato. A aquisição de ações feita pela Blue Chip depois do acordo com a Santa Barbara deveria ter sido suspensa, pois se tratava de "ofertas de capital" que não tinham sido registradas na SEC.[26] Esta última acusação era a mais séria e a que trazia mais riscos de um processo – que envolveria muito barulho, publicidade e acusações de fraude não apenas contra a Blue Chip, mas também contra Buffett e Munger pessoalmente.

Ao considerar o que fazer para atingir um alvo, Sporkin tinha uma escolha. Podia processar ou fazer um acordo. O acordo era uma forma de permitir que o alvo dissesse que sentia muito, sem ter que admitir a culpa oficialmente. Assim, ele nem assumia nem negava a acusação de fraude, mas concordava em pagar uma multa. Com um acordo, a SEC também podia escolher se divulgava os nomes dos indivíduos envolvidos ou simplesmente negociava com a empresa, sem citá-los. Ser nomeado num acordo não representava necessariamente o fim da carreira de alguém, mas depois disso dificilmente haveria uma ascensão vigorosa. Depois de ser alçado ao universo dos grandes e poderosos, graças ao livro *Supermoeda*, à *Forbes* e à participação no conselho do *Washington Post*, Buffett precisou lutar desesperadamente para salvar sua reputação.

A investigação se ampliou. Intimado, Buffett teve que abrir seus arquivos –

que naturalmente consistiam de uma ampla e volumosa coleção de documentos, quase tão ampla e volumosa quanto qualquer coisa que ele colecionara na vida. Numa violação da sua tão prezada privacidade, advogados da Munger, Tolles peneiraram comprovantes de transações, informações sobre recentes aquisições de ações, memorandos para banqueiros, cartas para a See's Candies, notas para Verne McKenzie, da indústria têxtil, e coisas do gênero e enviaram o material todo aos investigadores em Washington, D. C. Buffett se sentiu perseguido. Ele e Munger viviam um pesadelo, no qual eram caçados por um gigante enorme e ameaçador. Para sobreviver, teriam que ser mais ágeis.

Cartas voaram para lá e para cá entre Munger, Tolles e a SEC. Buffett procurava manter uma calma aparente, mas voltara a sentir dores nas costas. Munger não escondia sua agitação.

Em março de 1975 os investigadores abriram caminho para uma audiência pública na SEC. Betty Peters foi chamada. "Seu advogado está aqui?", perguntaram a ela. "Não. Preciso de um advogado?", ela replicou. "Bom, todo mundo vem com um advogado", disseram. "Mas vocês não querem apenas saber o que aconteceu?", ela perguntou. Acabaram interrogando Peters sem a presença de um advogado.

Munger foi convocado. Durante dois dias – também desacompanhado, pois, afinal de contas, de que suporte legal precisaria Charles T. Munger? – ele tentou defender a Blue Chip da acusação de ter deliberadamente impedido a fusão com a Santa Barbara e explicar por que a Blue Chip desembolsara mais do que era estritamente necessário pelas ações da Wesco. Sim, a Blue Chip tinha pensado em obter o controle, ele disse, mas esses planos eram "remotos e contingentes" até a fusão com a Santa Barbara desandar. As discussões se tornaram circulares quando chegaram no papel que ele e Buffett tiveram ao conversar com Vincenti e claramente "cortejar" Betty Peters e os votos da família Casper. Munger tinha uma lamentável tendência a interromper o advogado da SEC, Larry Seidman, e fazer sermões. "Queríamos parecer justos e corretos para Lou Vincenti e Betty Peters", ele disse.[27] Mas os advogados da SEC não conheciam o teimoso Lou Vincenti. Não podiam compreender. "E os outros acionistas da Blue Chip?", perguntou Seidman. Seidman não conseguia enxergar um motivo para a Blue Chip ter sido tão generosa com os acionistas da Wesco. Àquela altura, as ações da Wesco já se encontravam, em grande parte, nas mãos de árbitros.

Eram pessoas que tinham comprado ações da Wesco sabendo que o papel subiria de volta ao preço que a Santa Barbara oferecera quando o acordo fosse fechado. Eles protegiam parcialmente suas apostas comprando ações da Santa Barbara, de forma semelhante ao que fizera a Graham-Newman ao comprar papéis da Rockwood em troca de recibos de grãos de cacau guardados num armazém. Mas, quando o acordo da Wesco desandou, era como se o preço dos grãos de cacau tivesse despencado.[28] Por que fazer um favor a eles, levantando o preço?

Munger sacou sua arma final, Benjamin Franklin: "Não achamos que a nossa obrigação com os acionistas fosse incompatível com o desejo de fazer o possível para sermos justos. Acreditamos na ideia de Ben Franklin de que a política honesta é a melhor política. Na nossa cabeça, reduzir o preço provocaria uma imagem mental vulgar a nosso respeito."[29]

Seidman ficou um pouco confuso com esse argumento, e mesmo Munger admitia que os detalhes do que fora feito não tinham uma aparência boa. Ele implorou que Seidman enxergasse o quadro mais amplo. "Se olhar os registros gerais, verá que tomamos precauções muito além daquelas exigidas por lei, para tentarmos ser justos com as pessoas e observar todas as exigências de uma boa negociação. Espero simplesmente que o senhor chegue à conclusão de que não se trata de um caso passível de qualquer tipo de processo... Se existe alguma irregularidade, não foi intencional."

Quando Buffett apareceu, perguntaram por que ele e Munger não deixaram a Wesco ir para o buraco, para que pudessem comprá-la barato. "*Acho que a reputação geral da Blue Chip não seria tão boa*", disse Buffett, "*e alguém teria ficado aborrecido com aquilo.*" Mas por que ele deveria se importar? "*Porque era importante o que a administração da Wesco pensaria da gente. Você pode pensar: bem, nós temos o controle e isso não faz diferença, mas Lou Vincenti não era obrigado a trabalhar conosco. Se ele sentisse que nós éramos uns porcalhões ou coisa parecida, simplesmente não ia funcionar.*"

Buffett – que, assim como Munger, surpreendeu os advogados ao aparecer sozinho – se mostrou prestimoso, voltando a Washington diversas vezes, explicando com toda a paciência como funcionava a Blue Chip, expondo sua filosofia de negócios e falando sobre seus anos de infância em Washington. Ele deixou uma boa impressão em Seidman, mas não no veterano advogado da SEC que cuidava da investigação. Ele era conhecido como "tigre" e tinha como lema a frase "Não passarão". Assim, não se deixou convencer por esses argumentos.[30] A atitude do investigador sênior era não deixar passar incólume ninguém que fizesse alguma coisa perto do limite da legalidade.[31]

A equipe continuou a procurar dados, parecendo fascinada com a complexidade do império de Buffett. Chegou a investigar se ele tinha usado informações privilegiadas no caso da San Jose Water Works.[32] E começou a cavar em torno da Source Capital, o fundo de investimentos fechado do qual Munger comprara 20%, como guimba de charuto, e que ajudara a dar uma reviravolta. Nessa altura, o mercado de ações já se recuperara. O Fundo Sequoia, de Ruane, teve um impressionante retorno em 1975, obtendo mais de 62%, em comparação aos 37% do mercado. Munger também tinha praticamente recuperado o dinheiro de seus sócios, com rendimentos de 73% em 1975. Então resolveu encerrar a sociedade, sem deixar pedra sobre pedra. Explicar por que aquele complicado império fazia sentido baseando-se nos baixos preços das ações ficou mais difícil naquele momento em que o mercado se recuperava. A investigação ganhava cada vez mais ramificações, como se fosse uma tarântula com pernas cabeludas que se multiplicavam.

Rickershauser estudara um quadro que mostrava todos os complexos interesses financeiros de Buffett e Munger. Buffett ficava ao centro, adquirindo a Blue Chip, a Diversified Retailing Company e a Berkshire Hathaway – entrelaçadas de tantas formas diferentes que Rickershauser ficou arrepiado.[33] Todo mundo que conhecia Buffett, o grande tubarão-branco, sabia que ele era praticamente incapaz de parar de adquirir essas ações. Se encontrasse 10 dólares na rua e visse uma ação da Blue Chip, da Berkshire ou da DRC, ele atacaria o papel, jogando o certificado na gaveta mais próxima. Depois que ele e Munger compraram os primeiros 25% da Wesco, Rickershauser finalmente aconselhara Buffett a comprar apenas em ofertas oficiais de ações, para não aparentar uma atitude imprópria.[34] O complexo *cross-holding* que Buffett criara dava a impressão de que ele estava tentando esconder algo. Rickershauser olhou para o complicado diagrama e ficou aflito: "Vai acabar havendo uma acusação formal."[35] Ele não achava que a SEC teria provas suficientes para mandar ninguém para a cadeia, mas seria terrivelmente fácil fazer uma acusação.

Em linhas gerais, Munger era o parceiro pequeno, com investimentos mínimos se comparado a Buffett. Vinha sendo apontado como cúmplice secundário, mas, como a Blue Chip era o seu território, ele era também um dos protagonistas da saga da Wesco, com um papel importante nos questionamentos da SEC.[36] "Temos um conjunto muito complicado de negócios e acho que aprendemos com pesar que isso não é uma coisa tão inteligente assim", ele admitiu para Seidman, "Mas tentamos manter todas as bolas no ar, sincronizadas com as outras bolas, e manipulá-las com honradez."

Apesar dos protestos dos dois e de ninguém conseguir achar nada errado nas negociações em torno da San Jose Water Works ou da Source Capital, a SEC continuou. O tigre da promotoria agora recomendava a Sporkin que a SEC abrisse processos contra as pessoas físicas de Buffett e Munger. Ele não se abalou com os testemunhos dos dois, pois acreditava que eles tinham impedido intencionalmente a fusão da Santa Barbara, ao pagarem mais pelas ações da Wesco. Ele não nutria a menor simpatia pelo argumento "quem saiu prejudicado?", para explicar por que pagaram tanto – e achou que os dois estavam dando explicações de mais para os acontecimentos.[37]

Rickershauser escreveu diretamente a Sporkin. Implorou a ele que não processasse Buffett e Munger, "indivíduos que valorizam seu bom nome e reputação como seu mais caro patrimônio" porque "muita gente, talvez a maioria das pessoas, imagina que existe má conduta da parte de qualquer um que passe por um processo civil da comissão". Mesmo se Buffett e Munger concordassem em fazer um acordo sem admitir ou negar as acusações, o simples processo causaria "danos terríveis e irreversíveis", pois "a boa reputação da comissão destrói automática e inexoravelmente a boa reputação" dos réus. "A força de um gigante deve ser empregada com muito cuidado", insistiu. "O risco de equívocos involuntários em negócios não pode se tornar tão oneroso que pessoas que valorizam suas reputações sejam impedidas de trabalhar."[38] Propôs, por fim, que resguardassem os nomes de Buffett e Munger, oferecendo em troca o consentimento em assumir uma série de pequenas violações técnicas por parte da Blue Chip, desde que o processo não citasse nominalmente ninguém.

É difícil imaginar o pânico que devia estar tomando conta da mente de Buffett. No escritório, ele fazia o melhor que podia para manter uma fachada inalterada e não alarmar sua equipe, cujos membros poderiam ser convocados pela SEC a qualquer momento.

Rickershauser trabalhou como um estivador para retratar seus clientes como cidadãos honrados, membros de famílias-modelo. Mandou biografias de Munger e Buffett para a SEC, enfatizando seu trabalho social, os conselhos dos quais participavam, o mandato de Howard Buffett no Congresso e os milhões de dólares em impostos que Buffett pagara ao governo desde que preenchera a sua primeira declaração, aos 14 anos. Buffett, obviamente, andava caçando esse documento como se sua vida dependesse disso.

Munger estava resignado. "Se um policial o persegue pela estrada por 750 quilômetros", ele disse a Buffett, "com certeza você será multado."

Rickershauser fez mais uma proposta a Sporkin, de forma delicada. "A complexidade dos empreendimentos financeiros dos senhores Buffett e Munger (...) aparentemente provocou a sensação de que o cumprimento de variados requisitos legais se tornou cada vez mais difícil", escreveu, acrescentando que, mesmo assim, a dupla havia tentado respeitar tanto o espírito quanto a letra da lei. "Mas agora eles desejam simplificar os seus negócios o mais depressa possível."[39]

Nos depoimentos, os advogados do SEC já tinham explorado o conceito de "simplificação". "*Em algum momento do futuro, é certamente possível que desejemos fundir a Blue Chip com a Berkshire*", respondera Buffett a uma das perguntas. "*Mas a Blue Chip tem um bocado de problemas legais, e até que alguns deles sejam resolvidos fica difícil chegar a um coeficiente de trocas razoavelmente justo. Se as*

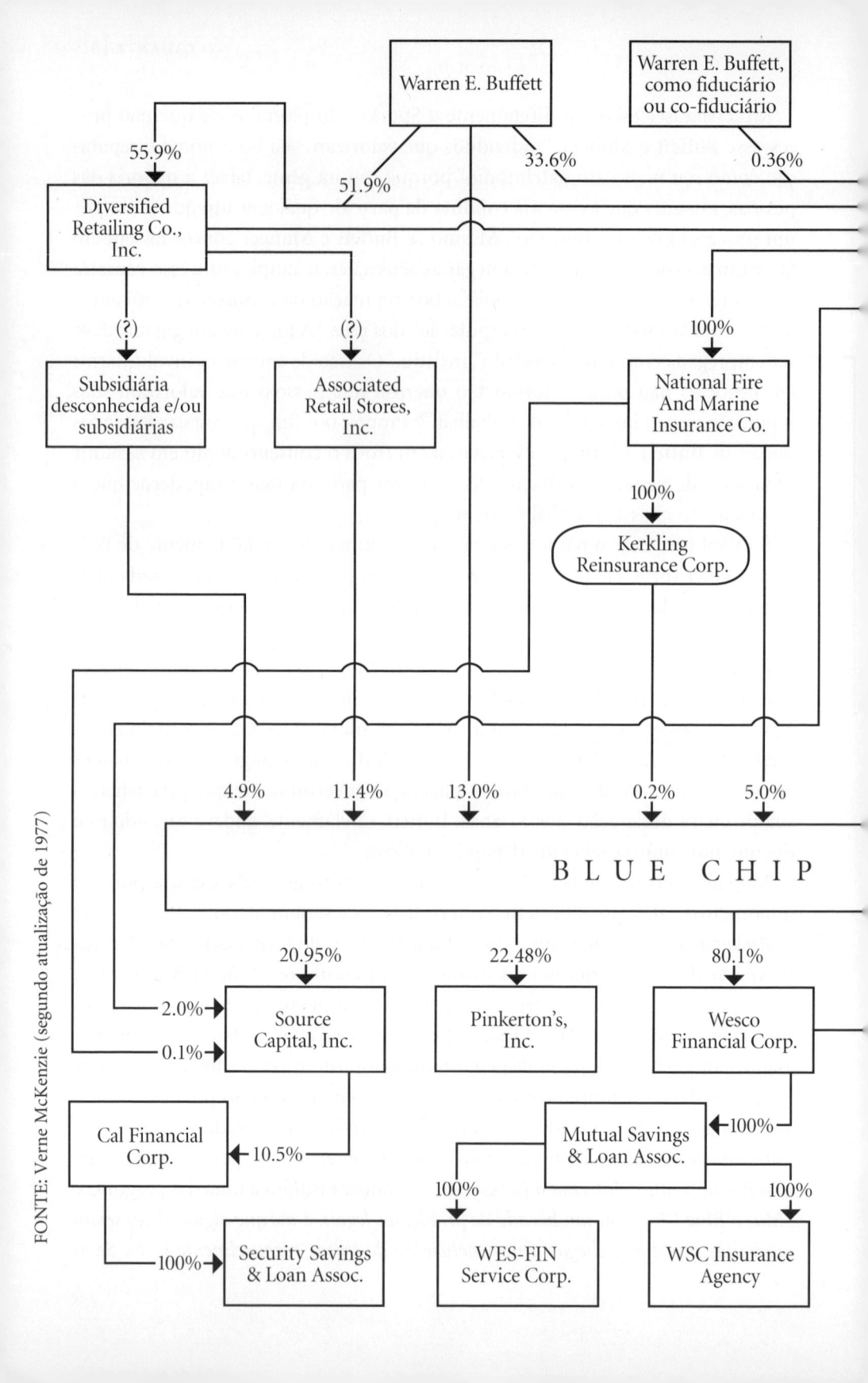

```
                      ┌─────────────────┐      ┌──────────────────────┐
                      │ Warren E. Buffett│      │ Warren E. Buffett,   │
                      │                 │      │ como fiduciário      │
                      └─────────────────┘      │ ou co-fiduciário     │
                                               └──────────────────────┘
         55.9%                  51.9%        33.6%              0.36%
```

- Diversified Retailing Co., Inc. — 55.9%
- (via 51.9% / 33.6%) National Fire And Marine Insurance Co. — 100%
- Warren E. Buffett, como fiduciário ou co-fiduciário — 0.36%

Diversified Retailing Co., Inc.
- (?) → Subsidiária desconhecida e/ou subsidiárias
- (?) → Associated Retail Stores, Inc.
- 100% → National Fire And Marine Insurance Co.
  - 100% → Kerkling Reinsurance Corp.

BLUE CHIP — participações:
- 4.9% (Subsidiária desconhecida e/ou subsidiárias)
- 11.4% (Associated Retail Stores, Inc.)
- 13.0% (National Fire And Marine Insurance Co.)
- 0.2%
- 5.0%

Blue Chip detém:
- 20.95% → Source Capital, Inc.
- 22.48% → Pinkerton's, Inc.
- 80.1% → Wesco Financial Corp.

- 2.0% → Source Capital, Inc.
- 0.1% → Source Capital, Inc.

- Source Capital, Inc. — 10.5% → Cal Financial Corp.
- Cal Financial Corp. — 100% → Security Savings & Loan Assoc.
- Wesco Financial Corp. — 100% → Mutual Savings & Loan Assoc.
  - 100% → WES-FIN Service Corp.
  - 100% → WSC Insurance Agency

FONTE: Verne McKenzie (segundo atualização de 1977)

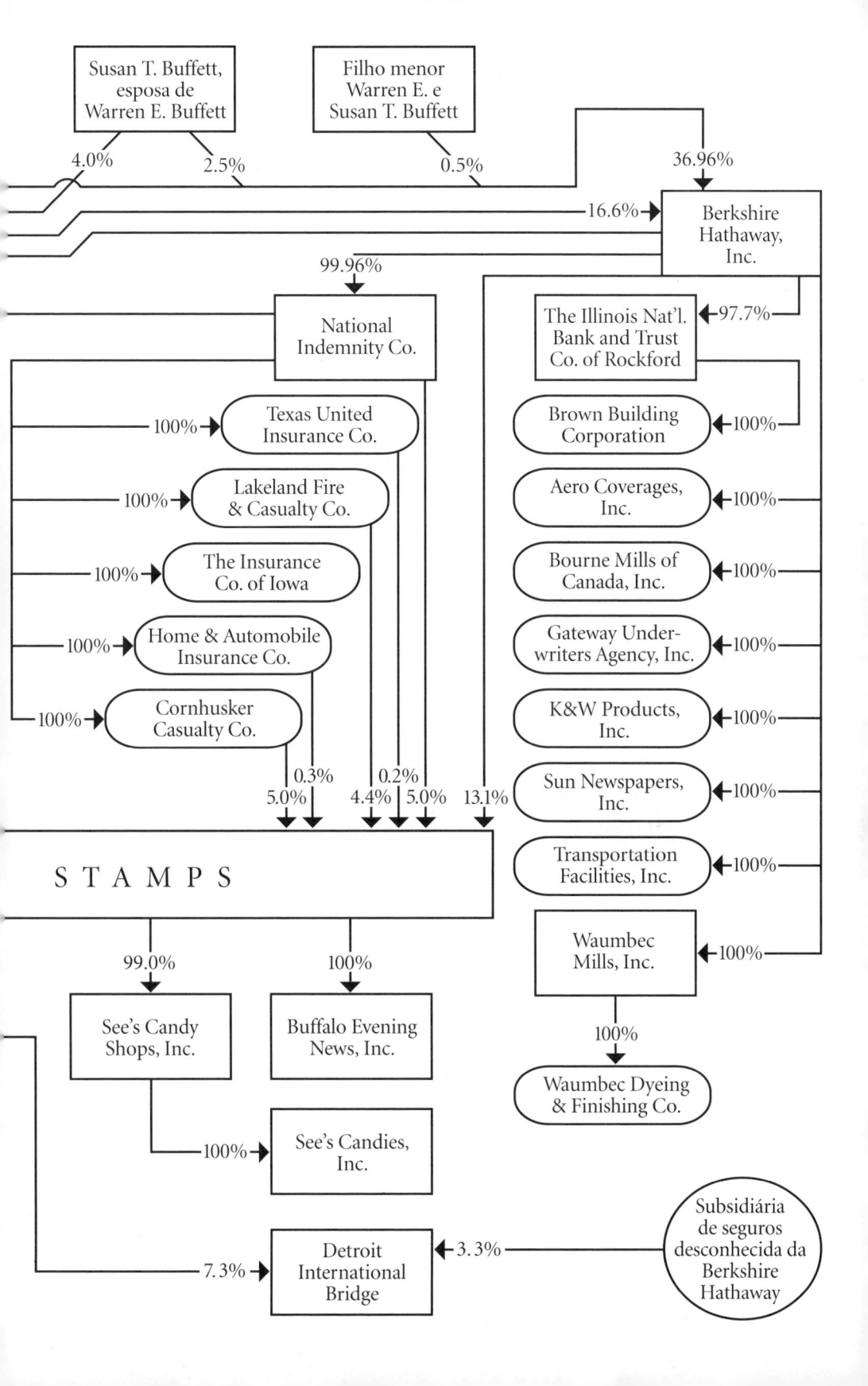

```
┌─────────────────┐         ┌─────────────────┐
│ Susan T. Buffett,│        │  Filho menor    │
│   esposa de     │         │  Warren E. e    │
│ Warren E. Buffett│        │ Susan T. Buffett│
└─────────────────┘         └─────────────────┘
      │ 4.0%   │ 2.5%              │ 0.5%            │ 36.96%
      │        │                   │                 ▼
      │        │                   │          ┌──────────────┐
      │        └──── 16.6% ────────┼─────────►│  Berkshire   │
      │                            │          │ Hathaway, Inc.│
      │                            │          └──────────────┘
                   99.96%                           │
                      ▼                             │
              ┌───────────────┐        ┌─────────────────────┐
              │    National    │       │ The Illinois Nat'l. │◄─ 97.7%
              │  Indemnity Co. │       │  Bank and Trust     │
              └───────────────┘        │  Co. of Rockford    │
                                       └─────────────────────┘
```

Texas United Insurance Co. — 100%
Lakeland Fire & Casualty Co. — 100%
The Insurance Co. of Iowa — 100%
Home & Automobile Insurance Co. — 100%
Cornhusker Casualty Co. — 100%

Brown Building Corporation — 100%
Aero Coverages, Inc. — 100%
Bourne Mills of Canada, Inc. — 100%
Gateway Underwriters Agency, Inc. — 100%
K&W Products, Inc. — 100%
Sun Newspapers, Inc. — 100%
Transportation Facilities, Inc. — 100%
Waumbec Mills, Inc. — 100%

STAMPS: 0.3%, 5.0%, 4.4%, 0.2%, 5.0%, 13.1%

See's Candy Shops, Inc. — 99.0%
Buffalo Evening News, Inc. — 100%
See's Candies, Inc. — 100%
Waumbec Dyeing & Finishing Co. — 100%
Detroit International Bridge — 7.3%, 3.3%
Subsidiária de seguros desconhecida da Berkshire Hathaway

coisas acontecerem de acordo com minhas preferências, algum dia as duas irão se fundir. Assim teríamos mais ou menos os mesmos negócios que temos hoje, mas com menos complicações. Ao contrário do que pode parecer, eu realmente não gosto dessas complicações. Não tenho uma equipe enorme para resolver tudo. Parecia simples enquanto estávamos fazendo, mas não parece simples agora."[40]

Indagado por um investigador da SEC se Buffett teria "planos contingenciais" para simplificar as coisas, Munger disse: "Ah, claro. Ele tem um plano contingencial com o dobro do tamanho daquele que tinha antes de começar a investigação."[41]

Ao considerar a proposta, Sporkin diz hoje, muito dependeu de Rickershauser. "Foi um dos poucos advogados que conheci que, não importa o que ele dissesse, eu poderia apostar que estava falando a verdade." Sporkin via Rickershauser não apenas como um advogado brilhante, mas também honesto, direto e correto, incapaz de mentir. Rickershauser disse a Sporkin que Buffett ia se tornar "a figura mais grandiosa que já apareceu em Wall Street" e garantiu que ele era "o homem mais decente e honrado que poderia haver". Se essas frases tivessem vindo de qualquer outra pessoa, Sporkin as teria descartado como simples retórica, mas, partindo de Rickershauser, ele as considerou sinceras e bem fundamentadas.[42] Sporkin sentia que sua missão era igualmente importante quando absolvia ou condenava. Pensava que um promotor devia ser capaz de reconhecer a diferença entre uma pessoa essencialmente honesta que deu um mau passo e um bandido. Quando se tratava de bandidos, seu trabalho era livrar-se deles. A visão que ele passou a ter de Buffett e Munger era que, com certeza, tinham dado um mau passo, mas não eram bandidos.[43]

Então o gigante deu suaves palmadinhas nas mãos da Blue Chip.[44]

A empresa concordou com um veredicto da SEC, mediante o qual não admitia nem negava que deixara de notificar os investidores sobre o fato de que estava tentando impedir a fusão com a Santa Barbara ao comprar ações da Wesco, e que a Blue Chip elevara artificialmente o preço das ações da Wesco durante três semanas.[45] A Blue Chip prometeu nunca mais fazer aquilo – que não admitira ter feito.[46] O processo não citou indivíduos. A cobertura jornalística do evento foi trivial, e logo tudo seria esquecido. As fichas de Buffett e Munger e suas reputações continuavam limpas.

Duas semanas depois a SEC chamou Buffett para participar de uma mesa-redonda com grandes nomes para debater as práticas de divulgação corporativa. Era o perdão e, acima de tudo, a chance de um novo começo.[47]

40
Como não cuidar de uma biblioteca pública

Washington, D. C. – 1975-1976

Um dia, no início de 1975, Eunice Denenberg, amiga de Susie Buffett, apareceu e se sentou no sofá coberto de pelos de cachorro, na sala de estar da família. Susie virou-se de costas para não precisar encarar a amiga e ligou o toca-fitas. Então cantou. Denenberg manifestou aprovação. Conversaram sobre o sonho de Susie de cantar profissionalmente, coisa que ela era tímida demais para fazer sozinha. Denenberg foi para casa. No dia seguinte, ela telefonou e disse: "É sua agente falando." Ela convocou Bob Edison, professor assistente de música na Midland College, para criar uma banda de apoio e conseguiu agendar uma apresentação para Susie no Steam Shed, um clube noturno em Irvington – uma cidadezinha nos arredores de Omaha onde ela e Dottie costumavam participar do coral na igreja do pai. Susie ficou nervosa, mas o resto da família aprovou com entusiasmo. Só Doc Thompson tinha dúvidas. "Não sei por que você quer cantar em bares."

Na noite da primeira apresentação pública de Susie, diante de uma plateia constituída por uns 35 amigos, ela estava tão nervosa que quase pediu a Warren que não fosse. Com um vestido cheio de lantejoulas, ocupada em conversar e saudar os presentes, ela enrolou até ser empurrada para o palco por Denenberg. Sua seleção musical foi intensa, apaixonada e romântica, de "Call Me", de Aretha Franklin, a "You've Made Me Feel So Young", de Sinatra, passando por "You've Made Me So Very Happy", do Blood, Sweat & Tears, e "The First Time I Ever Saw Your Face", de Roberta Flack, que ela disse ser uma de suas canções favoritas. Susie descobriu que a plateia reagia bem e devolvia o seu calor.[1] As mesmas vibração e eletricidade que ela sentia ao se relacionar individualmente com as pessoas a envolviam como uma onda quando ela cantava para um grupo num ambiente intimista. Era seu dom especial, transformado e amplificado. Ela queria se tornar cantora da noite.

Semanas mais tarde, Susie interrompeu os ensaios de sua apresentação seguinte para ir a Carmel, na Califórnia, ajudar sua cunhada Bertie, cuja filha caçula, Sally, estava morrendo com um tumor cerebral. E o casamento de Bertie com Charlie Snorf estava indo de mal a pior.

Quando Sally morreu, Bertie descobriu que a tragédia tinha libertado suas emoções até então congeladas. "Sally era uma pessoa maravilhosa, incrível, intuitiva e estranhamente perceptiva sobre as pessoas e os sentimentos, para alguém que tinha apenas 7 anos", diz Bertie. "Uma vez ela me disse: 'Mãe, você e papai são solitários quando estão juntos.' Acho que, quando uma pessoa morre, ela diz alguma coisa a alguém que é muito próximo. Quando Sally morreu, o que ela queria me dizer era que eu não podia mais negar meus sentimentos. Foi como se uma descarga elétrica atravessasse meu coração, e nunca mais consegui ocultar meus sentimentos."

Bertie sempre teve um relacionamento especial com Susie, mas quando Sally morreu e seu coração se abriu elas conseguiram se comunicar de uma forma diferente. "Susie era alguém que eu amava e que era importante para mim", diz Bertie. "Era a única pessoa com quem eu conseguia falar sobre meus sentimentos. Não havia mais ninguém da minha família com quem eu pudesse fazê-lo."

Seu irmão, porém, reagiu de forma diferente à morte da sobrinha. Ele ligou para alguns amigos que tinham visitado os Buffett em Laguna e contou a eles sobre Sally. "Ficamos muito chocados, porque estávamos todos juntos uma ou duas semanas antes", diz Mary Holland. "Perguntei a Warren o que tinha acontecido, e ele disse 'Não posso mais falar' e desligou o telefone."

Warren, na época, tinha muitas distrações para ajudá-lo a fugir de seus sentimentos. A investigação da SEC estava no estágio final. Ele estava tão fascinado por Kay Graham que não queria estar com outra pessoa. Quando Warren ficava obcecado com alguma coisa – ou alguma pessoa – nova, ele não conseguia parar de pensar nela, e demonstrava isso de forma sincera, lisonjeira e até avassaladora. Mas, quando os negócios entravam em cena, era para eles que ele desviava rapidamente toda a sua atenção, com toda a intensidade que a sua mente conseguia imprimir. Como disse Munger, Buffett "nunca deixou que suas obsessões secundárias interferissem na principal".[2] Katharine Graham, entretanto, não era uma obsessão secundária. Algum tempo antes ele decidira apresentá-la a Munger, o maior espertalhão que ele conhecia, para ver se haveria algum tipo de fagulha. *"Kay era do tipo que, se eu desse a ela uma lista de coisas para fazer, ela faria tudo de forma muito obediente. Se eu lhe dissesse para ler alguns relatórios terrivelmente complicados, ela seguiria minhas instruções de qualquer maneira. Um dia eu disse, de forma casual: 'Você precisa conhecer Charlie.' E quando ela passou por Los Angeles quis conhecê-lo.*

Então ela se sentou numa cadeira, naquele pequeno escritório do Charlie, e imediatamente tirou da bolsa um bloco amarelo, para tomar nota do que ele estava dizendo. Charlie simplesmente adorou a ideia: o que ele dizia era tão importante que a mulher mais poderosa do país precisava anotar tudo enquanto ele falava."

Munger não conseguiu resistir a esse estímulo para se exibir. Ele passou a se corresponder com Graham e escreveu: "Você está me fazendo voltar até 30 anos atrás e me comportar como Tom Sawyer com Becky Thatcher. Acho que Warren é bobo demais para nós dois."³

Não importa se ela fazia Warren se comportar como um tolo, ele também a estava obrigando a fazer um curso intensivo de negócios. "*Cheguei a tentar explicar contabilidade para ela. Eu trazia relatórios anuais para Washington, e ela dizia: 'Puxa, Warren, vamos ter aula.' E lá estava eu, ensinando.*" Ele achava que o filho dela, Don, era "*inacreditavelmente inteligente*", com "*a coisa mais parecida com uma memória fotográfica que eu jamais encontrei na vida*". Para restabelecer a segurança da família, Warren designou Don como seu representante nas votações do conselho. Agora ficava na casa de Kay quando ia a Washington participar das reuniões mensais. Mas Kay tinha reservas quanto à forma como ele se vestia. "*Eu disse a ela: 'Vou me vestir tão bem quanto Don.' Ele e eu cerramos fileiras*", conta Buffett.

Buffett sentia que Kay era "*muito, muito esperta e também sábia, de muitas maneiras, desde que você não tentasse penetrar naquelas áreas que guardavam as feridas. Mas ela compreendia bem as pessoas*". Quando ficaram mais íntimos, ele achou que podia lhe dizer alguma coisa sobre a forma com que se apresentava ao conselho. Sabia que ela era menos carente do que ela própria pensava. Um dia, puxou-a num canto e disse: "*Você não deve mais implorar ajuda ao conselho. Não é nessa posição que você deseja estar.*" E, pelo que ele diz, ela parou de agir assim.

Os laços pessoais e empresariais entre Graham e Buffett se estreitaram o suficiente para que Warren convidasse Katharine e Don a participar da reunião do Grupo de Graham em 1975, em Hilton Head. Don deixou logo uma boa impressão com seus modos despretensiosos, ao mesmo tempo que demonstrava seu QI acima da média. Muita gente conseguiu enxergar rapidamente a verdadeira Kay por trás da fachada aristocrática e perceber a vulnerabilidade e a humildade que a tornaram tão querida de Warren. Dessa forma, ela se adaptou facilmente ao grupo, apesar de sua presença de rainha e de seu mundanismo. Ela fez um esforço sincero para se relacionar bem com todo mundo – embora sua crença arraigada na superioridade dos homens sobre as mulheres não tenha passado despercebida. Graham, maravilhosamente bem-vestida, cuidadosamente penteada, um ícone do sexo feminino, deslizava com naturalidade em sua cadeira, cercada de homens, com um drinque na mão. Alguém emitia uma opinião a respeito de política e ela retrucava "Henry acha isso e aquilo" – referindo-se a Kissinger. Era impossível não ficar impressionado.

Susie Buffett cantou para o grupo pela primeira vez em Hilton Head. Bill Ruane trouxe um quadro que mostrava o preço do ouro, que durante cinco anos superara o crescimento da Berkshire Hathaway. Perguntou, de uma forma algo fanfarrona, se deveria continuar comprando o metal. O fato é que ele realmente andara comprando ouro e já tinha conseguido um bom dinheiro com isso.[4]

Henry Brandt puxou Buffett para uma sala separada e lhe pediu que prometesse que as ações da Berkshire não seriam negociadas abaixo de 40 dólares. Em outubro de 1975, dois anos antes, a ação tinha caído para metade dos 93 dólares que valia. *"Veja só, eu amo você"*, Buffett recorda-se de ter dito, *"mas não posso lhe prometer nada."* "O mundo vai acabar", respondeu Brandt, ou coisa parecida. "Todos os meus dólares estão nessa ação."

O mundo continuou acabando. Apesar de o resto do mercado de ações estar em recuperação, a Berkshire não estava. Brandt entrou em pânico e ligou para Buffett, que lhe ofereceu 40 dólares por ação. Então Brandt procurou Walter Schloss e disse: "Warren quer me pagar 40 dólares, e eu quero 50, o que devo fazer?"

Schloss era o último paladino das guimbas de charuto. Na reunião do Grupo Graham, os outros faziam chacota de sua carteira de investimentos ultrapassada, formada por papéis de siderúrgicas falimentares e fabricantes de autopeças decadentes. "E daí?", disse Schloss. "Não gosto de pressão e durmo bem à noite." Ele cumpria a lista simples de requisitos na aplicação da filosofia de Graham em sua forma mais pura. Deixava sua mesa no escritório da Tweedy, Browne às 17 horas em ponto, todos os dias, e seus resultados eram fenomenais.

Mas Schloss ficou desolado ao ouvir Brandt dizer que ficaria melhor sem as ações da Berkshire, o que contrariava toda a filosofia das guimbas de charuto. Schloss trabalhou para ele por duas horas, dizendo: "Você tem o sujeito mais esperto do mundo administrando seu dinheiro, e Warren não cobra nada. Vai cometer um grande erro se vender." "Pensei que o tinha convencido", diz Schloss. Mas a economia americana estava atravessando tantas dificuldades que Nova York estava quase falida. O país vivia dias de intenso pessimismo, e isso afetava o julgamento das pessoas. "Na segunda, ele chamou o corretor", diz Schloss, e começou a vender as ações da mulher, não as dele, até se desfazer de metade do que tinha.[5]

Logo depois o presidente Ford negou recursos para uma operação de emergência destinada a salvar a economia de Nova York. O jornal *New York Daily News* captou o sentimento da época com uma imensa manchete: "Ford diz à Cidade: Caia Morta".[6]

Os sócios que tinham recebido ações da Berkshire em 1970, quando era negociada a 40 dólares, não pareciam estar em melhor situação do que há 5 anos. "Para qualquer um dos portadores", conta Munger, "parecia que pouco de bom havia acontecido em muito, muito tempo. E nao era algo que nossos sócios tivessem experimentado anteriormente em qualquer grau. Os números pareciam terríveis, mas o futuro, com base naquilo que se poderia chamar de valor intrínseco, que reflete as verdadeiras proporções dos negócios, era de ganhos continuados."

O patrimônio líquido do próprio Buffett, baseado no valor da ação, voltara ao nível da época em que encerrara a sociedade. Apesar da aparente erosão da riqueza – que teria apavorado praticamente qualquer outra pessoa –, ele nunca parecia se agitar. Ao contrário, determinou que as empresas que controlava continuassem a comprar, comprar e comprar. Em 1974, antes do início da investigação da SEC, a Berkshire possuía 26% da Blue Chip. Embora tivesse pisado no freio da Berkshire enquanto durou o Caso Omni, em 1975, ele comprou ações dela por intermédio da DRC. Quando a poeira baixou, a Berkshire já possuía mais de 41% da Blue Chip – de maneira que ele e Susie possuíam, pessoalmente e por intermédio da Berkshire Hathaway, 37% das ações.

E, como a Berkshire estava barata em 1976, ele pensou em outra forma de aproveitar a situação, fazendo com que sua mãe, "que não dava importância alguma ao dinheiro", vendesse 5.272 ações da empresa para Doris e Bertie. Por 5.440 dólares mais uma promissória no valor de 100 mil dólares, cada uma ganhou 2.636 ações da Berkshire, pagando o equivalente, em dinheiro, a 2 dólares por unidade.[7] Buffett, que considerava um pecado ter dívidas, achou que a Berkshire estava tão barata a 40 dólares por ação que deixou as irmãs pegarem emprestado o equivalente a 95% do valor para comprá-las. Diante da taxa de rendimento que ele pensou que podia compor, comprar nessas condições faria com que as irmãs enriquecessem.[8] E também evitaria uma grande mordida do imposto de renda.

"Era o que minha mãe queria fazer, e a época foi perfeita. Foi provavelmente a maior jogada de todos os tempos. Nunca mais vai acontecer. Era uma situação que só aparece uma vez na vida."

Propriedades valiosas estavam sendo vendidas em toda parte por uma ninharia. Mais ou menos na mesma época, Tom Murphy trouxe a Warren a oportunidade de adquirir uma estação de televisão. Buffett percebeu que seria um negócio incrível, mas ele não podia comprá-la, pois entraria em conflito com a Washington Post Company,[9] que também possuía canais de TV. Como era membro do conselho do *Post*, aquilo o colocaria acima do limite de participação permitido pela FCC.* "Com que negócio estou envolvido que não seja meu?", ele se pergun-

---

* Comissão Federal de Comunicações, agência norte-americana que regula as comunicações por rádio, televisão, cabo e satélites. *(N. do T.)*

tou. Precisou parar para pensar na resposta. Então lembrou que não possuía a Grinnell College. A primeira estação que eles examinaram já tinha sido vendida, mas, por recomendação de Buffett, Grinnell adquiriu uma de Dayton, Ohio, por 13 milhões de dólares, entrando com apenas 2 milhões. Sandy Gottesman conseguiu financiamento para o resto. O corretor que a vendeu para Grinnell disse que era o melhor negócio que ele tinha visto nos últimos 20 anos.[10]

Havia boas razões, porém, para as ações estarem tão baratas e para cidades como Nova York se encontrarem à beira da falência. Junto com a inflação crescente, o descontrole no custo da mão de obra e as relações instáveis de trabalho estrangulavam a economia. Os jornais estavam entre os negócios que mais sofriam. Logo depois da reunião em Hilton Head, em 1º de outubro de 1975, às 4 horas da manhã, os acordos do *Washington Post* com os sindicatos expiraram. Alguns gráficos descarregaram os extintores de incêndio, espalharam óleo, retiraram engrenagens, arrancaram fios elétricos e vandalizaram os equipamentos. Rasgaram rolos de papel de imprensa, tocaram fogo e fizeram um dos capatazes sangrar, com um ferimento na cabeça.[11] Graham chegou uma hora depois e encontrou o prédio reluzindo sob os holofotes das câmeras de televisão e cercado por carros de bombeiros, policiais e centenas de trabalhadores em piquetes.

As relações do *Post* com alguns dos sindicatos andavam "na corda bamba", recorda Don Graham.[12] Os militantes consideravam a administração "incompetente", escreveria Kay mais tarde, "mas ao mesmo tempo competente o bastante para perversamente torná-los bode expiatório de todos os problemas atribuídos ao nível gerencial".[13] Depois de anos submetendo-se a sabotagens e operações tartaruga, com nove acordos sindicais expirando na mesma hora, os negociadores patronais reagiram aos trabalhadores numa atmosfera de tensão e frustração.

Mas outros sindicatos, fora o dos gráficos, eram contra a paralisação – em especial o importantíssimo Newspaper Guild, que representava os jornalistas. Utilizando gráficas cedidas e helicópteros para atravessar os piquetes levando os funcionários essenciais, o *Post* saiu com uma edição mais magra, depois de apenas um dia de distúrbios. Mas, à medida que a greve se consolidava, Graham ficou paralisada pelo medo de que seu jornal estivesse cometendo suicídio. Os gerentes e os fura-greves conseguiam produzir apenas metade da tiragem normal, com uma edição com um quarto do tamanho habitual, e os anunciantes fugiam rapidamente para o arquirrival do *Post*, o *Evening Star*. Depois de alguns dias, o *Star* estava "tão grosso e recheado de anúncios que era difícil segurar o jornal".[14]

"*Fui chamado porque ficaram preocupados com Kay, que estava desabando. Atravessamos juntos os piquetes. Kay até que foi bem corajosa naquela situação. Mas eu a* vi cair em prantos quando pegou o Star. O Star estava tentando copiar o Post, e até contratando seus funcionários. Ela acordava no meio da noite e telefonava para mim."

Quando se sentia ameaçada, a mulher que o editor Howard Simon chamava de "Katharine Má" aparecia em cena.

"Na verdade, ela não era uma Kay Má. Era Kay Insegura. Quando sentia insegurança, ela podia se tornar bem estridente. Ocasionalmente, algum incidente mexia com Kay, e ela reagia como um animal. Era como se acreditasse que ninguém estava do seu lado. Sentia-se encurralada. E ninguém sabia bem o que fazer. Era quando me chamavam. Phil não tinha ficado do lado dela, nem a mãe. Os executivos da empresa também nem sempre ficaram do lado dela. E assim Kay tinha sempre a sensação de que, no fundo, estava num ambiente pouco amistoso, e isso podia ser agravado por um incidente qualquer.

Mas ela sabia que eu estava do lado dela. Não que eu concordasse com tudo ou engolisse qualquer coisa que ela dissesse. Mas eu estava do lado dela. E sempre estaria."

A Katharine Má tinha algumas semelhanças com Leila Buffett. E Warren, naturalmente, demonstrou orgulho por ser a única pessoa que conseguia manter a confiança de Kay – e manter Kay Má sob controle.

Buffett tinha desenvolvido seu discernimento sobre as motivações das pessoas. Àquela altura, ele compreendia o que estava acontecendo com quem estava à volta de Graham e conseguiu ajudá-la a pôr a situação em perspectiva. O fato de ele agora ser capaz de transmitir seu discernimento para outros demonstra claramente a importância de tudo que Susie fez por ele. Sua antena para as reações das pessoas era precisa. Ele podia ajudar alguém que se sentia ameaçado a identificar a diferença entre um indivíduo realmente perigoso e um que estava apenas reagindo com medo.

"Ela achava que Warren era capaz de caminhar sobre a água – e ele era", diz o conselheiro Arjay Miller. "Warren era aberto, e ela confiava nele." Buffett conseguia desenvolver nela a habilidade de ver todos os lados de uma situação de forma imparcial, habilidade que Susie o ajudara a desenvolver, e esse maravilhoso dom da autoconfiança e da segurança foi absorvido, portanto não dependia mais da sua presença. Mas Kay era realmente insegura. "Não acho que ele tenha obtido êxito completo", diz Miller, "mas sem dúvida chegou bem perto." Ela precisava da sua presença física.

Durante os seis meses seguintes, o *Post* continuaria a ser publicado em meio a negociações infrutíferas, ameaças, violência, guerra de nervos e uma luta constante para manter o Newspaper Guild fora da greve. As pessoas assumiam todo tipo de tarefa para que o jornal saísse. Don Graham trabalhou até como manipulador de papel, empurrando rolos gigantescos e pesados até impressoras.

"Tinha pessoas em volta dela, inclusive algumas por quem tinha o maior respeito, que diziam: 'Você tem que ceder, ou vai perder.' Estavam com medo. Detestavam não serem capazes de suportar aquela situação – é ver o Star ganhar terreno do Post.

Assim, eu funcionei como uma força na direção contrária. Eu disse a ela: 'Avisarei a você quando estiver chegando o ponto em que tudo vira de cabeça para baixo. Esse ponto é quando o outro sujeito passa a dominar, e, depois que você recua, ele domina mais ainda. Há 50 variáveis possíveis: a atitude dos seus empregados, a impressão de que você deixou a comunidade na mão, o nível de satisfação dos anunciantes que mudaram de lado. Você está correndo o risco de as pessoas mudarem de hábitos. Mas eles não conseguiram nossos colunistas, nem nossos quadrinhos, então a pergunta é: em que momento o público decide ler outro jornal?'

Aquilo calou fundo nela. Kay acreditava em mim, e estava certa. Tudo que eu defendia, com sinceridade, eram os seus interesses, e ela sabia que eu entendia bastante de negócios."

Apesar dos "encorajamentos de Warren, era o pescoço dela que estava em jogo, e não o dele", enfatiza George Gillespie.[15]

Ela precisava ser forte o suficiente para suportar toda a empresa. Embora quase todos os funcionários do *Post*, fora os gráficos, continuassem trabalhando, a constante ameaça de violência afetava aqueles que atravessavam os piquetes. Os pneus dos seus carros eram rasgados, e suas famílias recebiam ligações ameaçadoras. Um grevista carregava um cartaz dizendo: "Phil atirou no Graham errado." Para se manterem ocupados, Graham, Buffett e Meg Greenfield enrolavam os jornais na sala de correspondência. Buffett adorava aquilo, trabalhar mais uma vez na distribuição de um jornal.

Dois meses depois do início da greve, o *Post* fez uma oferta final aos gráficos, que foi rejeitada.[16] A greve se prolongava sem solução. Graham começou a contratar substitutos, atrapalhando o movimento. Os gráficos continuaram a fazer piquetes, como se houvesse alguma chance de negociação. Mas nos meses seguintes o jornal gradualmente recuperou o apoio dos outros sindicatos, dos leitores e dos anunciantes, embora os piquetes e a publicidade fraca continuassem primavera adentro.

Da mesma forma que Graham lentamente resgatava a sua empresa,[17] Buffett e Munger finalmente entraram num acordo com a SEC. Buffett convidou Munger para comer um filé no Johnny's Café, onde concluiriam o plano de "simplificação". Ele decidiu parar de administrar recursos para a FMC. A Blue Chip venderia a sua participação na Source Capital,[18] enquanto a Berkshire e a DRC reformulariam seu plano de fusão, anulado no início de 1975 pela investigação da SEC. Atendendo a um pedido de Betty Peters, a Wesco, da qual a Blue Chip possuía 80%, continuaria a ser uma empresa aberta, com Munger na presidência. Munger e Buffett resolveram esquecer a fusão da Blue Chip com a Berkshire Hathaway, até que pudessem entender melhor o valor relativo das empresas.

Com a Berkshire e o *Post* saindo de um período turbulento, que consumira toda a sua atenção, a rotina de negócios de Buffett começou a se normalizar. As reuniões do conselho do *Post* perderam seu caráter de emergência, e Graham pensou em expandir seu império.

Na época, os jornais estavam sendo negociados a torto e a direito. "*Kay queria mesmo comprar jornais. Mas, acima de tudo, ela não queria que outras pessoas os comprassem em seu lugar*", conta Buffett. "*Diga-me o que fazer*", ela pedia. Buffett a fizera parar de implorar ajuda ao conselho de administração, mas não a ele próprio. "*Eu só a ajudava a tomar a maldita decisão*", ele diz. Mostrou a Graham que era sempre um erro pagar mais por algo que se desejava. A impaciência era um inimigo. Por muito tempo o *Post* cresceu lentamente. Buffett ensinou o imenso valor de adquirir as ações da própria empresa quando estivessem baratas, para reduzir as ações em circulação. Aquilo aumentava o tamanho de cada fatia da torta. Nesse ínterim, o *Post* também evitou cometer erros dispendiosos, tornando-se uma empresa mais lucrativa.[19]

Buffett estava acostumado ao papel daquele que recebe. Pela primeira vez estava no papel daquele que dá e descobriu que, com Graham, ele gostava daquilo. "*Ela conversava comigo sobre alguma filosofia de negócios, mas os outros sujeitos sabiam deixá-la assustada. Kay tinha consciência disso, mas não conseguia superar seu medo.*

Com o tempo, eu lhe disse que minha tarefa era fazer com que ela se visse num espelho normal, em vez de se ver num daqueles espelhos de parque de diversões. Queria que se sentisse melhor sobre o que estava fazendo. Basicamente, eu gostava de torná-la mais forte. E tive algum sucesso, embora tenha chegado tarde na sua vida."

Munger escreveria a Graham falando sobre Buffett. "Sei muito bem quem é que está mudando seu comportamento."[20] Buffett começou a ser visto cada vez mais com Graham. Ela, por sua vez, assumiu a missão de dar a ele algum refinamento.

"Kay tentou me aprimorar um pouco. Foi algo muito gradual, para que eu não percebesse. Foi engraçado. Ela se esforçou muito para me remodelar, mas não funcionou. Ela era muito mais sofisticada do que eu, com toda a certeza." Buffett aprendeu que Graham achava vulgar e desagradável comer em restaurantes. "*Em Washington, seu cozinheiro era um motivo de orgulho. O maior cumprimento que se podia fazer a alguém numa festa era 'Vou roubar seu cozinheiro' ou 'Seu cozinheiro deve ter vindo direto da França'. Kay se importava com isso, como todo mundo em Washington. Seus jantares tendiam a ser bem extravagantes, mas ela abria exceções para mim.*"

O *chef* de Graham encarou as restrições impostas pelo gosto de Warren como um verdadeiro desafio. "*Brócolis, aspargo, couve-de-bruxelas me parecem comida chinesa amontoada no prato. Couve-flor me deixa doente. Como cenouras de má vontade. Não gosto de batata-doce. Não quero nem chegar perto de um ruibarbo, porque me dá engulhos. Legumes, para mim, são ervilhas, milho e vagem. Gosto de espaguete e de queijo quente. Como almôndegas, mas nunca pediria isso num restaurante."*

Sua ideia de banquete era se esbaldar com 2 litros de sorvete de flocos. Comia cada coisa de uma vez e não gostava que os acompanhamentos se tocassem. Se um talo de brócolis encostasse no filé, ficava horrorizado. *"Gosto de comer a mesma coisa muitas e muitas e muitas vezes. Posso comer um sanduíche de presunto no café da manhã todos os dias, durante 50 dias. Na fazenda, em Glen Welby, Kay serviu lagosta. Eu ataquei o crustáceo pelo lado errado, pela casca, e não estava tendo muito sucesso. Ela me disse para virá-lo ao contrário."* Confrontado por jantares de nove pratos – com cada prato harmonizado pelo vinho certo em mesas repletas de dignitários, celebridades e estrelas do jornalismo –, "ele perdia o prumo", diz Gladys Kaiser. Nunca se acostumou com a vida na alta-roda.

Mesmo assim, Buffett se tornou frequentador assíduo dos famosos jantares de Graham, que ele chamava de "festas de Kay". Ela gostava do seu jeito de caipira, que se atrapalhava ao comer lagosta. Seus gostos infantis lhe davam um ar de autenticidade e inocência, e sua ingenuidade social era verdadeira. Ele ficava sempre atento nos jantares: mantinha o foco concentrado como um laser em quem estava lá, e qual seria o garfo correto. Mas não fazia questão de ampliar essa parte de seus horizontes. Graham conseguiu melhorar um pouco a graça social de Buffett, mas, para sua surpresa, ele continuou comendo apenas hambúrgueres e sorvetes.[21]

"Ela sempre falava com o cozinheiro em francês, apenas em francês. Então eu escutava 'hambúrguer' entre as palavras em francês e implicava com ela: 'Não, não é assim que se pronuncia.' Depois dizia: 'Poderia me servir um hamburguê', e o que saía da cozinha era muito bem-feito. O chef de Kay se esforçava bastante para preparar hambúrgueres e batatas fritas – e eu comia, mas não eram nem de longe tão bons quanto os do McDonald's ou da Wendy's. As batatas ficavam sempre molengas. Mas ele queria muito agradar.

Nas festas, por outro lado, ela não abria tantas exceções para mim."

Nas festas de Kay, o papel de Buffett, naturalmente, não era comer, mas falar. Como investidor famoso, ele era uma espécie de águia-de-cabeça-branca numa cidade escassa em pássaros. Mesmo o mais conservador dos "moradores de caverna" de Georgetown – gente de sangue azul que raramente se dispunha a se socializar com alguém sem a sua estirpe, incluindo amigos de Graham, como os colunistas Joe e Stewart Alsop, primos de Eleanor Roosevelt – apreciava a companhia do agradável Buffett. Convidados o enchiam de perguntas sobre investimentos, e ele então interpretava o seu papel mais confortável, o de professor.

Naquele momento, ele estava passando tanto tempo em Washington que começou a guardar um conjunto de roupas no quarto de hóspedes de Graham, da mesma forma que fizera com a maternal Anne Gottschaldt em Long Island. Normalmente ele usava um casaco de camurça azul puído e calças de flanela cinza, que pareciam uma colcha amarrotada.[22] Graham tentou melhorar seu gosto em matéria de roupas. "Eu ficava assombrado com o guarda-roupa de Warren", diz Don, "embora minha mãe também odiasse a forma como eu me vestia. Houve uma ocasião em que ela disse: 'Por que logo eu, entre todas as pessoas, preciso estar cercada pelos executivos mais malvestidos da América?' Seu desprezo pelas roupas das pessoas era geral, e não apenas dirigido a Warren."[23] Ela apresentou Buffett a Halston, seu costureiro favorito, que a ajudara a desenvolver seu próprio senso de estilo. O que Buffett achou de Halston? *"Bom, sabe, ele era de Des Moines..."*

EM JUNHO DE 1976, BUFFETT TEVE A CHANCE DE CONVIDAR GRAHAM PARA participar de um evento seu, o casamento de Susie Jr. Em todos os aspectos, ele seria a antítese de uma festa de Kay. Marcado para Newport Beach, na Califórnia, seria uma combinação de formalidade e informalidade, com uma lista de convidados eclética, numa cerimônia realizada para celebrar um casamento que todo mundo sabia ser um erro desde o início.

No segundo período do seu último ano na faculdade, Susie Jr. abandonou a UC-Irvine quando sua colega de quarto lhe contou que a Century 21, empresa de imóveis, estava abrindo vagas de secretária com bons salários, mesmo sem conhecimentos de datilografia.[24] Embora fossem sábios o bastante para não interferir, seus pais percebiam que o casamento de Susie Jr. com Dennis Westgaard, um belo surfista louro, não ia mesmo funcionar. De certa forma, a própria Susie Jr. sabia, mas se deixara envolver pela fantasia.[25] Apesar de toda a reserva com que os pais encaravam o assunto, o casamento era um acontecimento importante. Warren fez questão de convidar Kay, e Susie reservou um lugar especial para ela na igreja luterana de Saint John, logo atrás da família. Por alguns minutos, Kay ficou sentada ao lado de Dick e Mary Holland, que a acompanharam à igreja. Depois de um tempo ela disse: "Não me sinto confortável. Não sei por quê, mas acho melhor me sentar mais atrás." Foi para um dos últimos bancos e ficou ali durante o resto da cerimônia.[26]

Buffett tinha percorrido um longo trajeto desde o dia de seu próprio casamento, quando teve que tirar os óculos porque estava tão nervoso que preferia não enxergar. Enquanto esperava a hora de entrar na igreja, ele disse à sua ansiosa filha: *"Não olhe agora, mas meu zíper está aberto."* O fotógrafo estava diante do altar, esperando para tirar fotos. Susie Jr. teve tanto trabalho para conter o riso e não olhar para o zíper do pai, para que o fotógrafo não registrasse justamente o momento em que estivesse olhando, que se esqueceu de sentir medo.[27]

O resto da cerimônia ocorreu sem incidentes. A recepção no Marriot de Newport Beach foi animada. Os Buffett tinham permitido que a filha, fã de bandas de rock, escolhesse um grupo musical para tocar, e Susie Jr. quis seu favorito, Quicksilver Messenger Series, uma banda de rock psicodélico criada nos anos 1960 no Fillmore Auditorium, em São Francisco. Os integrantes pareciam roqueiros normais. Quando o grupo de rapazes, na casa dos 20 anos, de camisetas e jeans, com trancinhas afro e cabelos desgrenhados na altura dos ombros, subiu no palco e afinou os instrumentos, Buffett olhou tudo aquilo com horror contido. Quando o Quicksilver atacou com as guitarras e a bateria, Susie Jr. dançou em estado de êxtase na sua festa de casamento, enquanto o pai lutava para manter a compostura, apesar de estar se remoendo por dentro. *"Não gostei muito da música deles"*, diz ele, minimizando. *"Tocavam muito alto."* Ele desejava alguma coisa parecida com o estilo doce, meio Doris Day, de sua mulher, ou Florence Henderson, ou Sammy Davis Jr. Depois de 90 minutos, os músicos pararam de tocar e guardaram seus instrumentos, mas voltaram a atordoá-lo. Foi quando o empresário da banda aumentou ainda mais seu estado de exasperação ao solicitar que Buffett desembolsasse a inacreditável quantia de 4 mil dólares – em dinheiro.[28] E Susie precisou dizer à filha: "Susan querida, no dia do seu casamento você não pode passar a noite inteira com a banda." "Droga", Susie Jr. respondeu. "Mas algumas das minhas amigas passaram", ela lembra.

Agora Susie Jr. se mudara definitivamente para Los Angeles e estava trabalhando para a Century 21. Howie já largara a Augustana College, depois de ter problemas de adaptação e de relacionamento com seu colega de alojamento. Tentou mais algumas instituições, mas tinha perdido o rumo e nunca chegou a se formar. "Eu era muito próximo de minha mãe", ele diz, "e tudo na minha vida girava em torno da nossa família e de nossa casa. Na faculdade, eu não conseguia nem sair do lugar."[29] Nenhum deles tinha a ambição do pai, mas ambos tinham dinheiro pela primeira vez. O fundo fiduciário deixado por Howard para os netos distribuiu um pouco mais de 600 ações da Berkshire Hathaway para cada um. Warren não lhes deu qualquer conselho sobre o que deveriam fazer. Ele nunca tinha vendido uma ação sequer. Por que eles venderiam as delas? Mas Susie Jr. vendeu a maior parte para comprar um Porsche e um apartamento num condomínio. E Howie vendeu as suas para começar a Buffett Excavating. Agora fazia, em versão adulta, as mesmas escavações dos tempos das brincadeiras com caminhõezinhos. Ele fazia buracos para ganhar a vida.

Peter, que acabara de concluir o último ano do ensino médio, tinha sido aceito em Stanford e seguiria para a Califórnia no outono. No verão de 1976, a casa de Omaha ficou ainda mais vazia. Quase todos os dias Peter ia sozinho comer alguma coisa no Arby's, depois ficava no quarto escuro trabalhando com fotografia. Até o cão estava fugindo. Os amigos de Peter começaram a telefonar para dizer "Hamilton está por aqui".[30]

Susie, que raramente ficava em casa nessa época, admitiu estar se sentindo deprimida com o estado do seu casamento. Parecia considerar Kay uma intrometida que estava atrás de seu marido.[31] Kay gostava de marcar seu território, e era natural que Susie pensasse dessa maneira. Apesar disso – ou talvez por causa da sua tristeza –, a própria Susie estava "se comportando como uma adolescente", como disse um conhecido, ansiosa por um romance de meia-idade. Estava zangada com Warren e se deixou ser vista, sem qualquer cuidado, na companhia de John McCabe, seu professor de tênis, por toda a Omaha. Ainda telefonava para Milt de tempos em tempos, e, quando ele concordou em se encontrar com ela, os dois também foram vistos em público. Eles pareciam estar vivendo em mundos diferentes, sem nenhum plano de seguir uma direção em comum. Mas ela não concebia a ideia de deixar Warren, que descrevia como "um homem extraordinário".[32] Claramente o admirava. Apesar de todas as piadas e implicâncias relativas à sua rigidez e sua preocupação com o dinheiro, ele lhe dera coisas que ela desejava muito: segurança, estabilidade, força. "Importava para ela que ele fosse honesto e tivesse valores", diz Doris. "Se eu alguma vez desapontasse alguém que precisasse de mim", conta Susie, "seria o maior fracasso que eu poderia imaginar."[33] Susie não era uma pensadora. Tinha uma confiança natural em sua habilidade de administrar relacionamentos complexos com pessoas variadas, usando suas emoções como guia. Mas alguém acabaria se desapontando.

Enquanto Susie se ocupava com suas novas questões e seus três filhos tomavam seus próprios caminhos – Peter partindo para Palo Alto em seu pequeno conversível Triumph amarelo, Howie na retroescavadeira mas sem a fantasia de gorila da infância e Susie Jr. embarcando na vida de casada ao lado do surfista boa-pinta –, Warren estava envolvido com sua própria jornada. O homem de gostos simples que pensava na vida como alguma coisa parecida com o seriado de televisão *Leave It to Beaver* agora passava seu tempo em festas no Embassy Row, a área de Washington que concentrava a vida diplomática. Katharine Graham o arrastava ao território dos elefantes com toda a velocidade de que era capaz.

"*Ela não mudou meu comportamento, mas me mostrou coisas novas. Em toda parte era tratada como se fosse da realeza. Vi muitas coisas interessantes que antes não conhecia. Aprendi muito ao lado dela. Kay sabia tanto sobre todo mundo – e gostava de compartilhar comigo as suas percepções sobre as pessoas que estavam na política.*

Ela se chateava ao pensar que eu estava lhe ensinando todas aquelas coisas e que ela não fazia nada por mim. Pensava constantemente em fazer algo que pudesse me ajudar, como me convidar para aqueles jantares sofisticados e coisas do gênero. Eram eventos que podiam ser chamados de glamourosos ou até exóticos. Eu os achava bem interessantes, não estou desfazendo. É claro que provavelmente muitas pessoas estariam loucas para frequentá-los muito mais que eu, mas mesmo assim eu me divertia muito."

Com toda a certeza havia pessoas "loucas" para participar daquilo. Buffett foi muitas e muitas vezes àqueles eventos, mesmo que alguns lhe parecessem ridículos ou constrangedores.

Uma noite, Graham o levou para um jantar black tie oficial na embaixada do Irã. Ela usou um vestido dourado, para combinar com a decoração. Reza Pahlevi, o xá do Irã, era um importante aliado estratégico dos Estados Unidos e um anfitrião muito agradável. A embaixada ficava em Embassy Row, e os eventos que aconteciam ali brilhavam com um deslumbramento digno do *fin de siècle*.

Durante o coquetel, Buffett se dirigiu à mesa que lhe foi designada e descobriu que estava entre uma das damas de companhia da imperatriz Farah Pahlevi e a mulher do senador Charles Percy, de Illinois. Virou-se para Loraine Percy e viu que ela estava envolvida numa conversa particular com outro comensal, o ator Paul Newman. Ao perceber que poderia demorar algum tempo até que ela resolvesse lhe dar alguma atenção, Buffett se virou para o outro lado e disse alguma coisa para a dama de companhia da imperatriz. Ela sorriu delicadamente. Ele disse mais alguma coisa. Ela sorriu de novo e pareceu distante. Ted Kennedy, que estava sentado do outro lado dela, curvou-se e disse algo em francês. O rosto dela se iluminou, e eles começaram a conversar animadamente em francês. Buffett ficou perdido no meio. Loraine Percy continuava absorta na conversa com Paul Newman. Percebeu então que aquela poderia se tornar uma noite bem longa.

Kay estava sentada ao lado do xá, em outra mesa. Nesses círculos, ela era muito mais importante que Warren. Kay era a rainha, e ele não passava de um investidor caipira de Nebraska que ela havia rebocado. Ninguém ligava para *Supermoeda*, aquilo era coisa do passado. Depois de algum tempo, Ted Kennedy percebeu suas dificuldades e perguntou: "Você não fala nem um pouquinho de francês?" Buffett se sentiu como se fosse um impostor, alguém que tivesse desembarcado em Bora Bora trazendo na bagagem apenas seu equipamento de esqui. A refeição prosseguiu até 1 hora da manhã, e então a banda começou a tocar. Dando início à dança, um dos cavalheiros rodopiou com a imperatriz ao som de uma valsa. Buffett pegou Graham pela mão e escapou.

Entretanto, se ela o convidasse a outro jantar daqueles, ele iria. No fundo, não estava achando ruim. A paisagem era boa demais.

Como ele bem sabia, apesar da repercussão de *Supermoeda* e dos artigos na *Forbes*, muitas pessoas importantes nunca tinham ouvido falar nele. Em maio de 1976, Buffett estava visitando Kay Graham em Washington quando ela disse: "Quero apresentar uma pessoa a você." Mas Jack Byrne, a pessoa em questão, estava relutante. Quando Graham combinou o encontro, ele perguntou: "Quem é Buffett?" "É um amigo meu", respondeu Graham. "Acabou de adquirir uma parte do *Washington Post*." Sem saber quem era e sem se importar, Byrne não quis que o encontro acontecesse. Então um velho amigo de Buffett, Lorimer "Davy" Davidson, que se aposentara da Geico em 1970, ligou para Byrne. "Meu Deus, que tipo de boboca é você para recusar um encontro com Warren Buffett?", perguntou.[34]

BYRNE TINHA SIDO CONTRATADO EM 1976 PARA TENTAR TIRAR A GEICO DO buraco – A empresa estava à beira da falência. A princípio uma seguradora especializada na cobertura de funcionários públicos, ela abrira as portas para outros clientes. "Milhões mais qualificados" era o slogan. "Crescimento, crescimento, crescimento, toda a ênfase estava no crescimento", diz um de seus antigos executivos.[35] Abastecida de "crescimento, crescimento, crescimento", as ações da Geico chegaram a valer 61 dólares a unidade – caras demais para Buffett, mas mesmo assim ele ficou de olho. De fato, nunca tinha deixado de acompanhar os papéis da empresa nos últimos 20 anos.

"*Em 1975, olhei novamente para a Geico e fiquei atônito com o que vi depois de fazer alguns cálculos básicos sobre a perda de ativos.*" À medida que uma seguradora de veículos cresce sem parar, também aumenta o número de acidentes da sua clientela. Se uma empresa subestima os pagamentos das indenizações, terá uma estimativa de lucro supervalorizada na mesma medida. "*Ficava claro, após 60 segundos de análise, que as reservas da empresa eram insuficientes e que a situação estava piorando. Visitei [o CEO] Norm Gidden numa de minhas viagens para as reuniões do* Washington Post. *Conhecia superficialmente Norm havia uns 20 anos e gostava dele. Ele foi simpático, mas não teve interesse em ouvir meus comentários. Estavam num processo de negação profunda. Ele praticamente me botou para fora do escritório sem dizer nada sobre o assunto.*"[36]

O fato de Buffett, que não possuía ações, estar tentando ajudar a administração da Geico revela o quanto ainda se sentia ligado à empresa da qual Lorimer Davidson se aposentara recentemente. Aquela ação tinha sido sua primeira ideia realmente boa, um investimento que dera muito dinheiro para os amigos e a família.

No início de 1976, a Geico anunciou o pior ano de sua história, com um prejuízo de 190 milhões de dólares em operações de subscrição em 1975.[37] A empresa parou de pagar dividendos, uma medida que indica ao acionista que o cofre está vazio. Gidden saiu em campo para tentar reforçar os insignificantes 25 milhões de dólares de capital que a Geico tinha em caixa.[38] Naquele mês de abril, no Statler Hilton de Washington, 400 acionistas enfurecidos invadiram uma reunião, armados de perguntas e acusações. Logo depois os corretores de seguros chegaram em bloco ao escritório da Geico. O conselho percebeu, com algum atraso, que precisava destituir seus administradores.[39] O próprio conselho estava em petição de miséria, pois muitos de seus membros tinham perdido suas fortunas pessoais no desastre. Sem um CEO competente para dirigir a empresa, Sam Butler, um sensato advogado da Cravath, Swaine & Moore, assumiu o cargo, por ser o principal conselheiro – na realidade, ele assumiu temporariamente a condição de CEO.

Butler sabia que Byrne deixara a Travelers por um impulso, amargurado após ter sido preterido para a função de CEO. Ex-atuário que ficara milionário aos 29 anos graças a uma seguradora, Byrne tinha sido fundamental para promover uma reviravolta nas linhas de seguro de veículos e residências da Travelers dois anos antes. Butler ligou para ele em Hartford e tentou jogar com seu ego, explicando que, se assumisse o emprego na Geico, impediria uma emergência nacional que poderia colocar em risco toda a economia dos Estados Unidos. O desempregado Byrne foi facilmente recrutado para um teste como CEO.[40] Foi para Washington no início de maio e se apresentou diante do conselho virando freneticamente páginas brancas quadriculadas e cobrindo-as com anotações, enquanto não parava de falar. "Entrei e não perdi tempo. Fiz um discurso grandiloquente de cinco horas de duração, dizendo: 'Eis aqui cinco pontos, e é isso o que temos que fazer'",[41] ele conta. O conselho, em estado de desespero, não criou dificuldades para reconhecer que aquele sujeito de rosto redondo e vermelho, que mais parecia uma bala de canhão, era o homem certo para o cargo.

A primeira tarefa de Byrne ao assumir o posto de CEO foi visitar o empoeirado escritório em Chinatown do superintendente de seguros do Distrito de Columbia, Max Wallach. Alemão da velha guarda, que falava com um pesado sotaque, Wallach era "teimoso como uma mula e tinha um real interesse em servir ao público", recorda Byrne. Ele estava horrorizado com a antiga administração da Geico e se recusava a negociar com eles. Byrne percebeu que Wallach também não morria de amores por ele. Ainda assim, os dois começaram a conversar diariamente, algumas vezes até de hora em hora.[42] Wallach insistia que a empresa concluísse um acordo no final de junho para levantar dinheiro e ao mesmo tempo conseguir que outras seguradoras assumissem parte de suas apólices – ou melhor, "ressegurassem" a Geico.[43] A ideia era aumentar os recursos disponíveis para pagar as indenizações e diminuir os riscos, equilibrando as contas. Byrne, portanto, precisava vender às outras seguradoras a ideia de entrar com dinheiro para salvar uma concorrente.

A experiência anterior de Byrne dizia que ele era capaz de vender qualquer coisa. A princípio, estava confiante.

"Meu ponto era que as empresas de seguros precisavam tomar conta de si mesmas", diz Byrne. "Não queríamos envolver reguladores." Se a Geico fracassasse, os reguladores simplesmente mandariam para a concorrência a conta das indenizações não pagas pela Geico. Portanto, eles acabariam tendo que ajudar, de qualquer maneira. "Mas Ed Rust, que comandava a State Farm", conta Byrne, "era um sujeito danado. Ele concluiu, provavelmente com muita esperteza: 'Prefiro pagar 100 milhões para cobrir indenizações não pagas, se isso tirar a Geico do mercado. Eles têm uma ratoeira melhor, e acabar com a Geico vai nos fazer economizar dinheiro a longo prazo.'" Dessa forma, a State Farm não quis participar do acordo de resseguro.

"No final", continua Byrne, "dois amigos muito próximos deram para trás. A Travelers disse simplesmente: 'Não vamos ajudar.' Não tinham nenhuma ideia orquestrada por trás disso, só estavam ressabiados com a ideia."

"Três semanas depois de entrar para a Geico eu estava correndo de um lado para outro, achando que tinha cometido o maior erro da minha vida. Minha mulher, Dorothy, estava em Hartford, chorando sem parar. Tínhamos acabado de nos mudar pela nonagésima vez."

O mercado sugeria que a Geico talvez não sobrevivesse. As ações, que até recentemente eram vendidas por 61 dólares a unidade, tinham despencado para 2 dólares. Alguém que possuísse, digamos, 26.000 ações tinha visto seu patrimônio se reduzir em quase 97% – de mais de 1,5 milhão de dólares para apenas 50 mil –, ou seja, a diferença entre o que seria o suficiente para garantir uma vida boa para sempre e o que serviria apenas para comprar um bom carro esporte.

A reação dos investidores da empresa e dos acionistas diante da calamidade determinaria o seu destino.

Muitos acionistas antigos entraram em pânico e decidiram vender, razão pela qual a ação chegou a 2 dólares. Quem comprasse estava apostando no destino da Geico.

Ben Graham, aos 82 anos, não fez nada e manteve suas ações. A prima de Graham, Rhoda, e o marido, Bernie Sarnat, conversaram com o diretor da escola de administração da Universidade de Chicago. Ele lhes disse para vender, pois ações tão baratas raramente se recuperam. Eles decidiram ao contrário: que a ação tinha caído tanto que estava barata demais para ser vendida. O que ganhariam com a venda? Tinham pouco a perder se a mantivessem. Assim, não fizeram nada.[44] Da mesma maneira, Lorimer Davidson nunca vendeu uma única ação.[45]

Leo Goodwin Jr., filho do fundador da Geico, vendeu e ficou na miséria. Pouco depois, seu filho, Leo Goodwin III, morreu de overdose, num suposto suicídio.[46]

Buffett não possuía ações, mas com a Geico sendo negociada a 2 dólares ele farejou uma situação parecida com a da American Express. Nesse caso, porém, a empresa não tinha uma marca forte o bastante para tirá-la do buraco. A Geico precisava ser rebocada. Buffett achou que apenas um administrador brilhante e enérgico teria chance de reverter aquela situação. Ele queria conhecer Byrne e avaliá-lo antes de colocar qualquer dinheiro naquele papel. Por isso pediu que Katharine Graham ligasse para Byrne. Vencida a resistência inicial, ela marcou o encontro.

BUFFETT ESPEROU A CHEGADA DE BYRNE NA CASA DE GRAHAM, EM GEORGETOWN, depois de um jantar com o conselho do *Post*. "*É arriscado*", ele disse a Don Graham. "*Eles podem ser eliminados do negócio. Mas em seguros é muito difícil ter uma vantagem, e eles têm uma vantagem. Se conseguirem a pessoa certa para tomar conta do negócio, acho que a situação pode ser revertida.*"[47]

E lá veio Byrne, efervescente, com o rosto permanentemente avermelhado, 43 anos, como um foguete pronto para decolar. Os dois se sentaram próximo à lareira, na biblioteca de Graham. Buffett interrogou Byrne durante algumas horas. Byrne era um incrível tagarela, "*o maior de todos*", segundo Buffett. "Eu estava animado e falei, falei sem parar", diz Byrne. "Warren me fez um monte de perguntas sobre o que eu pretendia fazer para tirar a empresa da insolvência e sobre quais seriam meus planos depois disso."

Para Buffett, "*a questão era saber se Byrne era realmente controlado, imperturbável e profissional, ou se ele não tinha a menor ideia do que estava acontecendo*".[48] Por fim concluiu que Byrne "*entendia de seguros muito bem e tinha uma boa capacidade analítica. Além disso, era um líder e um empreendedor. A Geico precisava de uma liderança capaz de boas análises para encontrar uma solução para seus problemas e de um empreendedor que fosse capaz de vender suas ideias para todas as partes envolvidas no processo*".[49]

Na manhã seguinte, Buffett encontrou George Gillespie, o advogado que lhe vendera as ações do *Post*, pois os dois estavam no conselho da agência de detetives Pinkerton e haveria uma reunião naquele dia.[50] "*George*", ele disse, "*não é meu comportamento habitual, mas acabei de comprar ações que podem se tornar completamente sem valor amanhã.*" Ele tinha acabado de falar com Bill Scott, no escritório de Omaha, dizendo que comprasse meio milhão de dólares em ações da Geico para a Berkshire, e que comprasse outros milhões assim que ficassem disponíveis. Scott conseguiu montar um imenso bloco de operações, adquirindo um total de 4 milhões de dólares em papéis da Geico.[51]

Buffett tinha esperado anos pela oportunidade de comprar papéis da Geico pelo preço certo. O reboque chegara, mas a Geico ainda não tinha resseguro, precisava de capital, e as duas coisas dependiam da boa vontade de Max Wallach, o regulador.[52] Mas nesse momento aconteceu um novo fenômeno. A margem de segurança de Buffett era a sua simples presença enquanto investidor, o que poderia melhorar as chances de sucesso da Geico. Ter o apoio de Buffett – agora um investidor lendário, cuja empresa já possuía uma bem-sucedida seguradora – deu a Byrne um trunfo importante para apresentar aos reguladores.[53] Além disso, "o general McDermott, que estava no comando da United States Automobile Association, escreveu uma carta para outras seguradoras", diz Byrne. A USAA vendia seguros apenas para militares e se comportava muito bem. Dentro do setor de seguros era lendária, e o general McDermott era quase reverenciado. Supostamente, ele teria escrito que "no Exército, não deixamos ninguém para trás. Nesse caso, temos uma águia tombada".[54]

Buffett foi visitar Wallach para ver se poderia convencer o velho e ranzinza funcionário público a dilatar o prazo, que ia até junho. Mas montar um acordo de resseguro era como convencer 12 crianças tremendo de frio a darem as mãos e mergulhar em um lago gelado.[55] Para ter sucesso, a história que Byrne vendia era que a administração incompetente da Geico fora eliminada, que o formigueiro estava limpo, que o experiente Jack Byrne, salvador da Travelers, estava empenhado em corrigir os danos – e que Warren Buffett tinha tanta confiança nele que apostara incríveis 4 milhões de dólares na ação.

De qualquer maneira, quando Byrne começou a visitar os bancos em Wall Street, "as pessoas deixavam a mesa no meio do almoço", ele conta. "Fui expulso de todos os lugares." Então Sam Butler o levou para a Salomon, Inc. Sendo uma casa tradicional e respeitada, especializada em títulos, a Salomon nunca fizera um negócio parecido, mas ansiava entrar no negócio de subscrição de ações. John Gutfreund, um influente executivo da Salomon, mandou um analista júnior, Michael Frinquelli, e seu companheiro Joe Barone estudarem a Geico. "Fiz com que os dois esperassem uma hora e meia, e eles ficaram furiosos", diz Byrne. "Mas falei até o nascer do sol. Eles ficaram sem expressão alguma, mas no caminho do aeroporto o motorista os ouviu conversar e me contou que estavam muito, muito entusiasmados com a viagem."[56]

"O setor de seguros não vai aguentar se esses caras caírem", Frinquelli disse a Gutfreund. "Seria um golpe terrível para o setor, e esses idiotas não vão tolerar isso."[57] Mas, quando Byrne e Butler chegaram ao escritório da Salomon para uma última tentativa de levantar dinheiro, Gutfreund abriu a reunião com uma declaração contundente. "Não sei quem compraria a ideia dessa merda de acordo de resseguro que vocês estão tentando vender."

"Não sei de que merda você está falando", devolveu Byrne.[58]

Depois das demonstrações de testosterona, Byrne fez um discurso apaixonado, citando "Deus e os interesses nacionais" entre outras razões pelas quais a Salomon deveria levantar o dinheiro e referindo-se ao investimento de Buffett. Enquanto Byrne desfiava as boas perspectivas da Geico e sua recuperação próxima, Gutfreund brincava com um charuto grande e caro. Finalmente, abatido e desencorajado, Byrne parou. Em seguida Butler falou o que tinha para falar. Pelo comportamento de Gutfreund, Byrne concluiu que o negócio tinha fracassado. Então Gutfreund apontou para Byrne e disse a Butler: "Vou fazer a subscrição. Acho que você está com o sujeito certo, só precisa mantê-lo de boca fechada."[59]

A Salomon concordou em subscrever, sozinha, 76 milhões de dólares em ações conversíveis. Nenhum outro banco de investimentos aceitou participar e dividir os riscos. A Geico teve que aceitar uma sentença da SEC na qual não admitia nem negava as conclusões da agência de que havia falhado em informar seus acionistas sobre os prejuízos – algo cuja menção, diante da perspectiva de uma oferta pública, poderia liquidar o negócio inteiro.[60] Para obter o financiamento, a Salomon precisou convencer os investidores de que a Geico sobreviveria, mas, ao mesmo tempo, de que ela só seria capaz de sobreviver com o financiamento. O negócio cheirava a desespero, e os investidores podiam sentir. As notícias que saíam sobre a Geico eram tão ruins, conta Byrne, que, se ele tivesse atravessado o rio Potomac caminhando sobre as águas, no dia seguinte as manchetes diriam "Byrne não sabe nadar".[61]

Buffett – o ás na manga – não se deixou perturbar por todos esses eventos. Quando a oferta pareceu que ia fracassar, ele simplesmente foi a Nova York se encontrar com Gutfreund para lhe dizer que estava pronto para comprar tudo – por um preço. Ter um comprador que lhe dava apoio fortaleceu o jogo da Salomon, mas Gutfreund também ficou com a impressão de que Buffett não se importaria se o acordo não fosse adiante e ele acabasse ficando com todas as ações.[62] Para Buffett era uma situação em que era impossível perder. O preço que ele ofereceu era baixo. A Salomon disse a Byrne, sem margem de erro, que, dado o teto estabelecido por Buffett, a oferta conversível não chegaria a 9,20 dólares por unidade, enquanto Byrne queria 10,50.

Buffett queria tantas ações quantas pudesse obter. Pedira à Salomon que comprasse todas as que estivessem disponíveis assim que começassem a ser vendidas. A disposição de Buffett em comprar na oferta fortaleceu a capacidade da Salomon de colocar o negócio em movimento. De outra forma, a Salomon teria que enfiar as ações pela goela de seus clientes.

De fato, a profecia autorrealizável da saga de Omaha se cumpriu. Havia mais demanda para a ação do que ações para serem compradas.[63] Buffett conseguiu apenas um quarto do negócio. Em algumas semanas, 27 resseguradoras apareceram para fornecer o resseguro necessário. As ações ordinárias quadruplicaram de preço e passaram a ser vendidas por 8 dólares a unidade. E o salvador da Geico, John Gutfreund, tornou-se uma das pouquíssimas figuras ativas em Wall Street que Buffett admirava com toda a sinceridade.

Mas a Geico ainda não tinha sido saneada. Byrne precisava de um aumento de 35% em Nova York – coisa que rapidamente obteve.[64] Em Nova Jersey, Byrne foi até o decadente capitólio em Trenton negociar com o comissário James Sheeran, um bem-apessoado ex-fuzileiro que se orgulhava de ser durão. Byrne marchou para dentro do escritório do comissário com uma cópia da licença da empresa no bolso e disse para Sheeran que a Geico precisava aumentar suas taxas.

"Ele tinha um atuariozinho rabugento e esperto do seu lado, que fora demitido de alguma seguradora e não queria largar o osso", diz Byrne. Sheeran disse que os números não justificavam o aumento. "Usei todos os argumentos, fiz tudo o que podia, e o Sr. Sheeran continuava intratável." Byrne retirou a licença do bolso e a jogou sobre a mesa de Sheeran, dizendo "Não tenho escolha, preciso devolver a licença", ou algo parecido, mas incluindo alguns palavrões.[65] Deixou o escritório cantando pneus e em seguida enviou telegramas para 30 mil segurados cancelando suas apólices. Demitiu 2 mil funcionários de Nova Jersey em apenas uma tarde, antes que Sheeran fosse ao tribunal e obtivesse uma liminar obrigando-o a parar.[66]

"Isso mostrou a todo mundo, a todas as plateias, que eu estava falando sério", lembra Byrne. "E que eu ia lutar pela sobrevivência da empresa com todas as armas, mesmo que precisasse deixar o estado, coisa que nunca tinha sido feita." A saída de Nova Jersey, efetuada por Byrne, teve exatamente esse efeito. Todo mundo soube que ele estava falando sério.

"Era como se ele tivesse se preparado a vida inteira para assumir aquela tarefa. Como se tivesse sido geneticamente talhado para aquele período. Se você procurasse no país inteiro não encontraria melhor comandante para o campo de batalha. Ele precisou juntar forças, cortar milhares de cabeças e mudar a forma de pensar dos que permaneceram. Era um trabalho de Hércules. Ninguém teria feito aquilo melhor que Jack. Ele era um pensador duro e disciplinado quando se tratava de preços e reservas, e exigia princípios e ações razoáveis nos negócios. Todo mundo entendeu o que a Geico faria, e ele trabalhou um número inacreditável de horas concentrado num único objetivo. Estava sempre interessado naquilo que fazia sentido no presente, e não no que tinha sido feito no passado."

Byrne atravessava as portas da Geico todas as manhãs, subia até o andar superior do átrio e bradava uma saudação para as secretárias.[67] "Se eu não assobiar no cemitério, quem é que vai fazê-lo?", perguntava. "Se eu não dançar, quem vai dançar?" Sabia como fazer as pessoas se sentirem ó-ti-mas em relação ao lugar aonde iam trabalhar a cada manhã, apesar das ameaças que pairavam sobre seus empregos. Ele cortou 40% da clientela da empresa, vendeu metade de uma lucrativa afiliada especializada em seguros de vida, para levantar dinheiro, e encerrou as atividades em sete estados, além do Distrito de Columbia. Byrne parecia funcionar à base de combustível de foguete. Convocava os executivos para reuniões no Sheraton e no Westin, perto do aeroporto de Dallas, e os interrogava durante 15 horas seguidas, por dias seguidos.[68] Certa vez interrompeu o gerente de recursos humanos da Geico enquanto ele falava durante uma reunião, dizendo: "Você está demitido" – e nomeou seu sucessor entre os presentes na plateia na mesma hora. Sua atitude era: "Você não está cuidando de uma biblioteca pública. Aqui estamos tentando salvar uma empresa."[69]

"Jack não tinha piedade de mim", diz Tony Nicely, que trabalhava na Geico desde os 18 anos. "Ele gostava de implicar com gente jovem e agressiva. Mas me ensinou muito, e terei sempre uma dívida com ele. Ensinou-me a pensar no negócio como um todo, não em compartimentos separados, como subscrição e investimentos. Aprendi a importância de se ter um balanço disciplinado."

Byrne disse aos funcionários que, se não conseguissem atingir uma determinada meta de vendas, teriam que carregar seus 120 quilos nos ombros, numa liteira, como se fosse um imperador romano, para levá-lo às reuniões da empresa durante um ano.[70] Eles conseguiram cumprir a meta. Com um gigantesco chapéu de *chef* e um trevo de quatro folhas maior ainda, ele "cozinhava jantares irlandeses para a equipe", diz. "Principalmente *colcannon*, que é uma mistura de nabos e batatas cozidas com leite azedo. Era horrível. Eu usava panelas enormes, mostrava os nabos e exclamava: 'Nossa, vai ficar uma delícia!'"

Buffett se agarrou a Byrne e sua mulher Dorothy e logo os apresentou ao seu círculo de amigos. Dividido entre a Geico, as reuniões do *Washington Post*, as visitas à Blue Chip e à Wesco, na Costa Oeste, as viagens de negócio para Nova York, o conselho da Munsingwear, no qual ingressara em 1974, e as festas de Kay, ele passava a maior parte do tempo viajando. Por isso decidiu que precisava de ajuda no escritório. Encorajado por Susie, um de seus amigos do tênis procurou Warren para se candidatar a um emprego de aprendiz geral. Dan Grossman, formado em Yale e com diploma da Stanford Business School, chegou a se oferecer para trabalhar de graça. Buffett não aceitou isso, mas despejou sobre o jovem a sua intensidade habitual. Alguns pensaram que, como nenhum dos seus filhos queria trabalhar com ele, Buffett viu em Grossman a chance de ter um filho adotivo, alguém com potencial para sucedê-lo.

Buffett reformou o escritório para poder instalar Grossman na sala ao lado da sua. Gladys precisava interferir quando Buffett ficava horas e horas com o jovem explicando o que era float, analisando modelos financeiros de empresas de seguros, mostrando documentos reguladores, contando histórias e fazendo com que folheasse os velhos *Moody's Manuals*. Eles passavam horas jogando tênis e handebol juntos, e Buffett o incluiu no Grupo Graham, no qual Grossman fez amizade com muita gente.[71] Warren tinha acabado de descobrir outro objeto de obsessão.

41
E então?
Omaha – 1977

Os amigos de Susie diziam que ela criara uma vida separada, dentro do casamento, como forma de conviver com as obsessões de Buffett. Segundo um deles, "o verdadeiro casamento de Warren era com a Berkshire Hathaway". Não havia como negar. Mesmo assim, apesar de todos os solavancos, a rotina tinha funcionado para os dois. Ou melhor, funcionou até que outra das obsessões de Buffett – Katharine Graham – chegou ao ponto de tirar Susie de cena. Foi quando ela decidiu se mexer.

Warren agora passava bastante tempo nos eventos black tie em Nova York e Washington, ao lado de Graham, ou na casa dela, nas chamadas "festas de Kay". Apesar de sua falta de jeito ainda remanescente e da sua risada ruidosa, ele estava conhecendo o círculo de amigos de Kay, formado por famosos e poderosos, e isso abriu seus olhos para um novo mundo. "*Conheci Truman Capote*", ele lembra, o autor de *Bonequinha de luxo* e *A sangue frio*, que organizou o famoso Baile do Preto e Branco em homenagem a Graham, no Plaza Hotel, em Nova York. O evento foi chamado de "a festa do século". Capote se tornara confidente de muitas mulheres ricas da alta sociedade internacional.

"*Ele chegava na casa dela e se aboletava no sofá, meio encurvado, falando com uma voz inacreditável. Mas sabia de todos os segredos. Realmente conhecia todas aquelas mulheres, todas conversavam com ele. E era terrivelmente sagaz. A única pessoa de quem gostava de verdade era Kay. Ele não achava que ela fosse uma impostora, como as outras, eu acho.*"

Buffett foi até convocado pelo ex-embaixador dos Estados Unidos na Grã-Bretanha, Walter Annenberg, dono da Triangle Publications, que tinha entre outras lucrativas propriedades o jornal *Philadelphia Inquirer* e um velho favorito de Buffett, o *Daily Racing Form*.

"*Walter tinha lido a meu respeito no Wall Street Journal, em 1977. Recebi uma* carta que dizia 'Prezado senhor Buffett', me convidando para ir a Sunnylands, sua propriedade na Califórnia." Depois de ter ouvido, de Tom Murphy e Kay Graham, histórias sobre o célebre e temperamental embaixador, que mostravam como ele se ofendia com facilidade, Buffett ficou intrigado. O pai de Annenberg aparecia em muitas daquelas histórias. Além das empresas do mercado editorial que ele legara ao filho, Moe Annenberg também lhe deixou uma herança de escândalos e vergonha: ele foi preso por evasão fiscal, por conta de uma companhia de telégrafos especializada em turfe que enviava os resultados das corridas para bookmakers do país inteiro. De legalidade discutível, a empresa tinha ligações com o crime organizado, o que aumentou a reputação de Moe de ser ligado a gângsteres. Para livrar o filho de ser processado junto com ele, Moe Annenberg resolveu confessar. Foi levado para a prisão algemado e usando um chapéu de feltro. Mais tarde, Walter diria que seu pai, acabado e com dores horríveis enquanto morria de um tumor cerebral no Saint Mary's Hospital, sussurrou-lhe suas últimas palavras: "O meu sofrimento tem como objetivo torná-lo um homem."[1] Ninguém sabe dizer se a cena foi real ou imaginária, mas Walter agiria mais tarde como se acreditasse naquilo.

Dominado pelo desejo de limpar a honra da família, Walter era agora responsável pelo sustento da mãe e das irmãs. Especializou-se no mercado editorial como uma prova de fogo, demonstrando ser um talentoso empreendedor. Concebeu a revista *Seventeen* e em seguida uma revistinha chamada *TV Guide*, uma ideia brilhante que satisfez o apetite do público pelos horários dos programas, atrações e estrelas da televisão. Quando conheceu Buffett, além de ter se transformado em protagonista de uma história de sucesso nos negócios, Walter também atingira o auge da respeitabilidade social, ao ser designado por Richard Nixon embaixador na corte de Saint James, na Inglaterra. Mas, apesar de ter limpado o sobrenome, ele nunca superou as cicatrizes pessoais que herdara.

Buffett chegou a Sunnylands curioso para conhecer Annenberg. Os dois tinham uma amiga em comum. Annenberg era irmão de Aye Simon, a viúva "muito, muito mimada" do antigo sócio de Ben Rosner, Leo Simon – a mesma Aye Simon em quem Rosner decidira passar a perna quando vendeu a Associated Retail Stores para Buffett por um preço muito baixo, porque não a considerava mais sua sócia. Na ocasião em que Buffett foi apresentado a ela, Aye Simon o recebeu em seu amplo apartamento em Nova York, repleto de obras de arte, onde as empregadas andavam na ponta dos pés desfilando com bandejas repletas de sanduíches de pepino. Aye explicou a Buffett que "Papai" Moe Annenberg providenciou para que seus comparsas, conhecidos como "os meninos", dessem alguns tiros em Leo, para que ele mudasse de atitude em relação a Moe. "Ainda dá para ver as marcas de bala numa determinada esquina da Michigan Avenue, em Chicago", ela contou. Aye então pediu para entrar na sua sociedade. Warren, *"prevendo balas"* caso apresentasse maus resultados, encontrou uma forma de escapar da situação.

Seu irmão Walter passara décadas estabelecendo uma reputação de dignidade diferente da imagem transmitida por tiros na Michigan Avenue. Sunnylands era um amplo e opulento oásis no deserto, em Rancho Mirage, na Califórnia. Tinha um jardim repleto de imagens de divindades maias do Sol, além de uma escultura em bronze de Eva, cobrindo o rosto envergonhada, à beira de um plácido lago. Centenas de bromélias a observavam da beira do espelho d'água. Em Sunnylands, Annenberg recebera o príncipe Charles, organizara o quarto casamento de Frank Sinatra e permitira que o amigo Richard Nixon desfrutasse paz e tranquilidade para escrever o seu último discurso oficial.

"Ele tinha modos muito corteses e era bastante formal. Fomos para fora, para perto da piscina, e Walter se sentou. Estava tão bem-vestido que parecia que tudo que ele usava tinha sido comprado naquela manhã. Estava com cerca de 70 anos, e eu, 47. Ele disse, de uma forma simpática e gentil, como se estivesse falando com um jovem a quem tentasse ajudar: 'Senhor Buffett, a primeira coisa que deve compreender é que ninguém gosta de ser criticado.' Estava assim estabelecendo as regras básicas de convivência."

Nada poderia ser mais simples para Buffett.

"Eu disse: 'Sim, senhor embaixador. Eu entendo. Não se preocupe com isso.'

Então ele começou a falar sobre 'essencialidade': 'Existem três empreendimentos no mundo que têm o dom da essencialidade. São o Daily Racing Form, *o* TV Guide *e o* Wall Street Journal. *E tenho dois deles.'*

O que ele queria dizer com 'essencialidade' era que, mesmo durante a Depressão, ele vira o Racing Form *ser vendido por 2,50 dólares até em Cuba. O Racing Form tinha essa qualidade porque não havia fonte melhor ou mais completa para avaliar as chances de um cavalo numa corrida. Vendia 150 mil exemplares por dia e já tinha completado quase 50 anos. Custava mais de 2 dólares, mas era essencial. Se você estivesse a caminho da pista de corrida e fosse um apostador sério, ia querer ter nas mãos o* Racing Form. *Na verdade, ele poderia cobrar o que quisesse, e as pessoas continuariam pagando. Era como vender agulhas para viciados em drogas.*

Assim, todos os anos Walter se perguntava: 'Espelho, espelho meu, será que devo aumentar o preço do Racing Form *neste outono?'*

E o espelho respondia: 'Walter, aumente 25 centavos!'"

Isso se dava em tempos quando era possível comprar o *The New York Times* ou o *Washington Post* por 25 centavos. E Buffett achava que o *The New York Times* e o *Washington Post* já eram excelentes negócios! Isso queria dizer que o *Daily Racing Form* era um negócio incrível.

Annenberg apreciava o fato de ser dono de duas "essencialidades", mas queria ter as três. A visita a Sunnylands marcou o início de uma dança que ele e Buffett executariam de tempos em tempos quando conversavam sobre como poderiam comprar juntos o *Wall Street Journal*.

"*Mas a verdadeira razão para ele ter me convidado era para mandar um recado a Kay.*"

Os Annenberg e os Graham tinham sido amigos.[2] Então, em 1969, durante o processo de confirmação da indicação de Annenberg como embaixador na Grã-Bretanha, o colunista do *Post* Drew Person assinou uma coluna em que dizia que a fortuna de Annenberg "tinha sido construída por meio de brigas de gangues" e repetia um boato, sem fundamento, de que o pai pagara 1 milhão de dólares por ano para obter proteção de Al Capone.[3] Annenberg, enfurecido, acusou Graham de usar o jornal como arma política contra o presidente Nixon, o homem que devolvera à família Annenberg sua respeitabilidade ao assumir o risco de indicá-lo como embaixador. "O presidente Nixon podia ter seus defeitos", disse mais tarde Annenberg, "mas me deu a maior honra que alguém da minha família jamais recebeu."[4]

Na manhã da audiência de confirmação, Annenberg leu outra coluna de Pearson, manifestando um profundo rancor editorial ao *Philadelphia Inquirer*. Annenberg pôs a mão no peito e ficou roxo. Sua mulher achou que ele estava tendo um infarto.[5]

Annenberg ligou para Graham e exigiu uma retratação. Ela tentou acalmá-lo, mas disse que nunca interferia na editoria de opinião.

À noite, depois de um desgastante dia de sabatina, em que Walter teve que se defender de cada ponto levantado pelas colunas de Pearson, os Annenberg foram com relutância até a mansão de Graham, em Georgetown, participar de um jantar com 50 pessoas – para o qual tinham sido convidados semanas antes. Ao entrar no esplendor dourado da sala de visitas de Graham, Annenberg – que dava muita importância ao protocolo e estava particularmente predisposto a se sentir ofendido naquela ocasião – realmente se ofendeu quando Graham colocou outra pessoa a seu lado e o fez sentar-se entre duas de suas amigas, Evangeline Bruce, mulher do extrovertido embaixador David Bruce, e Lorraine Cooper, mulher de um conhecido senador.

A hipersensibilidade de Annenberg em relação a tudo que parecesse falta de consideração lembrava, de certa forma, a falta de tolerância de seu amigo Nixon. Ele e Nixon compartilhavam uma infeliz incompetência para seduzir e desarmar.[6] Assim, uma rixa que se iniciara entre a senhora Annenberg e Vangie Bruce, a respeito da decoração da residência do embaixador, logo se ampliou e tomou conta da refeição.[7] Para complicar ainda mais a situação, a senhora Cooper ofendeu Annenberg, ao insinuar que ele não era rico o bastante para ser embaixador.[8] Sentindo-se vítima de uma armadilha, Annenberg abandonou a festa cedo – e parou de falar com Kay Graham.

"Kay ficou perturbada com isso. Ela queria muito se dar bem com Walter e não procurava briga com ninguém. Não era o seu estilo. Ela gostava de estar no controle, mas não gostava de se exibir. Admirava quem tinha poder, principalmente homens. Por isso, não era confortável para ela se envolver num conflito. Mas Kay também queria que Walter compreendesse que ela não ia dizer a Ben Bradlee o que podia ser publicado no jornal.

Assim, na época em que fui vê-lo, ele estava pensando em encomendar um livro sobre Phil Graham e revelar como os dentes de Phil tinham uma disposição engraçada."

Os dentes de Phil Graham?

"Walter tinha uma teoria de que, se você tivesse espaço entre os dentes, isso seria sinal de instabilidade mental. E, quando Walter tinha uma teoria, ninguém discutia. Walter gostou de mim, mas uma das razões para isso era que eu nunca discordava. Se Walter me dissesse que preto era branco, eu simplesmente não dizia nada.

Assim, eu me transformei numa espécie de mensageiro entre os dois."

Annenberg esperava que Buffett levasse o recado de que, se ele resolvesse publicar o livro sobre os dentes de Phil Graham, bem, eram apenas negócios.

"Nesse período, ele não podia ter sido mais gentil comigo. Instalou-me num quarto de hóspedes extravagante. E me levou a seu escritório, onde tinha à mostra, numa vitrine, uma moeda prussiana, um canivete e alguma outra coisa. Era tudo o que o avô trazia no bolso quando chegou ao país, vindo da Prússia. E me disse: 'Tudo que você vê à sua volta foi produzido por essas coisas.' Num período de poucos anos, Walter conseguira reabilitar a família. Também deixou seu pai orgulhoso. E esse era o seu objetivo número um na vida, deixar o pai orgulhoso."

Buffett compreendia Annenberg do ponto de vista psicológico, mas nunca conseguiu se identificar com ele em qualquer outro aspecto. Eram muito diferentes. A falta de humor do embaixador, seu gosto pela opulência e pela formalidade e a inimizade em relação aos Graham o afastavam de Buffett. Eles também estavam em polos opostos na política. Em todo caso, sob a superfície aparente e as diferenças de temperamento, havia dois astutos homens de negócios que precisaram percorrer um longo caminho para mostrar quem eram – tanto no trabalho quanto na sociedade – e que reverenciavam seus pais, a quem achavam que o mundo tratara com injustiça.

Logo eles iniciaram uma correspondência. Annenberg passou a se ver como uma espécie de tio, que preparava Buffett para a filantropia. Ele defendia a ideia de que os ricos deviam distribuir tudo antes de morrer, para não haver riscos de que seus sucessores não honrassem suas obrigações.⁹ E queria alertar Buffett sobre os perigos. Desconfiado por natureza e sempre testando as pessoas – nesse ponto ele se parecia com Buffett –, Annenberg fez um estudo detalhado sobre fundações fracassadas e a perfídia dos responsáveis por aquelas instituições. Enviou a Warren exemplos de fundações que deram errado depois da morte de seus benfeitores, além de discorrer sobre ações e outros temas mais técnicos. Buffett – um filantropo incipiente e editor de um jornal que recebera o prêmio Pulitzer por expor o fracasso dos continuadores de uma importante instituição de caridade – leu o material com interesse. Annenberg transmitiu a ele seu horror à ideia de ter um administrador imperial cuidando do seu dinheiro, alguém que fosse capaz de cometer "estupros na fundação" depois que ele tivesse partido.

"Prezado Warren", escreveu, agradecendo a Buffett por ter lhe enviado um artigo sobre George MacBundy, que cuidava da Fundação Ford de uma forma que Annenberg considerava repugnante.¹⁰ "Henry [Ford II] certa vez me descreveu George como 'o mais arrogante filho da mãe deste país, alguém que assumiu o estilo de vida de um príncipe árabe graças ao dinheiro da Fundação Ford.'"¹¹

Annenberg passou um tempo enorme organizando um esquema para não ser traído depois de morto. Contou a Buffett sobre a Fundação Donner, cujo nome foi mudado para Independence Fund por um diretor executivo, eliminando o nome do benfeitor original.¹² "Com todo o respeito, sugiro que você se assegure de que ninguém poderá alterar o nome de sua fundação depois da sua morte", ele escreveu. "Lembre-se do senhor Donner."¹³

Buffett pensava de outra forma a respeito da fundação que ele e Susie tinham montado. "*Não deveria ter sido chamada de Buffett Foundation*", ele diria mais tarde. "*Era uma bobagem chamá-la assim. Mas também seria uma bobagem mudar depois, porque seria algo óbvio demais.*"¹⁴

Ele e Annenberg compartilhavam o fascínio pelos meios de comunicação e a imprensa. *TV Guide* era o maior ativo de Annenberg. Tinha a mesma "essencialidade" do *Daily Racing Form*, mas atendia a um público muito maior. Quando Buffett entendeu que Annenberg queria vender o *TV Guide*, ele e Tom Murphy voaram para Los Angeles, para ver se o altivo imperador venderia 50% para cada um.

Mas Annenberg queria pagamento em ações, não em dinheiro. "E nós não daríamos nossas ações de presente", conta Murphy. "Warren nunca dava, nem eu, se pudesse evitar. Não se fica rico dessa forma." Dar ações em troca do *TV Guide* era declarar, literalmente, que eles achavam que ganhariam mais no futuro com qualquer papel que fosse trocado pelos da Berkshire. Pagar com ações demonstrava um certo desprezo pelo próprio negócio em relação àquele que se estava comprando – isto é, a menos que se estivesse pagando com ações supervalorizadas ao extremo.[15] Como regra, não era o que eles faziam com seus negócios nem com seus acionistas. Por isso, não compraram o *TV Guide*.

De qualquer maneira, Buffett continuou a trabalhar como mensageiro para Annenberg e Graham, que lhe ministrara um curso relâmpago de etiqueta e o preparara para outras tarefas elevadas. Ela ligava constantemente, para falar dos mais insignificantes detalhes da sua vida. Ele a visitou na mansão de formato irregular, coberta de telhas, em Martha's Vineyard, com vista para Lambert's Cove. Viajavam juntos com frequência para reuniões de negócios e visitaram as cataratas do Niágara a lazer. E ele a levou para conhecer um de seus totens, as fábricas de tecidos da Berkshire. A espevitada Kay, de 59 anos, passou a ser vista jogando as chaves de casa para Warren, de 46, durante festas de caridade, e os dois apareciam juntos em público cada vez mais. No início de 1977, as colunas de fofoca já estavam alertas e, segundo Graham, "sobrancelhas se ergueram".[16]

Os amigos achavam, como disse um deles, que a dupla tinha "química zero". Mas Graham falava abertamente de um caso.[17] Era evidentemente insegura sobre sua sexualidade, mas tentava projetar a imagem oposta, como está nas suas memórias.[18] Sua mãe ficara famosa por perseguir (e exibir) flertes e relacionamentos obsessivos mas platônicos com homens poderosos e brilhantes. O próprio Buffett acabaria desenvolvendo uma história de amizades românticas com mulheres. Sejam lá quais tenham sido os elementos genuinamente amorosos presentes no início da relação, para os dois se tratava principalmente de uma amizade.

Mas, por se tornar assunto público, isso alterou o delicado equilíbrio entre Susie e Warren. Não importa o que estivesse acontecendo em sua vida, ela ainda se importava muito com o marido. Além do mais, era importante para Susie que as pessoas em sua vida precisassem dela, até mesmo que dependessem dela. Agora ela se sentia diminuída e menosprezada. Mas nunca se permitiria parecer rejeitada em público, como uma Violeta Buscapé. Continuou a se hospedar na casa de Kay quando viajava a Washington e sorria de forma benevolente, sem se importar com o número de vezes que o marido era visto com ela. Alguns amigos de Susie acreditavam que isso lhe era realmente indiferente. Outros sentiam que o relacionamento de Warren com Kay lhe permitia viver, em paz, uma vida em separado. Mesmo assim, ela deixou claro para vários amigos que se sentia furiosa e humilhada. Sua maneira de lidar com a situação foi enviar a Graham uma carta dando-lhe permissão para manter um relacionamento com Warren – como se Kay estivesse esperando esse tipo de autorização.[19] Kay mostrava a carta às pessoas como se aquilo a livrasse de um problema.[20]

Agora Susie estava trabalhando muito para ter uma carreira séria como cantora. Em 1976, abordou os donos do French Café, em Omaha, um restaurante chique localizado num armazém restaurado, no bairro romântico e calçado de pedras de Old Market, no centro da cidade, e sugeriu que poderia cantar no lounge, o Underground. Ficaram surpresos, mas concordaram de bom grado. Susie já tinha organizado ali uma festa beneficente para ajudar a África – descalça, em roupas de algodão colorido e com uma bandana na cabeça.[21] Apareceram anúncios que confirmavam que Susie Buffett se tornara uma cantora. "É muito assustador, mas eu sempre quis experimentar isso até o fim",[22] ela disse a um repórter, antes da primeira apresentação.

Segundo um dos críticos, "faltava a ela autoconfiança", mas tinha "um espírito jovial que lembrava Ann Margret". Seu "jazz estilizado" e o desejo de agradar conquistaram os frequentadores da boate no subsolo do French Café. A plateia foi descrita como sendo formada basicamente por "amigos pouco críticos" e pessoas que queriam ver a mulher de um homem rico.[23] Depois de algumas semanas, Bill Ruane disse a Susie: "Aqui fala Broadway Bill, arranjei um monte de testes para você em Nova York." Durante três semanas ela abriu a programação no Yellow Brick Road, See Saw, Tramps e The Ballroom. "Fui convidada a voltar, mas não quero ser rígida em relação ao tempo. Talvez depois do ano-novo. Primeiro quero encontrar um diretor musical e montar com ele um repertório. Sei o quanto é difícil, mas é o que eu amo e quando voltar quero me apresentar seis meses sem parar."[24] Ela assinou um contrato com a agência de talentos de William Morris.

O verão levou os dois Buffett a Nova York. Warren jogava bridge no apartamento de Kay e, à noite, ele contemplava encantado, na plateia, Susie cantar. A carreira musical os aproximou – ele estava feliz por seu sucesso. Chegaram a pensar em comprar um apartamento num prédio tombado perto da Quinta Avenida, em Nova York, o que teria lhes dado uma base permanente na cidade – mas mudaram de ideia.[25]

Susie, de fato, não queria ser rígida em relação ao tempo e, no outono de 1976, ainda não tinha planos para voltar a Nova York. Passava mais tempo em Laguna que Warren. Além do mais, sua "clientela" em Omaha a distraía – de Leila, que encurralava Susie durante horas com histórias sobre os 38 anos e meio de felicidade com Howard, a Howie, que trabalhava com uma retroescavadeira nas imediações de Omaha, e Dottie, que parecia atravessar a vida como uma sonâmbula, tão passiva que um dia ligou e relatou que a casa estava pegando fogo. Assim que desligou, Susie se perguntou se Dottie teria chamado os bombeiros. Voltou a ligar para a irmã, e Dottie disse que não, que só tinha pensado em avisar Susie.[26] E essas eram apenas as responsabilidades que vinham da família. Mas havia muitas outras entre os "andarilhos", os corações solitários e seus relacionamentos locais.

Em vez de se organizar para cantar novamente em Nova York, ela agendou outra série de apresentações no French Café, na primavera de 1977. Uma revista publicada pelo *Omaha World-Herald* decidiu fazer uma matéria de capa sobre a mulher de um milionário que resolveu se tornar cantora de boate na meia-idade. O repórter Al "Bud" Pagel começou a tratar do assunto como uma reportagem de rotina, procurando os amigos de Susie e fazendo perguntas simples sobre a sua vida, do tipo "O que faz Susie querer cantar?". Naturalmente, como muita gente em Omaha, ele ouvira boatos sobre as atividades extraconjugais de Susie.[27] Os amigos foram "defensivos" e "protetores".

Eunice Denenberg "eriçou seus pelos" e declarou: "Susie é uma daquelas pessoas *boas* que não se fazem mais e que muita gente hoje acha que não existem. Por isso projetam nela parte de seu próprio comportamento inferior, porque ela incomoda."[28] Os fiéis se uniram para proteger a santa. Pagel admitiu que, ao enfrentar um grupo tão agressivo de defensores, de fato sentiu uma necessidade subconsciente de jogar um pouco de lama no vestido de festas mais branco que Susie tivesse.[29]

Para a entrevista, Susie sentou-se com Pagel no sofá perto da lareira, na sala de estar dos Buffett, onde ficava a mesa de pingue-pongue e pôsteres na parede diziam coisas como "O amor veio para ficar" e "Dane-se tudo, menos o circo". Ela lhe transmitiu vulnerabilidade.

"Estar num palco é bem diferente de ser mãe", ela disse durante a entrevista. "Não estou acostumada a cuidar de mim mesma. Talvez eu sirva como exemplo para alguém que esteja pensando: 'Tenho vontade de fazer alguma coisa, mas sinto medo.' Sou apenas mais uma pessoa que também sentia medo mas tentou." Fez uma pausa. "É tudo que posso dizer."[30]

O repórter lhe deu algumas indicações de que estava procurando mais do que aquela simples história. Sua curiosidade tinha sido estimulada, e não diminuída, pelos seus defensores, ferozes como pit-bulls. Susie então se abriu. Falou sobre si mesma durante cinco horas, mas sem entrar em seus relacionamentos pessoais. Mesmo assim, no final ficou atônita com o que acabara de fazer. A mulher cujos lábios se fechavam como moluscos quando as pessoas tentavam abri-los em jantares se entregara a Pagel. No processo, ainda o conquistou como amigo.

Quando a reportagem foi publicada, a chamada de capa da revista dizia: "O que faz Susie cantar?". Uma foto a mostrava com uma expressão enigmática, sorriso tímido, olhar arredio, fugindo da câmera. Susie, nas fotos, evitara olhar a câmera, contemplando Hamilton com um sorrisinho e olhando para as mãos no teclado do piano. Alguma coisa dentro dela, um sonho qualquer, tinha substituído o sorriso aberto que quase sempre aparecia em seus retratos.

Na manhã em que a revista saiu, Susie apareceu na porta da casa de Pagel com uma grande caixa de doces da See's, animada como uma criança diante do retrato que ele tinha pintado. Colocou o nome dele na lista de sua estreia no French Café e lhe enviou um convite.[31] Ele e outros convidados se lembram dela com uma aparência jovem e radiante naquela noite, usando uma peruca de cabelos castanhos e vestido de lantejoulas grudado em seu corpo agora esguio. Cílios postiços emolduravam seus olhos brilhantes. A expressão em seu rosto sugeria que cuidar de si mesma não era uma coisa ruim. Nessa ocasião ela já refinara um pouco seu jeito de cantar, sorrindo sedutora enquanto a multidão assobiava e gritava entre as canções.[32] Os convidados viram o fulgor de uma mulher que deixava para trás seu papel de esposa e mãe e assumia o centro do palco de sua própria vida. A plateia achou envolventes a sua voz doce e suave e o seu estilo elegante e cristalino de apresentar clássicos da música pop e suas canções favoritas. Em seu repertório havia pot-pourris de canções com a palavra *"daddy"* ("papai"), como "My Heart Belongs to Daddy", sucessos da noite como "What Are You Doing the Rest of Your Life", e a sua favorita, "Send in the Clowns", de Stephen Sondheim,[33] que deixou muita gente com lágrimas nos olhos. Ao cantar, o lado sedutor de Susie vinha à tona, e ela se abria emocionalmente. Observando tudo de braços cruzados, de pé, nos fundos, Buffett observava a mulher flertar, atrair e encantar a plateia. De bom humor, chegou a comentar: *"É muito gentil de minha parte permitir que ela faça isso."*

Mas, quando chegou o verão de 1977, Susie ainda não tinha corrido atrás das oportunidades em Nova York. Warren achou que era porque sua mulher, tão espontânea, resistia às limitações de tempo e aos horários muito rígidos exigidos de uma cantora profissional. Alguns amigos se perguntavam se a vozinha bonita de Susie e sua boa presença em cena lhe dariam condições de competir com cantoras mais famosas, de valor reconhecido. Ao mesmo tempo que Susie adorava subir ao palco, era de Warren o sonho de torná-la cantora profissional, com discos gravados. As ambições de Susie sempre tinham sido de alguma forma influenciadas pelos outros. Mas, agora, cuidar de si mesma era assunto particular seu.

Havia uma complicação. Ser a mulher de um homem rico abria portas que teriam ajudado uma carreira de cantora, mas também abria outras, que davam acesso à sua vida pessoal – portas que ela preferia manter fechadas. Warren podia dormir na casa de Kay Graham e ser visto com ela em público, com perfeita liberdade, e as colunas de fofoca só dariam uma piscadela. Mas, sendo uma mulher casada, Susie não tinha a mesma liberdade. O movimento feminista tinha mudado muitas coisas, mas não isso. Com sua privacidade se erodindo, a questão de como lidar com seus sentimentos cada vez mais divididos começou a consumi-la.

Stan Lipsey, seu amigo que editava o *Sun*, também estava com problemas no casamento. Ele e Susie se sentavam num banco de praça, pela manhã, e trocavam confidências. Os dois eram interessados na filosofia oriental e num movimento "em busca do potencial humano" que se iniciara no Esalen Institute, em Big Sur, Califórnia.[34] Eles conseguiram, de alguma maneira, convencer Warren, bem como a mulher de Stan, Jeannie, e a irmã de Susie, Dottie, a participar com eles de uma oficina, durante um final de semana, num hotel em Lincoln. A ideia era "entrar em contato consigo mesmo". A oficina começava com um exercício para estimular as pessoas a se abrirem umas para as outras, sem preconceitos, uma especialidade de Susie. Mas a reação de Warren a tal transbordamento foi muito diferente.

"Havia umas 500 pessoas, que tinham vindo de até 1.500 quilômetros de distância. E começaram a fazer todo tipo de coisas esquisitas. Primeiro, tínhamos que escolher um parceiro. Uma pessoa começava a falar e a outra pessoa continuava, dizendo: 'E então?'

Fiz dupla com uma mulher muito simpática de Oklahoma. Ela começa a falar, faz uma pausa, e eu digo: "E então?" Em 10 minutos ela está soluçando descontroladamente. Eu a destruí, dizendo simplesmente: 'E então?' Era como se eu a tivesse magoado. Eu me senti como se estivesse numa sala de tortura ou coisa parecida."

Depois de ter interpretado o exercício de todas as formas erradas possíveis, Buffett deixou sua companheira em lágrimas, mas ansiosa para ir em frente. O líder disse aos participantes para procurarem novos parceiros. "E quando o líder disse 'Quero que escolham um parceiro do sexo oposto'", conta Lipsey, "comecei a procurar alguém atraente." Buffett ficou ali, olhando em todas as direções, como quem não sabe exatamente o que fazer. "No minuto seguinte", diz Lipsey, "ele estava fazendo dupla com uma mulher muito gorda."

"Ela usava uma bata e devia pesar perto de 200 quilos. Minha tarefa era deitar no chão. Então o líder disse que a tal mulher deveria me dar 'seu peso de presente'. Ou seja, ela despencou bem em cima de mim. Lá estava aquela baleia vindo na minha direção. E eu – ai! Era um presente que não tinha fim!

Enquanto isso, na sala ao lado, mandavam as pessoas latirem como cães. Eu podia ouvir Dottie – que era tão tensa que mal conseguia dizer bom-dia para os outros – tentando latir desesperadamente."

Depois de uma sessão de olhos vendados, conduzidos pelas ruas de Lincoln para experimentar como era a privação de um dos sentidos, Susie e Stan desistiram, e todos fugiram para um cinema para verem *Noivo neurótico, noiva nervosa*, de Woody Allen – "um filme nervoso" – e "passaram o resto do fim de semana enchendo a barriga com frituras e sundaes", lembra Lipsey.

No verão de 1977, enquanto Buffett participava de maratonas de bridge no apartamento de Kay Graham em Nova York, Susie ficou fora de casa o tempo todo, noite e dia.

Em agosto, Howie se casou com Marcia Sue Duncan, apesar das advertências do pai dela de que nunca seria feliz com um sujeito que cavava buracos para viver e dirigia uma caminhonete por toda parte, sempre com um par de enormes cães peludos na traseira. Depois de mandar um presente aos recém-casados, Kay Graham ligou para Buffett para dizer que estava horrorizada porque Howie tinha cometido três erros de ortografia num simples bilhete de agradecimento.

No final de semana do Dia do Trabalho, Susie fez sua última apresentação em Omaha, no Orpheum Theater, abrindo a noite para o cantor e compositor Paul Williams. Usando um vestido longo de chiffon rosa, ela sorria e seduzia, enquanto sua suave voz de contralto derramava baladas românticas com um balanço de jazz, como se fosse mel, "lânguida e sensual". Ela jogou charminho para a plateia em "Let's Feel Like We're in Love, Okay?".[35] Mas, numa cidade pequena e fofoqueira como Omaha, teria sido melhor não fazer isso.

Naquele outono, Susie começou a perceber a bagunça em que sua vida se tinha transformado. Ficava fora até às 4 horas da madrugada, dirigindo até Wahoo – onde passara a noite de núpcias – com a música no último volume no rádio de seu Porsche, antes de voltar, ao amanhecer, para sua casa solitária.[36]

Em seus melhores momentos, Susie dera aos outros parte de sua alma. Agora, em pânico, procurava as pessoas e dividia com elas seus problemas. Os amigos a ouviram falar sobre seu sofrimento em praças, nas calçadas, em longos passeios de carro. Ela estocava pequenas somas de dinheiro, que dava para os amigos guardarem, caso planejasse uma fuga. Apareceu no escritório da Berkshire Hathaway, bateu, aos prantos, à porta da sala de seu parceiro de tênis Dan Grossman e pediu conselhos, enquanto o marido estava na sala ao lado.

Em algum nível, Susie sabia que estava comprometendo diversas pessoas, ao permitir que soubessem mais do que o marido sobre seu casamento em dificuldades e seus desejos secretos de mulher desiludida. "Você não pode dizer nada a Warren, ela dizia. Se você gosta dele, não vai querer feri-lo assim. E ele me mataria, se descobrisse."[37]

As pessoas aceitavam essa carga porque Susie era tão poderosa e amada, porque a devoção de Warren era tão evidente e sobretudo porque ela própria condicionara todos a achar que ele ficaria indefeso sem a sua presença. Alguns fizeram isso automaticamente, uns por lealdade, outros bastante incomodados, percebendo as falhas na lógica de Susie. Mas agora todos se sentiam um pouco responsáveis por guardar seus segredos, por causa da vulnerabilidade de Warren.

Porém nada parecia errado no Gardiner's Tennis Ranch, no Arizona, onde o Grupo Graham – que agora costumava ser chamado de Grupo Buffett – se encontrou naquele outono. A maior parte dos membros já aceitara havia muito a ideia de que Warren e Susan formavam um casal afetuoso mas com vidas separadas. Naquele ano não houve nada de diferente, e Susie participou, como as demais esposas. Bill Ruane mostrou o artigo de Warren na revista *Fortune*, "Como a inflação engana o investidor em ações".[38] Buffett explicava que as ações, principalmente aquelas de empresas que podem aumentar os preços quando os custos crescem, são a melhor proteção contra a inflação – mas mesmo assim seu valor é erodido pela inflação alta, um problema que ele descreveu como um "gigantesco parasita corporativo".[39] Durante um intervalo para socialização, Marshall Weinberg contou a Warren e Susie sobre sua sobrinha, que estava vivendo e trabalhando numa reserva indígena. "Puxa!", exclamou Susie, "eu adoraria fazer isso! Deve ser uma coisa maravilhosa poder viver com simplicidade e ajudar aquelas pobres pessoas na reserva." Warren olhou para ela. *"Logo, logo eu lhe compro uma"*, disse, impassível.[40]

Aos 47 anos, Warren já tinha conquistado tudo que sempre imaginara. Valia 72 milhões de dólares. Encabeçava o organograma de empresas de 135 milhões.[41] Seu jornal ganhara os dois mais importantes prêmios no jornalismo. Era um dos homens mais importantes de Omaha e cada vez ganhava mais destaque a nível nacional. Fazia parte do conselho do maior banco regional, do *Washington Post* e de várias outras companhias. Fora CEO de três empresas e já tinha comprado e vendido com sucesso mais ações do que a maioria das pessoas faz numa vida inteira. A maior parte de seus sócios originais estava agora incrivelmente rica.

Tudo que ele queria era continuar a ganhar dinheiro pela pura emoção, sem mudar mais nada em sua vida. Sabia que Susie achava que ele era obcecado por dinheiro, mas isso já era coisa antiga, e de qualquer forma eles eram capazes de levar suas vidas superando as diferenças, permanecendo unidos por 25 anos. Pelo menos, era o que lhe parecia.

Mais tarde, naquele outono, depois da reunião do Grupo Buffett, Susie foi visitar uma colega de escola que morava em São Francisco. Ficou lá por quatro ou cinco semanas. Um relacionamento após outro pareciam empurrá-la para a Califórnia. Seu sobrinho Billy Rogers se mudara para a Costa Oeste, para participar da cena musical. Susie disse que lhe daria qualquer ajuda de que precisasse para deixar o vício em heroína, mas se preocupava quando ele ficava sozinho. Bertie

Buffett, que agora estava casada com Hilton Bialek, morava em São Francisco, em Carmel. Jeannie e Stan Lipsey pensavam em se mudar para São Francisco. Rackie Newman, a amiga viúva de Susie, também morava lá. Susie Jr. e seu marido estavam em Los Angeles. Peter, em quem ela aprendera a confiar, cursava o segundo ano de Stanford, em Palo Alto. E ela e Warren já tinham um pé na Califórnia – a casa de veraneio em Emerald Bay, ao sul de Los Angeles. Cada vez menos laços a prendiam a Nebraska. A casa de Omaha andava fantasmagoricamente vazia. Assim que o caçula entrou para a universidade, Hamilton, o cão, fugiu de vez, para morar na casa de um amigo de Peter.[42]

Ao passar uma estada prolongada em São Francisco, Susie descobriu que era uma cidade bonita, criativa, impetuosa. De todos os ângulos, do alto de suas colinas, a baía, o oceano, os crepúsculos e as fileiras de casas vitorianas acenavam: venha me ver! Um mosaico delirante de pessoas, bairros, arquitetura, cultura, arte e música dizia: Você nunca vai morrer de tédio em São Francisco! O ar da cidade enchia os pulmões, limpo e libertador. Numa atmosfera espontânea e sexy, no clima "ninguém é de ninguém" dos anos 1970, São Francisco era a capital da expansão da mente e da espiritualidade hedonista, um ímã de tolerância onde as pessoas não julgavam umas às outras.

Susie deu uma olhada em alguns apartamentos. Voltou a Omaha e foi ao French Café, onde tinha cantado, e conversou com Astrid Menks, que era *maître* nas noites de segunda, bem como *sommelier* e às vezes *chef* de cozinha. Susie e Menks mantinham boas relações. Astrid lhe servia chá nos intervalos entre as canções no French Café, e tinha preparado um jantar na casa dos Buffett, no início daquele ano, quando Peter Jay, o novo embaixador da Grã-Bretanha nos Estados Unidos, visitara Omaha. Conhecendo o gosto dos Buffett, Menks devia ter regalado ou horrorizado Jay com a quantidade de carboidratos dos pratos favoritos de Warren: frango frito, purê de batata, molho, espigas de milho e sundaes com calda quente de chocolate.

Susie pediu a Astrid que olhasse por Warren e lhe preparasse uma refeição de vez em quando. Então teve uma conversa com o marido e disse que queria alugar um pequeno e jeitoso apartamento em Gramercy Tower, em Nob Hill, para ter uma base em São Francisco.

A tendência de Warren a não escutar, a só ouvir o que desejava, trabalhou a favor de Susie quando ela explicou que não estava indo embora. Não estavam "se separando". Continuariam casados. Nada mudaria se ela tivesse um canto só dela, um lugar onde pudesse ser ela mesma, em São Francisco. Simplesmente queria se sentir cercada por uma cidade cheia de arte, música e teatros, garantiu. Suas vidas já tinham tomado rumos diferentes mesmo e, de qualquer maneira, ambos viajavam muito. Ele mal perceberia a diferença. Com as crianças crescidas, era hora de ela cuidar de suas necessidades. Ela repetiu várias e várias vezes: "Nós dois – nós dois – temos nossas necessidades." Aquela parte, com certeza, era verdadeira.

"Susie não estava realmente indo embora, era o que importava. Ela só queria uma mudança."

Durante todas as viagens de Susie, mesmo com as conversas sobre comprar um imóvel ou outro, nunca tinha passado pela cabeça de Warren que ela poderia deixá-lo, da mesma forma que nunca lhe passou pela cabeça deixá-la. "Ela só quer uma mudança" e "Não está partindo, de forma alguma" eram o tipo de declarações ambíguas, no estilo Buffett, que ambos tendiam a fazer para evitar sentir que estavam desapontando alguém.

E então ela partiu.

Susie viajou à Europa por algumas semanas com sua amiga Bella Eisenberg. Voltou a Emerald Bay para o Natal em família, mas partiu de volta para a Europa, onde tinha conhecido, em Paris, Tom Newman, filho de sua amiga Rackie. Susie e Tom, que pouco depois se encontraria com a mãe em São Francisco, rapidamente se tornaram amigos.[43] Cada vez mais ficava claro para Susie que ter um lugar para ficar em São Francisco não significava manter um esconderijo onde pudesse passar uma semana de vez em quando. Warren não conseguia cuidar de si mesmo, e Susie Jr. voltou para Omaha por algumas semanas para ajudá-lo. Desde a festa ao som de Quicksilver ela passara a maior parte do tempo de casada telefonando para a mãe, aos prantos. Suavemente, Susie a ajudou a sair do seu casamento, ao mesmo tempo que ela própria se libertava de muitas das convenções que a mantinham presa ao dela. Susie Jr. tentou explicar ao pai que, levando em conta todo o tempo que ele e Susie já passavam afastados, a vida não ficaria tão diferente do que era antes. Mas, até então, não tinha ocorrido a Warren a ideia de que estivessem levando vidas praticamente separadas. Na sua cabeça, Susie vivia para ele. Com toda a certeza era assim que ela agia quando estavam juntos. Por isso, era difícil aceitar que Susie quisesse ter sua própria vida e que não estaria mais à sua disposição o tempo inteiro.

Susie e Warren passavam horas conversando ao telefone. Agora que compreendia o que tinha acontecido, ele teria feito qualquer coisa que ela pedisse para tê-la de volta. Teria se submetido a qualquer condição, a qualquer exigência – mudar-se para a Califórnia, aprender a dançar. Mas, aparentemente, era tarde demais. Ele não podia dar aquilo que ela queria, fosse o que fosse. Susie explicou tudo em termos de sua liberdade, sua necessidade de ser independente, de satisfazer seus desejos e encontrar sua identidade. Ela não poderia fazê-lo se passasse o tempo todo cuidando dele. Assim, ele passou a perambular sem rumo pela casa, mal conseguindo se alimentar e se vestir. Ia para o escritório com uma terrível dor de cabeça na maior parte dos dias. Diante dos funcionários mantinha o autocontrole, embora parecesse que não andava dormindo muito bem. Ele ligava para Susie todos os dias, chorando. "Era como se não pudessem viver juntos e não pudessem viver separados", disse um amigo.

Susie hesitou ao ver o marido tão indefeso e destroçado. Disse a um amigo: "Talvez eu precise voltar." Mas não voltou. Tinha suas próprias necessidades. Uma delas era que seu professor de tênis se mudasse para São Francisco. Ela o instalou num pequeno apartamento, perto do dela. Ele imaginou que aquilo seria um arranjo temporário e que, quando Susie se divorciasse, eles se casariam.[44]

Enquanto hesitava, Susie não tomava qualquer medida para se divorciar. "Warren e eu não queremos perder nada", disse a um amigo que perguntou quais eram seus planos. Não estava falando de dinheiro. Tinha o bastante em ações da Berkshire. Susie era o tipo de pessoa que nunca subtraíra nada, apenas adicionara coisas à vida de Warren. E ela não pensava em agir de forma diferente agora.

Nesse meio-tempo, ela telefonou várias vezes para Astrid Menks, no French Café. "Já fez uma visita a ele? Já fez uma visita a ele?"[45]

Susie conhecia bem seu alvo. Nascida na Alemanha Ocidental em 1946 com o nome de Astrid Beate Menks depois que os pais "abandonaram a Letônia quando os russos a tomaram", Menks tinha emigrado para os Estados Unidos com 5 anos, junto com os pais e cinco irmãos, num velho navio de guerra adaptado para o transporte de passageiros. Sua primeira visão da América, ao se aproximar do porto, foi a de um enorme objeto que atravessava a neblina – a Estátua da Liberdade.

Os Menks foram para Verdell, Nebraska, onde moraram numa fazenda com um fogão a lenha, sem eletricidade nem instalações hidráulicas. Quando Astrid estava com 6 anos, a família se mudou para Omaha. Pouco depois, quando a mãe foi diagnosticada com câncer de mama, Astrid e os dois irmãos mais jovens foram para o Immannuel Deaconess Institute of Omaha, uma instituição mantida por irmãs luteranas, que se compunha de um asilo de idosos, um orfanato, um hospital, uma igreja e uma sala de jogos. O pai, que não falava bem o inglês, trabalhava na manutenção do lugar, enquanto os filhos moravam no orfanato. A mãe de Astrid morreu em 1954. Quando a menina fez 13 anos, foi enviada para uma sucessão de lares temporários. "Não dá para dizer que eu tive ótimas experiências com a rápida convivência com aquelas famílias", ela diz. "Eu me sentia mais segura no orfanato."

Após concluir o ensino médio, Menks frequentou a Universidade de Omaha até ficar sem dinheiro. Depois de uma temporada no Mutual de Omaha, ela trabalhou por algum tempo como compradora e gerente de uma loja de roupas femininas, embora se vestisse apenas com peças de ponta de estoque. Acabou indo trabalhar como *garde-manger* em restaurantes, fatiando 25 quilos de abobrinhas por dia e preparando pratos frios. Vivia num pequeno apartamento no centro, em Old Market, perto do trabalho – o que era conveniente, porque o piso enferrujado do seu velho Chevy Vega estava cheio de buracos.[46]

Ela estava sempre sem dinheiro, mas conhecia todo mundo no bairro dos armazéns, que aos poucos melhorava de nível. Fazia parte de uma turma dos restaurantes que sempre ajudava a organizar os candidatos a artistas da área, os solteiros perdidos e os gays para servir-lhes uma refeição ou um banquete nos dias festivos. Com ossatura pequena, pele clara, cabelo louro quase branco e feições refinadas, Astrid era uma beldade nórdica, com um viés sutilmente endurecido. Às vezes parecia mais jovem do que seus 31 anos. Sempre fazia pouco das dificuldades por que passara na vida, mas, quando Susie Buffett a conheceu, Astrid estava deprimida, vazia e sem perspectivas. De qualquer maneira, quando se tratava de cuidar de quem precisava,[47] Astrid era capaz de superar Susie.

Diante de toda aquela insistência para fazer uma visita a Warren, Menks não tinha muita certeza do que Susie queria e por isso ficou apreensiva. Mas, finalmente, fez a tal visita.[48] Ao chegar, pensando em preparar uma refeição caseira, ela se viu dentro de uma caverna recheada de livros, jornais e relatórios anuais. Warren, que era incapaz de funcionar sem uma companhia feminina, precisava de afeto desesperadamente. Tentara preencher o vazio levando Dottie ao cinema e passando algum tempo com Ruthie Muchemore, uma amiga da família que era divorciada. Entretanto, ele obviamente continuava a ser um homem solitário que tinha sido reduzido, do ponto de vista emocional, a um menino de 11 anos. Precisava ser alimentado. Suas roupas estavam um desastre. Astrid era a mulher menos insistente do mundo. Mas – como Susie sabia que aconteceria – quando estava diante de um problema ela sabia o que fazer.

Com o passar do tempo, Warren explicaria assim as razões que fizeram Susie partir:

"Foi algo que podia ter sido evitado. Não deveria ter acontecido. Foi meu maior erro. Essencialmente, qualquer coisa que eu tenha feito com relação à partida de Susie terá sido o meu maior erro.

Uma parte ainda não consigo compreender. Com certeza, 95% foram culpa minha – não se discute. Talvez minha culpa tenha sido até 99%. Eu simplesmente não estava sintonizado o bastante, e ela sempre estivera perfeitamente sintonizada em mim. Sempre fez tudo para mim, praticamente tudo. Mas, você sabe, meu tra-

balho estava ficando mais e mais interessante com o passar do tempo. Quando Susie partiu, estava se sentindo menos necessária do que realmente era. Comecei a ficar em segundo plano. Mas ela cuidou de mim por muitos anos e contribuiu para a educação das crianças em 90%. Embora, por estranho que pareça, eu ache que tive quase a mesma influência. Só não era proporcional ao tempo que passei com elas. E então ela perdeu o emprego quando as crianças cresceram.

De certa forma, era mesmo a hora para ela fazer o que quisesse. Fez muito trabalho voluntário no caminho, mas no final das contas isso nunca funciona tão bem assim. Ela não queria ser a "poderosa", como querem muitas mulheres de homens importantes da cidade. Ela não queria ser uma mulher de destaque só por ser casada com um sujeito de destaque. Ela adora se relacionar com as pessoas, e todo mundo se relaciona com ela.

Ela me amava e ainda ama. Nós temos um relacionamento incrível. Ainda assim... não deveria ter acontecido. E foi tudo culpa minha."

Não importa quão grande fosse a ferida, ou quais fossem seus motivos, a cada dia que passava Warren descobria que ainda estava vivo. E assim, com o tempo, ele voltou ao papel que lhe era mais adequado: o de professor e pregador. Enquanto tivesse seu cérebro e sua reputação, as pessoas o ouviriam.

No inverno de 1978 Buffett se dedicou com uma intensidade renovada a escrever sua carta anual. A anterior tinha sido apenas um breve relatório informando como iam os negócios. Dessa vez ele começou a esboçar uma aula sobre como o desempenho da administração deveria ser medido, uma explicação dos motivos pelos quais ganhos a curto prazo não servem de critério para decisões de investimento, uma longa dissertação sobre seguros e um elogio à habilidade com que seu amigo Tom Murphy conduzia a Cap Cities. Seu sentimento de carência, nessa época, tinha uma profundidade incalculável. Ele se voltou para a companhia de Carol Loomis, usando o pretexto de pedir ajuda para editar a carta. Ela ajudou a encher suas horas nas viagens a Nova York, quando juntos pensavam muito sobre o que ele desejava transmitir para as pessoas que ficaram com ele o tempo todo, que depositaram sua confiança nele, os acionistas da Berkshire Hathaway.[49]

42
Fita azul

Omaha e Buffalo – 1977-1983

No início de 1978, com o apoio de Susie, Astrid Menks visitava a Farnam Street de tempos em tempos, cozinhando e cuidando da casa. Susie telefonava para estimular Astrid, dizendo: "Muito obrigada por cuidar dele." Gradualmente, entretanto, o relacionamento com Menks ficou diferente à medida que Warren aceitava o fato de que Susie não ia mais voltar para ele.

A princípio, ele e Astrid começaram a passar algum tempo no minúsculo apartamento dela, no antigo bairro dos armazéns. Em maio ela se mudou para a casa dele, entregando o apartamento onde bancara a anfitriã dos fins de noite para a boemia de Omaha. Quando Peter voltou de Stanford, para passar as férias de verão, ela já estava instalada e plantando tomates no quintal da Farnam Street – e procurando Pepsi com desconto de 30 centavos para cada 4 litros nos mercados. "Depois de tantos meses, nem parei para pensar", diz Astrid. "Tudo aconteceu naturalmente."[1]

Astrid "simplesmente desapareceu" da cena agitada do centro da cidade, conta um colega.[2] Ao conhecê-la, os amigos de Buffett ficaram surpresos com a escolha. Ela era 16 anos mais jovem e tinha origens proletárias. Ainda assim, sabia tudo aquilo que Buffett ignorava sobre alta gastronomia e bons vinhos, garfos de crustáceos e facas de cozinheiro. Em contraste com os hábitos de consumo de Susie e sua preferência por tudo que fosse moderno, Astrid gostava de percorrer brechós em busca de antiguidades baratas. Orgulhava-se de pagar o mínimo possível pelas peças de ponta de estoque de seu guarda-roupa e era tão econômica que fazia Buffett parecer perdulário. Muito mais caseira que Susie, os seus interesses – cozinha, jardinagem, pechinchas – eram mais estreitos, se comparados aos gostos sempre em evolução de sua antecessora. Embora fosse modesta, Astrid tinha uma sagacidade provocante, direta, que não lembrava em nada o senso de humor de Susie e seu interesse caloroso pelas outras pessoas.

O advento de Astrid causou rebuliço na rede de relações de Buffett. O triângulo incomum se chocava com os preceitos religiosos de Leila e seu senso sobre um comportamento público adequado – embora, naturalmente, ela tivesse agora pouco contato com o filho e nenhuma influência sobre ele. Peter, por outro lado, sabia que o pai procurava companhia. Ele foi educado para aceitar com naturalidade aquilo que fugia às regras e nem chegou a pensar muito no assunto. Para Susie Jr., contudo, aquilo significava o clássico conflito com a madrasta: surgiu uma barreira entre ela e o pai, agravada pela sua dificuldade em aceitar que alguém, além da mãe, pudesse ser boa o bastante para ele. Para Gladys Kaiser, sua principal protetora, aquela que tomava conta da porta do seu escritório, atendia ao telefone e cuidava do dinheiro de Warren – e agora também do de Susie –, a chegada de Astrid aumentou o nível de estresse, e ela se ressentiu um pouco.[3]

A própria Susie ficou chocada. Não era o que tinha em mente quando afirmou para o marido que ambos tinham suas necessidades. Na sua cabeça, a dependência de Warren era absoluta. Como poderia ele precisar de um relacionamento com outra pessoa? Mas era previsível. Warren procurara a vida toda pela Violeta Buscapé perfeita, e tudo o que ele queria Astrid fazia: comprar Pepsi, lavar a roupa, tomar conta da casa, fazer-lhe massagens, cozinhar, atender o telefone e fornecer toda a companhia de que ele precisava. Astrid nunca lhe dizia o que fazer e não pedia nada em troca, a não ser ficar com ele. A Violeta anterior, Susie, fugira de Omaha em parte para escapar desse infindável poço de carências. Mas, passado o choque, ela aceitou o relacionamento, que de certa forma tornava a sua vida mais fácil. Mas Susie era possessiva por natureza. Não fazia diferença como ela dividia suas atenções. O que ela não queria era que Warren dividisse as dele. Por isso, era a expectativa de Susie – e não a de Warren – que viria a definir todos os papéis.

As peças da vida de Buffett começaram a se juntar em algo parecido com um todo coerente. Mas ele ficou chocado ao perceber que havia alguma verdade na insistente ideia de Susie de que ficar sentado ganhando dinheiro não era uma boa maneira de passar a vida. Warren começou a entender o que tinha perdido. Embora tivesse um relacionamento amigável com os filhos, não os conhecia realmente. A verdade por trás das piadas ("Quem é esse aí? É seu filho."[4]) significava que ele passaria boa parte das décadas seguintes tentando reparar esses relacionamentos. Mas muitos danos não podiam ser desfeitos. Aos 47 anos, ele estava apenas começando a fazer o balanço de suas perdas.[5]

Warren, que dava tanta importância à honestidade, foi perfeitamente franco em relação ao fato de estar morando com Astrid. Todo mundo sabia (menos Doc Thompson). Tanto Susie quanto Astrid, entretanto, permaneciam quietas, dizendo apenas que gostavam uma da outra. Warren se limitou a fazer uma declaração pública. "*Se vocês conhecessem as pessoas envolvidas veriam que a situação era muito conveniente para todos nós.*" Era verdade, pelo menos diante das alternativas. Em certo sentido, a situação tinha semelhanças com a vida do ídolo de Warren, Ben Graham.

Em meados dos anos 1960 Graham propôs um arranjo inovador à sua mulher, Estey, no qual ele passaria metade do ano com a ex-namorada de seu falecido filho Newton, Marie Louise Amingues (ou Malou) – ML, como era chamada pela família – e a outra metade com Estey. O casamento era um conceito que Graham honrava mais na violação do que na rotina, mas Estey tinha seus limites, e aquilo ia muito além deles. Ela se recusou, e os Graham passaram a viver separados, mas nunca se divorciaram. Ben e ML foram morar em La Jolla e passavam parte do ano em Aix-en-Provence. Estey morava em Beverly Hills. Ben se sentia perfeitamente bem em relação a Estey, e ML estava satisfeita em viver com ele sem se casar.⁶

Graham tivera sucesso em manter dois relacionamentos de fato, mas Buffett não estava tentando imitá-lo. Ele não queria duas mulheres. Achava desgastante ter que explicar seus relacionamentos. Muito depois ele descreveria a situação assim: "*Susie me arrumou, e Astrid me manteve arrumado. As duas tinham necessidade de dar, e eu sou ótimo em receber, assim tudo funcionou bem para elas.*"⁷ Mas as perguntas nunca terminavam, porque explicações como essa e declarações de que o arranjo era conveniente para todos não resolviam o problema fundamental de todos os triângulos amorosos. Se três pesos alinham uma balança, eles têm que ser diferentes.

A desigualdade desse triângulo em particular foi multiplicada porque, na realidade, ele envolvia dois triângulos – mas apenas uma das pessoas envolvidas sabia disso: Susie. Em estado de ignorância, Warren a enxergava como aquela que tinha sido prejudicada. Tentava resolver isso tranquilizando-a e derramando sobre ela atenções extravagantes quando estavam em público, o que deixava Astrid exposta e vulnerável. Num estado semelhante de ignorância, Astrid – que admirava e praticamente adorava Susie – aceitava o fato de que Warren nunca se casaria com ela, permitindo que Susie ocupasse o primeiro plano em todos os eventos sociais e de negócios fora de Omaha e tolerando, com tristeza, ser chamada de governanta de Buffett, ou de sua amante, tudo para que o casamento com Susie parecesse tão intacto quanto possível. Buffett tentaria racionalizar isso da seguinte maneira: "*Astrid sabe o lugar que ocupa junto de mim. Sabe que é necessária. Não é um lugar ruim para se estar.*" De fato, esse papel, apesar de aparentemente tão limitado, lhe dava uma segurança que ela nunca tinha encontrado antes.

Foi necessária uma mudança geográfica para que Susie pudesse manter sua aura de abnegada Sra. Warren Buffett, enquanto, ao mesmo tempo, procurava sua realização numa vida totalmente distante desse papel. Mas era Warren quem parecia estar vivendo no melhor de dois mundos, apesar de o novo relacionamento não servir de compensação para o antigo. Ele não conseguia se defender da impressão que causava, de que levara sua mulher a sair de casa por causa do seu relacionamento com Katharine Graham ou – porque algumas pessoas não acompanharam direito a sequência dos fatos – por causa do seu relacionamento com Astrid.

Ele queria desesperadamente salvar o que ainda era possível e tentaria, pelo resto da vida de Susie, compensá-la por tudo o que tinha feito para desapontá-la. Mas isso, naturalmente, não mudou a pessoa que ele era e, obviamente, não significava que ele pararia de ver Kay. Buffett convidou Graham a Omaha, para visitar o Comando Aéreo Estratégico, provavelmente como pretexto para apresentá-la a Astrid. Graham trouxe sua melhor amiga, Meg Greenfield, editora de opinião do *Post* e única exceção a uma reconhecida fraqueza de Graham – não se dava bem com outras mulheres quando havia homens por perto.[8] *"Ao encontrar uma mulher bonita"*, diz Buffett, *"a primeira reação de Kay era pensar em como poderia se livrar dela."*

Buffett levou todo mundo para jantar com Stan Lipsey, no Omaha Club. Kay manteve uma conversa espirituosa com Warren. Meg e Stan faziam um ou outro comentário ocasional. A situação deixou Astrid, que não era do tipo que tenta se impor, completamente isolada. Ela permaneceu silenciosa durante toda a refeição, a não ser no momento em que pediu seu prato. Fascinado por Graham, como sempre, Buffett não fez nada para ajudar. Duas dúzias de pessoas numa enorme mesa próxima festejavam um aniversário de forma ruidosa. Finalmente, os participantes se levantaram, fizeram um círculo e começaram a fazer movimentos com as mãos como se estivessem abrindo bicos e agitando asas, ao som de uma música. Era a dança da galinha. Como sempre a aristocracia em pessoa, Graham observou tudo com uma expressão impagável.[9]

Daquele momento em diante Buffett quase sempre via Graham fora de Omaha. Quando ligava para casa de Warren e Astrid atendia ao telefone, Kay não tinha nada a dizer.[10] Lidou com a situação basicamente fazendo de conta que Astrid não existia, a não ser quando ligou para ela certa vez para lhe perguntar como funcionava o aparelho de videocassete.[11]

Susie e Astrid tinham uma relação completamente diferente. Sentiam-se bem quando estavam juntas, e Astrid chegou a visitar Susie em São Francisco. O cubículo despojado de Susie em Nob Hill agora parecia um quarto de menina, todo enfeitado com bonecas, almofadas, pôsteres e um telefone do Mickey Mouse. Ela usava os armários da cozinha para guardar blusas.[12]

Susie, nessa altura, era grata a Astrid por ter tornado a sua vida mais fácil – desde que Astrid aceitasse o limitado papel público que Susie determinara para ela. A mudança para São Francisco tinha sido difícil, porque ela precisou deixar para trás muitos amigos e causas importantes. Sua partida causou verdadeiras ondas de choque. O Comitê pelo Futuro da Central, o Grupo de Planejamento Familiar, a Liga Urbana e outras organizações de defesa dos direitos civis se refizeram, mas todos sentiram como se um enorme buraco tivesse sido aberto. Os amigos e companheiros lidaram com a situação de formas diferentes. Uns se sentiram abandonados, outros simplesmente tinham saudades. Alguns começaram a fazer com frequência o trajeto de ida e volta a São Francisco, considerando a cidade uma espécie de segundo lar. Uns poucos até a seguiram, mudando-se para lá.[13]

Para muitos amigos dos Buffett, a explicação de que Susie precisava viver em São Francisco porque a cidade lhe oferecia uma gama mais rica daquilo que ela não encontrava em Omaha sugeria que lá se poderia passar o tempo em galerias de arte, clubes de jazz e concertos de orquestra sinfônica. Mas, no final dos anos 1970, São Francisco não era a Paris da América. Uma leva de veteranos de guerra tinha baixado na região da baía, muitos deles física, mental e espiritualmente abalados e feridos. Aqueles em piores condições dividiam a sarjeta com os beberrões e os viciados exauridos, remanescentes dos dias em que hippies tomavam banho de mar nus e queimavam seus neurônios com LSD e maconha, no Haight. Os que ainda eram atraídos a São Francisco pelo hedonismo, pela liberdade sexual e pela liberação geral precisavam tomar cuidado para não tropeçarem numa crescente população de desabrigados pelas ruas. Os gays tinham saído do armário no início da década, numa celebração de liberdade que teve seu auge na Parada do Orgulho Gay, no Golden Gate Park, em 1976. Mas uma cantora da Flórida, chamada Anita Bryant, começou uma campanha nacional contra os homossexuais, que culminou com o assassinato do prefeito de São Francisco, George Moscone, e do supervisor Harvey Milk, por um funcionário municipal homofóbico, em novembro de 1978.[14] Depois que o júri aceitou a alegação de insanidade da defesa, com o veredicto de homicídio culposo, aconteceram na cidade alguns dos piores distúrbios de todos os tempos.

Entre os primeiros novos amigos de Susie estava um casal gay, um deles um ex-anestesista que deixara Omaha depois de uma acusação de erro médico. Ela ampliou esse círculo com músicos, artistas, pessoas que conhecia nas lojas, na igreja, na manicure, no teatro do Esalen Institute, no Big Sur. Logo tinha um grande grupo de amigos, muitos dos quais – talvez a maioria – eram homens gays. A rebelde que vivia dentro de Susie floresceu em São Francisco, e sua nova vida a libertou. A antiga anfitriã de almoços de caridade agora dava festas que tinham o clima dos bastidores de um show de rock. Ela abria a porta e deixava o circo entrar. Mas, fiel a seu estilo, também abraçou uma causa, mais uma vez desafiando as convenções. Ao promover uma nova distribuição de sopa aos famintos, ela se tornou a mãe complacente que muitos de seus amigos gays nunca tiveram.

A parte de sua vida que Warren ainda controlava era o dinheiro. Ela possuía muitas ações da Berkshire, mas, segundo o acordo que tinham feito, não podia vender nenhuma. Um dia ela se apaixonou por uma pintura de Marc Chagall e queria comprá-la para seu pequeno apartamento novo. Mas disse a um amigo que não podia fazê-lo. "Arruinaria tudo", disse. Warren também era bem claro. *"Não quero que você venda ações da Berkshire."* Ele ainda cobria todas as suas despesas. Gladys fazia o acompanhamento dos gastos e pagava as contas.

Da mesma forma, foi a Warren que Susie recorreu quando quis emprestar 24.900 dólares a seu amigo Charles Washington, um ativista de Omaha a quem ela apoiara em diversas circunstâncias. Por sua vez, ele fora um dos protetores que a defenderam bravamente de Bud Pagel, o repórter que perguntou "O que faz Susie cantar?". Buffett achou aquele empréstimo uma péssima ideia e provavelmente não teria concordado se não estivesse tão ansioso para agradar sua mulher. Como calculava, sete meses depois Washington deixou de pagar duas parcelas. Raramente alguma coisa abalava as maneiras agradáveis de Buffett, mas, se ele sentisse que alguém estava tentando lhe passar a perna em matéria de dinheiro, seus olhos queimavam com dor, raiva e sede de vingança, tudo ao mesmo tempo. Depois de alguns segundos, é verdade, as emoções se recolhiam, enquanto ele considerava a situação de forma profissional. Nessa ocasião ele processou Washington e ganhou a soma de 24.450 dólares nos tribunais.

O episódio Washington simbolizava a realidade do novo relacionamento entre Warren e Susie. Se Susie conservasse todas as ações, ele precisaria ser mais generoso com o talão de cheques. Warren lhe dava uma mesada, além de cobrir as contas. Era o "dinheiro para presentes". Quando os filhos precisavam de alguma coisa, ela tomava conta de despesas que ele não aceitaria. Por exemplo, Howie vendeu uma parte das suas ações da Berkshire para construir uma casa para morar com Marcia. Os dois estavam enfrentando dificuldades financeiras e também no casamento. "É uma coisa horrível que Warren não pague por isso", resmungava Susie. "Ele vai deixar que o teto caia. Vai deixar que eles percam a casa." Mas isso fazia parte do jogo entre os dois. Warren sabia que Susie cuidaria do assunto, como cuidou da pequena Sooz quando ela estava vivendo um casamento infeliz. Como sempre tinha cuidado de tudo.

Tudo, isto é, menos do dinheiro. Ganhar dinheiro era tarefa de Warren, e todas aquelas mudanças complexas e contas cada vez maiores vieram num momento em que as fortunas familiares estavam em declínio. Na mesma época em que Susie partiu para São Francisco, Warren foi arrastado aos tribunais em Buffalo, Nova York, para uma dispendiosa batalha entre dois jornais. Normalmente ele era competitivo o bastante para arregaçar as mangas e adorar uma situação assim. Mas agora, em meio a uma crise pessoal, aquilo se tornou um episódio caro e exaustivo. Por outro lado, serviu para fazer com que ele esquecesse um pouco a sua dor. O drama do *Buffalo Evening News* seria uma batalha prolongada, que ameaçaria o valor da Blue Chip e se tornaria um dos episódios mais desagradáveis da sua carreira. Foi algo semelhante ao conflito que ele enfrentara em Beatrice, muitos anos antes, e que jurara evitar repetir a qualquer custo.

Na primavera de 1977, ele e Munger finalmente compraram o jornal diário que procuravam havia anos. Pelo preço de 35,5 milhões de dólares, foi a maior aquisição que eles haviam feito até então.[15]

Coberta de gelo e carcomida pela ferrugem, Buffalo estava longe de ser a "promissora cidade com apenas um jornal" dos sonhos de Buffett e Munger, mas sem dúvida ainda era um bom lugar para se ter um diário. Os cidadãos de Buffalo saíam para trabalhar nas fábricas antes do amanhecer e tinham o hábito de ler notícias à noite. O *Buffalo Evening News* dominava seu competidor mais próximo, o *Courier-Express*, que enfrentava problemas financeiros. Buffett desenvolveu uma bem fundamentada teoria sobre a competição no jornalismo.

"*Kay sempre enfatizava como a competição ajudava a melhorar todo mundo, e coisas desse tipo. Eu dizia: 'Veja bem. O aspecto econômico do negócio está levando, inevitavelmente, a que cada cidade tenha apenas um jornal. Eu chamo isso de sobrevivência do mais gordo. Um ganha. Não há segundo lugar, nem fita vermelha. No final das contas, não haverá competição alguma, porque não é assim que as coisas funcionam.'*"

A equipe e o editor do *Courier-Express* também já tinham concluído que não havia segundo lugar entre jornais. Em 1920 existiam 700 cidades nos Estados Unidos com dois jornais importantes. Em 1977, o número caíra para menos de 50. Nos dias de semana, o *Evening News* vendia o dobro de exemplares do *Courier-Express*. O *Courier-Express* só continuava vivo por ser o único a circular aos domingos, o que respondia por 60% de sua receita.

O *Evening News* tinha sido oferecido ao *Washington Post*, que recusou. Kay Graham não tinha condições de encarar outro jornal com um sindicato forte. Buffett não tinha medo. "*Nós nos sentamos com os representantes dos sindicatos antes da compra e dissemos: 'Vejam, podemos estar errados em muitos pontos, mas só há uma coisa capaz de matar um jornal numa cidade onde ele compete com outro: uma greve prolongada. Vocês são capazes de fazer isso conosco. Mas, se fizerem, todos nós perderemos. É um risco que vamos correr e queremos que compreendam isso. Embora vocês tenham uma carta na mão, se a jogarem, todos perdem.'"* Os sindicatos pareceram compreender.

O império de Buffett e Munger tinha ativos no valor de mais de meio bilhão de dólares,[16] controlava mais da metade da Berkshire Hathaway e 65% da Blue Chip. Essas duas empresas possuíam a National Indemnity, o Rockford Bank, a See's, a Wesco, 10% do *Washington Post*, 25% da agência de detetives Pinkerton, 15% da Geico e um punhado de outras ações – e, finalmente, o jornal diário que procuravam havia tanto tempo.[17]

Murray Light, editor gerente do *Evening News*, logo discutiu com Buffett o plano de começar uma edição de fim de semana – um projeto que a arrogante proprietária anterior, a aristocrática herdeira Kate Robinson Butler, nunca tinha visto com bons olhos. A falecida Sra. Butler, uma pequenina tirana de cabelo branco e bufante, rosnara para os empregados, batera com o punho na superfície de couro de sua mesa de trabalho importada da França e não vira qualquer razão para mudar com a passagem do tempo.[18] Ela costumava fazer o curto percurso de alguns quarteirões entre o escritório e sua mansão, um marco arquitetônico de Buffalo, no banco traseiro de um Rolls-Royce e supostamente estava menos interessada na redação que em suas viagens à Europa, onde tentava encontrar um príncipe digno da mão de sua filha.[19]

O editor do *News*, Henry Urban, se dava bem com a Sra. Butler, sendo que uma parte de suas tarefas era acalmá-la nas muitas ocasiões em que os editoriais do jornal a incomodavam. A preocupação da Sra. Butler não estava nos lucros, nem a de Urban. *"Não seria possível encontrar um homem mais gentil do que Henry Urban. Mas a ideia de negociar com os fornecedores de papel de imprensa simplesmente não passava pela sua cabeça. Logo que cheguei, os fornecedores disseram: 'Será que o senhor Buffett gosta de pescar?' E eu disse a eles: 'Bom, Charlie gosta de pescar, mas eu quero mesmo é comprar papel.'"* O *News* pagava 10% a mais do que os jornais publicados do outro lado da ponte, no Canadá, e valores parecidos com aqueles despendidos por clientes na Flórida, na Califórnia e em Dallas. Buffett queria um desconto de 30% que refletisse os custos de remessa mais baixos. *"Estávamos comprando mais de 40 mil toneladas por ano. O desconto representaria 1,2 milhão de dólares de economia para uma empresa que não estava ganhando dinheiro."* Ele usou sua lábia com os fornecedores. *"Disse a todos eles: 'Temos contratos com durações variadas pelo preço errado. Vocês gastam menos em frete conosco que com qualquer outro cliente na América, mas nos cobram a mesma coisa. Vamos honrar esses contratos, mas, se não renegociarem, nunca mais vamos comprar papel de vocês novamente.'"* Ele ganhou.

Mas a economia nas despesas de frete não resolveria os problemas do *Evening News*. Os jornais de Buffalo mantinham um estranho tipo de equilíbrio. Um controlava os dias úteis, o outro o fim de semana.[20] Buffett e Munger concordaram com Murray Light quando ele disse que o *News* não tinha outra escolha a não ser ampliar sua vantagem com a expansão.[21] "Tínhamos que fazer o que fizemos se quiséssemos competir de verdade", diz Munger. "Um dos lados ia ganhar."

Duas semanas antes de o *Evening News* lançar sua edição dominical, o *Courier-Express* entrou com um processo baseado na lei antitruste, dizendo que o plano do *News* de distribuir os jornais gratuitamente por cinco semanas e depois vendê-los com desconto configurava um monopólio ilegal para tentar tirá-lo do negócio.[22] O advogado do *Courier-Express*, Frederick Furth, usou uma estratégia engenhosa, distorcendo a visão de Buffett sobre a fita vermelha para transformá-la numa história sobre o forasteiro que chega para esmagar os negócios locais.

Furth produziu um volumoso maço de documentos, sugerindo que Buffett e Munger tinham pleno conhecimento de que aquele plano agressivo selaria o destino do *Courier-Express*. O *Courier* lançou uma guerra total de relações públicas, que começou com uma reportagem na primeira página com uma ampla continuação no miolo da edição, e uma cobertura que se prolongou por dias e semanas – na qual o jornal se retratava como um pequeno Davi das vizinhanças lutando contra um Golias rude e monopolista vindo de outro estado. A mensagem encontrou ouvidos atentos em Buffalo, cidade outrora orgulhosa, onde os empregos desapareciam como se também fossem consumidos pela ferrugem.

Tão logo se viu livre do inferno das investigações sobre a Wesco, Buffett se deparou com outra desgastante batalha judicial, que exigiria sua presença na fria e pouco hospitaleira cidade de Buffalo, em Nova York.

O *News* começou a drenar os cofres da Blue Chip. O advogado de Buffett, Chuck Rickershauser, já tinha deixado a Munger, Tolles para se tornar diretor da Bolsa de Valores da Costa do Pacífico. Seu substituto, Ron Olson, foi para Buffalo contestar a acusação de liquidador-monopolista, como parte de uma equipe reunida por Munger em Los Angeles. Olson entrou com uma declaração juramentada que falava do amor de seu cliente pelos jornais desde a infância, quando ficava com as mãozinhas sujas de tinta, e o papel que desempenhara na conquista do Pulitzer pelo *Sun*. O *Courier-Express*, nesse meio-tempo, tentava dar uma de esperto, fazendo perfis lisonjeiros de todos os magistrados que poderiam ser indicados para conduzir o processo.[23] O caso acabou sendo julgado por um dos que foram esquecidos. Ainda assim, a sorte estava com o *Courier-Express* quando designaram para o caso o juiz federal Charles Brieant, do Distrito Sul de

Nova York. Buffett sempre se orgulhara de ser capaz de avaliar um negócio bem depressa olhando apenas seu balanço. Na primeira aparição na corte de Buffalo, Furth, o advogado do *Courier-Express*, apresentou Buffett como alguém que sabia muito pouco sobre o *Buffalo Evening News*, que nunca inspecionara sua gráfica nem contratara consultores que estudassem a qualidade do papel antes de comprá-lo. Furth acusou Buffett de ter discutido a possibilidade de o *News* tirar o *Courier-Express* do negócio, coisa que Buffett negou. Ele se aproximou do banco das testemunhas sacudindo uma cópia de um perfil recente e entusiástico de Buffett, publicado no *Wall Street Journal*. Sua fama crescente seria usada como arma contra ele pela primeira vez.[24] Buffett dissera ao repórter como estava feliz por ter deixado a gestão de recursos e não precisar mais colocar seu ego em jogo. Mas, de fato, nesse perfil aprimorado seu ego estava mais em jogo do que antes. Na reportagem, seu amigo Sandy Gottesman era citado dizendo: "Warren diz que ser o dono de um monopólio ou de um jornal que domine o mercado é como ser o dono do pedágio de uma ponte que não está sujeita a regulamentações. Você tem liberdade relativa para aumentar os preços quando e quanto quiser."[25]

Ele tinha dito isso?, Furth perguntou no tribunal.

"Não foi bem isso", disse Buffett. "*Se foi um pedágio, não me lembro, mas é realmente um grande negócio como cuidar do pedágio de uma ponte em Fremont, Nebraska. Conheço muita gente honesta que quando começa a fazer citações não reproduz exatamente...*"

Furth continuou a pressão. Ele acreditava ou não naquilo?

"*Não vou discutir a caracterização... Eu gostaria de ter um jornal. O que eu disse foi que, num mundo inflacionário, ter o pedágio de uma ponte seria uma grande coisa, se ele não estivesse sujeito a regulamentações.*"

"Por quê?", indagou Furth.

Buffett olhou para o juiz, a quem estava tentando ensinar noções de economia. "*Porque você planeja os custos principais. Você constrói a ponte em dólares antigos e, quando acontece a inflação, você não precisa substituí-la – você só precisa construir a ponte uma vez.*"

"E você usou o termo 'sem regulamentações' para que pudesse aumentar os preços, certo?"

"*É verdade.*"[26]

Buffett agora estava preso a uma teia que ele próprio tinha tecido. Uma ponte com pedágio, Douglas Street Bridge, sobre o rio Missouri marcara de fato a sua juventude.[27] Durante a infância de Buffett, Omaha discutia havia mais de uma década como liberar das garras da empresa que cobrava o pedágio a única rota para Iowa. Ele e Munger mais tarde *tentaram* comprar a Detroit International

Bridge Company, que era dona da ponte que ligava Detroit a Windsor, Ontário, mas só conseguiram arrematar 24% da empresa.[28]

"*Era uma ponte infernal. Tinha 92 metros quadrados e dava um monte de dinheiro... Fiquei terrivelmente desapontado quando não conseguimos comprá-la. Charlie ficava me dizendo que estávamos melhor sem ela. Pois, ele argumentava, o que poderia trazer mais danos à sua imagem do que ser o sujeito que aumenta o preço do pedágio numa ponte?*"

De fato.

"O juiz não gostou de mim. Por uma razão ou outra, ele simplesmente não foi com a minha cara. Também não gostou do nosso advogado. A maior parte das pessoas gosta de Ron Olson, mas o juiz não gostou dele."

A sentença preliminar do juiz Brieant, divulgada em novembro de 1977, dizia que o *Evening News* estava em seu direito ao começar uma edição dominical, e era de interesse público que o fizesse. Mas Brieant, aparentemente, levou a sério a abordagem de Furth sobre a história do pedágio na ponte – e se apropriou dela. Viajou a Buffalo para conferir a história e lamentou que "leitores e anunciantes da Grande Buffalo [pudessem] concluir que é possível viver com apenas um jornal como se fosse uma ponte com pedágio não regulamentado que controlasse a passagem das notícias do mundo exterior."[29] Ele considerou que a promoção planejada pelo *News* era predatória, proibindo o marketing e a distribuição da nova edição dominical, a não ser sob severas condições. O juiz impediu o *News* de distribuir gratuitamente os jornais e de oferecer descontos ou garantias aos anunciantes, entre outras restrições. A mais problemática estipulava que os assinantes deveriam preencher um formulário todas as semanas solicitando o jornal do domingo. O *Courier-Express* detonou uma bem armada campanha editorial, cantando vitória sobre o forasteiro brigão que tentava derrubar um pequenino negócio local. O *Evening News* não podia dar nenhum tipo de resposta.

"Agora seria tudo ou nada, mas tínhamos um juiz que não gostava da gente e estávamos trabalhando com nossas mãos amarradas, sob ameaça de desrespeito à corte."

Os empregados do *Courier-Express* policiavam o cumprimento minucioso da ordem judicial – e conseguiram provar que o *News* entregara algumas edições dominicais a pessoas que não tinham preenchido o formulário adequado. O juiz Brieant considerou que o *News* estava desrespeitando suas determinações.

Cinco semanas mais tarde os anunciantes se aglomeravam no *Courier-Express*, e a edição dominical do *News* só saiu com um quarto dos anúncios do adversário.[30] O *Evening News*, que até então apresentava lucros modestos, passou a ter um prejuízo estonteante de 1,4 milhão de dólares.[31] A notícia deixou Buffett gelado. Nenhum de seus negócios tinha perdido tanto dinheiro em tão pouco tempo.

Num dia chuvoso e triste, na semana que antecedeu o Natal de 1977, o juiz Brieant convocou uma sessão do tribunal para dar início ao julgamento que determinaria os termos da sentença final. Buffett tinha atravessado insone e aos prantos o final do outono tentando digerir o que significava a partida de Susie – que, entretanto, não era um abandono. Sua forma de tirar a cabeça de suas desgraças pessoais era pendurar-se em Carol Loomis, em Nova York, e em Astrid, em Omaha. Mas agora, com toda a certeza, não estava procurando uma distração desse tipo. Quando o julgamento entrou em recesso, ele voou para Emerald Bay, para o encontro familiar anual – o primeiro sob o novo arranjo com Susie, no qual ela voltou a repetir que nada mudaria em suas vidas. Assim que a festa de ano-novo acabou, Warren e Susie seguiram caminhos separados. O juiz Brieant reuniu os litigantes, e, enquanto Buffett retomava o trabalho em Omaha, Olsen e Munger começaram a ligar para ele com as novidades do julgamento.

Em julho de 1978 ele se encontrou com Carol e George Gillespie. "*Estávamos jogando bridge com Charlie no apartamento de Kay em Nova York quando chegou a decisão do juiz Brieant. Dei para Charlie ler, e ele disse: 'Bom, está muito bem escrita.' Fiquei maluco. Não me interessava se estava bem escrita ou não. Sob todas aquelas pressões, eu não ia admirar sua prosa.*"

A opinião final do juiz Brieant, uma obra-prima de descomedimento jurídico, trazia o seguinte subtítulo: "O senhor Buffett vai para Buffalo." Mantinha todas as restrições contra o *Evening News*. Munger e Olson planejaram recorrer. Como lhe era característico, Buffett não queria prolongar a briga com o juiz. Uma vez, Munger dissera brincando que sua técnica de gerenciamento era tirar todo o dinheiro de uma empresa e aumentar os preços. Se isso falhasse, Buffett não teria outras flechas para atirar. A técnica não resolveria o problema do *Evening News*. Buffett estava tão abatido e queria tanto evitar um confronto que estava disposto a deixar que 35,5 milhões de dólares descessem pelo ralo. O último resquício de sua mais recente batalha judicial acabara recentemente. A SEC tinha aprovado finalmente, depois de tanto tempo, a fusão entre a Berkshire e a DRC. Buffett queria desesperadamente se livrar de advogados, depoimentos, intimações e brigas. "*Não queria recorrer. Achava simplesmente que aquilo levaria muito tempo, irritaria o juiz e nós teríamos ainda mais a perder. O Courier se beneficiava daquela situação. Declarei: 'Não vamos recorrer porque em um ano ou um ano e meio estaremos liquidados de qualquer maneira.' Mas Ron e Charlie me disseram que eu estava errado. E eu estava errado.*"

No final ele resolveu segui-los. "*Tínhamos que recorrer. Eu não ia me render a um conjunto de restrições que nos impediam de competir em pé de igualdade. Basicamente não havia escolha. Não blefamos. Não é meu estilo. Ao longo de uma* vida você ganha uma reputação por blefar ou não blefar. Portanto, quero que compreendam que eu não faço isso."

O *Buffalo Evening News* era, com folga, o seu maior investimento. Buffett estava empatando um terço do capital da Blue Chip, perdendo dinheiro sob as restrições impostas pelo juiz Brieant e vulnerável a qualquer ataque para enfraquecê-lo, num período em que o mercado de ações estava em baixa, e precisava produzir dinheiro para comprar ações por uma ninharia do jeito que ele sempre gostou. O fracasso em potencial do *Buffalo Evening News* envolvia, para ele e Munger, um risco maior que o simples prejuízo de 35 milhões de dólares. Para o homem que reclamava de gastar 31.500 dólares numa casa porque o dinheiro podia ser transformado em 1 milhão, a perda do potencial de composição do investimento no jornal tornava a situação muito mais séria do que aparentava superficialmente. Por isso, Buffett não apenas decidiu recorrer da decisão, mas usou sua lábia com Stan Lipsey, que estava pensando em se mudar para São Francisco, para que ele assumisse o jornal. "*O que você acha de ir para Buffalo?*", perguntou Buffett. "Meu coração ficou apertado", diz Lipsey. "Mas não podia negar nada a Warren."

Lipsey foi a Buffalo para fornecer ajuda temporária e chegou no rastro da pior nevasca que acometera a cidade em muitos anos, com montes de neve que chegavam à altura dos telhados das casas. Ele ficou no hotel recomendado por Buffett e comeu na sua churrascaria favorita. Na manhã seguinte, quando chegou à sede do *Evening News*, percebeu rapidamente por que Buffett queria que ele estivesse ali. O produto final era excelente, mas a administração do negócio era caótica. Ele se sentou à mesa de uma secretária e começou a trabalhar usando uma máquina de escrever manual. Um gerente apareceu e perguntou: "Que tipo de bebida você prefere?" Lipsey perguntou o que ele queria dizer. "Bem", disse o homem, "como gerente você tem direito a duas caixas de bebida alcoólica."[32]

Lipsey começou a passar uma semana por mês em Buffalo. Numa de suas semanas em Omaha, ele visitou Warren e Astrid para saber como andava a vida recente de Buffett. Warren parecia bem à vontade com seu novo relacionamento. Deixou até que Astrid os levasse a um espetáculo de travestis.[33]

Em 1979 Lipsey reforçou a administração do jornal, e a vitória judicial contra o *Courier-Express* parecia se aproximar. Em abril daquele ano, quase um ano e meio depois da injunção preliminar de Brieant, a corte de apelações da segunda região rejeitou sua decisão por unanimidade, declarando que suas opiniões estavam "contaminadas por erros legais e factuais". Simplesmente "não havia provas de que o Sr. Buffett tivesse adquirido o *News* com a ideia de tirar o *Courier* do mercado (...) Tudo que os registros demonstram é uma constatação de que o Sr. Buffett pretendia fazer o melhor possível com o *News*, sem perder seu sono imaginando quais os efeitos que isso teria sobre a competição com o *Courier* (...) Os tribunais precisam se resguardar das tentativas de queixosos que se valem das leis antitruste para fugirem do impacto da competição."[34]

Mas a suspensão da ordem do juiz Brieant foi uma vitória que quase chegou tarde demais. O *Courier-Express* imediatamente apelou, procurando restaurar a injunção. Os advogados do *News*, exaustos, sacaram de novo as espadas para continuar a luta absurda. Nesse meio-tempo, apesar do controle administrativo mais estreito imposto por Lipsey, a batalha já tinha absorvido uma fortuna em custas judiciais e na perda de anúncios enquanto o *News* funcionara sob as restrições impostas pelo juiz. Na maior parte de um espaço de dois anos, o jornal perdeu milhões – teve um prejuízo operacional de 5 milhões de dólares, sem contar os impostos, só em 1979 –, muito mais do que Buffett e Munger já haviam experimentado perder em qualquer outro negócio. Recuperar todo aquele dinheiro exigiria um trabalho heroico.

"Que tal se mudar para Buffalo?", propôs Buffett. "Não quero fazer isso", retrucou Lipsey. Buffett não disse nada, e Lipsey continuou as suas viagens de ida e volta.

Em meados de 1979, o mercado de ações estava afundado nas sombras e, segundo Buffett, ordens de compra eram dadas "a conta-gotas".[35] O Dow Jones arrastava-se havia uma década, avançando e atolando em roncos e suspiros, como um carro velho com o carburador defeituoso. A mais recente empacada o levara de volta para o patamar dos 800 pontos. O substituto de Gerald Ford em Washington, Jimmy Carter, usava suéteres parecidas com as do Sr. Rogers* para promover a economia de energia. A estratégia teve o efeito contrário, e ele pareceu encarnar a impotência dos Estados Unidos em lidar com o Irã, onde o aiatolá Khomeini derrubara o xá. A imperatriz não valsava mais pelo salão da embaixada iraniana. Um acidente na usina nuclear de Three Mile Island lançou material radioativo na atmosfera, a inflação galopava e chegou a dois dígitos, e filas se formavam nos postos de gasolina. A revista *Business Week* decretou "a morte das aplicações em ações" – como se ninguém mais fosse voltar a comprar ações. Uma atmosfera de profundo pessimismo se abateu sobre o país.

Os investidores acumulavam ouro, diamante, platina, obras de arte, imóveis, moedas raras, ações de mineradoras, gado e petróleo. "Dinheiro é lixo" era a senha de então. Meninas da escola secundária usavam colares feitos com moedas Krugerrand. Um novo e insolente conselheiro de Grinnell, Steve Jobs, cria do querido Bob Noyce, tentou convencer o comitê de investimentos a vender todas as ações e comprar ouro.[36] Steve Jobs, um engenheiro de 20 e poucos anos, era

---

* Apresentador de um programa de televisão infantil. (*N. da T.*)

um sujeito muito esperto, mas o comitê de investimentos se opôs e Grinnell não comprou ouro.

Na *Forbes*, Buffett escreveu o contrário. Era hora de os investidores comprarem ações. *"O futuro nunca está claro"*, escreveu. *"Você paga um preço muito alto no mercado de ações por um consenso animado. A incerteza, na realidade, é amiga do comprador de valores a longo prazo."*[37] Ele era o comprador de valores a longo prazo, a não ser pelo fato de não ter dinheiro em caixa. Desde o início da década, de tempos em tempos, dinheiro chovia sobre Buffett – 16 milhões de dólares da distribuição dos ativos da sociedade, em seguida outros milhões da venda dos papéis da Data Documents, um investimento particular. Mas ele tinha despejado tudo na Berkshire Hathaway. Buffett queria dinheiro para investir. Tinha fixado para si um salário de 50 mil dólares por ano, número que aumentara modestamente para 100 mil. Então tomou algum dinheiro emprestado de bancos e voltou a investir.

Finalmente Stan Lipsey optou pela mudança que Warren tanto aguardava. Um dia, em 1980, Lipsey entrou pela porta dos fundos, permanentemente aberta, da casa em Omaha, para dizer que sua mulher Jeannie queria o divórcio, mas seu advogado, segundo ele, estava criando caso. Buffett lembrou a Lipsey uma coisa que aprendera com Tom Murphy: *"Você sempre pode criar caso com eles amanhã, Stan."* Convidou os advogados em conflito ao seu escritório e tentou ajudar a mediar o fim do casamento de dois amigos – era a segunda vez que fazia algo assim. Pouco tempo antes, Buffett tinha intermediado a paz entre seu amigo Ed Anderson e a mulher, Shirley Smith Anderson, uma velha amiga de Warren e Susie, que tinha sido "madrinha" de Dottie numa fraternidade universitária. Ele tinha experiência em ajudar os amigos a atravessar fases difíceis de transição. Começou a conversar com Lipsey sobre a necessidade de fazer mudanças em sua vida. "Talvez seja mesmo a hora", pensou Stan. Enquanto a conversa progredia, Buffett procurou convencer Lipsey a se mudar para Buffalo. "Era típico de Warren. Ele queria que eu fosse para lá de qualquer maneira", ele diz. Mas, no final das contas, como acontecia com as pessoas que investiam na sociedade, a ideia tinha que partir de Lipsey.

Lipsey foi para Buffalo e ficou. Todas as noites de sexta-feira ligava e transmitia a Buffett os mais recentes "números tenebrosos" e, a cada vez, por mais terríveis que fossem as notícias, Buffett permanecia positivo e encorajador, agradecendo a ligação. "Era meio enlouquecedor", conta Lipsey.[38] No final de 1980 os prejuízos já chegavam a 10 milhões de dólares. O relatório anual da Blue Chip, feito por Munger em 1980, alertava sobre as condições precárias do jornal e também reclamava, de forma sombria, dos "grandes saltos nos benefícios" exigidos pelos sindicatos, repetindo um aviso feito pela primeira vez no relatório de 1978.

"Se qualquer greve prolongada causar o fechamento do *Buffalo Evening News*, a empresa provavelmente será forçada a parar sua operação e será liquidada."[39]

O ânimo de Munger ao escrever essas palavras, associando o destino da Blue Chip ao labirinto judicial do *Buffalo Evening News*, refletia, de certa maneira, o estado precário da sua saúde. Por muitos anos, ele suportara estoicamente o avanço da catarata, até chegar a um ponto em que sua visão estava seriamente comprometida. Quando fez a cirurgia no olho esquerdo, o resultado foi uma complicação extremamente rara, denominada crescimento epitelial. Um tipo de tecido primário (geralmente células da córnea) entrou no seu olho e começou a crescer, como um câncer. A pressão e a destruição do nervo óptico causavam dores severas e incapacitantes.[40] Quando não conseguiu mais tolerar a agonia – era como se seu olho estivesse explodindo lentamente –, Munger resolveu fazer uma cirurgia para remover o olho e substituí-lo por um de vidro. "Fiquei como um animal ferido por vários dias", ele diz.[41] "Não suportava ser banhado pelas enfermeiras, porque sentia náuseas. Eu disse a Buffett que queria morrer." Aterrorizado pela possibilidade de ter que passar outra vez pelo mesmo sacrifício – e enfrentando o risco da cegueira –, ele decidiu que a catarata de seu olho direito seria apenas raspada, sem a substituição do cristalino por uma lente. Ele então passou a usar antiquados óculos, grossos como fundo de garrafa, sobre seu olho bom.

Durante a agonia de Munger, o sindicato dos motoristas do *Buffalo Evening News* – talvez encorajado por três anos de uma administração que cedia a pressões – exigiu que se mantivesse o pagamento de horas extras por trabalho não realizado. O *Evening News* vinha fazendo esse pagamento como uma capitulação temporária, e agora o sindicato queria incluir essa cláusula permanentemente em seu contrato. Munger e Buffett negaram peremptoriamente. Então, em dezembro de 1980, os caminhoneiros, percebendo que Buffett não poderia aguentar uma greve enquanto durasse a batalha com o *Courier-Express*, cruzaram os braços às 6 horas da manhã, depois de uma noite inteira de tentativas de mediação. Junto com representantes dos outros sindicatos, que driblaram os piquetes, Lipsey, Henry Urban e Murray Light trabalharam febrilmente para pôr na rua o vespertino. Porém, no último minuto, os gráficos também aderiram ao movimento, arrancando as matrizes das rotativas enquanto saíam.

Buffett concluiu que estava perdido. Da experiência de décadas com circulação de jornais sabia que, mais do que os gráficos, o pequenino sindicato dos motoristas – ao todo 38 funcionários – tinha poder para fechar um jornal. Membros de outros sindicatos e voluntários podiam colocar as impressoras para funcionar, mas, sem motoristas para distribuir o jornal, estava morto. Buffett não aceitava usar substitutos que não fossem filiados ao sindicato, preocupado com a segurança deles. "*Não ia mandar nossos homens lá fora, em dezembro, no escuro, entregar jornais em alguma área rural onde algum sujeito poderia abatê-los com uma barra de ferro. Eu estava lá sentado, em Omaha, e essa não era uma decisão que eu pudesse tomar em nome de um monte de gente que estaria na linha de frente, suportando as consequências.*"

O *Evening News* fechou as portas.

Buffett disse ao sindicato: "*O jornal tem uma quantidade limitada de 'sangue': se sangrar demais, não terá como sobreviver... Vamos reabrir apenas se houver perspectiva razoável de uma operação viável.*"[42] Mas o ponto de desequilíbrio poderia ser alcançado rapidamente.[43]

Dessa vez os sindicatos pensaram duas vezes. Em 48 horas o *Evening News* estava de volta às ruas. Naquela época, o *News,* embora ainda estivesse cambaleante aos domingos, já tinha conseguido conquistar algum espaço do *Courier-Express* e se aproximava lentamente da liderança, mantendo sua vantagem nos dias úteis.[44] No final de 1981, Lipsey e Buffett tinham reduzido os prejuízos para 1,5 milhão de dólares por ano, metade do prejuízo do *Courier-Express*.[45] Na guerra da "sobrevivência do mais gordo", já era quase certa a vitória, embora fosse obtida a um preço desconcertante. O *Courier-Express* nunca desistiu do processo que tentava recolocar em prática as decisões do juiz Brieant, mas os proprietários viram outro juiz, o juiz do mercado, encaminhar-se com a fita azul da vitória na direção do *Buffalo Evening News*. Agora tentavam vender o *Courier-Express* para o magnata da imprensa Rupert Murdoch, mas os sindicatos não concordaram com uma exigência de Murdoch para abrirem mão de direitos adquiridos. Assim, o *Courier-Express* deu sua última cartada em setembro de 1982. Logo em seguida abandonou o jogo.

O *Buffalo Evening News* publicou imediatamente uma edição matutina e mudou o nome para *Buffalo News*. Com a vitória nas mãos, Buffett e Munger foram participar de um encontro com funcionários no Statler Hilton, no centro da cidade. Alguém perguntou alguma coisa sobre distribuição de lucros. "*Não há nada que alguém no terceiro andar*" – onde ficava a redação – "*possa fazer que afete os lucros*", disse Buffett. O capital correu o risco e colheu os resultados. Ele e Munger tinham arriscado 35 milhões de dólares numa série de decisões. Poderiam ter perdido todas as moedas. Todo o lucro que se seguiu foi para eles. Os trabalhadores ganharam seu salário pelo tempo e esforço empregados – nem mais, nem menos. Acordo é acordo. Mas, depois de tudo o que tinham passado, a equipe ficou atônita diante da falta de generosidade.

Quando deixava com Buffett o escritório, Munger passou pelo editor Henry Urban, que "esperava pelo menos um pequeno elogio", segundo Ron Olson.

Munger era famoso por entrar em táxis enquanto as pessoas ainda falavam com ele, como se não as ouvisse, e por desaparecer atrás de uma porta um segundo depois de terminar de falar, sem esperar uma resposta. De qualquer maneira, Urban ficou de boca aberta. Buffett seguiu Munger sem sequer olhar para os lados. Ninguém agradeceu. Olson, mais atrás, atravessou a sala distribuindo apertos de mão, num esforço para compensar a secura dos outros dois.[46]

Um ano depois, com mais anúncios e uma circulação cada vez maior, o *News* tinha um lucro de 19 milhões de dólares – sem descontar os impostos –, valor superior a todo o prejuízo acumulado dos últimos anos. Metade dessa quantia foi diretamente para Buffett. Mas, depois que o entusiasmo passou, a sua atenção foi desviada. Embora ainda mencionasse o *Buffalo News* em seu relatório anual, ele já estava mais interessado na novidade seguinte.

PARTE CINCO

O rei de Wall Street

43
Faraó

Omaha – 1980-1986

Quinhentos ricos satisfeitos, trajando smokings e vestidos de baile, atravessaram o tapete vermelho e adentraram o sofisticado Metropolitan Club de Nova York, para o aniversário de 50 anos de Buffett. Com as ações da Berkshire Hathaway negociadas a 375 dólares, o seu patrimônio líquido mais que duplicara ao longo dos últimos 18 meses. Eles podiam arcar com o aluguel do local, sem susto.[1] Semicelebridades, como a filha do ator Gary Cooper, espalhavam-se em meio aos membros do Grupo Buffett. Susie encomendara um bolo no formato de uma embalagem de seis garrafas da amada Pepsi-Cola do marido. Ele tinha pedido a Don Danly, seu antigo sócio no negócio das máquinas de fliperama, que lhe trouxesse o balanço geral da Wilson's Coin-Operated Machine Company.[2] Buffett estava começando a reunir material das suas primeiras incursões nos negócios – e tratava aqueles documentos como uma espécie de totem que ele mostrava às pessoas com reverência. Eram artefatos reconfortantes – evidências tangíveis de sua própria trajetória.

Susie levou a sua banda de São Francisco e subiu ao palco central para cantar uma versão de "Shuffle off to Buffalo" para o marido:

Warren got fed up with candy
With stamps he wasn't handy... *

A canção prosseguia, verso após verso, no tema da última travessura de Buffett: fazer as malas e partir para Buffalo para comprar um jornal subvalorizado.

O espetáculo de Susie, um pouco piegas mas cheio de ternura, deu partida em uma brincadeira. Os familiares e amigos de Buffett começaram a enumerar – na sua presença – a lista de empresas e investimentos que ele colecionara, como contas

---

* Numa tradução livre: "Warren enjoou dos doces/ Para selos ele não levava jeito..." *(N. do T.)*

de um rosário. Ele mesmo, com sobrancelhas que brotavam como ramos de uma trepadeira sobre a armação dos óculos, já não parecia tão deselegante de smoking. A moderna Berkshire Hathaway, que ele criara, tinha produzido novas contas para o rosário num ritmo quase industrial. A caçada de Buffett por empresas para comprar tinha ficado mais ambiciosa, deixando para trás as guimbas de charuto e os processos das décadas anteriores. A grande máquina de acumular juros trabalhava para ele como uma escrava, numa velocidade exponencial e sob a aprovação coletiva da opinião pública. O método era o mesmo: estimar o valor intrínseco de um investimento, prognosticar seu risco, comprar utilizando uma margem de segurança, concentrar-se, não abandonar seu círculo de competência – e "deixar rolar", enquanto os juros acumulados faziam o trabalho. Qualquer um era capaz de compreender essas ideias simples, mas poucos conseguiam colocá-las em prática. Embora Buffett fizesse o processo parecer fácil, a técnica e a disciplina que havia por trás dele envolviam, na verdade, um volume imenso de trabalho para ele e seus funcionários. O seu império empresarial se expandia de costa a costa, das margens do lago Erie até os subúrbios de Los Angeles; mas o Kiewit Plaza continuava sendo o centro – um templo comercial discreto, porém sempre agitado, com seus móveis de armação de aço sujos e gastos e pisos de linóleo. A cada novo investimento havia mais a fazer, mas o número de pessoas na sede quase não se alterava. Buffett permanecia atrás de portas fechadas, protegido por Gladys. O ricaço Bill Scott passara a trabalhar meio expediente, aproveitando o resto do dia para tocar com sua banda de polca. Um novo gerente, Mike Goldberg, engrossara a equipe da sede. Verne McKenzie administrava as finanças. Os funcionários raramente saíam dos seus escritórios minúsculos, exceto para as ocasionais assembleias na sala de reuniões, que comportava apenas quatro pessoas. Ninguém batia papo diante do bebedouro. Sobre o período de suposta tranquilidade depois do tumulto envolvendo o *Buffalo Evening News*, McKenzie resume a questão da seguinte maneira: "Nunca houve um período assim."[3] Os que testaram a Lei de Termodinâmica de Rickershauser descobriram que o sol era de fato gostoso e quentinho, mas Buffett era tão focado, e sua mente trabalhava numa velocidade tão grande, que conversas prolongadas com ele os deixavam com queimaduras. "Eu ficava com a cabeça muito cansada", disse um amigo. "Tinha que me recobrar, depois de encontrá-lo", afirmou outro. "Era como levar marteladas na cabeça o dia inteiro", declarou um ex-funcionário.

Buffett tinha a energia e o entusiasmo de um adolescente incansável; ele parecia se lembrar de cada fato ou número que lera na vida; seduzia as pessoas de forma que elas se oferecessem para fazer trabalhos duros – e então dava como certo que elas seriam capazes de operar milagres; e, embora fosse extraordinariamente tolerante com as idiossincrasias e os defeitos dos outros, essa tolerância diminuía quando lhe custavam dinheiro. Ele era tão ansioso para ver resultados, tão confiante na capacidade das outras pessoas e tão inconsciente de como ela era muito menor do que a sua que subestimava cronicamente a carga de trabalho dos seus funcionários. Buffett, o sol ao redor do qual todos giravam, era imune aos efeitos da Lei de Termodinâmica de Rickershauser.

"*As pessoas me dizem que eu as pressiono. Essa nunca é minha intenção. Há quem goste de fazer pressão. Eu, não. Na verdade, é a última coisa de que eu gostaria. Acho que nunca faço isso, mas tanta gente já me disse que sim que deve ser verdade.*"

Os gerentes do interior do país que administravam os negócios subsidiários da Berkshire e da Blue Chip tinham sorte, pois Buffett os deixava basicamente em paz. Seu truque administrativo era encontrar perfeccionistas tão obsessivos quanto ele, que trabalhavam sem parar. Em seguida ele os ignorava, exceto para uma ocasional "carnegização", ou seja, dar atenção, demonstrar admiração e outras técnicas de Dale Carnegie. A maioria não preferiria que fosse de outra forma.

As decisões que Buffett teve que tomar quanto às ações na década de 1970 foram apostas ousadas contra o pessimismo reinante no mercado, que vinha sendo assolado por um desemprego desenfreado e uma inflação de intoleráveis 15% ao ano. De repente aquela aposta começou a compensar, graças a um desesperado presidente Carter, que em 1979 nomeou um novo presidente para o Federal Reserve, Paul Volcker. Volcker elevou a taxa de juros do Banco Central americano para 14% ao ano, de modo a controlar a inflação. Em 1981, o novo presidente, Ronald Reagan, começou a cortar os impostos impiedosamente e a desregular as empresas – além de apoiar Volcker, apesar dos protestos que suas políticas estavam causando. A economia e os mercados atravessavam uma convulsão que já durava dois anos e meio. Então, no final de 1982, o mercado voltou a ficar otimista e os preços das ações começaram a acompanhar o crescimento dos lucros das empresas.[4]

Boa parte do dinheiro usado para a gastança de Buffett, no final da década de 1970, veio de uma profusão de float das suas empresas de seguros e cupons de troca. Enquanto a National Indemnity prosperava, na Blue Chip as vendas de cupons continuavam a afundar, mas os investimentos de uma parcela cada vez menor do float nos cupons pré-pagos compensavam isso.[5]

A reviravolta do *Buffalo Evening News* significava que Buffett e Munger não precisavam mais ter dúvidas de que o maior ativo da Blue Chip valia mais vivo do que morto. O *News* poderia sobreviver, pois passara a gerar um fluxo constante de lucros. Em 1983 eles finalmente concordaram em fixar um valor pela Blue Chip, e a Berkshire a engoliu por completo – o desenlace de um processo longo e complexo.[6] Buffett e Munger eram agora sócios plenos pela primeira vez, embora este, é claro, fosse o sócio minoritário.

Munger, que passara a ser dono de 2% da Berkshire, foi nomeado por Buffett vice-presidente da empresa. Munger também assumiu o cargo de presidente e executivo-chefe da Wesco, que era insignificante perto da recém-inchada Berkshire, mas era somente dele. A Wesco pendia como um fio minúsculo de espaguete do canto da boca da Berkshire Hathaway, a única migalha que Buffett ainda não conseguira engolir. Com o tempo, os acionistas da Wesco chegaram à conclusão de que aquilo aconteceria um dia e, prevendo isso, começaram a valorizar as ações da Wesco até um preço proibitivo.

Buffett sempre foi muito mais influenciado por Munger no seu modo de pensar do que nas questões financeiras práticas. Eles pensavam de forma tão parecida que a maior diferença entre os comportamentos empresariais dos dois era que, vez por outra, Munger vetava acordos que Buffett, por se encantar com mais facilidade, talvez tivesse fechado. Mas a atitude de ambos perante seus acionistas era idêntica. Depois da fusão, no relatório anual de 1983, os dois homens esclareceram para os investidores da Berkshire um conjunto de princípios pelos quais eles operariam – que chamaram de "princípios direcionados aos donos". Nenhuma outra diretoria fizera nada semelhante pelos seus acionistas.

"Embora o nosso modelo seja corporativo, a nossa atitude é de uma sociedade", eles escreveram. "Não vemos a empresa como a dona final dos ativos do nosso negócio. Em vez disso, nós a vemos como um conduto, por meio do qual nossos acionistas possuem os ativos."[7]

Essa afirmação – de uma simplicidade apenas aparente – equivalia a uma volta no tempo de uma geração, no controle corporativo. O chefe executivo moderno via os acionistas como um estorvo, um grupo barulhento ou discreto que deveria ser apaziguado ou ignorado. Eles certamente não eram seus sócios ou patrões.

"Não fazemos jogos contábeis", diziam Buffett e Munger. "Não gostamos de ter muitas dívidas." "Administramos o negócio de modo a alcançar os melhores resultados a longo prazo." Todas essas frases pareciam simples truísmos – mas poucos gestores poderiam dizê-las com honestidade.

Incidentalmente, Buffett também escreveu naquele ano: *"Seja qual for o preço, não temos o menor interesse em vender qualquer bom negócio de propriedade da Berkshire e relutamos muito em vender mesmo aqueles negócios que estiverem abaixo da média – mesmo que isso prejudique o desempenho global – enquanto tivermos esperança de que eles gerarão ao menos algum dinheiro e enquanto estivermos satisfeitos com suas diretorias e relações de trabalho."*[8] Isso era um recado e um conselho para Gary Morrison, que assumira o lugar de Ken Chace na Berkshire em 1982, depois que um exausto Chace se aposentou. Àquela altura, Buffett já tinha fechado a tecelagem de Manchester e reduzira em um terço a produção em New Bedford.

"O ramo têxtil gerava dinheiro por cerca de 10 minutos ao ano. Nós fazíamos o tecido do forro dos ternos de metade dos homens do país, mas ninguém ia até um alfaiate e dizia: 'Quero um terno cinza risca de giz com um forro da Hathaway.' Um metro quadrado de tecido que saía da nossa tecelagem custava mais do que um metro quadrado de qualquer outro lugar, e o capitalismo é mesquinho nesse tipo de situação. Ganhávamos prêmios da Sears, Roebuck de fornecedores do ano, levávamos seus executivos para pescar e fornecemos para eles até mesmo durante a Segunda Guerra Mundial. Eu era amigo pessoal do presidente da Sears, e eles diziam: 'Seus produtos são maravilhosos.' Daí nós falávamos: 'Que tal mais meio centavo por metro?' E eles respondiam: 'Você está louco!' Era um negócio terrível."

Em vez de gerar lucro, Morrison implorou por dinheiro a Buffett, para poder modernizar a tecelagem. Buffett disse não.

Por outro lado, ele se apegara às tecelagens, e por isso foi difícil para ele – tanto quanto fazer um tratamento de canal sem anestesia – vender um dos negócios mais lucrativos da companhia, o Rockford Bank. Mas ele teve que fazê-lo; o Bank Holding Company Act exigia isso para que a Berkshire pudesse manter seus negócios não bancários (sobretudo no ramo dos seguros).[9] Mesmo assim, ele continuou a carregar na carteira cédulas com o rosto de Gene Abegg.

Também detestou perder Ben Rosner, que finalmente se aposentara da Associated Cotton Shops. Os subalternos de Rosner debochavam do seu pão-durismo. Como era de se esperar, assim que eles assumiram, a Associated caiu no fundo do poço. Durante meses Verne McKenzie bateu pernas por todo o comércio de roupas de Nova York tentando vender sua carcaça antes que ela naufragasse.[10] Por fim, ele encontrou um comprador disposto a pagar meio milhão de dólares para rebocar os restos de um negócio que recentemente rendera à Berkshire até 2 milhões de dólares por ano.

Algumas das empresas da Berkshire seguiam de tal forma no piloto automático que era difícil estabelecer a diferença entre um negócio bem administrado e outro que era guiado apenas pelo vento. Na Wesco, Lou Vincenti, que resistia a ser administrado por terceiros, conseguiu esconder de Buffett e Munger, durante anos, estar sofrendo do mal de Alzheimer.

"Nós não o encontrávamos com tanta frequência", diz Buffett, *"e ele meio que juntava forças para superar aquilo. Além do mais, não queríamos ver o que estava acontecendo. Charlie e eu gostávamos tanto dele que não queríamos encarar a verdade."*

"Lou era um homem de decisão, inteligente, honesto e arguto", diz Munger. "E administrava a última financeira de poupança e empréstimo da Califórnia a não adotar um sistema computadorizado para os correntistas, pois ainda era mais barato fazer o serviço manualmente, contratando estudantes universitários por meio expediente. Isso era empolgante para nós. Ele era rabugento e independente, além de um ser humano muito bom. E nós gostávamos tanto dele que, mesmo depois de descobrirmos, o mantivemos no emprego até a semana em que ele foi internado na clínica para pacientes de Alzheimer. Ele gostava de ir trabalhar e não estava nos causando mal algum."[11]

Buffett e Munger transformaram essa história numa parábola jocosa, dizendo que queriam ter mais negócios que pudessem ser administrados com sucesso por um gerente com Alzheimer.

BUFFETT ERA SENSÍVEL AO ASSUNTO ALZHEIMER. ELE SE ORGULHAVA MUITO DA sua memória poderosa; mas sua mãe estava começando a ficar esquecida. Seu estado mental podia ser camuflado pelo fato de Leila sempre ter demonstrado uma tendência a viver no passado e a criar sua própria realidade ideal – sua versão da "memória de banheira" de Buffett, bastando puxar o tampão para as recordações ruins descerem pelo ralo. Com quase 80 anos, o sucesso do seu filho era a sua maior alegria, mas Warren ainda tremia se tivesse que passar algum tempo com ela. Isso não era de espantar, uma vez que os velhos rompantes ainda vinham à tona ocasionalmente. Àquela altura quase todos os membros da família já tinham passado pela experiência de atender ao telefone e ouvir Leila soltar chispas pela linha, cheia de raiva. Suas vítimas iam procurar consolo em Susie, que dizia: "Você precisa entender que isso simplesmente acontece às vezes com outras pessoas também. Warren e Doris passaram anos por isso. Então não dê atenção ao que ela disse, porque não é verdade."[12]

Peter era o neto que Leila sempre deixara em paz. Ela comentava que ele se parecia com Howard e tinha um jeito de falar semelhante ao do avô, de modo que talvez fosse esse o motivo. A semelhança não era apenas física, no entanto. Peter abandonara Stanford logo antes de se formar e se casara com Mary Lullo, uma mulher recém-divorciada, seis anos mais velha, que tinha duas gêmeas de 4 anos, Nicole e Erica. Peter as tratava com se fossem suas próprias filhas, e elas se tornaram xodós de Susie. Warren vinha havia algum tempo tentando atrair Peter para a Berkshire e chegara a enviar seu protegido Dan Grossman, ex-parceiro de tênis de Susie, para conversar com ele sobre a possibilidade de trabalhar no negócio, mas Peter não estava interessado, seu futuro era a música.[13] Ele resgatou 30 mil dólares das suas ações da Berkshire para financiar um estúdio de gravação e produção musical, o Independent Sound, fazendo trilhas para comerciais no seu apartamento em São Francisco, tendo Mary como administradora e relações-públicas.[14]

Susie se mantinha próxima de Peter por causa da música, enquanto continuava brincando com a ideia de ressuscitar sua carreira trabalhando com Marvin

Laird e Joel Paley, uma dupla de produtores. Ela os levou a Omaha e fez uma turnê com os dois pelos clubes de jazz do distrito de Old Market. Eles se sentiam como se estivessem trabalhando para "sua professora de inglês favorita". Susie não ostentava riqueza, mas, como eles tinham lido algo num jornal sobre a See's, pensaram: "Talvez ela nos pague em doces."

Finalmente eles decidiram como seria a apresentação de Susie no Delmonico's, em Nova York, em prol da Universidade de Nova York. Ela queria que eles criassem um espetáculo que refletisse a sua personalidade – uma alma boêmia, cigana, dotada de um senso de humor cruel e sagaz. No fim das contas, no entanto, ela cantou um *medley* convencional, substituindo as canções comoventes e passionais de 1977 por clássicos como "String of Pearls", "I'll Be Seeing You", "The Way You Look Tonight", "Satin Doll", "Take the A Train" e "Seems Like Old Times".

No evento beneficente, Warren assistiu, radiante, a sua mulher dominar a plateia. Laird e Paley perceberam que exibir sua talentosa e bonita esposa deixava Buffett orgulhoso e feliz. E parecia que, ao contrário do que acontecia com a maioria das pessoas do show business, Susie não fazia aquilo por uma questão de ego. Para ela, estar no palco era uma maneira de entrar em contato com a plateia, além de oferecer algo ao seu marido.[15]

Laird e Paley, que chamavam a si mesmos, brincando, de "gigolôs musicais", se tornaram parte da vida de cantora de Susie. Conheceram Peter e passaram alguns anos indo até à casa de Laguna, para trabalhar com ela nas músicas, enquanto Susie ponderava se conseguiria ou não seguir uma carreira viável. Eles nunca conheceram Susie Jr., que se mudara para Washington, onde Katharine Graham se interessou por ela e lhe conseguiu um emprego de assistente editorial, primeiro na revista *New Republic* e, em seguida, no jornal *U. S. News & World Report*. Em novembro de 1983, numa cerimônia colossal no Metropolitan Club de Nova York, ela se casou novamente, dessa vez com Allen Greenberg, advogado de Ralph Nader. Greenberg tinha a mesma tendência analítica fria de seu pai e parecia alguém que vivesse numa biblioteca. Os pais de Susie Jr. acolheram imediatamente o seu novo genro, e as pessoas comentavam como Allen lembrava Warren – racional, nada passional, bom em dizer não. Os recém-casados se mudaram para uma casa em Washington, mas decidiram alugar a maior parte dela para outros inquilinos, morando num apartamento pequeno. Àquela altura Susie Jr. já tinha vendido todas as suas ações da Berkshire – quando elas estavam sendo negociadas a menos de mil dólares por cota.

O primeiro casamento de Howie, como o de sua irmã, não durou. Deprimido, ele foi conversar com o pai, que disse que uma mudança de ares lhe faria bem e sugeriu que ele fosse trabalhar numa das empresas da Berkshire. Sentindo-se atraído pela Califórnia, Howie conseguiu um emprego na See's Candies, em Los

Angeles. Susie arranjou para que ele morasse com Dan Grossman, que Buffett empregara numa das pequenas seguradoras de Los Angeles, que enfrentava problemas. Howie começou como faxineiro e fazendo serviços de manutenção, subindo na empresa até a função de encomendar caixas, enquanto se metia em vários tipos de encrencas repletas de adrenalina. Buffett lhe disse que ele tinha que ficar dois anos na See's. Howie se preparou para esperar resignadamente, mas não ficou muito tempo morando com Grossman. Mudou-se para a casa de Laguna, onde se sentia mais à vontade.[16]

Por um acaso, Howie se tornou parceiro de Devon Morse no tênis de duplas mistas, em Emerald Bay. Devon era uma loura meiga, infeliz no casamento e com quatro filhas. Para impressioná-la, ele escalou o poste do placar ao lado da quadra, caiu e quebrou o pé. Ela o ajudou a chegar em casa e, mais tarde, voltou lá para levar comida. Começaram a conversar, e ele descobriu que Devon estava tentando largar o marido rico. Até o casamento, que acabou resultando do relacionamento dos dois, seguiu-se uma série de aventuras, no melhor estilo Howie. O casal tirou as crianças do marido de Devon, um colecionador de armas — sua casa era repleta de centenas delas. Já em 1982, Howie convencera Devon de que seria melhor eles se mudarem para Nebraska, onde um juiz os casou, com Buffett e Gladys Kaiser como testemunhas.[17]

Buffett já contava com seis netos postiços e logo teria mais um neto de fato: Howie e Devon tiveram um filho, Howard Graham Buffett Jr., que em breve passaria a ser conhecido como "Howie B". Buffett até gostava de crianças, mas era desajeitado e ficava tenso perto delas; ele não fazia ideia de como brincar ou interagir com os pequeninos. Então repetia o que fizera com seus próprios filhos: deixava que Susie assumisse, com gosto, o papel de avó nas reuniões da família. Ela logo acrescentou, ao seu já extenso calendário de viagens, visitas constantes aos seus netos em Nebraska.

Buffett se envolvia de forma mais atuante quando o assunto era a carreira de Howie. A princípio, Howie arranjara um emprego no ramo imobiliário, mas o que ele queria de verdade era ser fazendeiro. Como não tinha capital, Buffett concordou em comprar uma fazenda, que alugaria ao filho — um acordo semelhante ao que teve com seu meeiro quando ainda estava no ensino médio. Howie bateu pernas por todo o estado de Nebraska, visitando mais de 100 fazendas e fazendo ofertas em nome de seu pai, que estava determinado a encontrar uma guimba de charuto e a não pagar um centavo a mais do que o necessário. Finalmente alguém mordeu a isca em Tekamah, e Buffett desembolsou os 300 mil dólares necessários.[18]

Embora aceitasse os cheques de Howie pelo aluguel, ele nunca colocou o pé na fazenda. Como no caso da galeria de arte de Susie, não tinha interesse pela experiência, apenas pelo dinheiro. Comparava a fazenda, como um negócio comercial, ao revestimento de ternos masculinos. "*Ninguém vai ao supermercado para comprar o milho de Howard Buffett*", ele dizia.[19]

O fato de Buffett tentar controlar seus filhos com dinheiro, mas sem nunca dedicar seu tempo a ensinar algo a eles, pode parecer estranho, mas ele fazia o mesmo com seus funcionários: achava que qualquer pessoa inteligente poderia entender tudo por conta própria. Dera ações da Berkshire aos seus filhos sem frisar como elas poderiam ser importantes para eles um dia, sem explicar como funcionavam os juros acumulados, ou sequer mencionar que poderiam emprestar as ações em vez de vendê-las. Àquela altura as suas cartas aos acionistas, lapidadas à perfeição por Carol Loomis, já tinham abordado a maioria dos assuntos financeiros e, sem dúvida, Buffett acreditava que elas, juntamente com seu exemplo de vida, já eram lições suficientes. Provavelmente não lhe ocorreu que talvez seus filhos precisassem de uma instrução mais pessoal do que seus sócios.

Buffett, no entanto, se importava muito com o que eles faziam com suas ações, pois ele e a Berkshire eram como uma coisa só. Vendê-las era como vender um pedaço dele mesmo também. Além disso, não queria que seus filhos fossem uns boas-vidas por conta da Berkshire Hathaway. Em vez disso, pensava que o futuro deles e o da Berkshire acabariam por se encontrar, não por meio do controle acionário da companhia, mas em função de um ato de filantropia – quando eles passassem a administrar as ações da Buffett Foundation.

Buffett expressou suas ideias sobre herança e filantropia num artigo que escreveu no *Omaha World-Herald* após a morte de Peter Kiewit, uma figura quase mítica em Omaha. A empresa de Kiewit, a Peter Kiewit Sons', Inc., era, segundo constava, a empreiteira mais lucrativa do mundo, conhecida como o "Colosso das Estradas".[20] Buffett e Kiewit nunca fizeram negócios juntos, mas Kiewit era dono do *Omaha World-Herald* e Buffett fazia parte do conselho do jornal.

Kiewit, um workaholic sem filhos, morava numa cobertura no Kiewit Plaza, onde ficava a sede da Berkshire, e ia para o trabalho de elevador. Buffett invejava essa sua rotina.[21] Kiewit era outra variação de Buffett, um capataz severo e avarento no escritório, que insuflava seu capital por meio de pequenas economias. A companhia era a sua paixão, e ele geralmente estava "contente, mas nunca satisfeito". "Uma reputação é como porcelana fina", dizia. "Cara de se adquirir e fácil de quebrar. Portanto, ao tomar decisões éticas, se você não tem certeza se algo é certo ou errado, reflita se quer que sua decisão apareça no jornal de amanhã."[22] Também como Buffett, Kiewit era obcecado por controlar o peso das outras pessoas.

Mas havia três diferenças entre os dois: Kiewit era um administrador atuante. Evitava publicidade. E só *parecia* ser pão-duro. Em Omaha, dirigia um Ford velho, de quatro anos, e vivia como um espartano, para servir de exemplo aos seus funcionários. Mas, na sua casa de veraneio em Palm Springs, dirigia um Cadillac e tinha um estilo de vida mais do que confortável.[23] Ainda assim, em muitos aspectos Peter Kiewit funcionava como um modelo para as ideias de Buffett sobre como a vida deveria ser conduzida. Quando Kiewit morreu, seu artigo não se limitou a louvar o homem. Buffett expressou – mais do que qualquer outra coisa que tenha escrito – como ele próprio gostaria de ser lembrado.[24]

"Começando do zero", escreveu, "Kiewit ergueu uma das maiores empreiteiras do mundo... Embora não seja a maior, é provavelmente a empresa mais lucrativa do ramo no país, uma conquista que foi possível apenas porque Kiewit conseguiu incutir, em toda uma organização de milhares de funcionários, um padrão constante de perfeição e eficiência.

Kiewit era acima de tudo um produtor, não um consumidor. Os lucros serviam para aumentar a produtividade da companhia, não para fornecer opulência ao dono.

No fundo, aquele que gasta menos do que ganha está acumulando 'recibos de depósito' para o futuro. Em algum momento ele pode reverter o processo e consumir mais do que ganha, sacando alguns dos recibos acumulados. Ou pode simplesmente passá-los adiante para terceiros – seja em vida, como presentes, ou após a morte, como herança.

William Randolph Hearst gastou muitos dos seus recibos de depósito construindo e mantendo seu castelo em San Simeon. Cuidou para que gelo fosse transportado diariamente até os ursos do seu zoológico particular, praticamente como os faraós fizeram para construir as pirâmides." Buffett já refletira sobre os aspectos econômicos das pirâmides egípcias. Nas suas palavras, se contratasse mil pessoas para construir uma pirâmide dedicada a ele, "o dinheiro seria todo revertido para o mercado. Cada centavo. E muitas formas de filantropia e gastos pessoais são apenas uma maneira de se fazer isso. É loucura e provavelmente, de certa forma, moralmente errado também. Há quem pense que é ótimo você estar empregando gente para arrastar pedras para a pirâmide. Essas pessoas estão equivocadas. Não é produtivo. Elas estão pensando em termos de insumo, não de produção.

Se você quer construir pirâmides para si mesmo, e absorver um monte de recursos da sociedade, deveria pagar feito o diabo por isso. Deveria pagar um imposto perfeitamente à altura. Eu o obrigaria a devolver uma boa parte para a sociedade, para que hospitais fossem construídos e crianças fossem educadas."

Em vez disso, ele observou no seu artigo que alguns dos que ganhavam estes "recibos de depósito" apenas os passavam adiante, para seus herdeiros, possibilitando a centenas de descendentes *"consumirem muito mais do que produziram individualmente; na verdade, essas pessoas passam a vida inteira sacando dinheiro do banco de recursos sociais".* Buffett considerava os resultados irônicos.

"Eu adoro quando estou no Country Club e ouço as pessoas falando sobre os malefícios do círculo vicioso da assistência social, no qual uma mulher tem um filho aos 17 anos e passa a receber vales-alimentação, perpetuando, assim, um ciclo de dependência. E essas mesmas pessoas estão deixando um estoque vitalício de vales-alimentação para os filhos, e muito mais. A diferença é que, em vez de terem um assistente social, eles têm um gestor de fundo fiduciário. E, em vez de vales-alimentação, têm ações e títulos que pagam dividendos.

Peter Kiewit fez grandes depósitos no banco social... Mas seus saques foram poucos."
Ele deixara cerca de 5% do seu patrimônio para a família. O resto foi para uma fundação beneficente, em prol das pessoas carentes da região em que ele vivia, e outras causas que Kiewit já apoiava quando era vivo. A maior parte da companhia continuava a ser de propriedade dos seus funcionários, e Kiewit se certificara de que eles pudessem vendê-la apenas uns aos outros. *"Peter Kiewit não poderia ter servido melhor à sua comunidade e aos seus compatriotas"*, concluiu Buffett.

Entre os filantropos, Buffett também admirava Andrew Carnegie e John D. Rockefeller como pensadores originais. Carnegie construíra bibliotecas públicas em bairros pobres por todo o país. A Carnegie Foundation enviara Abraham Flexner para analisar o ensino de medicina nos Estados Unidos.[25] Quando um artigo seu, publicado em 1910, gerou um escândalo nacional ao revelar o estado chocante das faculdades de medicina, Flexner convenceu a Rockefeller Foundation a doar dinheiro bastante para revolucionar o ensino na área. Rockefeller também queria atacar problemas que carecessem de grupos de financiadores próprios. Ele descobriu que, na falta de ex-alunos ricos, faculdades para negros pobres não tinham como se aprimorar. *"Na verdade, John D. Rockefeller se tornou uma espécie de ex-aluno delas"*, diz Buffett. *"Ele atacava diretamente os problemas, sem se preocupar com qual seria o mais popular, e apoiava suas causas para valer."*

Àquela altura, a Buffett Foundation tinha um patrimônio de 725 mil dólares e doava menos de 40 mil por ano, quase inteiramente para a educação.[26] Susie administrava a Buffett Foundation, que refletia a filosofia em comum do casal de que o dinheiro deveria voltar para a sociedade. Se tivesse acesso ao montante, Susie teria doado grandes quantias rapidamente. Buffett, no entanto, não tinha pressa. Ele achava que, se deixasse o dinheiro render com o tempo, haveria mais para doar no fim – depois que ele morresse. Certamente em 1983 ele tinha um bom argumento a favor dessa ideia. Entre 1978 e o final daquele ano, o patrimônio líquido dos Buffett crescera num ritmo espantoso, de 89 milhões para 680 milhões de dólares.

À medida que ele se tornava mais rico, pedidos de dinheiro de amigos, desconhecidos e instituições de caridade inundavam o Kiewit Plaza. Alguns eram apelos sinceros dos verdadeiramente necessitados. Outros pareciam achar que tinham direito ao dinheiro dele. A coalizão de instituições de caridade United Way; universidades; institutos de combate ao câncer ou a doenças cardíacas; igrejas; desabrigados; protetores do meio ambiente; o zoológico local; a orquestra sinfônica; os escoteiros; a Cruz Vermelha – todas causas merecedoras, mas a resposta era a mesma: se eu fizesse por vocês, teria que fazer por todos. Alguns de seus amigos concordavam com ele, mas outros ficavam perplexos que um homem tão generoso com seu tempo, conselhos e sabedoria fosse tão avarento com seu dinheiro. Até parece que ele vai morrer se desembolsar alguns trocados, diziam. Por que ele não tinha descoberto a *alegria* de dar?

Enquanto Buffett estivesse fazendo a bola de neve crescer, prometer doar tudo depois que ele morresse era como a "geleia amanhã" da Rainha Branca, de *As aventuras de Alice no País das Maravilhas*. "Depois que ele morresse" era o mesmo que nunca; era outra forma de proteção contra a mortalidade, uma de suas grandes preocupações. A negação, ao estilo "Rainha Branca", era uma maneira curiosa de se fortalecer. Àquela altura, os Buffett contavam pelo menos nove amigos ou parentes que tinham – eles próprios ou algum de seus familiares – tentado ou cometido suicídio. Mais recentemente, na véspera de Natal, o filho de um amigo seu atirara o carro de um desfiladeiro. Ann, esposa de Rick Guerin, se matou com um tiro poucos dias antes do aniversário de 18 anos do seu filho. De modo que Buffett passara a ter preocupações incômodas quanto ao suicídio, que eram perfeitamente razoáveis, dadas as circunstâncias. Contudo, estava determinado a viver o máximo possível – e ganhar dinheiro até o fim.

À medida que a sua riqueza crescia, a determinação muitas vezes confessa e inabalável de Buffett de continuar ganhando dinheiro num ritmo alucinante, enquanto o sonegava de sua família e de sua fundação, finalmente gerou uma revolta entre seus amigos. Rick Guerin escrevera a Joe Rosenfield sobre a possibilidade de Buffett se tornar o homem mais rico do mundo: "O que Warren vai fazer quando ele se tornar o maior ricaço de todos e descobrir que existem outras coisas na vida além de lutar para alcançar essa meta? (Ele acha que o sucesso é isso, mas nós sabemos que não é bem assim.)"[27]

Quando o Grupo Buffett se encontrou em Lyford Cay, nas Bahamas, George Gillespie provocou um debate acalorado, entre mergulhos e pescarias em alto-mar, ao organizar uma palestra sobre o tema "As crianças (e a caridade) terão que esperar". Anos antes, Buffett dissera que dava alguns mil dólares a cada Natal aos seus filhos e lhes dizia para esperarem meio milhão quando ele morresse.[28] Aquilo, ele pensava, era *"dinheiro suficiente para eles acharem que podiam fazer qualquer coisa, mas não tanto para poderem não fazer coisa nenhuma."*[29] Essa frase se tornaria um de seus mantras e seria repetida ao longo dos anos. "Warren, isso é errado", disse Larry Tisch, um de seus ex-sócios. "Se eles não forem mimados até os 12 anos, não serão nunca."[30] Kay Graham, com o rosto banhado em lágrimas, perguntou: "Você não ama seus filhos, Warren?"

Estimulada por Carol Loomis, a *Fortune* transformou a questão em matéria de capa: "Devemos ou não deixar tudo para os nossos filhos?" A família vem em primeiro lugar, era o que muitos diziam.

"Meus filhos conquistarão seu lugar no mundo pelo seu esforço e sabem que eu os apoio em qualquer coisa que decidirem fazer", dizia Buffett. Mas dar a eles um fundo fiduciário – que ele considerava *"um estoque vitalício de vales-refeição"* – *"só porque vieram do útero certo"* poderia ser *"prejudicial"*, além de ser um *"ato contra a sociedade"*.[31] Esse era o Buffett racional, que escrevera certa vez a um amigo, quando seus filhos ainda eram bebês, que queria ver *"o que a árvore tinha produzido"* antes de decidir lhes dar dinheiro.[32]

Ainda assim, Buffett tomara uma decisão que demonstrou uma nova – mesmo que ligeira – flexibilidade. Em 1981, desenvolveu um programa inovador, pelo qual a Berkshire Hathaway contribuiria com 2 dólares por ação para a instituição de caridade que o acionista escolhesse. A Berkshire não pagava dividendos, mas esse programa permitia ao acionista direcionar a maneira como a companhia gastava os dólares reservados para a caridade, em vez de deixar a diretoria doá-los para suas causas favoritas e receber o crédito. O programa não alocava muito dinheiro, mas, para Buffett, simplesmente colocá-lo em prática já era abrir um pouco a mão. E os acionistas adoraram a ideia. A taxa de adesão ao programa ficou próxima de 100%.

Para Buffett, um colecionador de informações, esse programa de contribuições também acabou provando ser uma pequena mina de ouro – porque lhe dava acesso aos interesses filantrópicos de cada acionista, o que ele jamais teria conseguido de outra maneira. Coletar essa informação não tinha propósito algum – menos ainda do que coletar impressões digitais de freiras. Buffett, contudo, tinha uma curiosidade insaciável e um interesse profundo em conhecer seus acionistas como indivíduos, como se fizessem parte de uma família ampliada, que era a forma como pensava neles.

Aos 53 anos, Buffett – que já se "aposentara" duas vezes – refletia sobre questões de filantropia e herança. O assunto que o irritava visivelmente era o da aposentadoria. Ele brincava sobre continuar trabalhando depois de morto e fazia questão de destacar administradores idosos como Gene Abegg e Ben Rosner. Todavia, àquela altura mesmo esses já estavam aposentados, e Lou Vincenti sofria do mal de Alzheimer. Nesse sentido, talvez não fosse surpreendente que a jogada seguinte de Warren fosse fechar um negócio com uma mulher de 89 anos, que viveria mais do que qualquer um que ele tivesse conhecido.

44
Rose
Omaha – 1983

Rose Gorelik Blumkin chegou a Omaha vinda do pequeno vilarejo de Shchedrin, na região de Minsk. Nascida em 1893, ela e seus sete irmãos dormiam sobre um leito de palha, no chão de uma cabana de troncos, porque o pai, um rabino, não tinha dinheiro para comprar um colchão.

"Sonhei com isso minha vida inteira, desde que tinha 6 anos", ela dizia. "Meu primeiro sonho foi o de vir para a América."

"Na Rússia, costumavam cometer pogroms contra os judeus. Cortavam a barriga de mulheres grávidas e arrancavam seus filhos lá de dentro. Estraçalhavam os pais e depois dançavam no mercado central. Eu tinha 6 anos quando fiquei sabendo disso. Então pensei: vou para a América quando crescer."[1]

Aos 13 anos, Rose andou cerca de 30 quilômetros descalça até à estação de trem mais próxima para não gastar as solas de couro dos seus sapatos novos. Carregava o equivalente a 4 centavos no bolso e se escondeu debaixo de um assento de trem por quase 500 quilômetros, para economizar o dinheiro até chegar à cidade mais próxima, Gomel. Lá, bateu em 26 portas, até que o dono de uma loja de secos e molhados a atendeu. "Não sou uma pedinte", disse a menina de 1,25m de altura. "Tenho quatro centavos no bolso. Deixe-me ficar na sua casa, e eu lhe mostrarei como trabalho bem", propôs. "Na manhã seguinte atendi um cliente. Apresentei as mercadorias e fiz as contas antes que alguém conseguisse pegar um lápis. E, ao meio-dia, ele me perguntou se eu queria ficar."[2]

Aos 16, ela era a gerente da loja, supervisionando seis homens casados. "Não se preocupe com os homens, mamãe!", escreveu à sua mãe. "Todos eles me protegem."[3] Quatro anos depois casou-se com Isadore Blumkin, um vendedor de sapatos de Gomel.[4] No mesmo ano, 1914, a Primeira Guerra Mundial estourou, os preços enlouqueceram na Rússia e Rose tomou sua decisão. Eles tinham dinheiro para apenas uma passagem para a América, de modo que ela mandou o marido na frente e começou a economizar para sua própria viagem. Dois anos depois, em dezembro de 1916, o monge czarista Rasputin foi assassinado pelos revolucionários. Temendo o caos – que seria pior que as barbaridades do regime czarista –, Rose iniciou sua jornada para a América duas semanas depois, embarcando num trem para a China, na ferrovia Transiberiana.

Viajou no trem durante sete dias, até que, na cidade fronteiriça de Zabaykai'sk, um guarda russo a parou, antes que ela conseguisse entrar na China. Ela disse ao homem que estava comprando couro para o Exército e lhe prometeu uma garrafa de *slivovitz* na volta. Por ingenuidade ou benevolência, ele a deixou atravessar a fronteira. Ela cruzou em outro trem a cidade de Harbin, na região da Manchúria, até Tientsin, na China. Àquela altura Rose já tinha viajado mais de 14 mil quilômetros por quase todo o continente asiático.[5] Em Tientsin ela usou sua pequena reserva de dinheiro para pegar um barco até o Japão, com paradas em Hiroshima e Kobe, até finalmente chegar a Yokohama. Lá, esperou mais duas semanas até encontrar o *Ava Maru*, um navio cargueiro que fazia transporte de amendoim, onde conseguiu uma passagem de classe baixa para os Estados Unidos. O *Ava Maru* cruzou vagarosamente o Pacífico por seis semanas a caminho de Seattle. "Nunca vi tanto amendoim", ela diria mais tarde. "Pensei que jamais chegaria aqui."[6] Ela levara pão preto seco, mas passou a maior parte da viagem enjoada demais para comer.[7]

Desembarcando em Seattle no feriado judaico do Purim, depois de quase três meses de viagem e com o rosto inchado pela doença, Rose foi recebida no cais do porto pela Sociedade de Amparo aos Imigrantes Hebreus (HIAS), que lhe serviu um jantar *kosher* e a instalou num quarto de hotel. "Quando cheguei a este país", ela disse, "pensei que era a pessoa mais sortuda do mundo."[8] A HIAS colocou uma identificação em volta do seu pescoço, com seu nome e a indicação "Ft. Dodge, Iowa": era onde seu marido se estabelecera e trabalhava como vendedor de ferro-velho. Eles a embarcaram num trem de Minneapolis até Fort Dodge, onde a Cruz Vermelha americana a recebeu, levando-a até Isadore. Logo Rose ficou grávida e deu à luz uma filha, Frances. Ela não sabia uma palavra em inglês.

Dois anos depois ainda mal falava a língua. Sentindo-se isolados, os Blumkin decidiram que precisavam morar num lugar onde Rose pudesse conversar em russo e iídiche. Então se mudaram para Omaha, uma cidade onde viviam 32 mil imigrantes atraídos pelas ferrovias e empacotadoras.[9]

Isadore alugou uma casa de penhores – "Ninguém nunca ouviu falar de uma casa de penhores falindo", ele dizia[10] – e Rose continuou em casa e teve mais três filhos, Louis, Cynthia e Sylvia. Enviando 50 dólares de cada vez para a Rússia, ela conseguiu trazer 10 parentes seus para a América. Ao contrário do marido, ainda não falava muito bem o inglês. "Eu era muito burra", dizia. "A língua não entrava na minha cabeça de jeito nenhum. As crianças tentavam me ensinar. Quando minha Frances começou o jardim de infância, ela falou: 'Vou mostrar para a senhora o que é uma maçã, uma toalha de mesa, uma faca.'"[11]

A loja passou por dificuldades, e a família quase foi à falência durante a Depressão. Foi então que Rose assumiu o comando. "Sei o que fazer: vender mais barato do que as grandes lojas", disse ao marido. "Vamos comprar artigos por 3 dólares e vendê-los por 3,30. Dez por cento de lucro!" Quando os ternos antiquados não eram mais procurados, Rose distribuiu 10 mil panfletos por toda a Omaha dizendo que a loja podia vestir um homem dos pés à cabeça por cinco dólares – roupas de baixo, gravata, sapatos e chapéu de palha. Eles ganharam 800 dólares em um só dia – mais do que tinham ganhado durante todo o ano anterior.[12] A loja passou a vender joias, casacos de pele usados e móveis. Rose levou as lojas de departamentos à loucura quando começou a vender casacos de pele em consignação por um preço bem abaixo do delas.[13] A sua filosofia era a seguinte: "Prefiro que eles me odeiem a que tenham pena de mim."

Logo os clientes começaram a pedir mais móveis. A princípio, ela os levava até os atacadistas e realizava a compra para eles, retendo 10% de lucro. Então percebeu que, ao contrário da penhora, vender móveis era um "bom negócio", de modo que, em 1937, pegou 500 dólares emprestados com um irmão para abrir uma loja chamada Blumkin's, num porão próximo à casa de penhores do marido. Mas os atacadistas do ramo não a queriam como cliente, pois seus fornecedores reclamavam que ela vendia muito barato. Assim, Rose foi até Chicago, onde encontrou um comerciante receptivo, e encomendou a ele 2 mil dólares em mercadorias, com 30 dias de crédito. O prazo terminou e ela ainda não tinha o dinheiro, então vendeu a mobília da sua própria casa para saldar a dívida. "Quando meus filhos chegaram, choraram como se alguém tivesse morrido", ela lembra. "Onde estavam as camas e a geladeira? Por que eu tinha esvaziado a casa inteira? Contei o motivo e eles foram maravilhosos comigo. Tenho pavor de não honrar meus compromissos."[14] Naquela noite, ela apanhou alguns colchões da loja, para que a família tivesse onde dormir. "No dia seguinte, comprei uma geladeira e um fogão, e as crianças pararam de chorar."[15]

Na escola, as outras crianças implicavam com seu filho, Louie, por seu pai ter uma casa de penhores. Ele sofria com aquilo, mas ignorava as provocações. Trabalhava na loja depois da escola e continuou sendo um bom aluno, tornando-se um excelente nadador na escola secundária Tech High, mesmo tendo que entregar sofás até meia-noite. Àquela altura, sua mãe já tinha aberto o Nebraska Furniture Mart, mudando-se para instalações maiores. Como negócio paralelo ela vendia e alugava espingardas automáticas Browning durante a temporada de caça. O serviço preferido de Louie era testar as armas, disparando-as contra blocos de cimento no porão da família.[16]

Quando os Estados Unidos entraram na Segunda Guerra Mundial, em 1941, Louie já estava matriculado na Universidade de Nebraska, mas, depois de poucos semestres, a deixou para se alistar no Exército, quando ainda era adolescente. Durante a guerra, ele e sua mãe se correspondiam diariamente. Rose estava desanimada, mas ele lhe dizia para não desistir.[17] Como os grandes atacadistas se recusavam a vender para o Nebraska Furniture Mart, ela se tornou uma espécie de "contrabandista" de móveis, viajando de trem por todo o Meio-Oeste para comprar mercadoria excedente, com 5% de lucro, no atacado de lojas como a Macy's e a Marshall Field's. "Eles percebiam que ela sabia o que estava fazendo", conta Louie. "Gostavam dela e diziam: temos este conjunto de sala de jantar que acabamos de receber. Não era fácil ou barato, mas ela conseguia." Segundo Rose, "Quanto mais [os atacadistas] me boicotavam, mais duro eu trabalhava."[18] Não se pode ser dono do país, ele é de todos, era a sua filosofia.[19] Ela desenvolveu um ódio duradouro pelos figurões. "Quando você está por baixo, eles cospem em você", ela dizia. "Quando começa a ganhar algum dinheiro, passam a lhe dar atenção. Arre. Quem precisa deles? Ser da classe média já está bom o bastante para mim." Seu lema era: "Venda barato e diga a verdade, não engane ninguém e não aceite propina."[20] Quando fazia uma venda, costumava dizer aos funcionários: "Entreguem antes que eles mudem de ideia."[21]

Louie ganhou um Coração Púrpura, a condecoração concedida a soldados americanos feridos em combate – por sua participação na Batalha do Bulge. Depois da guerra, em 1946, ele foi direto para sua casa, em Omaha, onde voltou a trabalhar. Aprendeu tudo sobre o negócio: como comprar, estipular preços, fazer inventário, contabilidade, entrega, apresentação da mercadoria. Para Rose, ninguém era tão bom quanto Louie. Implacável com seus funcionários, gritava com eles a plenos pulmões: "Seu imprestável! Seu idiota!" Mas, depois que sua mãe os despedia, Louie os contratava de volta.

Quatro anos depois a loja prosperava, mas então começou a Guerra da Coreia e as vendas despencaram. Rose decidiu dar um impulso ao negócio acrescentando tapetes às suas mercadorias. Ela foi até a Marshall Field's, em Chicago, e disse que queria comprar tapetes para um prédio residencial inteiro; eles lhe venderam 3 mil metros de tapetes Mohawk a 3 dólares o metro. Ela o revendeu por 3,95 dólares, metade do preço de mercado, embora, aparentemente, o fato de ter mentido para a Marshall Field's a tenha incomodado por anos a fio.[22]

Rose conseguiu alcançar sucesso no negócio de tapetes oferecendo a seus clientes um preço melhor que os outros vendedores do produto. Mas os fabricantes de tapetes Mohawk deram entrada em um processo para fazer cumprir suas políticas de tabelamento – na época, a lei estadual permitia que os fabricantes exigissem que todos os seus varejistas cobrassem um preço mínimo – e enviou três advogados ao tribunal. Rose apareceu sozinha. "Falei para o juiz: 'Não tenho dinheiro para um advogado porque ninguém quer vender para mim. Meritíssimo, eu vendo tudo com uma margem de 10% de lucro, qual o problema? Não roubo meus clientes.'"[23] Bastou apenas uma hora de julgamento para o juiz arquivar o caso. No dia seguinte, ele próprio foi ao Furniture Mart e comprou 1.400 dólares em tapetes.

Embora o Furniture Mart estivesse vendendo bem aquele produto, as vendas de móveis caíram durante a guerra, e Rose ainda não conseguia pagar seus fornecedores em dia. Finalmente Wade Martin, um amigável banqueiro de Omaha, perguntou a ela qual era o problema. "Não sei o que fazer", respondeu Rose. "Não posso comer a mercadoria."[24] Ele lhe emprestou 50 mil dólares por 90 dias, mas ela não sabia como pagar a dívida, e a preocupação não a deixava dormir. Então teve a ideia de alugar o Auditório Municipal de Omaha e enchê-lo de sofás, conjuntos de sala de jantar, mesinhas de centro e aparelhos de televisão. Mestres do marketing, ela e Louis publicaram um anúncio no jornal – que era absolutamente verdadeiro, mas jogava com a escassez do tempo de guerra:

> Chegou a hora da maior queima de estoque que já se viu! Recessão é uma ova! Não podemos comer as mercadorias! Temos que vendê-las! Recebemos tantos produtos nos últimos 60 dias que não temos mais espaço para guardá-los. Sim, estamos sobrecarregados, e como! Não temos como comer os artigos e há seis meses também não conseguimos vendê-los. Então organizamos a maior queima de estoque do gênero já feita na região... mais de 4 mil metros quadrados do maior estoque de produtos de marca de todos os tempos.

Aquilo atraiu as pessoas de tal forma que parecia que um circo tinha chegado à cidade.[25] Em três dias, o Furniture Mart vendeu 250 mil dólares em móveis. Omaha inteira passou a saber que Rose Blumkin e o Furniture Mart significavam móveis a preços de liquidação. "Daquele dia em diante nunca mais devi um centavo a ninguém", disse ela.[26]

Naquele mesmo ano Isadore morreu de ataque cardíaco. Rose e Louie continuaram na ativa. Aos poucos, a "Sra. B" se tornava um nome que todos conheciam em Omaha. As pessoas visitavam sua loja em todas as fases de suas vidas: quando se casavam, quando compravam sua primeira casa, quando tinham um filho, quando conseguiam uma boa promoção no trabalho. Os Blumkin compravam em grandes quantidades, cortavam as despesas ao máximo e vendiam com uma margem de lucro de 10%. Quando um tornado arrancou o telhado da nova e imensa sede no West Side, em 1975, Rose e Louie transferiram tudo para a loja que ainda mantinham no centro, sem hesitar. "Se você vende pelos preços mais baixos, eles vão te procurar até no fundo de um rio", dizia. E era verdade. Quando um incêndio destruiu a loja, ela deu aos bombeiros aparelhos de televisão de graça.[27]

"*Tudo o que a Sra. B sabia fazer, ela fazia depressa, sem hesitar nem se arrepender. Podia comprar 5 mil cadeiras, assinar um contrato de aluguel de 30 anos, comprar uma propriedade ou contratar pessoal. Nunca olhava para trás. Simplesmente dava a tacada. Mas, se você saísse 5 centímetros de seu círculo de competência, ela nem queria conversa. Sabia exatamente em quais coisas era boa e não tinha a pretensão de se enganar a respeito disso.*"

No início da década de 1980, Rose e Louie Blumkin já tinham aberto a maior loja de móveis da América do Norte. Com uma área de 12.000m^2, ela vendia mais de 100 milhões de dólares em mobília por ano sob um só teto, um volume 10 vezes maior que o das maiores lojas similares.[28] Daí em diante as vendas passaram a crescer ano após ano, quer a economia estivesse boa ou ruim, quer Omaha crescesse ou encolhesse.[29] Os varejistas de móveis residenciais bem-sucedidos e tradicionais de Omaha, seus concorrentes quando ela começou, já tinham desaparecido. Outros chegavam à cidade e tentavam competir com o Mart. Rose analisava os artigos que essas lojas expunham, então ela e Louie criavam liquidações e as quebravam financeiramente, expulsando-as em seguida. O Mart abocanhou metade dos negócios da área metropolitana – mais do que a Sears, a Montgomery Ward, a Target e todos os demais varejistas de móveis e eletrodomésticos juntos. Clientes começaram a chegar de Iowa, do Kansas e até das duas Dakotas. "*Ela ergueu sua própria cidade. Seu círculo comercial simplesmente não parava de se espalhar, e seu estacionamento vivia cheio de carros que vinham de 160 quilômetros ou mais de distância.*"[30]

Rose passou a ser conhecida como Sra. B até mesmo dentro da sua família. Ela acordava às 5 horas da manhã, comia apenas frutas e legumes e jamais encostava em bebida. Alguns fios grisalhos apareceram nas beiradas do seu coque preto com laquê, que continuava firme enquanto ela chispava pela loja com a energia de uma jovem, gritando e balançando os braços no ar para enfatizar o que dizia. À medida que sua capacidade de barganhar aumentava, ela não amolecia com os fornecedores. "Sete dólares? Vamos quebrar amanhã mesmo se pagarmos esse valor!", dizia, desdenhando uma determinada oferta.[31] Os varejistas que a desprezaram no passado agora estavam ajoelhados aos seus pés. E ela adorava isso. "*Se você quiser vender 230 mesas de canto para Rose, ela saberá no mesmo minuto quanto pode pagar e com que rapidez pode transportá-las... E comprará as mesas. Mas esperará até seu avião estar prestes a decolar, no meio de uma nevasca, no momento em que você não puder perder seu voo, para bater o martelo. Ela faz um jogo muito duro."*[32]

Ela era rígida seis dias e meio por semana. "É um hábito meu", dizia. Na sua cabeça, a loja era o seu lar. Sua filha Cynthia Schneider, que decorou a casa da mãe, dispôs a mobília "exatamente como você a encontraria exposta", porque "só assim poderíamos ter certeza de que ela ficaria confortável".[33] Os abajures continuavam cobertos de plástico. Alguns móveis tinham etiquetas de preço penduradas. "Só uso a cozinha e o banheiro", dizia a Sra. B. "Mal posso esperar pelo raiar do dia para eu poder voltar ao trabalho."

Nas tardes de domingo – o único horário da semana inteira em que não estava na loja – ela passeava de carro pela cidade com Louie. "Vou olhar as vitrines", dizia. "Faço planos para atacar os lojistas, pensando 'Como posso importuná-los?'"[34] Todo o seu trabalho, segundo ela, era inspirado pela sua "preciosa mãe", que administrara uma mercearia na Rússia. Ela jamais esqueceu as vezes em que acordava no meio da noite e encontrava a mãe lavando roupa e assando pães às 3 horas da manhã. "Ela carregava 45 quilos de farinha por 20 quarteirões, para ter um lucro de 3 centavos", afirmava Rose. "Aquilo rasgava meu coração."[35] Portanto, o calcanhar de aquiles de Rose eram os refugiados e os imigrantes. Às vezes ela os colocava para trabalhar no departamento de contabilidade, dizendo: "Você não precisa saber inglês para contar."[36]

Em 1982, o *Omaha World-Herald* a entrevistou. Ela declarou que, ao longo dos anos, a família tinha rejeitado diversas ofertas para vender a empresa. "Quem teria dinheiro para comprar uma loja desse tamanho?" Uma das ofertas, ela disse a Louie, foi da Berkshire. Buffett falara com ela alguns anos antes, e ela lhe dissera: "Você vai tentar roubá-la."[37]

Um ano depois Buffett recebeu a notícia de que os Blumkin estavam negociando com uma companhia de Hamburgo, na Alemanha, que controlava a maior loja de móveis do mundo, num modelo semelhante ao deles. Os Blumkin estavam vendendo. *"Não é preciso ser muito esperto para descobrir que é uma boa ideia entrar numa sociedade com a Sra. B"*, disse Buffett.[38]

Podia ser que daquela vez eles quisessem mesmo vender. Vinte e poucos anos antes, em outra ocasião, Rose convocara Buffett até sua loja no centro da cidade, sugerindo que estava pensando em vender. E ele queria muito comprar o Furniture Mart para a Berkshire. Ao chegar, deparou-se com uma mulher baixinha e atarracada passando um sermão num grupo de homens alinhados contra a parede: eram seus netos, genros e sobrinhos. Ela se virou para Buffett: "'*Está vendo todos esses sujeitos aqui?*', ela disse. '*Se eu vender a empresa para você, pode despedi-los. Eles são um bando de vagabundos, mas são todos meus parentes, então não posso mandá-los embora. Mas você pode. Eles são vagabundos, vagabundos!' Ela ficou uma hora falando aquilo, literalmente. A palavra 'vagabundo' foi repetida muitas, muitas vezes."* Os parentes, acostumados com Rose, ficaram parados, impassíveis. *"Então ela me dispensou. Eu já tinha cumprido minha função."*

O que foi um pena. Ele teria gostado de comprar a loja.[39]

"Ela achava que a única pessoa que prestava era Louie, que era perfeito." Quando ficava contente com ele, o que era frequente, dizia: *"Oy, oy, oy, oy, que maravilha, você fez um ótimo trabalho."*[40]

Se os Blumkin tinham decidido vender, então a hora era aquela. A Sra. B passara por duas cirurgias de joelho, transferindo boa parte das tarefas do dia a dia para Louie. Mas ela ainda cuidava do departamento de tapetes. "Tinha alguma coisa nos tapetes que a fascinava", disse Louie.[41] Se alguém precisasse de um tapete para uma sala de 9 por 12 metros, ela estimava o preço, acrescentava os impostos e dava um desconto se o comprador fosse um bom cliente, tudo calculado de cabeça numa questão de segundos. E ainda fazia algumas investidas no departamento de móveis, com tanta frequência que a família nunca sabia ao certo se a sua própria mobília estaria a salvo. Certa vez Rose chamou a filha e lhe disse para "esvaziar o berço do bebê", pois tinha um cliente precisando dele. "Quando tomo uma decisão", ela dizia, "não quero esperar por nada. É um hábito meu."[42] Não obstante, foi com Louie que Buffett conversou. Louie disse: "Você deveria conhecer meus filhos Ron e Irv, que estarão no comando da loja um dia."

Buffett convidou Ron e Irv para visitarem seu escritório e estabeleceu um relacionamento com eles. Então enviou uma carta a Louie, explicando o que pensava serem os prós e os contras de eles venderem a loja para a Berkshire. Os Blumkin não deveriam ter pressa em vender, escreveu, lidando com eles da forma mais honesta possível. *"Se vocês decidirem não vender agora, é muito provável que consigam mais dinheiro futuramente. Sabendo disso, podem negociar com segurança e gastar o tempo que for necessário para escolher o comprador de sua preferência."*

Então apresentou o que tinha a oferecer de fato. Eles podiam vender a loja para outra companhia de móveis, escreveu ele, ou para alguém que tivesse um negócio semelhante. *"Contudo, um comprador desse tipo – sejam quais forem as suas promessas – geralmente terá gerentes que acham que sabem como administrar a sua empresa e mais cedo ou mais tarde eles desejarão ter uma participação ativa... Terão suas próprias maneiras de fazer as coisas e, mesmo que o histórico do seu negócio seja indiscutivelmente melhor que o deles, em algum momento a natureza humana irá levá-los a acreditar que têm métodos superiores.*

Além disso, há também o operador financeiro, que geralmente trabalha com grandes quantias de dinheiro emprestado e planeja revender a empresa para acionistas ou para outra corporação assim que o momento for favorável." Ele prosseguiu: *"Se o único objetivo dos novos donos for resgatar suas fichas e deixar o negócio para trás, esse tipo de comprador não seria satisfatório. Por outro lado, se a empresa do comprador representa o trabalho criativo de toda uma vida e é parte integrante da sua personalidade e da ideia que ele faz de si mesmo, também representaria problemas sérios. Qualquer comprador vai dizer que precisa de vocês e, se tiver algum juízo, estará dizendo a verdade. No entanto, muitíssimos deles, pelas razões acima mencionadas, não se comportarão dessa maneira posteriormente. Nós nos comportaremos exatamente conforme o prometido, tanto por termos dado nossa palavra quanto porque precisamos fazê-lo."*

Buffett explicou que, se ele comprasse a loja, ia querer que os Blumkin continuassem como sócios. Assim, se um dia olhassem para trás com arrependimento, o negócio teria sido uma decepção para todos, inclusive para ele. Buffett disse a Louie que cuidaria de duas coisas apenas: a alocação de capital e a seleção e remuneração do executivo "mandachuva".

Buffett tinha algo mais a oferecer. Ele não era alemão. A companhia alemã oferecera bem mais que 90 milhões de dólares, porém, para a Sra. B, que viajara 14 mil quilômetros por toda a Ásia para fugir dos pogroms, vender a loja para germânicos era um anátema. Por fim os Blumkin concordaram em vender a companhia para a Berkshire. Então Buffett pegou o carro e foi até a loja de 18.500m² para fechar o negócio. Lá ele encontrou Rose, que estava com 89 anos, dando partida no motor do seu carrinho de golfe de três rodas, disparando pela loja e rugindo para seus funcionários "Vocês são uns imprestáveis! Não daria 5 centavos por todos vocês juntos!", enquanto Louie e seus três genros observavam a cena.[43]

"Nem quero fazer o inventário", disse Buffett. *"Confio na sua palavra, Sra. B. Eu lhe darei o que quiser."*

A Sra. B olhou para seus genros, que estavam junto a uma parede. Um deles era pelo menos 30 centímetros mais alto que ela. "Norman está casado com Frances há 41 anos", ela disse. "Jerry está com Sylvia há 36. Já Charles se casou com Cynthia 39 anos atrás. Falei para esses rapazes: 'Não aceito devoluções de mercadoria!'"

Suas filhas eram donas de 20% das ações e tinham enviado os maridos para assinarem o contrato. Os genros não eram burros e sabiam que receberiam muito mais dinheiro dos alemães.

"Ela rosnou para eles: 'Digam-me quanto mais estão achando que vão ganhar, e eu dou o dinheiro para vocês.' Ela queria dividir o dinheiro e dispensá-los, para que a companhia fosse só de Louie. Eles ficaram ali contra a parede, tremendo. Queriam

ir embora. Então ela disse que o preço era 55 milhões de dólares por 90% da companhia." A Sra. B dissera: *"Não entendo de ações."* Queria dinheiro. *"Eles ficaram parados, calados, mas também estavam pensando: 'Assim que esta venda for fechada, pegamos o dinheiro e damos o fora daqui.' Ela simpatizava comigo e confiava em mim de verdade. Depois que formava uma opinião sobre alguém, nunca mais mudava de ideia."* Buffett sabia que ela tomava decisões sobre tudo de uma vez por todas e num piscar de olhos, de modo que não estava se arriscando muito. *"Mas eu disse à Sra. B, depois que ela assinou o contrato: 'Se a senhora mudar de ideia quanto a isso, por mim tudo bem.' Jamais diria uma coisa dessas para nenhum outro vendedor do mundo, mas achei que aquele negócio era de tal forma parte dela que, se ela decidisse que não queria continuar posteriormente, eu não ia querer que se sentisse presa. Então ela disse: 'Eu nunca volto atrás.'*

Quando estava indo embora, eu disse a Louie: 'Sou terrível com sotaques. Às vezes não entendo sua mãe muito bem; a última coisa que quero é que haja um mal-entendido com ela.' Então Louie disse: 'Não se preocupe, ela vai entender você.'

Depois que fechamos o negócio, eu falei: 'Sra. B, tenho que lhe contar uma coisa. Hoje é meu aniversário.'" Buffett estava fazendo 53 anos. *"'Então você se deu um poço de petróleo de presente', ela disse."*

Os Blumkin nunca tinham feito uma auditoria, e Buffett não pediu nenhuma, nem realizou um inventário ou analisou detalhadamente a contabilidade. Eles apertaram as mãos. *"Demos à Sra. B um cheque de 55 milhões de dólares, e ela nos deu sua palavra"*, ele disse.[44] *"E a palavra dela era tão boa quanto o Banco da Inglaterra."* Buffett, no entanto, ainda queria se certificar de que Rose não sentiria arrependimento algum.

O contrato consistia em pouco mais de uma página de "carnegização". Começava dizendo: "Vocês são donos de 100% das ações em circulação do Nebraska Furniture Mart, Inc. ('NFM'), que controla um negócio de vendas a varejo de móveis e eletrodomésticos extraordinariamente bem-sucedido. (...) Há tempos a Berkshire Hathaway, Inc. ('Berkshire') admira o que vocês conquistaram juntos e propõe, por este documento, a compra de 90% das referidas ações em circulação."[45] Para anunciar o acordo, ele convocou uma coletiva de imprensa e exibiu um vídeo sobre a história da companhia. A Sra. B teve que secar as lágrimas durante a exibição.[46]

Buffett não tinha apenas encontrado outro espécime raro para acrescentar à sua coleção de personalidades interessantes. Algo na determinação indômita da Sra. B, na sua história sofrida e na sua força de caráter inspirava reverência nele.[47] "Prezada Sra. B", ele lhe escreveu. *"Eu prometi a Louie e a seus filhos que todos os membros da família estarão satisfeitos com o negócio que fizemos daqui a 5, 10 e 20 anos. Faço a mesma promessa à senhora."*[48]

Buffett prometera mais do que isso. A Sra. B estava acostumada a trabalhar com total controle e privacidade; não queria que Buffett levantasse seu vestido financeiro nos ares e mostrasse suas calcinhas para todo mundo. Ele prometera que as contas do Furniture Mart não seriam incluídas quando a Berkshire Hathaway entregasse seus relatórios financeiros à SEC, como era sua obrigação legal.

Buffett não achava que teria dificuldade em conseguir uma derrogação da SEC – ou melhor, em mandar que algum dos seus funcionários a conseguisse. Era um chefe agradável, que nunca perdia a cabeça, nunca mudava de ideia por capricho, nunca dizia uma grosseria para ninguém, nunca repreendia ou criticava seus empregados, não desautorizava as pessoas nos seus trabalhos e as deixava exercer suas funções sem interferir. Também partia do princípio de que, se a pessoa fosse inteligente, poderia fazer qualquer coisa. Charlie Munger dizia o seguinte a seu respeito: "Warren não sofre de estresse, ele o causa nos outros." Dale Carnegie recomendava dar às pessoas uma boa reputação para que elas precisassem mantê-la, e Buffett aprendera bem aquela lição. Ele sabia como extrair feitos heroicos dos seus empregados pela carnegização.

Em linhas gerais, o que ele dizia aos seus funcionários era mais ou menos o seguinte: "*Você é tão bom que vai fazer isso num piscar de olhos, não vai lhe custar nada. É claro que vai conseguir, porque você é sensacional no que faz. Eu precisaria de três pessoas para substituí-lo.*"[49]

Verne McKenzie, que tinha acabado de dar um jeito na bagunça da Blue Chip, foi escalado para a missão ingrata de convencer a SEC a abrir uma exceção às suas regras, para que a Sra. B não passasse pelo sofrimento de uma auditoria ou de ter que revelar seus segredos financeiros para os acionistas da Berkshire Hathaway. Enquanto McKenzie pensava na tortura que seria trilhar o labirinto hostil do governo, Buffett lhe garantia alegremente que ele tiraria aquilo de letra.[50]

Nesse meio-tempo, Buffett se entregava à tarefa prazerosa de mergulhar em um novo negócio e numa nova coleção de pessoas. Passou a gostar de Louie e "dos meninos"; desenvolveu o hábito de pegar o carro e ir para a Rua 72 às 20h30, horário em que a loja fechava, para jantar com Louie, Ron e Irv, conversando por horas sobre móveis e marketing. Começou a levar "os meninos" e suas mulheres para férias anuais.

Naquele outono, o Grupo Buffett chacoalhou por mares violentos, atravessando o Atlântico Norte no *Queen Elizabeth II*. Alguns dos amigos de Buffett ficaram chocados quando ele lhes pediu para enviarem 125 dólares com antecedência, para gorjetas, e levarem smokings para jantares formais. Joy Ruane se sentiu tão intimidada por aquela nova manifestação de arrogância que chegou com 17 malas.[51] A comida a bordo do navio era "de segunda classe", disse um membro, e a agenda, uma mistura de eventos típicos e incomuns: uma palestra de Wyndham Robertson, um repórter da *Fortune* que fazia parte do grupo, sobre investimentos em períodos de inflação; um debate sobre opções de compra de ações; George Gillespie e Roy Tolles falaram a respeito da divisão de bens em caso de divórcio – um assunto em que a discussão ficou acalorada; Tom Murphy abordou a disputa entre as redes de televisão CBS e Cap Cities; e Charlie Munger fez uma palestra sobre Benjamin Franklin. Buffett falou sobre como usar a "teoria dos jogos" para resolver problemas econômicos – baseando-se na "mão invisível" citada por Adam Smith,[52] o economista pioneiro que afirmava que as pessoas que trabalhavam a favor dos seus próprios interesses agiam, em conjunto, pelo bem de todos.

Ao mesmo tempo, Buffett se deliciava contando para seus amigos a história da saga migratória da Sra. B e falando sobre o seu maravilhoso Furniture Mart, a nova joia processadora de dinheiro que ele acabara de comprar. Contudo, ele quase foi ofuscado por Ed Anderson, que fez os pudicos membros do grupo – que eram a maioria – caírem de suas cadeiras quando explicou como estava financiando uma pesquisa sobre a sexualidade humana e contou, com a maior seriedade, a história comovente de um indivíduo que se submetera a uma operação de mudança de sexo e mantinha seu órgão amputado dentro de um jarro.

O Grupo Buffett já estava caindo das cadeiras, de qualquer forma. Os que não ficavam em suas cabines vomitando se sentiam presos dentro do salão, onde pratos escorregavam das mesas e cinzeiros voavam, enquanto o navio sacolejava pelo oceano, sob chuvas torrenciais e ventos dignos de um tufão. Ali eles ouviram histórias e mais histórias sobre a impagável Sra. B. A ideia era que o Grupo Buffett passeasse tranquilamente durante vários dias pela Inglaterra, após a chegada, mas, cinco horas depois de desembarcarem em Southampton, Rick Guerin já estava num avião de volta para Nova York.

Apesar de tudo, em meio ao vento uivante, homilias sobre Benjamin Franklin, planejamento de divórcios e falos dentro de jarros, uma mensagem conseguiu ser transmitida em alto e bom som: o afeto e a admiração de Buffett por Rose Blumkin.[53] Ele tinha planos para ela e convocou Larry Tisch, outro membro do grupo, para participar de suas maquinações. Numa demonstração de gratidão virtuosa e um pouco exibicionista, ele decidiu transformar a idosa Rose numa Cinderela.

Com a ajuda de Tisch, que fazia parte do conselho da NYU, a Universidade de Nova York, ele conseguiu que tanto a Universidade Creighton quanto a NYU dessem a Rose títulos honorários.[54] Na Creighton, a pequenina Sra. B ficou tão emocionada que cobriu o rosto com as mãos e chorou no palco, dizendo: "*Oy, oy, oy*, não consigo nem acreditar."[55] Então ela falou sobre a América, o país que fez seu sonho se tornar realidade. Seu conselho aos formandos: "Primeiro, tenham honestidade", disse ela. "Segundo, trabalhem duro. Terceiro, se vocês não conseguirem o emprego que querem logo de cara, digam que aceitam qualquer coisa. Se vocês forem bons, vão promovê-los."[56]

Na cidade para assistir à cerimônia na Universidade de Nova York, sua família teve o cuidado de não deixá-la ver quanto custava seu quarto de hotel, pois ela já estivera em Nova York antes e achava qualquer valor acima de 75 dólares por uma diária um absurdo.[57] Ela fez Louie levá-la para ver a Ellis Island e a Delancey Street; mas atravessar a cidade foi uma luta, porque ela se sentiu roubada pelo taxista.[58] Na manhã da cerimônia, a Sra. B foi "paramentada" com pompa e circunstância e recebeu seu diploma juntamente com o senador Daniel Patrick Moynihan e o poeta mexicano Octavio Paz.

Apesar da companhia ilustre na cerimônia da NYU, quando lhe perguntaram qual dos títulos honorários ela preferia, Rose respondeu sem titubear. Era o da Creighton. Eles tinham comprado tapetes com ela.

Logo em seguida os auditores da Berkshire conduziram o primeiro inventário do Nebraska Furniture Mart. A Sra. B – acometida por um caso grave de remorso depois de ter vendido a empresa por um total de 60 milhões de dólares, incluindo as ações mantidas pela família – declarou à revista *Regardie's*: "Eu não voltaria atrás na minha palavra, mas fiquei surpresa... Ele não pensou nem por um minuto [antes de concordar com o preço], mas estuda essas coisas. Aposto que sabia de tudo."[59] Buffett, é claro, não tinha como "saber", não literalmente. Contudo, sem dúvida imaginava haver uma margem de segurança gritante naquele valor.

De qualquer forma, ele já se considerava praticamente membro da família àquela altura. Quando a Sra. B completou 90 anos, o Furniture Mart organizou uma liquidação imensa, publicando anúncios de página inteira durante dias seguidos no jornal local, como costumava fazer todos os anos no seu aniversário. Buffett a provocava em relação às vendas da data.

"*A Sra. B calculava seu aniversário pelo calendário judaico, por isso ele não caía na mesma data todos os anos. Eu costumava provocá-la dizendo que ela determinava a data de acordo com a sua necessidade de fazer ou não um pouco mais de negócios. Tinha um aniversário bastante flexível! Ela sorria, olhava para mim e dizia: 'Bem, você não entende o calendário judaico.'*"

Dois anos depois, contudo, esse conto de fadas ficou amargo. A indomável Sra. B gritava com seus netos Ron e Irv na frente dos clientes, chamando-os de vagabundos. Considerando a maneira como vivera, o duro que tinha dado, quem poderia saber mais sobre o negócio que ela? Aos poucos – e compreensivelmente – "os meninos" foram parando de falar com ela.

Por fim, quando ela estava com 95 anos, seus netos a contrariaram numa compra de tapetes e então ela explodiu. "Eu era a chefe. Eles jamais mandaram em mim",[60] disse. Foi a gota d'água. Ela se demitiu em seguida, exigindo 96 mil dólares de férias vencidas.[61]

No entanto, quando sozinha em casa, ela reconheceu que achava "uma solidão terrível não fazer nada. Eu ficava louca."[62] Em entrevistas ameaçadoras nos jornais, ela se referia aos netos como "tapados" e, o que era mais chocante, "nazistas".[63] Deu a entender que iria viajar sozinha para o High Point Market da Carolina do Norte, a maior de todas as feiras da indústria de móveis. De uma hora para outra providenciou que o depósito que ficava em frente ao Furniture Mart fosse reformado. Então organizou uma "venda de garagem" e ganhou 18 mil dólares num só dia, vendendo "algumas das minhas coisas".[64] Alguns meses depois o "Depósito da Sra. B" estava gerando uma receita bruta de 3 mil dólares por dia antes de ser oficialmente inaugurado.

Ao ser perguntada sobre a iminente batalha por clientes, ela respondeu com rispidez ao jornal local: "Vou mostrar a eles!" Quando a falta de espaço para estacionar na sua nova loja foi mencionada, ela apontou para o Furniture Mart e disse: "Estacionem ali... Eles nem vão notar." Logo ela estava envolvida numa briga com os netos, com base nas leis municipais de estacionamento de veículos. Ela então colocou um cartaz na sua loja: "O preço deles é 104 dólares, o nosso é 80."[65] Quando Bob Brown lhe perguntou, no programa *20/20*, da ABC, sobre o Furniture Mart, ela disse: "Acho que eles deveriam pegar fogo. Gostaria que fossem para o inferno..."[66]

Algum tempo depois Buffett declarou: "*Eu preferia lutar com ursos a competir com a Sra. B e sua prole.*"[67] No meio da briga de ursos, Buffett agiu como sempre fazia quando os relacionamentos de amigos seus terminavam. Recusou-se a tomar partido. A Sra. B considerou isso deslealdade. "Warren Buffett não é meu amigo", ela disse a um repórter. "Ganhei 15 milhões de dólares por ano para ele e quando me desentendi com meus netos ele não ficou do meu lado."[68] Isso era uma tortura para Buffett, que não suportava conflitos e relacionamentos fracassados.

Louie, que aos olhos da mãe jamais fazia nada errado, não fez progressos com Rose. "Ela percebeu que tinha perdido o controle da loja e ficou enlouquecida", ele diz.

"*Ele sempre tratava a mãe da melhor forma possível*", lembra Buffett. "*Mas a coisa mais difícil do mundo para ela era admitir que estava perdendo o controle. E ficava com raiva de todos por ter que abdicar daquilo que mais amava na vida.*"

Mas, após dois anos, o Depósito da Sra. B, embora ainda pequeno, cresceu de tal forma que, aos poucos, começava a derrotar o Mart. Finalmente, Louie interveio mais uma vez. "Mamãe", disse ele, "a senhora precisa vender o depósito de volta para nós. Não faz sentido competirmos um contra o outro."[69] Rose ligou para Buffett. Ela admitiu que sentia falta do Mart e da sua família. "Eu estava errada", concluiu; a família era mais importante que o orgulho e os negócios. A Sra. B disse a Buffett que queria voltar. Com uma caixa de doces da See's Candies debaixo do braço e carregando um buquê de rosas, Buffett foi encontrá-la. Ele lhe ofereceu 5 milhões apenas pelo uso do seu nome e o aluguel da propriedade.

Mas atrelou uma condição: dessa vez ela deveria assinar um contrato de "não competição", para que a Sra. B jamais pudesse competir com ele. Aquilo era algo que Buffett se arrependia de não ter feito antes. O absurdo de se impor um contrato daqueles a uma mulher de 99 anos não lhe passou despercebido. O contrato foi redigido com perspicácia, de modo a durar mais do que a Sra. B. Caso ela se aposentasse, ou abandonasse o negócio num rompante de fúria, ou por qualquer outro motivo, independentemente da sua idade, não poderia competir com os parentes e com Buffett por um prazo de cinco anos. Mesmo que a Sra B vivesse até os 120, Buffett não queria se arriscar. *"Achava que ela viveria por toda a eternidade"*, ele diz. *"Eu precisava de cinco anos a mais que a eternidade, no caso dela."*

A Sra. B ainda não sabia ler ou escrever em inglês. Mesmo assim, assinou o contrato de "não competição", que foi explicado a ela, com sua caligrafia característica. A trégua rendeu manchetes de jornal. *"Então eu procurei me certificar de que ela nunca mais se irritaria"*, diz Buffett. Ele se dedicou a bajular fervorosamente a sua nova funcionária para deixá-la feliz a ponto de jamais pedir demissão – e disparar o cronômetro do seu acordo de "não competição".

No dia 7 de abril de 1993 a Câmara de Comércio de Omaha a convidou para a cerimônia de inauguração da sua Galeria da Fama dos Negócios, juntamente com Buffett, Peter Kiewit e vários outros. Então Buffett – com os joelhos tremendo um pouco – subiu ao palco do Highland Club e cantou em público, pela primeira vez na vida, para a Sra. B, no seu centésimo aniversário. Também doou 1 milhão de dólares para um teatro da região que ela estava reformando.

Ninguém conseguia acreditar. Buffett tinha doado 1 milhão de dólares!

E, apesar de todas as aclamações, nada daquilo jamais subiu à cabeça de Rose Blumkin. Nem mesmo o milhão que Buffett lhe dera. Ela achava que devia tudo – toda sua boa fortuna – aos Estados Unidos, pelas oportunidades que o país tinha lhe oferecido. Nos eventos familiares, ela insistia que sua canção favorita, "God Bless America", fosse sempre tocada, até mais de uma vez.

"Não acho que eu mereça", ela dizia sem parar, referindo-se às honrarias.[70] Mas merecia.

45
Chame o reboque
Omaha – 1982-1989

Assim que o Grupo Buffett desembarcou do *Queen Elizabeth II*, Susie Buffett ouviu as histórias do seu marido sobre a Sra. B – ou qualquer que fosse sua mais recente obsessão –, como todas as outras pessoas. Ela e Warren se falavam quase todos os dias, numa "linha direta" especial instalada em seu apartamento. Quando o telefone tocava, ela pulava imediatamente. "É Warren!", dizia, abandonando às pressas qualquer conversa que estivesse tendo com um amigo para atendê-lo. Ele ainda era a sua prioridade número um. Mas, quando Buffett não estava precisando dela, a sua vida ficava agora sob seu próprio controle.

Susie se mudara do seu pequeno apartamento no Gramercy Tower para outro, na Washington Street, com uma vista espetacular para a baía e de frente para a linha do bonde. Ela escolheu o prédio porque Peter estava morando ali com sua mulher, Mary, e suas duas filhas. Ele ainda perseguia uma carreira musical e começara a alugar horários no estúdio para pagar as contas, enquanto compunha para qualquer um que o pagasse – por exemplo, para filmes universitários ou para a produtora Video West.[1]

Pouco tempo antes Susie perdera os pais. Doc Thompson morreu em julho de 1981; Dorothy Thompson o seguiu apenas 13 meses depois. Susie era tão próxima dos pais que essas mortes abriram um vazio doloroso na sua vida. Depois disso, sua tendência à hiperatividade não diminuiu; pelo contrário, aumentou. Warren passara a dar mais valor a ela, e seu desejo de agradar a mulher, que idolatrava mais que nunca, era expresso, em parte, por meio do dinheiro que lhe dava. A ideia de arroubo consumista de Susie era comprar um cesto inteiro de cartões para enviar aos amigos.[2] Isso foi se expandindo aos poucos, até assumir a forma de um ataque anual à sessão de calçados da Bergdorf. O pão-durismo de Warren começou a ceder diante da realidade velada mas inegável de que ele controlava o dinheiro de Susie porque ela assim desejava e permitia. Mas a qualquer momento ela podia voltar atrás e passar a gastar por conta própria. Quando ficava em dúvida entre dois casacos de pele, ela perguntava: "Por que eu preciso escolher?" A resposta era que não precisava. Ela levava os dois.

De modo geral, a mão mais aberta de Susie a levava a ser generosa com um grupo de variados amigos que não parava de crescer. Ninguém jamais abandonava os encantadores Buffett. Até mesmo a namorada de faculdade de Peter foi trabalhar para Susie como secretária, apesar de ela ter sido a responsável pelo fim do relacionamento, antes que virasse um noivado, quando Peter começou a se endividar. A maré crescente de velhos amigos, familiares dependentes e sua nova rede de relacionamentos em São Francisco teria sido demais para qualquer um. Mas Susan não era qualquer uma. Libertada dos grilhões de Omaha, com baldes de dinheiro à sua disposição, ela ganhou vida como num passe de mágica, como a vassoura do Aprendiz de Feiticeiro. *"De quanto você precisa para o Natal?"*, perguntava Warren. "Ah, 75 mil dólares são o suficiente", ela respondia.[3] Ele fazia o cheque.

Sua causa favorita eram os artistas, pessoas criativas e qualquer um com potencial ou talentos que ela considerasse não estarem sendo devidamente reconhecidos. Por exemplo, Susie se tornou patrocinadora do artista Edward Mordak, que pintava telas contemporâneas em cores vivas do tipo que ela gostava e confeccionava tapeçarias emplumadas e brilhantes. Mas, de todas as pessoas que ela ajudava, seu sobrinho Billy Rogers era o seu maior desafio. Guitarrista de jazz fabuloso, Rogers já tinha tocado com vários grupos, chegando a acompanhar B. B. King, alcançando seu maior sucesso como integrante do grupo The Crusaders. Ele era casado, tinha um filho e morava em Los Angeles. Mas passara vários anos zanzando pela Costa Oeste e nunca ficou muito tempo longe das drogas sem ter uma recaída. Susie, contudo, continuava otimista e se recusava a desistir dele. Por mais sórdida que fosse a sua vida quando ele se entregava ao vício, ela sempre o tratava como um filho.

Em 1984, quando a Aids já tinha ceifado mais de 2 mil vítimas e infectado outras tantas, Susie encontrou uma nova grande causa entre os gays de São Francisco. Como a transmissão da doença ainda era algo praticamente incompreendido e mal divulgado, a intolerância contra os homossexuais se transformou em histeria.[4] A Aids era chamada de "câncer gay", e muitas pessoas diziam que Deus estava punindo os homossexuais por seu desvio sexual.[5] Já exercendo o papel de figura materna para muitos homens rejeitados por suas respectivas famílias, Susie mais uma vez ousou cruzar uma fronteira social, figurando como uma mulher casada rica que servia de porto seguro para gays do sexo masculino durante os primeiros anos da epidemia da Aids.[6]

A vida de Susie em São Francisco era parecida com a de alguém que estivesse numa corda bamba, exigindo dela um delicado senso de equilíbrio. Já fazia seis anos que ela continuava sendo a Sra. Warren Buffett publicamente, ao mesmo tempo que se mantinha em cima do muro em relação ao divórcio e a um possível segundo casamento. Algumas pessoas que estavam cientes da situação achavam que Susie escolhera permanecer nesse limbo como uma maneira de agradar a todos, evitando tomar uma decisão. Susie, pensavam, era uma mulher que não conseguia expressar sua própria opinião. Mas a sua história de vida sugere algo diferente: ela preferia nunca se abrir por completo com uma pessoa só, optando por dividir-se entre vários relacionamentos. Susie – que tinha motivos para confiar na sua habilidade de lidar com as pessoas – podia, vez por outra, se mostrar confiante demais. À medida que o círculo daqueles que conheciam os seus segredos crescia, tornava-se mais difícil controlar o que os dois homens mais importantes da sua vida sabiam, eles próprios, sobre o estado dos seus relacionamentos com ela.

Susie e seu ex-professor de tênis passaram parte de 1983 e o começo de 1984 viajando pela Europa, onde ela fez novos amigos, mas também encontrou pessoas que conhecia de Omaha. De repente as suas duas vidas colidiram. Em março de 1984 ela foi a Omaha para a festa de aniversário de 80 anos de Leila; durante a visita, Susie admitiu a Warren pela primeira vez que um dos motivos que a levaram a se mudar para São Francisco envolvia outro homem. Por alguma razão, no entanto, Warren ficou com a impressão de que esse relacionamento era coisa do passado e que dizia respeito a alguém que ela conhecera depois de deixar Omaha.[7]

Portanto, mesmo quando confessava, Susie mantinha seus segredos. Ainda assim, finalmente ela se comprometeu com um caminho. Ao contar a Warren, escolheu um lado do muro. Mas ela jamais o deixaria. Eles continuariam casados.

E Warren não se matou quando descobriu – se é que a possibilidade tenha chegado a existir. No entanto, ele perdeu o que pareceram ser 4 quilos e meio quase da noite para o dia. Entre os diversos golpes que precisava absorver, descobriu que Susie vinha gastando parte do dinheiro que ele lhe dava de forma tão generosa de uma forma que ele jamais teria aprovado caso ficasse sabendo. Seu carinho pela casa em Laguna, que nunca fora tão grande, também diminuiu a olhos vistos.

Na festa de aniversário de Leila ele parecia abatido, mas se comportou da mesma maneira que sempre se portava quando a família se reunia. Em casa, seu relacionamento com Astrid, que não sabia de nada do que estava acontecendo, não se modificou. Na sede da Berkshire, ele se isolava no escritório, protegido por Gladys, e mergulhava no trabalho. Nunca contou a ninguém como se sentia a respeito do fim da bela ilusão que fora seu casamento. Em vez disso, a sua "memória de banheira" entrou em ação.

O SONHO DE CONSERVAR ALGUM RESQUÍCIO DA BERKSHIRE HATHAWAY TAMBÉM estava morrendo, embora as máquinas de fiar antigas ainda funcionassem. Teares que pareciam feitos de sucata, máquinas de costura obsoletas e polias velhas rangiam cansadamente no setor de tecelagem. Restavam apenas 400 funcionários. A maioria era de descendentes de portugueses, especializados num só tipo de trabalho. Muitos estavam na faixa dos 50 anos, ou eram até mais velhos, sendo que alguns falavam um inglês limitado, enquanto outros tinham ficado surdos por causa da barulheira das máquinas. Buffett não conseguiria extrair sequer mais 30 gramas de raiom dali sem antes comprar novos teares e máquinas de fiar. Era o fim; em 1985 ele puxou a tomada dos aparelhos que mantinham a Berkshire viva.[8] A substituição dos equipamentos teria custado cerca de 50 milhões de dólares. Colocada em leilão, a empresa foi vendida por 163.222 dólares.[9]

Os trabalhadores pediram indenizações acima do estipulado por contrato e conseguiram alguns meses a mais de salário. Queriam encontrar Buffett para discutir o assunto, mas ele se recusou. Eles o consideraram um homem sem coração. Provavelmente ele não conseguiria encará-los.

"Embora não tivessem culpa, estavam na mesma posição do cavalo quando o trator chegou. O livre mercado tinha feito aquilo com eles. Se você tivesse 55 anos, só falasse português, estivesse trabalhando numa tecelagem há 30 anos e fosse surdo, estava perdido. E não tinha outro jeito. Quando você fala sobre reciclar as pessoas, não é como se todos pudessem se tornar técnicos de informática fazendo um curso profissionalizante ou coisa parecida.

Mas também é necessário lidar com as pessoas que são afastadas. O livre mercado faz um monte de coisas boas por este país, mas nós precisamos de uma rede de segurança. A sociedade está recebendo os benefícios e deveria pagar a conta." Warren, é claro, não iria pagar essa conta só porque faltava à sociedade uma rede de segurança. Qualquer que fosse a pensão a que os trabalhadores tivessem direito segundo seus contratos de trabalho, era exatamente aquilo que eles iriam receber. *"O mercado não é perfeito. Não se pode confiar que ele vá dar uma vida decente para todos."*

Quando fechou as portas, o negócio de tecelagem já era insignificante na holding que carregava o nome Berkshire Hathaway. O plano de Buffett era que as seguradoras passassem a ditar os rumos da matriz – a mesma que engolira empresas inteiras, como o Nebraska Furniture Mart. Ao longo da década de 1970, ele amealhara um grupo diversificado de seguradoras, colocando-as nas costas da National Indemnity para lhe dar mais impulso. Era uma estratégia brilhante, mas havia vários anos que a maioria daquelas companhias vinha enfrentando problemas.

Primeiro Jet Jack Ringwalt se aposentou. Então veio o "Caso Omni", no qual a National Indemnity foi fraudada por um corretor corrupto e correu o risco de explodir em meio a prejuízos que poderiam ter custado à companhia 10 milhões de dólares ou mais. Embora a conta tenha fechado em apenas 2 milhões, esse foi só o primeiro de uma série de problemas com as seguradoras. No começo da década de 1970, Buffett comprou uma pequena empresa de seguros residenciais e de automóveis que caiu imediatamente numa vala, até que um novo gerente a rebocou. Isso se tornaria um padrão nos investimentos de Buffett no ramo dos seguros – as empresas caíam na vala e ele precisava chamar o reboque. O guincho tinha que ser forte e ter um motor potente para tirá-las do atoleiro. A Berkshire se envolveu com seguros de indenizações trabalhistas na Califórnia – que cobriam o pagamento de salários devidos e benefícios de saúde quando as pessoas sofriam acidentes de trabalho. Em 1977, uma das duas seguradoras desse tipo era um "desastre" completo, com seu gerente recebendo dinheiro por fora dos corretores.[10] Dan Grossman, o *protégé* de Buffett, enviado a Los Angeles para salvá-la, logo percebeu que não entendia de seguros, um negócio complexo e muito mais difícil do que parece. (Verne McKenzie, por exemplo, teve que fazer uma viagem para tomar de volta, pessoalmente, a casa e o carro de um cliente inadimplente.)[11] Dar esse tipo de função ao seu controlador não era exatamente o estilo administrativo mais comum entre os CEOs, mas, no mundo de Buffett, uma pessoa inteligente podia fazer de tudo. Assim, diante da necessidade de salvar uma empresa quebrada, a solução de Grossman foi chamar o reboque e contratar Frank DeNardo, um administrador experiente, que começou a endireitar as coisas. Buffett cobriu DeNardo de elogios no relatório anual da Berkshire.

Buffett também fundou uma resseguradora – uma companhia que faz o seguro de outras seguradoras – como uma espécie de experimento. Contratou George Young, um homem gentil e profissional, para administrá-la. Young parecia saber o que estava fazendo, e o dinheiro começou a entrar, mas também a sair pela porta rapidamente. Buffett tentou trabalhar junto com Young para resolver esse problema; então despachou Grossman a Nova York, numa missão de resgate. "Ele foi um tanto vago", disse Grossman. "Falou: 'Vá conversar com o Lloyd's de Londres, descubra alguns contratos de resseguros que você possa pegar.'" Grossman não tardou a descobrir que o ramo dos resseguros era um negócio para especialistas. Sem instruções, ele acampou na Ruane, Cunniff e começou a estudar investimentos.

Outra incursão de Buffett na área dos seguros foi a criação das Homestate Companies – um grupo de pequenas seguradoras espalhadas por vários estados.

A ideia era que ter alguém com o título de presidente faria com que os clientes se sentissem mais bem servidos do que se a mesma pessoa fosse apenas gerente da filial de alguma grande companhia de seguros de âmbito nacional. Em 1978, Buffett escreveu que essas companhias fizeram um trabalho "decepcionante". Os clientes gostavam de empresas que tinham presidentes, mas as grandes companhias de âmbito nacional tinham outras vantagens, como experiência, por exemplo. As Homestate Companies precisavam de novas administrações. Buffett não sabia como resolver o problema sozinho. Tampouco sua estratégia administrativa habitual, de retirar todo o dinheiro e aumentar os preços, gerou lucros significativos para as seguradoras (embora tenha sido um bom começo). Seu amigo Tom Murphy costumava dizer que ele "delegava tantas tarefas que quase abria mão do controle".[12] Ele colocou McKenzie no comando de uma dessas empresas até ele jogar as mãos para o alto e se afastar, admitindo que também não entendia o suficiente de seguros.[13] Nesse meio-tempo, Frank DeNardo, aos 37 anos, morreu tragicamente de ataque cardíaco e a seguradora de indenizações trabalhistas da Califórnia ficou à deriva novamente. Buffett convocou Grossman de volta de Nova York para administrá-la.

Grossman se viu presidente de uma empresa aos 26 anos, num negócio em que prevenir fraudes é mais importante do que vender. Suas ligações pedindo ajuda não conseguiam ir além das impenetráveis afabilidades de Buffett, agravando um caos que já era considerável. Brilhante e trabalhador, ele se sentia "totalmente incapacitado" para administrar uma companhia de seguros, na sua idade e com seu nível de experiência, e explicou que aquilo estava além da sua competência. Buffett insistia em dizer que confiava nele e tinha certeza de que ele estaria pronto para o desafio. Em vez disso, Grossman foi esmagado pelo estresse, e seu casamento desmoronou. Por fim, ele avisou a Buffett que simplesmente não conseguia dar conta, mudou-se para a região da baía de São Francisco e começou a administrar investimentos por conta própria.[14]

Buffett, que odiava abrir mão de qualquer pessoa, pediu que ele continuasse no Grupo Buffett. Grossman era benquisto, e vários membros do grupo ligaram para tentar dissuadi-lo. Mas ele não se sentia forte o bastante para manter sua autonomia em meio à complexa rede que ligava as pessoas aos Buffett – Susie com sua multidão de adoradores, Warren e seu círculo de protetores sempre dispostos a apoiá-lo. Sabendo que estava se afastando, Grossman cortou relações com todos. "Ele se divorciou dos Buffett", disse um amigo da época que entendeu seus motivos, embora achasse uma pena.

Assim, a sede ficou com menos uma pessoa para sustentar o crescente império da área de seguros. Verne McKenzie estava tão ocupado, tentando descobrir como encaixar o Furniture Mart dentro dos números da Berkshire sem mostrar as intimidades financeiras da Sra. B, que ele e Buffett mal se encontravam. Durante as perambulações de Grossman, Buffett instalara Mike Goldberg – um consultor da McKinsey que já tinha trabalhado com Rickershauser na Bolsa de Valores da Costa do Pacífico – no ex-escritório de Grossman. Goldberg, nativo do Brooklyn, magro, com uma intensidade mordaz e o mais sutil senso de humor, acabou mostrando ter o suposto "gene dos seguros", que é feito de uma dose de talento para prognósticos misturada com duas doses de ceticismo sombrio em relação à natureza humana. Assim, ele conseguiu aprender sozinho o negócio – o que foi uma boa coisa, pois já era incomum que Buffett tivesse gastado seu tempo com um *protégé*, quanto mais com dois.

Com a chegada de Goldberg, a maneira bem educada e contida de se fazer as coisas na sede, típica do Meio-Oeste, mudou bruscamente. Os gerentes que Goldberg considerava terem apenas 90% de desempenho eram rapidamente convidados a fazer as malas. À medida que esses profissionais saíam voando pelas portas das Homestate Companies, Goldberg ganhou uma reputação temível. Ele trouxe novos profissionais para a empresa de indenizações trabalhistas e para a resseguradora. Alguns sobreviveram, uns se cansaram do ambiente frenético e pediram demissão, e outros simplesmente não corresponderam às expectativas.

O método de Goldberg era telefonar para os seus gerentes e conversar longamente com eles todos os dias, arguindo-os de forma impiedosa para entender suas atitudes e reforçar a maneira como eles deveriam pensar sobre o negócio. É difícil superestimar o custo emocional da abordagem invasiva de Goldberg numa atmosfera caótica como aquela. Um ex-gerente afirmou que era como "trabalhar num túnel de vento". As pessoas aprendiam muito com Goldberg – quando conseguiam suportar o estresse. Segundo um ex-funcionário, ele era do tipo que "gritava para chamar um táxi".

Nos primeiros anos da década de 1980, Goldberg trabalhou contra a maré para endireitar o navio. Ao contrário da decepcionante Hochschild-Kohn ou da patética Berkshire Hathaway – empresas que Buffett simplesmente não deveria ter comprado –, pela primeira vez negócios perfeitamente satisfatórios estavam afundando de forma inexplicável diante de seus olhos. Ele acreditava que Goldberg faria o que fosse necessário. No entanto, o agradável porém ingênuo George Young, que administrava a resseguradora, caíra nas mãos de corretores inescrupulosos, um problema endêmico no ramo.[15] Àquela altura Buffett estabelecera um padrão bem definido: ele primeiro buscava justificativas para evitar a indisposição de demitir gerentes que estivessem perdendo dinheiro. Criticava-os de forma indireta, às vezes pela contenção de recursos, mas especialmente pela contenção de elogios. À medida que o seu patrimônio crescia, ele usava essa técnica com mais frequência. Qualquer um que tentasse buscar informações sobre as companhias de seguros nas suas cartas aos acionistas teria que se igualar a Sherlock Holmes no incidente curioso do cachorro que não latia.[16] Depois de encher os gerentes das seguradoras de elogios pessoais durante a década de 1970, aos poucos Buffett foi parando de citar as companhias de seguros e seus gerentes pelo nome, com exceção da Geico, cujo desempenho era extraordinário, e da National Indemnity.

Buffett, por outro lado, não parou de escrever sobre a indústria dos seguros. Na verdade, na carta aos investidores de 1984 ele escreveu mais do que nunca. Mas juntou todas as seguradoras da Berkshire num só pacote e assumiu sozinho a culpa pelo desempenho ruim, sem citar uma só empresa ou responsabilizar um gerente pela sangria de prejuízos. Ele seguiu nesse tom por excruciantes sete páginas, mencionando a concorrência, *"que morreu e esqueceu de se deitar"*, e os prejuízos, que voltavam para assombrá-lo como avisos de cobrança para um homem que *"foi para o caixão com um terno alugado"*. Embora fizesse sentido que ele, como CEO, se sentisse responsável, era como se Buffett estivesse tentando evitar críticas por meio da autoflagelação.

Ele escreveu tudo isso mesmo quando sabia que, por trás daqueles números terríveis, melhorias consideráveis já estavam em curso. No ano seguinte as companhias de seguros se uniram para compor a máquina poderosa que Buffett vislumbrara. Elas começaram a produzir os fluxos de dinheiro que seriam a matéria-prima destinada a alimentar os seus outros investimentos.

Em 1985, o modelo de negócios singular concebido por Buffett começou a fazer jus ao seu potencial. Nenhuma outra companhia se assemelhava à sua, e essa estrutura possibilitaria um efeito cumulativo radical, que impulsionaria a riqueza dos acionistas.

Então chegou o momento em que Goldberg encontrou a peça que coroaria toda a estrutura. Depois dela os números jorrariam como um poço de petróleo.

"Um dia", conta Buffett, *"eu estava aqui, num sábado, quando Mike Goldberg apareceu com Ajit."*

Ajit Jain, nascido em 1951, tinha um diploma de engenheiro do prestigioso Instituto Indiano de Tecnologia de Kharagpur e trabalhara para a IBM na Índia por três anos, antes de se formar em administração em Harvard. Ajit era cético e inflexível, como Buffett e Munger. Ninguém jamais passaria a perna nele. Buffett se viu em Ajit, que logo caiu nas suas graças, dividindo o pedestal com a Sra. B. *"Ele não tinha experiência com seguros. Eu simplesmente gostei do sujeito. Senti que com ele daríamos um grande salto, algo enorme, se comparado a qualquer outra coisa que já tínhamos feito na Berkshire."*

Buffett afirmava "não agregar nada" à qualidade das decisões de Ajit. Mas ele não era nem de longe um participante passivo nas conversas telefônicas. Se havia algum trabalho na Berkshire Hathaway que ele próprio teria gostado de fazer pessoalmente, era o de Jain. Buffett adorava a análise de riscos, as negociações duras, nas quais o temperamento era importante e quantias imensas de dinheiro eram ganhas ou perdidas por uma questão de pura inteligência e força de vontade. Naquele negócio de uma racionalidade suprema a psicologia representava uma vantagem. Para Buffett, agir por procuração por meio de Ajit era o mais próximo da antiga maneira de negociar "por baixo do pano" do mercado a que ele conseguia chegar àquela altura. E ele adorava isso.

Com Buffett colado em Ajit e o caos resolvido, o trabalho de Goldberg chegou ao fim. Logo ele abandonou o cargo para abrir um negócio de empréstimos e imóveis para a Berkshire.

Ajit não parecia precisar de muitas horas de sono; quando acordava, por volta das 5 ou 6 horas da manhã, aparentemente se perguntava: "Quem já está acordado? Para quem posso ligar?" Seus colegas aprenderam a estar preparados para longas conversas antes do amanhecer sobre contratos de resseguro, mesmo aos sábados e domingos. Ele e Buffett costumavam trocar telefonemas diários às 10 horas da noite, um hábito que Ajit mantinha em qualquer fuso horário em meio à sua rotina de ininterruptas viagens pelo mundo.

Ajit chegara num momento oportuno. Os preços dos seguros estavam mais altos que nunca. Ele publicou um anúncio na revista *Business Insurance*: "Estamos em busca de mais – mais seguros contra acidentes pessoais cuja indenização seja superior a 1 milhão de dólares." O texto combinava exibicionismo com sagacidade, que era a marca registrada de Buffett. *"Não tínhamos reputação, nem tampouco rede de distribuição"*, diz Buffett. Mas os clientes começaram a aparecer numa avalanche depois do anúncio, e Ajit fez negócios e mais negócios.[17]

46
Rubicão
Omaha – 1982-1987

A década de 1980 seria uma época de negócios, negócios e mais negócios – a maioria financiada por dívidas, dívidas e mais dívidas. Havia 17 anos o Dow Jones não saía do lugar.[1] Uma inflação implacável dizimara os lucros empresariais; no entanto, as companhias incharam suas folhas de pagamento, e funcionários de colarinho branco, exceto os mais rasteiros, gozavam o maior conforto possível. Campos de golfe e cabanas de caça estavam entre os agrados que os executivos davam de presente a si mesmos e aos seus funcionários. Eles desperdiçavam boa parte dos seus lucros com operações desleixadas, mau planejamento e uma burocracia irracional.[2] No início dos anos 1980 as ações vendiam como suéteres de poliéster. Então, durante a gestão de Paul Volcker na presidência do Federal Reserve, a taxa de juros, que pouco tempo antes estava em astronômicos 15%, começou a cair à medida que a inflação era controlada. Executivos espertos perceberam como os negócios americanos estavam inchados. Com os juros baixos, compradores em potencial de uma determinada empresa usariam os próprios ativos como caução para o credor, de modo a financiar a compra – algo como conseguir uma hipoteca de 100% para a compra de uma casa. O comprador não precisava entrar com dinheiro algum: adquirir uma grande empresa não custava mais do que montar uma barraquinha para vender limonada.[3] Uma enxurrada de investidores retornou a Wall Street disposta a abater as vacas gordas usando a faca de trinchar do dinheiro emprestado. Foi o início do boom das fusões.

"Estávamos nos apropriando de lucros e receitas que deveriam ir para os acionistas", reconhece Jerome Kohlberg, um dos primeiros investidores a se especializar em *buyout*, a aquisição do controle acionário de empresas. "As corporações americanas foram responsáveis por boa parte do que aconteceu. É preciso perguntar por que elas não cortaram as despesas por conta própria."[4]

Em 1984, a corda no pescoço das diretorias ficou mais apertada quando os *junk bonds*, títulos de altíssimo risco, ganharam respeitabilidade. Também chamados, mais educadamente, de "anjos caídos", eram papéis de companhias, como a Penn Central Railroad, que estavam saindo da sarjeta da falência – ou correndo o risco de cair nela.[5] Uma empresa que lançava *junk bonds* pagava uma taxa de juros elevada, já que o risco era alto. Esses títulos eram relativamente suspeitos e bastante perigosos.

As pessoas que trabalhavam nos setores de títulos de alto risco em Wall Street eram chamadas de "vendedores de sucata" ou "catadores de lixo" – banqueiros que buscavam executivos dispostos a lançar *junk bonds* e analistas de "títulos desgastados", que passavam suas carreiras aprendendo a avaliar papéis na marra, examinando balanços exauridos e fazendo um jogo de intrigas com advogados societários, investidores furiosos e administrações desesperadas.

Tudo mudou quando Michael Milken, o principal vendedor de sucata do Drexel Burnham Lambert, um banco de investimentos oportunista, se tornou o homem mais influente de Wall Street, graças a uma teoria simples: embora "anjos caídos" fossem arriscados individualmente, comprar um monte deles *não* era, pois, na média, a taxa de juros alta mais do que compensava o risco. Em outras palavras, quando agregados, os *junk bonds* teriam uma margem de segurança – como as guimbas de charuto.

Logo os gestores de recursos já não pareciam estar jogando roleta com o dinheiro dos investidores ao incorporar em suas carteiras *junk bonds* que rendiam generosamente. Na verdade, logo se tornou aceitável lançar *novos* títulos de alto risco – o que era algo bem diferente. A partir daí, bastou um pequeno salto para a compra de empresas fortes e bem administradas poder ser financiada com *junk*, tornando balanços gerais antes saudáveis em queijos suíços, repletos de dívidas. De repente, piratas corporativos armados com títulos de alto risco – que buscavam fazer "compras hostis", cujo objetivo era depenar empresas – começaram a perseguir companhias que vinham trilhando seu caminho cheias de otimismo. Suas presas corriam na direção de qualquer comprador que pudesse parecer mais amigável e, no fim das contas, acabavam sendo vendidas para qualquer um – e se arruinavam financeiramente. As comissões dos banqueiros ficaram tão descomunais que, em vez de esperarem os negócios surgirem, eles passaram a caçá-los por conta própria, folheando as cotações do S&P 100 da mesma forma que Buffett fizera no passado com seus *Moody's Manuals,* procurando guimbas de charuto. Essa orgia de fusões, que geralmente contavam com a anuência de apenas uma das partes, fascinava a opinião pública; o embate de egos titânicos enchia os jornais diários. A conferência anual de *junk bonds* conduzida por Michael Milken, o chamado "Baile dos Predadores",[6] marcou época.

Buffett desprezava a maneira como esses acordos transferiam as riquezas dos acionistas para os gestores e piratas corporativos, ajudados por uma longa lista de banqueiros, corretores e advogados, que também pegavam a sua parte.[7] *"Não fazemos compras hostis"*, ele dizia. Os negócios feitos na década de 1980 lhe causavam repulsa especialmente porque eram baseados em dívidas. Para aqueles que cresceram durante a Depressão, o crédito era algo a ser usado de forma muito cautelosa somente na pior das hipóteses. Nos anos 1980, contudo, as dívidas se tornaram uma "alavanca" comum, uma maneira de aumentar os lucros por meio de dinheiro emprestado. Essa alavancagem aconteceu na mesma época em que o governo americano começou a registrar grandes déficits, em função da tática econômica de Reagan, conhecida como "Reaganomics" – o conceito de "economia da oferta", no qual cortes nos impostos aumentariam a arrecadação do governo ao impulsionar a economia. Economistas travaram discussões violentas para saber se os cortes podiam de fato se pagar e, em caso positivo, em que medida. A economia estava aquecida por causa do aumento no consumo, também alimentado por dívidas; os cidadãos comuns se acostumavam aos poucos a comprar tudo com cartões de crédito, criando endividamentos que jamais conseguiriam quitar, até que a morte os separasse do dinheiro de plástico. A batalha pela opinião pública terminara: a cultura da era da Depressão, de acumular e economizar, caiu por terra, derrotada pela cultura do "compre agora, pague depois".

Buffett ainda pagava em dinheiro e escolheu o papel do cavaleiro solitário no que dizia respeito a aquisições. Numa manhã de fevereiro de 1985, em Washington, ele recebeu bem cedo um telefonema de Tom Murphy, que o acordou para avisar que tinha acabado de comprar a rede de televisão ABC.

"Você precisa vir até aqui e me dizer como eu vou pagar por ela", disse Murphy.[8] A ABC caíra na teia dos piratas corporativos. A empresa jogou uma isca para ver se Murphy podia salvá-la, propondo uma compra amigável – e Murphy a mordeu.[9]

"Imagine como isso mudará a sua vida", Buffett respondeu. Murphy era um católico devoto que nunca desperdiçava dinheiro em nada – e aquilo era *Hollywood*. Muito provavelmente Buffett refletiu sobre a incompatibilidade entre aquele homem modesto, prestes a se aposentar, e o mundo da televisão, glamouroso aos olhos de Murphy.[10] Contudo, a jogada seguinte sugere que o próprio Buffett não se importaria tanto com uma mudança daquelas. Ou ao menos era o que parecia, já que ele recomendou a Murphy que a Cap Cities/ABC deveria

recrutar um investidor "peso-pesado" que pudesse proteger o grupo dos piratas corporativos. Como era de se esperar, Murphy sugeriu que esse investidor fosse o próprio Buffett – que concordou em investir 517 milhões de dólares do dinheiro da Berkshire na compra de 15% da Cap Cities.[11]

Ao salvar a Cap Cities dos piratas em potencial, Buffett participara do maior acordo da história da indústria da comunicação; somente a cota da Berkshire era seis vezes maior que o valor total do Nebraska Furniture Mart. Totalizando 3,5 bilhões de dólares, ele e Murphy também pagaram um preço extravagante pela ABC,[12] que passava por dificuldades e caíra para terceiro lugar nos índices de audiência. "O negócio das redes de televisão não é nenhuma festa", diria Buffett no futuro.[13] Mas ele acompanhara desde a infância a impressionante ascensão da televisão – e conhecia muito bem o seu poder de moldar a opinião pública e o seu potencial como negócio. A combinação dos ativos era formidável: juntas, a ABC e a Cap Cities seriam donas de cerca de 100 publicações, 24 estações de rádio, 12 grandes emissoras de televisão e mais de 50 canais a cabo.[14] Buffett queria tanto a ABC/Cap Cities que se dispôs a abandonar o conselho do *Washington Post*, como exigia o regulamento da Comissão Federal de Comunicações (FCC), por conta do conflito de interesses potencial entre as duas companhias.[15] Ele o fez, mas sabendo que Kay e Don Graham poderiam contatá-lo informalmente para pedir conselhos, sem precisar de estímulos. Naquela noite ele foi para a cama como um homem feliz.

O ano de 1985 seria extraordinário. Na mesma semana em que os investimentos de Buffett renderam à Berkshire 332 milhões de dólares *por uma única ação* – a da General Foods, quando ela foi comprada pela Philip Morris –, a revista *Forbes* se deu conta da quantidade de dinheiro que ele tinha e acrescentou seu nome à lista das 400 pessoas mais ricas dos Estados Unidos. Na época era necessário ter 150 milhões de dólares só para entrar naquele rol. Buffett, no entanto, aos 55 anos, já era bilionário, um dos 14 listados pela revista. Seu livro favorito na infância poderia ser reintitulado *Mil maneiras de se ganhar 1 milhão de dólares*. Ele nunca sonhara que os centavos que se acumulavam em efeito cascata, desde as suas empreitadas de menino, chegariam a *tanto*.

As ações da Berkshire Hathaway, que originalmente eram vendidas por 7,50 dólares, estavam sendo negociadas a mais de *2 mil dólares cada*. Contudo, Buffett se recusava a "desdobrar"* a ação em pedaços menores, com o argumento de que as comissões de corretagem se multiplicariam desnecessariamente junto com o número de papéis. Embora isso fosse certamente verdade, era inegável que essa

---

* "Desdobrar" uma ação significa dividi-la em um determinado número de partes, cada qual sendo negociada pela fração proporcional do valor. *(N. da A.)*

política deixava a Berkshire mais parecida com uma sociedade, ou até mesmo um clube, e o preço elevado das ações chamava a atenção para a companhia mais que tudo.

A sua fama cresceu juntamente com o preço das ações da Berkshire. Quando entrava numa sala cheia de investidores, uma certa energia enchia o ar, e todas as atenções se voltavam para ele. A compra da ABC pela Cap Cities começou de fato a mudar sua vida, acrescentado um quê de Hollywood ao encontro de elefantes de Kay Graham. Ao conhecer a empresária de telenovelas Agnes Nixon, num jantar com Murphy, ele foi convidado a fazer uma ponta na novela *Loving*. Vários CEOs teriam preferido fingir uma doença terminal a fazer algo tão indigno, mas Buffett gostou tanto da sua participação na novela que costumava exibir o contracheque referente à sua estreia no show business. Aquilo combinava perfeitamente com o Buffett que adorava se fantasiar – e logo ele estaria aparecendo vestido de Elvis nas festas dos amigos. Esse mesmo Buffett agora adorava colocar um smoking para levar Susie Jr. a um jantar na Casa Branca de Ronald Reagan, onde Sylvester Stallone e a estilista Donna Karan se sentavam à mesma mesa. Quando foi de jatinho para a cerimônia do Oscar com Astrid – numa rara aparição dela em público, usando orgulhosamente um vestido de brechó –, ele jantou com Dolly Parton. Buffett – que achou Parton, com seu estilo Violeta Buscapé, não só simpática como também muito atraente –, no entanto, não conseguiu causar nela a impressão marcante que costumava exercer sobre a maioria das mulheres.

Nas festas de Kay, nas quais ela sempre o colocava entre as duas mulheres mais importantes ou interessantes, ele se saía melhor. Mesmo assim, jamais aprendeu a gostar de jogar conversa fora e encarava aquilo como um desafio – ou, simplesmente, algo cansativo.

"A verdade é que, nessas horas, você fica sentado perto de pessoas que nunca viu antes e provavelmente jamais voltaria a ver. De qualquer forma, era uma situação meio tensa. Quer fosse Babe Paley, Marella Agnelli ou a princesa Diana, Kay sempre via naquelas mulheres aquilo que ela queria ser. Eu não fazia a menor ideia sobre o que falar. Conversar com a princesa Diana não era tão fácil quanto com Dolly Parton. O que se poderia dizer a ela? 'Como vai o Chuck? Alguma novidade no castelo?'"

No entanto, em 1987 um bilionário merecia um certo respeito. O próprio Buffett se tornara algo como um elefante, não dependendo mais tanto de Graham para que os convites surgissem. E Graham já não precisava tanto dele como acompanhante fixo, pois a obsessão que tinham um pelo outro arrefecera. Porém, a atração que ela sentia por homens poderosos fortalecera a sua amizade de longa data com o seco e enciclopédico Robert McNamara, recém-enviuvado, que foi secretário de Defesa durante os governos Kennedy e Johnson. McNamara foi o arquiteto da estratégia militar da "guerra de atrito"; muitos consideravam o Vietnã "a guerra de McNamara". Foi ele também quem encomendou o relatório sobre o envolvimento do governo americano no Sudeste Asiático, conhecido como os "Documentos do Pentágono" – aqueles que catapultaram Graham e seu jornal para os livros-texto de jornalismo por suas reportagens corajosas. Pouco depois McNamara se tornou o "Marido Número Três" de Graham, como um dos membros do seu conselho se referia a ele. Como mandava o figurino, ela o colocou no conselho do *Post*. McNamara e Buffett não foram "grandes amigos" desde o início, mas com o tempo se estabeleceu entre eles uma relação mutuamente respeitosa.

Buffett conseguia lidar com pessoas como McNamara de forma diplomática; um problema maior – e até então imprevisto – era o risco físico que a fama passou a lhe trazer. Um dia, dois homens chegaram ao Kiewit Plaza, um deles brandindo uma réplica cromada de uma pistola calibre 45, com a intenção de sequestrar Buffett e pedir 100 mil dólares de resgate – que seriam, como explicou posteriormente o sequestrador, um "empréstimo" para a compra de uma fazenda.[16] Os seguranças e a polícia deram conta da situação, e Buffett, ileso, passou a fazer piada daquilo, referindo-se ao homem como "Billy Bob" em suas conversas com Gladys. Ele não queria saber de contratar um guarda-costas, pois isso restringiria sua privacidade e a liberdade que tanto prezava. Mas instalou uma câmera de segurança e uma porta de 140 quilos para proteger seu escritório.[17]

Buffett começou a receber com frequência ligações de estranhos que insistiam em falar com ele. Precisavam de um minutinho apenas, ninguém mais poderia ajudá-los e tinham certeza de que ele se interessaria pelo que tinham a dizer. Gladys falava, num tom ríspido, para escreverem uma carta esclarecendo seus pedidos.[18] Então Buffett começou a receber correspondências pedindo ações da Berkshire – em troca de conselhos para tomar ervas medicinais – ou solicitando financiamento para a criação de um novo tipo não especificado de sorvete. As pessoas escreviam para dizer: "Sr. Buffett, estou cansado de ter uma vida comum. Tenho um desejo ardente de ser rico. O senhor tem dinheiro, me dê um pouco dele."[19] E muitas outras cartas diziam: "Estou afundado em dívidas de cartão de crédito ou jogo."[20]

Buffett, que era colecionador, guardava tudo, abarrotando os seus arquivos. Muitas daquelas cartas confirmavam a maneira como ele se via – como um modelo a ser seguido, um professor. Vez por outra algo o tocava e lhe parecia sincero. Se achasse que faria algum bem e tivesse tempo, respondia ao endividado ou ao jogador insistindo com firmeza, porém de forma gentil, que ele assumisse a responsabilidade pelos seus problemas. Como se estivesse falando com uma criança, sugeria que ele ganhasse tempo para se safar, explicando aos seus credores como estava falido e negociando condições de pagamento menos rígidas. Ele sempre acrescentava um pequeno solilóquio sobre os perigos de se contrair muitas dívidas – especialmente de cartões de crédito, os *junk bonds* do mundo das finanças pessoais.

SEUS PRÓPRIOS FILHOS NÃO TINHAM RECEBIDO MUITO TREINAMENTO SOBRE como lidar com grandes quantias de dinheiro. Mas, se havia uma coisa que tinham aprendido, era a evitar contrair dívidas – uma boa lição, pois seu pai era quase tão inflexível com os seus pedidos de empréstimo quanto em relação aos de estranhos. Por outro lado, ele se mostrava disposto a fazer acordos financeiros com membros da família relacionados ao controle de peso. Com seu cabelo na altura dos ombros e um rosto em forma de coração, Susie Jr. estava com 30 e poucos anos, mas poderia passar por 25; ela lutava contra alguns quilinhos a mais. Seu pai fez um acordo no qual, se ela perdesse um determinado número de quilos, poderia passar um mês comprando roupas, sem limites. A única condição era que, se ganhasse o peso de volta no prazo de um ano, teria que devolver o dinheiro. Esse acordo significava que ele estaria no lucro mesmo que saísse derrotado: era uma situação sem riscos para Buffett, na qual ele ganharia de qualquer forma, pois só perderia o dinheiro se Susie Jr. fizesse o que ele queria e não recuperasse os quilos perdidos. Susie Jr. conseguiu as roupas. Ela fez uma dieta e, quando chegou ao peso estipulado, sua mãe lhe enviou cartões de crédito pelo correio com um bilhete dizendo: "*Divirta-se!*"

A princípio, Susie Jr. não ousou gastar um centavo, assustada com a ideia de pedir ao pai para pagar as faturas. Aos poucos foi criando coragem, até finalmente ir às compras, deslumbrada com o fato de dispor de uma quantia ilimitada de dinheiro pela primeira vez na vida. Ela largava os recibos diariamente sobre a mesa da sala de jantar, sem lê-los, por medo de somar o total. "Ah, meu Deus!", dizia seu marido Allen, ao voltar para casa todas as noites e se deparar com a pilha cada vez maior de recibos de compras da esposa. Ao final dos 30 dias ela fez a soma. Gastara 47 mil dólares.

"Pensei que ele fosse morrer quando visse o total", ela diz, referindo-se ao pai. Susie Jr. foi buscar reforços. Sua mãe era poderosa, mas ela sabia quem exercia mais influência ainda sobre seu pai quando o assunto era dinheiro. Se Kay Graham mal conhecia Peter e era uma figura "inalcançável" para Howie – ele ficava sempre com medo de se sentar no lugar errado, ou de quebrar alguma coisa na casa dela –, Susie Jr. desenvolvera um relacionamento afetuoso e íntimo com Kay.[21] Ela ligou para Graham, que concordou em interferir se ela precisasse ajuda.

Mas acordo era acordo, e Buffett pagou a conta sem fazer jogo duro. Então começou imediatamente a realizar uma enquete entre seus amigos, perguntando:

"Se a sua mulher gastasse tanto dinheiro assim, o que você pensaria?" Todos os homens acharam aquilo um escândalo, mas suas respectivas mulheres disseram que ele devia ficar agradecido, pois poderia ter sido *muito* pior.[22]

O acordo que Buffett fez com Howie quanto ao aluguel da fazenda também estava, de forma semelhante, ligado ao peso; o valor variava de acordo com o peso de Howie. Warren achava que o filho deveria pesar 82,5 quilos. Quando ele passava desse limite, tinha que pagar 26% da receita bruta da fazenda ao pai. Quando ficava abaixo, pagava 22%. "É a versão da família dos Vigilantes do Peso", dizia Howie. "Não me incomoda. Ele está demonstrando preocupação com a minha saúde. Mas o que me incomoda é que, de qualquer forma, ele está ganhando mais do que todo mundo, mesmo quando recebe 22%."[23] Warren também não tinha como perder nesse acordo. Ficava ou com mais dinheiro ou com um filho mais magro.[24] Tudo isso era típico de Buffett. Nas palavras de um amigo seu: "Ele é mestre em sair no lucro, mesmo quando perde... Nunca faz nada que não represente uma vitória para ele."

Peter e sua família se mudaram do apartamento na Washington Street, no prédio em que sua mãe passara a morar, para uma casa na Scott Street. Peter conseguiu um bico compondo vinhetas de animação de 15 segundos para um novo canal de televisão a cabo, a MTV. O sucesso o levou a um negócio de trilhas para comerciais. Embora, dos filhos de Buffett, fosse o que tivesse menos jeito com dinheiro, ele conseguiu unir suas ações da Berkshire ao seu talento musical, estabelecendo uma carreira e uma vida que o libertaram das jogadas financeiras. Em meados da década de 1980, contudo, Peter refletiu sobre o sermão de seu pai: *"Ninguém vai ao supermercado para comprar o milho de Howard Buffett."* Tampouco ninguém jamais contratou uma agência de publicidade por conta da música de Peter Buffett, ele concluiu. Se quisesse se dedicar à sua própria arte, precisava se livrar da servidão às empresas, por maior que fosse o custo disso. Enquanto continuava a fazer trabalhos comerciais, Peter gravou uma fita demo e assinou contrato com o selo de música New Age Narada para fazer um álbum.[25]

Sua mãe, que ainda mexia com música, visitava com frequência o estúdio de Peter; ela gostava de cantar com Billy Rogers quando ele vinha de Los Angeles. Billy estava tentando colocar sua vida em ordem; escreveu ao seu tio dizendo que tinha "jogado fora várias chances na vida", mas que estava pronto para a próxima vez em que a oportunidade batesse à sua porta.[26] Ele pediu ajuda a Warren para dar entrada numa casa que queria comprar, como um novo começo para sua família. A carta foi elaborada com cuidado e demonstrava uma rara sofisticação financeira, levando-se em conta ter sido escrita por um guitarrista de jazz viciado em heroína. Susie não teria coragem de dar a ele uma quantia tão alta, por conta própria, sem a permissão de Warren, mas a sua mão estava claramente por trás daquilo.

Numa resposta longa, com palavras gentis, Buffett disse não. Ele citou Munger, dizendo que bebidas, drogas e dívidas são o que mais leva "pessoas inteligentes a se perderem". Pedir emprestado o dinheiro da entrada de uma casa, segundo ele, não oferecia uma margem de segurança.

"Se você pretende cruzar uma ponte várias vezes com caminhões de 4.500 quilos, é melhor construir uma que aguente cargas de 7.000 e não cargas de 4.501... É um grande erro ter um monte de obrigações financeiras e nenhuma reserva de dinheiro... Pessoalmente, eu jamais usei mais do que 25% de dinheiro emprestado na minha vida, mesmo quando tinha apenas 10 mil dólares e ideias que me faziam desejar ter 1 milhão."[27]

Pouco depois, Rogers enviou outra carta, escrita à mão num estilo caótico, voltando a pedir um empréstimo, dizendo que ele estava "reconstruindo sua vida pedaço a pedaço" e "tentando conseguir a custódia do filho".[28] Novamente a resposta foi não. Buffett não só tinha defesas de ferro quando o assunto era dinheiro como era realista quanto a confiar nas promessas de viciados. Susie, que estava sempre disposta a pensar o melhor das pessoas, tinha o coração mole demais para desistir de quem quer que fosse. Não desafiaria Warren para dar o dinheiro a Rogers, mas continuava a defender seu sobrinho e a ajudar nos seus problemas com uma grande energia – e pequenos empréstimos ocasionais.

O trabalho de Susie como "unidade móvel da Cruz Vermelha", conforme descreveu um membro da família, se expandira depois que ela fez sua confissão, em 1984, e chegou a um novo acordo com Warren quanto ao seu casamento. Naquele ano ela desenvolvera um abscesso doloroso entre o baço e o pâncreas e fora hospitalizada para uma cirurgia exploratória. Seus médicos não encontraram causa alguma, e ela se recuperou sem maiores incidentes. Ela se via como a pessoa saudável cujo papel era cuidar do próximo, de modo que continuou a receber sua coleção habitual de doentes, necessitados e desiludidos. Também dava festas a fantasia no seu pequeno apartamento na Washington Street, tentava aprender a andar de bicicleta e reunia suas famílias improvisadas de gays e desgarrados em grandes jantares e festas no Dia de Ação de Graças. Vestia jeans e blusas de moletom, deixando de lado as perucas que sempre usara, com o cabelo, num tom mais claro de castanho, solto como uma guirlanda em volta do seu rosto radiante.

Warren – que àquela altura daria à mulher tudo o que ela pedisse – permitiu que ela expandisse e redecorasse a casa de Laguna, que jamais deixara de parecer o imóvel alugado que fora no passado. Tom Newman, filho de Rackie, apresentou

Susie a Kathleen Cole, uma decoradora de interiores que também era instrutora de ginástica e ex-enfermeira, e juntas elas começaram a dar à casa a aparência contemporânea, de cores vivas, que Susie preferia. Cole também assumiu a tarefa de comprar presentes para a lista de Susie, que não parava de crescer.[29] Susie e Warren continuavam a brigar por dinheiro, mas eram discussões que seguiam quase sempre o mesmo roteiro: a mesada de Susie crescia num ritmo acelerado – embora nunca exatamente no ritmo que ela queria. Ela conseguia arcar com os serviços de Cole e de uma secretária em tempo integral para cuidar da sua agenda, o que a livrava de ter que se alongar naqueles assuntos enquanto passava mais tempo com a família. Howie ainda era o ímã que atraía uma quantidade maior do seu apoio e energia. Ela viajava constantemente a Nebraska para ajudar com isso ou aquilo e encher de carinhos os filhos de Howie – sua netas postiças Erin, Heather, Chelsea e Megan e seu neto Howie B. Quando Susie Jr., que morava em Washington, D. C., ficou grávida de seu primeiro filho, sua mãe passou a viajar mais para a Costa Leste.

Susie Jr. e Allen precisavam reformar sua pequena casa em Washington, que era cheia de escadas, tinha uma cozinha do tamanho de um cobertor de bebê e um quintal inacessível nos fundos. Ela planejou uma nova cozinha, grande o bastante para acomodar uma mesa para dois e com uma porta para o quintal. Custaria 30 mil dólares. Susie Jr. se perguntou como pagariam a obra, uma vez que ela e Allen não tinham aquele dinheiro. Sabia que era melhor não pedi-lo ao pai bilionário. Mas sua gravidez ativara a única brecha no acordo que fizera com Warren quanto ao seu peso. Buffett não teria seus 47 mil dólares de volta. Ainda assim – apesar da crença de seu pai de que as roupas conservam seu valor mais do que as joias –, ela e Allen não podiam penhorar seu novo guarda-roupa para pagar pela cozinha. Então Susie Jr. pediu um empréstimo a Buffett.

"Por que não vão ao banco?", ele perguntou, recusando o pedido da filha. Ele explicou que um jogador de futebol americano do Nebraska Cornhuskers não deveria herdar a posição de *quarterback* titular do pai por ele ter sido uma estrela do time naquela posição. Postos e riquezas herdadas tiravam Buffett do sério, ofendiam seu senso de justiça e abalavam sua ideia de equilíbrio universal. No entanto, aplicar regras tão estritamente racionais aos próprios filhos era uma maneira fria de encarar o mundo. "Ele não dava dinheiro à gente por uma questão de princípios", disse Susie Jr. "Meu pai nos ensinou durante toda a vida. Bem, acho que já aprendi a lição. Chega uma hora em que você tem de parar."[30]

Pouco depois, o médico de Susie Jr. a confinou à cama, para um repouso de tediosos seis meses. Ela ficava deitada num quartinho assistindo a uma pequena televisão em preto e branco. Uma consternada Kay Graham levava para ela refeições preparadas pelo seu *chef* e se sentava ao lado da sua cama. Ela fez Buffett criar vergonha e comprar uma televisão grande em cores. Quando a mãe de Susie Jr. foi informada do que estava acontecendo, largou tudo e pegou um avião para tomar conta da filha, passando meses em Washington. Assim que viu a condição daquele lugar, ela o virou de ponta-cabeça e fez uma reforma. "É um horror que Warren não queira pagar por isso", ela reclamava. Mas tudo que ela gastou foi cobrado dele. A disputa interminável dos dois por dinheiro alimentou tanto a reputação de sovina de Warren quanto a reputação de generosa de Susie. Uma vez que ambos tinham concordado com aqueles termos, era assim que tinha que ser.

Com o nascimento de Emily, em setembro de 1986, os Buffett passaram a ter oito netos, entre legítimos e "emprestados", em três cidades: São Francisco, Omaha e Washington, D. C. Quando a reforma da casa de Emerald Bay chegou ao ponto de deixá-la habitável, Susie diminuiu o ritmo para alguns pequenos reparos e começou a usar a casa como base para receber os amigos e, principalmente, seus netos. Em São Francisco, ela se mudou para um apartamento em Pacific Heights, próximo da nova casa de Peter na Scott Street. Esse grande condomínio na Broadway ficava no topo de quatro lances vertiginosos de escadas e tinha uma vista gloriosa da baía, que abrangia da ponte Golden Gate à ilha de Alcatraz.

Então Susie contratou Kathleen Cole, sua decoradora, como secretária particular, para ajudá-la a administrar sua vida. "Você pode trabalhar só meio expediente", ela disse a Cole, "e ficar com todo o tempo restante para seus filhos." Quando Cole se deu conta, já estava trabalhando para a Buffett Foundation, planejando as viagens de Susie, supervisionando os eventos sociais e contratando e gerenciando uma equipe que incluía governantas, contínuos e amigos que trabalhavam, em parte, como favor. Os presentes aumentavam a cada ano. Cole encomendava catálogos e os escolhia, embrulhando-os e os enviando pelo correio, acompanhando o que entrava e saía e mantendo um registro para que nada jamais fosse repetido.[31] Ela se viu administrando duas casas, incluindo a obra em andamento em Laguna e o projeto de reforma de dois anos de duração que Susie tinha começado no seu novo apartamento na Broadway. O marido de Cole, Jim, que era bombeiro, também passou a trabalhar de favor, como faz-tudo de Susie, por meio expediente. Outro amigo, Ron Parks, um contador que ela conhecera durante suas viagens pela Europa, cuidava dos pagamentos e impostos – por amizade e sem receber salário – para o que ele chamava, brincando, de "STB Empreendimentos" ou, nas palavras de outro amigo, a "folha de pagamentos e presentes" de Susie.[32] Parks era sócio de Tom Newman, filho de sua amiga Rackie; Susie ficou muito amiga de ambos. Newman, que era *chef* de cozinha, ajudava às vezes nas festas de Susie, mas na maior parte do tempo tentava sem sucesso aprimorar seus hábitos alimentares. Àquela altura, a equipe remunerada e não remunerada de Susie já era muito maior que a da sede da Berkshire.

Enquanto a reforma do novo apartamento de Susie na Broadway estava em andamento, Billy Rogers, aparentemente livre das drogas, se mudou de Los Angeles para São Francisco e começou a colaborar com Susie no seu álbum. Um dia, quando estava trabalhando nas músicas no estúdio de Peter, ele pegou 20 dólares emprestados e foi embora por volta da hora do almoço. Depois de alguns dias sem notícias de Rogers, Susie, Peter e Mary Buffett decidiram ir até o quarto que ele alugava para ver se ele estava bem. Encontraram a porta trancada por dentro. Quando ninguém respondeu às batidas, eles ficaram preocupados, chamaram a zeladora e pediram que ela os deixasse entrar. Enquanto esperavam no corredor que ela voltasse com a chave, conseguiam ouvir música vinda da porta de outros apartamentos: "Oh, Say that You'll Be True, and Never Leave Me Blue, Suzie Q"* e "Que Sera, Sera" flutuavam pelo ar.

Finalmente a zeladora chegou e abriu a tranca. Ao entrarem, os três se depararam com Billy sentado no chão de pernas cruzadas, recostado na porta. Estava com um garrote, e uma seringa saía do seu antebraço, debaixo do torniquete. Perto dele, um LP girava silenciosamente num toca-discos. A última canção no álbum tinha terminado de tocar dois dias antes. Billy estava morto. Susie cobriu os olhos e começou a chorar enquanto Peter descia o corredor em busca de um telefone público, para chamar uma ambulância.[33] A autópsia revelou que Billy morrera de "intoxicação aguda por cocaína e morfina".[34]

"*Ele era um homem tão gentil*", diz Buffett, "*e se matou por causa das drogas.*" O choque de perder um membro da família por overdose, num sórdido quarto alugado, reverberaria por anos a fio. Segundo Doris, a morte de Rogers "foi a pior tristeza pela qual Susie passou". Ela não perdera apenas o sobrinho que amava como a um filho. Depois de tantos anos, todo seu esforço para tentar salvá-lo não deu em nada. Susie nunca tinha sofrido uma derrota como aquela.

Warren admirava o desejo que sua mulher tinha de salvar as pessoas e sua capacidade de ajudar os necessitados. Billy Rogers era um dos muitos que ela acolhera no decorrer dos anos. Alguns deles fizeram mal a si próprios ao tomarem péssimas decisões, outros foram vítimas de má sorte – poucos, no entanto, tiveram um fim tão terrível. No papel de "Mamãe Susie", ela assumira a missão de ajudar uma pessoa de cada vez. Warren a chamava de "varejista". A disponibilidade emocional que aquele tipo de trabalho exigia ia além da sua compreensão.

---

* Numa tradução literal: "Diga-me que será fiel e nunca me deixará triste, Suzie Q". *(N. do T.)*

Em vez disso, ele preferia empregar sua inteligência e seu dinheiro para afetar o máximo de vidas possível; considerava-se um "atacadista". Sua maneira de se relacionar com as pessoas era exercendo o seu papel de professor. Mas ele não estava mais dando aulas na Universidade de Omaha, e seus alunos mais atentos, Kay e Don Graham, já tinham sido completamente "buffettizados". Seu seminário mais importante, as reuniões do Grupo Buffett, acontecia apenas em anos ímpares. Buffett gostava tanto de ensinar que começou a procurar uma plateia.

Em 1980, ele concordou em ser testemunha num grande processo judicial antitruste contra a IBM, o caso mais famoso da sua época. Outra testemunha, Arjay Miller, colega seu no conselho do *Post*, testemunhou relutantemente; ele achou uma experiência horrorosa ser pressionado por advogados diante de um juiz que lhe parecia odiar a IBM. Buffett, no entanto, gostou de exibir seu conhecimento; adorava colocá-lo à prova diante de advogados. Deu o melhor de si ao testemunhar. "Ele é uma ótima testemunha", diz Miller.[35] Buffett ficou especialmente satisfeito por sua contribuição ter ficado registrada como parte de um caso divisor de águas na história empresarial americana.

Os ensinamentos mais antigos de Buffett ficaram preservados em cartas que ele escrevera aos seus ex-sócios na década de 1960. Essa correspondência foi xerocada e passada de mão em mão por toda a Wall Street, até o texto ficar apagado e difícil de ler. Desde 1977, com a ajuda de Carol Loomis, as cartas incomuns que enviava aos seus acionistas nos relatórios anuais da Berkshire – correspondências elaboradas com esmero, ao mesmo tempo esclarecedoras e reveladoras – vinham se tornando mais pessoais e divertidas, ano após ano. Elas equivaliam a cursos intensivos em negócios, escritos numa linguagem que incluía citações bíblicas e referências a *Alice no País das Maravilhas* e a princesas beijando sapos. Boa parte daquelas cartas era dedicada a discutir assuntos que não diziam respeito aos resultados financeiros da Berkshire – como pensar em investimentos; o estrago que o mau desempenho da economia estava causando aos negócios; ou como as empresas deveriam avaliar seus resultados. Eram textos que traziam à tona tanto o pregador quanto o policial dentro de Buffett, dando às pessoas um vislumbre de sua personalidade. E, como se tratava de um homem encantador e cativante, os investidores queriam mais dele. Era isso que ele lhes dava nas assembleias de acionistas.

As primeiras reuniões foram no antigo *loft* de Seabury Stanton, que ficava em cima da tecelagem de New Bedford. Duas ou três pessoas que tinham contato com Ben Graham iam ali só por causa de Buffett. Uma delas era Conrad Taff, que frequentara o curso de Graham. Buffett queria que as suas assembleias de acionistas fossem abertas e democráticas, diferentes das antigas reuniões na Marshall-Wells. Taff encheu Buffett de perguntas. Ele gostou daquilo; era como se estivesse sentado numa poltrona, numa festa, com as pessoas reunidas à sua volta ouvindo a sua sabedoria.

Os encontros continuaram dessa maneira por anos, com apenas um punhado de pessoas aparecendo para fazer perguntas, mesmo depois que eles foram transferidos para Nebraska e passaram a acontecer no refeitório da National Indemnity. Buffett ainda gostava deles, apesar do reduzido número de participantes. Até 1981, apenas 22 pessoas tinham comparecido. Jack Ringwalt chegou a ter que recrutar funcionários para ficarem nos fundos do refeitório da National Indemnity para que seu chefe não passasse a vergonha de se deparar com um salão vazio. Quando uma assembleia foi interrompida depois de 15 minutos de obrigações legais de rotina e meia dúzia de perguntas superficiais, a estenógrafa que Conrad Taff trouxera para fazer anotações não tinha escrito nada. Ela olhou desesperada para Verne McKenzie, que simplesmente deu de ombros.[36]

Então, em julho de 1983, simultaneamente à fusão da Blue Chip, uma pequena multidão de pessoas apareceu de repente no refeitório para ouvir Buffett falar. Ele respondeu a todas as perguntas que fizeram, no seu estilo direto e despretensioso: estava lecionando novamente, de modo que soou democrático, típico do Meio-Oeste e revigorante, como o fazia nas suas cartas para os acionistas.

Buffett falava em metáforas que a plateia compreendia, coisas como a roupa nova do imperador e um pássaro na mão versus dois voando. Falava, sem rodeios, verdades que outros homens de negócios não reconheciam – e estourava com frequência a bolha do capcioso jargão empresarial. Ele desenvolveu uma forma memorável de dar um caráter de fábula à vida e aos negócios, transformando ambos em histórias instrutivas que soavam familiares ao público – Rose Blumkin como a Cinderela da Berkshire Hathaway ou Ajit Jain como o Rumpelstiltskin de Buffett, que administrava sua resseguradora transformando palha em ouro, como o personagem dos Irmãos Grimm. Seu estilo era tão cativante, e suas conclusões tão esclarecedoras, que a notícia começou a se espalhar. A maneira como ele se expressava fazia as pessoas verem velhos problemas por uma nova óptica. As assembleias assumiram uma qualidade associada a quase tudo em que Buffett tocava. Elas começaram a crescer como uma bola de neve.

Em 1986, Buffett transferiu o encontro para o Witherspoon Auditorium, no Joslyn Art Museum. Cerca de 400 pessoas compareceram, e 500 no ano seguinte. Muitas delas idolatravam Buffett, que as tornara ricas. Entre as perguntas, alguns liam poemas de louvor da plateia.[37]

O sucesso extraordinário de Buffett e a fama que ele trouxe estavam, sem sombra de dúvida, prestes a transformá-lo numa marca. Assim, era inevitável que ele se tornasse também alvo de uma série de professores de finanças que tentavam, naquele exato momento, provar que alguém como Buffett era um mero acidente, ao qual ninguém deveria dar atenção, muito menos venerar.

Esses acadêmicos começavam apresentando a verdade lógica, porém não necessariamente óbvia, de que, se um monte de pessoas tentasse se sair melhor do que a média, logo elas se tornariam a média. Paul Samuelson, economista do MIT, desenterrou e divulgou um estudo de 1900, de Louis Bachelier. Para Bachelier, o mercado era composto de especuladores que se combinavam num todo, que, por sua vez, operava de acordo com um "caminho aleatório".[38] Um professor da Universidade de Chicago, Eugene Fama, pegou o estudo de Bachelier e o testou de forma empírica no mercado moderno, que ele descrevia como "eficiente". Os esforços desordenados de legiões de investidores para superar o mercado tornavam esses mesmos esforços fúteis, ele dizia. Contudo, um exército de profissionais surgiu para mudar tudo, desde comissões modestas até os fundos de hedge, com porcentagens, que logo se tornariam lendárias, de "dois-e-vinte" (2% de ativos e 20% de retorno), pelo privilégio de administrar o dinheiro de um investidor e tentar prever o comportamento futuro das ações. Corretores amealhavam suas comissões de todos os indivíduos que eram incentivados pelos programas de televisão e pelas revistas a comprar a próxima ação quente e competir com os profissionais. Todos os anos, a soma do trabalho de todas essas pessoas equivalia exatamente ao que o mercado obtinha (menos as comissões).

Charles Ellis, um consultor de gestores profissionais de recursos, denunciou os batedores de carteiras do mercado em 1975, no artigo "Winning the Loser's Game" (Vencendo no jogo dos perdedores), que demonstrava que esses gestores eram derrotados pelo mercado em 90% dos casos.[39] O estudo de Ellis tinha implicações desanimadoras para investidores individuais, consumidores de livros de negócios e frequentadores de seminários como "Ganhe milhões como investidor". Ele dizia que a melhor maneira de se ganhar no mercado era simplesmente comprar um índice do próprio mercado, sem pagar as altas comissões que os "cobradores de pedágio" ganhavam. A longo prazo, o mercado tendia a superar os títulos em desempenho, então os investidores receberiam o retorno financeiro de todo o crescimento da economia. Até aí, tudo bem.

Entretanto, os acadêmicos que lançaram essa hipótese do mercado eficiente (HME) continuaram labutando em seus computadores ao longo dos anos, tentando dar uma versão mais robusta a essas ideias, uma que tivesse a pureza e o rigor da física e da matemática, para a qual não pudesse haver exceções. Eles concluíram que *ninguém* poderia superar sempre a média, pois o mercado era tão eficiente que o preço de uma ação a qualquer momento deve refletir cada informação pública sobre uma determinada empresa. Dessa forma, examinar balanços gerais, escutar fofocas, chafurdar em bibliotecas, ler jornais, analisar os concorrentes de uma empresa – tudo isso era inútil. O preço de uma ação, a qualquer momento, estava sempre "correto". Qualquer um que superasse a média era simplesmente um sortudo – ou estava negociando baseado em informações privilegiadas.

A maioria das pessoas que trabalhavam em Wall Street poderia citar exemplos de ações que tiveram um desempenho ineficiente no mercado.[40] Porém, era sem dúvida verdade que as exceções ao mercado eficiente haviam ficado mais raras – e as pessoas que as exploravam geralmente tinham um pulso firme e um conhecimento profundo, baseado em longos estudos, além da disposição para investir em esforço concentrado e em tempo integral. Ainda assim, os defensores da HME rechaçavam todas as exceções e, para eles, Buffett – a exceção mais óbvia de todas –, com seu histórico prolongado e cada vez mais aclamado, se tornou um fato inconveniente. Eles o viam como um homem que conseguia navegar com os olhos vendados por um mar cheio de icebergs: em teoria, impossível; era apenas uma questão de tempo até ele naufragar. Os arautos do "caminho aleatório" – Samuelson, no MIT; Fama, na Universidade de Chicago; Michael Jensen, na Universidade de Rochester; e William Sharpe, na Stanford – debatiam o enigma Buffett. Seria ele um gênio isolado ou um evento estatístico bizarro? Ele também era alvo de um certo escárnio, como se uma proeza anômala daquele tipo não merecesse ser estudada. Burton Malkiel, economista de Princeton, resumiu toda a questão dizendo que qualquer um que superasse o desempenho do mercado de forma constante não era diferente de um macaco numa maré de sorte que escolhesse papéis atirando dardos nas listas de ações do *Wall Street Journal*.[41]

Buffett adorava o *Wall Street Journal*, tanto que havia feito um acordo especial com o distribuidor local do jornal. Todas as noites, quando os exemplares chegavam a Omaha, um deles era tirado da pilha e colocado na entrada de sua garagem antes da meia-noite. Ele ficava acordado, esperando para ler o jornal do dia seguinte antes que qualquer um pudesse vê-lo. O que ele fazia com a informação que o *Wall Street Journal* lhe dava é que o tornava um investidor acima da média. Mas, se um macaco recebesse um exemplar do jornal na sua entrada para carros todas as noites, antes da meia-noite, ele não conseguiria igualar o histórico de investimentos de Buffett atirando dardos.

Buffett zombava da controvérsia usando um exemplar do *Wall Street Journal* para brincar de jogar dardos no seu escritório. No entanto, a hipótese do mercado eficiente o desqualificava. Além disso, desqualificava Ben Graham. Aquilo já era demais. Ele e Munger viam esses acadêmicos como detentores de títulos de doutorado de araque.[42] A teoria deles difundia matemática feita para confundir, ensinando a toda uma geração de estudantes algo refutável. Eles ofendiam a reverência de Buffett pelo pensamento racional e pela profissão de professor.

A Columbia promoveu um seminário, em 1984, para celebrar o quinquagésimo aniversário do *Security Analysis*. Àquela altura, Buffett já era de tal forma identificado como herdeiro intelectual de Graham que ele próprio lhe pediu para revisar e atualizar *O investidor inteligente*. Os dois não conseguiram concordar em algumas coisas – principalmente a crença de Buffett na concentração de investimentos versus a devoção de Graham à diversificação –, e, no fim das contas, Buffett escreveu apenas a introdução. Não obstante, a Columbia convidou Buffett para representar o ponto de vista grahamiano no seminário, que era, na verdade, mais um debate sobre a HME. Durante a reunião no auditório do Uris Hall, Michael Jensen, seu oponente na mesa-redonda, se levantou e disse que estava se sentindo como "um peru deve se sentir no começo da temporada de caça aos perus".[43] Seu papel naquela peça moralizante era fazer críticas contundentes às visões ultrapassadas dos investidores em "ações de valor" grahamianos. Algumas pessoas poderiam se sair melhor do que outras no mercado por longos períodos, ele disse. Na verdade, se um monte de gente jogar cara ou coroa, alguns tirarão cara sem parar. Era assim que a aleatoriedade funcionava.

Sentado na primeira fila ao lado de Buffett, o frágil e envelhecido David Dodd se inclinou para perto do amigo e sussurrou: "Arrie as calças dele, Warren."

Buffett passara semanas se preparando para aquele evento. Já havia previsto o argumento do jogo de cara e coroa. Quando se levantou para sua réplica, ele disse que, embora aquilo pudesse ser verdade, a série de caras jamais poderia ser aleatória se os ganhadores viessem todos da mesma cidade. Por exemplo, se todos os jogadores que sempre tiravam cara viessem do pequeno vilarejo de Graham-and-Doddsville, eles deveriam estar fazendo algo de especial para tirarem cara com aquelas moedas.

Então ele apresentou um gráfico com o histórico de nove administradores de recursos: Bill Ruane; Charlie Munger; Walter Schloss; Rick Guerin; Tom Knapp e Ed Anderson, da Tweedy, Browne; o fundo de pensão FMC; ele próprio; e mais dois.[44] Suas carteiras de ações não eram semelhantes; apesar de terem seguido algumas tendências no começo de suas carreiras, grande parte dos seus investimentos tinha sido feita por conta própria. Todos eles, prosseguiu Buffett, vinham de Graham-and-Doddsville, jogavam cara e coroa havia mais de 20 anos e, em sua maioria, ainda não tinham se aposentado e continuavam na ativa. Aquele tipo de concentração provava estatisticamente que a causa do sucesso deles não poderia ter sido sorte aleatória.

Uma vez que as palavras de Buffett pareciam encerrar uma verdade óbvia, a plateia irrompeu em aplausos e arremessou uma série de perguntas na sua direção, às quais ele respondeu com prazer e detalhadamente. A teoria da caminhada aleatória era baseada em estatísticas e fórmulas em letras gregas. A existência de pessoas como Buffett tinha sido rechaçada com o emprego de matemática para confundir. E ali, para alívio dos seguidores de Graham, Buffett estava usando números para refutar a versão absolutista da hipótese do mercado eficiente.

Naquele outono ele escreveu "The Superinvestors of Graham-and-Doddsville" (Os superinvestidores de Graham-and-Doddsville) na forma de um artigo para a *Hermes*, a revista da Columbia Business School. Disparando um lança-chamas contra o edifício da HME, esse artigo contribuiu em muito para sedimentar sua reputação entre os investidores. E, com o tempo, os defensores do "caminho aleatório" revisaram seus argumentos, apresentando formas "semifortes" e "fracas" que permitiam exceções.[45] O único grande serviço que a HME poderia ter prestado, se alguém tivesse dado atenção a ela, seria o de desencorajar pessoas comuns de acharem que poderiam ser mais espertas que o mercado. Ninguém, exceto os "cobradores de pedágio", poderia se opor a isso. No entanto, uma vez que a raça humana não foge às suas tendências, a HME se tornou imprescindível nas salas de aula das escolas de administração e, de qualquer forma, o número de investidores individuais e administradores de recursos profissionais que supunham serem mais espertos do que a média só fez crescer, os "cobradores de pedágio" continuaram recebendo suas comissões e o mercado prosseguiu como antes. Portanto, o principal efeito do artigo foi alimentar a lenda crescente, um culto até, que se desenvolvia ao redor de Warren Buffett.

Mesmo assim, a HME e o modelo de precificação de ativos financeiros que lhe servia de base se enraizaram de forma extraordinária e profunda no mundo dos investimentos; eles lançaram uma visão do mercado de ações como uma eficiente máquina estatística. Num mercado em cuja eficiência se podia confiar, uma ação era arriscada baseando-se não no preço a que estava sendo negociada versus seu valor intrínseco, mas na sua "volatilidade", ou seja, no quanto era provável que ela fosse se distanciar da média do mercado. Valendo-se dessa informação e do poder recém-desencadeado da informática, economistas e matemáticos começaram a chegar a Wall Street para ganhar mais dinheiro do que jamais conseguiriam na universidade.

Conhecer a volatilidade de cada ação permitia aos gestores de investimentos moldar suas carteiras com papéis de maior ou menor volatilidade em torno de uma lista central de ações que configurava uma réplica quase perfeita do índice da bolsa, funcionando como uma espécie de lastro. Essa informação possibilitava aos administradores de carteiras comparar ações e arbitrá-las, enquanto avaliavam seus "betas" (a letra grega que representava a volatilidade) para refinar suas apostas.[46] A arbitragem era a ideia por trás dos fundos de hedge na sua forma mais simples: o administrador vendia um grupo de ações a descoberto para ajudar a amortecer os resultados, caso o mercado se desvalorizasse.[47] Isso era menos arriscado do que comprar diretamente uma ação ou título.

Contudo, para se ganhar dinheiro de verdade com a arbitragem – comprar e vender duas coisas quase idênticas para lucrar com a diferença dos preços – era preciso contrair dívidas estratosféricas, nas quais cada vez mais ativos eram vendidos a descoberto para se comprar cada vez mais deles quando o mercado estivesse em alta.[48] Essa expansão da alavancagem financeira por meio dos fundos de hedge e da arbitragem estava relacionada ao aumento dos títulos de alto risco – os *junk bonds* – e das aquisições hostis que estavam acontecendo no mesmo período. Os modelos que sustentavam os argumentos em defesa das compras alavancadas utilizando *junk bonds* eram semelhantes àqueles usados pelos adeptos da arbitragem, ou seja, variações da hipótese do mercado eficiente. A alavancagem, portanto, era como gasolina. Num mercado em alta, um carro usava mais dela para andar mais depressa. Mas, numa batida, era ela que fazia o mesmo carro explodir.

Era por isso que Buffett e Munger consideravam "tolice e conversa fiada" a ideia de definir risco como volatilidade, como Munger diria posteriormente. Para eles, o risco estava "relacionado de forma indissociável ao limite de tempo que você estipulava para manter um ativo".[49] Um investidor que pudesse manter um ativo por anos podia ignorar sua volatilidade. Já um investidor que praticasse alavancagem não poderia se dar esse luxo: seus custos, aliados ao limite de tempo do emprestador (e não do tomador), estabeleciam a extensão do empréstimo. Portanto, o verdadeiro risco dessa tática é que ela elimina a possibilidade de jogar com o tempo. O investidor pode não ser capaz de esperar por um bom momento num mercado volátil, pois a alavancagem é sufocada pelo "carregamento" (isto é, o seu custo) e depende da boa vontade de quem empresta.

Contudo, apostar na volatilidade só parecia fazer sentido quando a bolsa se valorizava conforme o esperado. Quando um certo tempo passa e nada de ruim acontece, as pessoas que estão ganhando muito dinheiro tendem a pensar que isso está acontecendo porque elas são muito espertas, e não porque estão assumindo muitos riscos.[50]

No decorrer dessas mudanças profundas nos rumos de Wall Street, os hábitos de Buffett pouco mudaram.[51] O que ainda fazia seu coração bater mais forte era comprar uma empresa subvalorizada, como a Fechheimer, que confeccionava uniformes de guardas de penitenciárias. Tom Murphy tinha que se preocupar se eles iriam ou não se tornar alvo de piratas corporativos que apareciam brandindo títulos de alto risco; mas a Berkshire Hathaway era impenetrável por causa da enorme quantidade de ações que o próprio Buffett e seus amigos possuíam; a sua reputação transformava a empresa numa fortaleza, na qual outros poderiam buscar abrigo.

A Berkshire tinha ganhado 120 milhões de dólares, através da Cap Cities/ABC, só nos primeiros seis meses após a compra dos papéis da empresa; àquela altura, a simples notícia de que Buffett comprara uma ação poderia, por si só, modificar seu preço – e fazer uma companhia ser reavaliada em centenas de milhões de dólares.

Ralph Schey, diretor da Scott Fetzer, um conglomerado de Ohio, colocara a sua empresa em apuros ao tentar fechar seu capital por meio de uma compra alavancada. Com sua série de negócios lucrativos, desde os aspiradores de pó Kirby até a enciclopédia *World Book*, a Scott Fetzer era uma presa atraente, de modo que o pirata corporativo Ivan Boesky logo surgiu para fazer uma oferta.

Buffett enviou a Schey uma carta simples, dizendo: *"Não fazemos aquisições hostis. Se estiver interessado em uma fusão, me ligue."* Schey agarrou imediatamente a oportunidade e, 410 milhões de dólares depois, a Berkshire Hathaway era dona da Scott Fetzer.[52] Dois anos e meio após comprar o Nebraska Furniture Mart, Buffett adquiria uma companhia oito vezes maior. Pela primeira vez o CEO de uma companhia de capital aberto – e não de capital fechado – procurou Buffett, pois preferia trabalhar para ele a ser empregado (ou demitido) por qualquer outro.

O próximo a reconhecer o poder da reputação de Buffett foi Jamie Dimon, que trabalhava para Sanford Weill, o CEO da corretora Shearson Lehman, subsidiária da American Express.[53] A American Express queria vender sua empresa do ramo de seguros, a Fireman's Fund, para Weill, por meio de um *management buyout*.* Weill já tinha recrutado Jack Byrne, que deixaria a Geico para administrar a Fireman's Fund. Dimon procurou Buffett para que ele investisse seu dinheiro – e sua reputação – no negócio.

Apesar da amizade que tinha com Byrne, Buffett não ficou triste em perdê-lo. Depois de sanar os males da Geico, o eternamente irrequieto Byrne embarcara numa série de aquisições e entrara em novos ramos de negócios. Buffett queria que a Geico se concentrasse no que era garantido, na sua atividade principal. Além disso, tinha contratado um novo chefe de investimentos para a Geico, Lou Simpson, um nativo de Chicago prestes a se aposentar que tinha aversão a negociações apressadas e ações de risco. Buffett acrescentara Simpson ao Grupo Buffett sem titubear e, àquela altura, ele já se tornara a única pessoa em quem Warren confiava para investir em outras ações, permitindo-lhe administrar todos os investimentos da Geico. Contudo, Simpson e Byrne agiam como irmãos que brigavam e faziam as pazes em seguida. De tempos em tempos, Simpson tentava escapulir, mas Buffett o atraía de volta. Sem Byrne por perto, mantê-lo seria mais fácil.

---

* Transação em que os próprios executivos da empresa compram o negócio que estão gerenciando. (N. do T.)

Não obstante, Buffett sabia que Byrne era um poderoso fazedor de dinheiro para qualquer negócio em que botasse as mãos. "Nunca desista de um vale-refeição", foi o veredicto de Buffett quando lhe pediram para investir na compra da Fireman's Fund. A American Express, no entanto, resolveu tirar Weill da negociação e fazer uma oferta pública das ações da empresa, com Byrne como CEO. Para manter Buffett no menu de modo a atrair investidores, a companhia fez uma proposta irrecusável de resseguro para a Berkshire. Buffett aceitou a proposta, tornando-se consultor informal de Byrne e seu conselho. Weill, sentindo-se traído, culpou Buffett. Em seguida comprou a Travelers Insurance e a transformou num pequeno império; mas há quem diga que, a partir dali, guardou rancor de Warren.

Da American Express a Sandy Weill, porém, o mundo financeiro passara a se dar conta do poder do nome de Buffett. Àquela altura, ele estava encarregado de tantos grandes investimentos e dando consultoria a tantas administrações que era – na prática ou de fato – membro do conselho da Cap Cities, da Fireman's Fund, da Washington Post Company, da Geico e da Omaha National Corp. E, naquele momento, tinha chegado a um ponto crítico, o momento em que precisava refletir se deveria cruzar o Rubicão.

Buffett vinha havia algum tempo desempenhando um papel duplo. Ele dirigia a Berkshire Hathaway como se ainda estivesse administrando dinheiro para os seus "sócios" – embora não cobrasse comissão alguma. Escrevia cartas a eles, explicando que tomava decisões baseando-se em critérios pessoais; desenvolvera o programa de contribuição dos acionistas, uma solução individual para a questão da filantropia corporativa; recusava-se a desdobrar as ações da companhia, jamais a registrara na Bolsa de Valores de Nova York e considerava os acionistas equivalentes a membros de um clube. "Embora nossa forma seja corporativa, nossa atitude é de uma sociedade", escrevera ele – e estava falando sério.

Ao mesmo tempo, gostava da sua vida de CEO de uma grande empresa. Participava de inúmeros conselhos; andava na companhia dos maiores elefantes de todos. Orgulhava-se da maneira como políticos, jornalistas e outros CEOs buscavam sua sabedoria e seus conselhos. Mais recentemente, sua influência em Wall Street se tornara tão grande que negociações inteiras – e importantes – dependiam do fato de ele participar ou não. E, acima de tudo, Buffett estava tão ligado à Berkshire que ela havia se tornado praticamente uma extensão dele próprio.

O papel duplo um tanto indefinido que vinha desempenhando até então combinava com ele e com seus acionistas. Naquele instante, porém, Buffett se deparava com uma decisão que o obrigava a escolher: ele podia administrar uma sociedade de fato ou continuar no seu papel de CEO de uma grande empresa. Mas já não queria mais fazer os dois.

O motivo eram os impostos. A Berkshire precisava arcar com impostos de pessoa jurídica, um custo que a sociedade jamais tivera. Por outro lado, Buffett não cobrava "comissões" dos seus sócios da Berkshire para administrar o seu dinheiro. Aquilo era um bom negócio para todos, menos para Buffett, como sugeria a lealdade dos acionistas. Naquele ano de 1986, contudo, o Congresso aprovou uma grande lei de reforma tributária que, entre outras coisas, revogou o estatuto conhecido como General Utilities Doctrine. Antes da reforma, uma corporação podia vender seus ativos sem pagar nenhum imposto, desde que os estivesse liquidando e distribuindo aos seus acionistas. Esses eram taxados nos seus ganhos, mas o lucro não era tributado duas vezes.

Após a revogação do estatuto, sempre que uma corporação fosse liquidada e seus ativos distribuídos, os lucros seriam taxados e, após a distribuição, os acionistas teriam que pagar outro imposto. Uma vez que essa dupla tributação significava uma quantidade extraordinária de dinheiro, corporações familiares ou com um pequeno número de acionistas de todo o país correram para se liquidar antes que a lei entrasse em vigor. Buffett, que costumava dizer nas suas cartas aos acionistas que a Berkshire se tornara tão grande que seu dinheiro era um obstáculo para o sucesso nos investimentos, poderia ter distribuído seus ativos, para em seguida levantar uma quantia mais administrável – ainda na casa dos bilhões –, montar uma nova sociedade e retomar os investimentos num espaço de poucas semanas (recolhendo sua comissão novamente, para completar). Com 1,2 bilhão de dólares de lucro bruto no balanço geral da Berkshire, se a tivesse liquidado, Buffett poderia ter proporcionado aos seus acionistas uma isenção fiscal de mais de 400 milhões de dólares – e a chance de recomeçar em uma sociedade livre da dupla taxação reservada às empresas.[54] Mas ele não fez isso.

Buffett escreveu uma longa dissertação sobre impostos na sua carta anual, na qual abordou o assunto em questão e rejeitou definitivamente a hipótese de liquidar a companhia: "*Se a Berkshire, por exemplo, fosse liquidada – o que com certeza não vai acontecer –, os acionistas poderiam, sob a nova lei, receber muito menos pelas vendas das nossas propriedades do que receberiam se elas tivessem sido vendidas no passado.*"[55]

O Warren Buffett do passado não teria desdenhado 185 milhões de dólares extras na sua própria conta bancária e a chance de recomeçar recebendo comissões sem os impostos de pessoa jurídica. A decisão de não liquidar a Berkshire Hathaway em 1986 exigiu dele personalidade. A ganância comum já não impulsionava suas decisões. Fazer aquilo lhe custaria muito mais do que a qualquer acionista. Sua relação duradoura com a Berkshire o deixava tão preso a ela que ele desistiu da opção de mantê-la como uma sociedade virtual. Caso contrário, ele teria liquidado a companhia sem hesitar um segundo.

Em vez disso, ele cruzou o Rubicão e escolheu o papel de ser o CEO de uma grande corporação, equivalente à Procter & Gamble ou à Colgate-Palmolive, uma que continuaria existindo depois que ele partisse.

A Berkshire, com suas partes díspares, era uma companhia difícil de avaliar. Munger gostava de falar, brincando, que ela era a "Corporação Congelada", já que crescia sem parar, mas nunca pagava um centavo de dividendos para seus donos. Se os proprietários não podiam tirar nada da sua máquina de fazer dinheiro, quanto aquela companhia valia de fato?

Buffett, no entanto, estava aumentando o valor contábil da Berkshire muito mais rapidamente do que a fortuna que seus acionistas seriam capazes de acumular por conta própria; os números não o deixavam mentir. Como se não bastasse, o seu placar funcionava a longo prazo, algo muito mais confortável que a pressão anual de derrotar o bicho-papão do mercado. Ao fechar a sociedade, ele se libertara daquela tirania; na verdade, já não apresentava números de maneira a permitir que as pessoas calculassem seu desempenho como investidor desde o começo.[56] Além disso, ser o CEO da Corporação Congelada era divertido. Ele podia ter um jornal em Buffalo e transformar suas cartas aos acionistas em artigos da sua coluna editorial. Mas, embora tivesse entrado oficialmente para o clube dos CEOs, não pretendia adquirir os hábitos típicos da categoria: frequentar resorts cinco estrelas, colecionar vinhos ou obras de arte, comprar um iate ou arranjar uma mulher que pudesse usar como troféu. "*Nunca vi uma mulher desse tipo que parecesse de fato um troféu*", ele diria posteriormente. "*Para mim, elas sempre parecem mais um prêmio de consolação.*"

Num dia de 1986, contudo, ele ligou para seu amigo Walter Scott Jr., um rapaz prático do interior que trabalhara a vida inteira para a Peter Kiewit Sons's Inc., assim como seu pai antes dele. Scott era metódico e tinha uma franqueza e uma tranquilidade revigorantes. Ele sucedera Peter Kiewit e fez sua reputação após um escândalo envolvendo uma fraude numa licitação federal para a construção de uma rodovia, que ameaçou a existência da Kiewit ao desqualificá-la para qualquer contrato que recebesse verbas federais. Com honestidade e disciplina, Scott promoveu uma longa reforma estrutural na empresa – um exemplo de como lidar com o governo numa situação de vida ou morte empresarial.[57] Ele era um amigo em que Buffett confiava de tal forma que Katharine Graham ficou no apartamento dos Scott nas poucas vezes em que visitou Omaha.

"*Walter*", perguntou Buffett, "*como você justificaria a compra de um avião particular?*" Buffett sabia que a Kiewit tinha uma frota de jatinhos, pois estava sempre precisando transportar seus empregados para canteiros de obras distantes.

"Warren", disse Scott, "a questão não é justificar, e sim racionalizar."

Dois dias depois, Buffett ligou de volta.

"Walter, eu racionalizei", falou ele. *"Agora, como eu contrato um piloto e mantenho um avião?"*

Scott ofereceu a Buffett os serviços da equipe de manutenção da frota da Kiewit para seu jato. Então Warren foi comprar, acanhado, um Falcon 20 usado – o mesmo tipo de avião no qual os funcionários da Kiewit voavam – para ser o jato corporativo da Berkshire.[58] Aquilo lhe deu um grau extraordinário de privacidade, além de controle sobre sua agenda de viagens – sendo que privacidade e controle sobre seu próprio tempo estavam entre as coisas que Buffett mais valorizava no mundo.

Obviamente, comprar um jatinho particular entrava em conflito com outra coisa que ele valorizava muito: não desperdiçar dinheiro. Buffett jamais superara um incidente num aeroporto, quando Kay Graham lhe pedira 10 centavos para dar um telefonema. Ele pegou a única moeda que tinha, de 25 centavos, e saiu correndo atrás de troco, mas Graham o impediu, insistindo que ele a deixasse usar os 15 centavos adicionais. Para Buffett, transpor a distância entre justificar 25 centavos para um telefonema e racionalizar a aquisição de dois pilotos e um avião inteiro para transportá-lo como um faraó numa liteira representava saltar por cima do Kilimanjaro. No entanto, ele vinha demonstrando uma boa capacidade de racionalização naquele ano, pois acabara também de desistir de 185 milhões de dólares de isenção fiscal.

Ainda assim, aquilo o incomodava – o jato contradizia demais a maneira como fora criado e a imagem que tinha de si mesmo. Ele explicou – com muita gravidade e obviamente constrangido – a Clyde Reighard, seu ex-colega de quarto na Penn, usando uma argumentação angustiada, que o avião o faria economizar dinheiro ao locomovê-lo com mais rapidez.[59] Em seguida começou a debochar de si mesmo para os acionistas, dizendo: *"Trabalho por uma ninharia e viajo caro."*

O avião representou uma nova fase na sua vida. Buffett se agarrava com obstinação ao Meio-Oeste – mesmo quando usava um smoking –, mas confraternizava cada vez mais com a elite pomposa, como CEO da Corporação Congelada. Em 1987, o embaixador Walter Annenberg e sua esposa, Leonore, convidaram Warren e Susie para um fim de semana em Palm Springs com seus amigos Ronald e Nancy Reagan. Buffett fora a um jantar na Casa Branca e já conhecera os Reagan numa visita à casa de Kay Graham em Martha's Vineyard, mas ele nunca tinha passado um fim de semana inteiro na companhia de um presidente.

"Era uma espécie de minueto elaborado, ou algo do gênero. A propriedade de Sunnylands foi feita para ser um tipo de corte para Walter. Havia duas pessoas morando ali e uns 50 empregados. Havia bilhões de dólares em obras de arte pen-

durados nas paredes, sendo que eu era o único sujeito que esteve ali e não ficou babando em cima delas. Eu preferiria ter um monte de capas antigas da Playboy na parede." (Susie, por sua vez, talvez não tivesse gostado tanto daquilo.)

"Eles nos colocaram no Quarto Azul. As cobertas da cama e as capas dos livros eram azuis. Tudo era azul. As jujubas eram azuis. Todos os quartos de hóspedes tinham duas empregadas, para que pudessem nos servir o café na cama ao mesmo tempo. E elas largavam as bandejas na mesma hora, tiravam os cobertores também na mesma hora.

Quando saíamos vestidos para o jantar à noite, havia uma empregada em cada lado da porta. A de Susie dizia: 'A madame está linda esta noite.' A minha olhava para mim e meio que gorgolejava. Tivera uma semana para se preparar para mim e pensar no que dizer, e não conseguia aparecer com nada.

Walter tinha um campo de golfe particular de nove buracos em Sunnylands. Tinha seu próprio campo de treinamento, com 10 montinhos alinhados com uma porção de bolas de golfe empilhadas numa pirâmide perfeita. E não havia ninguém ali. O campo era imaculado. Se tivéssemos quatro casais, ele diria 'É gente de mais para o meu campo' e mandaria um casal jogar no Thunderbird Country Club. Eu jogava quatro bolas, e alguém aparecia correndo para completar as pirâmides de volta. E assim era o dia em Sunnylands. Era o máximo de sofisticação que a vida poderia oferecer."

Buffett, é claro, tinha suas próprias ideias sobre pirâmides e faraós, mas ele gostava de Annenberg, com quem jogava golfe com prazer. Embora jamais fosse capaz de gastar seu dinheiro daquela forma, Buffett acreditava que as pessoas tinham o direito de gastar o delas como bem entendessem. Além disso, ele nem sonharia em criticar o embaixador. Annenberg fez dupla com Buffett como parceiro no golfe naquele fim de semana com Reagan, de modo que agentes do Serviço Secreto os acompanharam – embora se recusando a resgatar as bolinhas dos lagos do campo, por mais que Buffett tivesse torcido por isso.

Buffett tinha opiniões contraditórias sobre Reagan como presidente. Admirava a maneira como ele lidava com a geopolítica internacional. Contudo, sob o seu comando, os Estados Unidos deixaram de ser o maior credor do mundo para se tornarem o maior devedor. Enquanto os títulos de alto risco e as alavancagens iam de vento em popa em Wall Street, o governo acumulava montanhas de dívidas – que Buffett considerava o estilo Dudu* de conduzir a economia: me dê um hambúrguer hoje que eu pago na terça com o maior prazer.[60] O estilo de Buffett era o de dono de fazenda de gado – e ele tinha seu balanço geral para provar aquilo.

Blindado pelo balanço da Berkshire – e por um cartão de pontuação de golfe

---

* Personagem de *Popeye* que adorava hambúrgueres e sempre pedia dinheiro emprestado para comprá-los – prometendo pagar na terça-feira. *(N. do T.)*

assinado pelo presidente dos Estados Unidos –, Buffett era agora uma fortaleza de poder, uma fonte de sabedoria amplamente reconhecida. Depois que salvou a Scott Fetzer, as pessoas o viam como um protetor famoso. Cada estatística financeira referente a ele e à sua companhia soava como se tivesse pontos de exclamação. O valor contábil por ação da Berkshire Hathaway tinha crescido mais de 23% ao ano durante 23 anos! O primeiro grupo de sócios de Buffett tinha colhido 1,1 milhão de dólares por cada mil dólares investidos na sociedade! As ações da empresa estavam sendo negociadas a estonteantes 2.950 dólares cada! O próprio Buffett tinha um patrimônio líquido de 2,1 bilhões! Um gestor de recursos de Wall Street – um investidor – era o nono homem mais rico dos Estados Unidos! Nunca na História alguém havia galgado o patamar daqueles que administram as riquezas dos outros para se unir aos poucos ilustres no topo da cadeia alimentar da elite. Pela primeira vez o dinheiro de uma sociedade de investidores tinha sido usado para desenvolver uma enorme organização empresarial, por meio de uma série de decisões, dignas de uma partida de xadrez, de comprar negócios inteiros, além de ações. Diante daquilo, inevitavelmente, mais e mais pessoas iriam procurá-lo em busca de ajuda.

O próximo a pegar o telefone foi John Gutfreund, o homem que administrava a Salomon Brothers e que caíra nas graças de Buffett ao ajudar a salvar a Geico em 1976.

O fato de ele ter feito aquilo demonstrava tanto a força quanto a fraqueza da Salomon. A subscrição das ações da Geico se baseara na opinião de um analista de valores. Se a firma tivesse alguma proeminência na bolsa de valores, ela teria recusado o acordo, por ser pequeno demais para compensar as implicações legais caso desse errado. Mas a Salomon, impetuosa e decidida – e nada burocrática – ousou assumir o risco, pois precisava do negócio. Buffett sempre simpatizava com pessoas que lhe estendiam a mão e o ajudavam a ganhar dinheiro. E a personalidade de secundarista, reservada e intelectual de Gutfreund, aliada a uma certa agressividade, parecia ter aumentado a confiança que Buffett depositava nele como supervisor de um banco de investimentos indomável por natureza.

Gutfreund crescera como filho do abastado dono de uma empresa que vendia carne diretamente dos caminhões, em Scarsdale, no estado de Nova York, uma cidade-dormitório cercada de campos de golfe, próxima à cidade de Nova York. Ele se formou em Literatura na Faculdade Oberlin e chegou a pensar em dar aulas de inglês, mas foi atraído para o pregão da bolsa por Billy Salomon, um colega de golfe de seu pai e descendente de um dos três irmãos que fundaram a empresa.

A Salomon Brothers nasceu em 1910, quando Arthur, Herbert e Percy Salomon, com 5 mil dólares de capital inicial, bateram às portas de Wall Street para intermediar empréstimos de curto prazo. Menos de uma década depois, o governo americano se tornou cliente da firma, ao acrescentar a Salomon à sua lista de *dealers* credenciados de títulos públicos federais. Com esse endosso, a Salomon, um pequeno *player* no mercado, passou as três décadas seguintes lutando para alcançar um tamanho respeitável, mas se mantendo fiel à sua atividade principal de negociar usando sua inteligência, ousadia e sua lealdade aos clientes.[61] Enquanto isso, dezenas de outras corretoras pequenas fechavam as portas ou eram engolidas pelas maiores.

Billy Salomon dera a Gutfreund o cargo de operador assistente. Trabalhando numa sala cheia de homens que passavam o dia inteiro comprando e vendendo títulos para clientes por telefone, Gutfreund – assim como os demais funcionários – só recebia uma lasquinha de tudo o que ia para a Salomon em troca do seu trabalho. Mas ele se mostrou um operador habilidoso, tornando-se sócio da empresa em 1963, aos 34 anos. Os sócios da Salomon ficavam presos às leis de Billy Salomon, que estipulavam que seus lucros deveriam se somar ao capital da firma, em risco – em vez de serem resgatados anualmente na forma de bônus ou dividendos.

Em 1978, Billy Salomon promoveu Gutfreund a diretor, aposentando-se em seguida. Três anos depois Gutfreund apareceu na varanda da casa de praia do seu amigo e mentor em East Hampton para dizer que estava vendendo a Salomon para a Phibro, uma negociadora de commodities gigante, para criar a Phibro-Salomon Inc. Gutfreund e seus sócios tiveram uma média de 8 milhões de dólares de lucro cada pela venda, enquanto aqueles que tinham construído a firma e já estavam aposentados – como Billy Salomon – ficaram com zero, nada.[62] Um ex-sócio considerou aquilo uma tragédia grega: a história de Édipo, que matara o próprio pai.

Gutfreund se tornou co-CEO juntamente com David Tendler, da Phibro. Administrar uma firma com um co-CEO é como tentar equilibrar no ar as duas extremidades de uma gangorra. Quando os negócios da Phibro despencaram após a venda, enquanto os da Salomon decolaram, Gutfreund não perdeu tempo. Atirou a sua extremidade da gangorra no chão e mandou Tendler pelos ares.

Depois que Gutfreund assumiu o controle, ele acrescentou à empresa negócios com moedas estrangeiras, ampliou os serviços para incluir compra, venda e subscrição de ações e expandiu a negociação de títulos para o Japão, a Suíça e a Alemanha. Nos anos que se seguiram, charlatães da academia, com seus computadores e fórmulas, se infiltraram em Wall Street, de modo que o pregão da Phibro-Salomon ficou repleto de doutores que se dedicavam a desvendar os segredos matemáticos de desnudar, fatiar, embalar e negociar hipotecas e outros títulos. Ao investir em todo um novo segmento do mercado de títulos, a Salomon (pois o nome Salomon-Phibro jamais conseguiu substituir "Solly" na cabeça das pessoas e foi descartado em 1986) evoluiu, em poucos anos, de uma firma de segundo time para o topo de Wall Street, com uma arrogância compatível à sua condição, à medida que seus operadores se mantinham vários passos à frente dos de outros bancos.

Eles exerciam seu domínio da mesa de operações da Solly, chamada de "A Sala", um palácio cinza com cerca de um terço do tamanho de um hangar de aviões, repleto de longas fileiras duplas de mesas, onde os operadores, vendedores e assistentes curvavam-se diante de uma série de monitores com uma fatia de pizza em uma das mãos e um telefone na outra. A batalha diária assumia a forma de uma sinfonia de gemidos, xingamentos, flatulências e gritos que pontuava a falação, as exclamações e o zumbido ininterrupto da conversa dos operadores. Excêntricos eram bem-vindos, desde que fossem produtivos. Gutfreund fechava operações, toda manhã, da sua mesa, como se disparasse um canhão. Lançava um olhar furioso através dos seus óculos de aros grossos, mastigando seu charuto barato, e fazia picadinho dos incompetentes.

Os personagens do pregão negociavam com uma camaradagem nascida da competição e uma obsessão em comum por matar o adversário. Eles dominavam de tal forma o mercado de subscrição de títulos que a *Business Week* coroou a Salomon "O rei de Wall Street".[63] A matéria também dizia que a empresa era o tipo de lugar onde "cabeças poderiam rolar" se as coisas fossem ladeira abaixo – em outras palavras, que Gutfreund eliminaria qualquer um suspeito de dissidência, para evitar um motim.

Os lucros da Salomon chegaram ao auge em 1985, quando a firma ganhou 557 milhões de dólares, descontados os impostos. No entanto, os novos negócios – sobretudo as ações – não valiam mais a pena; consequentemente, a competição interna começou a fugir ao controle. Os operadores que tinham erguido o negócio singular e lucrativo da Salomon começaram a debandar, seduzidos por ofertas milionárias de outras firmas. Logo faziam parte dos quadros dos concorrentes da Salomon.[64] Gutfreund jogou os salários para as alturas para estancar a sangria. Mas não crucificou departamentos como os de negociação de ações e de operações de bancos de investimentos, quando eles se mostraram improdutivos, desenvolvendo novos planos para sanar seus prejuízos em cinco anos. Sua personalidade intimidadora escondia um calcanhar de aquiles: ele recuava diante de decisões difíceis e grandes confrontos. Com o passar do tempo, ficava cada vez menos na Sala e comandava com um ar um tanto distraído um reino no qual a ameaça de envenenamento pairava no ar. "Meu problema é que sou muito titubeante no que diz respeito a questões interpessoais",[65] ele diria posteriormente. Embora fosse um tanto injusto, os observadores não o culpavam, mas sim à sua mulher, Susan.

Ligada a seu marido por uma rédea muito, muito longa, Susan corria de forma impetuosa pela Quinta Avenida, arrastando atrás de si o CEO grisalho da Salomon, já prestes a se aposentar, rumo à alta sociedade internacional. Gutfreund passou a tolerar e até a gostar disso porque, segundo ele, ela expandia seus horizontes. Com Susan soprando com a força de uma tempestade, ele virou o leme e navegou em direção ao vento. A modéstia e a frugalidade foram as primeiras coisas a serem jogadas ao mar.

"É tão caro ser rica", reclamou a ex-aeromoça – uma declaração talvez irônica, mas nem por isso menos famosa – para Malcolm Forbes.[66] Os convidados das festas de Susan recebiam convites entregues por chofer, juntamente com rosas amarelas, para eventos que contavam com quatro tipos diferentes de caviar. Ela esfriava seu perfume numa geladeira ao lado da banheira. E se livrou de suas raízes de Chicago para se tornar tão francófila que seu mordomo atendia ao telefone em francês. Recebeu a primeira-dama Nancy Reagan dizendo, em seu primeiro encontro com ela: "*Bonsoir, madame.*" Na sala de estar do apartamento do casal no River House, em Nova York, antiguidades francesas no valor de milhões de dólares descansavam sobre tapetes também de 1 milhão de dólares. Ela reformou a sala de reuniões da Salomon, enchendo-a de tanta passamanaria e ouropel que ela "parecia um bordel francês".[67] Ela vestia a coleção do estilista Hubert de Givenchy, que vivia do outro lado do pátio do *pied-à-terre* parisiense, estilo século XVIII, dos Gutfreund. Em Nova York, seus vizinhos justificadamente indignados os processaram quando um guindaste supostamente não autorizado apareceu na sacada das coberturas para içar uma árvore de Natal de 6,70 metros e 226 quilos até sua sala de estar.[68] E foi assim que Susan se tornou o mais amado objeto de paródia da Nova Sociedade da década de 1980. Os Gutfreund adornavam capas de revistas, e Susan conquistou um papel no *roman à clef* de Tom Wolfe *A fogueira das vaidades*.[69] Os amigos de Susan a defendiam, mas, por mais exagerada que pudesse ser a paródia, ninguém – nem mesmo seu marido – questionava aquele excesso de opulência.[70]

Uma biografia corporativa lançada nessa época incluía uma observação reveladora. Em vez de tomar uma decisão e esperar que outras pessoas a seguissem, ela diz que Gutfreund "gostava de envolver as pessoas que seriam afetadas" e "não media esforços para deixá-las confortáveis com relação ao que precisava ser feito". Não obstante, escreveu o autor, protestando um pouco entusiasticamente demais, Gutfreund "tem um controle absoluto" e "as decisões que toma após se consultar com terceiros são irrevogáveis".[71] Na verdade, alguns dos ex-sócios de Gutfreund, que passaram a ser chamados de "diretores administrativos", estavam preparando uma grande contestação à sua autoridade. Fiéis ao seu compromisso de crescer, eles o culpavam pelo inchaço nos gastos e competiam entre si por território.

No final de 1986, quando os ganhos começaram a despencar devido à carga da folha de pagamento recém-dilatada – a Salomon tinha dado um aumento de 40% à sua equipe naquele ano –, os diretores administrativos quase destronaram Gutfreund com um golpe. A maior acionista da firma, a Minorco, uma empresa sul-africana, se irritou e disse a Gutfreund que queria vender seu bloco de ações. No entanto, quando "nada aconteceu", segundo vários dos diretores administrativos, e as ações da Salomon definharam enquanto o Dow Jones registrava uma alta de 44%, a Minorco encontrou seu próprio comprador: Ron Perelman, o temido pirata corporativo que assumira o controle da Revlon.

O grupo executivo não queria trabalhar para Perelman ou para qualquer um que ele tivesse levado consigo para o topo.[72] Gutfreund apertou o botão do pânico e ligou para Buffett, pedindo-lhe que investisse na Salomon como "cavaleiro branco", que viesse salvá-la de Perelman – da mesma forma que ele salvara Ralph Schey de Boesky na Scott Fetzer.[73]

Ser dono de uma companhia que vendia aspiradores de pó era uma coisa. Embora a Salomon fosse dominada pela negociação de ações – o que agradava a Buffett –, a firma estava se envolvendo com operações de banco de investimentos e havia cedido recentemente às pressões do mercado, inaugurando um banco mercantil para financiar aquisições de controle através de títulos de alto risco – uma técnica que ele desprezava. A firma chegara atrasada ao ramo altamente competitivo das fusões; ainda era uma novata.[74] Gutfreund parecia desconfortável ao guiar a Salomon por aquelas águas turbulentas; em apenas um ano envelhecera visivelmente.[75]

Ainda assim, o talento da Salomon para reformular o mercado financeiro atraía Buffett, numa época em que boas ideias de investimentos em ações se tinham tornado escassas.[76] Embora desprezasse títulos de alto risco, ele não se abstinha das aquisições que eram feitas por meio deles. Na verdade, fizera, de forma oportunista, a arbitragem de algumas delas – vendendo a ação a descoberto para o comprador e comprando a ação do vendedor. Uma vez que a equipe de arbitragem de títulos da Salomon trazia a maior parte dos lucros da firma, ela era, na verdade, uma máquina de arbitragem e tinha uma enorme reputação no ramo naquela parte de Wall Street.

Além disso, o nariz de Buffett tinha sentido o cheiro quente e forte de dinheiro, pois Gutfreund soara um tanto desesperado. Disse então que a Berkshire compraria 700 milhões de dólares de ações preferenciais da Salomon desde que o lucro fosse de 15%.[77] Gutfreund mandou seus funcionários horrorizados criarem um título que daria a Buffett o tipo de retorno que normalmente só se conseguia por meio de um *junk bond*. Durante o feriado do Rosh Hashaná, o ano-novo judeu, quando Gutfreund sabia que o praticante Perelman estaria neutralizado, Buffett foi de avião até Nova York, e ele e Gutfreund se reuniram no escritório de advocacia da Salomon. Buffett chegou sozinho; não tinha uma maleta ou mesmo um bloco de anotações nas mãos. Com um aperto de mãos, ele concordou em comprar a ação preferencial com um cupom de 9%, que converteria em ação ordinária ao preço de 38 dólares.[78]

O lucro de 9% daria a Buffett um retorno extra até que a ação subisse para 38 dólares, momento em que ele teria o direito de transformá-la em ação ordinária. Assim, as vantagens eram ilimitadas. Porém, se a ação despencasse, ele tinha o direito de "entregar" o título de volta à Salomon e ser reembolsado.[79] O acordo foi fechado dentro dos esperados 15% de lucro com um investimento que trazia pouquíssimo risco.[80]

Os dividendos anuais dessas ações preferenciais – 63 milhões de dólares – eram mais do que a Blue Chip e a Berkshire tinham gastado para comprar o *Buffalo Evening News* e a See's Candies juntos. Dentro da Salomon, as pessoas ficaram indignadas.[81] Achavam que Gutfreund tinha ficado com medo da solicitação da Minorco e que, por isso, ligara em desespero para Buffett, tendo, consequentemente, que propor um preço exagerado pelos valores conversíveis. Portanto, por conta do seu retorno enorme de 15%, Buffett estava, como explicaria mais tarde o escritor Michael Lewis, fazendo "a aposta segura de que a Salomon não iria à falência".[82]

O que a firma tinha comprado com todo aquele dinheiro era a reputação de Buffett, conquistada, em parte, à custa do poder de Gutfreund. Como parte do acordo, tanto Buffett quanto Munger passaram a fazer parte da diretoria. Antes de assinar o contrato, Buffett embarcou no seu novo jatinho e foi para Nova York. Encontrou Munger no One New York Plaza para inspecionar a Salomon.

Na entrada do escritório de Gutfreund, que ficava próximo à mesa de operações, ele contemplou pela primeira vez A Sala. Centenas de homens desgrenhados suavam diante de pequenos monitores verdes. A maioria estava com telefones colados à orelha enquanto todos se acotovelavam, vociferavam, bufavam e se desdobravam para fechar acordos multimilionários. Xingamentos e gritos cortavam o zumbido grave que enchia o ar. Uma névoa cerrada flutuava sobre aquela cena. Eram tantos os operadores que acalmavam seus nervos com tabaco que não valia a pena se dar o trabalho de ser não fumante – de qualquer maneira, os pulmões de todos estavam sempre cheios de nicotina.

Munger cruzou os braços e se voltou para Buffett. "E então, Warren", disse ele. "Você quer mesmo investir nisso, hein?"

Buffett ficou parado, olhando para além da névoa que pairava sobre o pandemônio que ele estava prestes a comprar. "*Mmmm-hmmmm*", respondeu ele depois de uma longa pausa.[83]

47
White Nights
Nova York – 1987-1991

Os observadores estavam boquiabertos porque o Midas de Omaha conseguira transformar a poderosa Salomon Brothers em ouro com seu toque. Buffett – o bilionário da porta ao lado que devorava hambúrgueres, dirigia um Cadillac com oito anos de uso, morava numa casa de 31.500 dólares e mostrava poucos símbolos de status dos ricos e famosos – tinha agora um grande investimento num banco de Wall Street.

Ele sempre criticara Wall Street, da qual agora fazia parte. Escrevera aos acionistas da Berkshire denunciando violentamente os títulos de alto risco usados para financiar as aquisições – inclusive da Salomon –, que, segundo ele, eram *"vendidos por aqueles que não se importavam com aqueles que não pensavam"*.[1] *"Nunca falo com corretores ou analistas"*, disse. *"Você tem que pensar sozinho sobre as coisas. (...) Wall Street é o único lugar no mundo ao qual as pessoas vão de Rolls-Royce para receber conselhos de pessoas que usam o metrô."*[2] Nas páginas do *Washington Post*, ele censurara a *"sociedade semelhante a um cassino"* que estava enriquecendo os caçadores de empresas. Por que não taxar 100% do lucro dos especuladores?[3] Sem dúvida, havia muito a ser taxado. Entre 1982 e 1987 o índice Dow Jones disparou de 777 para 2.722 pontos. *"Se você quiser ganhar dinheiro"*, ele dizia a alunos de cursos de administração, *"tape o nariz e vá para Wall Street."* Mas ele agora estava lá.

A imagem de Wall Street seduzindo um populista do Meio-Oeste era boa demais para ser ignorada. Quando um repórter perguntou por que ele possuía a maior participação individual na Salomon se Wall Street era aquele esgoto todo, Buffett não hesitou. Ele depositava sua confiança num homem, respondeu. Segundo ele, John Gutfreund era *"um homem fora de série, honrado e íntegro"*.[4]

Buffett sempre se apaixonou pelas pessoas, e os observadores diziam que ele estava visivelmente apaixonado por Gutfreund – no início. No entanto, o homem que uma vez deixou seu emprego de "receitador" para fugir do conflito inerente de interesses com seus clientes não podia usar John Gutfreund como escudo para protegê-lo do fato básico de que ele era dono de parte de um banco de investimentos repleto de conflitos de interesses com seus clientes. Como ele se colocara na posição – no mínimo estranha – de membro do conselho de administração de uma empresa daquele tipo?[5] Era como se, durante um período difícil, a ânsia de Buffett para ganhar dinheiro tivesse mais uma vez esmagado as suas elevadas esperanças, aspirações e princípios. E, como tinha acontecido ao longo de toda a sua vida, sempre que a avidez prevalecia surgiam problemas.

Quando Buffett investiu na Salomon, o mercado estava perto de um ponto de ruptura. Em sua carta aos acionistas, em março, ele afirmou que os gestores de recursos estavam tão hipercinéticos que, perto deles, *"os dervixes dançarinos pareciam tranquilos".* Ele não tinha uma parceria a ser rompida, mas, nos meses seguintes, começou a vender ações. Enquanto o mercado continuava subindo, ele sabia que esse movimento era causado em parte por uma nova invenção, o "S&P 500 Futuro". A Salomon, como todos os grandes bancos, passou a negociar contratos derivativos, que eram uma maneira de apostar em qual seria o nível das ações do índice S&P 500 numa determinada data.[6] Os contratos derivativos funcionam da seguinte maneira: na transação da Rockwood Chocolate, o valor do contrato futuro foi "derivado" do preço dos grãos de cacau numa data específica. Se os grãos estivessem valendo menos do que o preço acertado no contrato, a pessoa que comprou o contrato futuro como uma forma de seguro "ganhava", pois as suas perdas eram cobertas. Se os grãos estivessem valendo mais, a pessoa que vendeu o contrato futuro como seguro "ganhava", pois o contrato permitia que ela comprasse os grãos a um preço inferior ao valor de mercado.

Suponha que, no acordo baseado no peso feito com Howie para arrendar sua fazenda, Buffett não quisesse correr o risco de Howie efetivamente perder peso, fato esse que reduziria o valor do arrendamento. Como esse era um fator controlado por Howie, Warren talvez quisesse contratar o seguro de outra pessoa. Ele poderia dizer a Susie: *"Olhe, dou a você 100 dólares hoje. Se Howie perder 10 quilos e não os recuperar nos seis meses seguintes, você me pagará os 200 dólares de aluguel que vou perder. Se ele não conseguir manter o peso ao longo dos seis meses, você não terá que me pagar o aluguel e poderá ficar com os 100 dólares."* O índice que determinava o ganho ou a perda era "derivado" do peso de Howie, e o fato de Buffett estar disposto ou não a fazer uma transação desse tipo se baseava nas probabilidades desfavoráveis de Howie ser capaz de perder peso e não recuperá-lo.

Outro exemplo: suponha que Warren fizesse um trato com Astrid para deixar de comer batatas fritas por um ano. Se ele comesse uma batata frita, teria que pagar a ela 1.000 dólares. Esse não seria um contrato derivativo. Warren e Astrid estavam simplesmente fazendo um trato. O fato de Warren comer ou não uma batata frita não "derivava" de nada. Era algo que ele mesmo controlava.

No entanto, se Astrid e Warren tivessem feito esse trato e depois Astrid pagasse a Bertie, irmã de Warren, 100 dólares de seguro em troca de 1.000 dólares, se Astrid perdesse a aposta, a transação com Bertie seria um contrato derivativo. Seria "derivado" do fato de Warren comer ou não batatas fritas, que era algo que nem Bertie nem Astrid podiam controlar. Astrid perderia os 100 dólares para Bertie se Warren não comesse batatas fritas, e Bertie perderia 1.000 dólares se ele comesse. Portanto, os "derivativos" são um tipo de seguro (para Astrid) ou uma simples aposta (para Bertie).[7]

A maioria das pessoas compra e vende contratos derivativos com base num índice impessoal, estabelecendo o contrato sem nunca encontrar a outra parte interessada. O "contrato futuro do índice de ações" S&P que os gestores de recursos estavam comprando como seguro em 1987 os ressarcia se o mercado acionário caísse além de um certo nível. As pessoas que supunham que o mercado continuaria a subir estavam "apostando" ao "vender" o seguro. Elas queriam a renda dos prêmios.

Buffett escreveu uma carta ao Congresso mencionando o risco inerente dessas transações e solicitando a regulamentação desse mercado já em 1982, mas nada mudou.[8] Desde então os contratos futuros de índices de ações tinham proliferado como mosquitos no verão. Se as ações começassem a cair, todas as contas seriam apresentadas aos vendedores de seguro de uma só vez. Eles teriam que vender as ações para honrar os pedidos de indenização. Enquanto isso, os compradores estavam usando os contratos futuros de índices para garantir "transações programadas", que seriam automaticamente vendidos caso o mercado caísse, acarretando uma cascata de vendas.

No início do outono o mercado ficou nervoso e começou a engasgar e perder o fôlego. Na Segunda-Feira Negra, 19 de outubro de 1987, as ações bateram um recorde de queda, despencando 508 pontos, enquanto todos tentavam passar juntos pelo buraco da fechadura. As transações quase foram suspensas, como havia acontecido em 1929, e o mercado sofreu a sua maior queda percentual – em um único dia – de toda a sua história.[9]

O GRUPO BUFFETT TINHA, POR ACASO, UMA REUNIÃO AGENDADA NA CIDADE colonial de Williamsburg no terceiro dia da avalanche. Kay Graham foi encarregada dos preparativos e usou a atmosfera proporcionada por Williamsburg, de celebração dos Estados Unidos em seu momento mais puro e patriótico, para elevar o nível da reunião, de um *"esforço canhestro e amador, feito por uma pessoa qualquer"*, como Buffett dizia, a um novo patamar. O grupo era levado de carro a todos os lugares, e os participantes, que estavam acostumados a cereais no café da manhã, acordaram e encontraram "comida suficiente para mil pessoas", segundo a descrição de um participante, com frango, carne, presunto, fígado de galinha e ovos. Graham alugou a Carter's Grove Plantation, uma mansão histórica do século XVIII à beira do rio James, para um jantar formal, e um cinema para exibir um filme produzido por Rick Guerin, cujo dinheiro fora, em parte, diretamente injetado em Hollywood. À medida que os eventos se sucediam, cada um mais elaborado que o outro, o grupo ficava pasmo com o contraste em relação aos anos anteriores – e também com as despesas. "Que maravilha a Kay nos receber como convidados!", disse Chuck Rickershauser, e todos os que estavam por perto concordaram. Na noite final, Graham contratou músicos de câmara em trajes de época para tocar Haydn durante um jantar privado no museu DeWitt Wallace.[10]

O tópico de discussão, planejado quando as ações estavam no auge, era "O Grupo encerrou suas atividades no mercado?". Mas, com o mercado desabando, Buffett, Tisch, Gottesman, Ruane, Munger, Weinberg e os outros brilhavam como vaga-lumes, enquanto entravam e saíam da sala, verificando as cotações das ações e ligando para seus operadores com uma excitação controlada. Ao contrário de muitas pessoas devastadas pelas perdas, eles estavam *comprando* ações.[11]

No entanto, quando os sobreviventes da avalanche foram resgatados da neve, Doris, a irmã de Warren – que na época estava morando em Fredericksburg, Virgínia, a cidade pela qual ela se apaixonou quando a família acompanhou Howard ao Congresso –, apareceu como uma das muitas pessoas que tinham "vendido" o seguro. Ela tinha vendido as chamadas "opções de venda a descoberto", um tipo de derivativo oferecido por uma corretora de Falls Church, Virgínia. As opções de venda a descoberto eram promessas de cobertura das perdas de outra pessoa caso o mercado sofresse uma queda – "a descoberto" porque não tinham caução e, portanto, não estavam protegidas contra perdas.[12] A corretora enfatizara que as opções de venda a descoberto proporcionariam a Doris um fluxo contínuo de renda, que era algo de que ela precisava. É difícil imaginar que a corretora tenha fornecido algum tipo de descrição realista do risco que ela estava assumindo, especialmente usando um termo assustador como "opção de venda a descoberto". Doris não era uma investidora sofisticada, mas era muito inteligente e prática. Todavia, não falara com Warren a respeito do investimento. Ele era conhecido por recomendar apenas investimentos extremamente seguros, com retorno baixo, como obrigações do Tesouro ou títulos municipais, especialmente ao aconselhar mulheres divorciadas. Ou seja, investimentos que ele mesmo jamais faria. Doris confiara suficientemente nele para se tornar um de seus primeiros sócios: a sua confiança estava implícita quando o assunto era investir na Berkshire. Mas aquele distante episódio da juventude, no qual as ações da Cities Service Preferred caíram, após ele as ter comprado para si mesmo e para Doris, talvez voltasse à mente de ambos caso ela viesse pedir um conselho ao irmão. Mas ela não pediu.

Agora, agindo por conta própria, Doris sofrera perdas tão grandes a ponto de consumir as suas ações da Berkshire – e correr o risco de ir à falência. Para aumentar seu desespero, ela havia recomendado a corretora a alguns amigos e se sentia responsável pelo dinheiro que eles tinham perdido também.

Doris romantizava o irmão, via-o como uma figura protetora e construíra até um altar para venerá-lo, com tacos de golfe em miniatura, garrafas de Pepsi e outros adornos simbólicos de sua vida. Mas quando tinha um problema, em vez de procurar Warren, ela, como todas as outras pessoas da família, ligava para Susie, para que ela servisse de intermediária. Àquela altura Doris já tinha se casado e divorciado três vezes. Ela achava que havia corrido para o primeiro casamento por insegurança; o segundo fracassou, em parte, porque ela se sentira obrigada a se casar e, portanto, não lutou com afinco suficiente para salvá-lo. Seu terceiro casamento, com um professor universitário de Denver, foi um terrível erro de julgamento. Doris já tinha sofrido muitos maus-tratos, mas, ao invés de deixar que isso a intimidasse, ela sempre reagia. Dessa vez, porém, ela não sabia o que fazer.

Depois do terceiro divórcio de Doris, Susie dissera o seguinte a respeito de Warren: "Você nunca vai precisar se preocupar. Ele vai sempre tomar conta de você."

Depois que ela confessou a Susie o que tinha feito e pediu ajuda, Warren ligou no sábado pela manhã. Disse que, se desse a ela o dinheiro para pagar os credores, só estaria ajudando as empresas para as quais ela estava devendo – as outras partes interessadas que ela havia assegurado. Na lógica dele, tratava-se de especuladores; portanto, ele não iria salvá-los. Ao perceber que aquilo significava que ele não a ajudaria, Doris começou a suar frio, e suas pernas começaram a tremer. Ela concluiu que aquilo significava que o irmão a desprezava. No entanto, ele achava sua decisão simplesmente racional.

"Eu poderia ter dado alguns milhões aos credores, se quisesse. Mas, quer saber, eles que se danem. Quero dizer, aquela corretora que vendeu essa coisa a Doris – ela levou à falência todo mundo naquela filial específica."

Doris esperava que Susie a salvasse. Susie já tinha muito dinheiro, e Warren lhe dava tanto que ela doava a maior parte. Contudo, da mesma forma que não tinha dado o dinheiro para que Billy Rogers desse entrada numa casa, Susie não fez nada para ajudar Doris financeiramente.

A história que chegou ao *Washington Post* foi a de que a irmã de um "investidor muito bem-sucedido" tinha feito uma grande burrada. A reputação de Warren estava sendo prejudicada por uma grave transgressão da família Buffett, e o timing de Doris foi péssimo. Os Buffett ainda estavam tentando se recuperar da overdose fatal de Billy Rogers ocorrida sete meses antes, outro acontecimento que expusera publicamente os problemas por trás da imagem íntegra da família. Warren talvez soubesse – de alguma maneira – que estava racionalizando. Ele sem dúvida temia a ira de Doris; quando se sentia ameaçada – como Kay Graham –, ela se defendia como se estivesse acuada. Se havia uma pessoa que realmente entendia a irmã, essa pessoa era Warren – mas ele não tolerava que ninguém se comportasse de maneira estridente, nem mesmo ela. Então recuou. Parou de telefonar, e ninguém mais na família fez contato com Doris.

Ela passou a se sentir como se a família a tivesse excluído. Assustada com o abandono e profundamente magoada, Doris intimidou sua mãe para obter dinheiro e empréstimos, a fim de não perder sua casa.[13] Ironicamente, o Federal Reserve tinha reduzido as taxas de juros, as empresas estavam comprando suas próprias ações e o mercado se recuperando rapidamente da catástrofe, deixando apenas vítimas como Doris em seu rastro. Numa espécie de pânico, ela se casou com Al Bryant, o advogado que a estava ajudando a resolver seus problemas legais.

Mas, por baixo do pano, Warren estava dando um jeito de adiantar para a irmã 10 mil dólares por mês do fundo fiduciário deixado por Howard em testamento. "Eu nunca gastei tanto dinheiro assim", ela disse. A tensão diminuiu, e eles puderam conversar. Ela demonstrou enorme gratidão – até perceber que aquele dinheiro era mesmo dela e que estava simplesmente sendo pago antecipadamente. Na época, a parte dela no fundo, que começara com pouco mais de 2 mil ações da Berkshire, que valiam 30 mil dólares em 1964, foi avaliada em cerca de 10 milhões de dólares. Mas o contrato do fundo não previa pagamentos até à morte de Leila, quando Doris e Bertie receberiam a sua parte em quatro parcelas. Além disso, como um gesto de boa vontade, Warren criara a Sherwood Foundation, que doava 500 mil dólares por ano a instituições de caridade. Doris, os filhos de Warren e Astrid podiam destinar, cada um, 100 mil dólares às causas que escolhessem. A renda anual gerada pelo fundo equivalia aos rendimentos sobre um depósito de 7 milhões de dólares para os cinco. A parte de Doris, portanto, era quase tão grande quanto se Warren lhe tivesse dado o dinheiro, mas de outra forma.

É claro que daquela maneira ela não podia usá-lo para pagar as dívidas ou salvar a casa – Warren nunca dava dinheiro incondicionalmente, mas o destinava a usos predeterminados, sobre os quais tinha controle. Mesmo assim a tempestade amainou, e Doris recuperou sua objetividade. Ficou grata por ele ter superado o constrangimento e tê-la ajudado a seu modo. Na verdade, ela sabia que, sem ele, não teria nada. Enquanto juntava o dinheiro para pagar as dívidas, a relação dos dois foi aos poucos voltando ao normal, e o altar permaneceu no lugar.

A outra vítima da quebra do mercado com a qual Buffett teve de lidar foi a Salomon. Apenas três semanas após o investimento da Berkshire, ele e Munger foram à primeira reunião do conselho. Os assuntos do dia eram a queda vertiginosa das transações de corretagem e fusão na Salomon e os 25 milhões de dólares que a Segunda-Feira Negra tinham custado à empresa.[14] A Salomon enfrentava a limpeza da Segunda-Feira Negra enfraquecida pelo fato de Gutfreund, com sua impassível cara de lua cheia, ter demitido, dias antes da quebra do mercado, 800 pessoas, incluindo funcionários antigos e de grande valor, além de ter suspendido negócios com pequenas margens de lucro, como a negociação de notas promissórias comerciais (um ramo menos importante do setor de títulos), tão inesperadamente que a ruptura afetou o relacionamento com alguns clientes importantes de forma quase irreparável.[15] Esses fatores, somados às perdas provocadas pela Segunda-Feira Negra, cavariam um buraco profundo no bolso dos acionistas naquele ano. E assim as ações da Salomon despencaram.

Os acionistas estavam sofrendo, mas o comitê de remuneração – no qual Buffett ingressara a pedido do presidente do conselho, Bob Zeller – começou a discutir a redução do preço de exercício das opções dos funcionários.

Essas opções eram direitos de compra de ações a um preço específico, no futuro. Se a Salomon fosse a See's Candies, seria como se Buffett pagasse parte da remuneração dos funcionários da linha de produção com papéis que lhes dessem o direito de comprar doces a um determinado preço. Se o preço dos doces continuasse a subir anualmente, o valor desses papéis continuaria a subir com o passar do tempo.

No entanto, naquele momento, a fábrica de doces estava tendo um ano ruim. A See's ia perder dinheiro, e o salário dos funcionários seria reduzido. A comissão de remuneração estava falando em reduzir o preço que os trabalhadores teriam de pagar pelos doces para compensar a diferença. Buffett foi contra. A fábrica de doces pertencia aos proprietários – os acionistas – e não aos funcionários.[16] Ele queria que a porção de doce dos funcionários fosse reduzida exatamente na mesma proporção que a queda nos lucros.[17] No entanto, os outros membros da comissão acharam que tinha sido prometido aos trabalhadores um certo valor em doces quando Gutfreund anunciou os pacotes alguns meses antes, e quando os doces entravam em liquidação eles eram obrigados a compensar a diferença. Talvez estivessem tentando prevenir a tradicional corrida do dia da bonificação em Wall Street, que acontece sempre que as pessoas estão infelizes: pegue o dinheiro e saia correndo.

Buffett achava isso moralmente errado. Já que os acionistas não obteriam lucro, por que os funcionários deveriam receber doces? Mas o outro lado obteve o dobro de votos, vencendo a votação. Ele ficou indignado.[18] Mas a sua função no conselho da Salomon era mais nominal. Seus conselhos, pouco solicitados, raramente eram aceitos. Apesar de as ações da Salomon estarem começando a se recuperar, ele diz que a repactuação do preço das opções tornou *"quase imediatamente"* o seu investimento na Salomon *"muito menos atraente financeiramente do que antes"*.

"*Eu poderia ter lutado mais e ser mais veemente. Talvez assim tivesse ficado mais satisfeito comigo mesmo. Mas isso não teria mudado o curso da história. Não faz sentido, a menos que você goste de combater.*" A disposição de Buffett para o combate – mesmo de maneira indireta – diminuíra notavelmente desde os dias da Sanborn Map, da Dempster e da "buffettização" da Seabury Stanton.

"*Não gosto de batalhas. Não saio correndo se a batalha for necessária, mas não gosto nem um pouco delas. No caso do conselho de administração, Charlie e eu nem votamos contra a proposta. Não nos abstivemos, pois a abstenção é como depor as armas. E havia outros problemas na Salomon. Uma após outra, surgiam várias questões que eu considerava uma maluquice, mas eles não queriam que eu dissesse nada. Aí a questão é: você deve dizer alguma coisa? Não entro em brigas só por entrar.*"

No início, Buffett se sentira atraído por Gutfreund, aquele homem reservado, pensativo, que amava o trabalho, chegava todo dia às 7 horas, acendia um enorme charuto jamaicano Temple Hall e caminhava por entre os operadores em mangas de camisa, dizendo: "Vocês precisam estar prontos para arrancar a dentadas o traseiro de um urso todas as manhãs."[19]* De fato, para os funcionários que faziam as apresentações nas reuniões, parecia que Buffett era um membro do conselho "relativamente passivo".[20] Parecia que ele entendia pouco dos detalhes da administração – e que estava tendo dificuldade em se adaptar a uma empresa que, literalmente, não era feita de tijolos e cimento e que não era gerida como uma linha de montagem.[21] Já que havia investido na Salomon apenas por causa de Gutfreund e agora não estava gostando do rumo que as coisas estavam tomando, ele tinha outra opção: vender o seu investimento e renunciar ao cargo no conselho.[22] Wall Street fervilhava de boatos que diziam que Buffett e Gutfreund tinham se desentendido, que Buffett ia vender ou demitir Gutfreund e pôr em seu lugar outra pessoa para dirigir a empresa.[23] Mas as coisas não chegaram a esse ponto. A venda do investimento e a renúncia ao cargo no conselho por parte de um grande investidor com a projeção de Buffett seriam um gesto chocante que derrubaria a cotação das ações

---

* Trocadilho em inglês com a palavra *bear*, que em inglês quer dizer "urso", mas também indica um mercado em baixa. *(N. do T.)*

da Salomon e, além de prejudicar os acionistas, o faria parecer caprichoso, vingativo ou pouco confiável. Àquela altura, a sua reputação se tornara parte do valor da Berkshire. Além do mais, ele não tinha desistido de Gutfreund. A única razão para ele ter investido era Gutfreund, e quando Buffett abraçava alguém era necessário um machado para separá-los. Então, à medida que as festas de fim de ano se aproximavam, ele e Gutfreund lutavam arduamente para superar suas diferenças.

Enquanto isso, o alto custo de 1987 ainda não estava totalmente superado. Uma correspondência atrasada de Katharine Graham para os membros do Grupo Buffett chegou duas semanas depois do final do ano. Alguns deles ficaram em choque. Ela estava enviando para eles uma conta. Aparentemente eles não tinham sido seus convidados. Em vez disso, eles mesmos estavam pagando a extravagante recepção organizada por Kay em Williamsburg! O total era "de tirar o fôlego", ela reconheceu. E acrescentou: "Sinto muito pelo atraso e pela quantia. Espero que o Natal ainda seja feliz e que eu ainda seja sua amiga."[24]

Buffett, de fato, teve um Natal feliz, mas por outro motivo: o seu presente para si mesmo foi a Coca-Cola. Seria uma compensação por boa parte da infelicidade da Salomon. Durante um jantar na Casa Branca algum tempo antes, ele reencontrara seu velho amigo Don Keough, que era então presidente e CEO da empresa. Keough o convenceu a mudar da sua própria mistura de Pepsi com xarope de cereja para a recém-lançada Cherry Coke. Buffett experimentou e gostou. A família e os amigos ficaram atônitos quando o homem que era conhecido por sua lealdade, especialmente à Pepsi, deu essa virada. Contudo, durante anos as ações da Coca-Cola estiveram caras demais para que Buffett as levasse em consideração. Porém, naquele momento, a empresa estava tendo problemas, e suas engarrafadoras estavam travando uma ferrenha batalha de preços com a Pepsi, fazendo com que a cotação das suas ações caísse para 38 dólares. Corriam boatos de que a Coca-Cola se tornara um alvo para uma aquisição por parte do temido Perelman, e a empresa estava recomprando suas próprias ações. Apesar de o seu preço ainda ser alto, a empresa, assim como a American Express anteriormente, era uma grande marca que estava passando por dificuldades.

Na visão de Warren, a Coca-Cola não era uma guimba de charuto, mas estava gerando uma cascata de dinheiro e gastando apenas uma pequena parte desse rendimento em suas operações. O seu fluxo de caixa anual tinha valor: isso era algo que ele podia quantificar em sua cabeça. Tendo estudado a empresa por anos, ele sabia quanto dinheiro ela tinha gerado no passado – e podia fazer uma estimativa sensata de quanto as empresas da Coca-Cola cresceriam por muitos anos no futuro.[25] Adicionando essas estimativas de fluxo de caixa ano após ano, ele chegou a um valor final.

A previsão das perspectivas de longo prazo de uma empresa não era uma ciência exata, mas Buffett aplicou uma margem de segurança às suas estimativas. Simplesmente reduziu a cifra, em vez de usar alguma fórmula ou modelo complicado. Não usou computadores nem planilhas para realizar esses cálculos: se a resposta não surgisse claramente na sua cabeça, o investimento, na sua opinião, não valeria a pena.

Depois da estimativa vinha a decisão. Ele tinha que comparar o que a Coca-Cola valeria, em última instância, como empresa – a projeção – com o que ele tinha em mãos no momento, o dinheiro da Berkshire. Se simplesmente investisse o dinheiro em títulos do governo, que não ofereciam risco de perda, a Berkshire podia obter um certo valor ao longo do mesmo período. Ele comparou as duas opções. De acordo com esse parâmetro, a Coca-Cola era uma beleza e, na verdade, não havia nenhuma outra ação que fosse mais rentável. Buffett começou a comprar.

Quando os produtos da Coca-Cola chegaram à reunião de acionistas organizada por Buffett em 1988, os acionistas da Berkshire começaram a imitá-lo, bebendo Coca. Eles não faziam ideia de que, por meio da Berkshire, também possuíam aquelas ações. A reunião ganhou um caráter totalmente novo quando mil pessoas compareceram ao auditório do Joslyn Art Museum. Naquele ano, a Corporação Congelada, não mais uma quase-sociedade, uniu-se oficialmente às grandes empresas americanas e abriu seu capital na Bolsa de Valores de Nova York. A reunião da Berkshire teve que começar com atraso, porque foram tantas as pessoas que apareceram que os acionistas tiveram dificuldade em achar vagas para estacionar os carros. Buffett teve uma ideia. Alugou dois ônibus escolares e convenceu algumas centenas de acionistas a segui-lo depois da reunião, como o Flautista de Hamelin do comércio, até o Nebraska Furniture Mart. Parte do charme era a chance de conhecer a indomável Sra. B, sobre a qual Buffett escrevia e falava havia cinco anos. Os acionistas ficaram tão fascinados com aquela mulher pequena e robusta debruçada sobre o seu carrinho elétrico no departamento de tapetes – e com seus preços – que gastaram 57 mil dólares.[26]

No final do ano, os acionistas ainda não sabiam que a Berkshire tinha comprado mais de 14 milhões de ações da Coca-Cola a um custo de quase 600 milhões de dólares.[27] Como cada movimento que ele realizava na época movia o mercado inteiro, Buffett ganhou uma dispensa especial da SEC que o isentava de divulgar suas atividades por um ano. Ele estava comprando tantas ações da Coca-Cola, e a própria empresa estava recomprando tanto, que, em vez de competir entre si e fazer o preço subir, "eles compravam uma metade e Buffett comprava a outra metade" do volume diário de transações, segundo Walter Schloss.[28] A Berkshire logo detinha mais de 6% da empresa, ou 1,2 bilhão de dólares.[29] Em março de 1989, quando a sua posição foi revelada, o alvoroço resultante gerou tanta demanda que a Bolsa de Valores de Nova York teve que suspender as negociações com a ação, para evitar que o preço saísse do controle e disparasse.

O CEO da Coca-Cola, Roberto Goizueta, ficou radiante com o respaldo do famoso investidor. Pediu que Buffett aceitasse fazer parte do conselho, possivelmente o mais prestigioso da América do Norte. Buffett aceitou com grande alegria, inteirou-se de tudo o que dizia respeito à Coca-Cola e conheceu várias pessoas novas no conselho, entre elas Herbert Allen, o presidente franco e sem rodeios da Allen & Co. Os dois se tornaram aliados. Allen logo convidou Buffett para sua conferência em Sun Valley, que estava se tornando a parada obrigatória para os CEOs de grandes empresas. Em Sun Valley, investidores, Hollywood e magnatas da mídia se encontravam para socializar e debater a cada mês de julho.

Buffett sabia que aquilo significava acrescentar um novo evento anual à sua agenda já repleta, mas Sun Valley era importante, e ele queria ir. Além disso, ele agora tinha como chegar em grande estilo. Para se manter à altura da sua condição de membro do Clube dos CEOs, ele tinha acabado de trocar seu Falcon usado por um sofisticado jato Challenger novinho em folha, que custara quase 7 milhões de dólares. A compra do avião – que ele havia apelidado de *Indefensible* (Indefensável) – foi revelada na sua carta aos acionistas, na qual Buffett zombava de si mesmo com a oração a Santo Agostinho: *"Ajudai-me, ó Senhor, a me tornar casto – mas não agora."* Ele logo escreveria aos seus acionistas dizendo que queria ser enterrado dentro do jato.

A caminho do aeroporto, onde embarcaria para Sun Valley, Buffett visitou sua cunhada Dottie no hospital. Frágil, magra como um graveto e alcoólatra de longa data, a irmã de Susie tinha contraído um caso grave de síndrome de Guillain-Barré, uma doença autoimune de origem desconhecida e aparecimento repentino, que pode causar a paralisia quase total do sistema nervoso, inclusive do sistema respiratório e de outros órgãos. Dottie estava em coma. Estava tão debilitada que os médicos recomendaram a interrupção do tratamento, para que a natureza pudesse seguir seu curso.

Susie, desnorteada, não permitiu. Ela ficou em Omaha durante o verão e o outono para cuidar de Dottie, que foi submetida a um lento e árduo processo de fisioterapia e cuidados intensivos. Como estava em Omaha para uma estada prolongada, Susie alugou um apartamento no prédio de Dottie, em frente ao da irmã. Enquanto estava lá, ajudou a campanha de Howie para se tornar comissário do Condado de Douglas, que incluía Omaha e seus arredores. Ele concorria como republicano da ala liberal, numa eleição em que ser republicano ajudava e ser da ala liberal não atrapalhava. Buffett decidira não apoiar financeiramente o filho, subvertendo mais uma vez a noção de que o herdeiro de um homem rico tinha muito dinheiro. Howie precisou angariar ele mesmo os fundos para sua campanha. Mas Susie o ajudou, colando envelopes e comparecendo a eventos, cobrindo-se de broches de campanha e exibindo seu sorriso franco por toda parte, para mostrar o apoio da família ao filho. A sua presença tornou tudo mais fácil.[30] Quando Howie foi eleito, Buffett ficou excepcionalmente satisfeito. A agricultura nunca despertara muito o seu interesse; já a política fazia seu coração disparar. Ele achava que Howie estava começando a amadurecer e detectou indícios de ambição no filho. Os Buffett começaram a falar de Howie como candidato à antiga cadeira de Howard no Congresso.

Embora Peter permanecesse em São Francisco, dois dos três filhos de Buffett estavam por perto – os dois que sempre quiseram mais atenção dele. Susie Jr. voltou para Omaha depois do nascimento de seu segundo filho, Michael. Sem que o marido soubesse, ela disse ao pai que Allen queria dirigir a Buffett Foundation, que precisava de uma gestão profissional depois de ter passado por uma reorganização estratégica dirigida por Shirley Smith, amiga da família e ativista. Warren não deixou essa oportunidade escapar. Além de trazer a filha de volta para casa, também conseguiu fazer com que Susie ficasse mais perto dele.

O fato de ter a filha por perto agradava Warren de outra maneira. Uma das qualidades de Susie Jr., assim como de sua mãe, era cuidar dos outros, só que, no caso da filha, com um estilo mais profissional. Ele teria então duas mulheres em Omaha para cuidar dele. O fato de ter mulheres cuidando dele era algo que Warren sempre havia racionalizado. "*As mulheres não se importam em cuidar de si mesmas*", ele dizia. "*Os homens se importam em cuidar de si mesmos. Acho que as mulheres entendem mais os homens do que os homens as entendem. Comerei aspargos antes de desistir das mulheres.*" O seu desejo de ser cuidado por mulheres era tão grande que, na maior parte das vezes, ele deixava que elas resolvessem entre si qualquer discórdia sobre o que seria, na opinião de cada uma delas, melhor para ele. Susie Jr. e Astrid começaram a desempenhar seus respectivos papéis.

A rede de conexões que ele tinha criado trouxe então para Buffett uma empresa que certamente o faria cair nas boas graças de todas as suas mulheres – a Borsheim's, uma joalheria de Omaha. Louis Friedman, cunhado da Sra. B, fundara a empresa, que negociava mercadorias de nível alto e médio a preços com desconto. Buffett tinha aprendido que as mulheres preferem muito mais joias a roupas, apesar de as roupas "*preservarem o seu valor*". A pessoa que provavelmente ficaria mais feliz com essa compra seria Susie, que já tinha uma impressionante coleção de joias, assim como Kay Graham e as irmãs de Warren. A única que não se interessava tanto assim por joias era Astrid; ela não se sentia à vontade com coisas caras. Mas, se ele lhe desse joias, ela certamente não as recusaria.

Então as compras de Natal de Warren para as mulheres de sua vida foram simplificadas em 1989. Ele criou um sistema: brincos, pérolas, relógios, todo mundo receberia uma variação de algum tema a cada ano. Mas ele mesmo não recebeu nada que se comparasse à importante participação na Coca-Cola que tinha comprado no ano anterior. Pior ainda, acabou recebendo um presente desagradável: o lançamento de um livro chamado *Liar's Poker* (O pôquer do mentiroso), escrito por Michael Lewis, ex-vendedor de títulos da Salomon. Com um título que se referia a um jogo no qual os operadores blefavam usando os números de série das cédulas de dólar, o livro mostrava a cultura orgulhosa, inovadora e vigorosa da Salomon, e como ela havia começado a esmorecer em 1986 e 1987. *Liar's Poker* se tornou um grande sucesso de vendas; o livro retratava as excentricidades da empresa de forma tão memorável que a Salomon nunca mais perderia a reputação de ser uma espécie de zoológico que abrigava as pessoas mais agressivas e grosseiras de Wall Street.[31] O fim da febre de aquisições dos anos 1980 foi outro problema para Buffett, pois, embora ele ainda estivesse arbitrando as transações anunciadas, seu território de atuação estava vazio. Sem nenhuma grande empresa para comprar, Buffett mais uma vez abaixou o seu padrão, como havia feito ao comprar a Hochschild-Kohn.

O chamariz dessa vez foram outros CEOs, que, temendo por seus empregos ou por sua autonomia, começaram a oferecer mais acordos especiais para que ele investisse. Para a Berkshire, ele comprou três ações "preferenciais conversíveis" aparentemente lucrativas, todas estruturadas segundo o esquema da transação da Salomon, que pagavam em média 9%, o que garantia um retorno mínimo e ao mesmo tempo lhe dava o direito de converter as ações, caso a empresa se saísse bem. Cada empresa daquelas era bastante diferente. A Champion, uma companhia mal administrada do setor de papel, era considerada "em jogo" pelo pessoal das aquisições.[32] A Gillette, uma empresa com um grande "fosso" em volta da sua marca – como a See's Candies, invulnerável à competição –, estava sendo temporariamente desprezada pelos investidores. E a US Air, com sede em Pittsburgh e que anteriormente se chamava Allegheny Airlines, tinha uma presença fraca num setor recentemente desregulamentado que também estava "em jogo".

Assim como as ações preferenciais da Salomon, os termos dessas transações especiais sugeriam aos críticos que, de repente, Buffett passara a proteger os interesses de CEOs entrincheirados. Obviamente era do interesse de seus próprios acionistas maximizar o retorno dessas empresas e, ao mesmo tempo, protegê-las do risco, mas Buffett agora parecia um daqueles *insiders* das salas de reunião dos conselhos que dependiam de acordos especiais para seguirem em frente.

Na era dos fundos que compravam o controle de empresas e dos especuladores corporativos, esse nível de ganância era café-pequeno. Buffett poderia facilmente ter sido o rei das aquisições. Mas a sua determinação de se manter amistoso e de ficar ao lado da administração deixava claro que ele era um dos mocinhos. Ben Graham sempre achou que o fato de negociar com ações necessariamente tornava uma pessoa estranha – porque ela precisava estar disposta a desagradar a administração de uma empresa. Buffett, que queria agradar a todos, tentou cobrir essa lacuna desde o início de seus dias como investidor, quando fez amizade com Lorimer Davidson, na Geico. "Muitos investidores de Wall Street dizem que os acordos especiais do Sr. Buffett representam uma espécie de jogo de proteção entre cavalheiros", dizia na época uma matéria de jornal.[33]

No final, os acordos aparentemente brandos se revelaram nada mais que apostas desvantajosas. Somente a Gillette se revelou um bom negócio, rendendo em última instância à Berkshire 5,5 bilhões de dólares. A US Air foi a pior. Buffett fizera uma série de observações ao longo dos anos a respeito da estupidez de investir em coisas com asas. A empresa suspendeu a distribuição de dividendos e, como a Cleveland Worsted Mills, suas ações despencaram. "Entrar nesse negócio foi a maior burrice", desabafou um amigo. "Que diabos vocês estavam fazendo? Todos os seus princípios foram violados!"[34] Mais tarde Buffett concordaria, dizendo: *"Assim que o cheque foi compensado, a empresa entrou no vermelho e nunca mais saiu de lá. Tenho um número 0800 para o qual ligo e digo: 'Meu nome é Warren Buffett, sou viciado em aviação.'"*[35] O comentário áspero de Charlie Munger foi: "Warren não me consultou a respeito desse negócio."

A Salomon, o modelo para esses acordos, também não estava indo bem. Depois do colapso e da quase fuga de Perelman, o setor de fusões estava demorando a se recuperar, e banqueiros talentosos foram para outros lugares. Gutfreund reestruturara a empresa mais uma vez com outra rodada de demissões. Mas os diretores executivos não o temiam mais. "As pessoas continuavam a ameaçar John, e ele tentava comprá-las", disse um vice-presidente do conselho. De início, a empresa tinha três, depois, sete vice-presidentes do conselho. "Buzine se você for um vice-presidente" se tornou uma piada na sala do conselho.

Já fragmentada em bases de poder desiguais, a Salomon evoluiu para um sistema de "chefes guerreiros": um chefe guerreiro dos títulos corporativos, outro dos títulos governamentais, outro dos títulos hipotecários e outro das ações.[36]

Um reinava sobre todos eles: era o chefe guerreiro da arbitragem acionária, um matemático brilhante de 40 anos e fala mansa, John Meriwether. O tímido e discreto "J. M.", ex-candidato a Ph.D., expressava suas ambições desmedidas por meio de uma equipe de professores que foi convencida pelos salários de Wall Street a deixar universidades como Harvard e o MIT. Esses "arbitradores" se curvavam de forma protetora sobre seus computadores, mexendo com modelos matemáticos que retratavam o universo dos títulos, um oásis de intelecto no meio de operadores que arrotavam, suavam e muitas vezes agiam de forma intuitiva. Como prognosticadores que montavam a versão final do *Daily Racing Form*, esses arbitradores estavam lançando uma revolução no setor de títulos, e a vantagem que a folha computadorizada de palpites lhes dava em relação ao resto dos otários gerava mais lucro para a Salomon. Eles viviam dentro da pequena bolha de Meriwether na sala de operações e achavam que tinham conquistado o direito de ser arrogantes. J. M. era muito clemente em relação a erros, mas implacável em relação a qualquer pessoa que ele considerasse burra, e os arbitradores eram a sua elite pessoalmente escolhida. Ele tinha uma profunda e complexa relação com sua equipe e ficava quase o tempo todo com ela dedicando-se a uma de suas três obsessões: trabalho, jogos de azar e golfe. Em muitas noites, depois do fechamento dos mercados, os arbitradores se reuniam e jogavam *liar's poker* para aperfeiçoar suas habilidades de prognóstico.[37] Meriwether, com a aparência de garoto e um rosto sem expressão, geralmente ganhava.

Apesar da sua passividade e da sua influência limitada como membro do conselho, Buffett sem dúvida entendia de arbitragem. Mas o conhecimento do conselho a respeito dos negócios da Salomon só ia até aí, e Buffett não entendia de computadores, que estavam se tornando importantes para todos os negócios e intrínsecos à nova Wall Street. Mas ele sabia que era diretor de uma corporação que dependia muito de computadores e certamente deduziria que os computadores aumentavam o risco. Uma vez, visitou Mark Byrne, filho de Jack Byrne, que negociava opções de câmbio para a Salomon.

"*Mark era jovem e inteligente e tinha um computador em casa para poder negociar o tempo todo. O computador estava programado para fazer soar uma campainha, ou algo do gênero, para acordá-lo se o iene japonês sofresse uma variação maior do que um determinado nível.*

Eu disse a Mark: 'Quero entender bem isso. Você tem esse computador aqui e, às 3 horas, depois que você fez sei lá o quê – nem vamos perguntar –, você está dormindo e essa campainha toca. Aí você se levanta, vai cambaleando até o computador e vê como está a relação iene-dólar.

Diga-me, existe alguma forma de você poder introduzir no computador algum limite para os termos da negociação que você faria? O computador se rebela se você comete um erro?'

Ele disse: 'Não, posso inserir o que eu quiser.'

Então eu disse: 'Muito bem. Se você bebeu um pouco demais e tecla três zeros a mais por engano, a empresa fica comprometida? Tem que levar adiante a transação?'
Ele disse: 'Sim.'
Aí comecei a ter pesadelos com esse cara que às 3 horas da madrugada, talvez com uma garota na cama ou coisa assim, vai até lá meio entorpecido e tecla algo no computador no meio da noite e depois volta cambaleando para a cama. Na manhã seguinte descobre que, em vez de 1 trilhão de ienes, inseriu 1 quatrilhão de ienes."

Para Buffett, era óbvio que a combinação de seres humanos falíveis e computadores num ambiente totalmente sem monitoramento nem supervisão significava um potencial quase ilimitado de coisas que poderiam sair do controle. Mas, como membro do conselho, ele não tinha autoridade para fazer modificações, só podia tentar usar a persuasão. A essa altura, ele e Munger já tinham discutido repetidamente – e sem sucesso – com a administração da Salomon. Munger assumira a comissão de auditoria – que antes não era um exemplo de supervisão minuciosa – e realizou exames detalhados da empresa e de seus contadores durante seis ou sete horas. Munger descobriu que os negócios com derivativos da Salomon tinham crescido imensamente usando transações para as quais não existia um mercado pronto. As transações só eram quitadas após longos períodos, às vezes anos. Com uma quantidade mínima de dinheiro trocando de mãos, os derivativos eram avaliados nos livros contábeis da Salomon por meio de um modelo.[38] Como esse modelo era criado por aquelas pessoas cujas bonificações eram por ele determinadas, não era de surpreender que os modelos geralmente mostrassem transações bastante rentáveis. Até 20 milhões de dólares chegaram a ser registrados em excesso por meio de lançamentos contábeis errôneos.[39] A comissão de auditoria, no entanto, se concentrou apenas nas transações e nos acordos já aprovados e geralmente completados. A verdadeira omissão acontecia antes do fato.

Ali, numa área na qual eram sem dúvida mais habilidosos que qualquer outra pessoa – fazer investimentos –, Buffett e Munger davam suas opiniões da forma mais veemente – e eram ignorados. Seus protestos só os distanciavam dos funcionários. Por exemplo, a unidade Phibro da Salomon formara uma joint venture com uma empresa septuagenária de Houston, a Anglo-Suisse, para construir campos de petróleo na Sibéria Ocidental, ao sul do Círculo Polar Ártico, que supostamente revolucionariam a produção de petróleo na Rússia. A empresa conjunta White Nights promoveu iniciativas simpáticas na Rússia, incluindo um centro de recreação e doações de alimentos e roupas, tudo enviado dos Estados Unidos.

Munger disse o seguinte quando a ideia foi revelada: "A Anglo-Suisse é uma ideia idiota. Não há ingleses nem suíços envolvidos nessa empresa. O nome já é motivo suficiente para não se envolver."

Chuck Rickershauser, o advogado que, por volta de 1976, disse, sobre o complicado negócio criado por Buffett: "Em algum lugar por aí deve haver uma acusação a ser feita."

Buffett, de roupão, tocando um trompete. Depois do fiasco, na infância, na Rosehill School, ele se recusou a fazer "eco" para qualquer um.

Charlie Munger, num momento de leitura, com seus netos.

Buffett fez dupla com Sharon Osberg, em seu primeiro torneio de bridge, no campeonato mundial de 1994, em Albuquerque, Novo México. Eles se classificaram para a fase final, mas, porque Warren estava cansado demais para prosseguir, abandonaram a competição, o que causou mal-estar na Federação Mundial de Bridge.

Buffett e Bill Gates em seu primeiro encontro, em julho de 1991, na propriedade familiar dos Gates em Hood Canal, no estado de Washington.

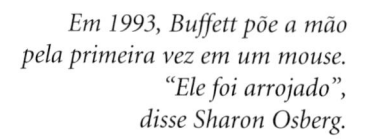

Em 1993, Buffett põe a mão pela primeira vez em um mouse. "Ele foi arrojado", disse Sharon Osberg.

Buffett e o "Sr. Coca-Cola", Don Keough, cercados pela bebida favorita de Buffett (e ação mais importante do portfólio da Berkshire).

Com o filho Howie e a nora Devon, que se casaram em 1982.

Bill Ruane, o velho amigo de Buffett que morreu em 2005.

No domingo de Páscoa de 1993, Bill Gates desviou seu avião para Omaha e surpreendeu sua namorada Melinda French com um encontro inesperado com Warren e Astrid, na Borsheim's, para escolher o anel de noivado.

Buffett e Astrid no casamento do filho Peter com Jennifer Heil, em maio de 1996.

Buffett ao volante de um carrinho de golfe em Sun Valley. Susie e Kay Graham enfrentam o risco.

Munger e Buffett respondem às perguntas da imprensa durante uma reunião de acionistas da Berkshire Hathaway.

Buffett com seus amigos Diane von Furstenberg, Herbert Allen e Barry Diller, em Sun Valley.

Da direita para a esquerda, o CEO da Coca-Cola, Roberto Goizueta, Bill Gates e Warren Buffett, na mesa-redonda moderada por Don Keough, na qual Gates, sem querer, ofendeu os brios de Goizueta ao revelar a opinião de Buffett de que a Coca-Cola era mais fácil de comandar do que uma empresa de tecnologia.

Susie Jr. aponta o discreto número na camisa de beisebol do pai – $1/16$ – porque as ações, no passado, tinham preço em "frações" de dólar.

Warren entre as irmãs Roberta e Doris.

Completamente concentrado durante uma partida de bridge entre as equipes da Corporate America (à qual pertencia) e do Congresso americano, em 1989.

Com Kay Graham na sua casa em Martha's Vineyard.

Um brinde e uma saudação de improviso na recepção do casamento de Melinda e Bill Gates, em 1994.

Durante férias com os Gates, em 1998, no auge da crise da Long-Term Capital Management, Buffett tenta conseguir sinal para o seu celular, em pleno Grand Canyon.

Reencontro, em 1995, dos integrantes fundadores do Grupo Graham. A partir da esquerda, Buffett, Tom Knapp, Munger, Roy Tolles, Sandy Gottesman, Bill Scott, Marshall Weinberg, Walter Schloss, Ed Anderson e Bill Ruane.

Warren e Susie fantasiados de Mickey e Minnie, num evento da ABC-Cap Cities, em 1997.

Buffett montando um camelo, em 1995, durante viagem à China com Bill e Melinda Gates.

Mas a Salomon investiu 116 milhões de dólares na joint venture pensando que o petróleo seria crucial para o futuro da Rússia e que o capital ocidental seria necessário para extrair aquele petróleo. Mas, embora Buffett dissesse que *"o país não vai fugir, nem o petróleo"*, o sistema político russo podia mudar. Nenhuma margem de segurança era capaz de cobrir isso.[40]

Naturalmente, logo que a joint venture White Nights iniciou suas operações, o governo russo começou a brincar com um imposto sobre a exportação de petróleo. O imposto quase secou o lucro da White Nights. Depois o volume da produção de petróleo se mostrou decepcionante. Nababos russos voavam para os Estados Unidos e esperavam ser entretidos por prostitutas. O governo russo era imprevisível e cooperava pouco, o que provocou retrocessos do início ao fim. Alguém ia ganhar muito dinheiro com petróleo na Rússia, mas não seria a Salomon Inc.

A Rússia, no entanto, era simplesmente um assunto secundário na época. Em 1989, os Estados Unidos estavam obcecados com a possibilidade de serem sobrepujados pelo sol nascente do Japão. A Salomon investira grandes somas no Japão e estava se saindo bem lá. Sua empresa recém-estabelecida crescia rapidamente, já tinha centenas de empregados e ganhava dinheiro sob a direção de Deryck Maughan, que astutamente aproveitava o talento local. Buffett, que geralmente não comprava ações estrangeiras e achava as ações japonesas em especial escandalosamente caras, mostrava pouco interesse em qualquer coisa relacionada ao Japão. Katharine Graham, porém, desenvolveu uma fascinação por Akio Morita, um dos homens de negócios mais brilhantes do mundo. Morita era presidente do conselho da Sony, uma das corporações mais bem-sucedidas do planeta. Graham reuniu os dois homens num de seus jantares, mas não houve grande empatia entre eles.

Finalmente, durante uma das visitas de Buffett a Nova York, Morita-san organizou um pequeno jantar para Graham, Buffett e Meg Greenfield em seu apartamento na Quinta Avenida com vista para o Metropolitan Museum. Buffett, que parecia levemente desconcertado pelo interesse de Graham por aquele homem visionário – observando de má vontade que Graham *"estava meio encantada por Morita"* –, concordou em ir.

Buffett nunca tinha experimentado comida japonesa, mas sabia que podia ser algo problemático. Ele fora a muitos eventos nos quais só comeu os pãezinhos do couvert. Podia facilmente ficar sete ou oito horas seguidas sem comer. No entanto, não gostava de ofender seus anfitriões e, como a sua reputação crescera em importância, achava que não podia fingir que comia cortando os alimentos e deslocando-os no prato. As pessoas percebiam.

Um lado do apartamento de Morita tinha uma ampla vista para o Central Park; o outro, uma ampla vista da cozinha de sushis. Um ponto alto para os convidados era a oportunidade de observar os quatro *chefs* preparando a elaborada refeição, através de uma janela de vidro.

Quando se sentaram para jantar, Buffett olhou para os *chefs*. "O que vai acontecer?", ele se perguntou. Como convidado de honra, ele estava sentado de frente para a cozinha. Havia palitinhos sobre uma pequena base, galhetas mínimas e tigelas de molho de soja. Ele já sabia que não gostava de molho de soja. O primeiro prato foi servido. Todos o comeram avidamente. Buffett murmurou uma desculpa. Fez sinal para que seu prato cheio fosse levado embora. O prato seguinte chegou. Buffett não conseguia identificá-lo, mas o olhava com temor. Viu que Meg Greenfield, que tinha hábitos alimentares semelhantes aos dele, também estava tendo dificuldades. A Sra. Morita, sentada ao seu lado, sorria educadamente e mal falava. Buffett murmurou outra desculpa. Mais uma vez sinalizou para que o garçom retirasse o seu prato. Com os seus pratos voltando intactos para a cozinha, ele tinha certeza de que os *chefs* haviam notado.

O garçom trouxe outro prato inidentificável, com algo que parecia borrachudo e cru. Kay e os Morita comiam com entusiasmo. A Sra. Morita sorriu educadamente mais uma vez quando ele deu uma terceira desculpa. Buffett se contorceu. Ele gostava de carne malpassada, mas não comia peixe cru. O garçom levou os pratos. Os *chefs* permaneciam de cabeça baixa. Buffett estava suando. Suas desculpas estavam chegando ao fim. Os *chefs* pareciam ocupados, mas ele tinha a certeza de que deviam estar olhando de esguelha, por trás do vidro, para ver o que ele faria. Os pratos se sucediam, e todos voltavam intactos. Ele imaginou ter ouvido um pequeno cochicho na cozinha. Quantos pratos mais podia haver? Ele não havia percebido que existiam tantas coisas assim no planeta que podiam ser comidas cruas. A Sra. Morita parecia ligeiramente constrangida, mas ele não tinha certeza, porque ela sorria educadamente o tempo todo e falava muito pouco. O tempo parecia se arrastar ainda mais a cada novo prato. Ele estivera contando, e já eram mais de 10. Tentou compensar seus lapsos culinários com uma conversa perspicaz e autodepreciativa sobre negócios com Morita-san, mas sabia que estava fazendo feio. E, mesmo em meio a seu constrangimento, ele não podia parar de pensar com desejo em hambúrgueres. Tinha a certeza de que os murmúrios na cozinha aumentavam de volume a cada prato que ele devolvia. Depois de 15 pratos, ele ainda não havia comido nem um bocado. Os Morita não podiam ter sido mais educados, o que aumentava a sua humilhação. Ele estava desesperado para fugir de volta para o apartamento de Kay, onde pipoca, amendoins e sorvete de morango o esperavam.

"*Foi a pior de todas*", ele disse a respeito da refeição que não comeu. "*Já tive outras semelhantes, mas aquela foi de longe a pior de todas. Nunca mais vou tocar em comida japonesa."*

Enquanto isso, centenas de funcionários da Salomon, que teriam subido a Quinta Avenida de joelhos e com uma venda nos olhos para participar desse mesmo jantar com os Morita, estavam comendo em restaurantes japoneses caros e se amotinando por causa de seus vultosos cheques de bonificação. O valor dos cheques em si não era a questão. O problema era o valor deles em comparação com os cheques polpudos de outras pessoas importantes. Buffett e Munger sabiam pouco a respeito dos problemas que estavam fermentando na Salomon. Os arbitradores de Meriwether estavam se rebelando para conseguir mais dinheiro. Os ex-professores universitários, cujos salários em seus antigos empregos eram de 29 mil dólares por ano, achavam que estavam subsidiando departamentos deficitários, como o de *equity investment banking*. Consideravam o compartilhamento de seus lucros "socialismo".[41] Os arbitradores podiam ganhar mais sozinhos. Queriam uma parte das centenas de milhões de dólares que ganhavam para a empresa.[42] Embora fosse tímido a ponto de ter problemas para manter contato visual, Meriwether se tornara então o mais agressivo e bem-sucedido negociador de bonificações. Gutfreund cedeu e deu aos arbitradores 15% do valor que eles geravam,[43] o que significava que eles tinham o potencial de ganhar muito mais do que os operadores, que dividiam com eles o total de bonificações. O acordo foi feito em segredo entre Gutfreund e o presidente da Salomon, Tom Strauss; o conselho de administração e os outros funcionários da Salomon não ficaram sabendo de nada – naquele momento.

Em 1991, Buffett e Munger sofreram uma série de decepções e reveses na Salomon. Os resultados financeiros que recebiam nem sempre estavam atualizados. A demanda da equipe por bonificações continuava a crescer. Eles discordavam de boa parte do que acontecia no conselho de administração. A cotação da ação não se movia havia oito anos. Os lucros tinham caído 167 milhões de dólares, sobretudo por causa dos pagamentos aos funcionários.

Buffett, que até então deixara que Munger fizesse o papel do vilão, acordou. Reuniu-se com a comissão executiva e mandou que reduzissem as bonificações. Porém, quando o número do total de bonificações foi revelado, o valor era 7 milhões de dólares *mais alto* do que antes. Seguindo essa nova fórmula que Meriwether, como negociador das bonificações, tinha conseguido para os seus arbitradores, um deles, Larry Hilibrand, obteve um aumento de 3 milhões para 23 milhões de dólares.[44] Quando a notícia do aumento de Hilibrand vazou para a imprensa, alguns dos seus colegas ficaram loucos de inveja e se sentiram enganados – esquecendo os milhões que eles próprios estavam ganhando.

O próprio Buffett não tinha problemas com as bonificações dos arbitradores.

"*Acredito em pagar por talento*", ele diz, "*mas não, como Charlie diria, como se as pessoas fossem aristocratas.*" O acordo parecia a estrutura de taxas de um fundo de hedge e tinha alguma semelhança com a sua antiga sociedade.[45] O resto da empresa se sentiria mais pressionado a ter um bom desempenho. O motivo da sua objeção não estava sendo dito. Ele se opunha ainda mais ao fato de outras pessoas não serem penalizadas por seu desempenho ruim. Gutfreund tinha demonstrado mais senso de proporção do que a maioria dos seus operadores, optando por reduzir em 35% o próprio salário, em função da queda nos lucros.[46] Isso deu-lhe prestígio aos olhos de Buffett, que achava que Gutfreund tinha mais classe do que seus funcionários. Mas o senso de decência de Buffett foi tão ofendido pela ganância dos funcionários que ele superou a inércia natural e votou contra as bonificações para os operadores. Foi derrotado. Quando a notícia do "não" de Buffett se espalhou pelos corredores da Salomon, as pessoas ficaram indignadas. Um bilionário que amava dinheiro os tinha chamado de gananciosos.

Buffett considerava a Salomon um cassino com um restaurante na frente.[47] O restaurante dava prejuízo. Os operadores – especialmente o pessoal de Meriwether – eram o cassino: assumiam riscos sem conflitos de interesses. Essa era a parte do negócio de que Buffett gostava, e o novo sistema de pagamento tinha sido projetado para evitar que os arbitradores fugissem.[48] Mas, ao tentar operar a empresa com dois sistemas de pagamento distintos, como se realmente fosse um cassino com um restaurante na frente, Gutfreund criou uma fissura no coração da Salomon.

Meriwether e Hilibrand pediram então a Gutfreund permissão para abordar Buffett e comprar de volta suas ações preferenciais conversíveis. Os termos eram tão generosos que estavam custando demais à Salomon. Eles não estavam mais sob a ameaça de uma aquisição. Por que pagar pela proteção de Buffett? Gutfreund disse que eles poderiam conversar com Buffett e tentar convencê-lo de que estaria melhor sem as ações preferenciais. Buffett disse que foi afável quando abordado. Mas o fato de ter Buffett como investidor deve ter dado mais segurança a Gutfreund, pois, no final, ele ficou com medo.[49]

Assim, a promessa de Buffett foi mantida. Tendo investido 700 milhões de dólares da Berkshire e apostado sua própria reputação em John Gutfreund, em 1991 já era tarde demais para recuar.

48
Ficar chupando dedo e seus resultados magros
Nova York – 1991

Na tarde de quinta-feira, 8 de agosto de 1991, Buffett estava dirigindo do lago Tahoe até Reno, Nevada, para o seu fim de semana anual com Astrid e os garotos Blumkin. Ele sempre ansiava por essa viagem e estava relaxado e de bom humor. Mas tinha recebido um telefonema do escritório de John Gutfreund naquela manhã. "Onde você estará hoje à noite, entre 21 horas e meia-noite?", perguntaram. "Queremos falar com você."

Achando aquilo muito estranho, ele disse que ia a um show de música. Então pediram que ele ligasse para a Wachtell, Lipton, Rosen & Katz, o escritório de advocacia que representava a Salomon, às 19h30. "*Hmm*", ele pensou. "*Talvez queiram vender a empresa.*" Pareciam boas notícias. As ações estavam sendo negociadas em torno de 37 dólares, perto de 38, o preço pelo qual suas ações preferenciais seriam convertidas em ordinárias, e ele poderia pegar o lucro e encerrar sua história com a Salomon. Gutfreund, que tinha o antigo hábito de ligar para pedir conselhos, talvez precisasse de sua ajuda para negociar as condições.

Buffett passou uma tarde agradável em Reno, onde ficou relembrando o passado. Em 1980 tinham-lhe oferecido o acervo completo de um marco de Reno, a Coleção Harrah do National Automobile Museum: 1.400 carros, que cobriam vários hectares de terra, incluindo um Rolls-Royce Salamanca de 1932, um Mercedes Targa Florio Racer de 1922, um cupê Bugatti de 1932, uma Ferrari de 1955 e um Pierce-Arrow de 1913. A coleção inteira teria custado menos de 1 milhão de dólares. Ele hesitou, mas acabou recusando a oferta. Alguns anos mais tarde, parte da coleção – centenas de carros – foi leiloada por um total de 69 milhões de dólares. Um carro sozinho, o Bugatti Royale, foi vendido a um incorporador de Houston por 6,5 milhões de dólares.

Às 19h30, ele e seu grupo voltaram para o lago Tahoe. "*Chegamos ao hotel, e o resto das pessoas entrou no restaurante. Eu disse: 'Talvez eu demore um pouco.' Encontrei uma cabine telefônica do lado de fora e disquei o número que tinham me dado.*" Buffett esperava falar com Gutfreund, mas este estava num avião, vindo de Londres, onde tentara salvar o contrato da firma numa negociação com a British Telecom, e o voo estava atrasado. Buffett ficou esperando um bom tempo enquanto se desenrolava uma conversa do outro lado da linha sobre a conveniência de dar prosseguimento ao assunto. Finalmente Tom Strauss e Don Feuerstein pegaram o telefone para revelar a Buffett o que estava acontecendo – ou, pelo menos, uma versão dos fatos.

Tom Strauss, 49 anos, estava lá para proteger Gutfreund. Ele fora nomeado presidente da Salomon cinco anos antes, durante o Grande Expurgo de 1987.[1] Responsável pelos negócios internacionais da empresa, também ficara encarregado da tarefa extenuante de colocar em forma a divisão de participações acionárias, que sempre ficara em segundo plano. Como a história recente mostrava, porém, as habilidades gerenciais não eram cultivadas na Salomon. Os chefes guerreiros se reportavam diretamente a Gutfreund, se é que se reportavam a alguém. O poder que eles tinham era proporcional aos lucros que seus grupos geravam. Strauss podia ser tecnicamente o presidente da Salomon, mas fora promovido a uma posição tão elevada que parecia flutuar, distante do pavimento das operações, como um balão de hélio. Periodicamente os chefes guerreiros o empurravam para fora de seu caminho.

Don Feuerstein, chefe do departamento jurídico da Salomon, já tinha desempenhado um papel importante na SEC e era visto como um excelente advogado empresarial.[2] Ele era o conselheiro de Gutfreund, apelidado de POD, "*Prince of Darkness*"[3] (Príncipe das Trevas), pelo trabalho sujo que realizava nos bastidores. Os chefes guerreiros da Salomon, acostumados a fazer o que bem entendiam, trabalhavam com o auxílio de advogados que se reportavam a Feuerstein, entre eles Zachary Snow, advogado-chefe das operações de trading. A estrutura de chefes guerreiros tornava o departamento jurídico ao mesmo tempo forte e fraco; ele guiava a empresa da mesma maneira que a maioria das coisas acontecia na Salomon: servindo a grupos e reagindo a acontecimentos. A cultura de negociação da Salomon tinha sido incorporada com tanta força que até Feuerstein era negociador, operando uma espécie de cooperativa vinícola em nome de vários diretores executivos. O seu fax cuspia constantemente notícias sobre leilões de vinho, uma ocupação secundária rentável para os participantes da cooperativa, com seu produto sendo mais negociado do que bebido.[4]

Mas naquela noite ninguém estava brindando a nada. Feuerstein sabia que Buffett e Gutfreund eram amigos. Sentia-se desconfortável ao ter que dar informações delicadas a Buffett, quando era Gutfreund que devia estar na linha. Citando uma série de relatórios preliminares, ele e Strauss disseram a Buffett que "um problema" tinha surgido. Uma investigação da Wachtell, Lipton revelou que Paul Mozer, que dirigia o departamento de títulos governamentais da Salomon, tinha infringido as regras do Departamento do Tesouro sobre lances em licitações, em 1990 e 1991, várias vezes. Mozer e seu adjunto, que era na verdade seu cúmplice, estavam suspensos, e a empresa estava notificando a agência reguladora.

"*Quem diabos é Paul Mozer?*", Buffett se perguntou.

Paul Mozer, 36 anos, vendia títulos em Chicago e tinha sido contratado pelo escritório de Nova York. Ele era intenso como um feixe de laser e começava seu dia antes de o sol raiar, parado na frente de um monitor em seu quarto, fazendo negociações ou recebendo telefonemas de Londres. Então corria alguns quarteirões do seu pequeno apartamento em Battery Park City até o novo e enorme salão de operações da Salomon, no reluzente espaço em granito rosa do 7 World Trade Center. Lá, ele acompanhava outra série de monitores até depois do pôr do sol e supervisionava 20 operadores, que, em sua maioria, eram bem maiores que a sua figura baixa e magra. Mozer era inteligente e hiperagressivo, mas também dava a impressão de ser frustrado e inseguro, um cara esquisito. Apesar de ter crescido em Long Island, ele parecia um caipira do Meio-Oeste entre os elegantes nova-iorquinos. Fora um dos arbitradores de Meriwether até Craig Coats, chefe do setor governamental, renunciar. Pediram que ele assumisse o cargo. Mozer ainda trabalhava para Meriwether, mas estava do lado de fora observando seu antigo grupo. Gutfreund, que estava sendo pressionado por Buffett e pelo conselho para melhorar os números, tinha acrescentado o departamento de câmbio às responsabilidades de Mozer; em poucos meses ele deu uma guinada naquele "buraco negro", tornando-o rentável.[5] Portanto, Gutfreund tinha motivos para ser grato a Mozer.

Embora Mozer fosse áspero e arrogante, como se considerasse as outras pessoas idiotas em comparação a ele, aqueles que trabalhavam no seu círculo gostavam dele. Ao contrário do que acontecia no infame setor de hipotecas da Salomon, ele não abusava dos trainees, mandando que saíssem correndo para comprar 12 pizzas de uma só vez. Às vezes ele até *falava* com os trainees.

Por seu trabalho, Mozer recebeu 4,75 milhões de dólares naquele ano. Era muito dinheiro, mas não o suficiente. Mozer era extremamente competitivo e estava com raiva. Algo dentro dele desencadeou uma reação quando descobriu que seu ex-colega Larry Hilibrand tinha ganhado 23 milhões de dólares num acordo secreto. Ele costumava ganhar mais do que os arbitradores[6] e ficou possesso.[7] A sua reação foi tão forte que ele exigiu que seu departamento não fosse auditado – como se, de alguma maneira, não estivesse sujeito a supervisão.[8]

Mozer era um dos poucos homens que se reuniam regularmente com representantes do governo americano para discutir questões financeiras. Ele falava com o pessoal do Federal Reserve quase diariamente e jantava a cada duas semanas com os burocratas do Departamento do Tesouro no Madison Hotel. Representando a Salomon como um *primary dealer*, ele oferecia ao governo conversas e conselhos sobre o mercado e, em troca, era o primeiro da fila dos grandes clientes sempre que o governo queria vender dívidas – como um membro do Colégio dos Cardeais que se sentava do lado direito do Papa.

Apenas os *primary dealers* podiam comprar títulos diretamente do governo. Todos os outros tinham que fazer lances através dos *primary dealers*, que agiam como corretores. Isso dava aos *dealers* a influência proporcionada pelo acesso ao poder e uma enorme participação de mercado. Conhecendo as necessidades tanto dos clientes quanto do governo, os *dealers* obtinham lucro do diferencial entre a oferta e a demanda. Mas essa posição de poder exigia uma dose de confiança proporcional. O governo esperava que os *primary dealers* se comportassem como cardeais que estivessem celebrando uma missa. Sim, eles bebiam primeiro do cálice da comunhão, mas não podiam ficar bêbados nem envergonhar a Igreja.

À medida que um leilão se aproximava, os *primary dealers* entravam em contato com os clientes sondando-os para apurar seu apetite por títulos. A percepção de Mozer em relação ao apetite do mercado se convertia no lance da Salomon. Poucos segundos antes de o relógio soar 13 horas no dia marcado, os *dealers* ligavam para os "mensageiros", que ficavam ao lado de uma parede de telefones no prédio do Federal Reserve, no centro da cidade, esperando para anotar os pedidos à mão e correr para depositá-los na caixa de madeira do funcionário do Fed. Ao bater das 13 horas, o funcionário colocava a mão sobre a fenda. O leilão estava encerrado. O governo usava esse sistema antiquado fazia décadas.

A tensão inerente ao mercado estava nos interesses opostos do Tesouro e dos *dealers* em relação a preços e quantidades. O Tesouro leiloava apenas uma certa quantidade de títulos e queria o preço mais alto, ao passo que os *dealers* queriam pagar o suficiente para obter uma fração maior que a dos outros, mas não mais do que o necessário, pois isso prejudicaria os lucros de revenda. Esses lances eram calibrados com tanta precisão que eles negociavam aumentos de um milésimo de dólar. Isso parece ser quase nada, mas a fração de um milésimo de dólar representava uma fortuna. Em 100 milhões de dólares, valia 100 mil. Em 1 bilhão de dólares, valia 1 milhão. Como os títulos do governo eram menos rentáveis que hipotecas e títulos de empresas, os títulos do Tesouro tinham de ser negociados em blocos grandes, para que os *dealers* e os gestores de recursos ganhassem dinheiro suficiente para a operação valer a pena.

Combinada à necessidade de negociações desse porte estava a decisão do governo de trabalhar com grandes *dealers* – aqueles que conheciam bem o mercado e tinham poder para distribuir muitos títulos. A Salomon era de longe o maior *dealer*. No início dos anos 1980, o Tesouro permitia que qualquer firma comprasse por conta própria até metade de uma determinada emissão de títulos. A Salomon geralmente "derrubava" um leilão dessa maneira, depois guardava os títulos por tempo suficiente para "espremer" qualquer um que tivesse vendido títulos do Tesouro a descoberto – tendo apostado que os preços cairiam – porque não havia títulos disponíveis para que os vendedores a descoberto comprassem para cobrir suas posições. Os preços disparavam, os vendedores gritavam, a mesa de operações explodia de alegria e a Salomon exultava com seu enorme lucro – e se firmava como rei de Wall Street. A derrubada de leilões engordava os lucros, geralmente magros, oriundos dos títulos do governo – e espalhava uma inebriante névoa de testosterona sobre a seção até então enfadonha, na qual os monótonos negociantes daqueles títulos passavam o tempo inteiro sentados às suas mesas.

Sensível às reclamações, o Tesouro reduziu o limite, estipulando que nenhum *dealer* individual poderia comprar mais do que 35% dos títulos à venda, o que dificultava que um leilão fosse "derrubado". *Squeezes* ("espremidas") menores ainda ocorriam, mas a Salomon não dominava mais sozinha o mercado. Naturalmente a nova regra não era muito popular na empresa. Como o total de lances excedia o de títulos ofertados, o Tesouro também os dividia proporcionalmente entre todos, o que significava que uma firma que quisesse comprar 35% tinha que fazer um lance para mais de 35%, um ato de verdadeiro malabarismo.

Então, sob vários aspectos, a restrição tornou os lucros mais difíceis no setor governamental da Salomon. Mas a névoa de testosterona não se dissipou. Mozer testou a paciência do Tesouro duas vezes em 1990, fazendo lances para mais de 100% de todos os títulos a serem emitidos. Michael Basham, que comandava os leilões, disse para ele não fazer mais aquilo. Mozer foi mandado para um "café da manhã de desculpas" com Bob Glauber, subsecretário do Tesouro, ocasião em que pronunciou algumas palavras de justificativa mas não se desculpou realmente. Disse que os lances para uma quantidade excessiva de títulos eram do interesse do governo, porque aumentavam a demanda pelos títulos.[9] Sem se deixar convencer, Basham mudou as regras para que nenhuma firma pudesse fazer lances para mais de 35% dos títulos por conta própria. A limitação dos lances significava que a Salomon talvez não conseguisse mais chegar ao limite de 35% dos títulos.

Feuerstein leu para Buffett uma cópia de um comunicado à imprensa da Salomon, que seria emitido na manhã seguinte, mas antes, naquela noite, seria explicado a todos os membros do conselho. O comunicado descrevia como Mozer reagira a esse confronto com Basham, apresentando lances não autorizados que ultrapassavam os limites impostos pelo governo nos leilões de dezembro de 1990 e fevereiro de 1991.

Feuerstein deu a Buffett uma versão abreviada dos acontecimentos e disse que já tinha conversado longamente com Munger, que estava na sua cabana em Minnesota.[10] Munger disse a ele algo como "ficar chupando dedo" e acrescentou: "As pessoas fazem isso o tempo todo."[11] Buffett reconheceu a expressão "chupar dedo" como algo que Munger usaria para falar de procrastinação, mas não se preocupou muito. Feuerstein não mencionou mais nada do que fora discutido na longa conversa com Munger, e Buffett não parou para pensar de quem era o dedo que estava sendo chupado. Sete ou oito minutos mais tarde desligou o telefone, reconhecendo que aquela não era a boa notícia que estava esperando, mas sem se sentir alarmado o suficiente para telefonar imediatamente para Munger. Ele falaria com Munger no fim de semana, mas, por enquanto, ia aproveitar o lago Tahoe. Depois foi se juntar a Astrid e aos Blumkin na sala de jantar, onde eles estavam saboreando um filé antes de irem a uma apresentação de Joan Rivers e Neil Sedaka.

Enquanto Buffett assistia ao espetáculo, o avião de John Gutfreund proveniente de Londres finalmente aterrissou. Naquela noite, Gutfreund, Strauss e Feuerstein tiveram uma conversa com Richard Breeden e Bill McLucas, autoridades do alto escalão da SEC. Os três também ligaram para Gerald Corrigan, presidente do Federal Reserve em Nova York.

Usando uma série de diferentes relatórios preliminares, Gutfreund e Strauss revelaram a Breeden, McLucas e Corrigan mais sobre a história que o conselho da Salomon acabara de ouvir. Mozer não tinha feito apenas lances para uma quantidade excessiva de títulos. Para contornar o limite de 35% no leilão do Tesouro de fevereiro de 1991, ele apresentou um lance falso em nome de um cliente e acumulou os títulos obtidos na conta da Salomon. Na verdade, ele fez mais do que apenas um lance falso no leilão. Quanto ao motivo para esses lances não terem sido informados mais cedo, explicaram que o atraso foi um deslize. No entanto, a SEC e o Tesouro estavam investigando Mozer, pois ele conseguira realizar um enorme *squeeze* em maio, no leilão de títulos de dois anos. As suas ações estavam sob minuciosa análise dos reguladores. Isso deveria valer também para a Salomon. Como o atraso podia ser um deslize? Os reguladores teriam que analisar se essa confissão indicava algum grave problema sistêmico na Salomon.

De todo modo, essas admissões seriam altamente constrangedoras para o Tesouro e o Federal Reserve. Corrigan ficou chocado com o fato de a empresa não o ter procurado para dizer que já tinha demitido Mozer e criado um programa corretivo envolvendo a criação de novos controles. Mas esperava que algo assim fosse anunciado nas 24 ou 48 horas seguintes. Depois disso, ele "os manteria em observação por um tempo, esperando resolver assim a questão". Corrigan lembra que disse a Gutfreund e Strauss, "de maneira paciente e impessoal", que eles deviam divulgar imediatamente essas informações para o público. Com base no que sabia, ele supunha que o incidente podia tomar grandes proporções e se tornar um "problema muitíssimo significativo".[12] No entanto, a seu ver, Strauss e Gutfreund não entenderam isso plenamente. De fato, fazendo um retrospecto, o fato de Gutfreund ter ido para Londres, colocando nas mãos de uma companhia aérea a sua capacidade de participar de conversas telefônicas com Buffett, Munger e os outros diretores, era em si um sinal revelador.

No dia seguinte, 9 de agosto, uma sexta-feira, Buffett se divertia com Astrid e os Blumkin andando pelas calçadas de madeira de Virginia City, a cidade fantasma da corrida do ouro no Velho Oeste. Ligou para o escritório. Nada de urgente estava acontecendo. Ninguém da Salomon tinha ligado para ele. A Salomon emitira o comunicado à imprensa descrevendo os acontecimentos em termos bastante brandos. Todavia, as ações caíram 5%, chegando a 34,75 dólares.

No sábado, Buffett ligou para Munger, em sua cabana em Star Island, Minnesota. Munger, impassível, contou uma história muito mais detalhada e alarmante. Feuerstein, lendo uma lista do relatório preliminar, dissera que "uma parte do problema era conhecida desde abril". Ao serem lidas para os outros diretores, inclusive Buffett, essas mesmas palavras tiveram o efeito de uma informação técnica que na verdade não esclarecia os fatos.[13] Mas Munger logo percebeu o jargão jurídico e a voz passiva, o que o deixou irritado. O que queria dizer "era conhecida"? O que exatamente era conhecido? E por quem?[14] Pressionado, Feuerstein fez para Munger uma exposição muito mais detalhada dos eventos, semelhante ao relato feito a Corrigan.[15]

Feuerstein relatou que Mozer recebera uma carta do Departamento do Tesouro em abril dizendo que estavam investigando um de seus lances.[16] Percebendo que o jogo tinha terminado, ele procurou em 25 de abril seu chefe, John Meriwether, e fez uma espécie de confissão. Ele contou que em fevereiro, para contornar o limite de 35%, fizera não apenas um lance em nome da Salomon, mas também apresentara lances falsos em nome de clientes de verdade.[17] Mozer jurou a Meriwether que essa tinha sido a única vez e que nunca mais faria aquilo.

Meriwether reconheceu imediatamente que esse problema "ameaçava a sua carreira". Disse isso a Mozer e relatou a situação a Feuerstein e Strauss. Em 29 de abril, os três procuraram Gutfreund e lhe contaram o que Mozer tinha confessado. Gutfreund – eles disseram mais tarde – ficou extremamente irritado quando soube dos fatos.

Portanto, em abril Gutfreund sabia. Strauss sabia. Meriwether sabia. Feuerstein, o advogado-chefe, sabia. Todos sabiam.

Na época, Feuerstein informou a Gutfreund que as atitudes de Mozer pareciam criminosas. Mas ele não acreditava que a empresa fosse juridicamente obrigada a relatar o fato. Mas Feuerstein tinha a certeza de que a Salomon teria sérias dificuldades com os reguladores se não fizesse algo, portanto o Federal Reserve deveria ser informado. Gutfreund disse que cuidaria disso. Curiosamente, porém, nenhum plano específico foi traçado para que alguém fosse ao prédio ornado em estilo italiano do Federal Reserve dar a notícia a Jerry Corrigan. Além disso, tendo concluído que o lance falso era um "ato aberrante, que aconteceu só uma vez", eles decidiram manter Mozer como encarregado do departamento governamental. Ao ouvir isso, Munger disse: "Isso é ficar chupando dedo. As pessoas fazem isso o tempo todo." Mais tarde ele explicou que com "chupar dedo", queria dizer "ficar lá pensando e investigando, refletindo e consultando, quando você deveria estar agindo."[18]

Munger disse a Buffett que tinha contestado o comunicado à imprensa: o conhecimento prévio da direção não deveria ser divulgado? Feuerstein disse que sim, que deveria ser divulgado, mas decidiram não fazê-lo porque a diretoria da Salomon considerava que a divulgação ameaçaria o financiamento da empresa. A Salomon tinha dezenas de bilhões de dívidas em notas promissórias comerciais de curto prazo, que eram roladas diariamente. Se a informação vazasse, os credores se recusariam a renovar as dívidas. Para Munger, "dificuldades de financiamento" era o mesmo que "pânico financeiro".[19] Sem poder de barganha para insistir, cedeu, mas ele e Buffett concordaram então que era necessário divulgar mais informações. Prepararam-se mentalmente para o que viria a seguir.

Dois dias depois, na manhã de segunda-feira, 12 de agosto, o *Wall Street Journal* relatou os supostos detalhes com uma manchete escandalosa: "O grande *squeeze*: admissão de infrações na negociação com títulos do Tesouro sacode o mercado – a participação da firma em um leilão pode ter chegado a 85% – investigações em curso – quanto os chefes sabiam?" A matéria mencionava a possibilidade de "ações cíveis públicas por manipulação do mercado, violações dos dispositivos antifraude da lei de valores mobiliários, declarações falsas perante autoridades federais", além de "violações de livros e registros contábeis" e "processos criminais" por "fraude tanto eletrônica quanto postal".[20]

Gutfreund ligou para Buffett e parecia calmo. Buffett achou que ele acreditava que toda aquela situação significaria apenas "uns poucos pontos nas ações". À luz do desastroso artigo, Buffett considerou aquela atitude irreal, um sinal de que Gutfreund achava que o caso ainda podia ser contornado.[21] Parecia coerente com a tranquilidade injustificada de Gutfreund na semana anterior. Buffett pressionou para que mais informações fossem divulgadas. A tesouraria da Salomon estava tendo dificuldades em rolar suas notas promissórias comerciais, o que significava que os credores já começavam a mostrar sinais de nervosismo.[22]

Enquanto isso, Munger tentava entrar em contato com Marty Lipton, da Wachtell, Lipton, que, além de advogado externo da Salomon, era o melhor amigo de John Gutfreund. Lipton estava tão ligado à Salomon que os botões de discagem rápida do telefone de Donald Feuerstein ligavam para a mulher, para as casas de leilões Sotheby's e Christie's e para Marty Lipton, não necessariamente nessa ordem.[23] Munger sabia que Lipton e seu telefone eram tão inseparáveis quanto Buffett e o *Wall Street Journal*. Contudo, como os telefones celulares ainda eram tão raros que nem mesmo sócios de grandes escritórios de advocacia os usavam, Munger dependia do escritório da Wachtell, Lipton, que, conforme ele diria mais tarde para a SEC, tinha "o melhor sistema telefônico para encontrar Marty Lipton a qualquer hora do dia ou da noite que eu já vi... Acho que era possível encontrá-lo até mesmo se ele estivesse fazendo sexo".[24]

Nunca foi especificado se Lipton estava na horizontal quando Munger ligou para ele, mas Munger o atormentou para preparar outro comunicado à imprensa, dizendo que o primeiro tinha sido inadequado. Lipton concordou em convocar o conselho para uma teleconferência, para discutir essa questão, na quarta-feira.

Não é de surpreender que Jerry Corrigan, no Federal Reserve, tenha ficado ainda menos satisfeito do que Munger com a reação branda da Salomon. Naquela segunda-feira, 12 de agosto, ele decidiu mandar Peter Sternlight, um de seus vice-presidentes executivos, escrever o rascunho de uma carta à Salomon, Inc. afirmando que as atitudes da empresa colocavam em questão "a continuidade do seu relacionamento comercial" com o Fed e que estava "profundamente preocupado" com a incapacidade da firma de divulgar objetivamente o que sabia. A Salomon teria 10 dias para relatar todas as "irregularidades, violações e deslizes" que tivesse descoberto.

À luz da conversa que Corrigan tivera com Strauss e Gutfreund, essa carta representava uma ameaça mortal. Se o Fed rompesse o relacionamento comercial do governo com a Salomon, os clientes e credores abandonariam a empresa em bando. As consequências seriam enormes e imediatas.

A Salomon tinha o segundo maior balanço dos Estados Unidos – maior do que o da Merril Lynch, do Bank of America ou da American Express. Quase todos os seus empréstimos eram dívidas de curto prazo que podiam ser cobradas pelos credores em dias ou, no máximo, semanas. Apenas 4 bilhões de dólares em participação patrimonial sustentavam dívidas de 146 bilhões de dólares. Dezenas de bilhões de dólares estavam pendentes fora do balanço diariamente, talvez o valor chegasse a 50 bilhões de dólares por dia em transações não compensadas – transações executadas, mas ainda não liquidadas. Essas transações seriam suspensas no meio do caminho. A Salomon também tinha centenas de bilhões de títulos de dívidas de derivativos que não estavam registrados em lugar nenhum do seu balanço – *swaps* de taxas de juros, *swaps* de câmbio, contratos futuros –, uma engrenagem maciça e intricada de títulos de dívida com parceiros em todo o mundo, dos quais muitos, por sua vez, tinham outros contratos correlatos em circulação, tudo parte de uma vasta e complexa rede financeira global. Se o financiamento desaparecesse, os ativos da Salomon teriam que ser vendidos – mas, embora o financiamento pudesse desaparecer em alguns dias, os ativos demorariam para ser liquidados. O governo não tinha uma política nacional para fornecer empréstimos a bancos de investimentos vacilantes, porque eles eram "grandes demais para falir". A empresa podia derreter da noite para o dia.[25]

Corrigan recostou-se na sua cadeira, confiante de que, depois que a Salomon recebesse a carta de Sternlight, a diretoria perceberia a arma carregada encostada em sua cabeça e reagiria adequadamente.

Na Salomon, depois do comunicado à imprensa e da matéria do *Wall Street Journal*, os boatos corriam soltos. No final da tarde de segunda-feira foi organizada uma reunião ampla no grande auditório do térreo. Cerca de 500 pessoas se amontoavam lá dentro, enquanto centenas, talvez mais, nos andares superiores e nos escritórios da Salomon pelo mundo, olhavam pelos monitores do circuito interno de televisão. Gutfreund e Strauss guiaram a plateia-público por uma versão "*baked Alaska*" dos eventos: um merengue crocante na superfície ocultava uma surpresa gelada. Depois Bill McIntosh, chefe do departamento de títulos, foi chamado ao escritório de Gutfreund, onde encontrou Gutfreund, Strauss e Marty Lipton, "três homens muito assustados". Mais cedo, naquele mesmo dia, ele tinha pedido a cabeça de Gutfreund, mas, surpreendentemente, eles perguntaram o que ele pensava da situação. McIntosh pediu mais explicações; ele achava que a versão geral e o comunicado à imprensa tinham sido enganadores.[26] Ele e o advogado-chefe assistente Zach Snow acabaram sendo recrutados para redigir um novo comunicado à imprensa.

Na manhã seguinte, McIntosh e Snow começaram a redigir um esboço. Por volta de meio-dia, McIntosh foi contar o que estava acontecendo a Deryck Maughan, o vice-presidente responsável pelas atividades de banco de investimentos, que voltou correndo das operações na Ásia. Maughan sabia que estava ouvindo o arauto de um desastre. Foi atrás de Snow e se lançou sobre ele dizendo: "É melhor que você esteja contando toda a verdade a um vice-presidente."

Mas Snow não tinha intenção de esconder nada de Maughan. Começou a falar e contou o que se espalhara nos bastidores. Explicou que em abril, depois que Mozer fizera sua primeira confissão a respeito do leilão de fevereiro, Meriwether pediu que Mozer não fosse demitido, apesar de Feuerstein ter dito que acreditava que os atos de Mozer fossem de natureza criminosa. Snow soube – em segredo – da situação. Um mês depois, Mozer ainda dirigia o setor governamental; Feuerstein estava pressionando Gutfreund a abrir o jogo e Gutfreund lhe dizia que o faria. Mas na verdade ninguém havia contado ao governo. Nesse ínterim, Meriwether foi encarregado de ficar de olho em Mozer, que supostamente se regenerara.

Então, no final de maio, Mozer pediu financiamento para fazer um lance que cobria mais de 100% do leilão de títulos de dois anos. Embora parte do financiamento fosse para supostamente cobrir lances de clientes, John Macfarlane, o tesoureiro da Salomon, ficara alarmado. Achou que fosse um aviso óbvio e convocou uma reunião com Snow e Meriwether. Snow tinha procurado Feuerstein, seu chefe, que concordou que aquele era um pedido abusivo. Decidiram não dar os recursos a Mozer.[27]

Mas Mozer já tinha manipulado secretamente os lances e o dinheiro.[28] Conseguindo escapar dos olhos de seus supervisores, apresentou um lance suspeito e conseguiu "derrubar" um leilão. A Salomon acabou ficando com 87% dos títulos do Tesouro. Depois disso a firma e um pequeno grupo de clientes controlavam os títulos de dois anos. O preço disparou.[29] As perdas alheias ocasionadas pelo *squeeze* superaram 100 milhões de dólares e muitas firmas pequenas sofreram tanto que tiveram que apresentar pedido de falência.[30]

Dentro da Salomon, o *squeeze* causou muita ansiedade. Na imprensa, a firma era retratada por suas concorrentes como um pirata de Wall Street. Os membros do conselho, inclusive Buffett, expressaram numa reunião a sua indignação com o fato de a Salomon ter controlado daquela maneira o mercado de títulos de dois anos. Feuerstein fez com que Snow iniciasse uma investigação interna sobre o *squeeze* de junho. Acabou sendo revelado que Mozer tinha jantado com dois clientes do fundo de hedge pouco antes do leilão e aqueles clientes tinham feito lances que faziam parte do *squeeze*. Em retrospecto, o jantar indicava um possível conluio e manipulação do mercado. Mas, por falta de provas, Mozer deu uma explicação e se livrou das acusações.[31] Gutfreund marcou uma reunião com as autoridades do Tesouro e do Fed para tentar consertar a situação do *squeeze*. Quando, em meados de junho, foi encontrar Bob Glauber, ficou sentado no sofá fumando o seu charuto. Apresentou um mea culpa a Glauber pelos efeitos posteriores do *squeeze* e se ofereceu para cooperar com o Tesouro – mas defendeu Mozer das alegações de manipulação intencional do leilão de maio. E não mencionou o resto que sabia, deixando de fora qualquer referência aos lances falsos de Mozer no leilão anterior. No entanto, em resposta ao *squeeze* e aos desentendimentos anteriores com Mozer, a SEC e a Divisão Antitruste do Departamento de Justiça começaram, sem que ninguém na Salomon soubesse, a investigar a empresa.

Cerca de uma semana depois da reunião com Glauber, Gutfreund, Strauss e Meriwether se encontraram para avaliar se a firma deveria abrir o jogo com o Tesouro a respeito do leilão de fevereiro. Como o alvoroço por causa do *squeeze* ainda não tinha diminuído, decidiram ficar calados. Acharam que não era o momento certo. Dias mais tarde a SEC enviou à Salomon uma carta pedindo informações sobre o leilão de maio. Era o primeiro indício de que o problema do leilão dos títulos de dois anos podia estar aumentando, ao invés de diminuir. Qualquer pessoa que recebesse essa carta de investigação ficaria nervosa, e com razão, por causa do interesse súbito da SEC nas operações da mesa de negociações com títulos do governo.

Dois dias depois, Gutfreund voou para Omaha, onde visitou Buffett, a caminho de Las Vegas para ver uma propriedade que a Salomon tinha financiado. Ao contar sua história para Maughan, Snow, que não sabia dessa viagem, não a mencionou. Buffett mais tarde acrescentaria esses detalhes.

"*Eu o peguei no aeroporto. John permaneceu no escritório cerca de uma hora e meia. Ficou quase meia hora dando telefonemas, depois conversamos durante mais ou menos uma hora. Ele ficava andando de um lado para outro. No final das contas não conversamos concretamente sobre nada. É incômodo parar em Omaha, mas, na verdade, ele não tinha nada a dizer.*"

Um pouco confuso quanto ao motivo da visita, Buffett levou Gutfreund para almoçar rapidamente, depois para visitar a joalheria Borsheim's, recentemente adquirida, perto do Furniture Mart. O proprietário, Ike Friedman, sobrinho da Sra. B, tinha saído do mesmo molde e, como ela, era cheio de energia.

Friedman levou Gutfreund à "ilha central" da Borsheim's, na qual as joias realmente caras estavam expostas. Gutfreund disse mais tarde que tinha feito uma compra.[32] Depois olhou os relógios caros, estrategicamente colocados logo atrás da ilha central, e circulou para ver a mercadoria. Friedman preferia vender joias muito caras a relógios. "Ah, relógios", ele disse a Gutfreund. "Você os perde, os quebra. Por que pagar caro por um relógio?" Olhou para o elaborado relógio no pulso de Gutfreund e perguntou quanto ele tinha pagado por ele. Gutfreund respondeu.

"1.995 dólares?",[33] Friedman repetiu. "Você foi enganado, John."

"*E você precisava ver a cara que o John fez.*"

Usando o relógio com o qual fora enganado, Gutfreund voltou para Nova York no final de junho, para presentear Susan com a caixa forrada de cetim vinho da Borsheim's.

Dali a alguns dias – no início de julho – a Divisão Antitruste do Departamento de Justiça notificou formalmente a Salomon de que estava investigando o *squeeze* no leilão de títulos de dois anos, em maio, que tinha sido objeto da carta de investigação da SEC. Gutfreund então ficou sério, segundo Snow, e contratou a firma de Marty Lipton, a Wachtell, Lipton, o escritório de advocacia da Salomon, para, em nome da empresa, começar sua própria investigação sobre as circunstâncias que haviam envolvido o *squeeze* de maio.[34] As pessoas dentro da Salomon tinham visões diferentes a respeito do *squeeze*. Alguns diziam que o mercado do Tesouro era projetado inerentemente para ser acertado em conluio. A função de um *dealer* era trabalhar com seus clientes para distribuir enormes blocos de títulos no mercado. Pequenos *squeezes* aconteciam o tempo todo. Aquele era grande. E daí? O Tesouro estava implicando com a Salomon. Aqueles eram os anos da arrogância, da impetuosidade retratada em *Liar's Poker*, da erosão gradual do poder que transformara a Salomon um saco de pancadas.[35]

Mas outros ficaram furiosos porque Mozer mais uma vez desafiara o Tesouro. Ficaram perplexos por ele realizar um novo *squeeze*, quando já se sabia que ele e Basham estavam brigando. Em retrospecto, essas questões ganhariam vulto. Por que Mozer – sob observação, sabendo que seu comportamento tinha sido "provavelmente criminoso" – insultou o Tesouro tão grotescamente a ponto de seu golpe ir parar nas manchetes de toda a imprensa financeira, chamando certamente mais atenção para si mesmo?[36]

Snow, que respondia a Feuerstein pelas operações de trading, estava encarregado da investigação interna sobre o *squeeze* de maio. Em junho, ele ficou afastado do escritório por algum tempo, por causa de uma cirurgia no joelho, e nem ele nem Feuerstein participaram da reunião com Glauber, nem souberam da decisão subsequente de adiar ainda mais a revelação dos atos de Mozer.[37] Mas, depois de voltar ao escritório em tempo integral em julho, Snow percebeu, cada vez mais, que estava fora do circuito. As pessoas começaram a desaparecer das reuniões. A situação o preocupava.

Uma noite, Snow sonhou que ele e Feuerstein tinham ligado para Warren Buffett e contado sobre o lance falso, porque estavam se sentindo frustrados por Gutfreund e Strauss nada terem feito a respeito. Feuerstein olhou para Snow, surpreso. "Não, não", ele disse. "Não chegaremos a isso." Feuerstein ainda estava tentando influenciar Gutfreund. Procurar Buffett seria jogar fora aquele relacionamento.[38] Snow não queria que seu relato sobre o sonho parecesse uma ameaça sutil de passar por cima do seu chefe e ligar para Buffett, mas achou que Feuerstein tinha entendido dessa maneira.[39]

Alguns dias após o início dos trabalhos os investigadores da Wachtell, Lipton produziram um relatório preliminar sobre o *squeeze* de maio. Só então, porém, foi dito aos investigadores que a diretoria sênior sabia desde abril que Mozer tinha apresentado um lance não autorizado no leilão de fevereiro.

Em retrospecto, o comportamento da Salomon parecia muito pior. Depois de tomar conhecimento do lance falso de Mozer em fevereiro, que Feuerstein dissera ser de natureza criminosa, a direção aceitou que Meriwether se responsabilizasse e acreditou na palavra de Mozer de que nunca tinha feito aquilo antes, sem realizar investigações mais profundas nem punir Mozer de maneira alguma. Eles o deixaram em seu cargo, o que permitiu a ocorrência do *squeeze* de maio. Depois a Salomon se viu envolvida em mais problemas, porque o fato de dizer ao governo que a firma sabia dos lance falsos feitos anteriormente por Mozer, mas que só agora os relatava, provavelmente passaria a ideia de que a Salomon era um bando de ladrões. Pior ainda, Gutfreund tinha encontrado Bob Glauber em meados de junho para falar do *squeeze* de maio, mas não disse nada sobre os acontecimentos precedentes. Naquele momento, como Snow explicava a Maughan, quando as coisas estavam começando a explodir, todos os envolvidos começavam a justificar o atraso original dizendo que a questão era um episódio único, sem muita importância, e que não causara prejuízo algum aos clientes, nem custara nada ao governo, e não parecia tão relevante, mesmo do ponto de vista do *trader* envolvido.[40] Gutfreund disse que, por causa da pressão dos negócios, ele simplesmente não tinha considerado o assunto tão importante.[41]

Infelizmente estava enganado. Os investigadores da Wachtell descobriram que o leilão de fevereiro não foi o único manipulado por Mozer. Àquela altura já tinham apurado fraudes em cinco leilões.[42] Mais dois lances falsos tinham acabado de ser descobertos. Snow concluiu relatando a Maughan a reunião da tarde anterior, com todos os advogados internos e externos, após a explicação atenuada dada aos funcionários. Snow disse que o conhecimento prévio da situação por parte da direção tinha de ser revelado. Foi repudiado. "Vou sofrer muita pressão por causa disso", Gutfreund lhe disse. "Não sei por que você não pode fazer a sua parte."[43]

Maughan estava muito preocupado, antes mesmo de tomar conhecimento dessas novas informações de Snow. Sete dias tinham passado desde o primeiro comunicado à imprensa – sete dias que incluíam uma rajada de matérias na mídia, a queda da cotação das ações da firma, dificuldades na rolagem das notas promissórias comerciais, a descoberta de novos lances falsos e Gutfreund e Strauss dando uma versão atenuada dos fatos às suas tropas em uma reunião interna. Quando Snow terminou de contar o que Mozer tinha feito – e o que os outros não tinham feito –, Maughan explodiu e passou a pressionar Snow para ter certeza de que não havia mais nada a ser dito. Depois desceu até à sala de operações e confrontou Meriwether, chefe de Mozer. "Que diabos está acontecendo, John?", ele perguntou. Meriwether abaixou a cabeça. "É tarde demais", respondeu. E se recusou a dizer mais.[44]

Tarde demais ou não, Snow e McIntosh tiveram que passar a noite esboçando um segundo comunicado à imprensa para tentar explicar a situação. Naquela mesma noite, Strauss e Gutfreund ligaram para Corrigan, para reagir de alguma maneira à carta-ultimato de Sternlight que a empresa recebera naquela manhã. Percebendo que eles estavam usando o viva-voz, Corrigan deduziu que uma sala cheia de advogados estava ouvindo tudo que ele dizia. A conversa começou com um deles dizendo a Corrigan que a empresa tinha realizado uma investigação e que a "prática do setor", usada por outras firmas, era a de "rechear" seus lances pelas novas emissões de títulos municipais e de agências, a fim de conseguir uma participação maior. Corrigan considerou esse início de conversa como "um desvio ou algo pior". Aquilo não tinha nada a ver com o *squeeze*, nem com a questão mais séria dos lances falsos – na verdade, aquilo não tinha nada a ver com o mercado de títulos do Tesouro. Seu temperamento irlandês entrou em ebulição. Ele gritou ao telefone para Strauss e Gutfreund: "Tenho certeza de que vocês estão numa sala cheia de advogados. Essa é a sua última chance. Vocês têm mais alguma coisa a me dizer?" Eles começaram a descrever as outras violações.

Corrigan queria pôr fim às dissimulações e racionalizações. "Muito bem", ele disse, "tratem de dar um jeito e divulguem toda essa informação para o público imediatamente. Não quero ouvir mais nada de vocês, simplesmente soltem o maldito comunicado à imprensa."[45]

Tarde da noite os advogados se reuniram com a diretoria sênior, para revisar o comunicado à imprensa. Gutfreund e Strauss chegaram. McIntosh disse que era necessário apresentar culpados. Essa ideia foi rapidamente descartada, mas outras pessoas, inclusive um membro do conselho, Gedale Horowitz, e Steve Bell, que dirigia o escritório da Salomon em Washington, pressionaram por uma divulgação mais completa dos fatos. Ninguém conseguia encontrar Buffett, mas falaram ao telefone com Munger, que disse: "Ouçam, vocês não podem soltar esse segundo comunicado à imprensa sem nomes." O nome de Gutfreund foi incluído automaticamente. Todos sabiam que Strauss não estava no comando e não tinha tomado nenhuma daquelas decisões; ele simplesmente estivera na sala. Mas seguira o seu chefe. O nome dele foi incluído. Feuerstein, por outro lado, tinha tentado fazer com que Gutfreund denunciasse. Munger disse que o nome dele deveria ficar de fora.

Meriwether era conhecido como um diretor brilhante e cuidadoso que ficava extraordinariamente perto da sua equipe e raramente deixava a sua mesa. Ele relatara a questão exatamente como deveria ter feito.[46] Por outro lado, tinha se responsabilizado por Mozer, defendendo a sua causa e mantendo as suas incumbências. McIntosh conta que, quando Munger disse que o nome de Meriwether deveria ser incluído, este, escutando e vendo os advogados incluírem seu nome, disse: "Ah, meu Deus, é o meu fim."[47]

No dia seguinte, quarta-feira, 14 de agosto, foi realizada uma teleconferência, na qual o conselho ouviu parte da história contada a Corrigan na noite anterior. Dois membros do conselho ligaram da Europa; outro, do Alasca; Buffett, de Omaha; e Munger, de Minnesota, para ouvir a primeira "descrição ordenada e razoavelmente completa" do caso Mozer. Dentro da Salomon, um golpe palaciano estava se desenrolando, com diretores seniores dizendo que Gutfreund e Strauss teriam que renunciar.[48] Os arbitradores queriam Meriwether como CEO, o que, obviamente, era inaceitável para muitas pessoas, já que ele era o chefe de Mozer. Os arbitradores então ventilaram a ideia de que Deryck Maughan poderia ser co-CEO com Meriwether. Enquanto isso, ninguém do conselho, na teleconferência, dizia nada a respeito de mudanças na direção: eles simplesmente debatiam as palavras a serem usadas no novo comunicado à imprensa, que tinha três páginas de detalhes e acrescentava duas outras violações descobertas pelos investigadores.

O esboço do comunicado admitia que a direção sabia dos lances falsos de fevereiro já em abril, mas dizia que a "pressão dos negócios" impedira que a Salomon denunciasse os atos de Mozer às autoridades. Buffett disse que aquilo era ridículo e, enquanto o conselho discutia, Munger foi ficando exasperado. No final, o comunicado à imprensa foi reescrito, dizendo que a falha de conduta ocorrera devido à "falta de atenção suficiente à questão", dando a entender que os nomes citados no comunicado não tinham dado a atenção devida ao problema. Então foram tomadas as providências para que o comunicado fosse emitido naquela mesma noite.

No final da reunião, o conselho achava que agora sabia de toda a história. Mas vários pontos não tinham sido mencionados. Um deles era a carta-ultimato enviada por Peter Sternlight, do Fed. Outro era a reunião de junho com Bob Glauber, no Departamento do Tesouro, na qual Gutfreund não mencionara as atividades prévias de Mozer.

Naquela tarde a Salomon realizou outra reunião geral no auditório. Bill McIntosh, que comandava a reunião diária de vendas, estava na frente como sempre e tinha a tarefa nada invejável de ler para os funcionários o novo comunicado à imprensa. Com Gutfreund e Strauss na primeira fila, bem à sua frente, McIntosh disse: "Foi isso que ocorreu. Se os clientes ligarem e quiserem saber o que está acontecendo, simplesmente contem. Não inventem desculpas em nome da diretoria sênior, não peçam desculpas por eles; o que eles fizeram está feito."

Depois os gerentes de vendas se amontoaram no escritório de Meriwether. "O que devemos dizer?", eles imploravam. "Não inventem desculpas para a diretoria sênior", McIntosh repetia. "A meu ver, eles não vão durar muito; são coisa do passado; são notícias velhas; temos de manter este lugar funcionando para que possamos sobreviver e trabalhar mais um dia. Concentrem-se nisso."[49]

Naquela noite, os funcionários do departamento de títulos governamentais apareceram no terraço do duplex de McIntosh com vista para o rio Hudson, no West Village, para um churrasco que havia sido marcado anteriormente. Sinistramente, Tom Strauss apareceu – e a temperatura no terraço caiu vários graus.[50] Em vez de ficar bebendo cerveja até 22 ou 23 horas como sempre, todo mundo foi embora antes das 20 horas.

Na manhã seguinte, o comunicado à imprensa foi publicado. Na quinta-feira, 15 de agosto, corriam boatos de que as armas tinham sido sacadas e McIntosh seria mandado embora. Ele ficou na sala de operações o dia inteiro, achando que Gutfreund e Strauss não o demitiriam por insubordinação na frente de todo o pessoal. Enquanto isso, a confiança do mercado na Salomon rachava. As ações da firma, que já tinham caído durante toda a semana, desde o fechamento da quinta-feira, para 37 dólares, despencaram para 27 dólares. Estavam baixando mais, porque os acionistas começavam a suspeitar de um problema maior que as infrações de Mozer: uma "corrida ao banco". E, de fato, era o que estava começando a acontecer.

A natureza piramidal do balanço de qualquer banco de investimentos era bem entendida pelos investidores. A Salomon tinha uma dimensão quase única, era maior que a maior empresa de seguros de vida e só ficava atrás do Citicorp em termos de ativos. A mesa de dívidas da Salomon, por se tratar de uma grande empresa, sempre tinha atuado como corretora para a compra e venda das notas de médio prazo da própria firma. De repente, na quinta-feira, havia uma longa fila de vendedores e nenhum comprador. A fim de honrar as ordens de venda, os operadores começaram a comprar as notas com o dinheiro da própria Salomon. Como ninguém queria comprá-las, elas agora representavam simplesmente pedaços de papel que diziam que a Salomon pagaria à Salomon no futuro com recursos do cofre da própria Salomon. Mas, à medida que o cofre se esvaziasse, as notas perderiam totalmente o valor, a menos que algo mudasse. Para manter o dinheiro em caixa, os operadores começaram a dissuadir os vendedores, oferecendo um preço mais baixo.[51] Os vendedores rapidamente descobriram o que estava acontecendo. A fila dos vendedores crescia cada vez mais.

No final do dia, os operadores da Salomon já tinham comprado, relutantemente, 700 milhões de dólares em notas da própria empresa. Depois penduraram a placa de "fechado para transações", como um banco da Grande Depressão que fechava a janela do guichê.[52] Nenhuma outra empresa compraria a dívida da "Solly". E assim a Salomon estava cambaleando precariamente, à beira da bancarrota.

Na manhã seguinte, da sexta-feira, 16 de agosto, a primeira página do *New York Times* exibia uma fotografia de Gutfreund com a manchete: "Wall Street vê uma ameaça séria à Salomon Brothers – CONSEQUÊNCIAS DE LANCES

ILEGAIS – Temor de renúncia do alto escalão e deserção de clientes – Ações da empresa caem."[53] A matéria continha grandes fotos de Gutfreund e Strauss. Os dois e Marty Lipton ligaram para o escritório de Corrigan em Nova York e foram transferidos para o escritório do presidente do Federal Reserve, Alan Greenspan, em Washington. Corrigan e Greenspan estavam no meio de uma teleconferência com Nick Brady, secretário do Tesouro, desde o amanhecer, "tentando descobrir quem diabos vamos colocar lá dentro para dirigir a firma".[54] Strauss, um amigo de longa data, viu que estavam enrascados quando Corrigan o cumprimentou dizendo "Sr. Strauss".[55] O irado presidente do Federal Reserve Bank, supondo que o conselho soubesse da carta-ultimato de Sternlight, ficara chocado com o último comunicado à imprensa que eles tinham soltado. Interpretou a incapacidade deles de tomar qualquer providência – como demitir a diretoria sênior – como sinal de que o conselho da Salomon o estava desafiando.[56]

Gutfreund disse que renunciaria. "E quanto a Strauss?", perguntou Corrigan. Com essa pergunta ficou claro que, no que dizia respeito ao Federal Reserve de Nova York, a renúncia não era opcional, mas obrigatória.[57]

Gutfreund então ligou para Buffett. Eram 6h45 em Omaha, e Buffett ainda estava dormindo quando o telefone tocou. Mas ele despertou depressa, à medida que Gutfreund, com Marty Lipton e Tom Strauss na linha, expunha o problema. "Acabei de ler meu próprio obituário", disse Gutfreund, referindo-se ao *New York Times*. A sua foto na primeira página conseguira fazer o que a sequência de acontecimentos – até aquele momento – não fizera. Seguiu-se uma pausa pesada, durante a qual Buffett entendeu o que eles realmente estavam lhe pedindo. Ele disse que analisaria a proposta de se tornar presidente interino do conselho, mas que precisava ver a matéria do *Times* antes. Queria alguns minutos para pensar, mas tinha quase certeza de que precisava ir para Nova York. Disse-lhes que estaria lá assim que pudesse, ainda naquela tarde. Marty Lipton disse que era impensável não demitir Meriwether imediatamente. Buffett insistiu para que eles não fizessem nada até que ele pudesse ao menos falar com Meriwether.

Desligou, telefonou para a casa de Gladys Kaiser e disse para ela cancelar o almoço com o presidente da Grinnell. Depois falou: "Ligue para George Gillespie em Martha's Vineyard. Cancele a minha viagem de fim de semana e avise ao piloto que talvez tenhamos que ir para Nova York."

Menos de uma hora depois, quando chegou ao escritório ainda vazio para ler o "obituário" na máquina de fax, ele já tinha tomado uma decisão.

Enquanto isso, Gutfreund e Strauss disseram a Corrigan que Buffett estava analisando a proposta para se tornar presidente interino do conselho. "No que me dizia respeito, os dois não estavam sendo muito francos", lembra Corrigan.

"Quero falar diretamente com Warren Buffett agora mesmo", ele disse aos dois.[58] "Eu não o conhecia pessoalmente, mas sem dúvida conhecia a sua reputação."

Buffett, por sua vez, precisava descobrir como Jerry Corrigan se sentiria se ele aceitasse o cargo. Demorou um pouco até Corrigan ser encontrado em Washington. Ele só retornou a ligação de Buffett às 8h30, horário de Omaha, depois da abertura do mercado. As ações da Salomon não foram liberadas para negociação, o que indicava aos investidores que notícias importantes estavam a caminho.

Quando falou com Buffett, Corrigan disse algo sobre estar disposto a ser um pouco mais flexível a respeito do "programa de 10 dias" se Buffett aceitasse o cargo. Embora não tenha entendido o que Corrigan queria dizer, Buffett percebeu que o Federal Reserve devia estar pedindo informações sobre alguma coisa. Corrigan parecia zangado. Disse que não prometeria nada sobre coisa alguma se Buffett assumisse o cargo e insistiu em encontrar pessoalmente Buffett em Nova York, naquela mesma noite, para falar do papel de presidente interino do conselho.

Na Salomon, tudo o que os operadores sabiam era que Buffett estava supostamente chegando para salvar a firma e que as ações da Salomon não estavam sendo negociadas. As pessoas especulavam que ele estava pensando em Meriwether como possível substituto para Gutfreund. Os arbitradores estavam gritando: "Não podemos perder John." Ninguém sabia onde estava o próprio J. M. A sala de operações estava fervendo, mas a ação não podia ser negociada porque Buffett dissera para segurarem, até a sua chegada, o comunicado à imprensa anunciando que Gutfreund estava pronto para renunciar e que Buffett estava assumindo temporariamente o posto de presidente do conselho. Com a ação presa no limbo, a televisão não parava de dar notícias listando os problemas da Salomon e especulando sobre o que aconteceria depois.

No início da tarde Buffett apareceu. Depois que se instalou na opulenta suíte executiva no 44º andar, liberou o comunicado à imprensa, e os operadores começaram a negociar as ações da Salomon.[59] As negociações foram intensas na parte final do dia, com a ação fechando a quase 28 dólares, uma alta de um dólar.

Depois do fechamento do mercado, Buffett desceu ao anfiteatro, para uma reunião com os diretores executivos. Subindo com Strauss ao palco, Gutfreund disse que estavam preparados para renunciar.[60] O seu rosto permaneceu impassível como sempre. Buffett notou que Strauss parecia abalado. Depois a diretoria sênior foi para a enorme sala de conferências no andar executivo. Eric Rosenfeld e Larry Hilibrand, os principais membros da equipe de Meriwether, forçaram caminho para participar da reunião.[61] Lá, perto da parede de vidro com vista para a sala de operações de dois andares e do tamanho de um campo de futebol americano, onde os problemas tinham começado, o mais alto escalão da Salomon começou a arquitetar o que fazer em seguida.

Pessoas com diferentes pontos de vista começaram a falar mal de Meriwether. Ninguém discutia se ele tinha feito a coisa certa ao denunciar as ações de Mozer. O debate era se ele não deveria ter feito mais. Algumas pessoas achavam que, à medida que McIntosh se articulava, ele simplesmente estava perto demais do fogo.[62] Meriwether tinha a reputação de ser um administrador rígido; dizia-se que, na sua área, "nada acontecia sem que Meriwether visse". Meriwether não tivera envolvimento com os lances falsos, mas como a Salomon poderia esperar clemência se o mantivesse em seus quadros? Parecia óbvio para eles que o governo trataria a empresa com mais dureza se ele ficasse. Apesar de Strauss e Gutfreund não estarem presentes, eles também haviam dito a Buffett que achavam que Meriwether deveria renunciar, junto com eles.[63]

Aparentando uma serenidade impressionante, o próprio Meriwether finalmente chegou. Ele se apoiou silenciosamente numa parede e ficou observando os seus pares que pediam a sua cabeça. Buffett tinha dito a Marty Lipton mais cedo, naquele mesmo dia, que, ao contrário de Strauss e Gutfreund, Meriwether não deveria ser demitido. Buffett queria tempo para deliberar. Ele não concordava com quem queria mandar Meriwether embora, pois ele não tinha ficado chupando dedo – ao contrário, tinha denunciado Mozer a Gutfreund e Strauss. Buffett entendeu que o que mais pesava não era o fato de eles acharem que Meriwether tivesse feito algo errado. Na verdade eles estavam em pânico. A vida deles simplesmente ficaria muito mais fácil na manhã seguinte se Meriwether tivesse ido embora. Por isso, as consequências da inclusão do seu nome no comunicado à imprensa pairavam sobre a cabeça de Buffett.

Após a reunião ele entrou com Gutfreund e Strauss num carro de aluguel preto, e enfrentaram o tráfego do centro na hora de pico até o escritório de Corrigan.

Corrigan achava necessário, para manter o sigilo, seguir a programação previamente estabelecida. Chegou diretamente do jogo anual de softball entre dirigentes e funcionários do Federal Reserve; sua figura alta trajava jeans, tênis e uma camiseta do musical *Liberty Street Blues*.[64] "Mas o ambiente estava tão frio que ele podia estar usando black tie que eu nem teria percebido, por causa do meu estado mental", disse Tom Strauss mais tarde. Buffett iniciou a conversa de modo apaziguador: "Ouça, a única coisa que eu pessoalmente devo são 70 mil dólares de uma segunda casa que comprei na Califórnia, porque a taxa de juros é baixa." Prometeu cooperar plenamente com os reguladores. Corrigan não se deixou seduzir. Disse que as presidências interinas de conselhos geralmente não funcionavam muito bem. Seria melhor que Buffett não buscasse ajuda para a Salomon junto a seus "amigos em Washington".

Corrigan exigiu uma limpeza completa da casa. Buffett concordou com todo tipo de mudança fundamental para fortalecer as políticas, os controles e a documentação da Salomon. "Seu compromisso verbal para comigo foi absoluto", diz Corrigan, "e eu confiei nele."

No entanto, Corrigan não prometeu nada. Olhando friamente para Buffett, disse: "Prepare-se para qualquer eventualidade."

"Foi uma conversa severa. Foi bastante cordial, mas com esse aspecto de severidade. Devíamos mais dinheiro do que praticamente qualquer pessoa no país, e nossa dívida era de curto prazo. Tentei insinuar uma ou duas vezes como estava preocupado com o problema de financiamento, esperando que ele pudesse figurativamente me dar um leve abraço, mas isso não aconteceu. 'Prepare-se para qualquer eventualidade' – aquilo era algo que eu não sabia muito bem como fazer. Certamente pensei em estricnina ou algo do gênero."

Depois Corrigan despachou Buffett para fora da sala; queria conversar com Gutfreund e Strauss. "Se vocês têm um problema com um funcionário da empresa", ele disse, "isso é problema dele. Se vocês têm um problema com um funcionário da empresa e não fazem nada a respeito, isso é problema de vocês."[65] Depois, com lágrimas nos olhos, disse que lamentava muito acabar com a carreira deles.

Na saída, "Tom estava em estado de choque", mas Gutfreund estava novamente "bastante composto".[66] Ele parecia estar culpando Corrigan por obrigá-lo a renunciar. "Ai de mim se eu o perdoar", disse Gutfreund.[67] Eles atravessaram outra vez o centro, voltando para a Salomon; depois saíram para comer um filé no salão dos fundos do restaurante Joe & Rose's, na rua 49. Strauss e Gutfreund insistiram, mais uma vez, que Meriwether tinha de ser mandado embora.[68] Conversaram até sobre os candidatos a executivo-chefe operacional. Já era quase meia-noite quando Buffett voltou se arrastando para o apartamento de Katharine Graham, no UN Plaza, e tentou dormir.

Mais tarde muitas pessoas escreveram coisas diferentes sobre o motivo de Buffett ter aceitado o cargo. Alguns disseram que foram seus 700 milhões de dólares, outros disseram que era seu dever para com os outros acionistas. *"Alguém tinha de assumir aquele cargo"*, ele disse. *"Eu era a escolha lógica."* Com exceção das pessoas que estavam renunciando, ninguém mais tinha tanto a perder. Não era apenas dinheiro, mas também o que ele prezava com igual intensidade: sua reputação. Quando investiu na Salomon e deu a John Gutfreund sua chancela, era como se ele tivesse pregado sua reputação na porta da firma como um escudo.

Buffett costumava dizer aos seus filhos: *"É necessária toda uma vida para construir uma reputação, e cinco minutos para arruiná-la."* Ele pensava naquele risco sobretudo em termos de suas próprias ações. No entanto, as pessoas nas quais confiara tinham posto sua reputação em risco. Se ele cometeu um erro, foi investir em Wall Street e se distanciar, passando a depender de outra pessoa; sua avaliação sobre a capacidade de Gutfreund de supervisionar a cultura de descontrole da Salomon tinha sido falha.

Àquela altura Buffett era o segundo homem mais rico dos Estados Unidos.[69] O valor contábil por ação da Berkshire crescera mais de 23% ao ano por mais de 26 anos. Seu primeiro grupo de sócios lucrara incríveis 3 milhões de dólares para cada mil dólares investidos. As ações da Berkshire Hathaway estavam sendo negociadas a 8 mil dólares cada. Buffett tinha um patrimônio líquido de 3,8 bilhões de dólares. Era um dos homens de negócios mais respeitados do mundo.

Em algum momento depois daquela longa e terrível sexta-feira, ele reconheceu com certo desgosto que o investimento na Salomon, uma empresa cujos problemas ele fundamentalmente não controlava, colocara tudo aquilo em risco desde o início.

Ele não queria se tornar presidente interino do conselho da Salomon. Esse caminho era ainda mais perigoso. Se a Salomon sucumbisse depois, ele estaria associado ainda mais intimamente à vergonha e ao desastre. Mas, se havia alguém que podia tirar a si próprio e aos acionistas daquela confusão, essa pessoa era ele.

Para isso, Buffett teria que estender ainda mais o guarda-chuva da sua reputação, já em risco, para proteger a empresa. Não havia como evitar esse desafio. Deryck Maughan e John Meriwether não tinham como fazer aquilo. Ele não podia delegar a tarefa a alguém da Munger, Tolles, nem a Charlie Munger, Tom Murphy ou Bill Ruane. Não podia resolver o problema dando a Carol Loomis uma ideia para um artigo incisivo na *Fortune*. Nem Susie podia resolver o problema. Dessa vez, ninguém podia agir como seu procurador. Só ele podia salvar a Salomon. E, se ele se afastasse, a probabilidade de a Salomon implodir seria alta.

Há um velho ditado nas Forças Armadas: "Para avançar, um general tem de expor seus flancos." Buffett podia se tornar um herói ou fracassar. Mas ele não podia se esconder nem se esquivar.

Às 8 horas de sábado, 17 de agosto, ele chegou ao escritório da Wachtell, Lipton e se deparou com uma cena surreal. Gutfreund não estava lá; apesar do tempo horrível, ele decidira ir de avião até sua casa em Nantucket, onde estava sua esposa, Susan. Todos os chefes guerreiros – teoricamente candidatos a CEO – estavam reunidos do lado de fora de uma "sala de entrevistas". Poucos deles tinham algum motivo para estar ali ou realmente queriam o cargo, mas Buffett teve de entrevistar todos. Enquanto isso, dois advogados investigativos "bastante espertos" da Munger, Tolles – Larry Pedowitz e Allen Martin – faziam uma "apresentação magistral" a Buffett e Munger, que tinham voado até lá para participar pessoalmente. Pela primeira vez – o que os deixou indignados – souberam que o Departamento do Tesouro tinha investigado as transações anteriores de Mozer.[70]

Buffett teve que fazer em seguida o que considerava a contratação mais importante da sua vida: decidir quem lideraria a firma. Se ele cometesse um erro, não poderia reverter a decisão mais tarde. Antes de começar as entrevistas de 15 minutos, disse ao grupo: "*J. M. não vai voltar.*"[71]

Então começou a entrevistar os candidatos, um a um. Fazia a todos a mesma pergunta: "'*Quem deveria ser o próximo CEO da Salomon?*'

Eu estava para entrar numa trincheira com aquele sujeito, tinha que fazer a escolha certa. A questão era: Quem teria todas as qualidades que proporcionariam liderança à firma e que não me fariam ficar preocupado nem por um segundo com a hipótese de estar acontecendo algo que mais tarde seria um constrangimento para a firma ou que até mesmo pudesse nos tirar do mercado? Enquanto eu conversava com aquelas pessoas, as perguntas que passavam pela minha cabeça eram basicamente as mesmas que passariam pela sua cabeça se você estivesse decidindo quem deveria ser o fideicomissário do seu testamento, ou quem você gostaria que se casasse com sua filha, ou algo do gênero. Eu queria o tipo de pessoa que fosse capaz de decidir o que deveria chegar até mim e o que poderia ser resolvido num nível inferior – alguém que me contasse todas as más notícias, porque as boas notícias sempre transparecem nos negócios. Eu queria ouvir todas as más notícias assim que elas acontecessem, para que pudéssemos fazer algo a respeito. Eu queria alguém que fosse ético, que não apontasse uma arma para a minha cabeça mais tarde por achar que eu não poderia demiti-lo."[72]

Buffett descobriu que, com exceção de um deles, todos os outros candidatos achavam que o CEO deveria ser Deryck Maughan, que tinha voltado três semanas mais cedo da direção das operações asiáticas da Salomon.[73] Maughan, 43 anos, chefiava então o grupo de bancos de investimentos. Ele não era um operador e não era americano, era inglês. De todos, era o que menos se parecia com Mozer ou com qualquer um dos operadores provenientes das fraternidades universitárias americanas. Era considerado ao mesmo tempo uma pessoa ética e de bom senso. Graças ao *Liar's Poker*, o público pensava na Salomon como um lugar cheio de gente que se entupia de cheesebúrgueres com cebola no café da manhã e pendurava calcinhas de dançarinas de strip-tease nas telas dos computadores.[74] Afinal de contas, a Salomon era a firma na qual, como Lewis havia escrito, um vice-presidente do conselho parecia mais um presidente do conselho dos vícios.[75] Maughan, no entanto, era o próprio retrato de um inglês digno e impecavelmente bem-vestido. Por ter passado os últimos anos em Tóquio, as suas chances de estar manchado pelo escândalo dos leilões do Tesouro eram remotas.

De todas as qualificações de Maughan, talvez a mais valiosa fosse a sua distância em relação ao crime. Dentro da Salomon, terra dos facões, todos os outros candidatos tinham inimigos. Maughan era um ponto de interrogação, como o emblemático negro do filme *Putney Swope*, que é eleito para o cargo de CEO de uma agência de publicidade que é um ninho de cobras quando o antigo CEO morre durante uma reunião do conselho. Os outros executivos tentam sabotar mutuamente as próprias chances de conseguir o cargo votando em Putney Swope, que acaba sendo eleito por uma vasta maioria.[76] Maughan era respeitado, mas ninguém o conhecia tão bem assim. Um dos outros chefes guerreiros disse que todos votaram em Maughan porque era "melhor escolher alguém que você não conhecia do que alguém que você sabia que era ruim".

No filme, Putney Swope teve o bom senso de votar em si mesmo. Quando Buffett perguntou a Maughan quem deveria dirigir a Salomon, ele respondeu astutamente: "Temo que você vá descobrir que sou eu." Depois acrescentou que serviria a quem quer que Buffett escolhesse.[77]

Duas outras coisas chamaram a atenção de Buffett. Maughan não pediu proteção contra eventuais processos. E Buffett – que, por mais que odiasse admitir, não gostava de pagar as pessoas – ficou muito impressionado com o fato de Maughan não ter perguntado qual seria o salário.

Maughan e dois outros candidatos foram convocados ao escritório para a reunião do conselho no dia seguinte. Naquela tarde, Buffett voltou de táxi para o apartamento de Graham no UN Plaza, no *uptown*, no qual os arbitradores se encontraram com ele para defender "com paixão e lógica" o emprego de Meriwether. Buffett sabia que, se J. M. saísse, haveria o risco de os arbitradores o acompanharem.[78] Sem Meriwether, a Salomon ficaria privada da sua principal fonte de lucro. O investimento de Buffett na Salomon poderia valer muito menos. Então, abalado, o próprio Meriwether chegou. Ele não queria renunciar e conversou longamente com Buffett. Buffett começou a vacilar. Ele se concentrou na franqueza de Meriwether em relatar o problema.

"Depois de ouvir tudo aquilo, minha reação não foi pedir a sua renúncia. Como eu bem sabia na época, e ainda acredito até hoje, ao saber dos delitos de seu subordinado ele foi imediatamente até os superiores e o advogado-chefe e relatou os fatos. A meu ver, cabia a seus superiores e ao advogado-chefe da firma agir. Ninguém, àquela altura, estava sugerindo que o advogado-chefe deveria renunciar."

Então Gutfreund ligou. O voo para Nantucket tinha sido cancelado por causa do furacão Bob, e ele estava voltando para Nova York. "Não tenho futuro", disse, agitado.[79] Eles fizeram planos para ir jantar. Gutfreund insistiu que antes conversassem com seu advogado recém-contratado, Philip Howard, sobre sua indenização rescisória.

Buffett e Munger ligaram para Howard, mas foi Munger que falou a maior parte do tempo. Gutfreund achava que a firma lhe devia 35 milhões de dólares.

"Enquanto ele dizia isso, eu escutava como os japoneses, dizendo 'Sim, entendo a sua posição'. E não 'Sim, concordo com você'. Não tínhamos interesse algum em

tentar chegar a um acordo de compensação com alguém que estava no meio de um escândalo daquelas proporções antes de conhecer todos os fatos."

Buffett disse então que eles não podiam concordar com um número geral porque, qualquer que fosse essa cifra, "a manchete" seria "A Salomon paga X dólares de indenização a Gutfreund", e não sobre a ruptura com a antiga administração.[80] No entanto, elogiaram a personalidade de Gutfreund, disseram a Howard que Gutfreund seria tratado de forma justa, que eles tinham poder para isso e nunca tinham rompido uma promessa antes. Buffett disse: *"A única maneira de isso não acontecer é se tanto Charlie quanto eu morrermos."* Depois explicou que essa era uma maneira de evitar o confronto, ou seja, de *"se esquivar do Sr. Howard e tirá-lo da jogada"*, porque *"seria um pouco abrupto"* dizer que eles não queriam chegar a um acordo porque ainda não conheciam *"todos os fatos"*.

Buffett e Munger saíram para comer um filé com Gutfreund no Christ Cella. Gutfreund se ofereceu para permanecer como consultor sem remuneração pelos próximos dias. *"Vou precisar de toda a ajuda que conseguir"*, Buffett disse enfaticamente. Eles conversaram sobre os problemas da empresa, e Gutfreund disse que achava que Deryck Maughan era o sujeito certo para dirigir a Salomon.

Contudo, a certa altura, Gutfreund – que ainda sabia de vários fatos que Buffett desconhecia – disse algo que contradizia a cena afável e aconchegante de poucos minutos atrás. "Vocês são mais espertos do que eu", ele disse. "Vocês vão me ferrar."[81]

Foi com alívio que Buffett e Munger escaparam e voltaram para o apartamento de Kay Graham. Aquela grande suíte repleta de arte asiática trazia muitas recordações felizes para Buffett. Graham sempre tinha em sua cozinha os alimentos favoritos de Buffett. Ele, Carol Loomis e George Gillespie costumavam se reunir lá para uma partida de bridge e pediam sanduíches de uma delicatessen. Mas ele não estava se divertindo muito naquela noite.

Logo depois que eles chegaram, Philip Howard apareceu carregando um monte de papéis sobre o desligamento de Gutfreund que ele queria que Munger assinasse.[82] Falou com os dois durante um certo tempo, até que Buffett os deixou sozinhos e se retirou para dar alguns telefonemas. Munger começou a ficar irritado. Eles discutiram a questão por uma hora ou mais.

Munger já tinha decidido recusar aquele acordo. "Eu estava fazendo questão de não ouvir", lembrou mais tarde. "Estava sendo educado, mas não prestava muita atenção... Foi como se eu tivesse desligado a minha mente... Eu estava apenas sentado lá, educadamente, com a minha cabeça desligada."

Quando Howard chegou ao final da sua extensa lista de exigências, Munger se recusou a assinar os papéis, mas salientou que, no final, Gutfreund seria tratado de forma justa.[83] A caminho da porta, Howard hesitou. Ele estava incomodado por ainda não ter nada por escrito. "Não dá para pagar só depois da rescisão", disse. Munger o tranquilizou: "Phil, você tem de praticar a advocacia como meu pai fazia, confiando na palavra de um homem."[84]

Enquanto Howard e Munger conversavam, Meriwether e seu advogado, Ted Levine, chegaram. Meriwether tinha mudado de ideia. Disse que estava numa posição impossível e preferia deixar a Salomon.

"Ele entendia, pelo menos parcialmente, a gravidade da situação da empresa. Andava para cima e para baixo e fumava um cigarro atrás do outro. Disse que a melhor coisa que podia fazer era renunciar."

Mais tarde Munger expressaria sentimentos de culpa por ter concordado em colocar o nome de Meriwether no comunicado à imprensa, algo que ele considerava um erro que cometera sob pressão.[85] Tanto ele quanto Buffett achavam que Meriwether podia ficar e lutaram por isso, mas aceitaram a renúncia.

"Conversamos por um tempo considerável. Eles ficaram lá até meia-noite."

Finalmente só restaram Buffett e Munger. Buffett foi para a cama sentindo que as questões estavam, se não sob controle, pelo menos começando a ser corrigidas.

No dia seguinte, domingo, 18 de agosto, ninguém descansaria.

Logo cedo pela manhã, Buffett, Gutfreund e Strauss se reuniram numa das várias salas de conferência do 44º andar da sede da Salomon, no centro, antes da reunião em que o conselho ratificaria o papel de Buffett como seu presidente interino. O conselho se reuniu fora, e um dos membros, Gedale Horowitz, puxou Marty Lipton para o lado e disse que ele e muitos outros estiveram conversando por dois dias. Ele falou que Meriwether não tinha sido capaz de manter Mozer sob controle e que eles renunciariam a menos que Meriwether fosse demitido pelo bem da empresa. Contou a Buffett uma versão mais amena – que ele não compareceria à reunião do conselho se Meriwether ainda estivesse empregado. Buffett explicou que a situação se resolvera sozinha, pois Meriwether renunciaria.[86]

De repente um advogado apareceu na sala de conferências em que Buffett estava reunido com Gutfreund e Strauss agitando uma mensagem do Departamento do Tesouro. O órgão anunciaria dali a alguns minutos que a Salomon estava proibida de fazer lances nos leilões do Tesouro, tanto para clientes quanto em seu próprio nome. Todos eles concluíram que, em minutos, a Salomon levaria um tiro na cabeça. *"Vimos imediatamente que isso nos tiraria do mercado – não por causa da perda econômica, mas por causa da mensagem que seria enviada ao resto do mundo pelos jornais. Na segunda-feira, a manchete seria: 'Tesouro à Salomon: Morra.' De fato, a reação à posse de uma nova administração e ao afastamento da velha seria uma censura atípica, aplicada num momento igualmente atípico, que coincidia exatamente com as primeiras medidas da nova administração."*

Buffett foi para outra sala de conferências ligar para o Tesouro, para tentar obter a suspensão da execução da sentença. O telefone estava ocupado. Ele convenceu a companhia telefônica a interromper a ligação. Ligaram de volta e informaram que aquele número estava desligado. Depois de vários minutos de confusão, problemas e atrasos, Buffett finalmente falou com alguém no Departamento do Tesouro. Era tarde demais, disseram, o anúncio já tinha sido liberado. O mundo já sabia que a Salomon estava proibida de fazer negócios com o governo.

Muitos membros do conselho viram seu patrimônio líquido evaporar-se diante de seus olhos. Outro grupo de advogados, além dos que já eram esperados, chegaria à Salomon. Buffett parecia calmo. Ele percebeu uma coisa. Gutfreund estava sendo expulso por ter criado um pesadelo. Agora ele, Warren Buffett, estava realmente a um passo, não de supervisionar a salvação da empresa, mas de guiar uma Salomon moribunda pela noite dos mortos-vivos. Buffett empacou.

Informou ao conselho que diria a Brady, o secretário do Tesouro, que não atuaria como presidente interino do conselho; ele tinha vindo para salvar a firma, não para supervisionar o seu desmembramento. Sua reputação seria destruída de qualquer maneira, ele pensou, e as consequências da renúncia seriam menores do que o dissabor de permanecer no cargo. O conselho entendeu e concordou. Era a única carta que Buffett tinha para jogar com Brady. Enquanto isso, o conselho decidiu seguir dois caminhos ao mesmo tempo. Buffett se voltou para Marty Lipton. *"Você conhece um advogado de falências?"*, perguntou. Todos ficaram congelados por uma fração de segundo. Então Feuerstein e Lipton saíram e começaram a colocar em movimento as engrenagens do pedido de falência. Se necessário, a empresa faliria de maneira ordenada, e não em meio à confusão.

Restavam quatro horas e meia para tentar reverter a decisão do Tesouro antes da entrevista coletiva que a Salomon tinha convocado para as 14h30, com o objetivo de anunciar que Buffett se tornaria oficialmente presidente interino do conselho. Faltavam menos de sete horas para a abertura dos mercados japoneses e o começo das negociações da semana, e Londres abriria sete horas depois do Japão. Quando o mercado de Tóquio abrisse, começaria uma enxurrada.[87] Os credores iam começar a cobrar seus créditos imediatamente. Um pedido de clemência se tornara incomensuravelmente mais difícil. Eles tinham não apenas que mudar a decisão do Tesouro, mas também convencê-lo a reverter sua posição em público.

John Macfarlane, tesoureiro da Salomon, chegou usando um jogging, vindo direto de uma competição de triatlo. Ele falou ao conselho sobre o significado para a empresa da ação do Tesouro.[88] Os bancos já tinham começado a notificar a Salomon de que estavam revogando as linhas de crédito para seus papéis de curto prazo. A Solly estava adernando em direção ao que quase certamente seria a maior falência de uma empresa financeira em toda a história. Se o governo retirasse o seu apoio público e a firma perdesse o seu financiamento, a Salomon teria de liquidar ativos a preços reduzidos. Em seguida, à medida que alguns dos credores e parceiros de negócios da Salomon começassem a falir, por não terem sido pagos, haveria sérias consequências nos mercados mundiais. Tudo iria por água abaixo. Buffett temia que os reguladores pudessem se arrepender de sua postura irredutível.

"*Se eu tivesse liberdade de ação e quisesse maximizar meus ganhos na semana seguinte, venderia a descoberto não apenas qualquer valor mobiliário da Salomon em Tóquio naquela tarde e em Londres à noite, mas também venderia a descoberto valores mobiliários em todas as praças.*

Estávamos indo atrás de um juiz em algum lugar de Manhattan, para bater à porta da sua casa às 14 horas, quando ele provavelmente estaria assistindo a um jogo de basquete e comendo pipoca, e dizer: 'Estamos lhe entregando as chaves. É o senhor que está no comando agora. A propósito, o que conhece das leis japonesas, pois devemos 10 ou 12 bilhões de dólares no Japão? Devemos 10 ou 12 bilhões na Europa. Londres vai abrir às 2 horas. E, a partir deste exato momento, o senhor é que está no comando."

Estava difícil encontrar Corrigan. Ao pedir para falar diretamente com Nick Brady, secretário do Tesouro, Buffett descobriu que ele também não estava disponível.

Brady era o aristocrático ex-CEO da firma de corretagem Dillon, Read & Co. e sobrinho de Malcolm Chase Jr.; membro, portanto, da família que tinha vendido a Berkshire Fine Spinning para a Hathaway Manufacturing. Era ele que tinha apresentado em Harvard um trabalho sobre a Berkshire, que o deprimira tanto a ponto de ele decidir vender suas ações. Por intermédio de Malcolm Chase, Buffett visitara Brady uma vez na Dillon, Read. Os dois não eram amigos íntimos, mas tinham uma "*boa impressão mútua*", diz Buffett. Mas não havia motivo algum para que o nobre Brady, que vinha da tradicional firma Dillon, Read, tivesse uma boa impressão de um novo--rico como John Gutfreund – ou de uma empresa nova e arrogante como a Salomon.

Mesmo assim, Brady retornou a ligação de Buffett. Demonstrou empatia, mas deixou claro que reverter a situação era um problema enorme.

"*Eles iam parecer tolos. E eu também achava que eles pareceriam tolos, mas iam parecer muito mais tolos alguns dias mais tarde, quando a carnificina financeira se espalhasse por causa daquele ato.*"[89]

Brady disse que achava que Buffett estava exagerando, mas concordou em ligar novamente. Ele precisava consultar Corrigan, Breeden, presidente da SEC, e Alan Greenspan, presidente do Federal Reserve.

Buffett sentou-se e esperou a ligação de Brady. Ele não podia ligar para Brady. Não sabia que ele estava no hipódromo, sentado na tribuna de Ogden Phipps, em Saratoga Springs. Era uma prerrogativa de Brady ligar – ou não.

O sistema telefônico do andar da sala de conferências não funcionava aos domingos. Para não perder uma ligação, era necessário não tirar os olhos do telefone, para ver se a luz verde acendia. Por um certo tempo, Buffett ficou observando o aparelho, *"mais deprimido do que nunca"*. Por fim, alguém mandou uma secretária, chamada às pressas, ficar vigiando a luz.

Nos bastidores, os reguladores estavam conversando. Corrigan entrara em contato com Paul Volcker, ex-presidente do Federal Reserve e agora presidente do conselho de um prestigioso banco de investimentos. Volcker, assim como Breeden, era reverenciado na Salomon. Nenhum dos reguladores acreditava que Buffett iria embora; eles achavam que havia reputação e dinheiro demais em jogo. Sabiam que a decisão teria um impacto adverso na Salomon, mas achavam que era a medida apropriada. Não acreditavam que a Salomon faliria, mesmo se o Tesouro retirasse a sua chancela. Os mercados confiavam tanto em Buffett que, segundo eles, o simples fato de ele ficar segurando seu guarda-chuva sobre a Salomon salvaria a firma. Mas eles não podiam ter certeza disso. Analisaram se os mercados financeiros poderiam sobreviver à derrocada de uma de suas maiores firmas. O Federal Reserve teria que injetar enormes somas de dinheiro no mercado para manter outros bancos solventes depois que a Salomon não lhes pagasse. Um resgate daquela magnitude nunca tinha sido tentado antes. Todos estavam cientes dos prováveis efeitos colaterais. O mercado financeiro global podia entrar em colapso. Eles achavam que o Federal Reserve podia dar conta daquilo? "Sempre fui otimista", diz Corrigan. "Sempre disse a mim mesmo: 'Faça o que tiver de ser feito.'"[90]

Horas se passaram enquanto Buffett esperava que o telefone tocasse. Alan Greenspan ligou dizendo que, em qualquer hipótese, queria que Buffett ficasse. *"Era um pedido para eu simplesmente ficar em pé na ponte, a despeito do que acontecesse."*

Aos poucos, a sala de operações começou a ficar cheia, como se as pessoas tivessem sido convocadas por um tambor invisível das selvas. Acenderam seus cigarros e charutos, sentaram-se em torno da Sala e esperaram. Os arbitradores se agruparam, "de luto" por causa de Meriwether. Ninguém sabia o que estava acontecendo lá em cima. Lentamente o relógio se aproximava da hora em que as operações começariam em Tóquio, soando o toque fúnebre de morte da empresa.

Lá em cima os conselheiros circulavam preocupados, esperando enquanto os reguladores conversavam. Brady ligava periodicamente para Buffett, mas não tinha nada de significativo a dizer. Buffett repetiu várias vezes seus argumentos com a voz rouca que sempre o traía quando estava estressado. Disse a Brady que os advogados da Salomon já estavam trabalhando num pedido de falência. Invocou a importância da Salomon nos mercados. E falou a Brady sobre o efeito dominó que aquela falência poderia causar.

"Eu disse a Nick o que já tinha conversado com Jerry Corrigan. Aquilo ia causar uma implosão. Tóquio estava prestes a abrir, e nós não íamos recomprar nossos papéis. Era o fim. A partir das 10 horas, hora após hora, fiquei falando das consequências daquele processo, mas aquilo parecia não significar nada para ele."

Brady se dirigiu aos seus colegas reguladores e explicou. A maioria achou que aquilo era um pedido anômalo: Buffett estava solicitando para a Salomon uma espécie de tratamento especial que a empresa não merecia.[91]

O conselho da Salomon não conseguia entender por que os reguladores não estavam ouvindo os argumentos de Buffett. Eles comandavam os mercados financeiros. Por que não era óbvio para eles que a Salomon ia desmoronar?

À medida que a tarde ia passando, a lógica de Buffett não conseguia, naquela ocasião crítica, conquistar um aliado fundamental.

Só lhe restava uma opção. De todos os caminhos abertos à sua frente, de todos os recursos que ele podia utilizar, aquele era o mais precioso, a grande fonte cristalina que ele relutava em usar. Buffett preferiria se submeter a quase todos os itens de sua lista de tarefas mais detestadas – entrar em um confronto crítico e agressivo, despedir alguém, romper uma amizade de longa data cuidadosamente cultivada, comer comida japonesa, dar uma grande quantidade de dinheiro – a ter de fazer um saque no "Banco da Reputação". Durante todas aquelas décadas ele tinha protegido, alimentado, cultivado e armazenado aquela commodity inestimável em seu cofre. Nunca utilizara sequer uma gota em seu próprio nome ou de outra pessoa, exceto quando havia grandes probabilidades de receber de volta uma quantidade ainda maior.

Agora a derrocada da Salomon o expusera demais, colocando tudo em risco. E a última esperança remanescente era pedir ajuda, literalmente implorá-la como um favor pessoal, com base apenas na sua credibilidade.

Ele ficaria eternamente em dívida com Brady. Estaria apostando toda a sua reputação – aquela que demora uma vida para ser construída e cinco minutos para ser arruinada – no que acontecesse depois.[92] Nem ele mesmo sabia que tinha toda a coragem que conseguiu reunir.

A voz de Buffett falhou: "*Nick*", ele disse angustiado, "*este é o dia mais importante da minha vida.*"

Brady tinha seus próprios problemas a resolver. Não achava que os argumentos de Buffett fossem adiantar. Mas percebeu os sentimentos por trás das palavras. Conseguiu ouvir na voz de Buffett que aquele homem achava que a Salomon o tinha jogado do alto das cataratas do Niágara, dentro de um barril.

"Não se preocupe, Warren", Brady disse no final. "Vamos dar um jeito nisso." Desligou o telefone e foi consultar os outros.

Mas o relógio se aproximava das 14h30, a hora marcada para o início da entrevista coletiva, e Brady ainda não tinha ligado de volta.

Buffett decidiu jogar a única carta que podia usar com Corrigan. Pegou o telefone e disse: *"Jerry, ainda não assumi o cargo de presidente interino do conselho. Não realizamos nossa reunião esta manhã por causa da decisão do Tesouro. Portanto, não sou o presidente do conselho da Salomon. Posso me tornar o presidente do conselho em 30 segundos, mas não vou passar o resto da vida tomando conta do maior desastre financeiro da História. Serei processado de qualquer maneira por 50 pessoas, mas não vou passar o resto da vida tentando consertar um desastre total em Wall Street. Mas não me importaria de passar uma parte da minha vida tentando salvar este maldito lugar."*

Charlie Munger lhe dissera para não fazer aquilo de jeito *nenhum*. "*Esqueça*", Buffett respondeu. "*Algum tipo de surpresa pode acontecer no primeiro dia, você não consegue se desvencilhar e vai passar os próximos 20 anos no tribunal.*"

Corrigan levou a ameaça de Buffett mais a sério do que os outros reguladores. "Volto a ligar para você", ele disse.

Buffett sentou-se e esperou, pensando em seu próximo passo. Ele se via pegando um elevador, descendo seis andares, subindo sozinho no palco da entrevista coletiva e iniciando com as seguintes palavras: *"Acabamos de declarar falência."*

Lá embaixo, no calor de agosto, mais de 100 repórteres e fotógrafos, que tinham sido afastados inesperadamente de seus jogos de beisebol, piscinas e piqueniques com a família, iam enchendo o auditório da Salomon para a entrevista coletiva. A única coisa que eles tinham para preencher sua tarde de domingo interrompida era a visão dos gladiadores ensanguentados da Salomon, estripados diante de seus olhos na areia do Coliseu.

"Aquela multidão estava lá sentada à espera de uma grande notícia. E eu estava pensando sobre a velha história do repórter que é enviado para fazer uma matéria sobre um casamento e acaba voltando e dizendo ao editor: 'Bem, não teve matéria nenhuma porque o noivo não apareceu.' Esse era o clima entre os repórteres."

Enquanto os minutos passavam, um Meriwether pálido e abalado chegou. Como se tivesse sido instruído, ele fora se encontrar com Dick Breeden, presidente da SEC, para pedir ajuda. Meriwether disse que Breeden rejeitara o pedido. Duas vezes durante a conversa Breeden disse que a Salomon "estava podre até o talo".

"Podre até o talo", Meriwether repetia chocado, "podre até o talo". De repente todos perceberam que a jogada do Tesouro tinha sido uma decisão conjunta, tomada pelo Federal Reserve, o Tesouro e a SEC; a condenação era uma guinada repentina na opinião que o mundo tinha da Salomon, o troco por anos de orgulho e arrogância.

O horário da entrevista coletiva chegou e passou; enquanto isso, os repórteres se agitavam e iam ficando mais irritadiços. Brady não ligou. O telefone continuava sem acender a luzinha verde.

Finalmente, Jerome Powell, secretário assistente do Tesouro, ligou. "O Tesouro não vai reverter totalmente a sua decisão", ele disse. A Salomon não poderia fazer lances para os clientes em leilões do Tesouro. No entanto, eles tinham cedido no ponto mais importante para a Salomon. A firma poderia fazer lances para as suas próprias contas.

"Isso vai funcionar?", Powell perguntou.

"Acho que sim", disse Buffett.

Ele voltou à sala do conselho e contou aos outros. A sala explodiu de alegria e alívio. Buffett supervisionou rapidamente a sua própria eleição como presidente interino do conselho e a eleição de Deryck Maughan como diretor e chefe operacional da Salomon Brothers. Por volta de 14h45 ele saiu e mandou alguém ligar para a Sala.

Maughan estava sentado com os operadores olhando o relógio. Numa escrivaninha próxima, a equipe de John Macfarlane, pelo telefone, trabalhava num plano de contingência para se livrar dos ativos da empresa no Japão o mais depressa possível. Alguém ligou lá de cima e disse para Maughan se encontrar com Buffett no hall dos elevadores para uma conversa. Maughan não sabia ao certo se estava prestes a se tornar chefe ou se iam dizer que ele tinha um novo chefe. Foi até o elevador. A porta se abriu e ele viu Buffett lá dentro. Em vez de subirem de volta para a sala do conselho, desceram mais dois andares, rumo às garras da imprensa.[93]

"Os jornalistas estavam incontroláveis. Pareciam animais. Cada pergunta era uma cilada. A notícia era importante, e eles não se aborreceriam se sua importância aumentasse mais ainda. Era a oportunidade que eles tinham para brilhar. O pessoal da televisão foi especialmente antipático. Eles queriam que nos apressássemos, por causa do noticiário das 17 ou das 18 horas, e eu não estava disposto a cooperar. Eu podia sentir. Dava para perceber. Para eles, eu tinha que cair de cara no chão. Tinha que parecer falso. Eles queriam que a história evoluísse dessa maneira. Havia todo tipo de promoções e contratos editoriais pairando naquela sala, mas somente se a Salomon falisse."

Sentado na plataforma, Buffett cruzou os braços; parecia cansado. Maughan, com seu cabelo castanho-claro perfeitamente armado, observava a multidão com olhos arregalados como os de um animal assustado. Ambos usavam ternos azul-marinho, camisas brancas e gravatas sóbrias. "Eu não recebi preparação alguma, zero", diz Maughan. "'Você está sendo monitorado', foi toda a instrução que recebi." Ele não sabia nenhum detalhe do que tinha sido revelado lá em cima. Então eles começaram.

Os repórteres queriam saber o que tinha acontecido.

Buffett, com o paletó amarrotado, explicou: *"O fato de não se ter feito uma denúncia é, a meu ver, inexplicável e imperdoável. Já vi coisas igualmente idiotas acontecerem em outras empresas com as quais me envolvi, mas não com consequências tão graves."*

A cultura da empresa contribuiu para o escândalo?

"Acho que a mesma coisa não teria acontecido num mosteiro", Buffett respondeu.

Alguém perguntou quanto ele ganharia. *"Farei isso por 1 dólar"*, ele disse. Os conselheiros, sentados na plateia, ficaram perplexos. Era a primeira vez que recebiam aquela notícia.

Os repórteres estavam agitados. "Registros foram alterados? Quem os alterou? Houve ocultação de fatos? Quem participou da ocultação?"

Sim, alguns registros tinham sido alterados. Houve algo semelhante a uma ocultação de fatos.

Nessa altura ficaram mais excitados e começaram a fazer rapidamente perguntas difíceis. Ali talvez estivesse a presa cambaleante que estavam caçando, perto de ser capturada, pronta para ser destroçada por seus dentes afiados. Mas a pista esfriou quando foi revelado que a ocultação de fatos não envolvia ninguém além daqueles que já tinham sido demitidos.

Alguém apareceu e disse a Buffett que havia uma ligação do Tesouro. Ele saiu correndo, deixando Maughan, atônito, ali sozinho no palco para dar conta do recado. Maughan respondeu a algumas perguntas no tom monocórdio e perfeitamente articulado de um apresentador da BBC narrando um documentário sobre os hábitos de procriação dos antílopes.

Buffett voltou com um comunicado à imprensa do Departamento do Tesouro, anunciando que a Salomon tinha recuperado em parte a sua credibilidade. Os jornalistas não aliviaram. Continuaram a pressionar.

Os executivos tinham realmente renunciado ou foram forçados a deixar a firma? Buffett declarou diversas vezes que Gutfreund, Strauss e Meriwether renunciaram voluntariamente. Os ex-executivos receberiam uma compensação especial? A Salomon pagaria as custas judiciais? Quanto as ações ilegais renderam à empresa?

Depois de mais de uma hora de entrevista, um dos diretores, sentado ao lado de Munger, o cutucou e disse: "Warren não vai dar um fim nisso?"

"Talvez ele não queira realmente", disse Munger. "Warren sabe o que está fazendo."[94]

Quanto as operações falsas custaram ao governo? Quantos clientes disseram à Salomon que não fariam mais negócios com a firma? Que indenização seria paga aos ex-executivos? Por que a Wachtell, Lipton não levou a situação mais a sério? Quais foram os detalhes da estranha operação fraudulenta que os investigadores tinham descoberto e que a imprensa chamou de "trote de 1 bilhão de dólares"?

"Não se trata de um trote. Acho que, se fosse necessário caracterizá-la de alguma maneira...", Buffett começou.

"Essas foram as suas palavras no comunicado", retrucou um repórter incisivamente.

"Essas não foram as minhas palavras. Estava no comunicado. Meu nome não está no final do comunicado. É possível caracterizá-la como um incidente bizarro. A minha definição de trote é alguma coisa da qual você possa rir no final. Não considero aquele incidente nada engraçado."

Os repórteres, que em sua maioria tinham lido *Liar's Poker*, esperavam uma explicação. Sabiam que a Salomon era famosa por suas "brincadeiras". Os operadores estavam constantemente roubando roupas das malas uns dos outros e substituindo-as por toalhas de papel molhadas ou calcinhas de renda rosa. A brincadeira mais famosa na Salomon era o próprio jogo chamado *liar's poker*, que Gutfreund uma vez supostamente se ofereceu para jogar com Meriwether fazendo uma única aposta de 1 milhão de dólares, sem choro. Dizem que Meriwether teria feito a contraproposta de 10 milhões, levando Gutfreund a desistir. Embora se acreditasse que essa história em si fosse uma espécie de brincadeira com elementos apócrifos, até aquele momento 10 milhões de dólares era o limite externo que qualquer pessoa jamais havia imaginado para uma brincadeira da Salomon.

Mas por 1 bilhão de dólares você poderia encher o porto de Nova York de galinhas de borracha até à altura das coxas da Estátua da Liberdade. Qual, então, poderia ter sido o "trote de 1 bilhão de dólares"?

"Aparentemente, uma mulher estava deixando o departamento depois de muitos anos; acho que estava se aposentando", disse Buffett. "Fizeram um pedido muito grande passar para ela: 1 bilhão de dólares. Um pedido fictício de 1 bilhão de dólares, numa nova oferta de títulos de 30 anos do Tesouro. Então – e nessa altura as coisas ficam vagas – acho que o plano era convencê-la, de alguma maneira, de que o pedido não tinha sido enviado e que o cliente iria questioná-la. Estavam tentando assustá-la, ou algo assim. Não sei. Mas, na verdade, o lance acabou sendo feito."

Os 150 repórteres ficaram em silêncio. A Salomon comprara 1 bilhão de dólares em títulos por causa de um trote que deu errado. Buffett não estava brincando ao dizer que a cultura da Salomon tinha que mudar.

"Alguém deveria ter apagado o lance, em vez de enviá-lo. Deve ser o trote mais idiota que já tentaram aplicar."

Ninguém abriu a boca.

Maughan: "Alguma outra pergunta?"

Deixaram que o ar quente escapasse da sala. Depois dessa revelação, o que mais podia ser perguntado? As perguntas seguintes foram mais brandas.

A entrevista coletiva terminou. Buffett olhou o relógio enquanto eles saíam do palco. *"Preciso voltar para Omaha",* ele disse.

"Warren, o que está acontecendo aqui?", Maughan perguntou. Ele nunca tinha falado com nenhuma daquelas autoridades zangadas, nunca estivera numa reunião do conselho da Salomon, e o navio estava afundando. "Você tem alguma ideia sobre quem deveria fazer parte da diretoria? Quer me indicar alguma direção como estratégia?"

"Se você precisa me fazer perguntas desse tipo, escolhi o sujeito errado", Buffett respondeu. E saiu sem dizer mais nada, deixando seus 700 milhões de dólares e sua reputação nas mãos de um homem que tinha conhecido 30 horas antes.[95]

"Então, depois que tudo terminou, câmeras balançaram na nossa frente, e nos empurravam. Era uma cena de tumulto. Consegui sair e entrei num táxi. Um ou dois repórteres notaram esse fato, que, eles achavam, representava o novo espírito da Salomon, em vez de uma fila de carros de aluguel pretos nos esperando lá fora."

Na manhã de segunda-feira, Maughan foi para a Sala levantar o moral devastado do pessoal. Tirou o paletó e arregaçou as mangas. A empresa, ele disse, tinha enfrentado três testes.

O primeiro era de caráter. Ao demitir Mozer e seu número dois, Thomas Murphy, e aceitar a renúncia dos outros, a firma superou aquele teste.

O segundo era de confiança. Ao recuperar, pelo menos em parte, as boas graças do Departamento do Tesouro, a Salomon superou esse outro teste.

O terceiro era de disposição. "Esta não é mais a mesma empresa", disse Maughan, "mas temos que conservar aspectos da velha cultura, ao mesmo tempo que criamos uma nova."[96]

Alguns dos operadores se mexiam irrequietos. O que queria dizer uma nova cultura?

Mas a Salomon teve pelo menos um golpe de sorte. Durante a noite chegaram notícias dizendo que o primeiro-ministro soviético Mikhail Gorbachev acabara de ser deposto por um golpe. O mercado acionário imediatamente caiu 107 pontos. O noticiário de negócios, que aprofundara o caso Salomon durante toda a sexta-feira, mudou repentinamente de foco à medida que o mundo voltava sua atenção para Gorbachev, mantido em prisão domiciliar por oito de seus próprios chefes militares. Com tanques entrando em Moscou e os russos fazendo manifestações no Parlamento e protestando em Leningrado, os clientes correram para os telefones e a mesa de títulos fechou negócios revigorantes naquela manhã.

"Existem muitas maneiras de sair da primeira página dos jornais", disse um corretor, "mas mandar o Exército Vermelho para as ruas deve ser a mais criativa."[97]

49
Os deuses zangados
Nova York – 1991-1994

A confiança dos reguladores de que a Salomon poderia sobreviver graças à simples reputação de Buffett certamente era inadequada. A Salomon mal conseguiu resistir, mesmo quando o Tesouro reverteu parcialmente sua decisão. Alguns de seus maiores clientes agora sentiam verdadeira repugnância pela firma. Primeiro, o enorme e influente Sistema de Aposentadoria dos Funcionários Públicos da Califórnia e, depois, o Banco Mundial se desligaram da Salomon. Buffett adormecia todas as noites com visões de centenas de bilhões de dólares em dívidas da Salomon que venceriam nas semanas seguintes pulando em seus sonhos como ovelhas doentias. Ele tinha a sensação de que, por uma vez na vida, os problemas simplesmente não estavam sob seu controle. "*Os acontecimentos podiam me matar, e eu não tinha como sair do trem. Eu não sabia para onde o trem estava indo.*

Eu não podia determinar o que as tropas fariam a cada dia. Não podia fazer nada sobre as coisas que eu não sabia que existiam quando entrei lá. Não podia mudar o que Jerry Corrigan achava de tudo o que tinha acontecido, ou o que o procurador federal ou a Divisão Antitruste do Departamento de Justiça fariam. Eu sabia que era terrivelmente importante trabalhar da maneira certa, mas – por mais que eu trabalhasse – tudo isso estava fora do meu controle. Eu podia ficar acordado a noite toda refletindo, mas isso não garantiria necessariamente um bom resultado. Tudo faria uma enorme diferença para muitas pessoas. E também mudaria toda a minha vida futura."

Buffett precisou voltar para Nova York na semana seguinte. O senador Daniel Patrick Moynihan queria falar com ele sobre a Salomon, e muitas outras questões exigiam a sua presença. Ele e Munger levaram Moynihan para uma sala de jantar privativa no 47º andar da Salomon, e o *chef* preparou uma típica refeição de Wall Street para Moynihan, incluindo os vinhos certos. Moynihan olhou com nojo para Buffett e Munger quando eles pediram sanduíches. O rastro do furacão Bob ainda estava castigando a Costa Leste. De repente cascatas de chuva começaram a penetrar por um vazamento na janela. *"Os deuses estão zangados com a Salomon"*, Buffett observou.¹

Mais tarde naquela semana ele e Munger foram a Washington se encontrar com McLucas e Dick Breeden, na SEC. Entraram no escritório parecendo "dois sujeitos comuns numa rodoviária", segundo McLucas. Então começaram a falar e apresentar os planos para salvar a Salomon; McLucas diz que entendeu então por que uma das pessoas com quem ele estava conversando era considerada uma lenda e a outra podia terminar as frases da lenda.²

Depois Buffett visitou pessoalmente o Departamento do Tesouro para se encontrar com Nick Brady, que revelou que tinha pensado que Buffett estava blefando. "Warren", ele disse, "eu sabia que você aceitaria o cargo a despeito do que fizéssemos."³ Foi somente a sinceridade do apelo de Buffett que o tocou. "Faça o trabalho o mais depressa que puder", disse Brady, "e saia de lá."

Buffett estava determinado a descobrir, revelar e consertar imediatamente o que quer que houvesse de errado na Salomon. *"Consertar, ser rápido e cair fora"*, ele disse. Com "rápido" ele queria dizer realmente rápido. Conversou com sua nova secretária, Paula, que tinha trabalhado para Gutfreund e conhecia bem todos eles, e sugeriu: *"Por que você não começa a conversar com os membros do conselho e a fazer perguntas sobre o que eles sabiam e quando souberam?"*⁴ Mas esse plano foi vetado pelo cauteloso Bob Denham, advogado da Munger, Toller que tinha sido trazido de avião de Los Angeles para chefiar a investigação. A investigação seria realizada por advogados.

A primeira coisa que Denham fez foi entrevistar Don Feuerstein – que, em seguida, foi demitido sumariamente. Feuerstein pediu para falar com Buffett, que disse apenas: *"Você poderia ter feito mais."* Como Buffett sabia daquilo desde o início, ele não conseguia entender a meia-volta.⁵ Buffett, no entanto, aos poucos chegara à conclusão de que, por causa de sua lealdade a Gutfreund, Feuerstein colocara os interesses do seu chefe à frente dos interesses da Salomon. Denham ficou então com o cargo de advogado-chefe. À medida que assumia o controle, Buffett descobriu até que ponto o conselho tinha sido submetido ao que ele chamou ironicamente de "racionamento de informações" por parte da administração da Salomon. Ele e Munger souberam então que, quando Mozer admitiu pela primeira vez, em abril, que tinha feito um lance não autorizado, a empresa também descobriu que ele tentara encobrir o fato, além de enganar o cliente cujo nome usara, dizendo que o pedido falso fora causado por um erro administrativo.

"Era como se Mozer tivesse acendido um fósforo. E o Sr. Gutfreund podia ter apagado, no dia 29 de abril, o fósforo que Mozer acendeu, mas nada fez a respeito. Ficou claro que Mozer tinha certas características de um piromaníaco, uma ten-

dência a acender fósforos com mais frequência do que pensávamos. Era responsabilidade do Sr. Gutfreund fazer algo a respeito quando visse aquilo. No começo, ele nada fez; depois começou, talvez em pânico, a jogar mais gasolina.

O resultado final foi que os acionistas da Salomon teriam um prejuízo de centenas de milhões de dólares e 8 mil funcionários e suas famílias temeriam por seus empregos.

Acho que era a coisa mais simples do mundo a ser feita. Você tinha um sujeito, Paul Mozer, que admitiu ter apresentado lances falsos ao cliente e regulador mais importante do mundo, o governo dos Estados Unidos. Você sabia que ele tentou encobrir seus atos envolvendo um outro cliente e tentou fazê-lo cooperar para que o governo não descobrisse nada.

Nada disso era culpa do Sr. Gutfreund.

Mas, quando você descobre uma ação desse tipo, é óbvio que, em 10 segundos, pega o telefone e diz: 'Mozer, você está despedido.' Depois vai direto até Jerry Corrigan e diz: 'Jerry, você sabe, esse é o problema de dirigir um lugar com 8 mil funcionários. Esse cara saiu da linha e eu o demiti assim que soube. O que você quer que eu faça em seguida?'"[6]

É claro, isso não seria tão óbvio em 10 segundos para muitas pessoas. Elas pensariam em diversas coisas. Mozer era muito valioso para a firma, responsável que foi por uma guinada no departamento de câmbio; demiti-lo seria desagradável. Talvez fosse possível reabilitá-lo, mas seria doloroso confessar o erro aos reguladores, as reações poderiam ser cáusticas; e um grande escritório de advocacia dissera que a denúncia não era tecnicamente necessária. Buffett ignorou tudo isso. Ele pensava em termos de probabilidades. Imaginava imediatamente a possibilidade de um resultado catastrófico – e, depois, calculava com muita rapidez o que seria necessário para diminuir ao máximo a probabilidade de uma catástrofe. Nesse caso, o melhor a fazer era demitir Mozer e confessar imediatamente. Buffett também pensava em termos absolutos a respeito da honestidade: não tolerava mentirosos e trapaceiros. Então aquela era a solução.

Mas ele descobriu que, infelizmente, a situação envolvia mais mentiras e trapaças do que lhe tinham dito. Os investigadores informaram que Feuerstein disse na época que as ações de Mozer eram "de natureza criminosa" – um contraste surpreendente com a reação satisfatória da empresa ao parecer jurídico de que não havia necessidade de divulgar a informação. E ninguém relatou, em momento algum, o comportamento de Mozer ao departamento de auditoria da firma – encarregado da supervisão da conduta regulatória. A verdade era que a Salomon tinha uma atitude em relação ao cumprimento de normas que podia ser descrita como frouxa. Mais tarde haveria um debate sobre quem deveria ser escolhido para membro da comissão de auditoria.[7] O auditor-chefe ficou profundamente perturbado quando descobriu que estava fora do circuito e que os procedimentos normais tinham sido ignorados.

Buffett e Munger também descobriram que, no início de julho, Gutfreund se encontrou com o subsecretário do Tesouro, Bob Glauber, para defender a empresa da acusação de ter arquitetado o *squeeze* de maio. A direção da Salomon tinha avaliado a possibilidade de revelar a Glauber o lance falso logo após aquela reunião, mas decidiu que aquele não era o momento certo. Glauber disse mais tarde que achava que o fizeram passar por otário quando Gutfreund não lhe contou nada. Nada deteriorara mais o relacionamento com o governo e comprometera a credibilidade da Salomon do que esse encontro com Glauber. Aquilo cheirava a ocultação deliberada de fatos.

O segundo comunicado à imprensa que o conselho aprovou, dizendo que o atraso ocorrera por causa da "falta de atenção suficiente dada à questão", deu a impressão de que o conselho estava participando dessa ocultação de fatos, já que Gutfreund se encontrou com Glauber e certamente teve a oportunidade de contar tudo a ele. Mas é claro que o próprio conselho não sabia da reunião com Glauber.

Buffett ficou revoltado por não ter sido informado sobre nada disso durante o longo fim de semana da crise em que negociara com o governo. Todos aqueles cuja principal função era proteger a empresa não o fizeram – na verdade, agiram de uma forma que a colocava em perigo. No entanto, como se tudo isso não bastasse, o indignado Buffett ainda não sabia de uma última coisa: a carta-ultimato que Sternlight tinha enviado e que fora ignorada.

Alguns dias mais tarde o conselho se reuniu e Buffett expôs seu pensamento com base nessas informações. O conselho cancelou as assinaturas de revistas dos ex-executivos. Tirou suas secretárias e se livrou de limusines e motoristas. Cortou o serviço de chamadas de longa distância e os mensageiros. Proibiu a entrada deles nos escritórios da Salomon. Tentou cancelar os planos de saúde. Por sua vez, a Wachtell, Lipton propôs deixar de ser representante legal da firma. De início Buffett se opôs, mas depois concordou. A opinião geral era que a orientação jurídica de Marty Lipton não tinha salvaguardado a reputação da Salomon.[8]

Denham estava então ajudando a supervisionar diariamente a Salomon. Para reforçar a equipe jurídica nas questões externas, Buffett trouxe Ron Olson, seu sócio mais recente, que passara a figurar no nome da Munger, Tolles & Olson, tinha trabalhado no caso do *Buffalo Evening News* e agora representava a Berkshire Hathaway.[9] A MTO tinha um radar bem sintonizado para saber como obter os melhores resultados jurídicos para o cliente – e também sabia de longa data como Buffett pensava.

Buffett disse a Olson que queria adotar uma nova estratégia.[10] Já cambaleando por causa do golpe quase mortal na sua reputação, a Salomon não conseguiria, a seu ver, sobreviver a um indiciamento criminal.[11] Era como um paciente em um estado avançado de câncer. Buffett achava que, para salvar a empresa, técnicas radicais deviam ser aplicadas, mesmo que o paciente ficasse enfraquecido. A terapia que na sua opinião representava a maior esperança de a Salomon evitar um indiciamento criminal consistia em demonstrar extrema contrição. Ele extirparia até a última célula cancerosa e, com uma radiação corrosiva, limparia a firma e eliminaria qualquer indício de recorrência.

No primeiro dia em sua nova tarefa, Olson se encontrou com Otto Obermaier, procurador federal do Distrito Sul de Nova York, o homem que decidiria se indiciava criminalmente ou não a Salomon.

"*O argumento que apresentamos a Otto Obermaier era que daríamos o exemplo. Aquele seria o exemplo mais extraordinário de cooperação jamais dado por quem era alvo de uma investigação, e o resultado surtiria efeito no comportamento dos futuros réus e no funcionamento do sistema judiciário.*"

Olson teve que fazer uma promessa. Lá mesmo renunciou ao sigilo entre cliente e advogado, que protegia dos promotores as comunicações entre a empresa e seus advogados. Disse que tudo o que a MTO descobrisse em sua investigação seria informado a Obermaier imediatamente.[12] Isso significava sem rodeios que a MTO, em nome da Salomon, estava se oferecendo para atuar como um braço do governo. Obermaier ficou "incrédulo", diz Olson. "Ele achava que éramos um grupo provinciano do Meio-Oeste que estava ali para tentar vender um plano enganoso."[13] Ele não conseguia acreditar que uma empresa pudesse fazer voluntariamente uma oferta que contrariasse tanto os próprios interesses. Afinal, a Salomon não estava correndo perigo iminente de indiciamento. Teria meses para provar sua argumentação. Obviamente, aquilo era mais do que uma promessa vazia de "regeneração".

Depois Olson voou para Washington e disse a mesma coisa a Breeden, na SEC – que se mostrou "igualmente cético."[14]

No início o significado da renúncia ao privilégio do sigilo não ficou claro. Frank Barron, advogado da Cravath, Swaine & Moore, outro escritório de advocacia da Salomon, ficou encarregado de negociar o que esse presente extraordinário significaria para o Departamento de Justiça. Era difícil negociar termos, pois o compromisso já fora assumido. A Salomon tinha pouco poder de barganha. O Departamento de Justiça pressionou muito por uma interpretação ampla do compromisso e, em grande parte, alcançou seu objetivo.[15] O acordo colocava a empresa na situação peculiar e paradoxal de comprometer seus próprios funcionários. Quanto mais provas da culpa dos funcionários a MTO encontrasse, mais provas haveria de que a Salomon cooperara e se regenerara. Por sua vez, os funcionários tinham que cooperar, senão eram demitidos, e seus depoimentos aos investigadores não estariam protegidos pelo sigilo advogado-cliente.[16]

Procurado para que ajudasse Buffett a se preparar para um depoimento no Congresso, Gutfreund e seu advogado se encontraram com Olson alguns dias depois. Gutfreund se oferecera para cooperar, mas, quando seus advogados tentaram estabelecer as regras básicas para a conversa, Olson se recusou a aceitá-las. Então Gutfreund e seus advogados abandonaram o encontro.[17] Olson relatou a Buffett que tinha sido "segregado".[18]

Tudo na Salomon estava sendo virado de cabeça para baixo enquanto a nova cultura de abertura entrava em vigor. Alguns dias depois de ter encontrado Obermaier, Olson e Buffett foram ao 7 World Trade Center para uma reunião. Alguém, agindo como se estivesse no piloto automático, contratara uma nova empresa de relações públicas. Numa sala, em volta de uma grande mesa quadrada, duas dúzias de pessoas estavam sentadas à espera deles. Algumas trabalhavam para a Salomon, mas a maioria era pessoal de relações públicas e lobistas que cobravam por hora. Buffett ouviu durante 15 minutos eles descreverem como queriam gerir a crise. Então se levantou. *"Sinto muito, mas tenho que sair",* disse. Inclinou-se e sussurrou no ouvido de Olson: *"Diga que não precisaremos deles",* e saiu da sala.[19]

"Pelo amor de Deus, estamos sendo mal interpretados", disse Buffett depois. *"Não temos um problema de relações públicas. Temos um problema com o que fizemos."*

Em seu aniversário, 30 de agosto, Buffett foi a Washington. Ele decidira se preparar para o depoimento no Congresso e combinou com Steve Bell, que dirigia o escritório de Washington da Salomon, reunir um grupo para tentar antecipar as perguntas que os congressistas poderiam fazer.

Buffett se registrou no hotel Embassy Suites, perto dos escritórios da Geico. Enquanto a emergência prosseguia, isolou-se em seu quarto por dois dias. Conheceu por acaso uma telefonista do hotel, Carolyn Smith, que se tornou sua secretária *de facto* e uma espécie de Violeta Buscapé, cuidando dos telefonemas e mandando biscoitos para ele no quarto à guisa de jantar. Eles nunca se encontraram pessoalmente, mas quando Nick Brady, do Departamento do Tesouro, ligou ela avisou correndo Buffett, apesar de ele estar ocupado na única linha telefônica de seu quarto.[20]

Depois de alguns dias Buffett encontrou tempo para ir até os luxuosos escritórios da Salomon, onde Bell tinha reunido diversas pessoas para um brainstorm. Bell ligou antes para Nova York perguntando que comida deveria servir a Buffett. "Algo simples", disseram. "Sirva hambúrgueres." Bell era uma das muitas pessoas que, ao longo de décadas, acharam que esse conselho certamente não podia ser literal. Na hora do almoço, o *chef* serviu um prato de peixe preparado de maneira simples. Buffett nem tocou na comida. Depois chegou uma bela salada com um bom queijo importado. Buffett a ignorou. Vitela ou algo semelhante era o terceiro prato. Buffett deu uma ou duas mordidas e só desarrumou a comida no prato. "Sr. Buffett", disse Bell com ar preocupado, "vejo que o senhor não está comendo. O que há de errado? Posso pedir alguma outra coisa para o senhor?"

"Sigo uma regra muito simples no que diz respeito a comida", disse Buffett. "Se uma criança de 3 anos não come alguma coisa, eu também não como."[21]

No dia seguinte, Buffett, Deryck Maughan e Bob Denham foram ao Rayburn House Office Building depor perante o Congresso. Katharine Graham apareceu para dar apoio moral e sentou-se ao lado de Maughan e Denham na primeira fila. Buffett causou uma impressão forte, sentado sozinho na mesa da subcomissão e prometendo uma cooperação incondicional com o Congresso e os reguladores.[22] "Quero descobrir exatamente o que aconteceu no passado, para que essa mancha seja carregada apenas pelos poucos culpados", ele disse, "e removida dos inocentes."

Os congressistas, posando de salvadores dos investidores, acusaram violentamente a Salomon e exigiram uma faxina geral. Mas ficaram ligeiramente perplexos com Buffett. "Quando ele começou a falar, o Mar Vermelho se abriu e o profeta apareceu", conta Maughan.[23] Buffett apresentou os problemas de Wall Street. "*Mercados enormes atraem pessoas que se medem pelo dinheiro*", ele disse. "*Se alguém passa pela vida e se mede somente por quanto consegue ter ou quanto dinheiro ganhou no ano passado, mais cedo ou mais tarde essa pessoa terá problemas.*" Ele disse que a Salomon teria prioridades diferentes dali em diante.

"*Perca dinheiro da firma, e eu serei compreensivo. Perca uma migalha da reputação da firma, e eu serei impiedoso.*"

Essas palavras têm, desde então, sido analisadas e dissecadas em salas de aula e estudos de caso como um modelo de ética corporativa. A inabalável exibição de princípios de Buffett resumia bem quem era aquele homem. Em seu depoimento, muitas das suas inclinações pessoais – retidão, vontade de se pronunciar, amor por regras de comportamento simples e claras – se fundiram. Buffett queria que a Salomon defendesse todas as coisas que ele também defendia: abertura, integridade e negociações justas. Se a Berkshire Hathaway era a sua página editorial, a Salomon seria o seu templo das finanças.

Buffett tomou o caminho de volta para o 7 World Trade Center e redigiu uma carta de uma página aos funcionários, insistindo para que denunciassem a ele todas as violações legais e falhas morais de que tivessem conhecimento. Ele isentava pequenas falhas morais, como abusos de pouca monta no reembolso de despesas, mas, "*quando estiver em dúvida, ligue para mim*", disse. Colocou o seu telefone residencial na carta. *"Faremos negócios de alto nível usando métodos de alto nível"*, escreveu.[24]

Ele queria administrar tudo de acordo com o que chamava de "teste da primeira página". *"Não obedeça simplesmente às regras"*, disse.

> *"Quero que os funcionários perguntem a si mesmos se estão dispostos a ver qualquer um de seus atos aparecer na primeira página dos seus jornais locais, no dia seguinte, para que seus cônjuges, filhos e amigos possam ler, tudo narrado por um repórter bem informado e crítico."*[25]

Os funcionários tentaram freneticamente evitar que a firma falisse. Ligavam para clientes e imploravam para que eles não abandonassem a Salomon nem tivessem pressa em vender seus ativos, porque a dívida que os financiava estava desaparecendo. John Macfarlane e a mesa de recompra, que comprava e vendia lotes de títulos, administravam um intricado escoamento de ativos, ao mesmo tempo que negociavam de forma tensa com vários credores, dentre os quais alguns estavam se recusando a adiantar dinheiro para a empresa.[26]

Os ativos diminuíam a uma razão de cerca de 1 bilhão de dólares por dia. Macfarlane e os operadores se encontraram com os credores várias vezes para garantir que estivessem informados, e se concentravam em estabilizar o balancete e o relacionamento da Salomon com os clientes, aumentando gradualmente a taxa de alocação de juros da firma e deixando que a economia fizesse o resto.[27] Eles saldaram todas as notas promissórias comerciais e reestruturaram a dívida para títulos de médio prazo e capital de prazo mais longo. Usando mercados futuros e *swaps* (operações com derivativos), os operadores se mexiam discretamente pelo mercado para disfarçar a gigantesca liquidação que estavam realizando. Se outros corretores reconhecessem o padrão de suas vendas, um ataque predatório poderia ser iniciado.[28]

Sob ameaça de indiciamento, não havia certeza alguma de que a Salomon sobreviveria. Os funcionários entenderam a mensagem da carta de Buffett. Nada mais podia dar errado em meio àquele clima com os reguladores e o Congresso em perseguição cerrada. *"Quero que cada funcionário seja seu próprio auditor"*, disse Buffett. Isso significava que, para salvar a empresa, eles tinham de vigiar uns aos outros. Enquanto isso, todos sabiam que a MTO estava vasculhando a mesa de negócios com o governo como um rastreador de minas, procurando qualquer coisa que pudesse estar errada. À medida que os clientes fugiam, as operações encolhiam e o medo se alastrava. A antiga cultura da Salomon, de assumir riscos impetuosamente, começava a esmorecer.

Dias depois Buffett foi chamado mais uma vez a Washington, dessa vez para depor perante o Senado. Corrigan, Breeden e os promotores federais continuavam zangados com a Salomon. Enquanto esperava ser chamado, sentado algumas filas atrás de Corrigan numa sala do Senado, Buffett ouviu o senador Chris Dodd perguntar a Corrigan se o Federal Reserve dormira no ponto.[29] Corrigan disse que não, e que a carta de Sternlight, entregue em 13 de agosto, tinha como objetivo produzir uma mudança na administração, mas tinha sido ignorada – o que, como Buffett percebeu, ele considerava uma cusparada em seu rosto por parte da Salomon.

Buffett estava sentado, disfarçadamente coçando a cabeça. Ele sabia que havia algum problema importante ali, mas não sabia do que Corrigan estava falando.[30]

Quando chegou a hora de testemunhar, ele disse: "*A nação tem o direito de esperar que suas leis e regras sejam obedecidas, e a Salomon não cumpriu essa obrigação.*" Os congressistas reclamaram das remunerações excessivas da Salomon. Perguntaram como um arbitrador podia ganhar 23 milhões de dólares. "*Aquilo me incomodou muito*", Buffett respondeu. Eles queriam saber o que era a arbitragem de títulos e se aquilo beneficiava a economia. Buffett explicou e depois disse: "*Se me perguntassem se aquilo se compara a um bom professor numa escola pública, eu preferiria não ser forçado a responder.*"

Um congressista perguntou por que um conselho cheio de pessoas inteligentes não fora mais vigilante e alerta. Sem trair o fato de que estava fervendo por dentro por causa da carta de Sternlight – seja lá o que ela dissesse –, Buffett disse que a administração reteve informações.[31] Admitiu que Munger foi o único membro do conselho suficientemente inteligente para fazer as perguntas certas quando receberam o primeiro telefonema.

Ele não estava tentando defender a Salomon por aquilo que era: uma grande empresa com uma cultura maravilhosa, que tinha um único funcionário que fez uma coisa terrível, negligenciada por uma diretoria que administrou mal a situação. Defender a firma de *Liar's Poker* provavelmente não ia angariar novas amizades. Não, a Salomon era uma Gomorra financeira que precisava ser investigada e expurgada de seus métodos de falsificação de papéis, intermediação de bonificações e descaso generalizado.

Essa postura ousada e surpreendente deteve uma caça às bruxas que estava prestes a começar. Os forcados voltaram para os celeiros. Os funcionários se comportaram adequadamente. "Foi uma estratégia brilhante", disse Eric Rosenfeld. "Aquela era nossa ordem de marcha, e nós marchamos."

Quando voltou à Salomon, Buffett foi atrás dos detalhes da carta de Sternlight. "Ele ficou lívido", lembra o conselheiro Gedale Horowitz. "Aquele delito tinha sido acobertado. Ele ficou com muita raiva porque não tinha sido informado e a carta não fora respondida." Além da reunião com Glauber, a carta de Sternlight era o ato mais grave de "racionamento de informações". O fato de ela ter sido ocultada do conselho fez com que várias decisões fossem tomadas num estado de total ignorância a respeito das expectativas de Corrigan. As atitudes de Buffett e Munger em relação à administração anterior endureceram. O real significado da expressão "chupar dedo", usada por Munger, ficou absolutamente claro. "Chupar dedo" significava ignorar o óbvio até que a sua fralda estivesse cheia. Durante algumas semanas, disse Munger, "prestamos atenção ao nosso soberano" – ou seja, o Tesouro e o Federal Reserve – "e as nossas visões iam mudando à medida que a nossa cognição melhorava". No que dizia respeito a Gutfreund, *"não tínhamos a opção de perdoar"*,[32] disse Buffett.

Por meio dessas revelações, Buffett liderava a Salomon com aparente equanimidade e equilíbrio, ao passo que Maughan e uns poucos funcionários usando trajes de proteção formavam a "equipe de limpeza". Mas, por baixo de seu comportamento superficialmente tranquilo, ele tremia de agitação. Para evitar pensar na Salomon, ele jogava um videogame chamado Monty por horas a fio. Odiava sair de Omaha. Gladys Kaiser notava a agilidade em seus passos ao voltar e a lerdeza de seus pés quando tinha que ir embora. Ela queria se aposentar, mas adiou a decisão, porque seu chefe estava tendo um ano terrível.[33] Assim como acontecera na sua juventude, quando trabalhava na Graham-Newman, ele não se adaptava a Nova York. Permanecia isolado, mal aparecia na sala de operações e, como um diretor sênior observou, vê-lo nos corredores da Salomon "era uma raridade". Susie saiu de São Francisco e foi visitá-lo. Kay Graham foi até lá para jogar bridge e fazer companhia. Ele rapidamente organizou uma partida regular com Carol Loomis, George Gillespie e Ace Greensberg, CEO da Bear Stearns. O bridge o ajudava a relaxar porque quando estava jogando não conseguia pensar em mais nada. A alguns quilômetros dali, em seu enorme apartamento na Park Avenue com uma coleção de arte cuidadosamente reunida, seu velho amigo Dan Cowin estava morrendo de câncer.

Buffett não estava dormindo direito. Quando ficava em Nova York, ligava para casa à 0h30, pois tinha um acordo especial para receber o *Wall Street Journal* cedo em Omaha, e ouvia as notícias do dia seguinte pelo telefone.[34] Escutava ansioso, temendo que saísse alguma notícia horrível sobre a Salomon. Muitas vezes saía mesmo, mas pelo menos ele tomava conhecimento do fato antes dos funcionários, muitos dos quais estavam vendo a própria casa menos ainda que ele. Eles estavam trabalhando de 14 a 15 horas por dia para recuperar a solidez da firma diante dos sucessivos obstáculos e humilhações. Os vendedores de ações e títulos da Salomon ligavam para os clientes sabendo que sua principal tarefa era convencê-los de que a empresa não estava falindo. Os clientes de banco de investimentos estavam cancelando transações já acertadas mais depressa do que conseguiriam sair correndo porta afora. A British Telecom tirou a Salomon da importante negociação que Gutfreund tentara salvar indo a Londres, a viagem que o fez perder o telefonema para Buffett em Reno que revelou o escândalo emergente. Os funcionários que tentavam vender outras empresas enfrentavam uma tarefa quase impossível, pois os concorrentes usavam a situação precária da empresa quando a Salomon disputava com eles.[35]

Outros funcionários recebiam promoções de magnitude assustadora. Maughan promoveu um dos arbitradores, Eric Rosenfeld, a operador-chefe, junto com Bill McIntosh, o chefe de vendas. Rosenfeld, um ex-professor universitário que nunca tinha trabalhado com uma equipe de mais de 5 pessoas, de repente se viu administrando seiscentas. A essa altura, os investigadores ameaçaram demitir alguns de seus operadores. E, além de controlar as 600 pessoas, Rosenfeld revisou pessoalmente milhares de transações para os advogados, a fim de reconstituir o que tinha acontecido.[36]

Ele não queria aquela promoção: na verdade, ele e os outros arbitradores torciam pela volta de John Meriwether. O escritório de J. M. permanecia exatamente como ele o deixara. Os tacos de golfe, seus instrumentos cerimoniais de poder, estavam encostados num canto. A equipe de limpeza mantinha limpo o templo. Os arbitradores se reuniam para consultar os oráculos das operações. Rezavam pedindo a volta de J. M. As ações da Salomon continuaram a despencar até um valor próximo a 20 dólares.

À medida que a investigação prosseguia e os funcionários remavam como escravos nas galés, a mente de Buffett não conseguia afastar suas principais preocupações: a Berkshire Hathaway e os investimentos. Ele acabara de comprar uma empresa de calçados, a H. H. Brown Shoes, e disse à sua secretária na Salomon, Paula Orlowski, para ir à biblioteca vascular arquivos em busca de documentos da SEC sobre a More Shoe, outra fabricante de calçados que recentemente pedira falência.[37]

Mas a Salomon demandava a maior parte de sua atenção. Com o acúmulo de outros escândalos anteriores – Ivan Boesky, Michael Milken na Drexel Burnham Lambert –, o caso da Salomon tinha aumentado a percepção de que Wall Street era extremamente corrupta. No rastro do depoimento de Buffett ao Congresso, várias outras corretoras correram para o confessionário e seguiram o seu exemplo.[38] Àquela altura os investigadores da Salomon descobriram que Mozer havia feito lances para mais de 35% do total de títulos em oito ocasiões diferentes, apresentando lances falsos de clientes ou aumentando os lances de clientes e colocando os títulos suplementares na conta da própria Salomon, sem informar aos clientes cujos nomes usara. Em quatro ocasiões ele conseguiu comprar mais de três quartos de toda a dívida emitida.[39] À medida que o clima de caça às bruxas crescia, Buffett aumentava as apostas. Na reunião seguinte do conselho, comandou uma discussão: *"Por que a Salomon deveria pagar os advogados de John Gutfreund para nos prejudicar?"* era o ponto central do seu questionamento.[40] Os conselheiros votaram, quase por unanimidade, a favor de duas medidas surpreendentes. Nada de indenização rescisória, disseram. E a firma suspendeu o pagamento das despesas legais dos ex-executivos.[41]

O drama agora girava em torno de duas coisas: as deliberações do Federal Reserve sobre manter ou não a Salomon como um *primary dealer* e a ação penal. O Federal Reserve não tinha a opção rápida de suspender temporariamente a firma: "É como executar alguém tecnicamente e depois ressuscitá-lo", disse Alan Greenspan, presidente do Federal Reserve. Em outubro o Fed estava pensando seriamente em deixar a Salomon falir. Manter a empresa em operação era uma decisão que "poderia ser criticada por políticos da esquerda e da direita".[42]

Os promotores federais acreditavam ter provas suficientes para indiciar a firma. A lei penal dificulta muito a defesa de corporações em relação a atos de seus funcionários. Gary Naftalis, advogado criminalista da Salomon, avisou que "a empresa podia certamente ser condenada" se fosse indiciada. Por motivos óbvios, todos ficaram desesperados para resolver a questão penal. Enquanto a ação estivesse pairando no ar, a Salomon operaria sob a ameaça constante de morte, e os clientes sabiam disso. Mas Naftalis não tinha pressa alguma. Ponderou que uma decisão rápida provavelmente significaria indiciamento, ao passo que, com mais tempo, a Salomon poderia demonstrar sua vontade extraordinária de cooperar. Com mais tempo, portanto, era menos provável que os promotores a indiciassem.[43]

Depois de cerca de três meses de trabalho para reformar a Salomon, Denham levou Buffett, Olson, Naftalis e Frank Barron a um lugar secreto, escolhido por insistência do procurador federal Otto Obermaier, a 800 metros do seu gabinete na St. Andrew's Plaza, perto do City Hall. Era uma última tentativa para persuadir Obermaier e seus advogados a não indiciar.[44]

Obermaier, um promotor da velha guarda teutônica que amava a lei e respeitava profundamente a história e a tradição da Procuradoria dos Estados Unidos, tentava decidir o que fazer com o fiasco que tinha ido parar em suas mãos. Ele reconhecia a natureza singular da situação. "Não se trata de um caso de agressão no metrô de Nova York", disse. De fato, ele tinha ligado em vários momentos para Jerry Corrigan, "muitas vezes alarmado", para entender as movimentações no mercado de títulos do Tesouro: a diferença entre os títulos de 2 anos e os de 30 anos, a frequência dos leilões e como eles eram conduzidos.[45]

Sentado à frente de Obermaier, numa pequena sala de reuniões, Buffett foi quem mais falou. Ele se esforçou para enfatizar o que já dissera várias vezes – que, caso fosse indiciada, a firma não sobreviveria. No entanto, Obermaier fez comparações com um caso envolvendo a Chrysler, que sobrevivera ao processo.[46] A diferença entre uma empresa que vendia ativos sólidos e uma firma que comprava e vendia nada mais do que promessas em pedaços de papel não estava clara de início. Buffett tentou dissipar a imagem de desmazelo criada pelo livro *Liar's Poker* e invocou os subordinados simples que perderiam seus empregos se a Salomon falisse. Prometeu que continuaria a dirigir a empresa e sublinhou a força arrebatadora das mudanças que estavam ocorrendo na cultura da Salomon. Isso impressionou Obermaier, mas ele manteve o semblante impenetrável. Havia muitos outros fatores a serem considerados.[47] A equipe da Salomon atravessou de volta a cidade sem saber se a reunião tinha sido um sucesso ou um fracasso.

Na metade do inverno, a posição de *primary dealer* da Salomon permanecia indefinida. A firma ainda não tinha o direito de negociar para os clientes, e o Departamento do Tesouro podia voltar atrás em sua decisão a qualquer momento. Sob ameaça de indiciamento penal corporativo, Buffett e Maughan trabalharam para provar que valia a pena salvar a empresa. Buffett publicou um anúncio de página inteira no *Wall Street Journal* explicando os novos valores da Salomon.[48]

"Eu disse que teríamos pessoas adequadas aos nossos princípios, e não o inverso. Mas descobri que isso não era tão fácil."

Dia após dia, Buffett ia ficando abatido, chocado com o estilo de vida luxuoso que era considerado normal em Wall Street. A cozinha da sala de refeições dos executivos, grande como a de qualquer restaurante em Nova York, era comandada por um *chef* treinado no Culinary Institute of America e dispunha de um confeiteiro, um *sous-chef* e vários assistentes de cozinheiro. Os funcionários podiam pedir "qualquer coisa que quisessem" para o almoço.[49] Nos primeiros dias em Nova York, Buffett recebeu uma carta do executivo de um outro banco convidando-o para um almoço a fim de que seus *chefs* pudessem competir. Para Buffett, a ideia de testar as habilidades de um *chef* era pedir um hambúrguer no almoço todo dia.

Seu *chef*, frustrado, criava porções e mais porções de batatas fritas feitas à mão. Cortava as batatas em cilindros medidos milimetricamente, ou em fatias finas como gaze, e as jogava em óleo fervente até ficarem crocantes na medida certa. As batatas fritas perfeitas ficavam amontoadas numa pirâmide ao lado do hambúrguer diário no prato de Buffett. Ele as comia distraidamente, sonhando com as batatas do McDonald's.

Para Buffett, a sala de jantar simbolizava a cultura de Wall Street, que ele achava abominável. Ele nascera numa época em que o dinheiro era escasso e a vida tinha um ritmo humano, e organizara a própria existência para manter as coisas dessa maneira. Em Wall Street o dinheiro era abundante, e a vida seguia qualquer velocidade que a largura da faixa pudesse fornecer naquele momento. As pessoas saíam de casa todo dia às 5 horas e voltavam às 21 ou 22 horas. Os empregadores as cobriam de dinheiro para que agissem assim, mas, em troca, queriam todos os segundos em que estivessem acordadas – e forneciam certos serviços para mantê-las trabalhando num ritmo de esteira de corrida. Quando criança, Buffett ficara impressionado com o funcionário da bolsa de valores que fumava charutos feitos sob medida, mas agora achava aquilo assombroso.

"*Havia um barbeiro lá embaixo, e eles nem me falaram a respeito. Tinham medo do que aconteceria quando eu descobrisse. E havia um sujeito que circulava e engraxava sapatos sem que você o pagasse.*"

Um novato disse que, antes, os executivos da Salomon pensavam: "Deus que me livre de ter que levantar algo que não seja um garfo." O comportamento do novo presidente bilionário do conselho, que pareceria normal para as pessoas comuns, chocava os funcionários da Salomon. Uma noite, a caminho de uma partida de bridge, Buffett disse ao motorista da Salomon que parasse o carro. Ele desceu, entrou numa loja ali perto e voltou alguns minutos depois, enquanto o motorista o observava boquiaberto. O presidente do conselho estava carregando sacolas enormes, cheias de sanduíches de presunto e Coca-Cola.[50] Aquela era a nova Salomon.

Mas foi a batalha dos salários que se tornou o divisor de águas. No início do outono, Buffett disse à equipe que reduziria o valor total das bonificações em 110 milhões de dólares. "*Os funcionários que estivessem gerando retornos medíocres deveriam esperar que sua remuneração refletisse essa deficiência*", escreveu.[51] Na sua opinião, aquilo parecia simples e óbvio. Empresas e pessoas que estivessem produzindo deveriam ser remuneradas. Caso contrário, não. Maughan concordou com Buffett que a cultura dos direitos adquiridos precisava ser eliminada. As pessoas não tinham direito a milhões só porque compraram três casas ou estavam sustentando duas ex-mulheres.[52] Mas, daquela vez, Buffett calculou mal os limites da natureza humana. Os funcionários previamente enriquecidos, acostumados a montanhas de dinheiro no dia da bonificação, sentiram que estavam prestes a ser sacrificados.

Eles não entendiam o raciocínio de Buffett de que os funcionários não deviam levar para casa todo o butim, deixando os acionistas sem nada. Na verdade, eles eram de opinião contrária, já que havia anos que estavam levando para casa o butim. Uma redução em relação ao ano anterior seria um ultraje. Achavam que Buffett estava tentando transferir parte da culpa dos delitos de Mozer para eles ao criar um problema com as bonificações. Eles não tinham prejudicado a Salomon. Pelo contrário, permaneceram lá por lealdade e estavam suportando a humilhação e a infelicidade das consequências. Estavam limpando a sujeira atrás do elefante. Achavam que mereciam uma remuneração pelo combate. Não era culpa deles se os negócios não estavam tendo um bom desempenho. Como podiam vender um contrato bancário de investimento enquanto a firma estivesse sob ameaça de indiciamento? Buffett não entendia aquilo? Eles se confrontavam com o fato de que todos em Wall Street sabiam que Buffett considerava os banqueiros de investimentos um bando de inúteis que vestiam camisas engomadas e usavam abotoaduras rebuscadas. Apesar de todos esses problemas, a Salomon estava, na verdade, tendo um ano financeiramente decente. Eles ficaram chateados por serem chamados mais uma vez de gananciosos por um bilionário avarento.

Os operadores, os vendedores e os banqueiros tinham que ficar lá até o final do ano, o tradicional momento do desligamento, depois que as bonificações individuais tivessem sido pagas, assim como a bonificação geral diferenciada mas ainda assim multimilionária.

Quando a bonificação geral foi dividida, perto do feriado natalino, a batalha da remuneração atingiu proporções épicas. Os 13 principais executivos viram suas bonificações cortadas pela metade. Assim que os números foram anunciados, os corredores e a sala de operações da Salomon explodiram numa revolta aberta. Com orçamentos e bonificações reduzidas, operadores e banqueiros fugiram. Metade do departamento de valores mobiliários – lar dos banqueiros de investimentos – saiu porta afora. O resto dos operadores entrou em greve temporária.

Um dia Buffett caminhou alguns quarteirões até a American Express para almoçar com o CEO da empresa, Jim Robinson. *"Jim"*, ele disse, *"não achei que fosse possível, mas acabei de pagar 900 milhões de dólares em bonificações."* Mas ele achava que todo mundo, com exceção de Maughan e mais uma ou duas pessoas que ele trouxera para consertar a firma, estava com raiva dele.[53]

"Eles pegaram o dinheiro e fugiram. Todo mundo caiu fora.

Estava na cara que tudo estava sendo administrado para os funcionários.[54] *Os banqueiros de investimentos não ganhavam dinheiro algum, mas achavam que eram aristocratas. E odiavam os operadores, em parte porque os operadores ganhavam dinheiro e, portanto, tinham mais peso."*

Ele acabara de salvar a Salomon e achou que isso significaria alguma coisa para os funcionários. Mas não. "Ficamos gratos por cerca de cinco minutos", foi o veredicto de um dos ex-funcionários. O fato de que, se não fosse Buffett, eles não teriam um emprego foi esquecido na horrível sombra do Dia Ruim da Bonificação. O refrão entre os ex-funcionários se tornou: "Warren não sabia como dirigir uma empresa com pessoas." A Salomon não era o tipo de lugar no qual você podia simplesmente aumentar preços, cortar custos indiretos e tirar dinheiro das filiais para a matriz (embora Buffett tenha feito isso sempre que possível). Era necessário manter a motivação de pessoas muito espertas quando elas tinham outras opções durante um período em que "você morria todos os dias por causa de mil cortes no orçamento", como diz Olson. Buffett encarava o novo acordo salarial como um teste decisivo. Aqueles que fossem embora eram mercenários dos quais a Salomon não precisava, e aqueles que permanecessem se comprometeriam com o tipo de empresa que ele queria.

Como Wall Street é um lugar essencialmente mercenário, muitos dos funcionários mais importantes continuaram a se desligar aos poucos, carregando os clientes para a concorrência. Buffett dormia mal. "*Não conseguia desligar a minha mente*", ele diz. Passara a vida inteira evitando compromissos, fugindo de qualquer empreendimento que ele não pudesse controlar ou em que não tivesse uma saída de emergência. "*Sempre fiquei com medo de ser tragado pelos acontecimentos. Na Salomon, eu me vi defendendo coisas que não queria defender e, mais tarde, critiquei minha própria organização.*"

Meses tinham passado, e Obermaier ainda estava ponderando se a conduta negativa da Salomon justificava um indiciamento. Ele sabia "que aquele seria o golpe de misericórdia para a empresa".[55] Ao avaliar os lances falsos, achava importante o fato de as ações de Mozer terem sido motivadas mais por rebelião contra as regras do Tesouro do que simplesmente pelo desejo de enriquecer a Salomon. Da mesma maneira, nenhum prejuízo financeiro importante grave aconteceu em função dos lances falsos.[56] Ele também avaliava as promessas de Buffett sobre a nova cultura da empresa.

Junto com Breeden, da SEC, ele começou a trabalhar num acordo com a Salomon para evitar o indiciamento. Frank Barron, advogado da Cravath, foi até a SEC para negociar a sua parte do acordo com Bill McLucas, vice de Breeden, que disse que a multa do Departamento de Justiça e do Departamento do Tesouro seria de 190 milhões de dólares, mais um fundo de indenização de 100 milhões de dólares. Barron ficou chocado – a multa era enorme para a transgressão de um único operador que violara as regras do Tesouro sem causar prejuízos sérios aos clientes ou ao mercado. "Por quê?", perguntou. "Bem, Frank", explicou McLucas, "você tem de entender que serão 190 milhões de dólares porque é quanto Richard Breeden disse que vai ser."[57]

Isso fez com que voltasse à mente o momento em que John Meriwether entrou correndo na sala de reuniões naquela manhã de domingo, pálido e trêmulo, citando Dick Breeden, que classificara a Salomon como "podre até o talo, podre até o talo". Não caberia recurso daquela decisão, e a Salomon concordou em pagar a multa extraordinária.

Buffett estava tentando desfazer a imagem de "podre até o talo" o mais depressa possível. Apelidado de "Jimmy Stewart" pelo pessoal, ele vetava uma após outra as transações que considerava próximas demais do limite, apesar da reação interna. Então explodiu uma nova crise que quase fez o acordo ir por água abaixo.

Mozer fez uma oferta ao governo para negociar o seu caso em particular. Revelou algumas transações tributárias, realizadas por ele e outros operadores, que envolviam operações paralelas secretas para garantir que outras firmas não tivessem prejuízos. As transações tributárias dariam aos promotores um motivo ainda mais forte para apresentar acusações penais contra a Salomon.

Além da motivação óbvia – a tentativa de salvar a própria pele –, Mozer tinha muitas razões para ter ressentimentos em relação à Salomon. Se os ex-líderes da empresa tivessem lidado com a situação de outra maneira, ele teria sido igualmente demitido e talvez até processado por fraude e preso – mas seu nome não estaria estampado em todos os jornais como o homem que quase causou a maior falência financeira de que se tem notícia.

Durante a reunião de emergência do conselho, Obermaier ligou para Olson para falar das transações tributárias e acertar as coisas. Disse que decidira não desfazer o acordo por causa das novas revelações de Mozer. A despeito da natureza dessas novas questões, a Salomon as resolveria com a Receita Federal. O resto dos deslizes da firma, a seu ver, eram graves e deveriam "deixar a entidade corporativa de joelhos, pelo menos para uma breve genuflexão",[58] mas não exigiam a pena capital.

Em 20 de maio o gabinete de Obermaier ligou para Olson para dizer que o governo não indiciaria a Salomon, retirando todas as acusações. O procurador e a SEC anunciaram um acordo com a Salomon relativo às acusações de fraude e ocultação de informações. Incluindo o fundo de indenização de 100 milhões de dólares, tratava-se da segunda maior multa da história. Não tinham sido descobertas provas de nenhum delito além dos lances ilegais de Mozer, revelados pela própria Salomon. Mozer ficaria preso por quatro meses e pagaria uma multa de 1,1 milhão de dólares. Foi afastado do setor para o resto da vida.[59] Por sua vez, Gutfreund, Meriwether e Strauss foram repreendidos por não terem sido capazes de supervisioná-lo, receberam pequenas multas e ficaram impedidos de atuar no setor por alguns meses.[60]

Alguns acharam que a Salomon se safou com facilidade em comparação com a Drexel Burnham Lambert, que pagou 650 milhões de dólares e implodiu após o acordo relativo a acusações de compra e manipulação de ações favorecendo terceiros. Mas a maioria dos analistas ficou pasma com a magnitude da multa por violações técnicas cometidas por um funcionário. Na verdade, alguns acharam que, ao reconhecer junto ao governo a própria culpa de maneira tão aberta, a

Salomon renunciara ao seu poder de barganha nas negociações. Mas o que a grande multa realmente refletia era que a empresa descumprira gravemente sua responsabilidade de relatar os fatos, fazendo com que os reguladores parecessem adormecidos perante o Congresso. Em outras palavras, o fato de ter ficado chupando dedo e o encobrimento das ocorrências quase causaram a falência da Salomon. Portanto, como diz o ditado, o problema foi a ocultação, e não o crime.

Três dias após o anúncio, Dan Cowin morreu de câncer. Buffett escreveu um discurso fúnebre sincero, esperando pronunciá-lo pessoalmente, e pediu à sua secretária, Paula Orlowski, para pegá-lo em seu hotel e datilografá-lo. Mas, quando ela chegou, ele a recebeu na porta e disse, com um olhar angustiado, que não conseguiria falar no funeral de Cowin. Susie leria o discurso em seu lugar.[61] Buffett foi à missa. *"Fiquei sentado, tremendo o tempo todo"*, ele diz.

Depois voltou ao trabalho. A Salomon estimou que os 4 milhões de dólares de lucro que Mozer obtivera com suas operações tinham custado à firma 800 milhões de dólares em transações perdidas, multas e despesas legais. O status da empresa como *primary dealer* permaneceu indefinido, apesar de, àquela altura, parecer provável que a questão fosse ser resolvida a favor da Salomon.[62] A deserção de funcionários reduzira o ritmo e era mínima, e as agências de *rating* estavam começando a dar uma classificação melhor para as dívidas da Salomon. Os clientes começaram a voltar. Enquanto as ações da Salomon subiam lentamente, ultrapassando os 33 dólares, Buffett, ansioso por voltar definitivamente para Omaha, anunciou que deixaria o cargo. Deryck Maughan assumiu como CEO permanente, e Buffett indicou Bob Denham, o advogado da MTO, para a presidência do conselho. Quando tudo acabou, diz Gladys Kaiser, "eu podia quase *ver* um grande suspiro de alívio. Era como se, quase da noite para o dia, tivéssemos Warren de volta".

Na pesarosa primavera de 1992, à medida que a Salomon cambaleava para se reerguer, a questão de como lidar com aqueles que quase a derrubaram permanecia sem solução. Atrás apenas de Mozer, na avaliação de culpabilidade do público, estava John Gutfreund. No final, foi ele o responsável direto, apesar dos conselhos jurídicos de que não era necessário relatar os fatos.

O advogado de Gutfreund achava que tinha feito um acordo com Charlie Munger no fatídico fim de semana em agosto do ano anterior e que Munger aceitara uma carta de renúncia condicionada pela longa lista de termos rescisórios. Gutfreund achava que tinha caído pela própria espada para salvar a firma e acreditava ter direito a 35 milhões de dólares em pagamentos atrasados, ações e indenização rescisória. Mas a postura da Salomon foi a de que Charlie Munger não tinha feito acordo algum. O conselho concordou em interpretar os planos de benefícios de Gutfreund de forma estrita e também retirou as opções em ações que ele ganhara, apesar de o plano de opções em ações não ter dispositivos que permitissem o seu confisco em quaisquer circunstâncias. A contraproposta foi de 8,6 milhões de dólares.

Insultado e indignado, Gutfreund a recusou. "Parecia errado", ele disse. "Por princípio, decidi lutar."[63] Seus advogados interpretaram a oferta não como uma proposta de negociação, mas como uma proposta tão insultuosamente baixa que devia ser descartada. Em 1993, Gutfreund levou a Salomon a um tribunal arbitral.

Nesse tipo de tribunal, um grupo de pessoas neutras à questão disputada ouve as partes envolvidas e toma uma decisão que deve obrigatoriamente ser cumprida. A arbitragem é um tiro no escuro, pois sua própria natureza elimina para sempre a hipótese de negociação depois que uma decisão é tomada.

John Gutfreund tinha sido forçado a ficar num pequeno escritório de três salas, onde atendia seu próprio telefone quando sua secretária de meio expediente estava fora. Ficava refletindo sobre o fato de Susan, apelidada então de "Maria Antonieta" pela imprensa, ter dito para ele não renunciar – como se ele tivesse escolha –, argumentando que daquele jeito ele não poderia arrumar outro emprego. Eles tinham sido praticamente expulsos da sociedade nova-iorquina. A imprensa o atacara de maneira selvagem, como ele nunca imaginara que pudesse acontecer, comparando-o a delinquentes como Boesky e Milken.[64] Muitos dos seus antigos amigos o abandonaram. Sem o auxílio da Salomon, ele estava acumulando contas enormes para se defender de ações cíveis.

Gutfreund queria se vingar usando o tribunal arbitral. Mas uma investigação pública de toda a confusão da Salomon, que poderia ter salvado seu orgulho ferido, certamente irritaria Buffett e o deixaria menos propenso a ceder. Depois que Buffett colocara em risco a sua imagem na Salomon, Gutfreund o havia decepcionado, e um nova exposição daquela história, numa arbitragem avidamente coberta por jornalistas obstinados, seguramente não inspiraria Buffett a reinterpretar de forma mais generosa o comportamento de Gutfreund. Agora que ele e Gutfreund não eram mais sócios, no sentido especial que Buffett atribuía à palavra, fazendo um retrospecto, as transgressões que ele talvez tivesse desculpado se tornavam maiores. Eram muitas e, mesmo sem o benefício da retrospecção, grandes:

• A repactuação do preço das opções em ações em 1987, que tinha custado muito dinheiro a Buffett.
• A carta-ultimato de Sternlight, do Fed, da qual Buffett só tinha tomado conhecimento tarde demais.
• A reunião com Bob Glauber no Tesouro, que Gutfreund manteve em segredo, sem informá-la a Buffett nem aos outros membros do conselho.

• Um plano de participação acionária que permitia que um funcionário mantivesse suas ações se fosse demitido por justa causa, que Gutfreund apresentou ao conselho e aos acionistas no final daquela primavera fatídica de 1991.

Buffett achava que tudo aquilo era uma tragédia que nunca deveria ter acontecido e classificava o comportamento de Gutfreund como uma espécie de aberração. Apesar de normalmente evitar conflitos, quando Buffett era forçado a entrar numa batalha seus procuradores lutavam por ele como hienas acuadas. Charlie Munger, que tinha propensão a dizer coisas como "Gutfreund fez Napoleão parecer uma violeta murcha", foi escolhido para fazer o papel de vilão na arbitragem.[65] O seu depoimento seria crucial, porque ele era a única pessoa que tinha negociado com Philip Howard, o advogado de Gutfreund.

Foi o jovem presidente da Bolsa de Valores de Nova York, Dick Grasso, que escolheu os três venerandos árbitros que decidiriam a sorte de Gutfreund numa esquálida sala de reuniões na bolsa.[66] Uma equipe de advogados da Cravath – auxiliados pelos depoimentos dos membros do conselho, dos funcionários e ex-funcionários da Salomon, de Buffett e de Munger – começou a pulverizar Gutfreund, num processo que demorou mais de 60 sessões e vários meses para ser resolvido pelos árbitros.

Os árbitros ouviram repetidamente relatos sobre o encontro entre Munger e Philip Howard, no qual Howard releu a lista de compensações que Gutfreund pedira e Munger ouviu. Todos concordaram que Howard saíra do encontro sem uma assinatura nos documentos rescisórios de Gutfreund, mas ninguém concordava sobre o modo de interpretar o resto dos acontecimentos daquela noite. Howard tinha certeza de que Munger fizera um acordo com ele.

Os advogados de Gutfreund convocaram Munger como testemunha. Frank Barron, da Cravath, Swaine & Moore, tinha tentado preparar Munger, que estava muito impaciente com o processo. Apesar de Barron tê-lo preparado sozinho, Munger, um advogado que não gostava de pagar despesas legais, revelou improvisadamente para os árbitros que, ao prepará-lo para o depoimento, a Cravath usara um número excessivo de assistentes jurídicos e "carregadores de aspirinas".[67] Quando ele começou a depor, cada palavra que saía de sua boca "nada tinha a ver com o que tínhamos ensaiado", diz Barron. "A presença de Charlie Munger na tribuna das testemunhas foi a experiência mais exasperante e assustadora que já tive como advogado."[68]

A confiança de Munger como testemunha era inigualável. Várias vezes o árbitro líder, irritado, o advertiu: "Sr. Munger, por favor, ouça as perguntas antes de respondê-las."

Munger insistiu que, na noite em que se encontrou com Philip Howard, "deliberadamente eu não estava escutando (...) estava sendo educado, mas não estava prestando muita atenção (...) havia como que desligado a minha mente (...) estava apenas sentado ali educadamente, com a minha cabeça desligada".

Os advogados de Gutfreund perguntaram se ele também tomara uma decisão consciente de não falar, além de não ouvir.

"Não", disse Munger, "quando era hora de falar, eu falava. Um dos meus defeitos é que sou bastante franco. Posso ter discutido algumas coisas específicas que atravessaram a minha barreira de indiferença. Esse é um dos meus hábitos de conversação mais irritantes, que tem me perseguido ao longo da vida. Então, cada vez que alguma coisa penetrava e eu via um contra-argumento, eu o apresentava."

Howard pedira uma indenização pelas ações judiciais. Por se tratar de uma questão jurídica, isso tinha penetrado na barreira de indiferença de Munger.

"Acho que disse a ele: 'Você nem sabe do que vai precisar. Certamente haverá ações judiciais, haverá uma grande confusão, ninguém sabe que rumo as coisas vão tomar. Você está representando mal seu próprio cliente se acha que faz sentido discutir essas questões agora.'"

"Essa também foi uma conversa na qual o senhor não estava prestando atenção?", perguntou o advogado de Gutfreund.

"Não, geralmente presto atenção quando sou eu que estou falando", disse Munger sob juramento. "Geralmente lembro o que digo."

"Essa também foi uma conversa na qual o senhor deliberadamente não estava prestando atenção em vários momentos?"

"O que você disse?", perguntou Munger. "Eu simplesmente me desliguei outra vez. E não fiz de propósito."

"Essa também foi uma conversa na qual o senhor deliberadamente não estava prestando atenção em vários momentos?"

"Tenho vergonha de dizer que aconteceu novamente. Pode perguntar mais uma vez? Desta vez vou me esforçar."

O advogado de Gutfreund repetiu a pergunta pela terceira vez.

"Pode apostar que sim", disse Munger. "Eu estava relembrando os passos."

Dá para imaginar o estado mental em que os árbitros, advogados e Gutfreund ouviram essas palavras. Infelizmente, boa parte do mal-entendido parece ter sido causada pela falta de familiaridade de Philip Howard com os sinais externos do funcionamento da mente de Charlie Munger. Ele tinha trabalhado naquela noite na ilusão de que ele e Munger estavam conversando. Não reconheceu as respostas ocasionais de Munger como lampejos intermitentes de raciocínio desencadeados por alguma farpa aleatória que penetrara na sua barreira de indiferença. Toda vez que Munger apresentava uma objeção, Howard deduzia que eles estavam negociando, e não que ele estava simplesmente sendo repreendido. Quando Munger não dizia nada ou emitia um grunhido para levar adiante a conversa, Howard inferia que ele tinha concordado, ou pelo menos que ele não tinha objeções ao que fora dito. Ninguém tinha explicado a ele que a cabeça de Munger estava desligada.

O advogado de Gutfreund lembrou a Munger o depoimento de Buffett, no qual ele admitiu ter dito a Gutfreund que tinha poder para fazer tudo aquilo acontecer. Munger se lembrava do Sr. Buffett dizendo aquilo?

"Não me lembro tão bem das palavras do senhor Buffett quanto das minhas próprias palavras", disse Munger. "Mas certamente a essência da coisa era que Gutfreund podia contar com o nosso senso de justiça."[69]

A questão era o significado de justiça. A Salomon nunca contestou o fato de o dinheiro ser de Gutfreund, ele já o tinha ganhado. O assunto se reduziu a se Gutfreund deveria ter sido demitido caso todos os fatos fossem conhecidos. Então o caso se tornou um exercício para provar que Gutfreund deveria ter sido demitido. Até mesmo Donald Feuerstein concordou que, ao ocultar o que sabia de Glauber, Gutfreund foi desonesto com o governo. Apesar de todos acharem aquele comportamento bizarro e incongruente, foi o que aconteceu.

Em relação à Salomon, Gutfreund entendia por que a firma estava fazendo tanto esforço para provar que ele deveria ter sido demitido. Ele sabia que era do interesse de todos vilipendiá-lo, mas a falta de proporção o incomodava. Em algum momento aquilo deveria ter terminado, ele pensava.

Porém todos, inclusive Buffett, achavam que Gutfreund tinha direito a algum dinheiro. Buffett pediu que Sam Butler, um colega no conselho da Geico e amigo de Gutfreund, ligasse para ele e oferecesse 14 milhões de dólares. Butler sussurrou: "Provavelmente posso conseguir um pouco mais." Buffett teria chegado a 18 milhões de dólares.[70] Mas Gutfreund tinha sido humilhado pelo processo. Ele considerava Munger mesquinho e presunçoso. Rejeitou a proposta, indignado. Os árbitros decidiriam.

Depois de meses de depoimentos, que duraram até a primavera de 1994, os árbitros começaram a ficar impacientes com os argumentos infinitos, circulares e conflitantes, com um lado professando total inocência e o outro retratando Gutfreund como um demônio. Então, nas alegações finais, os advogados de Gutfreund apareceram com um gráfico, aumentando o pedido para 56,3 milhões de dólares, acrescentando juros, multas, apreciação das ações e outros itens.

Os advogados e as pessoas envolvidas na Salomon tinham feito um bolão de apostas, enquanto a arbitragem se arrastava lentamente para uma conclusão. Quanto dinheiro os árbitros dariam a Gutfreund? O palpite mais baixo era de 12 milhões de dólares. O mais alto era de 22 milhões de dólares.[71]

Ninguém jamais saberá quais fatores os árbitros levaram em consideração. Quando a decisão foi anunciada, eles não deram nada a Gutfreund, nem um tostão.

50
A loteria
Meio mundo – 1991-1995

O depoimento de Buffett no Congresso como reformador e salvador da Salomon o transformou de rico investidor em herói. A Salomon era mais do que uma simples história de mocinhos e vilões. O sucesso da sua abordagem heterodoxa do escândalo – apoiando os reguladores e os agentes da lei, em vez de se esquivar – tocou o anseio por nobreza no coração de muitas pessoas: o sonho da honestidade recompensada e de que os denegridos podem se redimir por meio da honra. Mesmo quando o furor da crise passou, a estrela de Buffett continuou a subir. Os papéis da Berkshire decolaram numa ascensão meteórica, ultrapassando o valor de 10 mil dólares por ação. Buffett tinha então um patrimônio de 4,4 bilhões de dólares. As ações de Susie, sozinhas, valiam 500 milhões de dólares. Seus parceiros originais tinham então 3,5 milhões de dólares para cada mil dólares aplicados em 1957.

Quando Buffett entrava numa sala, a eletricidade era palpável. Em sua presença as pessoas se sentiam próximas da grandeza. Elas queriam *tocá-lo*. Diante dele, ficavam perplexas ou gaguejavam observações sem sentido. Escutavam o que quer que ele dissesse sem questionar.

"*Eu era melhor dando conselhos financeiros quando tinha 21 anos, e as pessoas não me ouviam. Eu podia dizer as coisas mais brilhantes, mas recebia pouca atenção. Agora posso dizer as coisas mais idiotas do mundo, e um número razoável de pessoas vai achar que aquilo tem um grande sentido oculto ou algo assim.*"

Ele circulava cercado por uma pequena aura de fama. Repórteres ligavam a todo momento. Ele era seguido, e as pessoas pediam o seu autógrafo; os fotógrafos começaram a segui-lo como sombras. Zsa Zsa Gabor escreveu e pediu uma fotografia autografada. À medida que escritores começavam a trabalhar em livros sobre Buffett, as pessoas que o viam todos os dias – os seus protetores – achavam o frenesi incompreensível. Uma mulher apareceu no escritório da

Berkshire e começou a fazer mesuras para ele. Gladys Kaiser ficou extremamente incomodada. "Não se curve para ele", disse.

Muitos funcionários e ex-funcionários da Salomon, é claro, estavam menos impressionados com Buffett do que o resto do mundo. Ele freara a cultura incontrolável deles, arruinando o dia das bonificações. Ele desdenhava as suas atividades, e eles sabiam. Muitos funcionários tinham histórias tristes para contar. O contraste entre a imagem provinciana de Buffett e seu lado friamente racional logo chegou à tela do radar da imprensa nacional. Como explicar a dicotomia entre um Buffett simbolicamente sentado numa varanda com um copo de limonada, contando histórias populares e ensinando por meio de homilias, e sua longa história de feitos empresariais sofisticados? O que ele estava fazendo como presidente interino do conselho de um banco de investimentos, se falava e escrevia que Wall Street era uma gangue de vigaristas, espertalhões e trapaceiros?

O que ele estava fazendo era tentar alinhar a maneira como as pessoas eram remuneradas na Salomon aos interesses dos acionistas, mas sua preocupação com a remuneração era apenas um aspecto de sua objeção fundamental a uma empresa na qual quase todos os departamentos tinham alguma espécie de conflito de interesses inerente com seus clientes. E, sem dizimar a Salomon, jogando fora tudo exceto as operações exclusivas, ele não podia fazer grande coisa. Mas, já em 1991, o *Wall Street Journal* e a *New Republic*[1] perceberam sua presença em dois mundos, e ambos publicaram matérias apontando as disparidades entre eles. O descompasso entre a representação de Buffett como um homem de classe média do Meio-Oeste que de repente acordou em Oz e o jogo duro do qual ele rotineiramente participava, com sua coleção de célebres amigos de peso, só aumentava a avidez da imprensa em ridicularizá-lo. A matéria do *Wall Street Journal* tinha um box ao lado do artigo principal, "O círculo de Buffett inclui os ricos e poderosos", citando pessoas como Walter Annenberg.[2] Muitos dos personagens mencionados na matéria disseram mais tarde que foram citados erroneamente. Entre eles estavam Tom Murphy e um novo amigo, Bill Gates, CEO da Microsoft Corporation, que entrara numa discussão casual com Murphy sobre como ele estava sendo "surrupiado", como Charlie Munger dizia, pelo custo da produção de anúncios de televisão. Essa conversa, que aconteceu numa reunião do Grupo Buffett, foi retratada pelo *Journal* como uma especulação sobre o rumo dos preços da publicidade e quais deveriam ser as tarifas publicitárias, o que poderia ser enquadrado numa "área cinzenta de antitruste".[3] Buffett e seus amigos contestaram os editores do *Journal* com pouco resultado. Enquanto isso, Gates – que poderia ter ficado chateado por se ver enredado naquela confusão de relações públicas envolvendo questões de antitruste menos de um ano depois de a Federal Trade Commission ter iniciado uma sondagem sobre um possível conluio entre a Microsoft e a IBM no mercado de softwares para PCs – escreveu a Buffett uma carta sincera, pedindo desculpas por ter causado problemas *a ele*.[4] Na época, Gates conhecia Buffett havia menos de cinco meses.

Os dois se conheceram naquele verão, durante o feriado de 4 de Julho, quando Kay Graham e Meg Greenfield, sua amiga e responsável pela página editorial do *Washington Post*, arrastaram Buffett para a casa de Greenfield em Bainbridge Island, para um fim de semana prolongado. Para Buffett, um fim de semana numa ilha a meia hora de balsa de Seattle, da qual só se podia escapar de barco, hidroavião ou pedindo carona numa ponte, era um evento do tipo "faço qualquer coisa por Kay". Greenfield também o recrutara para visitar, durante um dia inteiro, uma propriedade com quatro casas em Hood Canal, que Bill Gates tinha construído para sua família. Gates, 25 anos mais jovem que Buffett, era atraente sobretudo por ser reconhecidamente brilhante e porque os dois estavam no páreo da corrida de maiores fortunas da revista *Forbes*. Mas os computadores pareciam couves-de-bruxelas para Buffett; não, ele não queria experimentá-los daquela vez. Greenfield, porém, garantiu que ele ia gostar dos pais de Gates, Bill e Mary, e que outras pessoas interessantes estariam presentes. Com certa relutância, Buffett concordou em ir.

Kay e Warren dirigiram pela estrada de terra e cascalho até a casa de vidro em estilo contemporâneo de Meg, na qual flores cor-de-rosa e roxas ondulavam como lenços perto da entrada. O fim de semana começou de forma pouco auspiciosa quando Buffett soube que Graham e o jornalista Rollie Evans, com sua mulher, ficariam em quartos de hóspedes na casa de Greenfield – que ficava de frente para o estreito de Puget – mas ele ficaria numa pequena hospedaria um pouco distante. Ao chegar lá, os proprietários tinham colocado para ele uma cama temporária numa sala de estar no andar inferior, pois todos os quartos estavam ocupados.

Buffett, que não ligava muito para o ambiente à sua volta, levava esse tipo de coisa na esportiva. Greenfield tinha deixado no quarto de Buffett um estoque de Cherry Coke, See's Candies e amendoins torrados no mel, para que ficasse mais confortável. O banheiro que ele deveria usar tinha um cartaz que dizia "Nada de PH". Intrigado, ele recrutou como intérpretes Graham e Greenfield, que o acompanharam à hospedaria, pois não havia ninguém lá para explicar. Nenhuma delas conseguiu descobrir o que "Nada de PH" queria dizer. Decidiram que provavelmente havia algo de errado com o encanamento. O banheiro da casa de Greenfield ficava longe demais para ser usado, a não ser quando ele estivesse lá durante o dia. Greenfield indicou um banheiro no posto de gasolina ali perto e sugeriu essa alternativa.

Buffett ficou sentado em seu quarto naquela tarde comendo amendoins torrados no mel e bebendo Cherry Coke. As lembranças divergem quanto ao fato de ele ter ido ou não ao banheiro do posto de gasolina de madrugada – e ter encontrado a porta trancada.⁵ De qualquer modo, na manhã seguinte, na casa de Greenfield, todos eles ficaram conjeturando sobre o significado de "Nada de PH".

Depois do café da manhã, Greenfield acompanhou seus convidados até a cidade, para que ficassem de pé na calçada, ao lado de uma pequena multidão esparramada em cadeiras de praia, para assistir ao desfile do 4 de Julho. Um Tio Sam com um fraque azul e uma cartola com listras e estrelas comandava uma pequena banda de metais; caminhões de bombeiros, uma ambulância e carros antigos passavam devagar; cachorros trotavam vestindo trajes feitos em casa, conduzidos por seus costureiros; líderes de torcida das escolas de ensino médio levantavam as pernas bem alto, precedendo uma trupe de dezenas de pessoas que lutavam para controlar uma bandeira gigante dos Estados Unidos suspensa sobre suas cabeças. Mais um ou dois carros antigos passaram, depois um grupo de pessoas vestidas de morango, seguido pelo Cidadão do Ano dos Kiwanis. Depois Greenfield realizou a festa anual em seu jardim, na qual os convidados em vestidos de verão e paletós esporte e gravatas jogavam uma partida acirrada de croqué, tendo como pano de fundo as vívidas flores que se erguiam pelo gramado até a casa.

Na manhã seguinte Buffett colocou um cardigã e penteou com precisão o seu cabelo rebelde e grisalho. Greenfield espremeu todos em seu carrinho durante os 90 minutos de viagem até à propriedade de Gates. *"Enquanto estávamos indo para lá, eu disse: 'Que diabos vamos ficar fazendo o dia todo com aquelas pessoas? Quanto tempo temos de ficar para não parecermos grosseiros?'"*

Gates tinha sentimentos semelhantes. "Eu tinha sempre a mesma conversa com minha mãe", ele diz, "que era: 'Por que você não vem ao jantar de família?' 'Não, mãe, estou muito ocupado. Estou trabalhando.' Mas então ela me disse que Katharine Graham iria e Warren Buffett também." Ele estava interessado em conhecer Graham, uma lenda viva de 74 anos, que se tornara uma figura mais dócil com a idade, mas que ainda era aristocrática – e imperiosa –, como uma versão mordaz da rainha Elizabeth. "Eu disse à minha mãe: 'Não tenho muito interesse num sujeito que simplesmente investe dinheiro e escolhe ações. Não tenho muitas perguntas interessantes para fazer a ele, isso não faz muito meu gênero, mãe.' Mas ela insistiu." Gates chegou de helicóptero para poder ir embora rapidamente. Quando um carrinho entrou na via de acesso à casa, ele ficou surpreso ao ver um grupo de pessoas famosas – Greenfield e seus convidados – saltar como um bando de palhaços de circo.⁶

Graham foi levada para conhecer Gates, que parecia um rapaz recém-saído da faculdade, vestindo um moletom vermelho sobre uma camisa de golfe com o colarinho virado para cima, formando uma espécie de pires em volta do pescoço.

Enquanto Gates estava organizando um passeio de hidroavião para Graham, Buffett foi apresentado a Bill Gates Pai e à sua mulher, Mary.[7] Então Bill III, conhecido como Trey, foi chamado para cumprimentar Buffett.

Os observadores ficaram atentos àquela apresentação. Gates era famoso por demonstrar sua impaciência com coisas que não lhe interessavam. Buffett não costumava mais ir embora e começar a ler um livro quando estava aborrecido, mas tinha um modo de se desvencilhar muito rapidamente das conversas que queria abandonar.

Buffett pulou a conversa de salão; perguntou imediatamente a Gates se a IBM ia ou não se sair bem no futuro e se era concorrente da Microsoft. As empresas de informática pareciam surgir e sumir, por que isso acontecia? Gates começou a explicar. Disse a Buffett para comprar duas ações: Intel e Microsoft. Depois perguntou a Buffett sobre os aspectos econômicos dos jornais, e Buffett disse que a situação tinha piorado por causa das outras mídias. Em minutos os dois estavam entretidos na conversa.

"Ficamos conversando sem parar e não prestamos atenção em mais ninguém. Comecei a fazer muitas perguntas sobre a sua empresa, sem esperança de entender nada. Mas ele é um ótimo professor, e não conseguíamos parar de falar."

As horas passavam. Os jogos de croqué começaram. Buffett e Gates continuavam a conversar, apesar de muitas das pessoas mais conhecidas de Seattle estarem circulando à sua volta: Tom Foley, presidente do Congresso; Jerry Grinstein, presidente do conselho e CEO da Burlington Northern; Bill Ruckelshaus, ex-administrador da EPA, a agência de proteção ambiental norte-americana; Arthur Langlie, filho de um ex-governador que obteve três mandatos, sua mulher, Jane, e seu filho Art; Joe Greengard, amigo íntimo de Greenfield; mais um médico, um juiz, um dono de jornal e um colecionador de arte.[8] Gates e Buffett foram dar uma volta na praia. Estavam começando a chamar atenção. *"Estávamos meio que ignorando todas aquelas pessoas importantes, e o pai de Bill finalmente disse, com gentileza, que preferia que ficássemos um pouco mais com as outras pessoas.*

Bill tentou me convencer a comprar um computador. Eu disse: 'Não sei o que ele faria para mim. Não quero saber como está o desempenho da minha carteira de ações a cada cinco minutos. E posso calcular meu imposto de renda de cabeça.' Gates disse que escolheria a garota mais bonita da Microsoft e a enviaria para me ensinar a usar o computador. Tornaria a experiência totalmente indolor e prazerosa. Eu disse: 'Você me fez uma oferta quase irrecusável, mas vou recusá-la.'"

À medida que o sol descia em direção ao mar, na hora do coquetel, Buffett e Gates continuavam a conversar. Ao pôr do sol o helicóptero teve de ir embora. Gates não foi com ele.[9]

"Então, à mesa do jantar, Bill Gates Pai fez uma pergunta: que fator as pessoas achavam mais importante para terem chegado aonde chegaram na vida? Eu disse: 'Foco.' E Bill disse a mesma coisa."

É impossível saber quantas pessoas na mesa entenderam "foco" da maneira como Buffett o entendia. Aquele tipo de foco inato não podia ser emulado. Significava a intensidade que é o preço da excelência. Significava a disciplina e o perfeccionismo apaixonado que fizeram de Thomas Edison o exemplo do inventor americano; Walt Disney, o rei do entretenimento familiar; e James Brown, o padrinho do soul. Significava a profundidade do compromisso e a independência mental que fizeram com que Jeannette Rankin fosse a única deputada no Congresso a votar contra a entrada dos Estados Unidos em ambas as guerras mundiais e enfrentar a ridicularização generalizada. Significava obsessão determinada por um ideal. "Foco" significava o tipo de pessoa que podia ganhar bilhões alocando capital, mas que ficava perplexa diante de um cartaz que dizia "Nada de PH".

Em algum momento do fim de semana, um convidado que estava menos focado descobriu que "Nada de PH" queria dizer que o encanamento era delicado e não aguentava papel higiênico. Pelo menos os mistérios do banheiro tinham sido revelados, e Buffett se livrou do posto de gasolina. No entanto, algum membro traiçoeiro do grupo – Graham, Greenfield ou um dos Evans – achou a história tão engraçada que até mesmo a apresentação de Buffett à família Gates incluiu a história do "Nada de PH".

No dia seguinte, Buffett fugiu da ilha e voltou para o encanamento normal de Omaha. Ele percebeu que Gates era mesmo brilhante – e entendia muito de negócios. Mas, desde os dias em que dissera a Katie Buffett para não investir na Control Data e perdera a chance de investir no início das operações da Intel, Buffett nunca tinha confiado em empresas de tecnologia como investimentos. Essas empresas surgiam e sumiam, e seus produtos muitas vezes se tornavam obsoletos. Naquele momento, com o seu interesse despertado, Buffett finalmente comprou 100 ações da Microsoft, o que, para ele, era como comer uma única pipoca. Ele não conseguia se decidir a comprar ações da Intel, apesar de, às vezes, comprar 100 ações de uma empresa somente para monitorá-la. A Grinnel College ganhara muito dinheiro com suas ações da Intel, mas já as tinha vendido.[10] O próprio Buffett nunca compraria ações como as da Intel, que dependiam muito de um crescimento futuro que ele não entendia totalmente. Mas convidou Gates para a reunião seguinte do Grupo Buffett. Logo depois recebeu o telefonema de Don Feuerstein e Tom Strauss e pelos dois meses seguintes só pensou nas desventuras da Salomon.

Em outubro, livre por alguns dias das salas de reunião do 7 World Trade Center e das intimidações dos congressistas e reguladores, ele foi para Vancouver, na Columbia Britânica, para a reunião do Grupo. O presidente do conselho da empresa de produtos químicos FMC, Bob Malott, e sua mulher, Ibby, que foram os organizadores, gostavam de cultura indígena americana e planejaram uma noite com "jantar *potlatch*" e danças típicas. A pessoa que apresentou os dançarinos explicou que a cerimônia tinha sido condensada, pois sua duração normal era de três dias. Durante várias horas o Grupo Buffett se contorceu e bocejou em desconfortáveis bancos de madeira, sem coquetéis nem canapés, e sem ter como fugir. Roxanne Brandt se aproximou de Buffett e perguntou: "O que é pior, isso ou a Salomon?", sussurrou. *"Isso é pior"*, respondeu Buffett.[11]

Bill Gates evitou a noitada dos dançarinos; foi apenas a uma sessão em especial, na reunião que lhe interessava. O Grupo Buffett ia analisar as 10 empresas mais valiosas em 1950, 1960, 1970, 1980 e 1990 – e como essa lista tinha mudado. O que proporcionava a uma empresa uma vantagem competitiva duradoura? O que dava um diferencial às empresas e por que elas não o mantinham (pois era o que acontecia com a maioria)?

Chegando atrasados, porque seu novo hidroavião ficou retido por causa da neblina, Bill e sua namorada, Melinda French, entraram discretamente na sala pelos fundos. Melinda achou que eles sairiam logo. Mas já no quarto slide ela percebeu que eles ficariam mais.[12] Tom Murphy e Dan Burke, que faziam parte do conselho da IBM, começaram a falar sobre o motivo pelo qual a IBM, líder em hardware, não se tornara líder em software. Buffett disse: *"Acho que temos alguém aqui que pode acrescentar alguma coisa a essa discussão."* Todos se viraram e viram Bill Gates.[13] A conversa continuou. Se você fosse a Sears em 1960, por que não conseguiria reter os funcionários mais espertos e praticar os melhores preços? A maioria das respostas propostas, a despeito da empresa analisada, giravam em torno de arrogância, complacência e do que Buffett chamava de *"Imperativo Institucional"* – a tendência das empresas a desempenhar atividades sem um motivo real e a copiar seus pares em vez de tentar ficar à frente deles. Algumas empresas não atraíam jovens com ideias novas. Algumas vezes as diretorias não estavam sintonizadas com as mudanças estruturais em seu setor. Ninguém estava sugerindo que aqueles problemas eram fáceis de resolver. Depois de um tempo, Buffett pediu que todos escolhessem suas ações favoritas.

"E a Kodak?", perguntou Bill Ruane. Ele olhou para trás para ver o que Gates diria.

"A Kodak já era", disse Gates.[14]

Ninguém mais no Grupo Buffett sabia que a internet e a tecnologia digital acabariam com as câmeras analógicas. Em 1991, nem mesmo a Kodak sabia que seus dias estavam contados.[15]

"Bill provavelmente acha que todas as redes de televisão serão trucidadas", disse Larry Tisch, cuja empresa, a Loews Corp., tinha uma participação na rede CBS.

"Não é tão simples assim", disse Gates. "A maneira como as redes criam e apresentam os programas é diferente de uma câmera analógica, e nada vai chegar e mudar isso fundamentalmente. Haverá uma certa queda à medida que as pessoas seguirem em direção à variedade, mas as redes são proprietárias do conteúdo e podem reorientá-lo. As redes enfrentam um desafio interessante enquanto deslocamos a emoção da televisão para a internet. Não é como a fotografia, na qual você se livra do filme e, portanto, o conhecimento sobre como produzir o filme se torna absolutamente irrelevante."[16]

Depois todos queriam falar com Gates, que podia explicar o novo mundo digital e o seu significado. "Íamos passear de barco, naquela tarde", conta Gates. "E Kay estava se certificando de que eu não ficaria falando apenas com Warren." Buffett – que gostava de grudar em certas pessoas – não se importaria em se tornar o gêmeo siamês de Bill Gates. Eles zarparam no enorme barco de Walter e Suzan Scott, o *Ice Bear*. Graham apresentou Gates a Tisch, Murphy, Keough e aos outros.[17] Em metade de um dia, ele e Melinda se tornaram membros de fato do Grupo Buffett. Uma porção de gente entrava e saía de uma discussão aberta sobre várias coisas, durante a qual Gates reclamou com Murphy do alto custo de seus anúncios de televisão. Um mês mais tarde apareceu no *Wall Street Journal* a matéria que retratava Buffett como um hipócrita, e não como a personalidade complexa que ele era, o que fez com que todos se arrependessem não da conversa sobre os preços dos anúncios, mas de terem respondido, depois da reunião, a perguntas de um repórter que não estava com um gravador nas mãos.

EM 1993, GRAÇAS EM PARTE À SALVAÇÃO DA SALOMON, AS AÇÕES DA BERKSHIRE quase duplicaram de valor. Enquanto Warren abria seu caminho na arbitragem contra John Gutfreund, a cotação superou 18 mil dólares por ação. Buffett tinha então um patrimônio de 8,5 bilhões de dólares, e as ações de Susie valiam 700 milhões de dólares. Os parceiros originais tinham 6 milhões de dólares para cada mil dólares investidos em 1957. Buffett era o homem mais rico dos Estados Unidos.

Durante as festas, ele e Carol Loomis se dedicaram ao ritual anual da redação e edição de sua carta de presidente do conselho aos acionistas, dessa vez tendo consciência de que teriam uma plateia nacional – e até mesmo internacional – muito maior. Em maio de 1994, o mesmo mês em que os árbitros decidiram não dar nada a Gutfreund, Buffett organizou sua reunião anual dos acionistas: mais de 2.700 pessoas se aglomeraram no Orpheum Theater. Buffett recomendou à See's, às empresas de calçados e à enciclopédia *World Book,* que também era de propriedade da companhia, que montassem estandes no saguão. A See's vendeu 400 quilos de doces, e mais de 500 pares de sapatos foram comprados.[18] A *World Book* também vendeu bem, apesar de Buffett ainda não saber que, assim como a Kodak, a empresa seria aniquilada pela internet. Feliz com as compras de seus acionistas, Buffett foi até a Borsheim's e depois apareceu no Furniture Mart. "Ele foi até o local onde expomos os colchões", disse Louie Blumkin, "e está vendendo."[19] Buffett começou a pensar mais na ideia de oferecer produtos nas reuniões de acionistas. Prometeu mudar a reunião para o Holiday Inn, que tinha mais espaço para estandes de venda. E decidiu que no ano seguinte venderia facas Ginsu.[20]

Sua fama crescente se estendeu para boa parte da família. Com um patrimônio de mais de 8 bilhões de dólares, sua fundação de caridade se tornaria uma das cinco maiores do mundo, e a decisão, tomada por ele e por Susie, de deixar quase todo seu dinheiro para a fundação significava que ela se tornaria a maior acionista da Berkshire após a sua morte. Pensando nisso, ele recentemente incluíra Susie, que era presidente da Buffett Foundation mas não sabia nada de negócios, no conselho de administração da Berkshire Hathaway. A fundação vinha doando cerca de 3,5 milhões de dólares por ano, valor que dobrou em 1994 – mas que ainda era um montante pequeno, segundo os critérios de famílias com um patrimônio semelhante. Mas as suas riquezas futuras eram conhecidas. A Buffett Foundation e sua presidente ganharam repentinamente a atenção do público.

Quando se mudou para São Francisco e tomou a decisão de continuar casada com Warren enquanto seguia seu próprio caminho, Susie esperava ser capaz de manter as duas metades de sua vida separadas, tranquilas e equilibradas. Ela, que nunca foi uma pensadora, foi pega de surpresa quando o marido se tornou um ícone do mundo dos negócios, carregando-a junto. Por um lado, Susie queria privacidade e liberdade. Por outro, queria agradar Warren, gostava de dirigir a fundação e também de gravitar na vida pública. Entretanto, seu papel como presidente da Buffett Foundation e, a partir daquele momento, como membro do conselho de administração da Berkshire a transformou numa figura pública. Susie ficou encurralada. Para desviar a atenção, ela minimizava seu papel e explicava que não era tão importante, apenas um acessório à fama de Warren. Assim, ninguém deveria se interessar por ela, ninguém precisava escrever sobre ela ou sobre a sua vida. Para manter sua privacidade, Susie teve de fazer malabarismos, mantendo-se discreta em São Francisco e declinando as oportunidades que acompanhavam a importância crescente da posição do marido. Susie, vez por outra, expressava ressentimento em relação a Warren para várias pessoas, como se fosse culpa dele o fato de sua vida estar tão sobrecarregada.

Sua rotina com Warren incluía então o cenário de celebridades de Sun Valley em julho, as reuniões bienais do Grupo Buffett, que eram realizadas em diferentes lugares a cada dois anos, Natal e ano-novo em Laguna Beach e duas semanas de maio em Nova York com toda a família. Entre essas viagens, Susie aconselhava uma longa lista de "clientes", viajava para ver seus netos e os recebia em Emerald Bay, além de acompanhar o genro Allen Greenberg nos negócios da Buffett Foundation, que os levavam a lugares tão distantes quanto o Vietnã. Também recebia, ia a festas, concertos, museus, spas, ia ao salão de beleza e fazia compras, continuava a reforma infinita da casa de Laguna, mantinha seu outro relacionamento, escrevia centenas de cartões, enviava centenas de presentes e viajava frequentemente com amigos. E, de bom grado, largava tudo para ficar na cabeceira de alguém que estivesse doente ou morrendo.

Mas o seu ritmo tinha sido reduzido por dolorosos cistos em 1987 e uma histerectomia em 1993. Kathleen Cole se viu correndo com sua amiga e chefe para o pronto-socorro com uma frequência perturbadora. Tentou convencer Susie a fazer exercícios e a abandonar sua dieta regular de balas de chocolate Tootsie Rolls, biscoitos e leite, enchendo a sua despensa com barras de baixa caloria SnackWells. Mas o equipamento de pilates juntava poeira no andar de baixo, em um segundo apartamento que Susie convencera Warren a comprar para ela, e alguns amigos notaram que Susie exagerava em seu compromisso de cuidar dos outros.[21] A família parecia estranhamente tranquila cada vez que Cole ligava para Nebraska para dizer que Susie tinha sido hospitalizada, como se tivessem adotado sua atitude serena.[22] "Graças a Deus tenho saúde", ela costumava observar, e continuava a se considerar a pessoa saudável que cuidava dos doentes, e não o contrário.

A essa altura, ela estava dirigindo um verdadeiro abrigo em seu apartamento. O primeiro paciente foi um amigo artista que estava morrendo de Aids e que foi convidado por ela a se mudar para lá durante suas últimas semanas de vida. Cole se viu tomando conta do soro de um paciente terminal, enquanto os outros empregados de Susie entravam e saíam do quarto fazendo perguntas sobre questões da fundação ou sobre as obras e a decoração da casa de Laguna Beach, que continuava a se metamorfosear depois de uma década.[23] Depois disso, toda vez que um de seus amigos homossexuais que estavam sofrendo de Aids se aproximava da morte, Susie o convidava para morar com ela. Ela e Cole acompanhavam alguns de seus amigos moribundos em viagens de sonho, um para o Japão, outro para Dharamsala, onde ela providenciou para que ele tivesse uma audiência pessoal com o Dalai-Lama – o que deve ter sido uma experiência quase inimaginável para um homem que só tinha algumas semanas de vida. A pedido de um amigo, ela organizou uma festa à fantasia com o tema *Gaiola das Loucas,* em vez de um funeral, após sua morte. Ela guardava as cinzas dos amigos na cornija da lareira para garantir que alguém se lembraria deles. Peter começou a chamar a mãe de Dalai-Mama.

Howie, que sempre absorvera grande parte da energia da mãe, saiu de debaixo da sua asa ao mesmo tempo que a crescente fama de seu pai começou a ter um impacto na sua vida. Em 1989 ele se tornou presidente do Conselho de Desenvolvimento e Regulamentação do Etanol de Nebraska. Nesse cargo, fez amizade com Marty Andreas, executivo da Archer Daniels Midland, uma grande empresa agrícola com sede em Illinois envolvida com o etanol. Marty Andreas era sobrinho do CEO da ADM, Dwayne Andreas, que fez parte do conselho da Salomon ao lado de Warren. Dois anos depois, Howie, aos 36 anos, foi convidado a se tornar o membro mais jovem do conselho de administração da ADM.

Dwayne Andreas tinha sido acusado – e absolvido – de ter feito contribuições ilícitas para campanhas políticas durante o caso Watergate; também fez doações enormes, e às vezes polêmicas, a políticos de ambos os partidos, quando o Congresso estava aprovando os subsídios fiscais para o etanol, que beneficiavam a ADM. A visão de Buffett de que era fácil demais para as pessoas ricas e os grandes interesses comerciais obter acesso aos políticos e influenciá-los se chocava com o modo como a ADM fazia negócios na política.

Seis meses depois de Howie ter entrado para o conselho, Andreas o contratou para fazer um trabalho no âmbito público. Howie não tinha experiência em relações públicas ou finanças, embora tivesse uma bússola básica quando o assunto era dinheiro e negócios, o que o tornava, entre os irmãos, o mais parecido com o pai. Numa feira escolar para arrecadar fundos para o ginásio do colégio, ele trabalhou como caixa; quando as pessoas lhe entregavam uma nota de 5 dólares para pagar um brownie de 50 centavos, ele olhava nos olhos delas e dizia: "Não temos troco." E disse ao diretor: "É assim que se arrecada dinheiro." Durante toda a tarde as pessoas doaram o que tinham nos bolsos porque Howie se recusava a dar troco.[24] Ele foi igualmente astuto quando ligou para seu pai para falar do trabalho na ADM. Sabia que não podia dar nada por garantido. "O que acontece com as doações que posso fazer por intermédio da Sherwood Foundation se eu aceitar esse emprego?", perguntou. Buffett disse que não suspenderia as doações. Howie concordou, talvez compreensivelmente preocupado com o impacto de um emprego administrativo em sua forma física. "E quanto ao arrendamento da fazenda?" Buffett fez um *swap* de taxa fixa por variável, deixando que Howie começasse a pagar um arrendamento de 7% sobre o valor que a fazenda tinha custado.[25] Depois de acertar um ou dois itens, Howie concordou em se mudar para Decatur, Illinois, onde ficava a sede da ADM. A empresa o encarregou de trabalhar com analistas.[26]

Superficialmente, o cargo de Howie na ADM não tinha nada a ver com o seu sobrenome ou com a reputação recentemente alcançada de seu pai como um exemplo da ética corporativa. Ele não teria aceitado o emprego se achasse que aquele era o caso; e a sua experiência com etanol fazia isso plausível. O pai havia incutido nele um profundo desdém por privilégios especiais. Todavia, embora tivesse muitos anos de experiência com pessoas que tentavam usá-lo para chegar ao patrimônio de seu pai, Howie era ingênuo em relação a grandes corporações e não viu nada de especial no fato de uma grande empresa designar um membro do seu conselho de administração para trabalhar como porta-voz para negócios públicos.

Buffett, que nunca investiria em uma empresa como a ADM ou contrataria uma pessoa que misturasse negócios e política como Andreas fazia, não disse nada para dissuadir o filho de atuar em um conselho e trabalhar numa empresa que dependia tanto da generosidade do governo. Essa peculiar reticência diz muito acerca da sua ânsia de ver o filho ganhar experiência nos negócios e seguir, até certo ponto ao menos, os seus passos.

Andreas era durão e exigente, segundo Howie, mas deu a ele tarefas interessantes, como comprar moinhos de farinha no México e trabalhar no Nafta. Mas Howie continuava sendo a mesma pessoa de antes – movido a adrenalina, enérgico, sempre dolorosamente honesto e vulnerável. Nas viagens e reuniões da família, ele ainda surpreendia os parentes saindo de armários com sua fantasia de gorila.[27] Escrevia cartas repletas de sentimento para a mãe. Seu escritório parecia o quarto de um adolescente, cheio de brindes de empresas: caminhões de brinquedo com as logomarcas da ADM e da Coca-Cola e garrafas do refrigerante com o lema da empresa.[28] Entretanto, Howie sentia que estava ganhando anos de educação em negócios, numa espécie de curso intensivo.

Em 1992, Buffett convidara Howie para fazer parte do conselho da Berkshire Hathaway, dizendo que o filho se tornaria presidente honorário do conselho depois que ele morresse. A experiência de Howie nos negócios ainda era pequena, ele nunca recebeu um diploma e estava mais interessado em agricultura que em investimentos. Mas, àquela altura, seu curriculum vitae começava a parecer compatível. Por ser o maior acionista do que se configurava como uma corporação familiar, Buffett tinha o direito de fazer aquilo. O seu raciocínio era que Howie poderia preservar a cultura da empresa. Ele sabia que seu filho estava começando a amadurecer e era uma pessoa de princípios.

Mas Buffett tinha que fazer malabarismos mentais para conciliar todas as afirmações que fizera ao longo dos anos – denúncias dos males do "direito divino do útero", riqueza dinástica e vantagens baseadas em parentesco, e não no mérito – com sua decisão de tornar seu filho relativamente inexperiente presidente do conselho da Berkshire Hathaway. E não estava claro como o papel de Howie complementaria o do próximo CEO da Berkshire. Talvez fosse essa a questão. Todos os sinais indicavam que Buffett cuidaria para que o poder não ficasse concentrado num único indivíduo após sua morte. Isso podia, ou não, inibir o potencial da Berkshire, mas manteria afastada a terrível ameaça do Imperativo Institucional, que ele considerava o maior perigo enfrentado pela Berkshire. Buffett queria um certo grau de controle no além-túmulo, e esse foi o seu primeiro passo para obtê-lo.

Numa segunda etapa, ele colocou Susie Jr., e depois Peter, no conselho da Buffett Foundation, com a ideia de que Susie Jr. dirigiria a fundação após a morte da mãe. Isso, segundo todas as pessoas envolvidas, só aconteceria depois que o próprio Warren tivesse morrido. A visão que Buffett tinha da fundação, como de tantas outras coisas, era que "Susie tomaria conta". Susie Jr. só se encarregaria das responsabilidades da fundação dali a muitos anos. Enquanto isso, ele estava começando a depender dela em outras áreas. Filantropa em treinamento, ela desempenhava em Omaha um papel ativo na vida cívica e social do pai. Fizera uma busca extensa e profunda por um carro danificado por granizo que fosse suficientemente barato para satisfazer o pai. Ela o estava ajudando a organizar voluntários para o primeiro Omaha Classic, um torneio de golfe que ele criara e cujos participantes seriam, em sua maioria, seus amigos CEOs, mas também alguma celebridades.[29] À medida que a fama de seu pai aumentava, Susie Jr. estava se tornando sua acompanhante mais frequente nas tarefas difíceis, agora que Kay Graham, na casa dos 70 anos, não estava mais saindo muito. Astrid, que só ia ocasionalmente a eventos sociais, fazia trabalho voluntário no zoológico e não tinha interesse em participar de comitês ou organizar eventos. A sua vida foi a que menos mudou em função da fama recém-adquirida de Buffett, interrompida apenas de vez em quando por algum curioso no acesso à garagem.

Peter também mantinha os pés no chão enquanto a celebridade do pai pairava sobre ele como uma águia. Ele se mudou para Milwaukee, sede da sua gravadora, onde comprou com Mary uma casa enorme, usada em parte como estúdio de gravação. A mansão que pertencia ao filho de Warren Buffett virou notícia. Peter, assim, era o membro da família que transgredira as regras e envergonhara o pai, por sua ostentação. Depois de um casamento conflituoso, ele se separou de Mary em maio de 1991, pouco antes do início do caso Salomon, e desde então enfrentava um divórcio complicado. Seu pai, com grande experiência como observador de divórcios difíceis entre amigos e parentes, foi compreensivo. Depois do divórcio, Peter assumiu formalmente suas gêmeas adotivas, Erica e Nicole. Embora Susie sempre as tenha considerado netas, Warren era mais reservado. Mais tarde ficaria claro que ele considerava a adoção um novo vínculo pós-matrimonial entre Peter e sua ex-mulher – um vínculo ao qual Warren não se sentia ligado.

Introspectivo por natureza, Peter achou o fim do seu casamento um episódio catalítico e revelador; ele estava trabalhando interiormente para desenvolver sua identidade depois de tantos anos sendo ofuscado e dominado pela dos outros. Mas, mesmo durante aquele período traumático de sua vida privada, sua carreira progrediu. Ele já tinha lançado vários álbuns solo em estilo Nova Era. Depois de ler *Son of the Morning Star* (Filho da estrela da manhã), um best-seller sobre a batalha de Little Bighorn, a sua música passou a incorporar elementos indígenas, com os quais se identificava. Isso o levou a compor a música para a cena da dança do fogo do filme *Dança com lobos* e a uma apresentação ao vivo na pré-estreia do filme. Ele estava agora compondo as trilhas sonoras do filme *A letra escarlate* e de uma minissérie da CBS, além de trabalhar num espetáculo multimídia sobre o tema indígena da perda e do resgate da identidade.

Peter era respeitado, mas não famoso; um músico ativo, mas não um astro. No mundo da música, o nome Buffett não queria dizer nada. O pai se orgulhava de suas trilhas sonoras para o cinema e de seus outros trabalhos. Mas Warren não entendia o talento artístico separado da fama ou do sucesso comercial, assim como Peter não entendia a paixão por investimentos e negócios do pai; não havia conexão entre os mundos dos dois. Porém, estranhamente, Warren e Peter eram muito parecidos; ambos nutriam uma devoção apaixonada a uma vocação à qual foram destinados desde a mais tenra infância; ambos se envolviam tão obsessivamente no trabalho que esperavam que suas mulheres se tornassem sua ligação com o mundo externo.

ÀQUELA ALTURA, BUFFETT TINHA, DE FATO, UM TERCEIRO FILHO – BILL GATES.

Gates diz que no início "Warren fazia o papel do adulto, e eu, da criança". Gradualmente, a relação evoluiu para "Ei, nós dois estamos aprendendo ao mesmo tempo".[30] Munger muitas vezes atribuía boa parte do sucesso de Buffett ao fato de ele ser uma "máquina de aprender". Embora ele não tentasse aprender a codificar software, e Gates não tentasse aprender a citar as estatísticas de cada empresa nos últimos 70 anos, os dois compartilhavam ideias, interesses e uma maneira de pensar que criava um considerável terreno em comum. Eles compartilhavam a mesma intensidade. Buffett ensinou Gates sobre investimentos e agiu como a caixa de ressonância das ruminações de Gates sobre a sua empresa. O que mais impressionava Gates era o modo como Buffett tinha aprendido a pensar em modelos. Buffett queria muito compartilhar com Gates suas ideias sobre o que faz uma empresa ser grande, e Gates queria muito ouvi-las.

Se pudesse encontrar outras grandes empresas, Buffett as compraria todas. Ele nunca parava de procurá-las. Porém, a cidadezinha em que os "Superinvestidores de Graham-and-Doddsville" moravam estava ficando cheia demais. Wall Street, como um todo, também tinha sido assolada: havia cada vez menos oportunidades de negócios que tivessem passado despercebidas. Buffett conseguiu organizar seu tempo e equilibrar um pouco mais sua vida; não saía mais de jantares para ler a *American Banker* e realmente aprendera a gostar de se socializar. Embora o seu foco nos negócios nunca tenha diminuído, à medida que os anos 1990 progrediam, as transações, embora maiores, iam se tornando mais esporádicas. Enquanto isso, um novo interesse surgiu. Ele não diminuiria o seu zelo pela Berkshire, mas modificaria suas prioridades sociais, seus itinerários de viagem e até mesmo suas amizades.

O que Buffett queria fazer em seu tempo livre era jogar bridge. Ele jogava socialmente, de forma casual, havia quase 50 anos, e quando esteve em Nova York cuidando da Salomon começou a jogar de forma mais séria e competitiva. Um dia, em 1993, ele estava participando de um torneio internacional de bridge com George Gillespie e conheceu Sharon Osberg, que era parceira de jogo de Carol Loomis.

Osberg tinha crescido com um baralho nas mãos. Era uma ex-programadora de computadores que começara a jogar bridge na universidade. Quando dirigia a nova empresa de internet do Wells Fargo, ganhou dois campeonatos mundiais por equipes. Também ajudava o fato de ela ser uma morena pequena de 40 e poucos anos e com um rosto meigo.

"*Da próxima vez que ela estiver atravessando o país*", Buffett disse a Loomis, "*faça-a parar em Omaha. Diga para ela me ligar.*"

"Onde fica Omaha?", Osberg perguntou. Ela demorou três dias para juntar coragem e pegar o telefone, "morrendo de medo. Nunca tinha falado com uma lenda viva".[31]

Osberg, que morava em São Francisco, viajou para Omaha uma semana depois. "Nunca senti tanto medo, estava sem fôlego", ela diz. No escritório de Buffett, sua nova secretária, Debbie Bosanek, a conduziu até o santuário interno. Ele a cumprimentou enfiando a mão numa caixa e lhe dando três dados, que estavam cobertos por uma série de números estranhos, como 17, 21, 6 e 0. "*Agora você pode olhar para eles o quanto quiser*", disse Buffett. "*Depois vai escolher um, e eu, outro, e vamos jogar e ver quem ganha.*" Osberg olhou fixamente para os dados. Estava tão petrificada que os números se embaralharam. Depois de alguns minutos sem uma resposta, Buffett disse: "*Bem, vamos jogá-los.*" Três minutos mais tarde Osberg estava sentada no chão do escritório, jogando dados. Aquilo quebrou o gelo.

O segredo dos "dados não transitivos" de Buffett era que cada um podia ser vencido pelo outro; era como jogar "pedra, papel e tesoura", só que os jogadores alternavam seus lances.[32] Quem jogasse primeiro automaticamente perdia – porque o outro jogador podia simplesmente escolher qualquer dado que vencesse o primeiro. Bill Gates descobriu logo a regra, assim como o filósofo Saul Kripke, mas ninguém mais tinha percebido.[33]

Depois Buffett levou Osberg para jantar em seu restaurante favorito do momento, o Gorat's. Atravessou de carro um bairro residencial e parou perto de uma farmácia e de uma loja AutoZone, no estacionamento do que parecia ser uma casa de fazenda dos anos 1950, com peças de metal imitando cabeças de boi perto da porta da frente. Um grande globo azul, com os continentes traçados em preto, destacava a mensagem: "A carne da Gorat's é a melhor do mundo." Sentada num salão cheio de famílias que comiam sobre mesas de fórmica, Osberg decidiu não se arriscar e declarou: "Vou pedir o mesmo que você." Alguns segundos mais tarde ela estava olhando para "um pedaço de carne crua do tamanho de uma luva de beisebol". Com medo de ofender uma lenda viva, ela comeu. A seguir eles foram ao clube de bridge local para jogar e, depois, às 22 horas, Buffett a levou para fazer um passeio turístico de carro por Omaha e exibir sua coleção. Ela viu o estacionamento do Nebraska Furniture Mart, a casa dele, a casa em que ele tinha crescido e a Borsheim's, tudo no escuro, de dentro de um carro em movimento. Depois ele a deixou no hotel. Ambos partiriam cedo, no dia seguinte.

Na manhã seguinte, quando Osberg estava fazendo o *check out*, o funcionário da recepção disse: "Alguém deixou um pacote para a senhora." Buffett tinha ido ao hotel às 4h30, deixando para ela uma compilação de suas cartas anuais aos acionistas, que ele tinha, secretamente, imprimido e encadernado como um livro.[34] Ela acabava de se tornar parte da equipe de Buffett.

Pouco tempo depois Buffett mandou Osberg se encontrar com Kay Graham em Washington, numa viagem de negócios. Ela entrou como a quarta parceira no bridge, com Graham e suas amigas Tish Alsop, viúva do seu amigo Stewart Alsop, Cynthia Helms, viúva do ex-diretor da CIA Richard Helms, e Teeny Zimmerman, mulher de Warren Zimmerman, que recentemente fora reconvocado para o posto de embaixador no que se tornara repentinamente a ex-Iugoslávia. Logo Osberg estava se hospedando na casa de Graham e jogando bridge em Washington regularmente com pessoas como Sandra Day O'Connor. Ela ligou para Buffett do quarto de hóspedes. "Meu Deus!", disse. "Tem um Picasso de verdade no banheiro!"

"*Eu nunca tinha percebido isso, e ficava lá fazia 30 anos*", disse Buffett mais tarde sobre o quadro de Picasso. "*Só sabia onde ficava o xampu.*"[35]

Buffett começou a programar as suas viagens para que coincidissem com as viagens de negócios de Osberg a Nova York. Eles jogavam bridge no apartamento de Graham com Carol Loomis e George Gillespie. "*Gostávamos um do outro*", diz Buffett. "*Mas ela... Ela não dizia isso, mas ficava chocada porque todos nós jogávamos muito mal.*" Osberg era tão gentil que o corrigia sem causar a irritação com que ele reagia a críticas – Buffett sempre evitava ou limitava seu tempo com qualquer pessoa que ele temesse que pudesse criticá-lo. Depois de algumas partidas ela perguntava a Buffett por que ele jogara uma determinada carta. "Agora temos uma oportunidade para aprender", ela dizia, e explicava o que ele deveria ter feito.

Em pouco tempo os dois se tornaram amigos íntimos. Osberg achava uma pena que Buffett só tivesse tempo para jogar quando estava numa sala com outros jogadores de bridge. Ele precisava de um computador. Eles discutiram isso durante vários meses. "Sabe, acho que você deveria." *"Não! Não preciso."* "Sabe, você poderia jogar bridge." *"Ah, não."* Por fim, Osberg disse: "Warren, você realmente deveria pelo menos tentar." *"Está bem, está bem",* ele disse. *"Venha a Omaha e monte o computador, fique lá em casa."*

Osberg e o bridge conseguiram realizar o que nem Bill Gates tinha conseguido. Buffett pediu que os Blumkin mandassem alguém do Furniture Mart para instalar um computador. Parou o *Indefensible* em alguma cidade do Meio-Oeste, na qual Osberg estava disputando um torneio, e a levou para Omaha. Ela conheceu Astrid, depois ensinou Buffett a navegar na internet e usar um mouse. "E ele foi arrojado, simplesmente arrojado", diz Osberg. "Ele queria jogar bridge." E apenas bridge. *"Anote simplesmente as coisas que preciso saber para jogar bridge",* ele disse. *"Não quero saber coisa alguma sobre mais nada. Não tente me explicar o que essa coisa está fazendo."*[36] Buffett adotou o apelido "T-bone" e começou a jogar na internet quatro ou cinco noites por semana com Osberg ("Sharono") e outros parceiros. Astrid servia o jantar mais cedo, antes de ele iniciar a sua partida de bridge.

Em pouco tempo Buffett estava tão absorvido pelo jogo de bridge que nada conseguia perturbá-lo. Quando um morcego entrou na casa e ficou voando na sala de televisão, batendo nas paredes e se enredando nas cortinas, Astrid gritou: "Warren, tem um morcego aqui dentro!" Do outro lado da sala, em seu roupão de banho desfiado, olhando para a sua mão no bridge, ele nem tirou os olhos da tela ao dizer: *"Não está me incomodando nem um pouco."*[37] Astrid ligou para o departamento de controle de pragas, e eles retiraram o morcego, tudo sem perturbar o jogo de bridge dele.

Buffett achava que sua habilidade no jogo tinha melhorado tanto sob a tutela de Osberg que queria disputar um torneio sério. "Por que não começar pelo topo?", ela disse. Eles se inscreveram nas duplas mistas do Campeonato Mundial de Bridge.

O centro de convenções de Albuquerque estava lotado: centenas de pessoas estavam sentadas em torno de mesas de bridge, com palpiteiros em volta, observando os jogadores. Murmúrios e olhares atravessaram o salão quando o homem mais rico dos Estados Unidos e a bicampeã mundial Sharon Osberg entraram juntos. Àquela altura, muita gente já reconhecia a figura desengonçada e a cabeleira grisalha de Buffett, o que causou alguma comoção. Era incomum um amador que nem estava no ranking disputar o campeonato mundial como seu primeiro torneio. Em se tratando de Warren Buffett, era um escândalo.

Osberg achava que eles perderiam logo no início, então a questão era se divertir e ganhar experiência. Em vez disso, Buffett sentou-se à mesa e parecia estar isolado de tudo. Era como se não houvesse mais ninguém no salão. Sua habilidade no bridge não chegava perto do nível da maioria dos outros jogadores, mas ele conseguiu se concentrar com toda a calma, como se estivesse jogando na sua própria sala de estar. "*A minha defesa é melhor com Sharon*", ele diz. "*É quase como se eu pudesse sentir o que ela está fazendo. E você pode ter certeza de que tudo o que ela está fazendo tem um sentido.*" De alguma maneira, a sua intensidade sobrepujou a fraqueza do seu jogo. Osberg ficou surpresa quando eles se classificaram para as finais. "Éramos bastante bons", ela diz.

Mas, após um dia e meio jogando para chegar até aquele ponto, Buffett estava esgotado. As únicas pausas tinham sido para sair correndo e comer um hambúrguer. Parecia que ele tinha corrido uma maratona. No intervalo, antes das finais, ele disse a Osberg: "*Não consigo.*"

"O quê?", ela perguntou.

"*Não consigo. Diga que não vamos jogar as finais. Diga que tive uma emergência nos negócios*", ele disse. Osberg ficou encarregada de explicar aquilo à Federação Mundial de Bridge.

Ninguém que tivesse se classificado para as finais jamais tinha decidido não jogar. Os representantes da Federação Mundial de Bridge ficaram indignados com o fato de Warren Buffett ter ido até o torneio deles, endossado a competição com sua presença famosa e importante, obtido a classificação para as finais para, depois, tentar ir embora. "Vocês não podem fazer isso", disseram. Quando Osberg insistiu, ameaçaram tirar sua pontuação no ranking e suas credenciais. "Quem não vai jogar não sou eu!", ela insistiu, repetindo que ele tinha uma emergência nos negócios. Por fim, eles aceitaram o fato de ela ser apenas a representante de Buffett, cederam e permitiram que os dois partissem, sem puni-la.

Naturalmente Buffett encorajou Bill Gates, que brincava um pouco com o jogo, a se tornar um jogador de bridge mais sério. Também mandou Osberg a Seattle, para arrumar o computador de Bill Gates Pai para jogar bridge, começando assim a introduzi-la na família Gates.

Até aquele momento ele e Bill se viam principalmente em jogos de futebol americano, nos campos de golfe e nos eventos da Microsoft. Mas aquele relacionamento estava gradualmente se tornando muito mais íntimo. No fim de semana da Páscoa de 1993, Bill e Melinda ficaram noivos. No caminho de volta de São Francisco, Bill fez com que o piloto anunciasse uma previsão meteorológica falsa de Seattle, para que Melinda achasse que eles estavam voando para casa. Ela ficou chocada quando a porta do avião se abriu após a aterrissagem e Warren e Astrid os estavam esperando sobre um tapete vermelho ao pé da escada. Warren os levou até a Borsheim's, onde a CEO Susan Jacques os ajudou a escolher um anel de noivado.

Nove meses depois Buffett voou até o Havaí para o casamento deles, realizado no dia de ano-novo, no décimo segundo *tee* do campo de golfe do Four Season Manele Bay, na ilha de Lanai. Apesar de sua irmã Bertie ter uma casa na Big Island, no Havaí, Buffett nunca tinha estado no arquipélago. O casamento de Gates o deixou empolgado como se fosse o casamento de um de seus filhos, embora, se dependesse dele, pudesse ter sido realizado em Dubuque, Iowa. Ele achava que Bill Gates estava tomando uma das decisões mais inteligentes de sua vida ao se casar com Melinda French. Contudo, o casamento de Bill e Melinda coincidiu com a festa pelo 70º aniversário de Charlie Munger, que acontecia naquele mesmo fim de semana. Buffett, famoso por sua lealdade, nunca deixava seus velhos amigos na mão, mas às vezes tinha que fazer malabarismos para administrar seus relacionamentos. Se surgisse um conflito, a sua tendência era resolvê-lo satisfazendo quem tinha mais probabilidade de ficar chateado – o que geralmente significava desprezar os seus amigos mais leais e confiáveis, aqueles que certamente não o criticariam nem ficariam zangados. A pessoa rejeitada ficava com o consolo paradoxal de ser o amigo em quem Buffett mais confiava e do qual se sentia mais próximo. As pessoas que o amavam entendiam e toleravam isso.

Munger, o amigo de longa data, toleraria quase tudo de Buffett, até mesmo o fato de ele faltar à festa dos seus 70 anos. Gates era o amigo mais novo; na verdade, quando o assunto era estar apaixonado por Gates, Buffett ficava em segundo lugar, mas não muito atrás de Melinda. Então ele optou pelo casamento e levou Kay Graham junto. Graham, agora com 76 anos, viajava com menos frequência, mas ainda se apresentava em cerimônias como aquela. Além disso, Gates tinha acabado de ultrapassar Buffett, tornando-se o número um na corrida do dinheiro nos Estados Unidos. Juntos, eles tornavam a ínfima ilha de Lanai, naquele dia de ano-novo, o balneário mais rico do mundo. Warren tinha enviado Susie a Los Angeles para a festa de Munger, na qual ela cantou.[38]

Susie, durante muito tempo a rainha no tabuleiro de xadrez de Warren, estava acostumada a esse tipo de coisa. Tinha sua definição própria sobre o que ele precisava das mulheres de sua vida, classificando cada uma delas numa categoria utilitária. Uma noite, quando estava jantando no Gorat's com Warren, Astrid e Sharon Osberg, que conhecera pouco antes, Susie olhou para a mesa e avaliou a companhia. Só faltavam Kay e Carol Loomis no harém. Ela riu e balançou a cabeça. "Uma pessoa para cada coisa", pensou. Osberg estava na categoria "bridge".

Mas Susie sempre menosprezava um pouco as outras; contudo, como acontecia com todas as "Violetas" de Warren, o papel de Osberg era muito mais amplo.

Em pouco tempo Buffett estava conversando com Osberg várias vezes por dia ao telefone, levando-a em suas viagens e tornando-a sua confidente mais íntima. Assim como Astrid, ela aceitava ficar em segundo plano, sem perturbar a ordem aparente de todos os seus outros relacionamentos, que Buffett sempre tendia a separar. Em meados dos anos 1990 a percepção pública de como ele gastava seu tempo estava bem distante do modo como ele realmente o gastava. Buffett ainda fazia malabarismos para evitar magoar alguém, mas, nos conflitos, dava prioridade a satisfazer quem pudesse irromper contra ele. A engrenagem que estivesse fazendo barulho recebia a graxa. Sharon, como Astrid, não era de fazer barulho. Era discretamente convidada para os jantares do dia de Ação de Graças de Susie Jr. e incluída em jogos de bridge com Bill Gates. Bill e Melinda Gates celebraram seu primeiro aniversário de casamento no dia 1º de janeiro de 1995 em sua casa em San Diego. Buffett convidou Bill, Charlie Munger e Sharon para uma partida de bridge de ano-novo. Enquanto Susie, acostumada ao fato de Warren perseguir seus próprios interesses até mesmo numa reunião de família, passava o dia com os parentes e amigos, Gates, Osberg e Buffett se sentaram à mesa de bridge, à espera de Munger. Buffett, que sempre era muito pontual, observou que era hora de começar, mas ninguém parecia incomodado com o atraso de Munger.

Gates estava de bom humor, mas, enquanto conversavam, Buffett começou a ficar irritado por ficar esperando. Quando, após alguns minutos, Munger ainda não tinha aparecido, Osberg sugeriu uma partida de bridge a três, para manter os outros entretidos, fazendo parceria tanto com Buffett quanto com Gates, enquanto prosseguia a conversa.

Depois de 45 minutos de bridge a três, Buffett, que estava representando o anfitrião educado, fazendo piadas e conversando, tentando deixar o clima agradável, ficou claramente nervoso e irrequieto. De repente, ele pulou da sua cadeira. *"Sei onde ele está"*, disse. Pegou o telefone e ligou para o Los Angeles Country Club.

A pessoa que atendeu o telefone foi procurá-lo. Em poucos minutos Munger foi localizado no restaurante. Sentado com seus amigos, como costumava fazer diariamente quando não estava no escritório, ele estava prestes a dar uma mordida em um sanduíche.

"O que você está fazendo, Charlie?", Buffett perguntou. *"Deveria estar jogando bridge conosco."*

"Estarei aí em alguns minutos", Munger respondeu.

Sem uma palavra para se desculpar, desligou o telefone, largou o sanduíche e saiu de carro.

Meia hora depois Munger entrou na casa de Buffett em Emerald Bay, sentou-se à mesa como se nada tivesse acontecido, como se não tivesse notado que tinha deixado Bill Gates esperando durante uma hora e meia no dia do seu primeiro aniversário de casamento e disse: "Feliz ano-novo. Vamos jogar."

Estupefatos, os outros três ficaram em silêncio um instante.

Então Gates disse: "Tudo bem. Vamos jogar."

Eles jogaram.

OUTRO GRUPO DE AMIGOS LEAIS DE BUFFETT SE JUNTOU A ELE PARA O RITUAL BIENAL no qual o Grupo Buffett realizou sua reunião no Kildare Club, em Dublin, em setembro de 1995. Como Bill Gates estava presente (Gates circulava em todos os mundos de Buffett, que tentava torná-lo seu gêmeo siamês), o governo da Irlanda os tratou como imperadores. Foram recebidos no aeroporto por limusines oficiais do governo e protegidos por agentes de segurança em helicópteros. Jantaram com o presidente do conselho da Guinness, o Taoiseach* e sua mulher, e o embaixador americano, caminharam sobre a pavimentação de pedras do Trinity College para verem o Livro de Kells e aplaudiram perplexos os elegantes garanhões de caça do Haras Nacional Irlandês, no condado de Kildare. Eles nunca – nem mesmo sob os auspícios de Kay Graham em Williamsburg – tinham visto tanto luxo. Repleto de obras de arte e antiguidades incríveis, o K Club cultivava todos os seus próprios alimentos no local e os preparava com uma equipe própria e *chefs* europeus.

O brilho e o glamour do ambiente ocultavam o fato de que os membros do Grupo Buffett, muitos dos quais eram fabulosamente ricos àquela altura, não haviam, em grande parte, mudado. Warren via algumas daquelas pessoas apenas cerca de uma vez por ano, mas permanecia extremamente devotado a elas. Bill Ruane ainda era sociável e contava histórias longas e engraçadas. Walter Schloss ainda morava num apartamento mínimo e escolhia ações da mesma maneira que sempre fizera. Os Stanback, dentre os membros mais ricos do grupo, nem sonhavam em voar em outra classe que não fosse a econômica. Sandy Gottesman ainda questionava tudo com ceticismo e queria uma explicação minuciosa de cada detalhe. Tom Knapp tinha acabado de comprar grandes extensões de terra no litoral do Maine e começara a fazer o mesmo no Havaí. Jack Byrne estava repleto de energia como sempre. Roy Tolles ainda guardava seus pensamentos para si, exceto quando disparava uma frase breve de vez em quando. Ed Anderson e Joan Parsons injetavam dinheiro em pesquisas sobre a sexualidade humana, mas Ed ainda pegava moedas de 1 centavo na rua, a menos que estivessem muito sujas. Marshall

---

* Chefe de Estado. *(N. da A.)*

Weinberg ainda era um paquerador irresistível. Lou Simpson continuava um selecionador de ações tão bom a ponto de se ter tornado um dos superinvestidores de Graham-and-Doddsville. Carol Loomis ganhara dinheiro suficiente com as ações da Berkshire para poder chegar em um jato particular, mas ainda não conseguia comprar um frasco de picles sem refletir sobre o luxo que era comer picles durante sua infância nos anos da Depressão.[39] Aposentado do seu trabalho de construir represas e pontes gigantescas, Walter Scott agora construía casas gigantescas. Depois de ir ao teatro, Joyce Cowin ainda subia a Broadway a pé e atravessava o parque até o Upper East Side debaixo de uma tempestade de neve, em vez de pegar um táxi. Ajit Jain, agora membro do Grupo Buffett, passava a maior parte do seu tempo no quarto, durante os encontros, fechando negócios em um ritmo frenético para agradar Buffett. Ron Olson, que já havia sido querido pela maioria das pessoas que Buffett conhecia – com exceção do juiz Brieant –, era querido àquela altura pela maior parte das pessoas na grande Los Angeles. E havia ainda Bill Scott, Mike Goldberg e Chuck Rickershauser, todos em vários estágios de aposentadoria, depois de trabalharem anos perto do sol agradável e quente, e todos também em vários estágios de recuperação dos efeitos da Lei da Termodinâmica de Rickershauser.[40] Bill Gates, diferente dos outros sob tantos aspectos, compartilhava os interesses intelectuais e a total falta de pretensão do grupo. Quanto a Kay Graham, ela continuava a ser a ligação real entre eles e os membros da alta sociedade que os bajulavam mas não conseguiam seduzi-los. "Ah, a princesa Diana", ela dizia. "Uma ótima amiga. Muito mais do que possa parecer."

Em meio ao luxo do K Club, Buffett distribuiu cópias de um pequeno livro, *The Gospel of Wealth* (O evangelho da riqueza), do industrial e filantropo da virada do século Andrew Carnegie. Ao celebrar seu 65º aniversário e avaliar sua vida até então, ele leu Carnegie. Agora estava liderando o grupo num debate sobre a premissa de Carnegie de que "quem morre rico morre coberto de vergonha". Carnegie tinha honrado essa filosofia gastando quase toda a sua fortuna, uma das maiores da história em sua época, para fundar bibliotecas em cidades pequenas e grandes nos Estados Unidos.[41] Buffett sempre tinha planejado morrer rico e coberto de vergonha, como Carnegie dissera, para que houvesse mais a ser distribuído depois de sua morte. Insistia que o melhor emprego de seus talentos era continuar ganhando mais dinheiro até a morte, e não tinha interesse em se envolver pessoalmente no trabalho da fundação. Aquele seria o projeto de Susie. Mas ele queria ouvir a opinião dos outros e, obviamente, estava pensando a respeito daquela questão.

Eles abriram a discussão. Bill Ruane, que nunca tinha ligado muito para dinheiro e era pobre em comparação com os outros, estava prestes a iniciar um projeto para transformar as piores escolas públicas de Nova York. Mais tarde iria trabalhar com a Universidade Columbia, ajudando milhares de alunos das escolas da cidade de Nova York com distúrbios de humor que corressem risco de se suicidar.[42] Fred e Alice Stanback estavam entre os doadores mais importantes para causas ambientalistas nos Estados Unidos. Tom Murphy era presidente do conselho da organização sem fins lucrativos Save the Children. Jane Olson, esposa de Ron, era presidente do conselho internacional da Human Rights Watch. Antes da morte de Dan, os Cowin doaram uma importante coleção de arte ao American Folk Art Museum. Charlie Munger contribuía com o Good Samaritan Hospital e fazia doações para a educação. Walter e Suzanne Scott também faziam doações significativas em Omaha. Ruth Gottesman atuava no conselho de supervisores do Albert Einstein College of Medicine. Marshall Weinberg estava dando, gradualmente, quase todo o seu dinheiro para bolsas de estudos, programas de saúde, questões do Oriente Médio e pesquisas educacionais. Os outros tinham suas próprias causas.

Quando chegou sua vez de falar, Bill Gates disse: "A medida da realização não deveria ser o número de vidas que você pode salvar com uma certa quantia de dinheiro?" Ele concordava com Buffett que era necessário ganhar dinheiro antes a fim de ter o dinheiro a ser doado. Mas, assim que ele ganhasse uma certa quantia, ele a usaria para salvar mais vidas no presente, doando a maior parte daquele patrimônio.[43]

A Buffett Foundation estava gastando muito pouco, em proporção à riqueza de Buffett. Ele tinha escolhido duas questões filantrópicas principais – superpopulação e proliferação nuclear –, problemas de solução quase inimaginavelmente difícil. A proliferação nuclear não se prestava muito bem a soluções financeiras, mas Buffett estava disposto a dar tanto dinheiro quanto possível para sua prioridade absoluta: qualquer método plausível para reduzir a probabilidade de uma guerra nuclear. A sua análise do problema era, caracteristicamente, estatística.

"Um ataque nuclear é inevitável. É o problema supremo da humanidade. Se há uma probabilidade de 10% de que algo aconteça em um ano, há uma probabilidade de 99,5% de que essa coisa aconteça em 50 anos. Mas, se você é capaz de reduzir essa probabilidade para 3%, haverá uma redução para 78% de probabilidade em 50 anos. E, se você puder reduzi-la para 1%, haverá apenas uma probabilidade de 40% em 50 anos. Esse é um objetivo realmente válido – poderia literalmente fazer toda a diferença no mundo."

O outro grande problema, segundo Buffett, era o peso infligido por gente de mais sobre um planeta sobrecarregado. Sem ter uma maneira de resolver o problema nuclear, o controle populacional era onde a Buffett Foundation gastara a maior parte do seu dinheiro desde meados dos anos 1980. Ele também abordava esse problema a partir de uma perspectiva matemática. Em 1950, a população mundial era de cerca de 2,5 bilhões de pessoas. Apenas duas décadas mais tarde, logo após a publicação de *The Populational Bomb* (A bomba populacional), de Paul Ehrlich, a população mundial estava perto de 3,7 bilhões de pessoas.[44] Ehrlich previu que os anos 1970 e 1980 seriam épocas de fome maciça em todo o mundo, com a morte de centenas de milhões de pessoas. Em 1990, a população mundial já tinha superado a marca de 5 bilhões, a fome em massa não tinha acontecido e as ideias de Ehrlich não eram mais levadas a sério por muitos especialistas – apesar de a população ter crescido de forma dramática. O debate girava essencialmente em torno da possibilidade de a tecnologia superar o crescimento populacional, a extinção das espécies e o aquecimento global. Buffett considerava o problema da expansão populacional e da diminuição dos recursos em termos de uma "margem de segurança".

"*Existe uma capacidade de sustentação na Terra. Ela é muitíssimo maior do que [Thomas] Malthus algum dia sonhou. E nós precisamos sempre errar para menos. Se você cuidasse das provisões de um enorme foguete para uma viagem à Lua e tivesse mantimentos suficientes para 200 pessoas mas não soubesse quanto tempo a viagem demoraria, provavelmente não poria mais de 150 pessoas no foguete. Nós temos uma espécie de nave espacial e não sabemos quanto tempo as provisões vão durar. Mas é muito difícil argumentar que a Terra estaria melhor em termos de felicidade ou subsistência média com 12 bilhões de pessoas, em vez de 6 bilhões,*[45] *Há um limite e, se você não sabe qual é esse limite, é melhor não arriscar. É uma abordagem do tipo margem de segurança para a sobrevivência da Terra.*"

Desde os anos 1970 Buffett defendera o acesso à contracepção e ao aborto para as mulheres – questões que eram caras a Susie – como resposta ao crescimento populacional descontrolado. Tratava-se de um ponto de vista de referência entre as organizações humanitárias da época.[46] A Munger, Tolles fez com que Buffett apoiasse um importante caso judicial na Califórnia, O povo contra Belous, que foi um grande passo no caminho da sentença histórica do caso Roe contra Wade.[47] Charlie Munger assumiu esse caso com paixão; a firma o escolhera porque estava preocupada com o modo como as jovens estavam sendo mutiladas e mortas por causa de abortos ilegais. Buffett e Munger patrocinaram uma "igreja" chamada Ecumenical Fellowship (Solidariedade Ecumênica), que se tornou parte do movimento subterrâneo a favor do aborto em todo o país.[48]

Buffett ficou particularmente tocado com a argumentação de Garrett Hardin, cujo artigo de 1968 "The Tragedy of the Commons" (A tragédia dos bens comuns) mostrava como as pessoas que não têm participação na propriedade dos bens comuns – o ar, os mares – abusam deles e os destroem.[49] Embora adotasse muitos princípios concebidos por Hardin, um líder do movimento do "controle populacional", Buffett rejeitava as soluções apresentadas por ele, pois eram ideias autoritárias e de abordagem eugenista. Hardin escreveu que os fracos não apenas herdariam, mas já tinham herdado a Terra. Ele considerava isso um "suicídio genético": "Olhe à sua volta. Quantos heróis você vê entre os seus vizinhos? Ou os seus colegas? (...) Onde estão os heróis do passado? Onde está Esparta agora?"[50]

Buffett achava que a ideia de trazer de volta Esparta já tinha sido tentada. O homem que tentou foi Adolf Hitler. Os espartanos se limpavam geneticamente abandonando os bebês fracos ou "indesejáveis" à própria sorte, no flanco de uma montanha. A eugenia moderna era uma filosofia social formulada por Sir Francis Galton, que se valeu do trabalho de seu primo Charles Darwin e teorizou que a reprodução seletiva da raça humana poderia melhorar a qualidade da população. Essa noção foi bastante difundida no início do século XX, até ser desacreditada pelas experiências da Alemanha nazista.[51] Não havia modo seguro de seguir linhas de pensamento como as que Hardin estava propondo, que levavam a uma divisão letal da humanidade em grupos concorrentes.[52] Buffett renunciara a essa visão em favor de uma abordagem dos problemas da nave Terra baseada nos direitos civis.

Em 1994, a ênfase de Buffett passou justamente do "controle populacional" para os direitos reprodutivos.[53] Essa mudança correspondeu a uma evolução mundial do pensamento no seio do movimento de controle populacional. As mulheres "não deveriam mais ser tratadas como meios convenientes visando a 'finalidade' do controle populacional".[54] Buffett sempre considerou que qualquer meio para resolver o problema populacional que envolvesse coerção estava fora de cogitação.[55] Então deu um passo adiante: "*Eu nunca limitaria de forma alguma o direito de uma mulher a ter um filho, mesmo se o mundo estivesse extremamente superpovoado, e não baniria o direito de escolha, mesmo se houvesse apenas duas pessoas no planeta e a fertilidade fosse algo crítico. Não acho que os números devam determinar quantas pessoas são desejadas. Mesmo se todos tivessem sete filhos, eu não faria o que Garrett Hardin disse e não vincularia o direito aos números.*" Por isso a Buffett Foundation apoiava os direitos reprodutivos.

Mas, cada vez mais, as complexidades e nuances dos direitos reprodutivos, dos direitos civis e do controle populacional se perdiam na controvérsia sobre o aborto. A doação de Buffett se baseava, em última instância, no que ele chamava de Loteria do Ovário.[56] Ele transmitiu essa ideia a um grupo chamado Responsible Wealth (Riqueza responsável). A ideia teve grande repercussão para Buffett.[57]

"*Eu tive uma vida muito boa. As chances de eu nascer nos Estados Unidos em 1930 eram de 50 contra uma. Tirei o grande prêmio na loteria no dia em que saí do útero nos Estados Unidos, e não em algum outro país, no qual as minhas chances teriam sido muito diferentes.*

Imagine que existem dois gêmeos idênticos no útero, ambos igualmente inteli-

gentes e cheios de vitalidade. E um gênio diz para eles: 'Um de vocês vai nascer nos Estados Unidos e o outro vai nascer em Bangladesh. E se você terminar em Bangladesh não vai pagar impostos.

Que porcentagem da sua renda você apostaria para ser o bebê nascido nos Estados Unidos? Isso diz algo sobre o fato de que a sociedade, e não apenas as suas qualidades inatas, tem algo a ver com o seu destino. As pessoas que dizem 'Venci sozinho' e acham que são Horatio Alger certamente apostariam mais para nascer nos Estados Unidos do que em Bangladesh. Essa é a Loteria do Ovário."

A Loteria do Ovário acabou moldando todas as suas opiniões sobre política e filantropia; o ideal de Buffett era um mundo no qual os vencedores tivessem liberdade para lutar mas diminuíssem o abismo social, ajudando os perdedores. Durante a sua vida, ele viu os extremos da desigualdade; cresceu com os linchamentos e os tumultos dos anos de luta pelos direitos civis e ouvira falar várias vezes do Levante do Palácio de Justiça, onde uma autoridade foi empurrada para o cadafalso com um nó em volta do pescoço, num lugar e num tempo em que um grupo de pessoas achava que tinha mais direitos do que outro. Talvez, sem ter consciência disso, Buffett tivesse abandonado, muitos anos antes, os ensinamentos libertários de seu pai[58] e dado meia-volta rumo ao idealismo democrático de William Jennings Bryan, que escrevera a respeito da "classe sobre a qual as outras repousam".

Buffett, uma das pessoas menos volúveis que se possa imaginar, tanto no que diz respeito à filosofia quanto à geografia, podia ocasionalmente mudar radicalmente de opinião se reunisse motivos suficientes. Depois que ele e Susie voltaram da Irlanda, encontraram-se em Vancouver para embarcar numa excursão de 17 dias à China, "Across Cathay" (Atravessando a China). A motivação de Buffett para essa viagem eram os Gates. Bill e Melinda se esforçaram muito para tornar a viagem agradável para ele. Antes da partida enviaram a todos os convidados um questionário perguntando o que eles gostavam de comer. Buffett não ia se arriscar a outra experiência semelhante à que teve na casa dos Morita. *"Não como comida chinesa"*, ele respondeu. *"Se necessário, sirva-me arroz e eu simplesmente o empurrarei pelo meu prato, depois volto ao meu quarto e como amendoim. Por favor, consiga um exemplar do* Wall Street Journal *para mim todos os dias; é muito difícil ficar sem o jornal."*[59]

E assim Buffett foi para a China.

Após se registrar no antigo e grandioso Palace Hotel de Pequim, na Rua Wang Fu Jing 8, o grupo de turistas encontrou o Dr. Robert Oxnam, presidente da Asia Society, que seria o palestrante durante a viagem.[60] Depois de uma conversa sobre a China moderna, foi-lhes servido um magnífico jantar da região de Sichuan, no Salão Esmeralda do hotel. Os garçons colocavam um prato atrás do outro em bandejas rotativas: pato defumado no chá, carne de porco com molho de pimenta, frango picante e cozido de Sichuan. Mas os Gates tinham providenciado para que a agência de viagens, a Abercrombie & Kent, mandasse antes pessoal para ensinar os *chefs* a fazer hambúrgueres e batatas fritas para Buffett. Para seu deleite, serviram-lhe um prato de batatas fritas atrás do outro – até mesmo durante a sobremesa.

Na manhã seguinte, o grupo saiu para explorar a Cidade Proibida, a Universidade de Pequim e o museu do Palácio Nacional. No restaurante Fangshan, no almoço, e também à noite, na Residência de Hóspedes de Estado Diayoutai, uma reserva de pesca e retiro da família imperial, foram servidos a Buffett hambúrgueres e batatas fritas, enquanto o resto do grupo se regalava com a culinária chinesa.

Em Pequim, o grupo se encontrou com o primeiro-ministro da China, e Gates providenciou um jogo de pingue-pongue entre Buffett e um campeão de 12 anos de idade. No terceiro dia, o Dr. Oxnam deu uma palestra sobre a história e o folclore da Grande Muralha. Ao chegar ao topo, o grupo encontrou champanhe à sua espera – e Cherry Coke para Buffett. Em cima da maior estrutura do mundo, que representava 11 séculos de engenharia inovadora, trabalho humano e história chinesa, todos esperavam que Buffett dissesse algo profundo. Ele certamente deveria estar comovido pela vista.

"*Nossa, eu certamente teria gostado de ser a empresa que fechou o contrato de fornecimento de tijolos para essa coisa*", brincou.

Na manhã seguinte, ele pulou a sessão de artes marciais para fazer um passeio pela fábrica local da Coca-Cola. No dia seguinte, o grupo embarcou num avião de transporte militar para ir a Ürumqi, uma cidade distante no Noroeste da China, perto da Mongólia, que no passado foi um entreposto importante na Rota da Seda. Lá, embarcaram em um trem – mas não um trem comum, pois os Gates providenciaram para que eles fossem os primeiros ocidentais a alugar o trem pessoal do presidente Mao – para fazer uma viagem através do Noroeste da China. O trem seguiu a velha Rota da Seda, parando no caminho para que o grupo pudesse andar de camelo no deserto, visitar cidades e cavernas antigas, ver pandas gigantes em Xi'an e visitar as escavações arqueológicas dos Guerreiros e Cavalos de Terracota, supostamente o maior sítio funerário do mundo. A viagem permitia horas a fio de conversa, durante as quais Buffett e Gates continuavam sua discussão acerca do motivo que torna alguns bancos melhores que outros, ou o que torna o varejo uma atividade tão difícil, ou o valor das ações da Microsoft e coisas do gênero.[61]

No décimo dia, visitaram o local do projeto da represa das Três Gargantas, depois embarcaram no *M. S. East Queen*, um enorme transatlântico de cinco andares com salão de baile, barbearia, massagista e um músico em trajes formais no convés tocando "Turkey in the Straw".

O navio entrou na primeira das gargantas, Shennong Xi, e muitas pessoas a bordo colocaram coletes salva-vidas de cor laranja e subiram em botes, que foram empurrados e sirgados ao longo de um afluente do rio. Um grupo de 10 homens arrastava com cordas cada barco contra a corrente, enquanto garotas jovens e supostamente virgens cantavam para encorajá-los durante seu árduo trabalho.

Buffett fez piadas sobre as virgens. Mas naquela noite, durante o jantar cantonês, obviamente pensando nas implicações da "Loteria do Ovário", ele disse: *"Poderia haver outro Bill Gates entre aqueles homens que puxaram nosso barco. Eles nasceram aqui e foram destinados a passar a vida puxando aqueles barcos, como fizeram com os nossos. Não tiveram uma oportunidade. Foi pura sorte termos tido a chance de tentar o sucesso."*

De Shennong Xi, o barco foi até a garganta Outanga, passando por vilarejos nos quais as crianças saíam das escolas para se curvar diante dos estranhos americanos. Depois de uma fábrica de seda, entre montanhas diáfanas e envoltas em névoa, ao longo de um vilarejo com calçamento de pedras, o barco serpenteou lentamente até o Yang Tsé. Por fim, chegaram a Guilin, para um cruzeiro particular numa chata pelo rio Li, numa das paisagens mais bonitas do planeta, um rio imaculado ladeado por milhares de picos calcários cobertos por um manto verde, "como prendedores de cabelo feitos de jade", segundo Han Yu, um poeta da dinastia Tang. Muitas das pessoas no grupo de Gates andaram de bicicleta ao longo da margem do rio para ver a longa sucessão ribeirinha de colunas de pedra pré-históricas de 60 a 90 metros de altura. Warren, Bill Gates e seu pai tinham obtido permissão de suas mulheres para uma orgia de uma hora de bridge no barco, enquanto a chata flutuava em meio à magnífica paisagem coberta de pinheiros.

Quando finalmente chegaram a Hong Kong, no fim da viagem, Buffett arrastou os Gates direto para o McDonald's, para comprar hambúrgueres no meio da noite. *"E durante todo o voo entre Hong Kong e São Francisco, e depois até Omaha, só li jornais."*

Mas, durante muito tempo após aquela viagem pela China, anos até, a mente de Buffett continuou a relembrar aqueles momentos. Não se tratava do cenário, que ele mal havia notado, nem do passeio de camelo, imortalizado numa fotografia. Não se tratava das porções intermináveis de batatas fritas durante os banquetes chineses que todos os outros tinham apreciado. Ele estava pensando sobre o projeto da represa das Três Gargantas e os escaleres de Shennong Xi. Mas não foi o canto das virgens que o encantou. Foi o destino dos homens que passavam a vida arrastando incessantemente barcos rio acima que ficou na sua mente, assombrando seus pensamentos sobre o destino e a sina de cada um.

51
Dane-se o urso

Omaha e Greenwich, Connecticut – 1994-1998

Durante o bridge, o golfe, a Irlanda, a China, em 1994 Buffett ainda devorava o *Wall Street Journal* todos os dias em busca de ações a serem compradas para a Berkshire Hathaway. Mas estava ficando cada vez mais difícil encontrar uma empresa maravilhosa a um preço justo. Ele continuou colocando dinheiro na Coca-Cola, até que atingiu um total de 1,3 bilhão de dólares em ações. Comprou outra empresa de calçados, a Dexter. Lá estava ele, de novo, um pouco fora do seu "círculo de competência", apostando que a demanda por sapatos importados fosse diminuir.[1] Um joalheiro chamado Barnett Helzberg Jr., que conhecia a Borsheim's, encontrou Buffett em Nova York e durante uma conversa na Quinta Avenida lhe vendeu a Helzberg Diamonds quase instantaneamente. Buffett também estava comprando novamente ações da American Express.

E queria o resto da Geico.

Desde outubro de 1993 a Geico era dirigida por co-CEOs: Lou Simpson, seu principal executivo de investimentos, e Tony Nicely, um homem de fala macia e cabelo grisalho, que parecia um urso de pelúcia e trabalhava na empresa desde os 18 anos. Na época, Nicely comandava as operações de seguros; ele tinha pisado fundo no acelerador, e a Geico, após um período de letargia, passou a conquistar meio milhão de novos clientes por ano. Em agosto de 1994 Buffett conversou com Nicely, Simpson e Sam Butler, o presidente do comitê executivo do conselho que, muitos anos antes, escalara Jack Byrne para salvar a empresa. Desde que se tornara co-CEO, Nicely, que não gostava de negociar em Wall Street, achava que a Geico deveria ser uma empresa de capital fechado.[2] Ele preferiria trabalhar para Buffett a conviver com um bando de analistas e administradores de recursos.

Butler liderou a negociação. Ele queria ações e que o preço ficasse na faixa dos 70 dólares. Buffett considerou isso ultrajante. Queria pagar em dinheiro, e a um preço abaixo de 60 dólares.[3] Eles barganharam durante um ano. Buffett sacou a sua "serra circular" – a sua técnica para cortar o chão embaixo da Geico tentando fazer Butler sentir que a empresa era fraca e vulnerável. Buffett disse que o mercado estava saindo de controle. *"Essa onda de alta tecnologia e internet está enlouquecendo e vai prejudicar toda a indústria, inclusive a Geico. Vocês têm uma vantagem significativa vendendo pelo telefone, mas a internet vai reduzir muito essa vantagem."* Estava claro que, em 1994, antes de as pessoas comuns terem um endereço de e-mail, Buffett, que supostamente não entendia nada de computadores, já tinha intuído – mais do que a própria indústria de seguros automobilísticos – como a internet afetaria o setor.

Mas Butler era um advogado durão e experiente e não se deixou levar por Buffett. A cotação das ações da Berkshire dobrara em dois anos. Em abril, com a BRK sendo negociada a 22 mil dólares por ação, a revista *Money* citou a *newsletter Overpriced Stock Service* (Serviço de Ações Supervalorizadas), que dizia: "O preço da BRK só faz sentido se a empresa for dirigida por Deus." Butler se recusou a reduzir a sua cifra. E ele queria o maior número possível de ações da Berkshire. Os dois chegaram a um impasse. Finalmente Buffett recorreu à arma suprema e trouxe para a negociação Charlie Munger, no papel de vilão. Na Salomon essa tática fora previsivelmente bem-sucedida, mas Sam Butler se revelou tão durão que não se deixou convencer nem mesmo por Munger.

Depois de um ano, ficou claro que, se Buffett quisesse a Geico, teria que chegar ao preço estipulado por Butler. Buffett queria tanto a empresa que capitulou. Assim, em agosto de 1995, pagou 2,3 bilhões de dólares por 52% da Geico, após ter gastado 46 milhões de dólares pelos primeiros 48%. E pagou em ações da Berkshire, não em dinheiro. Apesar de ter lutado com tanto afinco, Buffett, na verdade, considerava razoável o preço como um todo, devido à pechincha que conseguira na compra da primeira metade das ações.

O negócio da Geico representou uma guinada. O mercado acionário andava compulsivo, com novas ofertas de ações quentes e inesperadamente populares em 1994, no rastro de um ótimo 1993.[4] Em fevereiro de 1995 o índice Dow Jones chegou a 4.000 pontos pela primeira vez. A Microsoft lançou o Windows 95 e teve uma receita de 700 milhões de dólares só no primeiro dia de vendas. De repente todo mundo que trabalhava num escritório tinha um computador em cima da mesa. As pessoas compravam computadores para que seus filhos fizessem o dever de casa. As mães de crianças do pré-escolar ganhavam contas de e-mail, por onde recebiam informações sobre o rodízio de carros para levar os filhos à escola. Os designers de sites não davam mais conta da demanda das empresas. Os hackers começavam a virar notícia nas primeiras páginas dos jornais.

Em agosto de 1995 um provedor de internet chamado Netscape abriu o capital para financiar a sua expansão. Muitas pessoas conheciam o produto da Netscape, mas a empresa jamais ganhara um tostão. O banco Morgan Stanley recebeu tantos telefonemas para realizar compras de ações que precisou criar um número de telefone gratuito só para recebê-las. Choviam pedidos de 100 milhões de ações para uma empresa que, a princípio, planejava vender 3,5 milhões de ações.[5]

Apesar de usar um computador para jogar bridge e das intuições sobre a internet demonstradas durante a negociação com a Geico, o conhecimento de Buffett a respeito de tecnologia era frágil. Ele permanecia pessoalmente indiferente a computadores, enquanto o resto do mundo parecia não conseguir comprá-los com rapidez suficiente. Bill Gates encarou aquilo como um desafio. Levou Buffett e Munger a uma reunião na Microsoft para falar de tecnologia. Na noite da véspera, ele e Melinda organizaram um jantar em sua casa, no qual ela colocou Munger sentado ao lado de Nathan Myhrvold, executivo-chefe do setor de tecnologia da Microsoft. Os dois logo iniciaram uma longa conversa sobre o rato-toupeira-pelado. Um rato-toupeira-pelado parece um *boudin blanc* – uma salsicha branca francesa – com dentes e é incapaz de sentir dor quando cortado, arranhado ou queimado.* Munger, um apaixonado por ciência, tinha um certo conhecimento superficial sobre aquele tópico. Sandy Gottesman tinha investido uma vez em ratos de laboratório – e tentou ganhar dinheiro depressa, estimulando o aumento da demanda por animais para experiências. Mas o investimento de Gottesman não funcionou, e ele acabou com um prédio cheio de ratos embaixo de alguma ponte em Nova York. O rato-toupeira-pelado era um bicho superior, não apenas insensível à dor, mas partenogenético. A rainha da colônia se fertiliza e dá à luz sem a ajuda dos machos. Munger e Myhrvold conversavam animadamente sobre a vida sexual dos ratos-toupeira enquanto os outros ouviam, incrédulos.[6]

Na manhã seguinte Gates levou Buffett e Munger até à Microsoft para que seu número dois, Steve Ballmer, e meia dúzia de engenheiros pudessem entrevistá-los, quase como antropólogos, pois parecia muito estranho para eles que dois homens incrivelmente brilhantes pudessem estar chegando tão tarde ao mundo dos computadores. Eram como homens das cavernas descobertos numa floresta que tivessem visto um avião mas se recusassem a voar nele. Apesar da sua noção da importância da internet, por exemplo, Buffett ainda não tivera a ideia de dizer à Geico para se apressar e explorar a rede mundial de computadores para vender seguros. Para Buffett, os computadores eram apenas túneis que permitiam que ele chegasse até outras pessoas para jogar bridge.

---

* Esses animais carecem de um neuropeptídeo chamado Substância P, que é crucial na transmissão da dor, e, portanto, costumam ser usados como animais de laboratório. (*N. da A.*)

"*Aquilo era bastante interessante para Bill, porque ele percebeu como um sujeito que não tinha o menor interesse nos computadores podia ser atraído por meio de uma aplicação. O computador, em si, era atraente para todas as pessoas em volta dele – mas, para mim, apenas a aplicação era interessante. Você vende o computador primeiro para as pessoas que estão interessadas em computadores, depois, para pessoas como eu, que não ligam a mínima para computadores.*"

Buffett, que considerava os computadores algo fora do seu "círculo de competências", talvez ainda fosse o homem mais rico dos Estados Unidos, e não Gates, se tivesse comprado ações da Microsoft e da Intel. Em vez disso, ele era, naquele momento, o número dois. Mas isso não era importante para ele. Ou melhor, era importante – ele se importava muito: preferiria ser o número um –, mas se importava bem mais em evitar o excesso de risco. Ele não sabia qual empresa se tornaria a nova Microsoft ou Intel, e qual faliria e desapareceria. Buffett nunca abriria mão de sua margem de segurança. Ele sabia que o ciclo de vida de muitas empresas de tecnologia era curto como o de um rato-toupeira-pelado.

Mesmo que tivesse o temperamento certo, Buffett não precisava fazer apostas arriscadas. As decisões tomadas anos antes ainda funcionavam para ele. Quando o furacão Andrew varreu do mapa o sul da Flórida em 1992, a contratação de Ajit Jain permitiu que Buffett começasse um novo negócio, "resseguros de catástrofes", que cobrava um preço alto para segurar o impensável. Depois aconteceu o terremoto de Northridge. Quase ninguém tinha capital para investir bilhões em um risco daqueles. Mas a Berkshire Hathaway tinha.

O relacionamento de Buffett com os Blumkin o fez comprar por acaso a R. C. Willey, uma cadeia de lojas de móveis com sede em Salt Lake City. Os velhos dias em que ele vasculhava os *Moody's Manuals* atrás de pequenas empresas tinham acabado; em vez disso, ele bancou o cavaleiro branco mais uma vez para salvar a FlightSafety de um especulador corporativo. Tratava-se de uma empresa única e rentável que formava pilotos e fabricava os enormes simuladores de voo usados no treinamento. Ele compraria também a Star Furniture e a International Dairy Queen. No entanto, as ideias que levavam até Buffett eram, em sua maioria, o que ele chamava de "cocker spaniels", quando ele pedira "collies". Em resposta a essas propostas, ele brincou no relatório anual da Berkshire: "*Se o telefone não tocar, você saberá que sou eu.*"

Alguns podem ter pensado: "Se Buffett comprou a Dexter Shoe, comprará *qualquer coisa*." Ele estava começando a se arrepender daquele negócio. A Dexter estava sendo aniquilada pela concorrência estrangeira; as pessoas não tinham perdido o interesse por sapatos importados. Mas os erros eram poucos, e os acertos, muitos: a Cap Cities/ABC negociou um acordo para se vender para a Disney por 19 bilhões de dólares, e a Berkshire lucrou 2 bilhões de dólares, quase o dobro do investimento original. Tom Murphy entrou para o conselho da Disney e Buffett estabeleceu uma conexão com Michael Eisner, CEO da Disney, por intermédio de Murphy. Em Sun Valley, os Buffett agora circulavam com facilidade no meio de um grupo que incluía executivos da Coca-Cola e astros do cinema. Ele também voltou para o conselho do *Washington Post*, que agora era dirigido por Don Graham, uma das pessoas de quem ele mais gostava, e voltou assim à sua empresa favorita, no seu ambiente preferido – os jornais.

No início de 1996 os papéis da Berkshire dispararam repentinamente para 34 mil dólares por ação, fazendo o valor total da empresa subir para 41 bilhões de dólares. Um sócio original que tivesse investido mil dólares em 1957 e deixado essa quantia intacta teria então 12 milhões de dólares acumulados – o dobro do valor de alguns anos antes. O próprio Buffett tinha agora um patrimônio de 16 bilhões de dólares. Susie tinha um patrimônio de 1,5 bilhão de dólares em ações da Berkshire – nas quais ela prometera não tocar.[7] Tanto ela quanto Charlie Munger estavam na lista Forbes 500 – como bilionários. Antigamente invisível, a Berkshire era notada por pessoas que nunca tinham ouvido falar da empresa antes. Naquele ano, 5 mil pessoas dos 50 estados americanos foram à reunião dos acionistas. Buffett se orgulhava de nunca ter "desdobrado" as ações e *jurou* que nunca o faria. *"O meu ego está embrulhado na Berkshire..."*, disse. *"Posso encadear toda a minha vida pela cotação da Berkshire."*[8] Mas, naquele momento, comprar uma ação da BRK custava tão caro que imitadores criaram trustes de investimento. A ideia deles era imitar a carteira de ações da Berkshire Hathaway e deixar que as pessoas comprassem unidades menores, como se fosse um fundo mútuo. Mas a Berkshire não era um fundo mútuo, era um aspirador de pó em movimento contínuo que sugava empresas e ações e cuspia dinheiro para comprar mais empresas e ações. Isso não podia ser replicado com a compra das ações que ela possuía. Entre outras diferenças, havia Buffett.

Além disso, os fundos imitadores estavam comprando as ações que a Berkshire possuía a preços bem mais altos do que os pagos pela própria Berkshire – e cobrando taxas bem salgadas para fazer isso. Estavam enganando os investidores. Então o policial dentro de Buffett veio à tona.

"Não quero que ninguém compre Berkshire achando que pode ganhar uma bolada depressa. Em primeiro lugar, isso não vai acontecer. Alguns deles vão culpar a si mesmos, e outros vão culpar a mim. Todos ficarão decepcionados. Não quero pessoas decepcionadas. A ideia de criar expectativas loucas nas pessoas me aterroriza desde o primeiro momento em que comecei a vender ações."

Para enganar os supostos imitadores, ele decidiu emitir uma nova série de ações. Cada ação B – ou "Baby B" – equivalia a 3,33%, ou 1/30, de uma custosa ação A.

Ele se divertiu muito com as ações B, escrevendo: "*Nem o Sr. Buffett nem o Sr. Munger comprariam atualmente ações da Berkshire a esse preço, nem recomendariam a seus parentes e amigos que fizessem isso.*" Acrescentou que "*os acionistas atuais não sofrerão nenhuma redução do valor intrínseco por ação, a despeito do número de ações Classe B que a empresa decida que seja necessário vender*".[9]

Ao vender uma quantidade ilimitada de ações, eles garantiram que o preço não subiria por causa de uma demanda superior à oferta. "*Você não quer pessoas que achem que aquilo pode dobrar de valor. E você pode gerar sua própria movimentação no mercado por um tempo. Eu poderia ter sido um herói por um ano enquanto todo o dinheiro era injetado numa quantidade fixa de ações. Em vez disso, dissemos que venderíamos quanto o mundo quisesse, e que assim não haveria como torná-la uma ação quente.*"

Ao mesmo tempo, a lógica invertida da venda de ações que ninguém compraria e a divulgação dessa opinião agradavam muito a Buffett. Além disso, a emissão das ações B era o cumprimento de um dever para com seus "sócios" acionistas. Todo aquele dinheiro injetado pelas ações B seria um ótimo negócio para eles.

Nenhum CEO jamais fizera algo do gênero. Uma pequena floresta foi abatida para que a mídia noticiasse a honestidade de Buffett. Mesmo assim, os investidores devoravam as ações B. Buffett os achava tolos e dizia isso frequentemente em particular. No entanto, não havia como negar que aquela era uma grande lisonja, pois eles estavam comprando as ações unicamente por causa dele. Ele teria ficado secretamente decepcionado se a oferta de ações B tivesse sido um fracasso. As ações B eram um negócio sem risco para Buffett: os seus acionistas ganhavam e ele também, a despeito do resultado da oferta.

As Baby B mudaram para sempre o caráter do "clube" de Buffett. Depois de maio de 1996, 40 mil novos proprietários podiam se autodenominar acionistas. No ano seguinte, ele transferiu a reunião para o lúgubre Ak-Sar-Ben Coliseum, e 7.500 pessoas apareceram. Elas gastaram 5 milhões de dólares no Nebraska Furniture Mart. A reunião se tornou o Woodstock dos capitalistas, ou o festival da BRK. Na reunião dos acionistas em 1998, 10 mil pessoas apareceram. Porém, à medida que o dinheiro, as pessoas e a fama iam chegando, uma mudança subjacente acontecia no mundo em que Buffett trabalhava, uma mudança que causaria efeitos profundos nele e em todos os outros.

Não havia mais uma "Wall Street". Os mercados financeiros eram uma sequência de terminais piscantes, ligados por computadores e conectados à internet, que chegava a todos os cantos do mundo. Um sujeito chamado Mike Bloomberg, que a Salomon tinha sido suficientemente estúpida para demitir nos anos 1980, criara um computador especial que captava todas as informações financeiras que alguém pudesse querer. Produzia gráficos e tabelas, fazia cálculos, dava notícias e cotações; podia fazer comparações históricas e estabelecer competições entre empresas, títulos, moedas, commodities e setores para qualquer pessoa que tivesse a sorte de ter um terminal Bloomberg em sua escrivaninha.

No início dos anos 1990, o terminal Bloomberg estava se tornando onipresente. A vendedora da Bloomberg ligou para a Berkshire Hathaway durante três anos seguidos. "Não", foi a resposta todas as vezes. Buffett achava que o monitoramento do mercado minuto a minuto e o uso de computadores não eram a maneira certa de investir. Por fim, ficou óbvio até para Buffett, avesso a computadores, que era necessário dispor de um terminal Bloomberg para negociar títulos. Mas o terminal ficava a alguma distância do escritório de Buffett, e ele nunca o consultava; esse era o trabalho de Mark Millard, o operador de títulos.[10]

O advento do terminal Bloomberg, símbolo das novas operações computadorizadas, espelhava a luta pela identidade da Salomon que ainda era travada no âmbito da empresa. Os seus vagarosos negócios nunca se recuperaram por completo. Em 1994 Maughan tentou realinhar os salários na Salomon com base na teoria de que os funcionários deveriam enfrentar o mesmo risco que os acionistas. Em bons momentos eles receberiam bonificações, mas quando as coisas estivessem ruins sofreriam também. Havia pessoas na firma que concordavam com ele.[11] Mas esse não era o padrão em nenhuma outra empresa de Wall Street, e 35 funcionários seniores saíram porta afora. Buffett ficou frustrado com a relutância dos funcionários em compartilhar os riscos.

Sem Meriwether para negociar bonificações para eles, os arbitradores lutavam por seu quinhão. Buffett estava disposto a pagar por resultados – a firma ainda ganhava a maior parte de seu dinheiro na arbitragem –, mas cada vez mais a concorrência dificultava a produção.

Os arbitradores apostam que um hiato de preços temporário entre ativos semelhantes ou correlatos irá diminuir. Por exemplo, pode-se apostar que dois títulos quase idênticos vão ser negociados a um preço mais próximo.[12] Mas, com tantos novos concorrentes, as operações fáceis escassearam. Os arbitradores compravam posições maiores, com mais riscos. Quando estavam perdendo, dobravam e aumentavam o tamanho das operações. Em ambos os casos, faziam isso porque as margens das operações estavam caindo, e as operações mais vultosas, muitas vezes usando dívidas, ajudavam a compensar esse fator.

As regras da pista de corrida diziam para não fazer isso, porque as pessoas não têm que voltar pelo mesmo caminho em que perderam. O motivo é a matemática da perda de dinheiro, que funciona assim: se alguém tem 1 dólar e perde 50 centavos, precisa dobrar o dinheiro para recuperar o que perdeu. Isso é difícil. É uma tentação tomar emprestados outros 50 centavos para fazer a aposta seguinte. Assim, você só tem que ganhar 50% (mais os juros do empréstimo) para voltar à sua posição inicial – algo bem mais fácil de ser conseguido. Mas o empréstimo dobra o seu risco. Se alguém perder 50% outra vez, já era. A perda terá eliminado todo o seu capital. Por isso, os preceitos de Buffett: Regra número um: não perca dinheiro. Regra número dois: não esqueça a regra número um. Regra número três: não faça dívidas.

No entanto, a estratégia dos arbitradores pressupunha que a estimativa do valor feita por eles estava certa. Assim, quando o mercado os contrariava, eles só podiam esperar para recuperar o dinheiro. Mas essa definição de "risco" – em termos de volatilidade – pressupõe que o investidor *pode* ser paciente e esperar. É claro, qualquer pessoa que pega um empréstimo para poder investir talvez não tenha à sua disposição o luxo do tempo. Além disso, para realmente aumentar uma operação que estava perdendo, era necessário capital extra acumulado em outro lugar que pudesse ser utilizado instantaneamente caso houvesse necessidade. E o capital tem um custo de oportunidade.

Larry Hilibrand perdeu 400 milhões de dólares – uma soma enorme – arbitrando a diferença em taxas de juros de títulos lastreados por hipotecas. Ele estava convencido de que podia recuperar o prejuízo na arbitragem de hipotecas se a empresa dobrasse sua aposta. Buffett concordou com Hilibrand nesse caso e deu a ele o dinheiro para a operação – que de fato foi revertida e se tornou rentável.

Os arbitradores tinham uma crença quase sobrenatural em sua própria capacidade e, à medida que seu espaço no mercado ia ficando cheio, eles precisavam se expandir para outros tipos de arbitragem que envolviam mais variáveis e menos certeza. Eles dependiam fortemente de modelos computadorizados guiados por uma matemática complexa, mas sempre diziam que esses modelos eram apenas os balizadores. Buffett e Munger achavam que o uso desses modelos para tomar decisões de investimento era como dirigir um carro com controle automático de velocidade. O motorista podia achar que estava totalmente alerta e atento, mas descobriria o contrário quando a estrada se tornasse sinuosa, chuvosa e cheia de tráfego.

Porém o que os arbitradores realmente queriam, mais do que capital para investir, era John Meriwether. Durante a recuperação da Salomon, Meriwether esperou do lado de fora do campo, enquanto os arbitradores imploravam para trazê-lo de volta. Mas, embora Deryck Maughan emitisse sons educados, todos sabiam que ele não queria Meriwether de volta. No entanto, Buffett e Munger tinham dado sua aprovação com algumas condições. Meriwether precisava ser supervisionado. Ele podia voltar ao seu velho cargo, mas precisaria se reportar a Maughan e teria menos liberdade para comandar a sua operação. Relutante em trabalhar com rédea curta, Meriwether interrompeu as negociações e em 1994 abriu seu próprio fundo de hedge, o Long-Term Capital Management. O fundo operaria da mesma maneira que a unidade de arbitragem de títulos da Salomon, com a diferença de que Meriwether e seus parceiros ficariam com o lucro.

Os principais assessores de Meriwether deixaram a Salomon para se unir a ele nos novos escritórios do Long-Term Capital Management, em frente ao porto em Greenwich, Connecticut. Privado de seu pessoal mais rentável, Deryck Maughan viu a placa de "vende-se" no bloco de ações de Buffett e começou a se preparar para o dia em que Buffett se desligaria da Salomon.[13]

EM SUA CARTA DE 1996 AOS ACIONISTAS, BUFFETT DISSE QUE "PRATICAMENTE todas as ações" estavam supervalorizadas. Toda vez que o mercado esquentava era porque Wall Street estava na moda. Naquele ano, Maughan achou oportuno tentar vender o restaurante na frente do cassino da Salomon a Sandy Weill, CEO da Travelers Insurance, como a loja âncora de um shopping center financeiro global que pudesse competir com a Merril Lynch. Weill supostamente ainda estava chateado com Buffett por causa do bom negócio que a Berkshire fechou depois de colocar Weill para escanteio na venda do Fireman's Fund, mais de uma década antes. Ele não confiava no cassino da arbitragem, mas via uma oportunidade para a cadeia de restaurantes em escala global. Quando ele comprou a Salomon para a Travelers, muitos observadores acharam que, como a Solly não tinha se saído muito bem sob o controle de Buffett, Weill a considerasse uma oportunidade de ganhar de Buffett em seu próprio jogo. Buffett aclamou Weill como um gênio da criação de valor para os acionistas.[14] E a Travelers pagou 9 bilhões de dólares pela Salomon, salvando Buffett do seu problemático investimento.[15]

Meriwether, que sabia que Buffett gostava de ser dono de empresas, tinha ido a Omaha, com um de seus sócios, tentar levantar dinheiro para o lançamento do Long-Term Capital, em fevereiro de 1994. Eles se reuniram para o então obrigatório jantar no Gorat's, no qual J. M. apresentou a Buffett um quadro que mostrava as diferentes probabilidades de resultado e a quantidade de dinheiro que o Long-Term podia ganhar ou perder. A estratégia envolvia pequenos lucros em milhares de operações alavancadas por pelo menos 25 vezes o capital da firma. A maior perda que o Long-Term contemplava era de 20% dos seus ativos, cuja probabilidade estimada era de menos de um em 100.[16] Ninguém estimava as probabilidades de perdas maiores. (Se o fizessem, ninguém investiria: os números não fariam sentido.) Quase todas as projeções desse modelo, em todas as empresas financeiras, sempre partem do pressuposto que a perda máxima, do tipo "terremoto", nunca acontece – porque o retorno esperado nunca seria grande o suficiente para compensar que os investidores assumissem aquele risco.

O nome Long-Term vinha do fato de os investidores estarem atados. Meriwether sabia que, se começasse a perder dinheiro, precisaria que os investidores permanecessem até que as perdas fossem revertidas. Mas tanta alavancagem combinada com a impossibilidade de cobrir completamente o risco causou desconforto em Buffett e Munger.

"Nós os achávamos muito espertos", diz Munger. "Mas ficamos um pouco desconfiados da complexidade e da alavancagem. Ficamos com muito receio de sermos usados como um chamariz para vendas. Sabíamos que outros nos seguiriam se entrássemos no negócio." Munger achava que o Long-Term queria a Berkshire para servir de "bode de Judas". "O bode de Judas guiava os animais para o abate nos matadouros", ele diz, lembrando Omaha. "O bode vivia 15 anos, e é claro que os animais que o seguiam morriam todos os dias à medida que ele os traía. Mas nós admirávamos o intelecto das pessoas no Long-Term."[17]

O Long-Term cobrava de seus clientes uma taxa de administração de 2 centavos para cada dólar investido anualmente, mais um quarto de todo o lucro obtido. Os clientes se inscreviam pelo prestígio, mas a abordagem do tipo "invista com um gênio" afastou outros fundos e empresas de Wall Street. Mesmo assim, o fundo levantou 1,25 bilhão de dólares, a maior quantia de lançamento de um fundo de hedge em toda a história. A velha equipe de arbitradores da Salomon trabalhava junta secretamente, sem interferência externa e sem compartilhar o lucro com os outros departamentos parasitas da Salomon. De fato, o fundo disparou nos três primeiros anos, quadruplicando o dinheiro dos investidores. No final de 1997 o Long-Term acumulara um capital de 7 bilhões de dólares. Então a concorrência de novos fundos de hedge fez com que o retorno diminuísse. Meriwether mandou 2,3 bilhões de dólares de volta para os investidores; o resto era tudo o que o mercado conseguia digerir. O fundo de hedge em Greenwich estava administrando mais de 129 bilhões de dólares em ativos – e uma quantia semelhante em dívidas – com um capital de apenas 4,7 bilhões. Numa réplica quase instantânea do modelo de acumulação constante de riqueza por meio da mágica dos juros compostos, quase metade do capital pertencia aos próprios sócios.[18] Apesar da sua dificuldade em estabelecer contato visual, Meriwether, de 50 anos, e sua empresa se vangloriavam de sua reputação brilhante, e os sócios aproveitaram plenamente a posição do fundo para ditar condições aos clientes, aos mais de 50 bancos dos quais tomavam empréstimos e aos seus corretores (em muitos casos, esses papéis se sobrepunham).

Superar o recorde de Buffett era então o objetivo da maioria dos gestores de recursos nas finanças mundiais. Alguns achavam que Meriwether guardava pelo menos um ressentimento inconsciente em relação a Buffett, porque ele não o protegera no episódio da Salomon e depois não o recontratara.[19] Sem que ninguém soubesse, o Long-Term Capital estava vendendo papéis da Berkshire Hathaway a descoberto, na teoria de que a cotação da BRK estava alta demais em relação ao volume das ações que possuía.[20] Não apenas isso: o Long-Term criou uma empresa de resseguros nas Bermudas, a Osprey Re, cujo nome era uma referência à estátua da águia-pescadora que enfiava suas garras numa presa indefesa na fonte do lado de fora do prédio do Long-Term. A Osprey Re ia segurar terremotos, furacões e desastres naturais semelhantes – estava, em outras palavras, entrando no território de resseguros de catástrofes de Ajit Jain. As valas ao lado da estrada dos seguros estavam cheias de destroços de desastres. Buffett, a prudência em pessoa, escapou por pouco uma vez ou duas quando era mais jovem. Toda vez que um novato aparecia, era melhor procurar as chaves do reboque.

Gradualmente os cofres do Long-Term iam se enchendo e os imitadores iam aparecendo nos anos seguintes, até que, no início do verão de 1998, os provedores de empréstimos começaram coletivamente a perceber que, como acontece de tempos em tempos, tinham se entusiasmado demais com a perspectiva de que todos aqueles credores restituiriam os empréstimos contraídos. Os concorrentes do Long-Term começaram a abandonar suas posições mais inseguras à medida que as taxas de juros subiam. Isso fez com que os preços caíssem, desencadeando um ciclo de vendas. Mas o Long-Term apostou no sentido contrário, vendendo os ativos mais seguros e comprando os mais arriscados, que eram relativamente mais baratos. Os seus modelos intricados diziam basicamente que, ao longo do tempo, os mercados financeiros estavam se tornando mais eficientes, portanto os preços dos ativos arriscados convergiriam na direção dos preços dos ativos mais seguros. As suas maiores operações eram um palpite teórico de que o mercado se tornaria menos volátil, ou seja, que, à medida que o mercado variasse, os seus arcos de oscilação seriam menores. Historicamente, de fato tinha sido assim. Mas, como a história também demonstrava, "geralmente" não queria dizer "sempre". O Long-Term sabia disso. O fundo fez com que os investidores prendessem o capital por tempo suficiente para se tornar seguro – isso era o que eles pensavam.

Em 17 de agosto de 1998, a Rússia subitamente deixou de honrar as suas dívidas em rublos, o que significava que não pagaria as suas contas. Quando um grande governo dá o calote em seus credores, os mercados financeiros de todo o mundo tremem. Os investidores começam a abandonar projetos em vista. Um gestor de recursos já tinha alertado que a estratégia do Long-Term, de se sustentar com pequenos lucros em um zilhão de operações, era como "catar moedas na frente de um trator".[21] Naquele momento – surpresa! – o trator revelou ter um motor Ferrari e estava disparando em direção a eles, a 150 quilômetros por hora.

"No dia 23 de agosto, um domingo, eu estava jogando bridge no computador. O telefone tocou. Era Eric Rosenfeld, do Long-Term." O jovial Rosenfeld, 45 anos, um dos principais assessores de Meriwether, foi a pessoa que desempenhou a tarefa entorpecedora de analisar milhares de operações de Mozer na Salomon – e reconstruir o que tinha dado errado. Buffett gostava de Rosenfeld. Agora Meriwether o encarregara de reduzir o tamanho da carteira de investimentos, vendendo as posições de arbitragem em fusões. *"Eu não falava com ele havia anos. Com medo em sua voz, Eric começou a falar comigo sobre comprar toda a posição de arbitragem de grandes ações, no valor de 6 bilhões de dólares. Eles achavam que a arbitragem de ações era matemática."*[22] Reagindo ponderadamente, Warren deu uma resposta tipicamente sua a Rosenfeld. *"Eu simplesmente disse a Eric que compraria algumas posições, mas não todas."*

Alguns dias depois as oscilações do mercado tinham custado ao Long-Term metade do seu capital. Os sócios passaram uma semana conversando com todas as pessoas de sua vasta base de dados, tentando levantar dinheiro antes que tivessem de relatar essas notícias terríveis aos investidores em 31 de agosto. Isso não aconteceu. Eles concordaram então que Larry Hilibrand – o racionalista extremo cujo apelido em Wall Street ainda era "o homem de 23 milhões de dólares" – faria uma peregrinação até Omaha e revelaria o que o Long-Term possuía.

No dia seguinte o índice Dow Jones caiu 4%, uma queda que o *Wall Street Journal* denominou "chamada global de margens", com os investidores entrando em pânico e vendendo. Buffett pegou Hilibrand no aeroporto e o levou para o Kiewit Plaza. A modéstia do escritório menor de Buffett, com apenas um punhado de funcionários e repleto de *memorabilia* da Coca-Cola, contrastava fortemente com as enormes acomodações do Long-Term em Greenwich, nas quais havia duas mesas de bilhar e uma academia de ginástica de 280 metros quadrados, com um instrutor em tempo integral.

Hilibrand se endividara muito para fazer um investimento pessoal na empresa usando a mesma estratégia que o Long-Term tinha usado para alavancar a si próprio. Ele passou o dia analisando todas as posições que a firma possuía e destacando a oportunidade incrível que estava sendo oferecida a Buffett.[23] *"Ele queria que eu entrasse com capital. Descreveu as sete ou oito grandes posições fundamentais. Eu sabia o que estava acontecendo nas relações e preços naquelas áreas. Estava ficando mais interessado à medida que o tempo ia passando, porque eram relações e spreads loucos. Mas ele estava me propondo* um negócio que não fazia sentido algum. Eles achavam que tinham tempo para dar aquela cartada. Mas eu disse não, e tudo terminou assim." Buffett disse a ele: "*Não invisto em fundos de outras pessoas*".[24] Ele só estava interessado em se tornar proprietário.

O Long-Term não queria um proprietário, apenas um investidor. Quase encontrou outra pessoa, mas ela deu para trás.[25] No final do mês, quando tinha que apresentar um relatório aos investidores, o fundo já havia perdido 1,9 bilhão de dólares – quase a metade do seu capital – por meio de uma incomum combinação histórica de quedas no mercado acionário e uma aversão quase histérica ao risco nos mercados de títulos.[26] Já que o modelo da empresa contemplava perdas de apenas 20% como um evento que acontecia uma vez a cada 100 anos – como um terremoto moderado na Costa Oeste –, aquilo correspondia a um furacão categoria quatro assolando Nova York. Meriwether escreveu uma carta aos seus investidores dizendo que a perda de metade do dinheiro do fundo era um "choque", mas também que "a oportunidade representada por essas operações naquele momento está entre as melhores que o LTCM jamais viu. (...) O fundo está oferecendo a você a chance de investir com condições especiais relacionadas às taxas do LTCM."[27] O Long-Term estava se comportando como se pudesse levantar capital para esperar a crise passar e lucrar com a virada. Mas, com o tipo de alavancagem que o fundo escolhera, essa opção não existia. Era uma falácia definir risco como qualquer coisa diferente de perder dinheiro. O Long-Term não se preparara para isso. A cultura insular da empresa e anos de sucesso cegaram os sócios para a realidade de que nenhum investidor colocaria dinheiro para salvar o fundo sem querer assumir o controle.

No dia em que leu aquilo, Buffett escreveu uma carta a um colega e encaminhou o pedido de Meriwether, dizendo:

"*Em anexo, um exemplo extraordinário do que acontece quando você consegue:*
1) uma dúzia de pessoas com um QI médio de 160;
2) trabalhar em um setor no qual elas têm, juntas, 250 anos de experiência;
3) operar com uma porcentagem enorme do seu patrimônio líquido na empresa;
4) usar uma tonelada de alavancagem."[28]

"*Qualquer coisa vezes zero é igual a zero*", Buffett disse. Uma perda total é um "zero". Por menor que seja a probabilidade de uma perda total em qualquer dia específico, se alguém continuasse apostando sempre, o risco continuaria se acumulando e se multiplicando. Se continuasse a apostar por tempo suficiente, mais cedo ou mais tarde – já que o zero não era *impossível* – um zero sem dúvida apareceria.[29] Todavia, o Long-Term nem cogitara estimar o risco de uma perda superior a 20% – muito menos um zero.

Em setembro, o terremoto continuava. O Long-Term procurava desesperadamente captar dinheiro, já tendo perdido, àquela altura, 60% do seu capital. Outros *traders* começaram a pressionar o fundo, vendendo a descoberto posições que sabiam que o Long-Term possuía, e, como o Long-Term precisava vender, isso forçaria uma queda nos preços. Os investidores estavam fugindo de qualquer coisa arriscada e migrando para qualquer coisa segura, numa escala que os modelos do Long-Term nunca tinham considerado possível porque não fazia sentido economicamente. O Long-Term contratou o Goldman Sachs, que entrou como sócio e comprou metade da firma. O fundo precisava de 4 bilhões de dólares, uma soma quase inimaginável para ser levantada por um fundo de hedge em apuros.

O Goldman Sachs entrou em contato com Buffett para ver se ele estava interessado em salvar o fundo. Ele não estava. No entanto, poderia pensar em se aliar ao Goldman para comprar toda a carteira de ativos e dívidas. Juntos, eles poderiam ser suficientemente fortes para esperar a crise passar e negociar as posições astutamente, com lucro. Mas Buffett tinha uma condição: sem Meriwether.

O Long-Term devia dinheiro a uma subsidiária da Berkshire. E devia dinheiro a pessoas que deviam dinheiro à Berkshire. *"Os derivativos são como sexo"*, disse Buffett. *"O problema não é a pessoa com quem nós estamos dormindo, mas a pessoa com quem ela está dormindo."* Enquanto ia para Seattle naquela sexta-feira, para se encontrar com os Gates e embarcar em uma viagem de 13 dias chamada "Corrida do Ouro", do Alasca à Califórnia, Buffett ligou para um gerente e disse: *"Não aceite desculpas de ninguém que não apresente uma garantia real ou que não ofereça uma margem. Não aceite desculpas."*[30] Ele queria dizer que se os equivalentes a Howie pagassem o aluguel com um dia de atraso suas fazendas deveriam ser confiscadas.

Na manhã seguinte, ele, Susie, os Gates e três outros casais voaram para Juneau, para sobrevoar de helicóptero os campos de gelo. Navegaram pelos fiordes e viram os enormes icebergs azuis e as cascatas que jorravam de penhascos com 300 metros de altura. Mas, enquanto, naquela tarde, assistia educadamente a uma apresentação sobre glaciologia a bordo do navio, ele se perguntava se o Goldman Sachs seria ou não capaz de montar uma proposta de compra do Long-Term. Vendedores predatórios tinham forçado uma queda tão grande dos preços que o Long-Term era quase uma guimba de charuto. Uma oportunidade para comprar um conjunto tão grande de ativos problemáticos nunca tinha surgido com tanta rapidez na sua carreira.

No dia seguinte os Gates e seus amigos desembarcaram durante a maré baixa para ver centenas de ursos-pardos que frequentavam Pack Creek. John Corzine, o chefe do Goldman Sachs, ligou para o telefone via satélite de Buffett, mas a ligação continuava a cair. "*O telefone não funcionava bem por causa daquelas paredes de rocha com 800 metros de altura dos dois lados do barco. O capitão apontava: 'Vejam! Um urso.' Eu dizia: 'Dane-se o urso. Vamos voltar para onde eu possa ouvir o telefone via satélite.*"

Duas ou três horas se passaram com Buffett incomunicável, à medida que o grupo atravessava Cape Frederick para ver cachalotes. Corzine estava agitado em Nova York até conseguir um contato breve – e final – com Buffett. Quando Buffett, naquela noite, foi resignadamente assistir a uma apresentação de slides sobre a vida marinha do Alasca, Corzine tinha entendido que podia fazer uma proposta, desde que o investimento não tivesse nada a ver com John Meriwether, nem fosse administrado por ele.

Na segunda-feira, Buffett permaneceu fora de contato, e Corzine estava pessimista quanto à possibilidade de montar uma proposta. Ele conversara com Peter Fisher, que comandava as atividades de trading no Federal Reserve e estava reunindo os credores do Long-Term para negociar uma ação conjunta de socorro. O Federal Reserve tinha organizado uma teleconferência na qual seu presidente, Alan Greenspan, falou de uma "grande agitação financeira internacional" que deveria causar "uma quebradeira em algum lugar".[31] Começou a espalhar-se a esperança de que o Fed reduziria as taxas de juros.

Enquanto isso, o Long-Term perdeu mais meio bilhão de dólares; os bancos que examinavam seus livros estavam usando o que já tinham ouvido contra o fundo.[32] Restava ao fundo menos de 1 bilhão de dólares de capital. A ironia eram os 2,3 bilhões de dólares que tinham sido pagos aos investidores um ano antes para aumentar a participação dos sócios no fundo. Se dispusesse daquele dinheiro naquele momento, o Long-Term poderia ter uma chance de sobreviver sozinho. Em vez disso, tinha 100 dólares de dívida para cada dólar de capital – um quociente que nenhum credor em sã consciência aceitaria.

Buffett estava a caminho de Bozeman, Montana, com o grupo dos Gates, mas Corzine havia falado com ele mais cedo, obtendo a permissão para convidar uma grande seguradora, a AIG, que tinha uma empresa de derivativos, a se unir à proposta. O presidente do conselho da AIG, Hank Greenberg, era amigo de Buffett. A AIG tinha a experiência e a equipe necessárias para substituir Meriwether como gerente, e a presença forte de Greenberg serviria como contraponto à presença de Buffett – e poderia tornar a proposta de Buffett mais palatável para Meriwether.

Na manhã seguinte, 45 banqueiros que tinham sido convocados chegaram ao

Fed para discutir a salvação de um cliente que os intimidara implacavelmente nos 4 anos anteriores. O Long-Term os manteve mais uma vez sob a mira hipotética de uma arma, pois, se afundasse, outros fundos de hedge afundariam junto com ele. À medida que os fundos, como peças de dominó, caíssem, um após outro, uma catástrofe financeira global se tornaria possibilidade real – uma repetição da Salomon. Essa era a ladainha que Buffett e Munger vinham repetindo, em suas reuniões com os acionistas, desde 1993. Alguns bancos temiam pela própria sobrevivência se não ajudassem o fundo. Estavam relutantemente pensando em pôr mais dinheiro no Long-Term – o que só serviria para pagar as dívidas dele –, além do dinheiro que já tinham investido (e perdido) no fundo. Quando Corzine disse a eles que Buffett também estava apresentando uma proposta, a ideia de que ele entraria no negócio e compraria o fundo para eliminá-lo foi mal aceita, embora na verdade Buffett estivesse socorrendo a todos. De alguma maneira, Buffett sempre vencia. As pessoas achavam isso irritante. William McDonough, presidente do Federal Reserve Bank de Nova York, ligou para Buffett, tentando descobrir se ele estava falando sério. Prestes a tomar um ônibus para o Yellowstone National Park, Buffett disse a McDonough que sim, que de fato ele estava disposto a fazer uma proposta, e poderia fazê-la rapidamente. Ele não conseguia entender por que o Federal Reserve orquestraria uma ação de socorro quando a Berkshire, a AIG e o Goldman Sachs, um grupo de compradores privados, estavam prontos para resolver todo o problema sem auxílio do governo. Ligou para o Long-Term por volta das 11 horas, horário de Nova York, usando um aparelho de telefone via satélite cheio de ruídos e disse: "'Quero que saibam que vou fazer uma proposta por toda a carteira. Meus representantes vão procurar vocês, mas quero que saibam que a iniciativa é minha, e espero que a levem a sério.'

Eu não queria atrasar o ônibus, então fui em frente. Aquilo estava me matando. E Charlie estava no Havaí. Eu ainda conhecia as posições básicas envolvidas e sabia que aqueles spreads estavam ficando cada vez mais extremos. Naquela manhã de quarta-feira a situação mudava a cada hora."

Uma hora depois, o Goldman enviou por fax uma única página a Meriwether oferecendo-se para comprar o fundo por 250 milhões de dólares. Como parte do acordo, Meriwether e seus sócios seriam demitidos. Se Meriwether aceitasse, a AIG, a Berkshire e o Goldman investiriam mais 3,75 bilhões de dólares no Long-Term, com a Berkshire assumindo a maior parte do financiamento. Para minimizar a chance de o Long-Term usar a proposta para conseguir uma oferta mais alta, Buffett tinha dado apenas uma hora para que decidissem.

Àquela altura, o Long-Term tinha pouco mais de 500 milhões de dólares, e Buffett estava oferecendo pouco menos da metade. Depois de pagar as dívidas e as perdas, Meriwether e seus sócios não ficariam com nada, e os 2 bilhões de dólares de capital investido teriam desaparecido. Mas o documento tinha sido redigido pelo Goldman com um erro. A oferta era para comprar o LTCM, a empresa de gestão, e não os seus ativos, que Meriwether sabia que era o que Buffett queria. O advogado de Meriwether disse que precisava do consentimento dos sócios para vender toda a carteira, em vez de apenas a empresa de gestão.[33] O Long-Term pediu um investimento temporário de emergência enquanto esperava receber as aprovações. Mas eles não conseguiam ligar para Buffett. Se tivessem conseguido, ele não teria aceitado aquele acordo, Buffett declarou mais tarde. Enquanto todas as outras pessoas na viagem da Corrida do Ouro estavam observando nascentes de água quente, Buffett estava discando e rediscando números no seu telefone via satélite em Yellowstone, tentando ligar para Corzine, no Goldman, e Greenberg, na AIG. O telefone não funcionava. Ele não fazia ideia do que estava acontecendo em Nova York.

As pessoas no Long-Term não sabiam o que estava acontecendo na sala com os banqueiros, onde McDonough enfrentava um dilema. Ele tinha uma oferta do consórcio Berkshire-Goldman-AIG, mas nenhum acordo. Era difícil justificar o envolvimento do governo na orquestração de um salvamento, quando havia uma proposta privada viável na mesa. Finalmente ele disse aos banqueiros reunidos que a outra proposta fracassara por "motivos estruturais". Buffett não estava lá para contra-argumentar. O Federal Reserve intermediou um acordo no qual 14 bancos investiram um total de 3,6 bilhões de dólares. Um único banco, o Bear Sterns, se recusou a participar, ganhando por muito tempo a inimizade dos outros. A equipe de Meriwether negociou uma saída para si própria considerada um pouco melhor que a "servidão contratada".[34]

Naquela noite, no Lake Hotel, Buffett descobriu o que tinha acontecido. Ele achou que Meriwether não quis vender para ele. Senão teria dado um jeito. Um dos sócios do fundo disse que talvez tivesse pesado na decisão de Meriwether a ideia de que "Buffett só se importava com uma coisa: a sua reputação. Por causa do escândalo da Salomon, ele não podia ser visto na mesma empresa que J. M.".[35] Mas Meriwether certamente conseguira um acordo melhor do que teria conseguido com Buffett.

No dia seguinte, ao embarcar no ônibus para visitar o gêiser Old Faithful, Buffett ainda estava remoendo se havia alguma maneira de desfazer o negócio. Gates tinha reservado uma surpresa. Ao chegarem a Livingstone, Montana, no início da tarde para embarcar num trem privativo de nove vagões com madeira envernizada e estofamento de couro que Gates tinha alugado, Sharon Osberg estava esperando com Fred Gitelman, um discreto programador de computadores e jogador de bridge. Gates os fizera vir de avião. Enquanto todos os outros admiravam os penhascos e quedas-d'água do cânion do Wind River, os quatro se retiraram para uma saleta no andar superior, com uma cúpula transparente, para uma maratona de 12 horas de bridge. Periodicamente o telefone de Buffett tocava e ele falava com alguém em Nova York sobre o Long-Term enquanto admirava o cenário espetacular. Talvez ainda não fosse tarde demais para desfazer o acordo iminente e ressuscitar um acordo privado. Mas aquilo não estava funcionando.[36] Pelo menos o bridge o distraía.

Na manhã seguinte, após a rodada final de bridge, o trem parou e deixou Osberg e Gitelman em Denver, antes de seguir pelo cânion Devil's Hole e pela ravina Dead Man's. Nos dias seguintes, enquanto os outros desciam corredeiras e praticavam *mountain biking* e o trem serpenteava rumo a Napa Valley através do Grand Canyon, Buffett leu nos jornais a respeito da operação de salvamento e gradualmente perdeu a esperança de participar.

Apenas sete anos depois de os reguladores terem pensado em deixar a Salomon falir – com todas as possíveis consequências –, o Federal Reserve organizara o salvamento de uma empresa privada de investimentos, uma intervenção sem precedentes no mercado para evitar um trauma semelhante. Depois o Fed cortou as taxas de juros três vezes em sete semanas, para ajudar a evitar que o tropeço financeiro paralisasse a economia. Não havia certeza alguma de que tal paralisia fosse acontecer, mas o mercado acionário decolou como um foguete.[37] Os sócios do Long-Term e a maioria dos funcionários trabalharam um ano por 250 mil dólares – um salário miserável para quem estava acostumado a ganhar milhões por ano – para desembaraçar as posições do fundo e pagar a maioria dos credores emergenciais.[38] Hilibrand, com uma dívida de 24 milhões de dólares, assinou o contrato de emprego com lágrimas descendo pelo rosto.[39] Mas ninguém passou fome, apesar de Eric Rosenfeld ter precisado leiloar a coleção de vinhos do Long-Term. A maioria deles conseguiu bons empregos depois. Meriwether voltou e abriu um fundo menor, menos alavancado, levando consigo parte da sua equipe. As pessoas achavam que seus sócios tinham conseguido se safar com pouco esforço, considerando-se que eles quase causaram uma catástrofe em todo o mundo financeiro. E Buffett considerou aquela uma das grandes oportunidades perdidas da sua vida.

Eric Rosenfeld teve uma intuição. Talvez os modelos não funcionassem quando o mundo enlouquecia. Nessas horas era preciso ter muito capital, o tipo de capital que a Berkshire Hathaway oferecia. Afinal de contas, quem quisesse apostar 100 bilhões de dólares ou mais precisaria de um parceiro, até mesmo de um pai, alguém com muito capital para a alavancagem, alguém que oferecesse um grande guarda-chuva durante uma tempestade.[40] Portanto, talvez fosse melhor ficar sob o guarda-chuva de uma empresa como a Berkshire Hathaway. Mas isso teria significado abrir mão da propriedade... Não era possível ter as duas coisas. Se a Berkshire assumisse o risco e investisse o dinheiro, os lucros iriam para ela.

Pensar de outra maneira não era realista – achar que se poderia transferir o risco para alguém sem precisar abrir mão das recompensas. No entanto, esse ponto de vista estava crescendo e começando a dominar os mercados financeiros no final dos anos 1990. Suas consequências, ao longo do tempo, seriam profundas.

É difícil exagerar o significado de um salvamento de uma administradora de recursos privada liderado por um Banco Central. Se um fundo de hedge, por maior que fosse, já era grande demais para falir, então a qual grande instituição financeira seria permitido entrar em colapso? O governo corria o risco de se tornar ele próprio a margem de segurança.[41] Nenhuma consequência séria resultou do quase desmoronamento dos derivativos. Então os mercados passaram a se comportar como se nenhuma consequência séria jamais pudesse acontecer. Essa ameaça, o chamado "risco moral", era uma preocupação crônica dos reguladores. Mas o mundo sempre estaria cheio de pessoas que amavam o risco. Quando o assunto era negócios, as veias de Buffett estavam congeladas agora, mas as de muitas outras pessoas pulsavam com adrenalina durante boa parte do tempo. Algumas delas até de membros de sua própria família.

52
Ninharia

Decatur, Illinois, e Atlanta – 1995-1999

Howie e Devon estavam fugindo da polícia. Ele saiu do escritório da ADM numa sexta-feira sabendo que nunca mais voltaria. Desde então um bando de repórteres ficou acampado no acesso à garagem deles. Eles começaram a fazer as malas. Saíram de fininho de Decatur, ao raiar do dia, no domingo, e alugaram um avião a hélice para voar até Chicago, onde se encontraram com Don Keough, um amigo da família, que os levaria para Sun Valley em seu jatinho particular. Como repórteres não eram permitidos na conferência de Allen, Howie achou que lá estaria seguro.

Fazia 10 dias que ele estava apreensivo, desde que Mark Whitacre, um gerente irritadiço que ele conheceu na ADM, confessou subitamente que estava agindo como espião do FBI. Whitacre avisou que o FBI chegaria à casa de Howie às 18 horas de terça-feira para uma conversa. Naquele momento, Howie entendeu por que Whitacre tinha aparecido no trabalho vários dias seguidos vestindo o mesmo terno de poliéster esverdeado. Ele estava usando uma escuta. Depois daquela confissão, Whitacre passou a ligar todos os dias, tagarelando ansiosamente com Howie, que tentava se desvencilhar. Howie decidiu não confrontar Whitacre, mas podia intuir, pelo pânico na sua voz, que ele não estava aguentando a pressão.

Na noite daquela terça-feira, Devon tentou preparar o jantar com as mãos trêmulas. Quando a campainha tocou, Howie sentiu ânsias de vômito. Era um cara de terno que disse que ele não era suspeito. Mas 300 agentes do FBI estavam espalhados pelo país, entrevistando outras pessoas sobre a fixação de preços de um produto da ADM chamado lisina, usado em rações para galinhas.

Howie estava aterrorizado, mas decidiu ser totalmente franco com o FBI. Disse que não confiava em Dwayne Andreas, que o encarregara de filtrar os pedidos para contribuições políticas, um papel que, em vista do histórico de Andreas, poderia causar náuseas em qualquer um.[1] Contou ao agente que no outono anterior Andreas o tinha repreendido quando ele levantou questões éticas sobre proporcionar diversão a congressistas. Mas Howie nada sabia sobre fixação de preços.

Assim que os agentes do FBI foram embora, Howie ligou para o pai, agitando os braços e dizendo: "Não sei o que fazer, não conheço os fatos, como vou saber se essas alegações são verdadeiras? Meu nome está em todos os comunicados à imprensa. Como posso ser o porta-voz da empresa em todo o mundo? O que devo fazer, devo pedir demissão?"

Buffett refreou sua reação óbvia, que seria dizer que, de seus três filhos, apenas Howie seria capaz de receber um agente do FBI em sua sala de estar depois de aceitar seu primeiro emprego no mundo corporativo. Ele ouviu a história sem fazer críticas e disse a Howie que cabia a ele decidir ficar ou não na ADM. Deu apenas um conselho: Howie deveria decidir nas 24 horas seguintes. *"Se você ficar por mais tempo que isso"*, disse, *"vai se tornar um deles. Aconteça o que acontecer, será tarde demais para sair."*

Aquilo tornou as coisas mais claras. Howie percebeu então que esperar não seria um modo de conseguir mais informações que o auxiliassem na sua decisão, mas significaria que ele tinha decidido ficar. Então analisou suas alternativas para entender o que cada uma representava *a partir daquele momento*.

Se renunciasse e eles fossem inocentes, perderia amigos e faria papel de idiota.

Se permanecesse e eles fossem culpados, seria visto como cúmplice de um bando de criminosos.

No dia seguinte, Howie renunciou e disse ao diretor jurídico que processaria a empresa se eles colocassem seu nome em mais algum comunicado à imprensa. Renunciar a um cargo no conselho era um acontecimento importante. Era como um sinal de fumaça dizendo que a empresa era culpada. As pessoas na ADM não facilitaram a vida de Howie. Tentaram protelar a sua saída e o criticaram por condená-los previamente, sem um julgamento. Mas Howie se manteve firme e saiu.

Dois dias depois, quando sua renúncia se tornou pública, os repórteres acamparam na porta de sua casa. O nome Buffett ligado a um escândalo era como carne vermelha para rottweilers. A astúcia da decisão tomada com rapidez ficou ainda mais evidente quando ele e Devon tiveram que fugir.

Mas Howie logo descobriu que, apesar da ausência dos repórteres, excluídos do evento, nem Sun Valley era seguro. Uma das primeiras pessoas que ele viu no saguão do Sun Valley Lodge foi outro membro do conselho da ADM. Aquele homem, que estaria por lá durante todo o fim de semana, pôs o dedo em seu peito e disse: "Você acabou de cometer o maior erro da sua vida."[2]

Ele não podia estar mais enganado. Howie tinha acabado de se livrar da associação com um desastre após o qual três altos executivos, entre eles o vice-presidente do conselho, Michael Andreas, acabariam na prisão por causa do maior caso de manipulação de preços da história dos Estados Unidos.[3] A ADM pagou uma multa enorme para chegar a um acordo com o governo, e a sua reputação sofreu um golpe que a mancharia por anos.

Naquele momento, porém, o contratempo deixara Howie desempregado. Susie, preocupada com ele e também com Susie Jr., que estava se divorciando de Allen, entrou em ação e convenceu Warren a iniciar uma tradição que consistia em dar a cada um dos filhos 1 milhão de dólares a cada cinco anos, no dia do aniversário deles. Buffett não apenas aceitou como se vangloriou de ter iniciado essa tradição. Ele tinha começado a se soltar bem mais em relação ao dinheiro. A mesada de Susie aumentou dramaticamente. Atendendo a um pedido dela, Buffett comprou outra casa em Laguna perto da primeira, conhecida como "o dormitório", para acolher todos os filhos, netos e visitantes.[4] O apartamento de Susie em Pacific Heights, no topo de uma escadaria enorme e sem elevador, mas com uma vista incrível da ponte Golden Gate e de Alcatraz, tinha sido reformado, passando a exibir paredes laqueadas de branco e tapetes amarelos, sua marca registrada. Quase todo o espaço estava coberto por coisas que ela havia comprado, trazido de suas viagens ou ganhado de presente. Havia quadros e máscaras criados por artistas amigos, um mantel chinês, uma tapeçaria balinesa, ornamentos em vidro feitos pelo renomado Louis Comfort Tiffany, suvenires e bugigangas de todo tipo, algumas caras, outras baratas e pouco convencionais. Aquilo enchia paredes, armários, guarda-roupas e gavetas até transbordar.

Dependendo da perspectiva, os observadores achavam aquilo um reflexo colorido, bonito e maravilhoso da personalidade de Susie ou uma mistura caótica de coisas. Susie sempre estava tentando obter mais espaço: ela já convencera Warren a comprar outro apartamento no térreo do seu prédio e, sem que ele soubesse, também começou a alugar depósitos em São Francisco para guardar suas coleções que não paravam de crescer.

A ajuda de Susie aos doentes e moribundos parecia aumentar tão rapidamente quanto suas coleções. Ela continuou o seu trabalho com doentes de Aids ao longo dos anos 1990. Depois sua irmã Dottie começou a lutar contra um câncer terminal. Durante todas as batalhas anteriores de Dottie – alcoolismo, saúde, problemas matrimoniais e a morte do filho Billy – Susie estivera ao seu lado. Ela ficou em Omaha durante meses para cuidar da irmã até seus últimos dias. A morte de Dottie – mais uma pessoa que Susie, afinal, não conseguiu salvar – foi a pior perda que ela sofreu desde a terrível morte do sobrinho por overdose. E Susie se tornou então a última sobrevivente da sua família original.

No verão de 1996, ela teve que ajudar Warren a superar a morte de sua mãe aos 92 anos. Mesmo em seus últimos dias, Leila nunca parou de repreender severamente a família. Ela ainda era capaz de criticar duramente Doris ao telefone, ou durante uma visita, por uma hora ou mais, mal parando para respirar, fazendo com que Doris chorasse. Terminava sempre com a frase "Fico feliz por termos tido essa conversinha". O próprio Warren continuava a evitar Leila, tendo delegado a maior parte de seus cuidados a Susie Jr. Ele falava com muito mais frequência e carinho de Rose Blumkin do que jamais falara de sua mãe. Quando Astrid e Sharon Osberg o levaram para visitar Leila, ele ficou "uma pilha de nervos"; as duas mulheres conversavam com a mãe de Warren enquanto ele ficava sentado ansioso, sem participar da conversa. À medida que a memória de Leila ia enfraquecendo, a sua história parecia se reduzir aos maravilhosos 38 anos e meio que viveu com Howard e a outra lembrança que parecia ter se alojado em sua mente durante a infância de Warren: "Não é uma pena o que aconteceu com o bebê dos Lindbergh?", ela perguntava. "Não é uma pena?"

Depois que Leila morreu – no dia do 69º aniversário de Warren –, a família se reuniu para o funeral em meio a um luto que envolveu um caldeirão de emoções misturadas. Ela descansou como a pessoa que sempre fora; qualquer especulação sobre como ela seria se as coisas tivessem sido diferentes foi para o túmulo com ela.

"*Chorei muito quando minha mãe morreu. Não porque eu estivesse triste e sentisse sua falta. Era por causa do seu potencial não realizado. Ela tinha partes boas, mas as partes ruins impediram que eu me relacionasse com ela. Meu pai e eu nunca conversamos a respeito. Mas realmente me arrependo da perda do que poderia ter sido.*"

Sem o pai e a mãe, Warren era o membro mais velho da família, o guardião no tênue limite entre a vida e a morte. No entanto, as vidas de suas irmãs é que foram mais afetadas pela morte de Leila. Elas ficaram surpresas ao se verem herdar uma quantidade considerável de ações da Berkshire que pertenciam à mãe, mais do que elas mesmas possuíam originalmente junto com a primeira repartição do fundo fiduciário do pai que o irmão estabelecera antes. Bertie manteve todas as suas ações da Berkshire desde o início e tinha seus próprios interesses filantrópicos. Ela sempre tivera a tendência de, nos bastidores, dedicar sua energia e seus esforços em silêncio e não queria desempenhar um papel importante. Doris voltou então a ter dinheiro de verdade pela primeira vez desde a derrocada das "opções de venda a descoberto" em 1987. Para Doris, a morte da mãe foi um novo começo. Ela criou sua própria fundação, a Sunshine Lady Foundation, e iniciou suas doações com o Prêmio Edith Stahl Kraft – nome de sua tia Edith – para professores que se destacassem, se baseando nos prêmios para professores de Omaha que levavam o nome de sua tia Alice e eram distribuídos pela fundação de seu irmão.

As irmãs de Warren estavam ricas. Dois de seus filhos também tinham um pouco de dinheiro, graças à ideia de Susie sobre os presentes de aniversário de 1 milhão de dólares. Buffett nunca tinha exigido um relatório contábil das enormes quantias necessárias para financiar a generosidade de Susie, embora coçasse a cabeça e se perguntasse o que ela fazia com todo aquele dinheiro. Mesmo assim, as complicações fiscais dos vultosos presentes dados aos filhos exigiam que ela desse a Warren um histórico de suas doações. Ele sempre se orgulhara da generosidade dela, apesar de nem sempre gostar daqueles que se beneficiavam. Agora estava particularmente insatisfeito com alguns dos presentes que ela dava, que contrariavam a concepção que ele tinha da natureza do seu casamento com ela. A impressão de que ela havia terminado seu outro relacionamento não se mostrou verdadeira. Apesar do paralelo entre sua complicada vida pessoal e a de Susie, ele ficou chateado.

Seguiu-se uma discussão sobre o testamento de Susie. Eles tinham opiniões muito diferentes a respeito de quais dos amigos dela deveriam receber alguma fatia. No final, a decisão dele prevaleceu. Depois a memória instantânea de Buffett entrou em ação. Qualquer clima negativo que tivesse surgido entre eles simplesmente desapareceu, e Susie voltou a ser o seu ideal, porque ele precisava que ela o fosse.

Warren foi firme na questão da herança de Susie para os seus amigos. Mas abrandara bastante sua posição em relação a questões de dinheiro no caso dos filhos, tanto que ele não apenas se sentia à vontade em dar a eles 1 milhão de dólares a cada cinco anos, enquanto estivesse vivo, como também deixaria para eles uma quantidade razoável de dinheiro após sua morte.[5] Não seria o suficiente para financiar um zoológico cheio de ursos como o de William Randolph Hearst, mas eles ficariam numa posição mais do que confortável.

Howie usou seu primeiro presente de aniversário de 1 milhão de dólares para comprar uma fazenda de 360 hectares em Decatur, Illinois, onde ainda morava. Ele tinha duas fazendas, sendo que uma delas era integralmente sua. Depois dos acordos nos processos da ADM, Don Keough sugeriu que ele se tornasse um executivo profissional, entrando para o conselho de outra empresa de alto nível, a Coca-Cola Enterprises (CCE). Apesar de ter ganhado alguma experiência nos negócios, Howie no fundo preferia ficar sentado em sua ceifadeira cuidando de seus campos. E, embora a CCE fosse muito mais respeitável que a ADM, o cargo de direção na CCE era, de certa maneira, como pular do fogo para a frigideira.

A CCE, uma gigantesca engarrafadora de refrigerantes, tinha sido criada pela união de uma série de engarrafadoras menores que eram clientes da Coca-Cola. Ela comprava o xarope concentrado que a Coca-Cola produzia, misturava-o com água gaseificada e vendia o produto, atuando como intermediária – portanto, a relação dela com a Coca-Cola era crucial. Uma não podia viver sem a outra.

Don Keough, o velho amigo de Buffett em Omaha, era o presidente do conselho da Coca-Cola. O CEO da empresa, o aristocrático cubano Roberto Goizueta, era reverenciado no mundo empresarial por ter criado a marca mais conhecida do mundo com slogans como "Coca-Cola é isso aí" e "Gostaria de comprar uma Coca para o mundo". Buffett achava que a Coca-Cola conseguira se tornar uma empresa autossustentável – e admirava Goizueta por ter atingido esse estágio.

Em 1997, Gates se uniu a Buffett e Goizueta em uma mesa-redonda em Sun Valley, cujo moderador era Keough.

"*Eu costumava conversar com Bill o tempo todo, e ele sempre usava uma frase que dizia que até um sanduíche de presunto podia dirigir a Coca-Cola. Bill ainda não estava muito bem treinado para não fazer bobagem. Então estávamos sentados naquela mesa-redonda, na frente da plateia, e Bill disse que era muito fácil dirigir a Coca-Cola, ou algo do gênero.*"

"Eu estava tentando dizer que a Coca-Cola é uma empresa maravilhosa", diz Gates, "e disse algo a respeito de me afastar da Microsoft antes dos 60 anos, porque aquele era um negócio difícil, e talvez fosse necessário ter um jovem lá para dar conta das curvas na estrada. Mas passei a impressão de que eu considerava a Microsoft empolgante, 'ao contrário da Coca-Cola'. Goizueta achou que eu era um garoto prepotente e arrogante, que queria passar a ideia de que estava envolvido diariamente em algum ato habilidoso enquanto qualquer um podia sair ao meio-dia para jogar golfe e dirigir a Coca-Cola."[6]

"*E Roberto odiou Bill a partir daquele momento.*"

Buffett não achava que fosse uma vergonha ter uma empresa que pudesse ser dirigida por um sanduíche de presunto; ele queria chegar ao ponto em que a Berkshire Hathaway também pudesse ser dirigida assim – mas só depois que ele se fosse.

Mas, em 1997, a Coca-Cola começou a estabelecer metas tão ambiciosas para si própria que, para alcançá-las, seria necessária muita engenharia financeira, em vez de um sanduíche de presunto ou mesmo de Goizueta...

A Coca-Cola possuía 40% da CCE e tendia a agir como se fosse dona de 100%. A criação da CCE por meio da junção de várias engarrafadoras tinha sido parte de uma estratégia maior de compra e venda, a fim de sincronizar os lucros e aumentar os rendimentos da Coca-Cola. Isso não era ilegal nem tecnicamente enganador, mas mesmo assim era uma ilusão, e Warren, que estava no conselho de administração da Coca-Cola, sempre esteve ciente da distorção potencialmente problemática.

"*Roberto fez muitas coisas que operacionalmente foram incríveis, e eu o adorava. Mas ele se enrolou prometendo cifras que, no final, não podiam ser produzidas.*"

Falou de crescimento na faixa dos 18%. Grandes empresas não aumentam os rendimentos nessa faixa durante longos períodos. Durante um tempo você pode conseguir, mas não dá para manter esse crescimento para sempre.

Lembro-me de quando ele conversou conosco sobre como ia adicionar uma terceira fonte de rendimentos, que era o lucro da compra e venda de engarrafadoras. Ele tentou convencer o comitê financeiro de que esse era o método do futuro.

Os valores que eles pagavam pelas engarrafadoras eram pura loucura. Perguntei ao executivo-chefe da área financeira sobre todas aquelas aquisições. Mas Roberto iniciava as reuniões do conselho às 10 horas e terminava ao meio-dia; o clima não era propício a questionamentos. Você simplesmente sentia que, quando fosse meio-dia, não seria nada educado continuar levantando tópicos ou falando sobre coisas que fariam a reunião durar até as 13 horas. Ele não era um sujeito que você questionasse. Algumas pessoas têm uma aura à sua volta e, quando essa aura é respaldada por um histórico excelente, a combinação dessas duas coisas é bastante opressiva."

Buffett estava sendo mais do que simplesmente conformista; com a sua idade, ele vinha de uma época em que a participação num conselho era considerada uma atividade quase social, em que deferência e educação prevaleciam. Em 1998, essa era a cultura dos conselhos de administração nos Estados Unidos. Essa cultura refletia uma realidade na qual a estrutura dos conselhos corporativos dava aos conselheiros pouquíssima margem de ação no tocante à administração.

"Como conselheiro, não se podia dizer nem remotamente à diretoria o que fazer. Tudo o que lemos na imprensa sobre a definição da estratégia por parte do conselho é lorota. Como membro do conselho, não é possível fazer praticamente nada. Se um CEO achar que um conselheiro é inteligente e está do seu lado, dará ouvidos a ele até certo ponto, mas, em 98% das vezes, vai fazer o que bem entender. Ouça, é assim que eu dirijo a Berkshire. Acho que Roberto gostava de mim, mas ele não estava esperando que eu desse muitas ideias."

Buffett nunca soube de nada tão gravemente errado na Coca-Cola a ponto de pensar em tomar a drástica decisão de pedir desligamento do conselho. Howie tinha um problema diferente: suportar a pressão da Coca-Cola.

"Eu era mais independente do que quase todas as outras pessoas naquele conselho, porque estava no conselho da Berkshire e ninguém na Coca-Cola podia me intimidar", diz Howie. "Portanto, eu não tinha problemas para desafiar a Coca-Cola em nome da CCE." Mas Howie acabou saindo do conselho da CCE. Havia um potencial grande demais de conflitos entre os dois conselhos. Como as pessoas aprendem mais em mares agitados do que quando velejam tranquilas, se a intenção de Keough foi a de mandar Howie para outro curso intensivo de administração, o cargo na CCE foi um sucesso. O radar de Howie para sinais de perigo nos negócios se aguçara consideravelmente. Apesar de ter continuado a fazer parte de conselhos de administração, a experiência lhe ensinou que ele queria satisfazer sua sede de emoção fora do mundo corporativo.

Em meados dos anos 1990, Goizueta e seu diretor financeiro, Doug Ivester, estavam adulterando os balanços da Coca-Cola com quantidades cada vez maiores de lucros obtidos com engarrafadoras para manter a ilusão do rápido fluxo de rendimentos da empresa. Então, em 1997, Goizueta morreu de repente, poucos meses depois de anunciar que tinha câncer de pulmão. O conselho, a empresa e os investidores ficaram chocados. Ele havia sido um CEO semelhante a um estadista e levou o crédito de ter transformado a Coca-Cola numa gigante internacional; a sua figura era tão titânica que era difícil imaginar quem pudesse substituí-lo. O conselho obedecera tão absolutamente a Goizueta que parecia que ninguém tinha pensado em uma alternativa para o sucessor que ele mesmo escolhera, Ivester, um rude esmurrador de mesas.[7] O diretor financeiro tinha uma grande reputação: ele tinha engendrado boa parte do sucesso recente da empresa, dividindo os interesses financeiros da Coca-Cola e de suas engarrafadoras, puxando todas as vantagens para a Coca-Cola. Goizueta era o líder aristocrático, Ivester era o "executor". Ele amava tecnologia e acompanhava de perto a expansão do Vale do Silício na época.

Buffett gostava de Ivester e queria que ele fosse bem-sucedido. Filho de um mecânico têxtil que ascendera socialmente por pura obstinação, Ivester era um sujeito analítico, ligado a números.[8] E, é claro, na administração de Goizueta, ajudara Buffett enormemente. Ele tinha aquela garra dos injustiçados que agradava a Warren. Além disso, Buffett responsabilizava Goizueta, e não Ivester, pelas peripécias contábeis.

O aumento dos rendimentos certamente tinha funcionado. A Coca-Cola estava cotada a 70 dólares por ação. A própria BRK estava subindo vertiginosamente junto com o mercado. Cotadas a 48 mil dólares em junho de 1997, as ações dispararam para 67 mil dólares nos nove meses seguintes. Quanto mais o mercado subia, mais difíceis se tornavam os investimentos para Buffett, mas mesmo assim as ações da BRK continuavam a subir. Não fazia muito sentido, a não ser pelo fato de que as ações que a Berkshire possuía estavam subindo com o mercado. À medida que o ano de 1998 avançava, a BRK superou a marca de 70 mil dólares por ação. Na reunião com os acionistas, Buffett disse aos investidores: "*A nossa ideia de tempos difíceis são períodos como o atual.*"[9]

Com dinheiro de mais, poucas ideias maravilhosas e sem ligar para a *hotline* dos aficionados por aviação, Buffett comprou para a Berkshire uma empresa chamada NetJets por 725 milhões de dólares.[10] Ele vendeu o *Indefensible* e se tornou um dos clientes da NetJets. A empresa vendia o direito de compartilhar jatos de vários modelos e tamanhos; os seus aviões tinham matrículas que começavam com QS, ou Quebec Sierra. Susie tinha convencido Warren a comprar para ela a quarta parte de um jato "fracionário" da NetJets em 1995, o que lhe dava direito a 200 horas de voo por ano, às quais ela se referia como *As Ricamente Merecidas*.[11] Ela brincava que QS queria dizer "*Queen Susie*" (Rainha Susie). Buffett gostou tanto da NetJets que apareceu num anúncio recomendando a empresa antes mesmo de comprá-la. Ainda assim, superficialmente, era uma decisão atípica para um homem que, um ano mais tarde, diria aos magnatas em Sun Valley que "alguém deveria ter matado Orville Wright".

Contudo, o raciocínio por trás da aquisição parecia sólido. A NetJets era líder no mercado: era tarde demais para que qualquer concorrente a alcançasse. Buffett concluiu que aquele negócio não era muito diferente do setor de jornais, no qual não havia segundo lugar. No final os concorrentes sucumbiriam.[12] E, de fato, a NetJets estava crescendo mais do que a concorrência. Buffett ficou intrigado com o CEO da empresa, Richard Santulli, um matemático empreendedor que passara seus dias no Goldman Sachs tentando descobrir padrões de transações usando a teoria do caos. Naquele momento ele estava usando aquelas mesmas habilidades para programar voos com apenas seis horas de antecedência para uma lista de clientes célebres que ele recebia em reuniões privadas. Buffett conheceu um novo grupo de pessoas famosas, entre elas Arnold Schwarzenegger e Tiger Woods.

Os investidores aplaudiram a compra da NetJets por Buffett, mas ficaram chocados quando ele anunciou quase simultaneamente que a Berkshire estava comprando também a General Re, uma grande seguradora atacadista, ou "resseguradora", que comprava o excesso de risco de outras seguradoras. Ao preço de 22 bilhões de dólares, aquela transação era quase 30 vezes maior do que a da NetJets. Superava em muito a sua maior transação até aquele momento – a da Geico.[13]

Ao se encontrar com a equipe de gerência da General Re, Buffett disse: "*Eu não me envolvo em coisas práticas. Vocês dirigem sua própria empresa. Não vou interferir.*" Depois começou repentinamente a disparar números da Geico. "*Bem, o quociente de vendas finalizadas em telefonemas recebidos caiu um pouco. Semana passada, os números foram...*" Ted Montross, segurador-chefe da General Re, pensou: "Minha nossa! Isso é não se envolver? Ele sabe mais sobre a Geico do que nós sobre a General Re."[14]

Buffett não sabia muito sobre os mecanismos internos da General Re. Ele tomou a decisão de comprá-la após estudar os resultados da empresa e porque gostava da sua reputação. A General Re era uma espécie de Grace Kelly do setor de seguros, que algumas vezes pode ser um pouco obscuro. A empresa usava luvas brancas e historicamente havia agido com mais classe e respeito do que a maioria das concorrentes. Mesmo assim, considerando o padrão das aquisições de seguradoras feitas por Buffett – em quase todos os casos elas foram direto para a vala logo depois de ele as ter comprado – e a magnitude da transação, era possível ouvir muito ao longe, depois da próxima colina, o barulho distante do motor do reboque se aquecendo.

Mas foi o alto preço pago pela General Re que atraiu a maior parte da atenção, e também o fato de Buffett ter pagado em ações e não em dinheiro – de fato, trocando 20% da Berkshire Hathaway pela General Re, num acordo anunciado no dia em que a Berkshire atingiu a sua cotação mais alta até então, 80.900 dólares por ação. As pessoas se perguntavam se a disposição de Buffett em ceder suas ações no momento em que eram negociadas a uma cotação inédita queria dizer que ele também achava que a BRK estava supervalorizada.[15] Buffett passara sua carreira intensificando o seu controle sobre a Berkshire. O fato de dar ações aos acionistas da General Re diluía seu direito a voto na Berkshire de 43% para menos de 38%. A última vez em que ele tinha pagado por uma grande aquisição com ações fora no caso da Geico, e os investidores pensavam então que a Berkshire estava supervalorizada. Então especularam sobre a mensagem que a nova transação de Buffett estava transmitindo.

A cotação da BRK subia e descia com base, em parte, nas cotações das ações que a Berkshire possuía. Ficara particularmente alta naquele momento porque a Berkshire possuía 200 milhões de ações da Coca-Cola, que estavam sendo negociadas a um preço astronômico. Então, se Buffett estivesse sutilmente sinalizando, por meio da sua aquisição da General Re, que a BRK estava supervalorizada, isso significava que as ações subjacentes – como as da Coca-Cola – estariam supervalorizadas? Nesse caso, aquilo poderia ter implicações para todo o mercado. Poderia significar que todo o mercado estava supervalorizado.

Rainha do mundo dos refrigerantes, a Coca-Cola mostrava uma postura agressiva e uma arrogância vertiginosa. A participação de Buffett na empresa tinha crescido 14 vezes em uma década, atingindo 13 bilhões de dólares, e ele chegara a declarar que a Coca-Cola era "inevitável" para seus acionistas, como se fosse uma ação que ele nunca venderia.[16] No seu raciocínio, a Coca-Cola seria consumida por cada vez mais gente a cada década, "durante toda uma vida de investimentos" – o que, para uma marca, era o mais próximo que se podia chegar da imortalidade. A Berkshire possuía então mais de 8% da empresa. As ações da Coca-Cola estavam sendo negociadas a até 40 vezes o valor estimado do seu rendimento em 2000 – um múltiplo que dizia que os investidores acreditavam que a ação continuaria a subir pelo menos 20% ao ano. Mas, para fazer isso, a empresa teria de aumentar seus rendimentos em 25% ao ano durante cinco anos – algo impossível. Teria de quase triplicar as vendas, chegando a um número quase tão grande quanto o de todo o mercado de refrigerantes em 1999 – mais uma vez, algo impossível.[17] Não havia vendas de engarrafadoras ou manipulações contábeis que pudessem produzir resultados daquele tipo. Buffett sabia disso. No entanto, não vendeu suas ações da Coca-Cola.

O motivo era, em parte, a inércia. Buffett gostava de dizer que ganhava a maior parte do seu dinheiro "sem se mexer". Como os investidores que mantiveram as próprias ações da Geico quando a cotação caiu para 2 dólares por ação, a inércia o tinha protegido de muitos erros – tanto de realização quanto de omissão. Ele também possuía uma quantidade grande demais de ações da Coca-Cola para vender sem criar uma grande dor de cabeça. O simbolismo de Warren Buffett – o "maior investidor do mundo" e também membro do conselho de administração – vendendo as ações da Coca-Cola seria inequívoco. A cotação da Coca-Cola poderia despencar. Além disso, com sua mistura efervescente de lucro, produto, nostalgia, show business e pessoas agradáveis, as ações da Coca-Cola eram as favoritas de Buffett. "Essa é a real" não era só um slogan para ele, era uma incrível máquina de fazer dinheiro que podia gerar lucros para sempre, como na antiga fábula do moinho que produzia infinitamente rios de mingau, montanhas de ouro ou oceanos de sal.

Buffett evitou cuidadosamente essas questões sobre o mercado e a Coca-Cola quando usou as ações da Berkshire para comprar a General Re, dizendo: *"Não se trata de nenhum aviso para o mercado."*[18] Afirmou que a BRK estava com "um valor justo" antes da fusão, e que as duas empresas juntas criariam "sinergia". Quando a pergunta foi feita a Charlie Munger, ele declarou que Buffett o consultara a respeito da transação, mas já num estágio muito avançado. Na verdade, ele desaprovava o negócio.[19] Previsivelmente, os investidores começaram a modificar o preço da BRK como se tanto a Berkshire quanto suas posições acionárias, como na Coca-Cola, estivessem supervalorizadas, ou como se as sinergias da transação fossem se revelar ilusórias.[20] Ou ambas as coisas.

A explicação de Buffett mais tarde, naquele verão, em Sun Valley foi que *"queríamos comprar a Gen Re, mas junto havia 22 bilhões de dólares de investimentos"*. Muitos desses investimentos eram ações; Buffett logo as vendeu. "*A adição de 22 bilhões de dólares em títulos mudava a proporção títulos/ações da Berkshire, o que não me contrariava. Aquilo causou* de fato *o efeito de uma mudança na alocação da carteira de investimentos.*"

Por isso, Buffett – que fazia parte do conselho da Coca-Cola com Herbert

Allen – não ficou contrariado em afundar as ações da BRK, inclusive as da Coca-Cola, num oceano de títulos da General Re. Contextualizada, essa afirmação fazia muito sentido. Em sua carta anterior aos acionistas, Buffett tinha escrito que as ações *"não estavam supervalorizadas" se* as taxas de juros permanecessem abaixo da média e *se* as empresas continuassem produzindo retornos *"extraordinários"* sobre o capital – em outras palavras, se o improvável continuasse a acontecer. Essa afirmação era suficientemente oblíqua para evitar que parecesse uma previsão. Buffett achava que quem estava sempre profetizando alguma mudança de rumo no mercado geralmente acabava se enganando 10 vezes a cada duas. Então ele raramente fazia afirmações sobre o mercado e, quando o fazia, costumava se mostrar tímido. Mesmo assim, foi extraordinariamente astuto de sua parte incluir as palavras "não estão supervalorizadas" numa sentença que dizia que o mercado estava supervalorizado. As pessoas podiam ler essa mensagem como quisessem, mas, se fossem espertas, a entenderiam.[21]

Da mesma maneira, Buffett "não estava contrariado" com sua carteira de ações, como demonstrou no mesmo discurso em Sun Valley diante de uma plateia cheia de CEOs de empresas de internet – num momento em que as ações dessas empresas estavam se reproduzindo mais rápido do que ratos-toupeiras-pelados. Mas ele acompanhou sua observação de que "não ficava contrariado" com os mesmos alertas de sua carta: as taxas de juros deveriam ficar abaixo da média e a economia deveria permanecer extraordinariamente aquecida para que o mercado pudesse satisfazer as expectativas dos investidores. Nesse mesmo discurso em Sun Valley, Buffett usou seu lugar na tribuna para explicar que investir é gastar dinheiro hoje para receber dinheiro de volta amanhã, como o pássaro de Esopo na mão em contraste com os dois pássaros voando; que as taxas de juros são o preço pago para esperar os pássaros que estão voando; que, durante períodos de até 17 anos, os mercados não tinham saído do lugar; e que, em outros períodos – como o presente –, o valor das ações crescia muito mais depressa que a economia. E, é claro, finalizou seu discurso comparando os investidores a um bando de prospectores de petróleo que iam para o inferno.

Portanto, se Buffett estava reajustando a sua carteira e se concentrando em títulos, talvez isso significasse que ele achava que era mais fácil naquele momento ganhar dinheiro com títulos do que com ações e que no futuro isso se tornaria ainda mais fácil.[22]

Em outubro, ele fez outra jogada que era o inverso do que a maioria das pessoas estava fazendo – admiravelmente conservadora segundo os padrões do mercado. Comprou a MidAmerican Energy Holding Company, uma empresa de serviços públicos com sede em Iowa, algumas operações internacionais e uma presença no setor de energias alternativas. Aplicou capital suficiente para comprar pouco mais de 75% da MidAmerican por cerca de 2 bilhões de dólares, mais 7 bilhões de dívidas assumidas, com os outros 25% sendo de propriedade de seu amigo Walter Scott, de David Sokol, CEO da empresa e protegido de Scott, e de Greg Abel, o número dois de Sokol.

Os investidores ficaram perplexos. Por que Buffett queria comprar uma empresa elétrica regulamentada? Reconhecidamente a empresa estava crescendo de forma moderada, era bem administrada e tinha retornos atraentes que eram relativamente seguros e que, numa previsão razoável, permaneceriam assim por um bom tempo.

Buffett via a empresa como um segundo pilar para a Berkshire, ao lado da seguradora. Achava que estava trabalhando com gestores excelentes, que podiam investir muito dinheiro em serviços públicos e energia com taxas de retorno previsíveis, que compensavam o crescimento limitado. No entanto, Buffett já estava sendo ridicularizado por sua recusa em comprar ações de empresas de tecnologia. E agora ele tinha comprado a empresa de eletricidade. Que estranho!

Mas não era assim que ele pensava. Quando o assunto era investir, o tipo de eletricidade que ele buscava não era a emoção da negociação, mas quilowatts.

As aquisições da MidAmerican e da General Re diluíram significativamente o impacto da Coca-Cola na composição dos papéis dos acionistas da Berkshire, mas a Berkshire ainda possuía 200 milhões de ações da Coca-Cola. Buffett nunca parou de pensar na Coca-Cola, na qual as coisas continuavam a dar errado. No final de 1999, o valor de suas ações da Coca-Cola tinha caído para 9,5 bilhões de dólares, arrastando junto a cotação da BRK. Uma oscilação de curto prazo não o preocupava – nunca o preocupara –, mas, graças em grande parte à Coca-Cola, uma ação da BRK não podia mais comprar o modelo mais sofisticado de carro esportivo de luxo. Buffett continuava a remoer um incidente que acontecera em junho. Repórteres tinham insinuado que os produtos da Coca-Cola estavam envenenando crianças na Bélgica e na França. Não era difícil imaginar o que fazer. O finado Goizueta teria deixado o "Sr. Coca-Cola", Don Keough, cuidar daquilo: voar imediatamente para lá, visitar as crianças, cobrir os pais de refrigerantes grátis, fazer observações compadecidas e inteligentes à imprensa. Em vez disso, Ivester – que estava na França na época – voltou para os Estados Unidos sem tecer comentários, deixando que as engarrafadoras locais cuidassem da confusão.

Herbert Allen, que nunca foi de ficar sentado pacientemente nos bastidores, ligou para Ivester e perguntou: "Por que você não vai lá e mostra a sua cara?" E Ivester disse: "Mandei uma equipe. Além disso, aquelas crianças não estão realmente doentes." Allen explodiu de frustração. "Ouça", disse, "aquelas crianças não saíram andando e disseram 'Vou pegar a Coca-Cola dizendo que estou doente'. Elas acham que estão doentes. Estando elas doentes ou não, que mal faria ir até lá, sentar-se com os pais e dar a eles um fornecimento vitalício de Coca-Cola?"[23]

Mas parecia que Ivester não entendia nada daquilo. Na sua opinião, a Coca-Cola não tinha culpa. E ponto final.

Durante semanas, as engarrafadoras locais continuaram tentando garantir ao público que os produtos da Coca-Cola eram seguros. Mas depois revelou-se que talvez não fossem. A empresa admitiu que havia encontrado mofo e contaminantes químicos nas unidades de engarrafamento. Mas insistiu que eram casos isolados, certamente nada grave o bastante para fazer com que crianças adoecessem. Buffett ficou horrorizado. A reação arrogante golpeou a imagem vangloriosa da Coca-Cola, e Ivester sempre tivera dificuldade em lidar com a União Europeia. O estilo superamericano e a estratégia de buscar contratos exclusivos de comercialização tinham rendido à Coca-Cola uma reputação de arrogância excessiva. As autoridades governamentais europeias advertiram várias vezes os representantes da Coca-Cola, numa espécie de espetáculo burlesco. Em todo o mundo a notícia virou manchete, e a confiança dos clientes em seu amado produto balançou.[24]

Semanas mais tarde, Ivester apareceu na Europa e se desculpou, usando uma linguagem jurídica rebuscada que em momento algum dizia "Sentimos muito". As manchetes desapareceram e as máquinas de Coca-Cola voltaram a funcionar em todo o continente. Mas o incidente teve um custo superior a 100 milhões de dólares e causou um dano inestimável à reputação da Coca-Cola. Buffett ficou possesso.

Herbert Allen também estava possesso. Mais próximo da gestão cotidiana da empresa, ele questionou se a Coca-Cola estava saindo dos trilhos. Apesar da queda nas vendas, pelo menos 3.500 novos funcionários tinham passado pelo Coca-Cola Plaza, em Atlanta, nos dois anos anteriores. Allen olhou para a florescente folha de pagamento e viu "o crescimento de um câncer na empresa".[25] A estratégia da empresa de se expandir perifericamente, crescendo por meio de aquisições e contratando milhares de novos funcionários, não estava funcionando. Trimestre após trimestre, Ivester prometia melhorar as taxas de crescimento; trimestre após trimestre, a Coca-Cola fracassava. Um dia, no escritório de Ivester, Allen perguntou: "O que você vai fazer?" E Ivester disse que não sabia, que não tinha solução.[26] "Tudo aquilo junto o havia sufocado. Ele não sabia o que fazer", diz Allen.

Pairando sobre tudo isso como o dirigível da Goodyear estava um projeto da Coca-Cola com um nome milenar: Project Infinity (Projeto Infinito). "Era um daqueles projetos nos quais se conectam os computadores das pessoas ao banheiro para se descobrir quanto sabonete elas estão gastando", diz Allen. Até mesmo o nome, Project Infinity, parecia se referir a gastos descontrolados em busca de retornos cada vez menores.[27] Allen ficou louco. Ele queria saber o que a Coca-Cola ia receber em troca daqueles bilhões de dólares. Como o Infinity resolveria os problemas básicos da empresa?

Buffett ficou contrariado, mas se resignou. Ele havia se deparado com esse problema, em alguma escala, em quase todas as empresas de cujos conselhos de administração fizera parte. Assim, suspirou para si mesmo: "*Todos fazem isso. As pessoas que dirigem os departamentos de tecnologia da informação sempre querem os equipamentos melhores e mais modernos. Por mais inteligente que você seja, por mais coisas que você saiba, quem pode desafiá-los?*

Nós provavelmente não vamos vender mais Coca-Cola por causa de um projeto de informática e vamos aumentar o número de pessoas, ao invés de enxugar os empregos. Os fornecedores nos forçam a atualizar o software e o hardware a cada intervalo de poucos anos, senão o sistema para de funcionar. Portanto, nem sequer é um investimento único.

O controle dos gastos com tecnologia é um dos maiores problemas administrativos. E é particularmente difícil na Coca-Cola, porque uma empresa bem-sucedida é como uma família rica. Quando você está prosperando, é muito difícil impor disciplina."

Buffett, é claro, não comandava sua própria empresa – nem sua rica família – daquela maneira.

E havia mais notícias perturbadoras reveladas por Don Keough, que continuava a ser o melhor amigo das engarrafadoras na Coca-Cola. Ele tinha se aposentado da empresa – e se tornara presidente do conselho da Allen & Co. –, mas Goizueta o mantivera como consultor do conselho. Keough continuava a fazer parte da Coca-Cola como antes. Por intermédio de Keough, Buffett soube que Ivester andava impondo condições às engarrafadoras de uma maneira nunca antes vista. Isso o perturbava, porque boa parte dos bons resultados obtidos por Ivester tinham sido gerados pela reengenharia do relacionamento entre as engarrafadoras e a Coca-Cola. Naquele momento Ivester estava pressionando tanto aquela alavanca que a parceria centenária da empresa com as engarrafadoras estava se rompendo.[28] Don Keough se tornara uma espécie de "confessor dos desafetos" entre as engarrafadoras.[29] Elas estavam em estado de revolta aberta. Enquanto isso, Ivester tinha extinguido o cargo oficial de Keough – um lance tolo, pois ele precisava de Keough ao seu lado. Ele talvez fosse o rei Artur, mas Keough era o mago Merlin da Coca-Cola e merecia o devido respeito.

A pressão sobre as engarrafadoras fez surgir uma pergunta: será que Ivester sabia o que estava fazendo em relação à queda no ritmo de crescimento das vendas da Coca-Cola? A filosofia na Coca-Cola sempre fora a de que o importante era o relacionamento com os clientes. Ivester preferia continuar investindo nas soluções contábeis para resolver os problemas da empresa, cobrindo a Coca-Cola com mais maquiagem, quando a principal tarefa do CEO – na visão de Keough, Allen e Buffett – era tornar a marca Coca-Cola mais popular em todo o mundo.

Como Goizueta estivera engendrando os rendimentos da empresa antes de morrer e Ivester colheu as recompensas por isso, por que ele deveria se comportar de outra maneira como CEO? Um membro do conselho diz "O comitê de finanças era o centro de tudo", o que era estranho para uma empresa comercial como a Coca-Cola. No final, o erro não foi de Ivester. O conselho cedeu a Goizueta mesmo depois da sua morte, quando seguiu seus desejos e transformou o chefe do departamento de engenharia financeira no novo CEO da Coca-Cola.

Ainda assim, Buffett tinha certeza de que o problema, que era óbvio para ele, não era tão óbvio para o restante do conselho. Assinalando pontos contrários a Ivester, Buffett passou todo o outono em estado de extrema ansiedade. No Dia de Ação de Graças, as limitações paralisantes de seu cargo como membro do conselho quase chegaram a um ponto de ruptura, tendo em vista as dificuldades da Coca-Cola.[30]

Então a revista *Fortune*, que classificara Ivester como "o CEO do século XXI" menos de dois anos antes, publicou uma longa matéria crítica que o responsabilizava pelos problemas da empresa.[31] Aquele era um mau sinal. A sorte raramente sorria para os CEOs que a *Fortune* repreendia daquela maneira, principalmente se eles tivessem antes sido alvo de um perfil elogioso na capa da revista. O fato de ser deposto do seu pedestal em público daquela forma assinalava que as pessoas poderosas que eram usadas como fontes pelos repórteres da *Fortune* não andavam satisfeitas e estavam prontas para jogar fora o ursinho de pelúcia que tinham abraçado no passado.

Logo depois do Dia de Ação de Graças, Herbert Allen telefonou para Buffett. "Acho que temos um problema com Ivester", disse. *"Escolhemos o cara errado"*, Buffett concordou.[32] "Acho que chega", disse Allen. Eles começaram a fazer planos.

Ambos estimaram que o conselho demoraria mais de um ano para chegar ao ponto de vista deles de que Ivester tinha que ir embora – e isso, segundo Allen, "teria sido devastador para a empresa. Então acho que decidimos, apenas como dois indivíduos, dizer a ele o que realmente achávamos".

Allen ligou para Ivester e disse que ele e Buffett queriam agendar uma conversa. Eles concordaram em se encontrar em Chicago, onde Ivester estaria após uma reunião com o McDonald's.

Na manhã fria e nublada de uma quarta-feira, 1º de dezembro de 1999, Buffett e Allen foram até Chicago. A famosa falta de discrição de Ivester alimentava o temor que Buffett tinha de um confronto. Ele dominou a ansiedade e se encolheu em seu próprio casco. Mais tarde foi dito que ele parecia frio. Os três homens foram direto ao assunto sem preâmbulos.[33] Buffett e Allen disseram a Ivester de maneira impessoal que apreciavam seus esforços em nome da Coca-Cola, mas que ele não tinha mais a confiança deles.

Mesmo assim, Ivester não foi de fato demitido. Buffett e Allen não tinham autoridade para isso. *"Ele talvez pudesse vencer numa votação do conselho e sabia disso",* diz Buffett.

Ivester recebeu a notícia com estoicismo. Voltou correndo para Atlanta para convocar uma reunião de emergência do conselho dali a quatro dias, deixando em suspense os perplexos conselheiros.

No domingo, Ivester disse aos membros do conselho que tinha concluído que não era a pessoa certa para dirigir a empresa. Ele renunciaria imediatamente. Era exatamente o que Buffett e Allen esperavam. Mas Ivester também disse que não haveria transição; ele estava deixando o cargo a partir daquele dia. Enquanto o conselho, aturdido, ouvia em silêncio, ele disse que aquela tinha sido uma decisão voluntária, o que era verdade – no sentido de que ele decidira voluntariamente se retirar para evitar o pelotão de fuzilamento.[34]

Os conselheiros começaram a se perguntar o que teria acontecido. Ele estava doente? Havia algo de muito errado na Coca-Cola? Por que eles não foram avisados? A mudança tinha que ser tão repentina? Ivester nunca se afastara do seu roteiro no passado.[35]

Pouco tempo antes o conselho havia insistido, enfrentando uma certa resistência, para que Ivester colocasse num envelope o nome de quem o sucederia se ele fosse atropelado por um caminhão. O envelope foi então aberto para revelar o nome de Doug Daft, chefe das divisões do Oriente Médio e Extremo Oriente da Coca-Cola. Daft estava quase se aposentando, mas os membros do conselho, entre eles Buffett e Allen, instantaneamente o transformaram no sucessor de Ivester, aparentemente sem nenhuma discussão séria de uma alternativa.

As recriminações começaram quando o mercado puniu a ação.[36] Os investidores descobriram que Ivester estava caindo fora. Em conversas particulares com alguns membros do conselho, ele revelou o que tinha acontecido. O conselho percebeu então, com graus variáveis de indignação, como o seu papel fora usurpado.

Com a mídia uivando, ficou claro que era melhor que a empresa se tornasse acessível. A *Fortune* publicou uma matéria exclusiva revelando os detalhes da reunião secreta em Chicago.[37] Ivester negociara um inacreditável pacote de consolação de 115 milhões de dólares que deixou irados tanto seus detratores quanto seus defensores, sentindo que ele estava ou sendo recompensado ou prejudicado. E os observadores perceberam então que um círculo restrito dominava o conselho da Coca-Cola.

"*A operação foi mal conduzida, mas não havia outra maneira melhor para realizá-la. O que fizemos foi quase um desastre, mas, se não tivéssemos feito aquilo, teria sido certamente um desastre. Acho que não teríamos conseguido convencer o conselho a votar a favor de uma mudança daquelas – bingo! A única maneira de fazer uma mudança rápida foi a que utilizamos. E nós dois fomos necessários para realizá-la; se qualquer um de nós tivesse agido sozinho, aquilo não teria acontecido.*"

Mas, no final do ano, a reputação de Buffett estava sendo atacada mais abertamente, porque as maiores e mais rentáveis ações que ele tinha escolhido, as da Coca-Cola, tinham perdido um terço do valor após a partida de Ivester. O fato de Buffett ter se sentido obrigado a intervir de uma maneira particularmente deselegante, que teve consequências negativas junto ao público tanto para a empresa quanto para ele mesmo, não deixou a impressão de que ele havia corrido para prestar socorro – como no caso da Salomon –, mas sim de que ele e Herbert Allen eram dois velhos intrometidos.

Essa impressão se juntou às preocupações que surgiram quando a maior aquisição que ele havia feito até então, a General Re, revelou uma surpresa desagradável dias após a Berkshire ter concluído o negócio. Ron Ferguson, o CEO, havia ligado para dizer que a empresa havia sido lesada em 275 milhões de dólares numa fraude enorme e elaborada chamada Unicover. Os investidores ficaram surpresos quando o primeiro relatório que Buffett lhes entregou sobre a General Re foi um pedido de desculpas por aquela tolice, bem como uma demonstração de confiança em Ferguson e a previsão de que os negócios seriam retificados. Como havia preocupações desde o início sobre o fato de Buffett ter ou não comprado a General Re apenas para diluir suas grandes posições em ações como as da Coca-Cola, décadas de feliz confiança em seu julgamento sobre investimentos de repente começaram a vacilar.

Nos últimos meses de 1999, à medida que crescia o repúdio do mercado acionário ao manifesto de Buffett em Sun Valley, até mesmo algumas das pessoas que mais acreditavam nele estavam questionando a sua sabedoria. Naquele mês de dezembro ele continuava a parecer totalmente equivocado em relação às ações de empresas de tecnologia e, no final, teimosamente cego diante do óbvio. O Dow Jones fechou o ano com uma alta de 25%. O Nasdaq ultrapassou os 4 mil pontos, tendo subido incríveis 86%. O mercado avaliava a Berkshire, com seus cofres cheios de dinheiro, em apenas 56.100 dólares por ação, perfazendo um valor total de mercado de 85 bilhões de dólares. Aquilo mal se comparava a uma pequena empresa de mídia on-line chamada Yahoo!, cujo valor tinha quadruplicado no último ano. A Yahoo!, que, com o seu nome, captara o espírito dos tempos, estava avaliada então em 115 bilhões de dólares.

O ano de 1999 chegava ao fim e não havia dúvida sobre quem era e quem não era importante e influente no fim do milênio. A revista *Time* coroou Jeff Bezos, da Amazon.com, como a pessoa do ano, comparando-o em importância à rainha Elizabeth, Charles Lindbergh e Martin Luther King Jr. A classificação pessoal de Buffett tinha caído nas listas anuais, multiplicadas por mil naquele ano com os resumos e retrospectivas do milênio. Ele acabara de cair da segunda para a quarta posição na lista dos homens mais ricos do mundo; os amantes de tecnologia se deleitavam em apontar os pés de barro do grande investidor dizendo que "se Buffett dirigisse um fundo mútuo, estaria em busca de uma segunda carreira".[38] A *Barron's*, uma revista semanal de leitura obrigatória em Wall Street, o colocou na capa com a manchete "Warren, o que há de errado?" e o comentário de que as ações da Berkshire tinham "tropeçado" feio.[39] Era como se ele tivesse um alvo pintado na testa.

Em público, Buffett repetia constantemente – quase sem modificar as palavras – as ideias que o haviam tornado famoso: a margem de segurança, o círculo de competência, os caprichos do Sr. Mercado. Ele continuava a dizer que uma ação é uma parte de uma empresa, e não um monte de números numa tela. Durante toda a subida vertiginosa do mercado, ele se absteve de discutir ou contestar aquela loucura, com exceção do seu já famoso discurso em Sun Valley. As pessoas achavam, por causa da maneira como ele pesava cada sílaba que saía de sua boca, que ele se via acima das críticas. Sempre que perguntavam se ele ficava chateado quando as pessoas o chamavam de ultrapassado, ele respondia: "*Nunca. Nada disso me incomoda. Ninguém consegue se dar bem investindo a menos que pense de forma independente. E a verdade é que ninguém tem razão, nem está enganado, porque outra pessoa concorda com ele. Tem razão porque os seus fatos e o seu raciocínio estão certos. No final, é isso que conta.*"[40]

Mas essas eram questões separadas. Embora ele não tivesse problemas em pensar de forma independente, estava realmente triste por ser chamado de ultrapassado. Quando perguntaram nessa época se o fato de ser alvo da atenção pública durante décadas ajudava a manter as críticas em perspectiva, Buffett fez uma longa pausa. "Não. Isso nunca fica mais fácil", disse com sobriedade. "*A mágoa é sempre tão grande quanto da primeira vez.*" Mas ele não podia fazer nada a respeito.

Buffett passara toda a sua carreira competindo num concurso que era impossível de ser vencido. Por mais que ele ganhasse dinheiro e conseguisse mantê-lo, mais cedo ou mais tarde teria um ano ruim ou a intensidade de sua motivação diminuiria. Ele sabia disso. Advertiu várias vezes os investidores de que árvores não crescem até o céu. Mas isso nunca o tinha impedido de subir o mais rápido possível. E ele adorava subir – mas, para sua surpresa, não havia prêmio algum no topo.

Sua vida era fascinante, seus feitos empresariais eram importantes, os princípios por meio dos quais alcançara o sucesso eram dignos de ser estudados. Até onde era possível averiguar, todos que o conheciam pessoalmente gostavam dele. Sua personalidade calidoscópica revelava perpetuamente novas facetas, mas ele permanecia fiel, em seu âmago, ao seu Placar Interno. A única coisa em que ele podia ser sempre o melhor era em ser ele mesmo.

Como costumava fazer todos os anos, Buffett passou as festas com Susie e a família em sua casa de férias em Emerald Bay, decorada com os adornos natalinos da enorme coleção de Susie.[41] Sua vida profissional podia estar sendo particularmente desafiadora naquele momento, mas o Natal de 1999 foi bom para a sua família. Warren estava satisfeito com a maneira como seus filhos estavam amadurecendo. Já na meia-idade, Howie se estabelecera como fazendeiro e homem de negócios bem-sucedido. Susie fez com que ele se interessasse por fotografia. Àquela altura, Howie passava metade do seu tempo num avião fotografando animais selvagens perigosos; sua atração por uma vida perigosa fora direcionada para mordidas de guepardos e perseguições a ursos-polares.

Susie Jr., mãe em tempo integral de duas crianças e assistente em meio expediente não remunerada do pai, seguia os passos da mãe, tornando-se uma importante força da filantropia em Omaha, atuando nos conselhos do teatro e do museu infantil e da Girls Inc. Allen, seu ex-marido, dirigia a Buffett Foundation, e os dois viviam a alguns quarteirões de distância e dividiam a criação dos filhos.[42]

Depois do divórcio, Peter se casou com Jennifer Heil e ainda estava morando em Milwaukee e compondo música. No início dos anos 1990, ele teve a oportunidade de se mudar para Hollywood e trabalhar na indústria do entretenimento. "Mas percebi que, se tivesse me mudado para L. A.", ele diz, "seria como milhares de outras pessoas iguais a mim que estão tentando achar trabalho lá. Meu pai sempre gostou do filme *Música e lágrimas*. Glenn Miller sempre tentou achar o seu som; meu pai costumava falar sempre de 'achar o seu som'." Peter ficou em Milwaukee, em vez de ir para L. A., e sentiu que seu pai entendeu a semelhança com a sua própria escolha de voltar a Omaha e fazer as coisas à sua maneira, em vez de ficar em Nova York. Logo depois, Peter foi contratado para compor e produzir a trilha sonora de *500 Nations,* um importante documentário da PBS em oito episódios. Ele também compôs e produziu um espetáculo multimídia beneficente para Susie Jr. que se tornou um especial da PBS e fez uma turnê de 11 semanas.[43]

Howie andara conversando com Susie, convencendo-a de que as crianças já estavam suficientemente maduras: "Dê-nos uma chance, o dinheiro está aí, dê-nos uma chance de fazer alguma coisa com ele."[44] Naquele Natal, Susie Jr., Howie e Peter ficaram boquiabertos ao receberem 500 ações da Berkshire em dotações que cada um podia administrar e doar para qualquer causa de sua escolha. Os três ficaram extasiados, e Susie Jr. disse que era algo "colossal".[45]

A família se reuniu para o réveillon. Era possível acompanhar a chegada do milênio pela televisão, a começar pelas ilhas Kiribati. De Sydney a Londres, passando por Pequim, milhões de pessoas celebravam nas ruas e praias à medida que uma cadeia de fogos de artifício ia estourando ao redor do globo. O relógio do milênio na Torre Eiffel quebrou. Mas, à medida que as horas passavam, nada de desastroso aconteceu em lugar algum, nem mesmo na Gen Re ou na Coca-Cola. Havia uma clareza matemática na progressão dos fusos horários, locais e horas que agradava a Buffett. Depois do outono estressante que ele tivera, a mudança de milênio não foi algo empolgante – foi relaxante, e ele bem que precisava disso.

PARTE SEIS
===

Recibos

53
O gênio
Omaha – 1998

Buffett estava sempre atento para não cair no que Munger chamava de Complexo do Botão de Sapato, ou seja, evitava pontificar sobre todo e qualquer assunto simplesmente por ser um especialista em negócios. Mas, em meados dos anos 1990, tanto ele quanto Munger estavam começando a receber – e a responder – um número crescente de perguntas sobre a vida em geral. Ele normalmente contava a atletas e estudantes universitários, com quem falava periodicamente, a fábula do gênio.

"*Quando eu tinha 16 anos só pensava em duas coisas – garotas e carros*", dizia Buffett, usando uma pequena licença poética para deixar de fora a parte sobre dinheiro. "*Eu não era muito bom com garotas. Então pensava em carros. Pensava nas garotas também, mas eu tinha mais sorte com carros.*

Digamos que, ao completar 16 anos, um gênio tivesse aparecido para mim e que ele tivesse dito: 'Warren, vou dar a você o carro que você quiser. Estarei aqui amanhã de manhã com um grande laço de fita amarrado em volta dele. Novo em folha. E será todo seu.'

Tendo ouvido muitas histórias sobre gênios, eu perguntaria: 'Qual é a cilada?' E o gênio responderia: 'Só existe uma cilada. Esse é o último carro que você vai ter na vida. Portanto, vai ter que durar a vida toda.'

Eu teria escolhido o carro. Mas qual seria o efeito de saber que ele teria que durar a vida toda?

Eu leria o manual umas cinco vezes. Manteria o carro sempre guardado na garagem. Se houvesse o menor arranhão, mandaria consertar imediatamente, para não enferrujar. Teria todo o cuidado com aquele carro, porque sabia que ele teria que durar a vida toda.

Essa é exatamente a posição de vocês em relação à sua mente e ao seu corpo. Vocês só têm uma mente e um corpo. E eles têm que durar a vida inteira. É muito fácil fazê-los funcionar por muitos anos. Mas, se vocês não cuidarem dessa mente e desse corpo, eles estarão arruinados dentro de 40 anos, exatamente como o carro estaria.

O que vocês fazem agora, hoje, é o que determina como sua mente e seu corpo vão funcionar daqui a 20, 30 anos."

54
Pausa forçada
Omaha – janeiro-agosto de 2000

Buffett começou a primeira semana do milênio no escritório. Em sua primeira edição do ano, o jornal *The Sunday Times*, de Londres, publicou: "O fato de ignorar a tecnologia parece ter transformado Buffett num chimpanzé."[1] E uma das primeiras mensagens que recebeu foi um e-mail de Ron Ferguson, CEO da General Re.

Buffett já estava se preparando para o pior. Até então a General Re só tinha dado notícias deploráveis. Um ano antes, quando a empresa admitiu ter sido enganada na fraude da Unicover, semanas após ter sido adquirida pela Berkshire, Ferguson fez uma nova confissão. Produtores cinematográficos e seus credores tinham convencido a General Re a segurar a venda de ingressos para filmes de Hollywood. A empresa assumiu o compromisso de pagar um seguro quando a bilheteria não fosse suficiente, sem saber quais roteiros seriam filmados ou quem estrelaria as produções. Buffett ficou perplexo quando descobriu. Em semanas, ações judiciais geradas pelo fiasco do financiamento dos filmes começaram a surgir, mais depressa que os créditos finais das produções fracassadas. Nem era preciso dizer que seu gerente *favorito*, o brilhante Ajit Jain, nunca teria aprovado um acordo cinematográfico tão idiota. Mas foi dito, mesmo assim.

Então Ferguson voltou a perturbá-lo numa discussão exaustiva sobre os mínimos detalhes sobre como subscrever uma loteria de internet chamada Grab.com que Ajit estava ressegurando. Nesse momento, Buffett percebeu que Ferguson tinha uma filosofia muito diferente da sua. Buffett sempre dizia que preferia passar sem esforço por cima de obstáculos de 30 centímetros a procurar obstáculos de 2,10 metros para saltar. O negócio com a loteria Grab.com oferecia lucros fáceis – era um obstáculo de 30 centímetros.[2] Ferguson não queria fechar o negócio porque era fácil demais. Disse que a General Re só fechava negócios em que tivesse uma vantagem maior na subscrição.

Buffett pôs fim à discussão; depois decidiu que precisava de uma mudança na administração. Mas não agiu, pois não era conveniente. A General Re tinha um histórico maravilhoso. A empresa precisava de reparos, e não de um expurgo. Demitir Ferguson tão pouco tempo após a aquisição da empresa causaria confusão, um alvoroço público. E ele detestava demitir pessoas.

Dois meses depois do negócio da Grab.com, após a virada do milênio, Ferguson confessou que a General Re tinha perdido mais 273 milhões de dólares ao estipular erroneamente preços de seguros. Buffett não podia mais acreditar que fossem erros isolados: tratava-se de uma infecção generalizada; a General Re parecia amaldiçoada desde o dia em que ele anunciou sua compra. Em seus primeiros 12 meses como parte da Berkshire, a General Re – antes um exemplo de disciplina – tinha saído completamente dos trilhos, perdendo quase 1,5 bilhão de dólares na subscrição, estipulação de preços e seleção de riscos. Nenhuma empresa de Buffett jamais perdera tanto dinheiro assim. Buffett não disse muita coisa, mas reconheceu que teria que fazer algo em breve.

Quando as notícias foram publicadas, os investidores rapidamente reajustaram seu raciocínio mais uma vez. Pagar 22 bilhões de dólares pela General Re tinha sido um erro? A reputação de Buffett sofreu outro golpe.

Enquanto isso, na Coca-Cola, apesar da mudança na administração, nem tudo estava bem.[3] O primeiro ato do novo CEO, Doug Daft, foi demitir 6 mil pessoas em janeiro. Os investidores ficaram chocados. Somente uma minoria em Wall Street tinha apontado o assoreamento do rio de lucros da Coca-Cola, e os investidores ainda não estavam convencidos de que aquela minoria tinha razão. Naquele momento, a Coca-Cola sofreu um golpe junto com a BRK, cujas ações, que já estavam cotadas a apenas 56.100 dólares em 1º de janeiro, começaram a despencar.

Duas semanas depois, em 9 de fevereiro, no santuário que era o seu escritório, no começo da manhã Buffett estava assistindo distraidamente à CNBC enquanto colocava em dia as suas leituras. O telefone sobre o armário atrás da sua escrivaninha tocou. Só Buffett atendia aquele telefone. Ele o pegou imediatamente. Jim Maguire, que negociava ações da BRK no pregão da Bolsa de Valores de Nova York, estava do outro lado da linha. Foi uma conversa rápida.

"Sim... Ah-hã... Mmm-hmmm... Certo. Mmm-hmmm... Agora não. Certo. Mmmm-hmmm... Mmmmmmmmmm-hmmmmmmmmmm... Certo. Obrigado." Clique.

Maguire estava ligando para dizer que havia uma enxurrada de ordens de venda para os papéis da BRK. Enquanto Buffett jogava bridge on-line na noite da véspera, o participante de um fórum de internet no Yahoo!, que se identificava como "zx1675", tinha postado a mensagem: "Warren no Hospital – Estado

Crítico." Em poucas horas o boato se espalhou como um vírus entre os participantes como "hyperpumperfulofcrap",* que continuava a dizer: "BUFFETT VELHO E FRACO. VENDA" e "VENDA. VENDA. VENDA. VENDA. VENDA." Com os boatos penetrando em Wall Street e convencendo as pessoas de que Buffett estava no hospital em condições críticas, a BRK estava sendo muito negociada e levando uma surra.[4]

A linha telefônica pessoal de Buffett começou a tocar. Aquela foi uma manhã com um número incomum de telefonemas. Ele mesmo atendia, como de costume, e dizia logo um animado *"Oiiii"* para mostrar que estava feliz em falar com aquela pessoa.

"Como você está?", a pessoa em questão perguntava com um leve tom de urgência.

"Bem... nunca estive melhor!"

Se um tornado estivesse diretamente a caminho do Kiewit Plaza, Buffett também diria que as coisas "nunca estiveram melhores" antes de mencionar a tempestade. As pessoas sabiam interpretar o tom da sua voz; naquele dia, ele parecia estressado. Durante toda a manhã as pessoas ligaram querendo saber como ele *realmente* estava.

"Estou bem", Buffett explicava, *"está tudo ótimo. É verdade."* Mas, pela maneira como a BRK estava sendo negociada, as pessoas estavam dando ouvidos ao "hyperpumperfulofcrap". Aquele era o poder da nova mídia. À medida que a cotação da BRK continuava a cair, por causa dos boatos da morte iminente de Buffett, os acionistas ligavam para os corretores querendo saber se Buffett estava vivo. As pessoas que conheciam alguém que o conhecia a interrogavam: "Você tem certeza? Você o viu? *Como pode ter certeza?*"

A CNBC transmitiu os boatos sobre a possível morte de Buffett acrescentando à matéria suas palavras tranquilizadoras. O ceticismo crescia. Se ele estava dizendo que estava bem, era porque não devia estar. Um segundo boato começou a circular, dizendo que ele estava aproveitando a situação para comprar as ações da Berkshire por um preço baixo. Aquilo tocou o ponto nevrálgico em que sua reputação de integridade pessoal colidia com sua reputação de ganância implacável.

O assédio continuou por dois dias, nos quais a cotação da BRK caiu mais de 5%. Ao presumir que sua presença era indispensável, o boato fazia uma espécie de elogio às avessas a Buffett. Mas ele estava indignado, porque pensaram que ele enganaria seus próprios acionistas recomprando ações à custa deles sob alegações falsas. E ele odiava ser chantageado por algum idiota que manipulava o preço das ações usando a internet. Ele não tolerava ser tratado dessa maneira.

---

* Algo como "hiperfanfarrãoloroteiro". (*N. do T.*)

Estava pasmo com a ideia de que a reação àquilo pudesse estimular ainda mais boatos – abrindo assim um precedente.

No final, ele pensou, os boatos morreriam por causa de sua própria falsidade. Mas esse "final" poderia demorar muito tempo. Uma nova realidade tinha surgido: na era da internet o tempo era comprimido, e Buffett tinha cada vez menos controle sobre a percepção que o público tinha dele. Por fim, ele capitulou e soltou um comunicado extraordinário à imprensa.

> *"Recentemente, alguns boatos surgiram na internet sobre a recompra de ações e a saúde do Sr. Buffett. Embora seja uma antiga política da Berkshire não comentar boatos, estamos abrindo uma exceção em relação a esses rumores recentes. Todos os boatos relativos à recompra de ações e à saúde do Sr. Buffett são 100% falsos."*[5]

O anúncio foi inútil. A BRK despencou 11% naquela semana e não se recuperou.

Em 9 de março, o *Newsday* chegou às bancas citando Harry Newton, editor da *Technology Investor Magazine*. "Sei o que Warren Buffett deve dizer quando emitir seu relatório aos acionistas: 'Sinto muito!'" No dia seguinte, a BRK chegou a 41.300 dólares por ação, sendo negociada a pouco mais do que o valor com que seus papéis estavam registrados nos livros. O lendário "prêmio Buffett" – o alto preço pelo qual as ações eram supostamente negociadas somente por causa de Buffett – tinha desaparecido. Na véspera, o índice Nasdaq dera um salto, alcançando 5 mil pontos. Desde janeiro de 1999, ele tinha dobrado, com o valor das ações que o compunham tendo aumentado mais de 3 trilhões de dólares.

O contraste era forte demais para ser esquecido. Um gestor de recursos escreveu que investidores como Buffett eram "anjos caídos, envergonhados por classificações ruins (...) que se tornaram obsoletos em 1999 por causa de dissidentes que decretaram que as velhas leis dos investimentos foram revogadas, respaldando suas teorias com números que deixam os olhos arregalados".[6]

Buffett estava triste em razão da publicidade negativa, mas nunca pensou em mudar sua estratégia de investimento. Os acionistas da BRK aparentemente estariam em melhor situação se tivessem investido num índice igual ao do mercado nos cinco anos precedentes – a mais longa seca da história da Berkshire. O seu investimento na Coca-Cola, que chegou a ser avaliado em 17,5 bilhões de dólares, só valia naquele momento 8,75 bilhões. A sua determinação em não abrir mão da margem de segurança significava que a Berkshire tinha acumulado bilhões em capital não utilizado que estava parado em ações de baixo rendimento. Buffett agora entendia perfeitamente as noções básicas dos computadores.

Mas ele sequer pensava em comprar ações de empresas de tecnologia, ao preço que fosse. "*Quando o assunto é Microsoft e Intel*", ele disse, "*não sei como estará esse mundo daqui a 10 anos. E não quero entrar num jogo no qual o outro sujeito tem uma vantagem. O setor de software não está no meu círculo de competência. Entendemos de Dilly Bars, e não de software.*"[7]

Em fevereiro de 2000, a SEC negou o pedido da Berkshire Hathaway de manter parte das suas posições acionárias em segredo. A comissão pesou os diferentes interesses dos investidores em um mercado estável e o direito à informação e decidiu a favor do direito à informação. Em vez de acumular um grande bloco de ações como as da American Express e da Coca-Cola, ele só teria tempo de fracionar as ações em pequenos lotes antes que as pessoas começassem a imitá-lo. Embora ele tenha continuado a lutar, a SEC o transformou em Ben Graham, que abriu seus livros para que todo mundo visse. A partir daquele momento, a aquisição de empresas por inteiro – que sempre tinha sido a sua maneira preferida de usar o capital – seria a principal maneira de utilizar o dinheiro na Berkshire. Ficaria muito mais difícil aplicar grandes quantidades de dinheiro em ações. Aquilo era um problema num momento em que a mídia se referia a Buffett como "o homem que *já foi* o maior investidor do mundo".[8]

Em 10 de março, um dia depois de Harry Newton afirmar que Buffett deveria se desculpar, o *Wall Street Journal* escreveu que quase todo mundo estava ganhando dinheiro com tecnologia, exceto o teimoso e pão-duro Buffett, cujas ações tinham caído 48% em relação à sua maior cotação.[9] O *Journal* comparava o desempenho dele ao de um funcionário aposentado da AT&T, cuja carteira tinha subido 35%, dizendo ironicamente que aquele investidor em ações de empresas de tecnologia "não é nenhum Warren Buffett – ainda bem".[10]

Nunca na carreira de Buffett a sua determinação e clareza de pensamento tinham sido colocadas à prova como naqueles últimos três anos. Todas as indicações do mercado diziam que ele estava enganado. Por causa da sua teimosia em se agarrar a um conjunto de ideias mofadas, o público, a mídia e até mesmo alguns de seus acionistas achavam que ele estava errado. Buffett só contava com sua própria convicção interna como guia. E ele era aquele homem carente que, ao longo dos anos, se acostumara a receber elogios como se fossem uma dose diária de Cherry Coke, o homem que era tão sensível às críticas públicas a ponto de fugir de qualquer coisa que o expusesse a elas, que moldara a sua vida em torno da ideia de administrar a própria reputação – e que lutava como um tigre contra qualquer coisa que pudesse manchá-la.

No entanto, mesmo com sua reputação em risco, Buffett dessa vez não reagiu. Não escreveu artigos, não depôs perante o Congresso sobre os perigos do mercado, não duelou com a imprensa, não deu entrevistas à televisão para se defender, nem providenciou para que seus procuradores o fizessem em seu lugar. Ele e Munger continuaram seu diálogo regular com os acionistas da Berkshire, dizendo que enquanto o mercado estivesse supervalorizado não poderiam prever quanto tempo aquilo ia durar. Por fim, não oficialmente, mas como um aviso e uma maneira de ensinar, Buffett, num discurso duro que fez em Sun Valley, que em seguida se transformou em um artigo da *Fortune* dirigido aos investidores leigos, explicou suas opiniões de uma vez por todas e previu que o mercado ficaria muito aquém das esperanças dos investidores por duas décadas.

Tinha sido necessária muita coragem para deixar para trás os medos e implorar a ajuda de Nick Brady para salvar a Salomon. Mas ele precisava de outro tipo de coragem para mostrar tanta prudência e fazer uma previsão daquelas após anos de críticas e ridicularização, tornando a bolha da internet um dos grandes desafios pessoais de sua carreira.

Em 11 de março, 24 horas depois de o *Wall Street Journal* ter publicado que um funcionário aposentado da AT&T era um investidor melhor do que Warren Buffett, a Berkshire Hathaway emitiu seu relatório anual, e Buffett deu a si mesmo uma nota "D", por falhar no investimento do capital da Berkshire. Não reconheceu, contudo, que o fato de evitar ações de empresas de tecnologia fosse um erro. Ele simplesmente reenquadrou as expectativas dos investidores, dizendo que, por causa de seu tamanho enorme, era provável que o valor da Berkshire, a partir de então, só crescesse "modestamente" mais do que o do mercado. Ele sabia que isso geraria debates sobre o significado de "modestamente". Mas achava que precisava ser dito.

Buffett anunciou que a BRK estava tão barata que a Berkshire aceitaria ofertas dos investidores para comprar de volta suas *próprias* ações. A simples ideia de uma iniciativa assim – devolver dinheiro aos acionistas aos quais ele não pagara nenhum dividendo em décadas – sugeria que Buffett, voraz por capital durante toda a vida, de repente se tornara um asceta.

E, pela segunda vez, Buffett estava anunciando previamente ao público o que queria comprar. Desde 1970 ele não dizia: "*Vou comprar ações da Berkshire Hathaway.*" Mais uma vez os investidores tiveram que decidir de que lado ficar. Daquela vez, muitas pessoas entenderam a mensagem. A disposição de Buffett de oferecer dinheiro por ações da Berkshire era um recado tão forte que, antes que ele pudesse comprar uma única ação, a BRK subiu 24%.

Na semana seguinte, o Nasdaq, recheado de ações de empresas de tecnologia, emitiu um sinal de aviso.[11] No final de abril, já tinha afundado 31%, uma das maiores perdas em termos históricos.

Na Páscoa, Buffett não estava se importando com aquilo; estava se contorcendo de dor. Ele mal podia acreditar. Pouco antes da sua importantíssima reunião com os acionistas, o compromisso crucial na sua agenda, os boatos sobre a sua saúde se tornaram verdadeiros. Susie Jr. o levou correndo, às 3 horas da manhã, para o hospital, onde ele passou vários dias tentando expelir um cálculo renal. As enfermeiras entravam e saíam chamando-o de Bill. A sua agonia era tanta que ele não ousou perguntar a causa da dor, mas ficou imaginando que diabos estava acontecendo. Ligou para Susie várias vezes, em pânico. Ela estava em Grand Lake, Colorado, com seu grupo de amigas da época do ensino médio; não havia nada que ela pudesse fazer.[12] Por fim, ele se sentiu um pouco melhor, e o médico o mandou para casa. Quando a filha foi buscá-lo, explicou que as enfermeiras o chamavam de "Bill" porque ele tinha sido registrado por engano com o nome de Doc Thompson.

Quase imediatamente, porém, Buffett teve de voltar correndo para o hospital para expelir o maldito cálculo renal. Mais uma vez ele passou a noite em claro bebendo copos d'água, até que, finalmente, a tortura da água funcionou. Mas, a partir de então, ele teve que se preocupar com uma parte de sua anatomia à qual antes não dava a menor atenção, pois cálculos renais são recorrentes. "*O encanamento – odeio isso. Basicamente é o que dá problema à medida que você vai envelhecendo*", disse.

Ele fez um inventário dos seus problemas. A ação da Berkshire estava com uma reputação tão ruim que só a sua oferta de compra a tinha salvado. A General Re, sua maior transação, parecia amaldiçoada. A Coca-Cola estava atormentando seus pensamentos. Como tantos danos podiam ter acontecido tão depressa numa empresa com uma marca tão sólida? Será que tudo era realmente culpa do pobre e velho Ivester? E um problema de saúde tinha aparecido.

A mortalidade ficava abaixo da superfície na "memória de banheira" de Buffett, mas periodicamente abria caminho para emergir.[13] Ele ainda não tinha aceitado a morte do pai. Nunca decidira a respeito de um memorial adequado para Howard. Pendurara o grande retrato de Howard na parede atrás da sua escrivaninha, flutuando sobre sua cabeça. Os papéis de Howard estavam no porão da casa, intactos. Warren não conseguia achar forças para separá-los. Ficava com os olhos cheios de água só de pensar naquilo, obviamente aterrorizado pela perspectiva de deixar virem à tona emoções reprimidas durante 35 anos.

Ele tinha alertado que árvores não crescem até o céu; um dia tudo tem que chegar ao fim. Mas ele mesmo não conseguia pensar no dia em que teria que pôr fim à sua carreira e dizer: "*Pronto. Terminei. A Capela Sistina está acabada. Nenhuma outra pincelada vai melhorá-la – qualquer esforço a mais produzirá um efeito vulgar.*"

Ele tinha 69 anos. Não conseguia acreditar que tinha 69 anos; ainda se sentia jovem. Consolava-se com a ideia de que ainda faltavam décadas para que alcançasse a idade em que sua mãe tinha morrido. A General Re seria consertada, e a Coca-Cola, como ele sabia, podia ser dirigida por um sanduíche de presunto. O cálculo renal... eliminado! A memória de banheira começou a funcionar. Ele retomou os preparativos da sua reunião com os acionistas, que ele considerava a semana mais feliz do ano.

Durante vários dias no final de abril a cidade ficava mais cheia; o aeroporto, mais movimentado do que de costume; um mar de gente chegava aos saguões dos hotéis para se registrar, e as mesas nas calçadas dos cafés e restaurantes no centro da cidade começavam a se encher. As locadoras de veículos ficavam sem carros. O bar do Marriott Regency – na época, uma espécie de quartel-general oficioso para encontrar os *insiders* – ficava entupido. Pessoas usando credenciais para a reunião da Berkshire Hathaway passeavam por Omaha como se fizessem parte de um clube. No escritório de Buffett, o telefone tocava com pedidos de última hora de credenciais de imprensa, passes para a reunião e pedidos dos convidados para levar seus próprios convidados ao evento mais exclusivo do ano em Omaha – o *brunch* privado de Buffett, no domingo. Com aparente paciência, mas também uma irritação crescente com os pedidos mais insolentes, a secretária de Buffett, Debbie Bosanek, desentupia o gargalo e dizia "não" às pessoas.

Na noite de sexta-feira, Buffett fazia a ronda dos eventos públicos e das festas privadas. Alguns de seus discípulos, usando gigantescos chapéus amarelos em estilo caubói, como se pertencessem a um culto, se misturavam a acionistas de velha data e grandes gestores de recursos no coquetel da Borsheim's, no qual boa parte de Omaha se unia aos acionistas de outras cidades para filar drinques e comida grátis. Susan Jacques, da Borsheim's, organizava aquele evento, que Buffett apoiava porque aumentava o faturamento, apesar da sua suspeita de que havia muitos penetras.

No Civic Auditorium, a reunião dos acionistas em si – que crescera até incluir milhares de funcionários, fornecedores e voluntários; uma infinidade de apresentações, flores e exposições; montes de sanduíches de peru, cachorros-quentes e Coca-Cola; sem falar na sinalização, segurança, mídia, som, vídeo, iluminação e festas particulares para os fornecedores e ajudantes – foi projetada, coreografada e supervisionada por apenas uma funcionária, Kelly Muchemore, que Buffett chamava de a "Flo Ziegfeld" da Berkshire Hathaway. Kelly nem tinha uma secretária. Tecnicamente, a secretária era ela. Seriam necessárias quatro pessoas para substituir Kelly, Buffett dizia orgulhoso. Um efeito colateral desse tipo de elogio era que às vezes as pessoas se perguntavam se estavam recebendo um quarto do que valiam.[14] Buffett, no entanto, tinha a habilidade de pagar as pessoas mais com elogios do que com dinheiro. Aquelas que ficavam mais perto do Sol – Muchemore, Bosanek e Deb Rey, a recepcionista – eram as funcionárias mais "carnegizadas" de todas; todos os acionistas tinham ouvido falar de como elas eram maravilhosas. A "carnegização" parecia funcionar como uma espécie de protetor solar, que as protegia da Lei da Termodinâmica de Rickershauser. Elas se entregavam ao combate enquanto mantinham o chefe protegido em seu casulo particular no final do corredor, isolado de todas as outras pessoas. Nas semanas anteriores à reunião, elas trabalhavam em dobro. No dia marcado, Deb e Debbie cuidavam dos VIPs mais importantes e da sala de imprensa, enquanto Muchemore corria para cima e para baixo com um walkie-talkie, comandando tudo.

Às 4 horas da manhã de sábado, várias centenas de pessoas irrequietas, usando crachás de plástico em cordões pendurados nos pescoços, faziam fila fora do Civic Auditorium esperando que as portas se abrissem. Três horas mais tarde elas passaram correndo pelos seguranças, que verificavam suas credenciais para garantir os melhores lugares. Depois de pendurar seus paletós e suéteres no encosto de suas cadeiras, iam até os estandes para pegar o café da manhã grátis, composto de roscas doces, suco e café. Mas às 8 horas ficou claro que não precisavam ter tido o trabalho de aparecer antes de o sol nascer. Metade das poltronas ainda estava vazia. Trinta minutos depois havia 9 mil pessoas no auditório.[15] A maioria dos CEOs ficaria extasiada (ou assustada) com esse número de participantes, mas não havia comparação com os 15 mil do ano anterior. O comparecimento tinha caído 40%.

Na hora marcada, as luzes do auditório se apagaram e foi exibido o filme pré-reunião, que se tornava mais longo a cada ano. A abertura era um desenho animado com Warren no papel de um super-herói, tendo Charlie como coadjuvante, fazendo propaganda dos produtos Berkshire. Depois, a juíza Judy julgava uma falsa disputa por causa de uma aposta de 2 dólares entre Buffett e Bill Gates. Vinham então alguns vídeos cômicos e comerciais dos produtos Berkshire; por fim, Susie Buffett cantava uma versão, adaptada para a Berkshire, do tema da Coca-Cola: *"What the world wants today... is Berkshire Hathaway"* (O que o mundo quer hoje... é Berkshire Hathaway).

Por volta das 9h30, Buffett e Munger entraram no palco, de terno e gravata, e olharam para a reduzida multidão de fiéis que trajava de tudo, de roupas sociais a shorts. Chapéus de espuma amarela surgiam aqui e ali na plateia. Depois de uma apresentação de cinco minutos sobre negócios, a sessão de perguntas e respostas foi aberta, como de costume, com os acionistas fazendo fila atrás de microfones posicionados por todo o auditório e disparando perguntas sobre como avaliar ações. Alguém perguntou sobre ações de empresas de tecnologia. *"Não quero especular sobre alta tecnologia"*, Buffett disse. *"Toda vez que houve verdadeiras explosões de especulação, elas acabaram sendo corrigidas."* Ele comparou o mercado à riqueza falsa das correntes e esquemas Ponzi. *"Os investidores podem pensar que estão mais ricos, mas não estão."* Pausa. *"Charlie?"*

Munger abriu a boca, e a plateia se inclinou um pouco para a frente. Munger costumava dizer: "Nada a acrescentar." Mas, toda vez que Buffett passava o microfone para ele, o auditório murmurava com a mais sutil sensação de perigo. Era como assistir a um domador de leões experiente trabalhando com uma cadeira e um chicote.

"O motivo para usarmos a expressão 'excesso infeliz'", disse Munger, "é porque suas consequências são infelizes. É irracional. Se alguém mistura passas com cocô, o que obtém ainda é cocô."

A plateia ficou agitada. Ele disse cocô? Charlie tinha acabado de comparar ações de empresas de internet a cocô na frente das crianças que tinham ido até lá com os pais, para não falar da imprensa. Ele disse cocô! Demorou algum tempo até que a reunião voltasse ao seu ritmo normal.

Alguém fez "a pergunta sobre a prata". Àquela altura as pessoas começaram a descer para o pátio, para comprar sapatos, facas Ginsu e See's Candies. Uma questão anual sobre a posição de Buffett em relação à prata havia se tornado um ritual enfadonho. Em 1997, ele admitiu que tinha comprado quase um terço da reserva de prata do mundo. Em vez de suscitar lembranças dos selos Blue Eagle, aquela declaração deixou os entusiastas por metais frenéticos, porque subitamente o oráculo entrara no nicho deles.[16] Mais atenção foi dada a essa única transação do que a qualquer outra operação na história da Berkshire. Buffett não era fanático por metais; ele os acompanhava como negócio, com base na oferta e na demanda, e não para especular ou usá-los como proteção contra a inflação. Achava que as ações de empresas que podiam subir de cotação eram a melhor proteção, apesar de a inflação erodir seus ganhos. Tinha comprado a prata como um bom investimento, mas o que realmente queria era *visitar* a prata. Ele se via no cofre secreto em Londres sorrindo enquanto contava as barras brilhantes.[17] A questão da prata fez com que Buffett e Munger levantassem ligeiramente os olhos para o céu, embora Buffett tenha respondido educadamente que a prata tinha sido uma jogada enfadonha. Ele se absteve de dizer que uma visita à prata teria alegrado consideravelmente a jogada.

As perguntas continuavam monotonamente, enquanto Buffett e Munger ouviam, fazendo barulho ao abrir suas Dilly Bars. Os acionistas começaram a se queixar. Eles não gostavam da cotação da ação.[18] Uma mulher disse que ia procurar escolas por correspondência, já que suas ações da Berkshire não seriam suficientes para pagar uma universidade.[19] Gaylord Hanson, de Santa Barbara, Califórnia, ficou de pé diante do microfone para dizer que tinha comprado ações BRK perto do pico, em 1998, por causa do histórico de Buffett, e só tinha se safado porque o dinheiro perdido foi compensado por quatro ações de empresas de tecnologia.[20] Insistiu para que Buffett investisse pelo menos 10% dos ativos da Berkshire em tecnologia, "a única coisa que resta". "Será que não *restou* inteligência suficiente em seu cérebro para escolher algumas delas?"

Perguntas desse tipo continuavam a ser feitas. E o que ele tinha a dizer sobre gestores de recursos famosos, como Stanley Druckenmiller e George Soros, que cederam e compraram ações de empresas de tecnologia? Diante do desempenho decepcionante da Berkshire, será que Buffett não podia achar algo novo para fazer? Se não fosse tecnologia, será que ele não podia fazer algum investimento internacional?

Isso era mais que humilhante. Olhando para a plateia, Buffett viu que, pela primeira vez, algumas daquelas pessoas acreditavam que ele as estava deixando na mão. Seu esforço de quase 50 anos parecia se desfazer, pois seus próprios acionistas se voltavam contra ele. A sua idade, de repente, não significava mais experiência, mas obsolescência. Na imprensa, as pessoas falavam dele como de um velho. Parecia que o mundo não queria mais a Berkshire Hathaway.

Buffett bebia avidamente sua Cherry Coke enquanto dava autógrafos. Depois vestiu um uniforme de beisebol para fazer o primeiro lançamento no jogo do Omaha Royals. Foi a mais algumas festas com Astrid, ainda vestindo o uniforme de beisebol e deixando um rastro de Dilly Bars atrás de si. Foi o centro das atenções, com sua família, no Gorat's no domingo à noite; em seguida, na segunda-feira de manhã, supervisionou a reunião do conselho – outro exercício de ensino. Então ele, Susie, os filhos e suas famílias voaram para Nova York. Enquanto Buffett finalmente colocava a conversa em dia com os amigos, comia fora, via shows com a família e cumpria a árdua tarefa anual de comprar ternos na Bergdorf's, a "memória de banheira" já havia feito o seu trabalho. Durante a estada em Nova York, ele também deu aulas com uma versão moderna do curso de Ben Graham, em Columbia, e conheceu – com meia dúzia de jornalistas que o estavam cursando – o programa de jornalismo empresarial da universidade.[21]

Na manhã de sábado ele convocou três membros da diretoria da General Re à sua suíte no Plaza Hotel. Ron Ferguson levou um maço de folhas impressas com slides de PowerPoint e começou a percorrer a lista de resultados terríveis da General Re. Buffett ouviu por alguns minutos, franzindo a testa e remexendo-se impacientemente. Finalmente disse: *"Por que simplesmente não pulamos para o final?"* Os resultados tinham que melhorar. As linhas de autoridade tinham de ser reforçadas. Os clientes estavam impondo condições à General Re, e não o contrário. Aquilo tinha de acabar. Alguém tinha que ser responsabilizado.[22]

Ele quase chegou a dizer a Ferguson para se aposentar, mas foi traído por sua fraqueza por administradores mais velhos. Ele simpatizava com Ferguson, que tinha sofrido uma hemorragia subaracnóidea em 1999. Ferguson, que ficou ligeiramente fora de forma por algum tempo, se oferecera para renunciar. Buffett disse não. Ele não acreditava ser boa medida aposentar as pessoas; alguns de seus melhores administradores eram idosos, inclusive a Sra. B, que trabalhou até os 103 anos de idade e morreu um ano depois. Ele sentia falta daquela alma cáustica, mas foi um grande alívio para ele ela não ter contornado a cláusula de não concorrência depois do seu desligamento da empresa. O objetivo dele mesmo era viver mais que a Sra. B, não apenas alguns anos, mas por um bom tempo. Ele se vangloriava com frequência da "equipe geriátrica" da Berkshire, e a sua diretoria estava começando a parecer a vetusta Suprema Corte dos Estados Unidos.

Imagine então se o gênio de Buffett o estivesse observando por cima do ombro, algumas semanas mais tarde, enquanto ele jogava bridge depois do jantar na casa de Bill e Melinda Gates. Ele respondia a perguntas naquela voz estridente que significava que não estava se divertindo, mesmo dizendo que estava tudo bem. Sharon Osberg, que sabia interpretar os sinais de aflição dele, falou com os Gates, que imediatamente chamaram um médico, sob os protestos de Buffett.[23]

O médico ficou surpreso por Buffett nunca ter feito uma colonoscopia. Deu-lhe um analgésico para que ele pudesse voltar confortavelmente para casa. Mas disse: "Você realmente deve se internar e fazer um exame completo e uma colonoscopia quando voltar para Omaha."

O gênio teria tido menos tato. Howard Buffett teve câncer de cólon e morreu por causa de complicações dele decorrentes. O que Buffett estava *pensando*, aos 69 anos de idade, para nunca ter feito uma colonoscopia? *Aquilo* certamente não significava tratar o corpo como o único carro que ele jamais teria.

Um mês mais tarde, a BRK tinha recuperado quase 5 mil dólares por ação, com sua cotação voltando a 60 mil dólares. A revista *Fortune* observou que, apesar de "ter perdido seu toque mágico" em 1999, a recente recuperação de 47% do valor da Berkshire, desde a cotação mais baixa, em março, tornava Buffett um "bom restaurador".[24] Mas ele estava precisando de outro tipo de restauração.

Buffett finalmente agendou o temido procedimento.[25] Era muita atenção médica de uma só vez – apenas um mês depois do cálculo renal. Mas uma colonoscopia podia ser considerada "rotineira". Ele se distraiu conversando ao telefone e jogando bridge. Brincou de helicóptero no computador. Quando as pessoas perguntavam sobre o procedimento que logo seria realizado, ele dizia: *"Não estou nem um pouco preocupado."*

Mas ao acordar da colonoscopia teve um choque terrível. Um pólipo benigno, mas de dimensões consideráveis, estava alojado em seu intestino. O pólipo tinha tomado tanto espaço que a sua remoção exigiria a demolição de boa parte da vizinhança ao seu redor. E ele também tinha alguns amiguinhos nas imediações. Não havia motivo para demoras. Buffett decidiu se submeter à cirurgia no final de julho, depois de Sun Valley. *"Ah, não estou nem um pouco preocupado"*, ele disse, fazendo piadas e destacando os bons resultados dos exames cardiológicos. *"Nunca me preocupo com a minha saúde. Se você não tivesse falado nisso, eu nunca teria sequer pensado a respeito."*

Mas parecia que Buffett estava sendo forçado a emitir constantes comunicados à imprensa sobre sua a saúde; nesse caso, cheio de detalhes constrangedores:

> Warren E. Buffett, presidente do conselho da Berkshire Hathaway Inc. (NYSE: BRK.A, BRK.B), espera ser internado em um hospital de Omaha no próximo mês para ser submetido a uma cirurgia para a remoção de vários pólipos benignos de seu cólon. Os pólipos foram descobertos na segunda-feira, quando o Sr. Buffett foi submetido a um exame físico de rotina, que, com exceção desse fato, revelou seu excelente estado de saúde. A cirurgia deverá manter o Sr. Buffett no hospital por vários dias, após os quais ele espera voltar rapidamente ao trabalho. A Berkshire Hathaway está divulgando esses fatos para evitar de antemão boatos falsos acerca da saúde do Sr. Buffett como os que perturbaram o mercado, mais cedo, este ano.[26]

A cirurgia demorou várias horas, durante as quais 50 centímetros do intestino de Buffett foram removidos, deixando-o com uma cicatriz de 18 centímetros. Ele ficou convalescendo em casa durante uma semana. Também deixou a barba crescer pela primeira vez na vida. Afastado da Berkshire Hathaway, falou muito ao telefone. Parecia fraco.

"Ah, não. Não estou nem um pouco cansado, estou muito bem", disse. *"Perdi alguns quilos que precisavam mesmo ser perdidos. Astrid está cuidando bem de mim. O médico diz que posso comer o que quiser. A propósito, já disse a você que*

dei entrada no hospital com um cólon e saí com um semicólon?"* Quando perguntavam se ele estava preocupado com uma recorrência, ele dizia: "*Ah, não, não estou nem um pouco preocupado com isso. Nunca me preocupo com nada, sabe? A propósito, contei que o anestesista tinha sido meu* caddy *no country club? Antes que ele me anestesiasse, eu disse que esperava ter dado boas gorjetas a ele naquela época.*"

O comunicado da Berkshire Hathaway à imprensa simplesmente informava que o pólipo tinha sido confirmado como benigno e que não seria necessário nenhum tratamento suplementar. Apesar da declaração, boatos circularam na internet e em Wall Street novamente. Alguns insistiam que Buffett devia ter tido câncer, pois pólipos não requerem cirurgias. Mas Warren não estava doente e, certamente, não se sentia velho. Ele ainda se sentia tão cheio de energia quanto a Firebolt de Harry Potter.

Porém, após tolerar maus-tratos a vida toda, sua saúde estava começando a estabelecer limites. Um dia sua luta livre com o infinito chegaria ao fim; as perguntas que ele estava evitando tinham que ser enfrentadas. Como a Berkshire e Buffett eram intercambiáveis na sua mente, toda a sua natureza se rebelava contra aquela tarefa. Muitas respostas dependiam de Susie, que viveria mais do que ele. Ele dizia às pessoas que ela cuidaria de tudo.

---

* Trocadilho com a palavra inglesa *colon*, que indica tanto o trato intestinal médio quanto o sinal de dois-pontos, e *semicolon*, que significa ponto-e-vírgula. (*N. do T.*)

55
A última festa de Kay

Omaha – setembro de 2000-julho de 2001

Quando Buffett teve metade do seu cólon removido cirurgicamente, o boom da internet já estava recuando. As empresas pontocom estavam morrendo ao ritmo de uma por dia: Arzoo.com, Boo.com, Dash.com, eToys.com, Flooz.com, FooDoo.com, Hookt.com, Lipstream.com, PaperFly.com, Pets.com, Wwwwrrrr.com, Xuma.com, Zing.com.[1] O índice Nasdaq estava na metade do seu valor mais alto, e as ações da velha economia ainda estavam definhando. O Federal Reserve começou a cortar as taxas de juros outra vez. E a reputação de Buffett começou a renascer.

A Berkshire mergulhou sua concha numa enorme tigela de capital para que Buffett comprasse empresas de capital fechado, empresas falidas e empresas "abaixo do radar", como se uma janela para investir voltasse a ser aberta. Ele comprou a U. S. Liability, uma seguradora de riscos incomuns; a Ben Bridge, outra joalheria;[2] a Justin Industries, controladora da Acme Brick, da Tony Lama e da Nocona Boots;[3] a Shaw, a maior fabricante de tapetes do mundo;[4] e a Benjamin Moore Paint.[5] Comprou a Johns Manville, fabricante de material de construção,[6] e a Mitek, fabricante de componentes de aço de alta tecnologia.[7] Mesmo assim, no final de 2000, a Berkshire ainda tinha bilhões de dólares em capital não utilizado: uma massa de dinheiro guardada no porão, pregada nas vigas, enfurnada nas paredes, empilhada na chaminé e exposta no telhado, que continuava a ser cuspida em moto-contínuo pela máquina que fazia o dinheiro circular.[8]

O presságio de Buffett sobre o mercado, no discurso de 1999 em Sun Valley, estava se revelando correto até aquele momento. Então ele fez um sermão na sua carta aos acionistas – que a essa altura se tornara um acontecimento midiático global, publicado na internet e aguardado por um número tão grande de pessoas que o site da Berkshire quase entrou em pane naquela manhã de sábado – dizendo que, na verdade, o nascimento da internet representara uma chance para que financistas cínicos "monetizassem as esperanças" dos crédulos. Ele aludia mais uma vez à fábula de Esopo, à qual recorrera no discurso em Sun Valley: investir na internet é soltar o pássaro na mão – dinheiro hoje – para tentar pegar pássaros voando. A resultante *"transferência de riqueza em escala maciça"* só beneficiaria muito poucos.

"Ao comercializar descaradamente moitas sem pássaros, os gestores de investimentos deslocaram, nos últimos anos, bilhões de dólares do bolso do público para os seus próprios bolsos (e para os de seus amigos e sócios). (...) A especulação é mais perigosa quando parece fácil."[9]

A plateia ouviu e, na reunião dos acionistas de 2001, a multidão começou a voltar.

Numa pequena medida, a nova fase de boa sorte da Berkshire pode ser atribuída a uma reviravolta na Gillette, na qual Buffett agiu para que o CEO Mike Hawley fosse substituído por Jim Kilts.[10] Pouco depois, no final de 2000, ele deixou de lado mais uma vez o torpor como membro do conselho da Coca-Cola quando Doug Daft, o novo CEO, tentou fazer um acordo para comprar a Quaker Oats. Buffett foi um dos vários membros do conselho cuja falta de apoio frustrou o acordo. Mas ainda restava saber se as mudanças na Coca-Cola fariam diferença. Sem dúvida, a substituição de um sanduíche de presunto por outro ainda não tinha ajudado as ações da empresa.

A volta de Buffett a Sun Valley em 2001 foi outra oportunidade para bater na mesa. Mas, à medida que os jatos Gulfstream passavam pelas montanhas em direção a Hailey, os chefes corporativos que rumavam para o Chalé Sun Valley só pensavam em transações comerciais, e os boatos voavam. A maioria dizia respeito à resistência da AT&T frente a uma oferta hostil por seus ativos no setor a cabo feita pela Comcast.

Pela primeira vez, um arquipélago de tendas de telejornais enchia o gramado em frente à Pousada Sun Valley. Equipados como se fossem rodar um filme, com luzes especiais e rebatedores prateados, produtores, câmeras, assistentes, maquiadores e repórteres iriam travar uma luta livre com os CEOs em busca de entrevistas. As próprias redes de televisão alimentavam a fábrica de boatos, e depois das palestras os repórteres, armados de câmeras, atacavam ferozmente quem estava e quem não estava disposto a falar. Eles perseguiam principalmente os membros daquelas empresas supostamente envolvidas em grandes transações.

Na tarde de sexta-feira, após jogar bridge, Katharine Graham, que vivia então em relativa paz aos 84 anos, voltou para o seu chalé no carrinho de golfe que usava para se deslocar por Sun Valley. Ela era alta e ainda razoavelmente magra, mas alguns ossos de seus quadris tinham sido substituídos por próteses, com resultados desiguais. Algumas pessoas notaram que ela parecia "esgotada e apagada", mas Kay dizia que estava se divertindo muito naquele ano. A empresa que ela e seu filho Don tinham criado, com bastante ajuda dos conselhos de Buffett, era vista com admiração, pelo seu sucesso financeiro e jornalístico num período em que os lucros dos jornais estavam diminuindo. Era evidente que Graham apreciava o modo como a conferência de Allen reunia tantas pessoas queridas. Uma acompanhante estava encarregada de levá-la a toda parte, mas ela se recusava a ser tratada daquela maneira e, durante boa parte do evento, foi vista apoiada nos braços de Don ou de Barry Diller, presidente do conselho da USA Networks e seu amigo íntimo. Naquele momento, porém, estava sozinha.

Susie Buffett Jr. e a mãe, em seu carro, a viram e, do estacionamento de funcionários, onde não podiam ser vistas, observaram Graham subir os quatro degraus do seu chalé. Ela estava tomando o anticoagulante Coumadin, que aumentava muito o risco de hemorragia grave em caso de queda. Kay se agarrou ao corrimão e parecia trêmula, mas conseguiu entrar sem nenhum incidente.[11]

Mais tarde, no deque do condomínio Wildflower, com vista para o campo de golfe e as montanhas, onde Graham costumava ficar sentada lendo o *Washington Post* à tarde, a estilista Diane von Furstenberg organizou seu coquetel anual feminino em homenagem a Kay, que já era uma tradição de Sun Valley. Susie Buffett levou pirulitos da See's e todas se reuniram em volta de Graham para uma foto com um pirulito na boca.[12] Pouco depois, Don Keough, o marido de Diane Barry Diller, o CEO da News Corporation Rupert Murdoch e muitos outros homens também entraram na festa, juntando-se a Don Graham.

A manhã de sábado raiou. A plateia se acomodou nas cadeiras para ouvir Andy Grove, chefão da Intel, começar a manhã com a palestra "Internet interrompida". Depois Diane Sawyer moderou um painel com a seguinte pergunta, dirigida a Meg Whitman, da eBay, Sir Howard Stringer, CEO da Sony, e Steve Case, da AOL Time Warner: "A pulsação dos Estados Unidos: como achá-la?" Sun Valley espumava e borbulhava como a lanchonete de uma escola ginasial sendo filmada para um documentário, com repórteres fazendo circular boatos de que a USA Networks, ou a AOL Time Warner, ou a Disney, ou a Charter Communications, ou uma combinação dessas empresas ia se unir à AT&T Broadband.[13] Muitas pessoas presentes desejavam que as tendas das redes de televisão desaparecessem.

Depois de Diane Sawyer, Buffett era mais uma vez o palestrante no programa. Desde o pico do mercado, em março de 2000, mais de 4 trilhões de dólares em valor acionário tinham evaporado.[14] Pelo menos 112 mil funcionários de empresas pontocom tinham sido demitidos.[15] Enquanto isso, as empresas de internet sobreviventes estavam entrando na adolescência. Algumas pessoas pensavam que, obviamente, ele não acharia mais que as ações de empresas de internet estavam supervalorizadas. A plateia estava esperando que ele atenuasse o seu pessimismo.

Buffett, contudo, mostrou um gráfico que indicava que o valor do mercado ainda estava um terço mais alto do que a economia. Aquele patamar ainda era muito mais alto que o nível no qual Buffett dissera que compraria ações. Era consideravelmente mais alto do que qualquer posição que o mercado algum dia havia alcançado na história moderna – mais alto até do que o pico da Grande Bolha de 1929. Na verdade, o gráfico sugeria que a economia precisaria quase dobrar, ou o valor do mercado precisaria cair quase pela metade, antes que ele ficasse *realmente* empolgado a respeito daquelas ações.[16] Buffett disse que não compraria nem mesmo se o índice Nasdaq caísse mais da metade. A sua expectativa era de que o mercado acionário (com dividendos incluídos) crescesse no máximo 7% ao ano, em média, pelos próximos 20 anos aproximadamente.[17] Era apenas cerca de 1% a mais do que ele dissera dois anos antes. Era uma mensagem desanimadora, sobretudo para o próprio Buffett – que estava prestes a celebrar seu 71º aniversário – e para o histórico que ele desejava manter.

"Os mercados não deveriam funcionar assim", disse, "mas é assim que funcionam. E, no final, é disso que vocês devem se lembrar."

Ele exibiu um slide.

>TUDO O QUE NÃO PODE
>CONTINUAR PARA SEMPRE
>ACABA.
>– *Herb Stein*[18]

Muitas das pessoas na plateia ficaram chocadas e sérias – mas impressionadas. "Basicamente, é preciso prestar atenção ao que Warren diz", disse Jeff Bezos, CEO da Amazon.com. As ações da Amazon estavam sendo negociadas a 17 dólares, contra 113 dólares em seu pico. "Algumas coisas que ele disse são bastante dolorosas, mas, por Deus, o homem é um gênio e até agora parece ter tido razão."[19]

Buffett recebeu os cumprimentos por seu discurso durante o almoço sob uma tenda no deque atrás do chalé de Herbert Allen, onde um grupo de cerca de 100 pessoas, inclusive os Graham, estava reunido. Ele se sentou com Vicente Fox, presidente do México – que ele considerava "um antigo homem da Coca-Cola" – e criticou a economia.[20] Depois foi jogar golfe.

Kay Graham foi para a sala de bridge jogar cartas. Depois de um tempo disse que não estava se sentindo bem e decidiu voltar para o seu quarto. Ligou para avisar a assistente, que estava à sua espera no chalé de Herbert Allen, ao lado do seu, e foi andando até o seu carrinho de golfe. Dirigiu sozinha até o chalé.

A assistente, que olhava pela janela a cada poucos minutos, viu que o carrinho de golfe de Kay já havia chegado, mas estava vazio. Saiu correndo e viu Kay caída no alto da escada em frente à porta. Começou a gritar, pedindo ajuda a Herbert Allen.[21] Quando os paramédicos chegaram, alguns minutos mais tarde, Don Graham já tinha voltado correndo do campo de golfe. Ele ia precisar de alguém para ajudá-lo a tomar decisões e perguntou se Buffett queria acompanhá-lo. Mas Buffett não podia.[22] Griffith Harsh, um proeminente neurocirurgião casado com Meg Whitman, a CEO da eBay, foi com Don acompanhar a tomografia computadorizada no Hospital St. Luke's, em Ketchum, a cerca de 10 minutos dali.[23]

Susie Jr. foi se encontrar com Don e Herbert Allen no hospital. Ela sabia muito bem que não podia esperar que seu pai enfrentasse qualquer tipo de crise médica. Sua mãe tinha feito um cateterismo cardíaco em 1997, e Warren entrou num avião para ir a São Francisco ficar com ela. Quando Kathleen Cole ligou avisando que Susie ia ficar bem, ele mandou o avião dar meia-volta ainda em voo, regressando a Omaha. Desde então Susie estivera no pronto-socorro várias vezes cuidando de úlceras e obstruções intestinais extremamente dolorosas. Em 1999, sua vesícula biliar foi extraída. Com todos os problemas de saúde que ela teve ao longo dos anos, Warren nunca foi capaz de vencer a angústia de ir ao hospital para ficar com a mulher.[24]

Logo depois de Susie Jr. e Don terem chegado ao hospital e de o radiologista ter feito a tomografia computadorizada, o Dr. Harsh a examinou e disse: "Kay precisa ir para uma UTI." O hospital a transferiu de helicóptero para o Centro Médico Regional St. Alphonsus, em Boise. Herbert Allen providenciou um avião particular – pouco maior que um carrinho cortador de grama e pilotado por dois caubóis em jeans e camiseta – para levar Don e Susie Jr. para Boise.

Enquanto tudo isso acontecia, Warren se refugiou em sua casa. Susie tinha partido mais cedo, naquele mesmo dia, para um casamento na Grécia e não sabia de nada. Peter e Jennifer, Howie e Devon ainda estavam em Sun Valley. Peter e Howie fizeram uma visita rápida, mas, mesmo num momento como aquele, não era natural para Warren afinar o instrumento pouco familiar das suas emoções a fim de estabelecer uma conexão de coração aberto com seus filhos. Sharon Osberg não estava em Sun Valley, nem, é claro, Astrid. Com a mulher e a filha também indisponíveis, foram Bill e Melinda Gates, Ron e Jane Olson e o namorado de Susie Jr. que ficaram ao seu lado enquanto ele esperava notícias de Kay. A tarefa deles era ajudar a distraí-lo do que estava acontecendo, falando de qualquer assunto menos dela. Susie Jr. ligou de Boise para dizer que Kay seria operada, mas que estava tudo bem.[25]

Kay foi levada para a sala de cirurgia e depois trazida de volta. Perto da meia-

-noite o Dr. Harsh apareceu para dizer a Don e Susie Jr. que a situação parecia ter piorado e que Kay precisava de outra tomografia computadorizada. Levaram a maca de volta para a sala de cirurgia e entregaram o relógio de Kay para Susie Jr., que sentiu um aperto no estômago.[26]

Por volta de 2 horas, como não havia mais notícias de Boise, Buffett decidiu ir para a cama. Todos foram embora.

Aproximadamente 90 minutos mais tarde os médicos transferiram Kay para a UTI. "Não sabemos realmente o que vai acontecer", disseram. Susie Jr. ligou para o pai e o acordou. Disse a ele para colocar a família no avião. Buffett teve que ligar para todos e organizar a partida.

Algumas horas depois, quando o avião da NetJets taxiava em Boise, Warren ligou para Susie Jr. e disse que achava que não conseguiria ir até o hospital. Ela disse que ele precisava ir porque Don estava ensandecido e precisava dele lá e, apesar de não estar consciente e não poder vê-lo, Kay poderia sentir a sua presença. Relutante, ele concordou.

Quando chegou ao hospital, a filha foi recebê-lo no saguão. Ela sabia que ele estava tão assustado que teria que ser persuadido. "Você precisa subir", ela insistiu. "Você precisa ir." Ela o levou à UTI, onde Don Graham, com o rosto inchado de tanto chorar, estava sentado sozinho ao lado de sua mãe. Kay, pálida e inconsciente, encontrava-se conectada a aparelhos de monitoramento que piscavam luzinhas verdes e emitiam pequenos sons. Ela não estava usando máscara de oxigênio. Warren e Don se abraçaram soluçando. Lally Weymouth, a primogênita de Kay, chegou. Depois Susie Jr. levou o pai para o andar inferior. Não havia nada mais que eles pudessem fazer. Enquanto os filhos de Kay se reuniam em Boise, os Buffett embarcaram num avião para uma triste viagem de volta a Omaha.[27]

Dois dias mais tarde, receberam um telefonema dizendo que Kay tinha morrido. Warren já avisara a Lally que não poderia discursar no funeral de Kay. Ele e Bill Gates receberiam os convidados. Astrid cuidava dele em casa, e o trabalho o consumia no escritório. Quando não estava trabalhando, ele jogava bridge com Sharon ou brincava de helicóptero no computador, qualquer coisa para se distrair dos vários choques e do horror da morte de Kay. Tão repentina, numa ocasião tão alegre; o fato de ele não estar lá quando aconteceu; a ambulância, o helicóptero; Susie Jr. ligando para falar da cirurgia; a espera em casa, o telefonema no meio da noite; o voo repentino para Boise; a visão de Kay deitada, tão imóvel e branca, mal respirando; Don Graham, geralmente controlado, tão abatido; a terrível viagem para casa longe de Kay, que ele nunca mais veria; o telefonema com a notícia; a ausência de sua mulher para guiá-lo por aquilo tudo. Ele nunca mais veria Kay, nunca mais haveria as festas de Kay.

Contudo, no dia seguinte à morte de Graham, Buffett compareceu, como previsto, à Terry College of Business da Universidade da Geórgia para falar a uma plateia de estudantes. Ele subiu ao palco usando seu austero terno cinza e parecendo apenas um pouco mais estranho do que de costume. Sua voz estava ofegante e ligeiramente rouca. "*Testando, um milhão, dois milhões, três milhões*", disse. Ele os exortou a não perderem tempo e a não jogarem fora as suas vidas. "*É uma loucura aceitar trabalhos temporários só porque eles ficam bem no seu currículo. É como poupar sexo para a sua velhice. Façam o que vocês amam e trabalhem para quem vocês mais admiram, assim darão a si mesmos a melhor oportunidade possível em sua vida.*"

Os estudantes perguntaram que erros ele tinha cometido. "*O número um é a Berkshire Hathaway*", ele disse – gastar 20 anos tentando ressuscitar uma fábrica têxtil falida. Segundo, a US Air. Buffett falou da falha de não ter ligado previamente para a *hotline* dos viciados em aviação. Terceiro, ele disse, foi ter comprado o posto de gasolina Sinclair na sua juventude. Aquele erro, ele estimava, tinha custado cerca de 6 bilhões de dólares em comparação com o que teria ganhado se tivesse investido o capital de outra maneira.

Mas seus erros de omissão – coisas que ele podia ter feito e não fez – o atormentavam mais ainda, ele disse. Mencionou apenas um – não ter comprado ações da FNMA, a Federal National Mortgage Association (Associação Federal Nacional de Hipotecas). Aquilo, ele disse, já tinha custado cerca de 5 bilhões de dólares até aquele momento. Havia outros: ter recusado a estação de televisão que Tom Murphy tentou lhe vender; não ter investido na Wal-Mart. O motivo para ele ter cometido mais erros de omissão que de execução, explicou, era sua abordagem cautelosa da vida.

Buffett já tinha falado muitas vezes antes sobre seus erros. Mas, ao abordar, como acontecia muitas vezes, seus erros de omissão, ele nunca ia além dos erros ligados aos negócios. Os erros de omissão de sua vida pessoal – desatenção, incúria, oportunidades perdidas – estavam sempre lá, efeitos colaterais da sua dedicação aos negócios; mas eram sombras visíveis apenas para aqueles que o conheciam bem. Ele falava daqueles erros apenas em particular, se é que falava.

Aos estudantes, explicou sua abordagem de "20 Perfurações" dos investimentos. "*Você ficaria muito rico*", disse, "*se achasse que tinha um cartão com apenas 20 espaços a serem perfurados durante a sua vida, e cada decisão financeira usaria uma perfuração. Você resistiria à tentação de brincar com algumas coisas. Você tomaria mais decisões boas e importantes.*"

Ele também usava as 20 Perfurações para guiar a própria vida com a menor quantidade possível de mudanças de rumo. A mesma casa, a mesma mulher por

50 anos, a mesma Astrid em Farnam Street; nenhum desejo de comprar ou vender imóveis, carros, símbolos de riqueza; nada de ficar pulando de uma cidade para outra ou de uma carreira para outra. Algumas dessas coisas eram fáceis para um homem tão seguro de si; umas aconteciam porque ele era uma criatura de hábitos arraigados; outras resultavam de uma tendência natural a deixar as coisas irem se acumulando; e outras, ainda, eram ditadas pela sabedoria da inércia. Quando ele perfurava o cartão de alguém, essa pessoa se tornava parte dele, e essa decisão era permanente. Era extraordinariamente difícil para Buffett encarar qualquer rachadura na fachada da continuidade.

Alguns dias depois, a polícia chegou de manhã cedo para fechar as ruas próximas para a multidão que era esperada na catedral nacional de Washington, a silhueta de seus arcobotantes ornados com gárgulas contrastando com o céu de um azul intenso.[28] As equipes de televisão começaram a se preparar para um evento elaboradamente orquestrado, com toda a pompa de um funeral de chefe de Estado. No final da manhã, os ônibus que transportavam funcionários do *Washington Post* foram chegando, um a um. Um ônibus listrado de azul e branco, transportando membros do Senado, chegou; pessoas começaram a descer de carros e limusines. Aos poucos os bancos da igreja foram sendo ocupados por dignitários como Bill e Hillary Clinton e Lynne e Dick Cheney. Em volta da catedral se viam rostos famosos por toda parte. Os ministros da Suprema Corte Ruth Bader Ginsberg e Stephen Breyer; os célebres jornalistas Charlie Rose, Tom Brokaw, Mike Wallace e Ted Koppel; o editor do *USA Today* Al Neuharth; o presidente do Federal Reserve Alan Greenspan e sua mulher, a jornalista Andrea Mitchell; a editora Tina Brown; o senador Ted Kennedy; a delegada parlamentar Eleanor Holmes Norton.[29] Centenas, depois milhares, de pessoas entraram pelas enormes portas de bronze ao som da Orquestra Sinfônica Nacional e do grupo de metais da Orquestra da Ópera do Kennedy Center, reunindo-se gradualmente para formar o que parecia ser a maior multidão que a catedral até então tinha acolhido.[30]

Da nave, milhares de homens em ternos escuros e camisas brancas formavam um fundo à la Mondrian para as mulheres, uma grade pontilhista em preto e branco. As mulheres usavam trajes em *pied-de-poule* e linho; tailleurs pretos com delicadas blusas de algodão brancas; tubinhos sem mangas com blazers e tubinhos sem manga com os braços à mostra; saias brancas com suéteres pretos e casacos pretos sobre vestidos de musselina suíça ou de bolinhas em preto e branco. Sobre suas cabeças, pequenos chapéus pretos com véus discretos, chapéus de abas largas em preto e branco adequados para o Ladie's Day no jóquei-clube em Ascot, pequenos chapéus de palha preta com fartos véus. A catedral estava inundada por um mar de pérolas, pequenas como grãos de pimenta ou do tamanho de enormes rolhas de champanhe, brancas e negras, em centenas de pulsos, pescoços e orelhas; mulheres usando fios de pérola da largura de uma alça de lingerie, de abraçadeiras de cortinas, de fitas de primeiro prêmio. Cada detalhe era uma homenagem à mulher que tinha deixado o mundo perplexo durante anos, uma cerimônia de recapitulação e celebração de sua vida – que acabou se tornando o segundo, o maior, o mais imponente Baile em Preto e Branco, e também o final.

A cerimônia ia começar quando Buffett e Gates se sentaram discretamente num banco, ao lado de Melinda. Veio a música. O historiador Arthur Schlesinger discursou; Henry Kissinger discursou; Ben Bradlee discursou; os filhos de Graham discursaram. Perto do fim, o ex-senador John Danforth leu a homilia. Graham, na sua opinião, nunca falara muito de religião, mas vivera como uma mulher de fé deveria viver. "Ela repudiava totalmente a ideia de ser a mulher mais poderosa do mundo", disse. "Em Washington, sobretudo, muitas pessoas se empertigam, e Kay não se empertigava... Não alcançamos a vitória na vida com egoísmo. A vitória é daqueles que se entregam a causas que vão além de si próprios. É muito bíblico e muito verdadeiro dizer que todos aqueles que se exaltam serão humilhados, e que aquele que se humilha será exaltado. Esse é um tema para todos nós. Esse tema foi vivido por Katharine Graham."

Melinda Gates levou as mãos ao rosto e secou as lágrimas, e Buffett, sentado ao lado de Bill, exibia um rosto enregelado e pesaroso. Os dois coros da catedral, vestindo trajes em preto e branco, cantaram Mozart. Cuidadosamente, os carregadores colocaram o caixão sobre os ombros e o levaram pelo corredor enquanto a congregação cantava "America the Beautiful". A família seguiu a procissão que saía da igreja até o cemitério Oak Hill, em frente à casa de Graham, onde ela seria enterrada ao lado do finado marido.

No início daquela tarde mais de 400 pessoas passaram pelo acesso à casa de Graham e caminharam pelo jardim dos fundos, onde seus filhos e netos circulavam conversando com os convidados. No bufê sob uma tenda eram oferecidos pequenos sanduíches e fatias de presunto e filé mignon. As pessoas andavam em volta da piscina e entravam na casa para admirar a coleção de lembranças ali exposta. Naquela mesma sala de estar, o presidente Reagan um dia ficara de quatro para catar no chão os cubos de gelo que havia deixado cair. Olhavam pela última vez os livros e bibelôs na biblioteca onde a Sra. Graham tinha decidido que publicaria os Documentos do Pentágono. Paravam diante das porcelanas de Napoleão, penduradas nas paredes perto da mesa de jantar redonda, no Salão Dourado, onde vários presidentes americanos, de Kennedy a Clinton, algum dia tinham jantado.

De Jacqueline Onassis à princesa Diana, se Katharine Graham fizesse um convite, todos compareciam.[31] A casa era uma espécie de documento histórico.

Warren andou pela casa de Kay pela última vez, para relembrar, mas não ficou muito tempo. Saiu cedo – e nunca mais voltaria.[32]

À medida que a tarde avançava, os amigos e admiradores de Katharine Graham iam se despedindo. Seguiam pelo longo corredor, passando pelos cômodos nos quais ela os recebera com tanta frequência, atravessavam o jardim e depois, lentamente, às vezes com relutância, iam embora da festa final de Kay, percorrendo, pela última vez, o caminho coberto de seixos.

56
Pelos ricos, para os ricos
Omaha – julho de 2001-julho de 2002

Buffett voou de volta para Nebraska sozinho. Ele tentou transformar todos os minutos que passava acordado numa rede de distrações. Examinava os relatórios financeiros que chegavam ao seu escritório. Lia o *Financial Times*, o *New York Times* e o *Wall Street Journal*. Assistia à CNBC. Conversava com pessoas ao telefone. Jogava bridge à noite, após o trabalho. Navegava na internet, procurando notícias on-line. Entre uma coisa e outra brincava de helicóptero no computador.

Uma semana mais tarde estava chorando ao telefone, com grandes soluços, um pranto sufocado e ofegante que quase o deixava sem fôlego. Uma convulsão de sentimentos rompeu a barragem que tinha represado a sua dor até então.

No momento seguinte, depois de colocar para fora uma torrente de pesar, recuperou-se o suficiente para falar. Ele disse que se arrependia por não ter sido capaz de fazer um discurso para Kay em seu funeral. Sentia-se envergonhado. O homem que tinha trabalhado tanto para se sentir à vontade num palco achava que deveria ter sido capaz de fazer aquilo por Kay. E haveria mais arrependimentos e lamentações.

"*Se eu estivesse jogando bridge com Kay naquele dia, talvez ela não tivesse caído*", refletiu com tristeza mais tarde. "*Eu mesmo a teria levado de volta no carrinho de golfe. Talvez ela não tivesse morrido.*"

Mas, de qualquer maneira, Kay provavelmente teria subido os degraus sozinha. E ninguém sabia se ela havia morrido por causa da queda ou se caiu por ter sofrido um derrame.

Ainda assim, Warren ficou atormentado por uma sensação de oportunidade perdida. Muitas vezes ele voltava a pensar que, se estivesse com ela, poderia de alguma maneira tê-la salvado.

À medida que as semanas passavam, quando alguém mencionava a morte de Graham, os seus olhos se enchiam de lágrimas e a conversa era interrompida até ele se recompor. Depois, como um motor sendo religado, ele se alegrava e mudava de assunto.

Durante o mês de agosto, outros acontecimentos ajudaram a afastar sua mente da tragédia. Ele estava planejando o décimo e último torneio de golfe de caridade Omaha Classic, que aconteceria em setembro. E já aguardava ansioso a reunião seguinte do Grupo Buffett em Biarritz, na França, em outubro. Enquanto isso, foi com Susie a Cody, em Wyoming, para um fim de semana prolongado no rancho J-9,* no braço setentrional do rio Shoshone.

Buffett preferia assistir a um filme de faroeste a visitar o rancho de alguém que vivia na Costa Leste. Mas, como no caso de Sun Valley, ele teria a chance de combinar encontros com republicanos e manter conversas com pessoas que ele considerava amigas. Em Cody, ele e Susie passaram momentos prazerosos e descontraídos com o CEO da mídia Barry Diller e sua mulher, Diane von Furstenberg; Don e Mickie Keough; o diretor de cinema Mike Nichols e sua mulher; a apresentadora de telejornal Diane Sawyer; o produtor Sydney Pollack; a atriz Candice Bergen; e o CEO da Intel, Andy Grove, e sua mulher, Eva, entre outros.

Os Buffett chegaram no final da tarde e passaram a primeira noite num dos chalés feitos de pequenas ripas de cedro cortadas à mão, que ficavam em volta do chalé central. Iniciaram a manhã seguinte cumprimentando novos convidados, que chegaram quando eles tomavam café da manhã, o que, para Warren, geralmente significava o resto da sobremesa da noite anterior. No restante do dia, enquanto os convidados iam chegando aos poucos, ele ficou relaxando no chalé ou na sua cabana, lendo livros, jogando bridge no computador e lendo as notícias que Allen imprimira para ele da internet. Os outros começaram a se entreter fazendo trilhas pelo cânion com os cavalos do rancho de Allen, para ver alces e cervos. Algumas pessoas saíram em expedições de mountain bike ou foram pescar no rio que atravessava a propriedade. Buffett pulava tudo isso. Mas, na hora das refeições, aparecia na longa mesa retangular do chalé, onde os convidados se sentavam cercados por móveis em couro escuro e por rústicas pinturas românticas de Thomas Hart Benton e Frederick Remington. Buffett comandou uma espécie de recepção na mesa de jantar, falando de política, dinheiro e questões mundiais. Enquanto os outros comiam peixe, frango, caça e saladas, o cozinheiro desafiou o seu apetite com enormes pedaços de carne.[1]

Depois do jantar, Al Oehrle, amigo de Allen, sentou-se ao piano. Os convidados cantaram canções do *songbook* de Candice Bergen: clássicos de Gershwin, Irving Berlin e Cole Porter. Susie cantou algumas canções. Buffett tocou sua

---

* Lê-se "Jay Bar Nine". (N. da A.)

guitarra havaiana e, como costumava fazer todos os anos, cantou "The Hut-Sut Song" – uma canção assombrosa da parada de sucessos de 1941 – em dueto com o produtor de cinema Sydney Pollack; uma apresentação sempre temida pela audiência, o que só aumentava a sua vontade de cantar.

Hut-Sut Rawlson on the rillerah and a brawla, brawla sooit.
Hut-Sut Rawlson on the rillerah and a brawla sooit.[2]

A volta de Cody marcou de fato o fim das férias de verão de Buffett. Dali a poucas semanas seria o seu aniversário, uma data em relação à qual ele sempre fingia indiferença, mas que, na verdade, o deixava apreensivo. O ponto alto eram as centenas de cartões, presentes e cartas de amigos – ou, àquela altura, de estranhos em sua maior parte – que chegavam aos montes todos os anos ao Kiewit Plaza com semanas de antecedência. Aquilo não cansava Buffett, mas também não chegava a ser suficiente para extasiar um multibilionário – que não queria ficar nem um ano mais velho e não dava a mínima para coisas materiais – com um presente de aniversário. Sentimental, ele apreciava os cartões e cartas e ficava comovido por qualquer coisa que lhe fizesse lembrar episódios passados de sua vida. Ele tinha tanta *memorabilia* da Coca-Cola, tantos pôsteres de futebol americano em Nebraska, tantas bandeiras, colchas de retalhos, quadros, colagens e outros tributos, além de fotos dele mesmo com outras pessoas famosas, que mal havia espaço livre nos corredores de todo um andar. O seu aniversário propriamente dito era um evento discreto, geralmente apenas um jantar em algum restaurante como o Olive Garden com a família e, talvez, alguns amigos.

Naquele ano ele estava fazendo 71 anos. Não conseguia acreditar que tinha 71 anos. Também não conseguira acreditar quando completou 40, 50, 60 e 70 anos. Mas, naquele ano em particular, logo após a morte de Kay, ele não queria nada que lembrasse a passagem do tempo.

Felizmente, o torneio de golfe Omaha Classic, um evento anual que os Buffett patrocinavam em benefício de várias instituições locais, seguiu-se ao seu aniversário como um recesso após um período de estudos. CEOs de grandes empresas e celebridades, amigos e parentes, pessoas que ele conhecia e das quais gostava estavam chegando para jogar golfe e tênis no country club de Omaha.[3] Os convidados do evento formavam outro grupo, como os acionistas, as pessoas que iam a Omaha para a sua reunião com os acionistas e os membros do Grupo Buffett. À medida que a data se aproximava, o pessoal responsável fazia malabarismos com listas de convidados, transporte do aeroporto, comida e entretenimento para jogadores de golfe no clube. Buffett gostava de saber dos detalhes: quem viria, quantas vezes um determinado convidado já tinha comparecido, quem estava indo pela primeira vez e quanto dinheiro o evento levantaria.

A maioria dos convidados chegou no fim da tarde de segunda-feira para um jantar no country club de Omaha com uma apresentação do compositor vencedor do Oscar Marvin Hamlisch.[4] Todo ano ele se sentava ao piano e compunha canções pessoais instantaneamente para quem pedisse.

"*Ele não jogava golfe. Veio para o torneio alguns anos antes, gosta da pequena Sooz e ela gosta dele. E disse: 'Por que você não me deixa fazer um pequeno show na noite anterior para as pessoas que chegarem cedo?' Tornou-se a melhor parte do torneio de golfe. Você diz 'Gostaria de me livrar daquele maldito efeito na bola com meu* wood *número três', e isso vira uma canção. As pessoas achavam que era tudo combinado. Não era. Se você dissesse 'Não acredito que minha sogra rouba saquinhos de açúcar dos restaurantes', 30 segundos depois ele estava tocando uma melodia e cantando uma canção com aquele refrão.*"

A manhã seguinte raiou sob um céu que era como uma cúpula azul, sem nenhuma nuvem. Por volta das 8 horas, o telefone de Buffett tocou. Era Devon Spurgeon, uma repórter do *Wall Street Journal* que vinha cobrindo a Berkshire Hathaway. "Ah, meu Deus, Warren, ligue a sua televisão", disse. Ele afundou na cadeira de couro em seu escritório e ligou o televisor de tela grande. Nas extremidades opostas da linha telefônica eles assistiam ao que parecia ser um terrível acidente aéreo. As câmeras estavam mostrando imagens da Torre Norte do World Trade Center, cujos andares superiores estavam dilacerados por um sulco irregular preenchido por chamas. Um avião apareceu, fez uma curva em direção ao edifício e mergulhou na lateral da Torre Sul. Uma nuvem de chamas logo surgiu como se fosse a explosão de uma bomba. Eles assistiam em silêncio enquanto o canal começava a repetir as imagens. O avião faz uma curva e se choca contra o edifício. "*Devon*", Buffett disse, "*o mundo mudou.*" Começou a perguntar sobre o escritório dela, que ficava a duas quadras da torre da Sears, em Chicago. "*Ouça*", disse, "*esse não é um lugar seguro.*" A sede do *Wall Street Journal* em Nova York ficava em frente ao World Trade Center. Eles falaram que a equipe do *Journal* devia estar evacuando o local e cobrindo a notícia ao mesmo tempo. Spurgeon podia ouvir Buffett mudando, enquanto eles conversavam, para seu modo de raciocínio mais rápido, mais racional, solucionador de problemas.[5]

Enquanto ele estava ao telefone, a FAA suspendeu todos os voos nos aeroportos americanos e, minutos mais tarde, o avião que fazia o voo 77 da American caiu sobre o Pentágono. Cerca de 15 minutos depois, enquanto a Casa Branca estava sendo evacuada, Buffett, com sua mente usando pequenos pedaços de informação para tecer uma teia, ligou para a General Re, onde deveria discursar no dia seguinte para um grupo de funcionários. Disse que ainda estava planejando voar para Connecticut se os aeroportos fossem reabertos e os voos fossem restabelecidos.⁶ A General Re e sua vizinha em Connecticut, a Berkshire Re, de Ajit Jain, eram, ambas, portas de entrada internacionais para prejuízos em potencial no setor de seguros por causa do terrorismo. Um encontro com eles naquele momento permitiria que ele conversasse com seus gerentes a respeito de questões que se tornavam repentinamente significativas num momento crítico.

Enquanto Buffett organizava a logística com a General Re, a Torre Sul, queimando por dentro, desmoronou, assim como uma parte do Pentágono. Minutos depois a aeronave do voo 93 da United Airlines caiu perto de Shanksville, Pensilvânia. Na meia hora seguinte os edifícios do governo foram evacuados e a Torre Norte desmoronou. A Bolsa de Valores de Nova York fechou. Os civis fugiam das nuvens de fumaça, poeira e detritos na parte baixa de Manhattan.

Quase todas as pessoas no torneio de golfe em Omaha foram afetadas, de uma maneira ou de outra. Muitas tinham amigos, parentes, vizinhos ou conhecidos que trabalhavam nas torres. A equipe do torneio cuidou de suas necessidades e as ajudou com a logística. Ann Tatlock, CEO da Fiduciary Trust, cuja sede ficava no World Trade Center, passou o resto do dia em seu quarto de hotel dando telefonemas.⁷ Cerca de 100 funcionários da Fiduciary Trust tinham desaparecido. A Berkshire, é claro, tinha funcionários em empresas espalhadas por todo o país. No final, Buffett descobriria que a Berkshire não perdeu nenhum funcionário – apenas dinheiro.

Algumas pessoas decidiram deixar o torneio de golfe imediatamente, mas, com todos os aeroportos fechados, não era fácil. Outras ficaram; algumas porque não queriam ofender Buffett, muitas porque não tinham outra opção.⁸ O comentarista radiofônico Rush Limbaugh, a caminho do torneio, deu meia-volta em seu avião em pleno voo e voltou para Nova York.⁹

Enquanto isso, Buffett seguia adiante com sua programação, compartimentalizando seus sentimentos como costumava fazer quando estava sob estresse ou em situações extremas. Providenciou a finalização da aquisição de uma pequena empresa que já estava em andamento. Depois manteve uma reunião que havia sido programada com o chefe da Home Depot, Bob Nardelli.¹⁰ Em seguida apareceu no country club de Omaha, onde cerca de 100 convidados estavam circulando sem rumo ou jantando hambúrgueres e sorvete. Buffett disse que tudo seguiria como planejado, mas que as pessoas deveriam fazer o que precisassem ou desejassem. Os convidados entravam e saíam do clube dando telefonemas e acompanhando as notícias pela televisão. Tony Pesavento e Gary Wiren, os profissionais locais, deram uma aula de golfe após o almoço, e o torneio prosseguiu numa atmosfera surreal. Buffett dirigiu um carrinho de golfe por um circuito planejado de paradas em diferentes *tees* para que os convidados pudessem tirar fotos com ele.[11] Uma estranha calma pairava sobre o evento, como se fosse um torneio de golfe disputado por celebridades no dia em que Pearl Harbor foi atacada. E, com efeito, assim como Buffett, muitos golfistas se lembravam de Pearl Harbor e das consequências do ataque. Aquele não era um grupo que se impressionava com facilidade. Eram, em sua maioria, homens de negócios proeminentes, acostumados ao estresse e à pressão, de uma geração que considerava a compostura e a equanimidade diante da desventura tão essencial quanto os ternos e gravatas usados no trabalho cotidiano.

Buffett adotou automaticamente uma postura de estadista, desempenhando a sua rotina com suave compostura. Mesmo assim, o seu cérebro estava ocupado, remoendo a ameaça do terrorismo e suas implicações mais amplas para as armas de destruição em massa, bem como os possíveis efeitos na economia.

Ele estava mais preparado para isso do que a maioria das pessoas, porque já andara pensando sobre o risco do terrorismo. Em maio, recomendara à General Re e à Berkshire Re que reduzissem os seguros de prédios e de clientes que representassem uma exposição concentrada ao risco de terrorismo; sua mente, como sempre, estava trabalhando no sentido de prever catástrofes em potencial. Ele tinha até mesmo citado o World Trade Center como um exemplo de edifício complexo, no qual um grupo de clientes poderia representar um risco muito grande.[12] Embora o aumento da ameaça de terrorismo no final dos anos 1990 e no início do milênio não fosse nenhum segredo, a tentativa de Buffett de proteger a Berkshire do perigo tinha sido extraordinariamente previdente e provavelmente única entre as seguradoras.[13]

Durante o dia todo Buffett ficou pensando no que dizer à noite, depois do jantar. Ele sabia que o mercado acionário, que estava fechado, despencaria assim que fosse reaberto. Percebeu que a inocência dos Estados Unidos tinha sido destruída e que o governo estava enfrentando um inimigo invisível. Ele achava que o seu papel era transmitir os seus pensamentos sobre o significado de tudo aquilo.

Os convidados que participaram do jantar naquela noite assistiram ao discurso do presidente Bush numa televisão gigante, depois ouviram Buffett discursar sobre o terrorismo, comparando-o a uma guerra convencional. "*Os terroristas têm uma enorme vantagem. Eles escolhem o momento, o lugar e os meios. É muito difícil se defender de fanáticos... Isso é apenas o começo. Não sabemos quem é o nosso inimigo. Agora somos nós contra uma sombra. Pode haver muitas sombras.*"[14]

Na manhã e nos dias seguintes, à medida que os aeroportos iam permitindo o restabelecimento dos voos de forma limitada, os Buffett organizaram jantares, partidas de tênis e golfe para os convidados remanescentes, até que todos pudessem deixar Omaha e voltar para casa.[15] Com as operações de limpeza em curso na parte baixa de Manhattan e cartazes de "desaparecidos" espalhados por toda a cidade de Nova York, Buffett pensou em como poderia utilizar sua reputação nacionalmente reconhecida para ajudar o país. O mercado acionário estava prestes a ser reaberto depois de seu mais longo recesso desde a Grande Depressão. Ele concordou em participar do programa de televisão *60 Minutes* com Robert Rubin, ex-secretário do Tesouro, e Jack Welch, o recém-aposentado CEO da General Electric. Ele, mais do que qualquer outra pessoa, seria reconhecido como um especialista em investimentos e mercado acionário. No programa daquela noite de domingo, Buffett disse que não venderia ações – talvez as comprasse se as cotações caíssem o bastante – e explicou que confiava na capacidade da economia dos Estados Unidos de superar os impactos secundários do ataque terrorista. Àquela altura, a reputação de Warren Buffett como homem sincero, construída ao longo de décadas, era conhecida por qualquer pessoa que acompanhasse o mercado acionário. Quando dizia algo, ele falava sério. Em Sun Valley, Buffett tinha dito que o valor do mercado precisaria cair pela metade antes que ele ficasse *realmente* empolgado para comprar ações. Então, quando ele disse que poderia se tornar um comprador se elas caíssem o bastante, as pessoas mais experientes sabiam que ele estava falando sério – mas também sabiam que "bastante" queria dizer "muitíssimo".

No dia seguinte, o Dow Jones caiu 684 pontos, ou 7%, a sua maior queda em pontos num único dia. O Federal Reserve começou a tomar providências depois que o mercado despencou ao ser reaberto, reduzindo as taxas de juros em 50 pontos-base (0,5%). No final da semana, o Dow Jones já tinha caído mais de 14%, a maior queda numa única semana de toda a sua história. Mas, em proporção ao patrimônio dos investidores, a queda foi menos da metade da que aconteceu em 1987, quando o mercado perdeu um terço do seu valor. Assim que as negociações foram abertas, os vendedores se concentraram em setores como seguros e companhias aéreas, que sofreriam as maiores consequências financeiras. Mais do que em pânico, as pessoas estavam tateando no escuro, tentando dar palpites inteligentes sobre o desconhecido.

Em alguns dias, enquanto barricadas e novos portões de segurança eram instalados por toda Manhattan, em meio ao medo de bombas, a viagem do Grupo Buffett a Biarritz foi cancelada. Buffett falou com as seguradoras da Berkshire e tentou avaliar os danos à Berkshire Hathaway. As estimativas iniciais, que mais tarde seriam ligeiramente aumentadas, indicavam que a Berkshire perdera 2,5 bilhões de dólares.[16] Era muito mais que qualquer terremoto, furacão, tornado ou desastre natural podia representar até então. Desse total, 1,7 bilhão eram da General Re.

Buffett estava farto. Ele começou a trabalhar escrevendo uma carta especial, publicada em seu site, acusando a General Re de "quebrar as regras básicas da subscrição de seguros". Como ele nunca, em toda a história da Berkshire Hathaway, tinha repreendido a administração de qualquer empresa sua, o efeito do seu ato foi marcar a General Re com uma letra escarlate, que ficou à mostra no site para que todos vissem. A empresa estava agora numa situação precária. Tendo constrangido Buffett em público de uma maneira tão dramática, a General Re corria o risco de se tornar a próxima Salomon – uma empresa que ele nunca seria capaz de aceitar, que se tornaria uma outra história admonitória.

DEPOIS DO COLAPSO DO MERCADO ACIONÁRIO EM 1987 E, MAIS UMA VEZ, DEPOIS do colapso do Long-Term, o Federal Reserve tinha reduzido as taxas de juros três vezes em sete semanas, injetando dinheiro fácil no mercado. Agora, para prevenir o pânico, o Fed pôs as taxas de juros em níveis historicamente baixos mais uma vez. O papel do Fed era manter a liquidez do sistema bancário. Nessa ocasião, porém, o Fed manteria as taxas de juros artificialmente baixas por três anos.[17] Alimentadas por dinheiro barato, as ações se refizeram totalmente um mês após os ataques, recuperando 1,38 trilhão de dólares em valor de mercado. Mas a mudança drástica estava longe de terminar, e o mercado permaneceu nervoso, em parte por causa da incerteza em relação à invasão do Afeganistão pelos Estados Unidos e pela Grã-Bretanha poucas semanas após o 11 de Setembro. Depois, em novembro, uma empresa de comercialização de energia chamada Enron alfinetou o que restava da bolha do mercado acionário do final dos anos 1990, que murchara mas ainda não tinha estourado. À medida que o Departamento de Justiça entrava em ação, a Enron declarou falência em meio a uma fraude contábil.

A Enron era um caso extremo, mas não isolado. Os excessos da bolha do mercado acionário e a oportunidade que executivos encontravam para saquear suas empresas geraram uma série de casos de fraudes contábeis e de violações às regras do mercado de capitais: WorldCom, Adelphia Communications, Tyco, ImClone. No início de 2002, Eliot Spitzer, promotor-geral de Nova York, montou uma operação de ataque aos bancos de Wall Street que tinham inflado os valores das ações ao elogiarem novas ofertas públicas, durante a bolha da internet, com base em pesquisas não confiáveis.[18] Ações e títulos começaram a desmoronar à medida que os investidores iam perdendo confiança nas cifras apresentadas pelas diretorias.

As melhores oportunidades da Berkshire sempre aconteciam em momentos de incerteza, quando os outros careciam de inspiração, de recursos e de firmeza para fazer os julgamentos certos e se comprometer. "*Numa crise, a combinação de dinheiro e coragem é inestimável*", disse Buffett. O seu momento tinha chegado mais uma vez. Qualquer pessoa com um nível normal de energia poderia ter ficado sufocada, mas Buffett estava esperando havia anos por oportunidades como as que choviam no Kiewit Plaza. Todas as suas faculdades pareciam estar funcionando ao mesmo tempo. Ele comprou um grupo de títulos de alto risco, que tinham virado guimbas de charuto, para a Berkshire. Comprou a fabricante de roupas íntimas Fruit of the Loom e ainda brincou: "*Cobrimos a retaguarda das massas.*"[19] Comprou a Larson-Juhl, que fazia molduras. A MidAmerican Energy, subsidiária da Berkshire, investiu na conturbada Williams Companies e comprou a Kern River Pipeline.[20] A Berkshire comprou a Garan, fabricante das roupas infantis Garanimals. Adquiriu o gasoduto Northern Natural Gas da Dunergy, outra empresa de energia com problemas.[21] Num espaço de poucos dias, a MidAmerican emprestou mais dinheiro à Williams Companies.[22] Comprou a The Pampered Chef, que vendia artigos de cozinha em festas, com uma forte equipe composta de 70 mil "consultores culinários" independentes. Comprou a fabricante de equipamentos agrícolas CTB Industries e se aliou ao banco de investimentos Lehman Brothers para emprestar 1,3 bilhão de dólares à Reliant Energy, que lutava para sobreviver.

Ajit Jain entrou rapidamente no negócio de seguros contra o terrorismo, preenchendo um novo nicho repentino e segurando companhias aéreas, o Rockefeller Center, o prédio da Chrysler, uma refinaria de petróleo sul-americana, uma plataforma de petróleo no Mar do Norte e a torre da Sears, em Chicago. A Berkshire foi contratada para livrar as Olimpíadas do risco dúbio de cancelamento dos jogos ou da não participação dos Estados Unidos até os jogos de 2012. Também segurou contra ataques terroristas os Jogos de Inverno em Salt Lake City e, ainda, a Copa do Mundo da FIFA.[23] Buffett estava fazendo suas apostas.

Algumas das empresas da Berkshire lutavam pela sobrevivência numa economia fraca. Buffett sempre disse que preferia ter um retorno de 15% de uma só vez a um retorno constante de 10%. Aquilo não o incomodava. A maioria daqueles problemas se resolveria com o tempo. Todavia, a NetJets estava lutando para sobreviver não apenas por causa da economia, mas porque a premissa para comprá-la – a singularidade da sua oferta de serviços – parecia bem menos singular. Outras pessoas que se esqueciam de ligar para a *hotline* dos viciados em aviação continuavam a criar empresas e a competir com a NetJets, apesar de os resultados econômicos do setor de aviação fracionária não serem atraentes. Buffett percebeu então que era a testosterona que causava o vício em aviação. "*Se mulheres fossem CEOs de empresas de aviação*", disse, "*acho que as coisas estariam bem melhores. É a mesma coisa que as franquias esportivas. Se as franquias esportivas fossem de propriedade de mulheres, seriam vendidas a um décimo do valor pelo qual são negociadas atualmente."* Ele disse aos acionistas que a NetJets voltaria a dar lucro e dominaria seu mercado, mas sem ressaltar que a empresa talvez não obtivesse a margem que ele esperava, pelo menos não tão cedo. Foi uma decepção, mas ainda assim bem melhor do que uma indústria têxtil deficitária. Além do mais, a NetJets era divertida. Ele sabia um monte de minúcias sobre compra, gestão, programação, escolha de rotas, manutenção, seguros, pilotagem e seleção da tripulação de aviões, e sabia até como os pilotos eram treinados. A NetJets era legal. Ele ficava cheio de si nos eventos da companhia. Nunca a venderia, nem que os outros megabilionários do mundo tentassem tirá-la dele numa queda de braço.

O problema mais sério, apesar de menor, era a Dexter Shoe, a equivalente moderna da fábrica têxtil. Buffett diria mais tarde que aquela foi a pior aquisição que ele fez na vida, citando a canção country de Bobby Bare: *"I've never gone to bed with an ugly woman, but I've sure woke up with a few"* (Nunca fui para a cama com uma mulher feia, mas certamente já acordei ao lado de algumas).[24] Então ele trocou a diretoria. Frank Rooney e Jim Issler, que dirigiam a Brown Shoe Company, uma operação mais bem-sucedida, acabaram encerrando as atividades da Dexter nos Estados Unidos, transferindo-as para o exterior.[25] Para cada dólar que pagavam aos trabalhadores em território americano gastavam apenas 10 centavos para contratar funcionários para fabricar sapatos em outro lugar.

"Eu estava enganado a respeito do futuro econômico daquela companhia. As pessoas que trabalhavam na cidade de Dexter, no Maine, eram maravilhosas e faziam muito bem o próprio trabalho. Mas, mesmo que fossem duas vezes melhores do que os chineses, eles trabalhavam por um décimo do que era pago a elas."

No entanto, apesar de todos esses investimentos, Buffett achava que a oportunidade mais importante que lhe foi oferecida depois do 11 de Setembro nada tinha a ver com negócios. Ele agora tinha tanto o privilégio quanto a responsabilidade de usar o palanque para influenciar eventos e ideias. Depois da bolha de arrogância que tomara conta da comunidade financeira nos anos precedentes, os Estados Unidos se tornaram muito mais sóbrios e menos cegos em relação aos atalhos utilizados, no final dos anos 1990, em nome da ganância. Buffett achava que era o momento certo de se pronunciar sobre a rapacidade dos ricos e a maneira como ela vinha sendo estimulada pela política fiscal.

A sua noção de justiça foi particularmente despertada por uma proposta que era um ponto central do novo orçamento do presidente Bush – um plano para gradualmente extinguir o imposto federal sobre heranças, que fora instituído havia décadas e arrecadava para o governo uma parte das maiores heranças. Os partidários do plano se referiam ao imposto sobre heranças como "imposto sobre a morte", atribuindo-lhe um aspecto agourento. O mantra era que a morte não deveria ser um evento tributável. Eles diziam que o imposto sobre heranças era uma barreira para as ambições de pessoas trabalhadoras e empreendedoras. Citavam uma proverbial família que teria que vender sua fazenda para pagar o imposto quando o patriarca morresse. Sem dúvida, havia algumas famílias nessa situação. Mas Buffett argumentava que o sofrimento de poucas pessoas era mais do que compensado pelo efeito sobre todas as outras.

O imposto sobre heranças não era tecnicamente um imposto sobre a morte: era um imposto sobre doações. Toda vez que alguém fazia uma grande doação em dinheiro, pagava um imposto sobre ela.[26] Todos os impostos sobre doações eram uma forma de bloquear a volta dos "barões ladrões", que controlaram uma enorme parcela das riquezas das nações por meio de doações e heranças no século XIX, a ponto de se tornarem um governo paralelo – uma plutocracia, uma classe dominante baseada na riqueza. O imposto sobre heranças, porém, tinha uma taxa efetiva mais baixa que a do imposto sobre doações feitas por pessoas vivas, permitindo que doações póstumas relativamente vultosas não fossem taxadas. Buffett usou seu palanque para ressaltar que, dos cerca de 2,3 milhões de americanos que morriam anualmente, menos de 50 mil – 2% – pagavam imposto sobre heranças. Metade de todos os impostos sobre heranças era paga por menos de 4 mil pessoas – 0,2% de todas as pessoas que tinham morrido.[27] Tratava-se de pessoas monumentalmente, colossalmente ricas – ricas a ponto de poderem ter um Gulfstream-IV, comprar o novo Maybachs, possuir um vinhedo na França e usar joias do tamanho de balas e pirulitos.

Quando se argumentava que o dinheiro era delas – e por que então elas não deveriam poder fazer o que quisessem? Por que tinham de "subsidiar" os outros? –, Buffett respondia que essas pessoas deviam uma quantia mínima à sociedade que possibilitou que se tornassem tão ricas. Se achassem que tinham feito tudo sozinhas, deviam reencarnar como um dos cinco filhos de uma mãe assustada e faminta em Máli e ver até que ponto seriam bem-sucedidas depois de serem mandadas como escravas para uma plantação de cacau na Costa do Marfim.

Se o imposto sobre heranças fosse eliminado, ele disse, outra pessoa teria que cobrir a diferença, já que a mesma quantidade de dinheiro continuaria a ser necessária para manter o governo funcionando.

Durante anos, uma teoria baseada na oferta postulou que a redução de impostos forçaria o governo a reduzir gastos. Essa teoria tinha uma lógica intuitiva: afinal de contas, se as pessoas deviam viver com sua renda, por que o governo não podia fazer o mesmo? (É claro, em 2002 muita gente estava ocupada abrindo linhas de crédito lastreadas em hipotecas imobiliárias com taxas de juros artificialmente baixas, sem precisar viver com sua renda.) O debate sobre a política baseada na oferta ainda estava acalorado 20 anos após seu início; os impostos arrecadados geralmente não cobriam os custos do governo, que estava contraindo empréstimos para completar a diferença. Àquela altura, a teoria parecia mais duvidosa. A extinção do imposto sobre heranças significaria que o governo teria que aumentar outros impostos ou tomar emprestado mais dinheiro, e os juros dessa dívida, junto com a sua quitação, acabariam sendo transferidos para todas as outras pessoas sob a forma de impostos mais altos. Buffett achava que a proposta de eliminação do imposto sobre heranças num orçamento deficitário era o cúmulo da hipocrisia.[28]

O americano médio, que pagaria impostos mais altos caso o imposto sobre heranças fosse eliminado, nunca teria ele próprio de pagar esse imposto. A pressão para eliminar o imposto, portanto, não estava vindo de pessoas que tinham pequenos ranchos em Oklahoma. Não, a verdadeira pressão, Buffett disse, vinha de uma porcentagem ínfima da população do país, pessoas que ele de fato conhecia, pessoas suficientemente ricas (muitas vezes pessoas que haviam se tornado ricas de repente) para ter uma cobertura triplex em Manhattan, um chalé de madeira com nove quartos em Deer Valley, uma casa de verão em Nantucket e um apartamento na Costa Rica. Buffett achava que a política tinha escorregado para as mãos de pessoas que podiam pagar lobistas alcoviteiros de K Street para sussurrar nos ouvidos do Congresso e canalizar doações políticas para onde pudessem ser usadas da melhor maneira. Ele não culpava as pessoas por agirem em nome de seus interesses; até sentia pena dos políticos que estavam presos ao mecanismo infinito de angariação de fundos. O que ele desprezava era o sistema no qual o dinheiro comprava poder.

Logo depois da posse do presidente Bush, em 2001, Buffett fora ao Salão LBJ, no prédio do Capitólio, para falar sobre o financiamento das campanhas políticas a um grupo de 38 senadores que faziam parte da Comissão de Política do Partido Democrata. Em seguida apareceu nos programas *This Week*, da ABC, e *Inside Politics*, da CNN. Buffett disse que o sistema de financiamento das campanhas era corrupto. A maneira atual de eleger políticos tinha ecos do Tammany Hall do século XIX, no qual votos e influência estavam literalmente à venda. As leis estavam sofrendo modificações que aumentavam a capacidade dos ricos de enriquecer ainda mais, de ficar com uma parcela maior do que ganhavam e transmitir uma parcela maior aos seus herdeiros. Buffett chamava isso de "governo dos ricos para os ricos".

Ele apontou um exército crescente de alcoviteiros e conspiradores fiscais, cuja tarefa era promover a aprovação de leis que beneficiassem os interesses dos ricos. Disse, no entanto, que ninguém fazia lobby pelos outros 98% dos americanos.

Sem ter seus próprios lobistas, a melhor compensação para os 98% era entender o que estava acontecendo e parar de votar em pessoas que promulgavam leis que aumentavam os impostos dos bolsos dos americanos médios para que os ricos pudessem pagar uma parcela mais baixa.

Paul Newman, Bill Gates Pai, George Soros, alguns Rockefeller e quase 200 outras pessoas ricas e influentes concordaram e assinaram uma petição publicada no *New York Times* em oposição ao plano de Bush de eliminar o imposto sobre heranças.[29] Buffett não participou da petição porque achava que ela não era *suficientemente* incisiva. Ele achava que os ricos tinham sorte, eram abençoados e deviam pagar impostos. "Não acredito em dinastias", ele disse. "*A extinção do imposto sobre heranças seria como escolher as equipes olímpicas do país a partir dos campeões olímpicos do passado*", acrescentou.[30]

"*A riqueza é apenas um monte de recibos das atividades alheias no futuro. Você pode usar aquela riqueza como quiser. Pode embolsá-la ou doá-la. Mas a ideia de passar a riqueza de uma geração para outra para que centenas de seus descendentes possam comandar os recursos de outras pessoas simplesmente porque saíram do útero certo é o oposto de uma sociedade meritocrática.*

Eu instituiria um imposto mais elevado sobre os níveis mais altos de riqueza. Não me importaria se não houvesse imposto algum até um certo patamar e depois um imposto de 100% para heranças superiores a 150 milhões de dólares.

A coisa mais importante é perguntar: 'E depois?' Quando eliminam os aproximadamente 20 bilhões de dólares angariados pelo imposto sobre heranças, é preciso levantar dinheiro cobrando impostos de todas as outras pessoas de alguma maneira. É impressionante como a população americana luta pelas famílias desses poucos milhares de pessoas que pagam altos impostos sobre heranças e para que todo o resto do país pague do próprio bolso para compensar esse imposto.

Não gosto de nada que, na verdade, crie uma humanidade de segunda classe. Não gosto de um sistema tributário que vá nessa direção; não gosto de um sistema educacional que vá nessa direção. Não gosto de nada que faça com que os 20% mais pobres continuem recebendo um tratamento cada vez pior."

Mas o debate a respeito do imposto sobre heranças continuou agudo e amargo. Buffett foi retratado como um populista privilegiado, um velho rico e hipócrita que estava tentando impedir que a próxima geração progredisse rumo ao sucesso da maneira tipicamente americana.[31]

"*A riqueza dinástica subverte a meritocracia*", ele escreveu ao senador Ken Salazar. "*Na verdade, ela diz que as pessoas que devem alocar os recursos deste país devem ser os descendentes daqueles que foram muito bem-sucedidos em acumular recursos há muito tempo.*"[32]

Sutilmente ou não, a discussão a respeito do imposto sobre heranças foi moldada pela questão do dinheiro do próprio Buffett. Algumas pessoas chamavam indivíduos como Buffett de "dribladores de impostos", porque tinham acumulado dinheiro por meio de investimentos pouco taxados. Mas dizer que Buffett investia para se esquivar de impostos era como dizer que um bebê tomava sua mamadeira para sujar a fralda. De fato, Buffett fora o primeiro a dizer que o imposto sobre investimentos era injustamente baixo. Na verdade, essa era outra de suas causas. Ele gostava de comparar sua alíquota fiscal à da sua secretária, apontando que era injusto ela pagar uma alíquota mais alta do que ele sobre seus rendimentos, só porque a renda dele provinha de investimentos.

Já tendo irritado os plutocratas e candidatos a plutocratas, mas com sua credibilidade no auge em outros círculos, Buffett prometeu continuar na luta contra a eliminação do imposto sobre heranças – e falaria nesse assunto durante anos. Ele discursou mais uma vez, para a Comissão de Política do Partido Democrata, sobre outro tema, dias antes de os primeiros disparos serem feitos na Guerra do Iraque, em 2003. Disse que o plano do presidente Bush de reduzir impostos sobre dividendos era mais "ajuda de classe para os ricos". No *Washington Post*, ele escreveu sobre o "Vodu dos Dividendos", observando outra vez que a sua alíquota fiscal era mais baixa do que a de Debbie Bosanek. A reação dos conservadores contra mais um manifesto populista de Buffett foi rápida e selvagem. "Os milionários estão fervendo de raiva por causa da traição de sua classe por Warren Buffett", um deles declarou.[33]

Esse, é claro, era o seu recado. Ele achava que os Estados Unidos nunca deveriam ser um país no qual as pessoas com dinheiro fossem uma "classe" que acumulava automaticamente mais riqueza e poder.

Os ricos, no entanto, estavam ficando realmente muito ricos à medida que o mercado continuava a se recuperar do 11 de Setembro. Uma dúzia de novos fundos de hedge parecia surgir a cada dia. Esses fundos estavam aproveitando toda a alavancagem das taxas de juros baixas que o Federal Reserve tinha proporcionado. Havia tantas pessoas ganhando tanto dinheiro com opções sobre ações e taxas de 2,20% sobre o dinheiro alheio em fundos de *private equity* e fundos de hedge que bilionários estavam se tornando tão comuns quanto vira-latas em volta de uma lata de lixo. A riqueza rápida da nova economia incomodava Buffett pela forma como enormes quantias tinham sido transferidas de investidores para intermediários sem produzir retorno algum. O investidor médio ainda estava obtendo – é claro – o retorno, mas com todas aquelas taxas descontadas.

Uma das maneiras que Buffett menos aprovava para que os ricos ficassem mais ricos era a de opções sobre ações – desde o seu famoso "não" na votação sobre o pacote de pagamento na Salomon nenhum outro conselho voltou a convidá-lo a participar da comissão de remuneração. A Coca-Cola dera a Doug Daft opções sobre 650 mil ações em 2001. Daft pediu originariamente para ser remunerado com opções sobre ações que só seriam exercidas se o rendimento aumentasse de 15% a 20%. Os acionistas aprovaram o pedido, enquanto Buffett ficou olhando para os pés, pensando: "Tudo bem, isso nunca vai acontecer." Um mês mais tarde, a comissão de remuneração percebeu tardiamente que o alvo era impossível e que Daft nunca seria pago. Deu marcha a ré e barganharam uma bonificação para ele, reduzindo a meta para a faixa entre 11% e 16%.[34] Era como deslocar a linha de chegada em uma maratona para a marca de 30 quilômetros. Buffett não podia acreditar – os acionistas tinham votado a favor de 42 quilômetros e entregariam um prêmio depois de 30! Outro voto a favor dos ricos. Até então Daft não o tinha impressionado, e as ações da Coca-Cola não chegaram a lugar algum. Ao ver pagamentos de opções do tamanho de troféus proliferando, apesar da sua crescente indignação, Buffett achou que tinha que aproveitar a oportunidade que estivera esperando – finalmente acabar com a contabilidade simulada das opções sobre ações.

Os diretores adoravam as opções sobre ações por causa de uma peculiaridade na história contábil que dizia que, se as empresas pagassem seus funcionários com opções em vez de dinheiro, nenhum custo seria contabilizado. Era como se as opções sobre ações não existissem. No mundo "real", uma empresa de capital fechado reconheceria instantaneamente essa ideia como falsa. Se distribuíssem opções sobre ações com o valor de 20% de suas empresas, o açougueiro, o padeiro ou o fabricante de castiçais saberiam perfeitamente que também tinham dado uma parte de seus lucros.

Mas as regras contábeis tinham transformado as opções sobre ações em dinheiro de brinquedo. Começou a acontecer então uma barganha de bonificações numa escala incrível no final dos anos 1990. Os CEOs, em 1980, ganhavam, em média, 42 vezes mais que um operário. Vinte anos depois, essa proporção tinha aumentado para mais de 400 vezes.[35] Os CEOs com as maiores remunerações ganhavam pacotes de bilhões de dólares. Em 2000, Sandy Well recebeu 151 milhões de dólares no Citigroup; Jack Welch, 125 milhões de dólares na GE; Larry Ellison, 92 milhões de dólares na Oracle. Apesar de ter recebido um salário de apenas 1 dólar na Apple entre 1997 e 1999, Steve Jobs ganhou 872 milhões de dólares em opções sobre ações em 2000 – mais um jato Gulfstream de 90 milhões de dólares.[36]

Quando os contadores tentaram mudar essas regras no início dos anos 1990, as empresas americanas, lideradas pelo Vale do Silício, correram para as portas do Congresso, armadas com lobistas e contribuições de campanha, implorando que os deputados as salvassem das novas e terríveis regras contábeis. Até o momento em que a bolha finalmente estourou, em 2002, elas conseguiram impedir a implementação dessas regras e quase eliminaram o Financial Accounting Standards Board (Conselho de Normas de Contabilidade Financeira), o órgão regulador dos procedimentos contábeis.

Buffett vinha escrevendo a respeito de opções sobre ações desde 1993, mas sentiu que aquele era o momento certo para mudanças. Assinou então um editorial estrondoso e influente, no *Washington Post*, "Stock options and common sense" (Opções sobre ações e bom senso).[37]

"*Os CEOs sabem quanto valem suas opções. É por isso que lutam por elas*", escreveu, repetindo as questões levantadas anteriormente.

"*Se as opções não são uma forma de remuneração, o que elas são?*

Se uma remuneração não é uma despesa, o que ela é?

E se as despesas não devem entrar no cálculo de rendimentos, onde devem entrar?"

Em Sun Valley, em julho de 2002, houve muito burburinho por causa das opções sobre ações. A opinião de Buffett, expressa com alarde, e sua influência pairavam funestamente sobre as cabeças dos lobistas das opções sobre ações. O termômetro subiu muito, e celebridades e executivos suarentos embarcaram em vários ônibus para fazer canoagem e fugir do calor.

Buffett foi para outro lugar assim que chegou, um lugar difícil de enfrentar sem ajuda. A casa de Katharine Graham ficava bem ao lado da de Herbert Allen, no condomínio Wildflower; era por ali que as pessoas passavam com frequência a caminho dos eventos. O conselho da Coca-Cola se reuniria mais tarde na casa de Allen, já que a maioria dos seus membros estava no local. O propósito era discutir as opções sobre ações, e Buffett não perderia essa reunião. Mas antes:

"*Eu estava com Bill e Melinda, e fomos até o local onde Kay tinha caído. Eu tremia, não conseguia parar. Era como se sentisse muito frio, ou algo assim. E eles provavelmente estavam constrangidos. Eu não. Eu estava arrasado naquele momento.*"

Depois Buffett conseguiu realizar seu costumeiro milagre da "memória de banheira" e manteve a compostura. O conselho da Coca-Cola tomou uma decisão durante a reunião e anunciou, num comunicado à imprensa, que começaria a contabilizar o custo das opções sobre ações de seus funcionários como despesa. Eles usaram um argumento semelhante ao da criança que diz aos pais: "Não aconteceu, mas, se aconteceu, eu não estava lá. E, se eu estava lá, não fui eu que fiz. E, se fui eu que fiz, fui obrigado pelos meus amigos." As empresas diziam que as opções sobre ações não eram despesa; mas, se fossem, ninguém saberia como calculá-la. E, se conseguissem, ela não deveria ser deduzida dos rendimentos. Só deveria ser divulgada como uma nota de rodapé, porque os investidores poderiam ficar confusos se soubessem quanto valiam as opções sobre ações dos executivos. Então o anúncio da Coca-Cola atingiu o mundo empresarial americano como uma bomba de fragmentação, com sua força aumentada pelo local em que a nova política foi proclamada – a reunião em Sun Valley, na qual a imprensa tinha se entrincheirado do outro lado das barricadas formadas pelos canteiros de flores. A mão velada de Buffett podia ser percebida por trás daquele anúncio. Logo depois de Sun Valley, a Washington Post Company imitou a Coca-Cola e anunciou que também contabilizaria como despesa as opções sobre ações.[38] Depois daquela vitória, Buffett disparou outra salva de artilharia, um editorial no *New York Times*, "Who Really Cooks the Books?" (Quem realmente manipula os livros contábeis?).[39]

"*Tenho uma proposta: a Berkshire Hathaway vai vender seguros, tapetes ou qualquer outro produto em troca de opções idênticas às que você concede a si mesmo. Não haverá dinheiro envolvido. Mas você realmente acha que a sua empresa não vai incorrer num custo quando trocar as opções por tapetes?*"

Estranho, mas ninguém aceitou essa oferta. Em vez disso, o Vale do Silício se preparou para outra luta no Congresso. Mas as empresas começaram, uma de cada vez, a seguir os passos da Coca-Cola e da Washington Post Co., anunciando que também reconheceriam a despesa das opções sobre ações em seus livros contábeis.

Um ano depois, na última manhã de sábado de Sun Valley '03, Bill Gates falou e anunciou que a Microsoft estava interrompendo o uso de opções sobre ações. Ela simplesmente pagaria as pessoas de outra maneira. A partir daquele momento usaria ações restritas – ações que não podiam ser vendidas por algum tempo. Foi necessária muita coragem para tomar aquela decisão.

"*A Microsoft estava sendo muito pressionada para não fazer aquilo – muito mesmo. A reação do Vale do Silício foi considerar isso uma traição. A Microsoft tinha muita gente de relações públicas por lá dando conselhos sobre o que fazer. Uma dessas pessoas disse que era como jogar um fósforo numa sala cheia de gasolina.*

E a minha reação a isso foi: 'Foram eles que encheram a sala de gasolina.'"

A batalha das opções sobre ações continuaria formalmente por quase dois anos, até que o Financial Accounting Standards Board finalmente oficializou o procedimento. Mas foi a decisão da Coca-Cola que derrubou o primeiro dominó numa cadeia de acontecimentos, e a ação da Microsoft rachou o muro de solidariedade do Vale do Silício que tinha dado à indústria da tecnologia uma voz unívoca nos lobbies em Washington.

O ímpeto de Buffett como um estadista influente foi aumentando durante aquele período. Apesar de a eliminação do imposto sobre heranças ainda estar programada, ele encontrou outro alvo nos contadores que tinham facilitado as fraudes contábeis dos últimos anos. Ele achava que se os auditores não tivessem ficado sentados no colo dos CEOs, abanando o rabo, as diretorias não teriam tido permissão para saquear os bolsos dos acionistas, transferindo vastas somas de dinheiro para seus próprios bolsos. Buffett foi a uma mesa-redonda da SEC sobre divulgação e supervisão de informações financeiras e disse que, no lugar de cachorrinhos obedientes, os acionistas precisavam de cães de guarda, e que os diretores que participavam de comissões de auditoria e supervisionavam os auditores deveriam ser *"dobermanns que pressionassem os auditores"*.[40]

Ele disse que a comissão de auditoria da Berkshire Hathaway usava uma pequena lista de perguntas:

- Se o próprio auditor tivesse preparado as demonstrações financeiras (e não a administração da empresa), elas teriam sido preparadas da mesma maneira?
- Se fosse investidor, o auditor seria capaz de entender qual tinha sido o desempenho financeiro da empresa a partir da maneira como as demonstrações financeiras eram apresentadas e descritas?
- Se o auditor estivesse no comando, a empresa seguiria os mesmos procedimentos de auditoria interna?
- O auditor sabia de algo que a empresa tinha feito para mudar o momento em que vendas ou custos eram divulgados aos investidores?

"Se forem pressionados", Buffett disse, *"os auditores farão seu trabalho. Se não... Sabemos qual será o resultado."*[41]

Essas perguntas simples eram tão evidentes, definiam com tanta clareza o que era certo e errado, eram tão obviamente úteis para revelar a verdade e evitar fraudes, que pelo menos uma ou duas outras empresas cujos diretores tinham bom senso e estavam preocupados com o risco de serem processados copiaram Buffett e começaram a usá-las.

Enquanto Buffett agitava o seu sabre com uma precisão implacável, os contadores se esquivavam e as comissões de remuneração se abaixavam e resmungavam, se perguntando por que ele tornava pública a barganha por bonificações em vez de simplesmente ficar quieto. E, enquanto supostos eliminadores de impostos tentavam encontrar palavras ainda mais desabonadoras do que a extremamente pejorativa "populista" para ofendê-lo, Buffett estava tão entusiasmado com sua autoridade recém-descoberta que, na primavera de 2002, ele se superou e fez propaganda de... um colchão. Ele se deixou fotografar deitado sobre o "Warren", parte da "Coleção Berkshire", vendida pela Omaha Bedding

Co., e era visto em pôsteres de "Buffett e Sua Cama". Agora, quando ia ao Nebraska Furniture Mart durante o fim de semana de reunião dos acionistas, ele podia se deitar em sua própria cama enquanto vendia seus próprios colchões. *"Eu finalmente consegui o único emprego que realmente quis na vida – testador de colchões"*, disse.[42]

O Sábio de Omaha, contra o qual os plutocratas lançavam insultos e os eliminadores de impostos balançavam os punhos, diante do qual os contadores tremiam e os especuladores abusivos de ações fugiam, que os caçadores de autógrafos seguiam e as luzes da televisão iluminavam, era, no fundo, nada mais do que um garoto deslumbrado pela fama que, sob vários aspectos, não tinha noção do seu lugar no panteão. Ele ficava empolgado com cartas de celebridades de quinta categoria que eram suas fãs. Toda vez que alguém escrevia para dizer que ele era seu herói, era como se fosse a primeira vez. Quando a estrela pornô Asia Carrera o chamou de herói em seu site, ele ficou extasiado. Ele ficava extasiado por ser o herói de qualquer pessoa, mas ser chamado de herói por uma estrela pornô era um verdadeiro sinal de prestígio. Suas cartas favoritas eram de universitários; mas, quando prisioneiros escreviam e o chamavam de herói, ele ficava orgulhoso por sua reputação ter alcançado detentos que estavam tentando mudar de vida. Ele preferia ser idolatrado por astros do mundo pornô, universitários e prisioneiros a ser querido por um bando de prósperos homens de negócio.

Com toda essa exposição aos holofotes, Debbie Bosanek e Deb Ray tinham de cuidar do telefone e da porta com uma vigilância obstinada. Uma vez, uma mulher extremamente excitada que tinha vindo do Japão para conseguir seu autógrafo foi ao escritório. Ela ficou tão desnorteada com a presença de Buffett que se prostrou para "reverenciá-lo" e teve uma espécie de acesso histérico no chão. As secretárias a colocaram para fora.

Mais tarde ela escreveu dizendo que o médico lhe receitara calmantes, e que ela esperava poder ficar diante de Buffett outra vez. Enviou fotos suas e escreveu cartas.

"Eu gosto de ser reverenciado", disse Buffett num tom queixoso. Mas as secretárias venceram, e a mulher não foi convidada a voltar.[43]

57
Oráculo
Omaha – abril-agosto de 2003

Buffett parecia vicejar como uma trepadeira à medida que se tornava uma figura mítica. Mas continuava brilhante no equilíbrio de suas prioridades. Se o seu tempo era cada vez mais requisitado, a sua visão de que os compromissos são sagrados e a propensão natural para a economia de energia evitaram que ele sucumbisse à lisonja. Fazia apenas o que era sensato e o que realmente queria fazer. Nunca deixou que as pessoas o fizessem perder tempo. Se incluía alguma coisa nova na sua agenda, descartava outra. Nunca se apressava. Sempre tinha tempo para trabalhar em acordos comerciais e sempre tinha tempo para as pessoas que lhe eram importantes. Seus amigos podiam pegar o telefone e ligar sempre que quisessem. Ele conseguia fazer isso combinando afetuosidade e brevidade nesses telefonemas. Quando ele não tinha mais o que dizer, a conversa simplesmente morria. E seus amigos não abusavam daquele privilégio. Embora tivesse muitos conhecidos de quem gostava, ele só fazia novas amizades depois de anos de convivência.

Susie, por sua vez, fazia novas "amizades" em dias ou semanas. Kathleen Cole lidava com uma lista de presentes que crescera até alcançar, literalmente, mil pessoas. Susie se autodenominava uma "cigana geriátrica" que vivia no céu. Cole cuidava da logística para que ela viajasse durante meses a fio – visitando netos, cuidando de doentes e moribundos, tirando férias, cumprindo compromissos da fundação, vendo Warren e a família em momentos predeterminados. Cole fazia e desfazia suas malas, cuidava de suas três casas e de seus empregados, fazia malabarismos com a programação da NetJets, reservava hotéis, marcava visitas ao salão de beleza, evitava telefonemas e organizava os últimos tesouros trazidos das viagens de compras de Susie.

Susie não era apenas uma mulher que não conseguia dizer não, era uma mulher que não podia ser encontrada. Era tão nômade e tão incapaz de limitar sua atenção a qualquer pessoa – e o número de pessoas que achavam que tinham direito ao seu tempo tinha crescido de uma maneira tão assombrosa – que, àquela altura, até mesmo os seus amigos mais próximos só conseguiam contatá-la por intermédio de Kathleen.

Algumas pessoas que a amavam começaram a ficar preocupadas, embora raramente a vissem para poder dizer isso. "Ninguém pode ter 300 ou 400 amizades de verdade", argumentava uma delas. Ela parecia precisar correr cada vez mais depressa. "É como ficar correndo atrás do próprio rabo", disse outro amigo. "Você não pode ter amigos se não está perto deles." "Mas, se você estiver doente", Susie reagia, "vou ter muito tempo para você." Alguns achavam que a sua compulsão por ajudar e agradar tinha substituído as metas de sua própria vida. "Ela nunca dizia as suas verdades", disse outro amigo. Os mais metafísicos achavam significativo o fato de seus problemas de saúde surgirem na garganta e no intestino; associavam a acumulação constante de coleções e posses e a redecoração ininterrupta a uma expressão do que ela guardava dentro de si. "Sua vida foi se tornando cada vez mais pesada", disse um conhecido. "Pare!", ele tentou dizer a ela. "Coloque as coisas em perspectiva e cuide de si mesma." Mas era como se ela não conseguisse diminuir o ritmo por achar que, se o fizesse, algo aconteceria.

Por outro lado, muitas outras pessoas a chamavam de santa, ou de anjo, e até a comparavam a Madre Teresa. Ela dava tanto de si mesma, a tantas pessoas, que causava uma impressão de fragilidade; o quente manto de lã que ela usava para se proteger da dureza do mundo se tornara puído e fino. Um amigo questionou: "Não é essa a natureza de um santo, dar-se até não sobrar mais nada?" Não era exatamente aquilo que Madre Teresa fazia?[1]

Susie fez uma cirurgia no pé, na primavera de 2003, e teve que doar seus amados sapatos Manolo Blahnik.[2] Enquanto estava de cama escreveu sua costumeira lista de "novecentas" coisas a fazer para Kathleen Cole. Assim que recebeu alta do médico, pulou da cama e foi embora. Quando viajava, Susie tinha uma preferência clara por hotéis cinco estrelas na maior parte do tempo – embora muitas pessoas tivessem a impressão de que ela dormia no chão de uma cabana. Era verdade, porém, que ela às vezes viajava sem reclamar de circunstâncias que deixariam muitas pessoas assustadas. Susie chegou realmente a dormir em cabanas, apesar de sofrer de refluxo gástrico e de úlceras no esôfago, graves a ponto de ela normalmente precisar dormir recostada, com o corpo formando um ângulo de 45 graus.

Warren queria tanto passar algum tempo com ela que concordou em ir à África para comemorar seu 70º aniversário. Howie começou a planejar essa viagem, que deveria acontecer no final da primavera de 2003, com 18 meses de antecedência. "Teria sido a oitava maravilha do mundo ver meu pai na África", ele diz. Os Buffett iriam a Londolozi e Phinda, dois resorts de safáris na África do Sul. Howie ia com frequência à África; sua mãe fizera com que ele se interessasse em fotografar as pessoas sofridas do continente, bem como os animais selvagens. Para o pai, ele providenciou que um exemplar do *Wall Street Journal* e do *New York Times* fossem entregues diariamente durante a viagem. "Chegariam com três dias de atraso", diz Howie, "mas ele receberia os jornais. O custo seria de 500 dólares por dia, mas eles estabeleceriam uma conexão para que ele pudesse estar on-line em seu quarto e checar as notícias. Eles já sabiam como preparar os hambúrgueres e as batatas fritas, porque também faziam isso para mim."[3] Os Buffett partiriam para a África poucas semanas depois da viagem anual a Nova York, que sempre acontecia após a reunião dos acionistas.

EM 1º DE ABRIL DE 2003, À MEDIDA QUE A REUNIÃO DOS ACIONISTAS SE APROXIMAVA, a Berkshire anunciou a aquisição da empresa de casas pré-fabricadas Clayton Homes. O negócio era semelhante a muitos outros que a Berkshire estava fechando naquela época – uma continuação natural da compra de ativos com preços baixos na grande queda pós-Enron.

O negócio com a Clayton surgiu porque anos de taxas de juros baixas tinham enchido de dinheiro barato os cofres dos provedores de empréstimos, e isso os transformara em verdadeiros porcos.[4] Os bancos rapidamente adestraram os consumidores a pensar que taxas de juros baixas significavam que eles podiam comprar mais coisas gastando menos dinheiro. Quem tinha participação patrimonial em casas foi orientado a usá-la como uma conta-corrente. Mas, fosse oferecendo cartões de crédito, casas ou trailers, os provedores de empréstimos, em busca de crescimento, se voltavam cada vez mais para pessoas que tinham menos capacidade de saldar as dívidas – mas que queriam participar, mesmo assim, do sonho americano.[5] No caso das casas pré-fabricadas, os bancos emprestavam dinheiro aos fabricantes, que o emprestavam aos compradores. Historicamente esse processo tinha funcionado, pois, se o produtor de casas pré-fabricadas fizesse empréstimos ruins, teria que enfrentar o castigo de não receber o dinheiro de volta.

Mas aí os produtores de casas pré-fabricadas começaram a vender seus empréstimos, passando adiante o risco de não receber o seu pagamento. Aquilo passava a ser problema de outra pessoa. A "outra pessoa" que tinha assumido o problema era um investidor. Num processo conhecido como "securitização", Wall Street colocou empréstimos desse tipo numa bela embalagem durante alguns anos e os vendeu a investidores por meio de uma "obrigação lastreada em outra dívida", ou CDO (*collateralized debt obligation*), ou seja, dívidas lastreadas em hipotecas.

Reuniram milhares de empréstimos hipotecários de todos os Estados Unidos e os cortaram em tiras, chamadas de "fatias". As fatias da camada superior tinham direito à primeira parcela de todo o fluxo de caixa de um pool de hipotecas. As fatias seguintes tinham direito à segunda parcela, e assim por diante.

Essa repartição permitia que uma agência de *rating* desse a classificação mais alta, AAA, para as fatias que tinham direito à primeira parcela, AA para as fatias que tinham direito à segunda parcela, etc. Os bancos vendiam as fatias aos investidores. Eles analisavam a probabilidade de calote usando um modelo baseado em padrões de estimativas de reembolso e – como o Long-Term Capital Management – partiam do princípio de que apenas uma certa porcentagem dos contratos podia dar errado ao mesmo tempo.

À medida que os critérios para a concessão de empréstimos iam se tornando mais baixos, os fundos de hedge que investiam em CDOs usavam mais alavancagem, até 100 dólares em dívida para cada dólar de capital, e a qualidade dos CDOs – até mesmo de CDOs AAA – foi piorando. Alguns investidores começaram a ficar nervosos com os aspectos mais evidentemente artificiais do modo como o mercado estava operando e tentaram proteger suas apostas.[6] Um mercado se desenvolveu para apostar na possibilidade de calotes: o *swap* de créditos. Se uma securitização perdia valor porque os empréstimos não eram pagos, o emissor do *swap* tinha de pagar.

Protegido pelos *swaps* de crédito, o investimento em CDOs parecia não ter riscos. "Quando há dinheiro de graça", escreveria Charles Morris mais tarde, "e a concessão de empréstimos não tem custos nem riscos, o provedor de empréstimos vai continuar a atuar, até que não haja mais ninguém a quem emprestar."[7]

Se alguém dissesse que o risco não tinha desaparecido, aqueles que participavam do mercado explicavam, com um suspiro, que a securitização e os derivativos de *swap* "espalhavam" o risco para os quatro cantos do mundo, onde seria absorvido por tantas pessoas que ninguém chegaria a ser prejudicado.

O setor de casas pré-fabricadas reduziu o sinal a ser pago pelas casas, facilitando muito a obtenção de empréstimos. Enquanto o mercado imobiliário florescia, outros tipos mais arriscados de empréstimos habitacionais – além de empréstimos comerciais, empresariais, educacionais e de outros tipos – se alastravam como um vírus da gripe num jardim de infância. Esses empréstimos, assim como aqueles usados para a compra de casas pré-fabricadas, eram fatiados, segurados, "securitizados" e especulados repetidamente por intermédio de *swaps* de crédito.

Em sua carta aos acionistas de 2002, Buffett chamou esses derivativos de "tóxicos" e disse que eram "bombas-relógio" que estavam se alastrando sem controle – e que podiam causar uma reação em cadeia de desastres financeiros. Numa reunião com os acionistas naquele ano, Charlie Munger descreveu os incentivos contábeis para exagerar os lucros obtidos com derivativos e concluiu: "Dizer que a contabilidade de derivativos nos Estados Unidos é um esgoto é insultar o esgoto." Em sua carta de 2003, Buffett descreveu os derivativos como "armas financeiras de destruição em massa".[8] Escreveu dizendo que existiam tantos contratos daquele tipo a ponto de formar um encadeamento em série ao redor do globo. Apesar do conselho de seus modelos matemáticos, de, numa crise, comprar em vez de vender, quando os problemas se aproximaram os investidores fugiram como um bando de girafas escapando de um leão. E, embora muitas pessoas parecessem estar participando de um mercado, na verdade um punhado de grandes instituições financeiras sempre tendia a dominá-lo, usando sua alavancagem. Essas grandes instituições também possuíam outros ativos que pareciam não estar relacionados àqueles derivativos, mas que, na verdade, acompanhavam o movimento dos derivativos no caso de um colapso no mercado.

A General Re tinha uma distribuidora de derivativos, a General Re Securities, que Buffett fechara, vendendo suas posições ou deixando que vencessem, em 2002. Ele já tinha transformado a Gen Re Securities num caso admonitório dos derivativos – escrevendo detalhadamente aos acionistas sobre os altos e problemáticos custos de seu fechamento. A General Re deixara Buffett com tanta raiva por perder, até aquele momento, quase 8 bilhões de dólares com a subscrição de seguros que ele mal podia falar a respeito. A "letra escarlate" continuava presente no site da Berkshire, embora Ron Ferguson tivesse se aposentado, tendo sido substituído por Joe Brandon e seu número dois, Tad Montross. A concorrência da General Re informou alegremente aos clientes que Buffett iria vender a empresa ou fechá-la. Como no caso da Salomon, essas previsões surgiram e se espalharam do nada. Buffett tinha retirado parte dos novos negócios da General Re, depois do 11 de Setembro, e os transferira à Berkshire Re, de Ajit Jain, em vez de injetar mais capital na General Re para equilibrar seu balanço.[9] Também começara a financiar concorrentes da General Re por meio de Jain e do Lloyd's de Londres. Ele racionalizava isso de várias maneiras, mas era difícil identificar um padrão clássico; quando ficava ansioso, Buffett sempre procurava escotilhas e alçapões de fuga. Ele não estava "punindo" a General Re; ao contrário, estava instintivamente protegendo o risco que a própria General Re ia subscrever, seu investimento de 22 bilhões de dólares – e sua reputação.

Seriam necessários bilhões de dólares de lucro antes que a General Re recuperasse as boas graças de Buffett. Em todo caso, a sua empresa de derivativos tinha pouco a ver com isso. O mesmo não acontecia com a economia global. *"Há uma probabilidade baixa, mas não insignificante, de, mais cedo ou mais tarde"* – ele não sabia quando – *"os derivativos acarretarem um grande problema."* Munger foi mais objetivo. "Ficarei surpreso", disse, "se não tivermos algum tipo de explosão significativa nos próximos cinco ou 10 anos." Embora muitas salvaguardas tivessem sido adotadas para proteger os investidores nos mercados de ações e títulos, os derivativos eram pouco regulados e estavam sujeitos a uma divulgação mínima de informações. Desde o início dos anos 1980 a "desregulamentação" havia transformado os mercados no equivalente financeiro de uma luta pela bola no rúgbi. A teoria era de que as forças de mercado se autopoliciavam. (No entanto, o Fed parecia intervir bastante quando surgem problemas.)

Com "problema" e "explosão", Buffett e Munger queriam dizer que uma bolha estava se formando no caldeirão da bruxa, composta por crédito fácil, normas frouxas e grandes remunerações para os bancos e seus cúmplices. Tudo isso significava um congestionamento inextricável de resgates de derivativos que acarretaria falências de instituições financeiras. Grandes perdas em instituições financeiras podiam gerar uma crise de crédito – uma "corrida aos bancos" global. Numa crise de crédito, os provedores de empréstimos ficam com medo de conceder até mesmo empréstimos razoáveis, e a carência de financiamento resultante faz com que a economia entre numa espiral descendente. No passado, crises de crédito fizeram com que a economia entrasse em recessão. *"Isto não é uma previsão, é um aviso"*, disse Buffett. Eles estavam dando um *"sinal de alerta brando"*.

"Muitas pessoas argumentam", escreveu Buffett em 2003, *"que os derivativos reduzem problemas sistêmicos, pois aqueles participantes que não podem suportar certos riscos são capazes de transferi-los para mãos mais fortes. Essas pessoas acreditam que os derivativos agem para estabilizar a economia, facilitar as negociações e eliminar percalços para participantes individuais."*

Num nível micro, Buffett argumentou, isso podia ser verdade, mas, no nível macro, os derivativos poderiam provocar colisões no ar em Manhattan, Londres, Frankfurt, Hong Kong e outras partes do globo. Ele e Munger acreditavam que os derivativos deveriam ser regulamentados, que deveria ser exigida a divulgação de mais informações, que essas transações deveriam ser feitas por intermédio de uma câmara de compensação central e que o Federal Reserve deveria agir como um banco central em relação aos grandes bancos de investimentos, e não apenas em relação aos bancos comerciais. Contudo, Alan Greenspan, presidente do Federal Reserve, defendia o mercado desregulamentado e fazia pouco da prudência de Buffett.[10] As "armas financeiras de destruição em massa" de Buffett eram citadas por toda parte, muitas vezes acompanhadas da opinião de que a sua reação era exagerada.[11]

No entanto, já em 2002 o início da destruição em massa podia ser visto no setor de casas pré-fabricadas. Afetados por empréstimos ruins, os credores estavam cortando o financiamento ou aumentando as taxas de juros a níveis proibitivos. A Clayton não foi a primeira incursão de Buffett no setor. No final de 2002 a Oakwood Homes, que produzia casas pré-fabricadas, e a Conseco – uma provedora de empréstimos "subprime" que emprestava a pessoas que não tinham uma classificação de crédito suficientemente boa para obter dinheiro mais barato – faliram. Buffett sabia que o primeiro sinal de uma bolha de crédito que está se esvaziando é quando o lobo da falência tira uma ovelha fraca do rebanho. Ele emprestou algum dinheiro à Oakwood e fez uma oferta pela Conseco Finance, o braço de empréstimos da Conseco.[12] A Cerberus Capital e duas outras firmas de *private equity*, que estavam apostando em imóveis, cobriram sua oferta de compra da Conseco Finance, de tirá-la da falência por 1,37 bilhão de dólares. Como tiveram que fazer um lance mais alto, o envolvimento de Buffett chegou a custar à Cerberus, segundo alguns cálculos, até 200 milhões de dólares, um fato que a firma não esqueceria.

Depois Buffett se uniu a dois outros fundos para financiar a Oakwood durante a falência, numa transação que o tornaria o maior acionista da Oakwood assim que a confusão passasse – e isso, incidentalmente, ajudaria a Oakwood a pagar seus empréstimos.[13]

Logo depois um grupo de estudantes da Universidade do Tennessee foi ouvir Buffett falar no Cloud Room, no 15º andar do Kiewit Plaza. Ele respondeu a perguntas durante algumas horas e explanou detalhadamente seu mais novo interesse: a indústria de casas pré-fabricadas. Al Auxier, o professor responsável pelo evento, mandou um presente por um aluno – o livro *First a Dream* (Primeiro um sonho),[14] as memórias de Jim Clayton, o fundador da Clayton Homes. Buffett ligou para Clayton, que passou a ligação para seu filho Kevin, que o sucedera como CEO em 1999.[15]

A Clayton Homes era o destaque do atribulado setor de casas pré-fabricadas. Apesar de a empresa ser fundamentalmente sólida, os seus credores estavam se comportando, segundo Buffett, como o gato de Mark Twain, que, após se sentar uma vez sobre um fogão quente, se recusava a se sentar sobre um fogão frio. Buffett achava que o principal problema da Clayton era que o seu financiamento estava secando, mas que, com dinheiro suficiente, a empresa poderia liderar o setor rumo a um modelo de negócios melhor. As ações da Clayton tinham caído junto com as do resto do setor, chegando a atingir 9 dólares. Os Clayton, como a Salomon durante a crise, estavam começando a ficar sem fontes de financiamento. Estavam motivados a vender.

Kevin Clayton: "Talvez possamos considerar uma oferta na faixa de 20 dólares por ação."

Buffett: *"Bem, é pouco provável que possamos apresentar uma cifra que pague o suor, o tempo e a energia que você e seu pai investiram nessa organização maravilhosa."*

Clayton: "O nosso financiamento está ficando apertado. E se você simplesmente nos fizesse um empréstimo?"

Buffett: *"Isso não funciona muito bem para a Berkshire Hathaway. Por que você não reúne tudo o que tem espalhado por aí que se refira à sua empresa e manda para mim quando tiver uma oportunidade?"*

A manobra clássica de Buffett, "jogar a linha", resultou na chegada de um enorme pacote da Federal Express no dia seguinte. O peixe tinha mordido a isca. Os Clayton eram como Z. Wayne Griffin, que se dispôs a lançar uma moeda enquanto falava ao telefone para estabelecer na sorte um preço para a Blue Chip Stamps. Buffett sabia que os Clayton estavam prontos para negociar.

Wall Street atribuía à Clayton um valor mais alto do que o de todas as suas concorrentes juntas, e essa reputação era merecida: a maioria das outras construtoras de casas pré-fabricadas estava fechando lojas de varejo e perdendo dinheiro. Como no caso da maioria das ações *cult*, o seu fundador tinha uma personalidade forte e carismática. Jim Clayton, o tocador de violão e presidente do conselho da empresa – filho de um meeiro que fundara a empresa reformando e vendendo uma única casa pré-fabricada –, considerava suas reuniões com os acionistas "minifestivais" e uma vez descera o corredor de um teatro em direção ao palco cantando "Take Me Home, Country Roads". Ele delegava as negociações a Kevin, que era um homem de negócios como o pai, mas menos artístico. Kevin, é claro, nunca tinha ouvido falar em "buffettização".

Buffett: *"Oferta de 12,50 dólares."*

Clayton: "Bem, Warren, o conselho pode levar em consideração uma oferta perto de 20 dólares, algo mais para 17 ou 18 dólares por ação."

Buffett: *"Oferta de 12,50 dólares."*

Kevin Clayton largou o telefone e foi falar com o conselho. Apesar de as ações terem sido negociadas havia pouco tempo a cerca de 9 dólares, era difícil engolir que a empresa só valia 12,50 dólares por ação.

Clayton: "O conselho levaria em consideração 15 dólares."

Buffett: *"Oferta de 12,50 dólares."* Apesar de não fazer parte do registro oficial, a essa altura ele já tinha quase certamente aplicado sua outra manobra clássica, a "serra circular", serrando o chão embaixo dos Clayton ao reforçar – de maneira simpática – que eles ficariam muito fracos e vulneráveis quando as suas fontes de financiamento secassem.

Os Clayton e o conselho puseram em marcha outros processos.

Clayton: "Gostaríamos de 13,50 dólares."

Buffett: *"Oferta de 12,50 dólares."*

Mais discussão.

Clayton: "Está bem, aceitamos 12,50 dólares, com a condição de recebermos ações da Berkshire."

Buffett: *"Lamento, mas isso não é possível. A propósito, não participo de leilões. Se quiserem vender para mim, não poderão revelar essa oferta para nenhum outro comprador. Terão de assinar um termo de exclusividade dizendo que não levarão em consideração nenhuma outra oferta."*

Os Clayton, que talvez entendessem melhor que a maioria dos especialistas na época a direção para a qual o seu setor se encaminhava, capitularam.[16]

Depois de "buffettizar" os Clayton, Warren voou para o Tennessee para encontrá-los, fazer uma visita às fábricas e às autoridades locais de Knoxville. Ele pediu a Jim Clayton para "tocar e cantar" com ele, e eles ensaiaram algumas canções ao telefone, mas, quando chegou a hora, "ele esqueceu totalmente do meu violão no apoio ao seu lado", escreveu Clayton mais tarde. "Dê ao nosso novo amigo Warren um microfone, e ele se esquece do tempo."[17] Desacostumado a ter alguém que roubasse a cena, Clayton teve pelo menos a consolação de ser o sujeito que levou o famoso Warren Buffett a Knoxville.

Embora a maioria do pessoal local tenha ficado contente com o acordo, os investidores da Clayton não ficaram. A aura de Buffett o prejudicou pela primeira vez. Muitos dos investidores conheciam a "buffettização", mas, apesar de não a conhecerem, os Clayton não estavam a fim de ser "buffettizados".

Depois do anúncio do acordo, os acionistas começaram a assediar os Clayton, implorando: "Vocês são uma ótima empresa, a melhor do setor; se eu quiser ter uma participação em alguma empresa do setor, quero que seja na de vocês; por favor, não vão embora, vocês vão superar isso e o setor vai voltar a ser como antes." Ou ameaçando: "Como vocês ousam vender essa empresa a 12,50 dólares quando o seu valor já foi de 16 dólares e enfrentamos a tempestade? O setor está se preparando para voltar. Como puderam pensar em vender tão barato?" Os grandes investidores da Clayton achavam que Buffett estava comprando no "ponto mais baixo do ciclo" das casas pré-fabricadas, sincronizando oportunamente a transação para se aproveitar da recuperação. Em seu auge, em 1998, o setor de casas pré-fabricadas, usando táticas agressivas de empréstimos, estava produzindo 373 mil unidades por ano. No final de 2001 o número tinha caído para 193 mil, enquanto a economia sofria no rastro do 11 de Setembro, e a perspectiva para 2003 era de apenas 130 mil unidades. Mas é claro que isso mudaria. A história de Buffett como negociador esperto os convenceu de que ele devia ter aproveitado o preço mais baixo, e eles seriam otários se vendessem a empresa naquele momento.

Contudo, não era isso que Buffett via. Ele via que o mercado de casas pré-fabricadas estava retraído porque tinha abusado de condições fáceis de financiamento para vender casas para pessoas que não tinham dinheiro para pagar por elas. Por isso, o número de casas vendidas pelo setor não voltaria a crescer.

Mas os dissidentes lembravam como a Clayton tinha sido bem-sucedida e, diante dos números, tinham certeza de que a situação se reverteria. Eles passaram a confabular entre si por telefone, longe de Omaha.

Sem se deixar perturbar pela indignação dos acionistas, Buffett sonhava com seu futuro papel de empresário de casas pré-fabricadas. Ele gostava daquele aspecto de estacionamento de trailers. E comprar uma empresa do filho de um meeiro agradava ao homem que comia Dilly Bars no Dairy Queen, que ainda babava quando via catálogos de trenzinhos de brinquedo, que possuía uma empresa que fazia uniformes para penitenciárias e que adorava que tirassem sua foto com a equipe da Fruit of the Loom. O P. T. Barnum dentro dele já estava começando a dar sinal de vida. Ele podia ver tudo nitidamente – uma casa pré-fabricada gigante instalada no espaço expositivo no porão do novo Qwest Convention Center, em Omaha, durante a reunião dos acionistas de 2004, ao lado da loja da See's Candies, talvez, ou perto da área na qual o pessoal da Justin ficaria vendendo botas. A área de exposições continuava a crescer e se tornava cada vez mais espetacular, com mais fornecedores e mais mercadorias à venda a cada ano. A ideia de uma casa inteira bem no meio da sua reunião com os acionistas, até mesmo com um gramado, com os convidados boquiabertos fazendo fila para entrar nela, o extasiava. "Quantas casas pré-fabricadas seria possível vender numa reunião com os acionistas?", ele se perguntava. Ninguém em Sun Valley já tinha vendido uma casa pré-fabricada em reuniões com acionistas.

E não era só isso. A Clayton era outra empresa que conjugava seus instintos empresariais com sua vontade de pregar. Ele daria aos vilões do setor de casas pré-fabricadas as labaredas do inferno e a danação. Conduziria aquele setor à salvação financeira.

Buffett chamou Ian Jacobs, o seu novo encarregado de projetos. Eles conversaram rapidamente: *"Ian, esta é uma ficha sobre a Clayton. Nela há todos os tipos de dados sobre execuções hipotecárias e antecipações. Bem, quero que você saia e procure algumas concessionárias de varejo, e quero também que você use uma abordagem do tipo boato para aprender como essa maldita empresa funciona. Descubra tudo o que puder a respeito das práticas de venda, Ian, se existe alguma mudança real acontecendo em relação ao passado, quem está fazendo certo ou errado.*

Absorva tudo o que puder a respeito do que está acontecendo e qual é a maneira lógica de conduzir uma empresa como essa."

Como Marc Hamburg, o executivo-chefe da área financeira da Berkshire, e outros antes dele, a capacidade de Ian de interpretar e levar a cabo explicações desse tipo sem instruções adicionais e sem supervisão seria crucial para a sua carreira na Berkshire Hathaway. Para o tipo certo de pessoa, era uma oportunidade única de aprendizado. Ian saiu correndo para colher boatos.

No final do mês os acionistas lotaram todos os voos para o aeroporto de Omaha e encheram todos os quartos dos hotéis da cidade para a reunião com os acionistas de 2003 a fim de verem o homem a quem as revistas dedicavam manchetes como "Paladino da volta aos bons tempos" e "O oráculo de tudo". Havia também algumas notícias surpreendentes. A Bolsa de Valores de Hong Kong divulgara que a Berkshire tinha comprado uma participação na PetroChina, a gigantesca empresa petrolífera chinesa, predominantemente estatal. Foi o primeiro investimento estrangeiro reconhecido publicamente por Buffett em muitos anos.[18] Ele era famoso por sua cautela quanto a investimentos fora dos Estados Unidos e não detinha qualquer volume significativo de papéis estrangeiros desde a Guinness PLC, em 1993.[19]

Diante de repórteres sedentos por uma explicação sobre essa mudança radical em relação ao passado, Buffett disse que não sabia muito sobre a China e que tinha comprado as ações por causa do petróleo precificado em iuanes, a moeda chinesa. Ele estava pessimista em relação ao dólar e otimista em relação ao petróleo. Buffett escrevera um artigo para a *Fortune*, "Why I'm down on the dollar" (Por que estou pessimista em relação ao dólar),[20] no qual explicava que tinha feito investimentos significativos em moedas estrangeiras porque acreditava que o dólar perderia valor. O motivo era algo chamado déficit comercial: os americanos estavam comprando mais dos outros países do que estavam vendendo, e a um ritmo que aumentava rapidamente. Eles estavam pagando a diferença por meio de empréstimos: os estrangeiros estavam comprando títulos do Tesouro, um recibo de dívida do governo americano. *"Em suma, o patrimônio líquido do país está sendo transferido para o exterior com uma velocidade alarmante"*, Buffett afirmou. Ele apresentou um exemplo hipotético de dois países chamados *Thriftville* (Frugalândia) e o gastador *Squanderville* (Esbanjolândia): mais cedo ou mais tarde, os cidadãos de Frugalândia que estavam comprando títulos do Tesouro de Esbanjolândia começariam a se perguntar se eles eram mesmo bons para o dinheiro. Quando isso acontecesse, continuariam fazendo comércio com Esbanjolândia, mas, em vez de títulos, escolheriam ativos menos arriscados: terras, empresas, prédios de escritórios. "*E no final*", escreveu Buffett, "*os frugalandeses seriam donos de toda a Esbanjolândia.*"

Para evitar que os Estados Unidos se tornassem uma versão de Esbanjolândia, que estava vendendo pedaços de si mesmo para outros países, Buffett propôs um sistema no qual as empresas americanas que exportassem receberiam "certificados de importação" – no total, cerca de 80 bilhões de dólares por mês. Elas poderiam negociar esses certificados (como os antigos certificados de armazenagem emitidos pela Rockwood Chocolates). Qualquer pessoa que quisesse importar alguma coisa para os Estados Unidos precisaria de um certificado daqueles e teria de comprá-lo de um exportador. Logo as empresas receberiam mais para exportar do que para vender no mercado doméstico, aumentando automaticamente as exportações. Isso, é claro, aumentaria os custos dos importadores (das empresas estrangeiras). Embora esse sistema pudesse ser considerado pouco amistoso – no fundo era uma espécie de tarifa, ou imposto, sobre importações, algo que no passado causara guerras comerciais e economias em recessão –, Buffett achava que os importadores sofreriam de qualquer maneira, à medida que seus bens se tornassem cada vez mais caros com a queda do dólar. A ideia do certificado de importação pelo menos usava o mercado para alocar quem estava disposto a sofrer. Ao longo do tempo a demanda por certificados de importação aumentaria gradualmente as exportações, reequilibrando a balança comercial – e restaurando a paridade entre Frugalândia e Esbanjolândia.

O plano tinha muitas nuances, mas o seu objetivo final trazia a marca registrada de Buffett em vários aspectos. O artigo exibia o raciocínio do autor, era uma lição de economia, era um alerta de catástrofe em potencial, enfatizava a margem de segurança (embora não melhorasse a balança comercial tanto quanto ele esperava, o mecanismo de mercado significava que era pouco provável que as coisas piorassem), era uma mistura de solução de mercado e governamental, era um sistema complexo, engenhoso e abrangente – e, é claro, um pacto sem risco, no qual a maioria das partes ficaria numa situação pelo menos um pouco melhor do que se não fizesse nada.

A sua execução também exigiria uma grande mudança de raciocínio: uma coalizão de políticos teria que entender os princípios econômicos e se importar suficientemente com eles para assumir o risco político considerável de promover a ideia de Buffett. Além disso, o plano atacaria um problema *antes* que ele se transformasse numa crise – algo sempre improvável em Washington. A probabilidade de que algo que lembrasse remotamente um imposto fosse transformado em lei com o presidente Bush e os partidários do livre mercado controlando a Casa Branca era zero. Por isso, os certificados de importação eram uma solução elegante, mas não dariam em nada. O pai de Buffett, no entanto, teria ficado muito orgulhoso dele.

E pelo menos Buffett teria a honra de ser a primeira figura de destaque a advertir publicamente – com alarde – sobre os perigos de um dólar em queda. Para proteger a Berkshire desse risco, ele andara avaliando ações chinesas, em função do crescente poder econômico da China. Achou a PetroChina, estudou-a e se sentiu suficientemente à vontade para comprá-la. Apesar de poder comprar apenas 488 milhões, disse que gostaria de ter comprado mais. A sua aprovação da PetroChina deixou os investidores enlouquecidos. Warren Buffett comprara uma ação estrangeira! A PetroChina disparou. Bem como o número de participantes da reunião com os acionistas da BRK.

Naquele ano, 15 mil pessoas foram ao "Woodstock para capitalistas" em Omaha. A fortuna de 36 bilhões de dólares de Buffett só era superada, mais uma vez, pela de Bill Gates. Ele tinha voltado quase ao topo da lista.

"Qual é a empresa ideal?", um acionista perguntou. "*A empresa ideal é aquela que obtém retornos muito altos sobre o capital e que continua usando um monte de capital nesses altos retornos. Ela se torna uma máquina de acumulação*", Buffett disse. "*Então, se você pudesse escolher, se pudesse aplicar 100 milhões de dólares numa empresa que rende 20% sobre o capital – 20 milhões –, essa empresa idealmente seria capaz de render 20% sobre 120 milhões de dólares no ano seguinte e sobre 144 milhões no ano sucessivo, e assim por diante. Você continuaria reinvestindo o capital com [aqueles] mesmos retornos ao longo do tempo. Mas existem pouquíssimas empresas assim... Nós podemos tirar o dinheiro dessas empresas para comprar mais empresas.*"[21] Era a lição mais clara sobre negócios e investimentos que ele poderia dar. Aquilo explicava por que a Berkshire estava estruturada daquela maneira, e o que ele dizia sobre o longo histórico de investidores decepcionados com o mercado acionário dava o que pensar. Explicava também por que Buffett estava sempre procurando novas empresas para comprar e o que estava planejando fazer com a Clayton Homes. Ele esperava investir parte do capital extra da Berkshire na Clayton para que a empresa pudesse sobreviver e tirar uma parcela do mercado de suas concorrentes falidas, bem como comprar e saldar sua carteira de empréstimos.[22]

Os 50 e poucos jornalistas de todo o mundo que estavam cobrindo a BRKfest estavam mais interessados na PetroChina e no fato de esse investimento significar ou não um novo interesse em ações estrangeiras. Eles tiveram a oportunidade de fazer perguntas a Buffett e a Munger a esse respeito na entrevista coletiva do domingo. Muitos deles queriam fazer uma versão de uma pergunta que surtiria efeito na audiência de seus países de origem: "Que ações o senhor compraria na Austrália? Em Taiwan? Na Alemanha? No Brasil? Na Rússia?" Buffett ressaltou que ainda estava comprando sobretudo nos Estados Unidos. A maioria das ações estrangeiras, disse, não estava em seu círculo de competência. A compra das ações da PetroChina não mudava isso.

Na manhã de segunda-feira, na reunião do conselho da Berkshire, Buffett organizou um pequeno seminário no qual expôs as coisas que ele mais queria ensinar naquele ano, isto é, o risco de queda do dólar em relação às moedas estrangeiras e os problemas envolvidos no financiamento das casas pré-fabricadas.

Tom Murphy e Don Keough tinham acabado de ser eleitos conselheiros, unindo-se a Charles Munger, Ron Olson, Walter Scott Jr., Howie, Susie e Kim Chace, o único representante da antiga família Hathaway de produtores têxteis. Houve algumas reclamações a respeito dessas indicações, alguns acionistas se queixaram de favorecimento de amigos e de falta de equilíbrio e diversidade. Mas a ideia de um conselho de administração que efetivamente supervisionasse Warren Buffett era ridícula. Um conselho composto de bonecas Barbie funcionaria da mesma maneira. Quando o conselho da Berkshire se reunia, era para ouvir Buffett ensinar, da mesma maneira que todas as ocasiões – desde uma festa a um almoço, passando por uma cantoria com Jim Clayton – se transformavam em uma oportunidade para Buffett figurativamente ficar em pé diante do quadro-negro com os dedos cheios de giz.

O motivo pelo qual os acionistas se importavam com a governança corporativa da Berkshire não era vigilância, mas a questão de quem substituiria Buffett, que já estava com quase 73 anos. Ele sempre disse que havia *"um nome num envelope"* que coroaria o seu sucessor. Mas ele não cedia à pressão para revelar o nome, porque isso ataria as suas mãos a uma pessoa, e as coisas podiam mudar. Também queria iniciar ele próprio a transição e ainda não estava pronto para isso.

Havia, é claro, um jogo de adivinhação para saber quem essa pessoa podia ser. A maioria dos administradores de várias empresas que Buffett comprara pareciam candidatos improváveis. Buffett gostava de administradores como a Sra. B – pessoas que desdenhavam os holofotes, que trabalhavam tão incansavelmente quanto uma formiga –, mas essas pessoas não administravam capital. Onde estava o alocador de capital que poderia dirigir aquela coisa? A pessoa certa tinha de estar disposta a ficar sentada atrás de uma escrivaninha lendo relatórios financeiros o dia inteiro e, ao mesmo tempo, se destacar nas negociações pessoais, a fim de reter um bando de administradores que gostariam de continuar trabalhando para Warren Buffett.

"Existe um procedimento complicado que sigo todas as manhãs", disse Buffett, *"que consiste em me olhar no espelho e decidir o que vou fazer. Sinto que, naquela altura, todo mundo já deu sua opinião."*[23] O próximo CEO teria que ser um líder excepcional – mas egos demasiadamente grandes nem precisam se candidatar ao emprego.

À medida que a reunião do conselho chegava ao fim, os acionistas deixavam a cidade e a família Buffett rumava para sua viagem anual a Nova York. Todos os anos, tradicionalmente, eles e o Grupo Buffett iam à Costa Leste participar de um jantar na casa de Sandy e Ruth Gottesman, durante o qual Susie se sentava no colo de Warren e passava seus dedos por entre seus cabelos, e Warren ficava olhando encantado para sua mulher. Mas, naquele ano, parecia óbvio que Susie não estava se sentindo bem. Um dia, no almoço, trajando um lindo tailleur de lã leve com um xale, ela comeu apenas um pedacinho de frango e algumas cenouras com um copo de leite. Disse que estava bem, mas não foi muito convincente.

Nas duas semanas seguintes, logo antes da viagem à África que a deixava tão empolgada, foi internada no hospital com uma obstrução intestinal. Os médicos descobriram que ela estava anêmica e tinha uma úlcera no esôfago. Para grande decepção da família – pelo menos para alguns de seus membros –, a viagem à África teve que ser adiada por um ano, para a primavera seguinte. Warren ficou frustrado, porque sabia quanto aquela viagem significava para Susie. Mas, quando perguntaram se ele estava preocupado, disse: *"Ah, não. Susie ficaria chateada se achasse que estou preocupado por causa dela. Ela quer se preocupar comigo, e não o contrário. Ela se parece muito com Astrid nesse sentido. Em geral não sou muito de me preocupar."*

Apesar de o motivo para o cancelamento não ser bom, no final das contas a presença de Buffett naquele mês de junho foi positiva. A reunião em que os acionistas da Clayton votariam a fusão se aproximava, e a oposição ao negócio aumentava como uma bolha, alimentada pela resistência dos acionistas em relação ao preço – e até mesmo em relação à própria ideia da venda para a Berkshire. Começaram a circular boatos de que uma outra proposta seria feita.[24] Os investidores presumiam que Buffett ganharia muito dinheiro porque, com o bolo de capital da Berkshire e a sua boa classificação de crédito, ele poderia financiar a Clayton mais ou menos para sempre, com condições mais atraentes do que qualquer outra pessoa, com exceção de um governo. Aquilo parecia injusto. Alguns acionistas estavam convencidos de que os Clayton tinham aceitado um preço baixo demais em troca de manter seus empregos e tirar algum proveito para si próprios ou ganhar acesso àquele dinheiro. O conflito de interesses provocado pela vontade da administração de uma empresa de capital aberto de vendê-la para a Berkshire estava prestes a desencadear uma guerra.

William Gray, da Orbis Investment Management, por exemplo, achou que os Clayton estavam roubando a empresa em nome de Buffett. Entrou com uma petição na SEC e um processo na Chancery Court de Delaware,* onde a Clayton estava constituída; o seu argumento foi que os Clayton não estavam tentando obter o

---

* Tribunal que dirime disputas envolvendo assuntos internos das empresas registradas no estado de Delaware. *(N. do T.)*

Buffett e o presidente do Federal Reserve, Alan Greenspan, em visita à Câmara de Comércio da Grande Omaha, em 20 de fevereiro de 2004.

"End Zone": Buffett explica a Jean Naté as particularidades do jogo de futebol americano, durante um evento de caridade.

Warren abraça Susie em julho de 2004, uma das poucas aparições dela em público depois de se recuperar da cirurgia para retirada de um câncer.

Buffett demonstra seus sentimentos pela Geico na nova filial da empresa em Amherst, Nova York, em janeiro de 2005.

Buffett e o ex-presidente Bill Clinton no evento de arrecadação de fundos para a Girls, Inc., em Omaha, em dezembro de 2006.

Charlie Munger, na Inglaterra, dedicando-se à leitura.

Buffett com a amiga Sharon Osberg.

Bill Gates (o pai), Bill Jr. e Warren na China, em 1998.

Mordido por um guepardo, perseguido por um urso-polar... o fotógrafo e ambientalista Howie Buffett se engaja no movimento pela preservação da vida selvagem.

Na festa dos 75 anos de Buffett, na casa de Sharon Osberg e David Smith, ele e Gates tentam aprender a pintar paisagens. Em seguida, Buffett posa ao lado de sua "obra de arte".

Depois da cirurgia para extrair um pólipo do cólon, em 2000, Warren deixou crescer a barba pela primeira vez na vida.

Warren, Doris e Bertie repetem a foto da infância (veja na página 4) com expressões apropriadas para seus sentimentos naquela época.

Buffett e Arnold Schwarzenegger comparecem, em setembro de 2002, a uma conferência da NetJets para líderes de negócios na Inglaterra.

Buffett com líderes de torcida do San Francisco 49ers. Em um evento da NetJets, ele as entrevistou para verificar como se sairiam como aeromoças.

Buffett cumprimenta Ariel Hsing, a jogadora de pingue-pongue de 9 anos que o massacrou durante as comemorações de seu aniversário, em 30 de agosto de 2005.

O cantor Bono presenteia Susie com um retrato que pintou dela, enfeitado por um trecho da letra de uma música do U2, em maio de 2004, em Nova York. Depois, ele declarou que os dois eram "almas gêmeas".

Walter Schloss, amigo de Buffett, dançando na festa em que comemorou seus 90 anos, em 2006.

No dia 30 de agosto de 2006, data do seu aniversário, dois anos depois da morte de Susie, Warren se casa com uma chorosa Astrid, em cerimônia reservada na casa de Susie Jr.

Cena da peça Spirit – The Seventh Fire, *de Peter Buffett, um espetáculo sobre a redescoberta da identidade. O* Philadelphia Inquirer *comparou a obra a uma ópera de Philip Glass, com "solos de guitarra que deixariam The Edge, do U2, morto de inveja".*

Bill e Melinda Gates com Buffett no dia 26 de junho de 2006. As fisionomias alegres se devem à decisão de Buffett de deixar a maior parte de sua fortuna para a Bill and Melinda Gates Foundation.

melhor acordo para os acionistas, pois tinham firmado a cláusula de exclusividade que os impedia de analisar ofertas concorrentes. Ele buscou uma sentença que não os deixasse utilizar seu poder de voto no acordo e queria que a convocação de uma reunião especial de acionistas substituísse o conselho da Clayton.[25] Afinal de contas, disse um investidor, "se Buffett faz uma oferta para alguma coisa, essa oferta deve, por definição, estar subvalorizada".[26]

A reputação de Buffett, que trabalhara a seu favor por tantos anos, começou, em certos aspectos, a atrapalhá-lo. Ele atraía tanta atenção que qualquer pessoa que quisesse publicidade para si mesma ou para a sua causa podia sequestrar sua reunião com os acionistas ou se apropriar indevidamente da sua fama para obtê-la. E foi o que aconteceu. Pouco antes da reunião, e por volta do momento em que a Berkshire anunciou o acordo com a Clayton, Doris Christopher, CEO da The Pampered Chef, ligou para ele com um problema desse tipo.

A The Pampered Chef vendia artigos de cozinha em festas domésticas por meio de vendedores independentes, em sua maioria mulheres. Depois que a Berkshire adquiriu a empresa, membros das organizações pró-vida começaram a boicotar as festas. A posição da Berkshire era a de não fazer doações a grupos pró-vida ou a favor dos direitos reprodutivos, atuando apenas como um canal para os seus acionistas, que, por intermédio do programa de contribuições de caridade, tinham o direito de alocar 18 dólares por ação à instituição de caridade de sua escolha. Dos 197 milhões de dólares que tinham sido doados a grupos sem fins lucrativos de todos os tipos, o maior número de beneficiados era de escolas e igrejas, das quais muitas eram católicas, e a maior parte do dinheiro foi destinada a causas que não estavam relacionadas ao aborto. Mas uma quantidade significativa de dinheiro tinha sido destinada a organizações de direitos reprodutivos.[27] Enquanto isso acontecia, a parcela pessoal de Warren e Susie nas contribuições – cerca de 9 milhões de dólares em 2002 – ia para a Buffett Foundation, custeando, em sua maior parte, direitos reprodutivos. O fato de o dinheiro da Berkshire estar sendo canalizado dessa forma era o que incomodava os grupos pró-vida. O argumento de que as contribuições não eram da Berkshire não foi considerado.[28] Em 2002, Buffett tentou resolver a situação com um desses grupos, mostrando quanto dinheiro era destinado a outras causas, além do planejamento familiar. Recebeu uma resposta do presidente da Life Decisions International que dizia: "Mesmo que apenas 1 dólar fosse para a Planed Parenthood e 1 bilhão de dólares fossem doados para organizações pró-vida, a primeira doação ainda colocaria a Berkshire Hathaway na *Lista de Boicote*."[29] Se o valor introduzido em um parquímetro era suficiente para atrair um boicote, esse era um sinal claro de que a Berkshire encontraria pouco espaço para concessões.

Doris Christopher tentara mediar, dizendo ao seu pessoal que, embora não concordasse pessoalmente com Buffett, não cabia a eles "questionar ou julgar" a sua maneira de doar dinheiro. Menos de mil dos 70 mil consultores da The Pampered Chef estavam levando essa questão até Christopher.[30] Ainda assim, o boicote estava afetando os negócios e prejudicando as pessoas envolvidas, que eram intimidadas por piqueteiros pró-vida que apareciam na casa dos anfitriões durante as festas de vendas. Christopher ligou para Buffett, avisando que as dificuldades na empresa estavam piorando.

"*Ela não me pediu, mas eu podia perceber que ela esperava que eu cancelasse o programa. Pensei: 'Quer saber, é o que vou fazer. Achei que pudéssemos endurecer, mas não podemos. Isso está prejudicando um número grande demais de pessoas que eu não quero prejudicar. Prejudica Doris, e esse é o seu rebanho. Eles estão sendo injuriados e são inocentes. Estão no escritório dela chorando.'"*

No final de junho, Buffett chamou a seu escritório Allen Greenberg, seu ex-genro e diretor executivo da Buffett Foundation, e explicou que tinha falado com Charlie Munger. Em vez de vender a The Pampered Chef – uma das opções –, eles decidiram encerrar o programa de contribuições de caridade. Greenberg ficou aturdido. No ano anterior, 97% dos acionistas tinham derrotado uma resolução de um acionista pró-vida para cancelar o programa. Passando as mãos por seus cabelos escuros e ondulados, ele ficou andando para cima e para baixo, lembrando que as contribuições eram feitas por indivíduos, e não pela empresa. As pessoas ainda podiam doar individualmente. O encerramento do programa não resolveria nada. Mas Buffett já tinha tomado a sua decisão.

Greenberg voltou ao seu escritório para esboçar um comunicado à imprensa, que foi divulgado pouco antes de Sun Valley, durante o fim de semana do 4 de Julho. O telefone tocou por vários dias, e as secretárias ficaram cansadas de levar mensagens para cima e para baixo do corredor. A Life Decisions soltou quase instantaneamente o seu próprio comunicado, retirando a Berkshire da sua lista de boicote.

Mas a maioria dos amigos de Buffett, a despeito de sua opinião sobre o aborto, reagiu da mesma maneira, com perplexidade. Alguns ficaram com raiva. "Fiquei surpreso por ele ter cedido nessa questão", disse um deles. "Não é típico dele recuar tão facilmente. Warren é uma pessoa cheia de princípios. Era algo tão importante assim?", perguntou outro.[31]

Embora outras pessoas na sua posição talvez tivessem optado por enfrentar o pessoal pró-vida, Buffett disse que ficava preocupado por achar que uma postura desse tipo pudesse pôr os consultores da The Pampered Chef em risco. Ele não disse isso, mas achava que não apenas o sustento deles, mas também a sua integridade física, estava em jogo. O próprio Buffett era um alvo muito grande: não era apenas Sid, o tintureiro da esquina, do qual nunca ninguém ouvira falar; o fato de assumir uma posição podia tornar a Berkshire Hathaway, e ele também, um símbolo da rebeldia pró-escolha, o que era perigoso.[32] Por isso ele preferiu evitar o confronto; aquilo era algo que ele simplesmente não podia fazer.

Buffett nunca demonstrou qualquer sinal de rancor em relação às críticas à vitória do pessoal pró-vida. "Você sempre pode mandá-los para o inferno", como Murph disse. Mas não era necessário fazer aquilo naquele momento. Ao longo dos anos, ele evitou muitos problemas assim. Logo que deixou para trás a questão da The Pampered Chef, simplesmente parou de pensar a respeito.

Infelizmente, isso não resolveu o outro problema causado pelo fato de ele ser Warren Buffett, e não Sid, o tintureiro. Os acionistas da Clayton Homes tinham começado a dar suas opiniões, favoráveis e contrárias, à oferta da Berkshire, à medida que se aproximava a reunião de 16 de julho, na qual o acordo seria votado. Os preços das empresas do ramo tinham voltado a subir. Os credores se tornaram repentinamente mais brandos. O argumento do "ponto mais baixo do ciclo" ganhou força. Cerca de 13% dos investidores, entre os quais respeitadas gestoras de recursos como a Brandywine Asset Management, a Schneider Capital e o CalPERS (o sistema de aposentadoria dos funcionários públicos da Califórnia), disseram publicamente que se oporiam ao acordo. Kevin Clayton estava viajando pelo país, encontrando investidores e defendendo a fusão, enquanto a Orbis e outros opositores usavam o telefone e a imprensa. Àquela altura a Berkshire já tinha emprestado 360 milhões de dólares para a Clayton financiar suas necessidades temporárias. Buffett soltou um comunicado no qual dizia que não aumentaria o seu preço *"nem agora nem no futuro"*. Se o acordo fosse desfeito, ele se afastaria. Também usou o comunicado para fazer uma previsão econômica para o setor, dizendo que não havia nenhuma recuperação a curto prazo.[33]

Antes da oferta de Buffett ninguém queria a Clayton. Apesar de ter um grupo de acionistas fiéis, a empresa era como uma garota bonita que não conseguia arrumar um par no baile. Agora ela estava de braços dados com Warren Buffett, indo em direção ao centro da pista enquanto os músicos começavam a tocar uma polca. A ex-desprezada de repente parecia mais bonita do que as outras. À meia-noite, dois dias antes da reunião com os acionistas, a Cerberus Capital, que tinha coberto o lance de Buffett no empréstimo à Conseco, enviou por fax uma carta à Clayton, dando a entender que provavelmente faria uma oferta mais alta. Quando o assunto era dinheiro, a atitude de Buffett era desafiadora. *"Tudo bem, que façam a oferta"*, disse. Ele tinha a certeza de que a Clayton, sem a Berkshire, não valia mais do que 12,50 dólares por ação.

E, de fato, no dia da reunião, ninguém mais tinha feito ofertas pela Clayton

Homes. Mas ainda não se sabia se os Clayton teriam votos suficientes para obter a aprovação da venda. Jim Clayton enfrentou, durante uma hora, uma rajada de perguntas feitas por acionistas agitados que tinham lotado o auditório. As ações de empresas de casas pré-fabricadas estavam sendo muito negociadas desde o anúncio da transação, fazendo com que o preço de 12,50 dólares por ação parecesse ainda pior na comparação. Alguns acionistas queriam que a Cerberus tivesse uma chance de fazer a sua oferta, mas a empresa tivera dois meses para preparar um lance e ainda não havia certeza alguma de que estivesse pensando seriamente em comprar a Clayton – e aparecer no último minuto como desmancha-prazeres de Buffett.

Os Clayton ficaram numa situação muito difícil. Se a votação fracassasse, o que era bem possível – pois uma grande acionista, a Fidelity Investments, já tinha anunciado a sua intenção de mudar seu voto de sim para não –, talvez não houvesse acordo algum e a Clayton poderia ser processada por ter assinado o acordo sem avaliar outras propostas. Se a votação fosse bem-sucedida e a Clayton fosse vendida para a Berkshire, a empresa podia ser processada por ignorar outra oferta talvez mais alta.

Kevin Clayton saiu da reunião para ligar para Buffett e pedir que ele concordasse em adiar a votação, para dar tempo à Cerberus de fazer uma proposta. Buffett concordou, desde que eles pagassem 5 milhões de dólares à Berkshire pelo atraso. Clayton concordou em pagar aquela quantia a Buffett, voltou à reunião e a suspendeu, antes da votação.[34]

Àquela altura a imprensa especializada estava cobrindo o caso como se fosse uma encenação de Davi e Golias, na qual um grupo de pequenos Davis – os fundos de hedge que estavam se opondo à transação – tentava derrotar os gananciosos Clayton e o colosso Buffett: os jornalistas são automaticamente céticos em relação a figuras do establishment; da mesma forma, os gerentes dos fundos de hedge, de maneira geral, são contrários ao establishment por natureza; eles tinham aprendido a usar a imprensa para benefício mútuo, como um virtuose com o seu Stradivarius. E a imprensa se voltou contra o poderoso Buffett. Se ele estava comprando algo, o preço devia estar baixo demais.

O teste para determinar se Buffett estava ou não roubando a Clayton seria ver se surgiria outra proposta. Uma semana depois, quando 70 contadores, advogados e especialistas financeiros da Cerberus Capital e três outras firmas – o Blackstone Group, o Credit Suisse e o Texas Pacific Group – foram a Knoxville, sob a liderança do presidente do conselho da Cerberus, o ex-vice-presidente Dan Quayle, o relógio começou a se aproximar da hora da verdade. A Clayton os colocou nas casas pré-fabricadas mais sofisticadas, adjacentes à sede da empresa. A maior parte da equipe visitou as fábricas da Clayton e vasculhou salas cheias de documentos, concentrando-se cada vez mais na enorme boca da unidade de hipotecas e na maneira como ela devorava capital.[35] Quayle circulava pelos corredores apertando mãos, repetindo que a Cerberus era uma "empresa amiga das famílias".[36]

Enquanto a Cerberus e outras firmas estavam deliberando, o fundo de pensão dos empregados e empregadores dos frigoríficos da área de Denver entrou com uma ação judicial contra a Clayton, acusando-a de "ação em interesse próprio, controle abusivo e parcialidade".[37] Buffett sentiu que estava sendo chantageado. A ação judicial foi orquestrada por Darren Robbins, um sócio da Milberg Weiss, uma banca de advocacia que se especializara na representação de investidores em ações coletivas. "É um fato público e notório que eles cometeram uma fraude", disse Robbins.[38] Vinte e dois advogados, assistentes e pesquisadores dos querelantes foram a Knoxville. Os advogados dos querelantes não ficaram em casas pré-fabricadas. Alojaram-se em nove imóveis de luxo no centro da cidade, supostamente preparados para uma batalha de seis meses.[39]

Depois de uma semana de pesquisas, o pessoal da Cerberus voltou a Nova York e enviou uma folha com a etiqueta "apenas para propósitos de apreciação": "Recapitalização da Clayton – Fontes e Usos." Não era uma oferta, mas continha um preço: 14 dólares por ação. A primeira impressão da Clayton foi a de que a Cerberus tinha superado a oferta de Buffett por uma margem saudável. Todavia, uma análise mais detalhada revelou que a Cerberus planejava dar aos acionistas apenas 755 milhões de dólares em dinheiro, ao passo que a oferta de 1,7 bilhão de dólares de Buffett era uma transação inteiramente em numerário. Na transação da Cerberus, os acionistas externos receberiam 9 dólares por ação, de um total de 14 dólares. O saldo seria pago em ações "recapitalizadas".

Os 9 dólares por ação, porém, seriam na verdade pagos pela própria Clayton. A Cerberus não ia investir dinheiro algum. A Clayton teria de tomar emprestados 500 milhões de dólares e vender outros 650 milhões em ativos.[40]

Era uma típica proposta de aquisição com uso de recursos de terceiros, no qual os ativos de uma empresa são vendidos e ela assume dívidas a fim de financiar a própria venda. As ações recapitalizadas, com um valor nominal de 5 dólares, seriam uma parte de uma empresa financeira que teria acumulado mais dívidas sobre uma base de capital reduzida. Dívidas eram o sangue que corria nas veias dos produtores de casas pré-fabricadas; sem as dívidas, eles estariam mortos. E os provedores de empréstimos já estavam se afastando do setor. Por que eles concederiam um empréstimo a uma empresa cuja capacidade de ressarcimento já havia se esgotado? É claro que o pessoal da Cerberus sabia disso; eles tinham entregado uma proposta que era o máximo que a engenharia financeira podia fazer. Os Clayton ligaram para a Cerberus para discuti-la e, sem nenhum rancor, concordaram em seguir cada um o próprio caminho.

Mas a CNBC e a imprensa financeira estavam então retratando Buffett como um financista impiedoso, que estava mancomunado com os Clayton para comprar a empresa a um preço baixo. A forma como a transação da Clayton estava sendo retratada na mídia e a maneira como a reputação de Buffett tinha crescido a ponto de prejudicá-lo representavam um reverso dramático na imagem de homem sábio e afável como um avô que atraía legiões de seguidores. A bolha tinha estourado: a oposição à fusão da Clayton mostrava que os grandes investidores não mais o seguiam esperando que sua reputação fizesse os preços subirem; eles agora queriam usar sua reputação contra ele, para *bloqueá-lo*.

Buffett, porém, nunca se especializara em comprar coisas que as outras pessoas também queriam por um preço que fosse baixo demais. Em vez disso, ele comprava coisas que as outras pessoas não queriam e sem as quais achavam que ficariam numa situação melhor. É claro que elas muitas vezes se enganavam a esse respeito. Cada vez mais, porém, desde o *Buffett Evening News*, a Berkshire tinha comprado propriedades sem as quais as pessoas realmente *ficaram* numa situação melhor. Não eram muitas as empresas com um balanço que pudesse encarar um sindicato com superioridade, ou que tinham os meios financeiros para financiar a dívida da Clayton, ou que podiam tomar decisões sobre acordos como o do Long-Term Capital em uma hora, e não depois de uma semana. A Berkshire podia fazer tudo isso – e mais. Muitas empresas que a Berkshire estava comprando naquela época eram como a NetJets, construídas por empresários que queriam vender para um comprador que tratasse bem de seus bebês e que confiavam na honestidade da Berkshire.[41] A genialidade de Buffett não residia apenas na identificação de pechinchas (apesar de ele ter feito muito isso), mas também no fato de ele ter criado, ao longo de muitos anos, uma empresa que fazia barganhas a partir de companhias avaliadas a um preço justo.

No 50º aniversário de Susie Jr., a reunião dos acionistas da Clayton, que tinha sido suspensa, foi finalmente retomada. Depois de quatro meses, nenhuma outra proposta tinha aparecido e, no final das contas, a Cerberus não fez nenhuma oferta. Por isso, 52,3% dos acionistas votaram a favor do acordo com a Berkshire, pouco mais que o necessário. Buffett ficou sentado ao lado do telefone até receber a notícia. Depois saiu com a filha e deu a ela o presente que tinha escolhido com a ajuda de Susan Jacques, na Borsheim's – um anel com um grande diamante rosa em forma de coração –, além de seu 1 milhão de dólares de presente de aniversário. O financista supostamente frio era um sentimental de coração mole quando o assunto era sua filha, com quem ele mantinha uma relação cada vez mais próxima e até mesmo de dependência. Ele ficou por algumas semanas andando para cima e para baixo com o anel, admirando-o e com os olhos se enchendo d'água ao pensar na reação da filha. Quando Susie Jr. viu o anel, abraçou-o e chorou.

Enquanto eles se abraçavam, a Milberg Weiss e William Gray, da Orbis, já estavam tentando anular a votação. Gray questionou o resultado e obteve o direito de auditar os votos. Mas a Chancery Court de Delaware confirmou a votação. Derrotada, a Orbis se uniu à Milberg Weiss e pediu ao juiz Dale Young, do tribunal do condado de Blount, no Tennessee, para impedir que a transação fosse consumada. Ao invés disso, o juiz Young determinou que a fusão deveria acontecer. Com a Milberg Weiss latindo na porta, os Clayton não perderam tempo. Em 7 de agosto, o dia em que a fusão deveria ser concluída, os advogados da Clayton em Delaware estavam esperando na porta do secretário de Estado ao raiar do dia para dar entrada na papelada da fusão. Às 7h30, estava tudo resolvido.[42]

Assim que a fusão entrou em vigor, a Milberg Weiss e a Orbis correram para apresentar um recurso ao Tribunal de Apelações do Tennessee, para anular a decisão tomada na véspera pelo juiz Young. No dia seguinte o tribunal se reuniu e bloqueou temporariamente a fusão, que já tinha sido concluída. Isso impediu que a Berkshire saldasse o valor da compra. O Tribunal de Apelações determinou que fossem esclarecidas algumas questões no prazo de duas semanas. A Clayton começou a trabalhar para satisfazer as exigências do documento de 18 páginas da Milberg Weiss. Advogados e funcionários da empresa estavam trabalhando quase 24 horas por dia.

Kevin Clayton e sua mulher tinham acabado de ter um filho, e ela estava sentindo cólicas por causa de uma alergia a proteínas. "Experimentamos 27 fórmulas antes de descobrir em Londres uma que funcionasse", diz Clayton. "Além do mais, tive herpes no meio disso tudo por causa do estresse. Liguei para o meu pai e disse: 'Pai, está difícil.' Ele disse: 'Bem, filho, tive uma paralisia no lado esquerdo do rosto quando tinha a sua idade por causa de estresse.' Depois liguei para Warren e ele disse: 'Bem, Kevin, quando eu era mais jovem perdi boa parte dos meus cabelos por causa de estresse.' Nenhum dos dois ficou com pena de mim."

Em 18 de agosto o juiz Young ordenou um julgamento perante um júri. A Clayton entrou imediatamente com um recurso.

As ações da Clayton pararam de ser negociadas semanas antes, mas a Berkshire não podia pagar o valor da fusão, pois a transação estava de molho na cozinha da corte de apelações. Quarenta mil acionistas esperavam o dinheiro da Berkshire Hathaway. No total, 1,7 bilhão de dólares estavam no banco rendendo juros para a Berkshire.

Buffett recebeu um fax de um casal que seria despejado porque a sua hipoteca estava sendo executada. Eles precisavam do dinheiro das ações da Clayton para pagar a hipoteca. *"Paguem o que puderem"*, ele disse ao casal, *"e simplesmente expliquem a situação. Isso provavelmente será suficiente para evitar a execução da hipoteca.*

É como Os perigos de Paulina", ele disse.

O impasse se arrastou por quase duas semanas. No final, com a chegada de setembro, o tribunal não encontrou "nenhuma centelha que prove" que os Clayton tivessem manipulado o processo de votação. Seis dias mais tarde a Milberg Weiss entrou com um recurso no Supremo Tribunal do Tennessee. Buffett estava incrédulo – ou melhor, teria ficado incrédulo se aquilo fosse obra de qualquer banca de advocacia, e não da Milberg Weiss. Eles ainda estavam tentando anular a fusão. Aquilo não resultaria num cheque mais polpudo para a firma de advocacia. Como eles esperavam ser pagos? As fotocopiadoras estavam funcionando até tarde na firma de advocacia da Clayton, cuspindo documentos e honorários jurídicos. Buffett supôs que a Milberg Weiss devia estar tentando ser tão inconveniente a ponto de a Clayton querer pagar para que eles se afastassem. Ele falou com Kevin Clayton. "Nunca", prometeu Clayton.[43]

Buffett refletiu sobre a posição do Supremo Tribunal do Tennessee, que poderia se tornar o primeiro tribunal na história dos Estados Unidos a desfazer uma fusão que já tinha sido completada. O tribunal, obviamente também pensando nisso, rejeitou o recurso.

A seguradora da Clayton, a St. Paul, queria resolver a ação remanescente da Milberg Weiss em nome dos acionistas pagando 5 milhões de dólares. Os Clayton e Buffett odiavam a ideia de pagar a pessoas que eles consideravam ladras e chicaneiras, porque uma parte muito pequena do dinheiro iria para os acionistas – talvez 5 centavos por ação. Os advogados ficariam com a maior parte do dinheiro. Todavia, a seguradora argumentou que, a menos que eles fizessem um acordo, as custas do processo para a empresa acabariam sendo ainda maiores. Sentindo-se extorquidos, eles pagaram. E assim acabou a batalha da compra da Clayton Homes.

Mas logo ficou claro que as vendas de casas pré-fabricadas não se recuperariam.[44] Buffett não tinha comprado no momento de recuperação do mercado. Na verdade, como Ian Jacobs relatou ao voltar, a espiral descendente no mercado de casas pré-fabricadas estava apenas começando. O preço pago, que parecera tão baixo, era mais do que razoável. Para ajudar a economia da transação, Buffett fez com que Kevin Clayton começasse a comprar carteiras de empréstimos problemáticos. Seriam necessárias muitas manobras habilidosas para fazer com que a transação da Clayton funcionasse.

58
"Buffettizado"

Omaha – verão-outono de 2003

Em setembro, Buffett estava num estado de grande excitação. A revista *Fortune* o indicou como o homem mais poderoso nos negócios. Diante de muita admiração e espanto, ele recentemente leiloara, por 210 mil dólares, sua carteira surrada com uma dica sobre ações em benefício da Girls Inc., uma organização sem fins lucrativos de Susie Jr. Depois leiloou a si mesmo no eBay – ou melhor, um almoço para oito pessoas em sua companhia – em benefício da Glide Memorial Church, em São Francisco, a principal causa de Susie. A Glide fazia testes de HIV durante as cerimônias e organizava funerais e memoriais para homossexuais que tinham sido rejeitados por suas famílias e igrejas. A palavra de ordem do reverendo Cecil William era "amor incondicional", uma expressão que Susie adotou como um mantra, e que até mesmo Warren passou a usar de tempos em tempos. Na Glide, todos eram bem-vindos: prostitutas, viciados, bêbados e errantes.[1] As 50 ofertas mais altas no eBay sugeriam que duas horas do tempo de Buffett e um almoço para oito pessoas no Michael's valiam 250.100 dólares – ou seja, mais do que a dica sobre ações na sua carteira. Em poucos dias, a imagem de Buffett trajando uma toga, como se tivesse descido do Monte Olimpo, feita por um artista apareceria na *Forbes* para ilustrar uma lista dos "Bilionários mais bem-vestidos". Por mais limitada que fosse a competição para essa lista (embora bilionários estivessem se tornando comuns naquela época), Buffett nunca poderia ser considerado um concorrente para uma lista de bem-vestidos se não fosse tão homenageado e popular a ponto de vender revistas. Não apenas isso, mas as duas Susies falariam sobre filantropia no "Encontro das Mulheres Mais Poderosas", organizado pela *Fortune* na semana seguinte, no início de outubro, diante de uma plateia formada por muitas das mulheres mais importantes dos Estados Unidos, incluindo CEOs, empresárias e mulheres de destaque em diversas áreas. Buffett estava extasiado com essa consagração de sua mulher e sua filha, especialmente porque elas fariam a apresentação juntas.

Na tarde de sexta-feira, antes do início da conferência, Susie ligou para dizer a Warren que chegaria com um dia de atraso, porque na segunda-feira faria uma biópsia. Ela havia consultado seu periodontista em junho, já que a consulta de maio fora adiada por causa de seus problemas intestinais, da sua úlcera no esôfago e da sua anemia. O periodontista encontrou alguns pontos do tamanho de cabeças de alfinete no fundo da sua boca e decidiu encaminhá-la para uma especialista. Dois meses se passaram enquanto Susie tentava combinar a agenda da especialista e seu próprio roteiro complicado de viagens para marcar uma consulta. Depois de marcá-la, quase precisou cancelá-la para fazer uma visita à Gates Foundation.

"*Não*. Não, não, não, não, não. Você não vai cancelar", disse Kathleen Cole. Cole raramente contradizia abertamente a sua amiga e chefe. Mas daquela vez ela insistiu: "Você tem de ir."[2]

Na consulta, a Dra. Deborah Greenspan apalpou o pescoço de Susie e encontrou linfonodos inchados num dos lados. Insistiu para que Susie consultasse outro especialista, o Dr. Brian Schmidt, na segunda-feira seguinte, para fazer uma biópsia. Susie parecia não estar preocupada com a biópsia. Queria adiar a nova consulta para não perder nada da conferência da *Fortune*. "Tenho que estar lá", disse a Kathleen. Mas o especialista, o Dr. Schmidt, recusou-se a adiar o procedimento.[3]

Buffett absorveu a notícia em silêncio, mas ficou profundamente abalado. Algumas horas depois da ligação de Susie divagou numa longa conversa telefônica para preencher o tempo. Segundos antes da hora prevista para o início da sua partida de bridge, ele disse casualmente, mas com uma voz grave e séria: "*Ah, a propósito, Susie vai fazer uma biópsia na segunda-feira.*"

"Por quê?!", perguntou seu interlocutor, chocado.

"*Alguma coisa em sua boca*", ele disse. "*Bem, falo com você mais tarde.*" Depois desligou.

Susie fez a biópsia. Em seguida discursou na conferência, depois voou rumo ao leste, para Decatur, para visitar Howie na fazenda, ver os netos e andar na ceifadeira antes de voltar a São Francisco. Howie teria pensado consigo mesmo: "Nossa, ela sempre falou de vir para a colheita, mas nunca tinha vindo."[4] Na época, porém, ele não percebeu nada de estranho, pois ela se comportou como de costume.[5]

Warren ficava com o rosto colado na tela do computador, fosse para ler notícias, jogar bridge ou brincar de helicóptero. Mas sua ansiedade crescente transparecia em seu comportamento: ele repetia a mesma pergunta e fazia as mesmas afirmações sobre algum assunto várias vezes, embora negasse – se perguntassem – que estava preocupado.

Na sexta-feira, Susie e Kathleen Cole foram ao USC Medical Center para saber o resultado da biópsia. Susie continuava a parecer cega em relação à possível gravidade da situação. Quando elas chegaram ao consultório do Dr. Schmidt, Susie disse a Kathleen: "Você está muito tensa. Por que está tão nervosa?" Kathleen pensou: "Ai, meu Deus, ela não entende que esta pode ser uma notícia ruim?" Quando viram o médico, ele disse que Susie tinha um câncer oral no terceiro estágio. Ela ficou atônita com o diagnóstico. "Era como se alguém a tivesse fulminado", diz Cole. "Aparentemente, ela nem levara em consideração aquela possibilidade."[6]

Susie teve o seu momento de choro. Depois, como sempre, quando voltou para o carro, ela já se recompusera e começou a reconfortar a todos, menos a si mesma. Ligou para Warren. Ele não disse muita coisa. Ela ligou para Susie Jr. e falou: "Ligue para o seu pai. Ele vai ficar confuso." Depois foi para casa e falou com Warren de novo e com Susie Jr., Howie e Peter.[7] Àquela altura Susie Jr. já tinha feito pesquisas na internet.[8] Ligou para o pai e disse: "Não leia o site sobre câncer oral."

O câncer oral acomete apenas 34 mil pessoas por ano, mas mata mais de 8 mil. É um tipo de câncer muitas vezes indolor, mas que cresce rapidamente e é mais letal do que melanomas, câncer cerebral, câncer hepático, câncer do colo do útero ou a doença de Hodgkin.[9] É particularmente perigoso porque, em geral, só é descoberto depois que se espalhou para os linfonodos do pescoço e, nessa altura, é possível que o tumor primário tenha invadido o tecido à sua volta e migrado para outros órgãos. Uma pessoa com câncer oral corre um risco particularmente alto de desenvolver um segundo tumor primário. Quem sobrevive a uma primeira ocorrência da doença tem um risco 20 vezes maior de recorrência que em outros tipos de câncer.

Pelo menos 90% das pessoas com diagnóstico de câncer oral são fumantes ou mascam tabaco. O uso de álcool combinado com o cigarro aumenta ainda mais o risco. Susie Buffett nunca fumou nem bebeu. Ela não tinha nenhum fator de risco significativo. O fato de seu câncer estar no terceiro estágio significava que já tinha se espalhado para pelo menos um linfonodo, mas provavelmente não atingira órgãos mais distantes.

Susie voltou ao seu apartamento com vista para a ponte Golden Gate e cujas paredes eram cobertas por lembranças de viagens, presentes de amigos e obras de arte que tinham algum significado para ela. A mulher que nunca abria mão de nada nem de ninguém começou a dizer às pessoas: "Tive uma vida maravilhosa. Meus filhos estão crescidos. Cheguei a conhecer meus netos. Amo a minha vida, mas cumpri meu dever e, no fundo, não sou mais necessária."

Ela disse a Kathleen: "Se dependesse de mim, eu iria para uma mansão na Itália sozinha e simplesmente morreria." Susie tinha muito mais medo de uma morte longa e dolorosa do que de propriamente morrer. Mas, se ela simplesmente desistisse, estaria abandonando as pessoas que lhe eram importantes, pessoas que faziam parte de sua vida havia décadas. Na verdade, ela só faria a cirurgia por causa de Warren. Contudo, disse a Kathleen e a seu amigo Ron Parks, entre outras pessoas, que ainda não decidira se prosseguiria com a radioterapia, uma parte usual do tratamento para reduzir o risco de uma recorrência, que era alto. Por algum motivo, talvez por estar em estado de choque, ela não parecia entender a importância de tudo aquilo.[10]

Na manhã seguinte, enquanto Kathleen fazia com a amiga planos para o que estava por vir, Susie irresponsavelmente se recusou a autorizar que comprasse o equipamento que seria necessário para adaptar seu apartamento após a cirurgia. Kathleen precisaria de cadeiras elevadoras para subir todos os lances de escada até seu apartamento no topo do prédio. Susie não queria ouvir falar a respeito. Kathleen decidiu que Susie estava sob algum tipo de choque ou de negação e acabou ligando para Susie Jr., que simplesmente disse para ela ignorar sua mãe e tomar as providências necessárias.

Enquanto isso, um Warren atônito seguia a sua rotina, como invariavelmente fazia numa crise. Ele acompanhou Astrid, que estava muito contrariada, a um jogo de futebol americano em Lincoln. Foi a São Francisco na manhã seguinte, quando soube que Susie precisava fazer uma cirurgia séria nas semanas seguintes. Havia 50% de chance de ela sobreviver por cinco anos. Uma grande parte de seu maxilar e a maior parte de seus dentes, ou todos eles, talvez fossem removidos. Durante mais de um mês após a cirurgia, ela teria que se alimentar por meio de um tubo em seu nariz, que iria diretamente ao estômago. Não poderia falar durante aquele período, e a cirurgia poderia desfigurá-la. Susie não falou muito mais a Warren; disse que estava preocupada com a possibilidade de assustar seus próprios netos. Eles decidiram que ela iria a Nova York na semana seguinte em busca de uma segunda opinião no Centro Oncológico Memorial Sloan-Kettering, apesar de isso ser basicamente uma formalidade.

De volta a Omaha, Warren preencheu todos os seus momentos conscientes conversando ao telefone, jogando partidas de bridge pela internet, trabalhando e traçando a estratégia para uma reunião que teria com Karen Eliott House, editora do *Wall Street Journal*. Àquela altura Buffett estava tendo desavenças constantes com o *Journal* por causa da cobertura dedicada a ele, a começar pela matéria de 1992 na qual fora chamado de "um homem duro e refinado" por baixo da "máscara de sábio popular". House talvez estivesse engajada numa missão de reparação ou talvez quisesse sondá-lo sobre a possibilidade de compra do jornal, que estava com problemas financeiros. Mas, na verdade, em momento algum ele deixou de pensar em Susan, ainda que só falasse sobre ela em breves momentos nas suas conversas. Ele decidiu passar todos os fins de semana em São Francisco com ela durante os meses seguintes. Apesar de não saber o que iria enfrentar, queria, de alguma maneira, dar a ela o que sabia que ela teria dado a ele numa situação similar. Ele tinha certeza de que ela precisava de sua presença. E, certamente, ele precisaria da presença dela.

O encontro com House acabou sendo tranquilo; ninguém foi colocado contra a parede, e Buffett não comprou o jornal. Durante o resto da semana ele começou as manhãs de péssimo humor – um sinal certeiro de que não tinha dormido bem –, mas depois, ao longo do dia, ia ficando mais afável. Além de Debbie Bosanek e poucas outras pessoas, ninguém na sede da Berkshire Hathaway sabia o motivo.

Durante aquela semana ele raramente saiu do seu canto perto da sala de fotocópias e das duas salas de arquivo, passando boa parte do tempo ao telefone com Susie. Apesar de falarem por horas a fio, ela era vaga a respeito do calvário que estava enfrentando. De início, ela mesma não tinha entendido a extensão da cirurgia, que também podia envolver um enxerto de osso retirado de sua perna. Os cirurgiões não sabiam ao certo que proporção do seu rosto seria afetada, embora achassem que seria possível poupar sua língua. O mais devastador para ela era o fato de que provavelmente não poderia mais cantar. Ela falara a respeito da cirurgia com seu ex-genro Allen Greenberg, que tinha uma familiaridade de longa data com problemas médicos e que acompanhara sua amiga, chefe e ex-sogra várias vezes ao pronto-socorro ao longo dos anos. Sensível à maneira como Warren se retraía diante de qualquer coisa que se relacionasse a doenças, Greenberg nem mencionava Susie quando ia ao escritório de Buffett para atualizá-lo sobre os projetos da fundação.

Embora não quisesse saber muita coisa, Warren falava muito sobre o que sabia. *"Eles têm uma equipe de cinco pessoas e vai demorar no mínimo 10 horas. Ela está recebendo o melhor tratamento do mundo. Recebeu uma carta de Howie que... nenhuma mãe poderia receber uma carta mais bonita. Está sendo muito assistida. Mas será um calvário para ela. Deram muitas informações, e ela sabe que eu não quero saber de detalhes. Ela me contou o que acha que consigo aguentar. Tenho certeza de que os médicos consideram uma loucura eu não estar falando diretamente com eles. Mas eu não dou conta disso, então ela me contou os elementos essenciais."*

Alguns dias depois Susie foi a Omaha para buscar Susie Jr., que acompanharia a mãe ao Memorial Sloan-Kettering em Nova York para uma segunda opinião. A boa notícia foi que os testes mostraram que não havia indícios de que o câncer tivesse se espalhado. Elas voltaram para Omaha, onde Susie passaria o fim de semana. Mas lá ela teve outro episódio de dor incapacitante, causado por suas aderências abdominais. Aquele ataque, a menos de cinco meses da crise que impedira os Buffett de viajar à África em maio, era preocupante. Ela teve de ficar na casa de Susie Jr., mas, dessa vez, altas doses de analgésicos permitiram que ela evitasse a hospitalização, que até ali sempre fora necessária.

Desalinhado e pálido, Buffett se arrastou até o escritório, depois partiu no meio da semana para uma reunião do conselho da Coca-Cola em Atlanta. Quando regressou, Susie estava começando a se recuperar e foi visitar Astrid. Ao ver Susie, Astrid simplesmente começou a soluçar e, mais uma vez, Susie teve de reconfortar outra pessoa.

Depois do fim de semana, quando Susie voltou para São Francisco, o humor de Buffett despencou outra vez, a sua voz se tornou estridente, e era óbvio que ele estava tendo problemas para dormir. A reunião bienal do Grupo Buffett, que aconteceria dali a alguns dias, o preocupava. Os médicos de Susie não queriam que ela viajasse para a reunião, que aconteceria em San Diego. Então, pela primeira vez desde 1969, Warren teria que ir sozinho. Além da ausência de Susie, seu amigo Larry Tisch, um sócio antigo e chefe da Loews Corporation, também estaria ausente, porque estava com câncer no estômago em estágio avançado e precisava se tratar.

Buffett estava claramente preocupado, pensando em como seria comparecer à reunião sem Susie. As notícias da sua doença certamente causariam alvoroço simplesmente porque muitas pessoas presentes viriam a saber a respeito pouco antes da reunião. Durante cinco dias ele teria de responder a perguntas sobre ela, aceitar manifestações de solidariedade e manter suas emoções sob controle. Teria que desempenhar o seu papel de mestre de cerimônias, mantendo interesse no que estava acontecendo sem dar falsas demonstrações de alegria excessiva. Buffett aprendera a dominar a arte da compartimentalização num nível tão elevado que essa habilidade quase se tornara uma segunda natureza – mas, naquelas circunstâncias, seria uma atuação e tanto. Ao voltar para o seu quarto de hotel, no final da noite, ele ficava sozinho no escuro com seus pensamentos e sonhos.

"*Sonho muito*", ele disse na véspera de partir para San Diego, e os sonhos podiam ser perturbadores. "*Tenho um multiplex funcionando aqui dentro. É uma ocupação em tempo integral.*" Naquela noite ele pediu um *club sandwich* no jantar e comeu com um visitante em seu escritório, tentando matar o tempo até que Sharon assumisse a tarefa de distraí-lo com uma partida de bridge e depois conversando até altas horas. Lá estava ele, no início lutando com um diálogo áspero sobre negócios e política. No final, a conversa tomou o rumo do assunto que estava borbulhando embaixo da superfície havia dias: a cirurgia de Susie, que aconteceria logo depois do final da reunião.

Por uma ínfima fração de segundo, um olhar de surpresa brilhou em seu rosto.

Depois sua expressão começou a murchar, e ele se escondeu entre as mãos. Seus ombros tremeram e se agitaram, e Warren escorregou para a frente, na cadeira, como uma torre desmoronando durante um terremoto. Soluços secos, desolados, ofegantes, semelhantes a gritos silenciosos, saíram com esforço de dentro dele. Não havia consolo algum para aquilo.

Gradualmente os soluços devastadores foram se extinguindo. Depois ele começou a falar de Susie. Chorou silenciosa e intermitentemente por cerca de duas horas. Ele estava com medo do sofrimento que ela teria que encarar. Ela era mais forte do que ele; sua principal preocupação era a dor que ela enfrentaria. Ele estava mais preocupado ainda com o fato de ela aceitar a morte como algo natural, em vez de lutar como ele teria feito. A possibilidade de perdê-la o aterrorizava. Premissas que faziam parte do âmago de seu ser estavam sendo derrubadas. Ele sempre acreditara que nunca ficaria sozinho porque ela viveria mais que ele. Sabia que poderia contar com a sua sabedoria e seu bom senso para enfrentar quaisquer decisões de vida ou morte que precisassem ser tomadas. Sempre acreditara que ela dirigiria a fundação depois que ele tivesse morrido. Ela manteria a paz no âmbito da família quando ele não estivesse mais lá; providenciaria para que Astrid fosse assistida; resolveria qualquer conflito, apaziguaria qualquer sentimento ruim. Ela cuidaria do seu funeral e moldaria a maneira como as pessoas se lembrariam dele. Acima de tudo, ele contava com a presença de Susie no final, para ficar sentada ao seu lado e segurar a sua mão, aplacar o seu terror e diminuir o seu sofrimento quando a morte estivesse se aproximando, assim como ela fizera com tantas outras pessoas. Pela primeira vez ele teve de cogitar que talvez as coisas não fossem funcionar daquela maneira. Mas esses pensamentos eram tão insuportáveis que ele só conseguia olhá-los rapidamente antes de afastá-los. Tinha certeza de que ela seria curada pelos médicos e sobreviveria. Ao deixar o escritório para sua partida de bridge, seu humor era soturno, mas ele estava calmo e composto.

Na manhã seguinte ele foi a San Diego. Na conferência do Grupo Buffett, ele deu a impressão de controle, e não de desalento. Presidiu três dias de reuniões que incluíram um jantar na casa dos Gates, uma palestra de Bill Ruane sobre seu projeto para melhorar as escolas do Harlem, uma apresentação de Jack Byrne sobre sucessão gerencial e uma exposição de Charlie Munger sobre a vida de Andrew Carnegie, o grande industrial que dizia que quem morre rico morre envergonhado. Howie Buffett apareceu para descrever as motivações por trás das fotos em seu livro *Tapestry of Life* (Tapeçaria da vida), que mostravam cenas do sofrimento humano na empobrecida África; Geoffrey Cowan, diretor da Annenberg School of Communications na Universidade Southern California, fez um discurso intitulado "From Young Idealists to Old Bureaucrats" (De jovens idealistas a velhos burocratas), sobre o envelhecimento da chamada geração silenciosa, nascida entre os anos 1930 e o início da década de 1940, que englobava a maior parte das pessoas presentes.[11]

Enquanto Warren estava em San Diego, Astrid ficou no spa Canyon Ranch, em Tucson, para onde ele a tinha mandado. Ela ficou tão abalada por causa de Susie que ele achou melhor ela ir para um lugar onde pudesse relaxar. Ela nunca tinha estado num spa e, a princípio, resistiu. Ser paparicada numa fazenda luxuosa era demais para uma mulher que nem frequentava salões de beleza. Astrid não tinha vaidade alguma; colocou na mala apenas algumas camisetas para sua semana no famoso resort. Ao receber um sanduíche de peru como almoço em sua chegada, ela, por hábito, começou a atormentar o pessoal local, falando de reciclagem e embalagens de isopor. Na recepção, uma enfermeira a levou a um pequeno escritório a fim de traçar um regime de bem-estar. Quando a enfermeira perguntou como ela estava se sentindo e quais eram as suas preocupações, Astrid respondeu que sua preocupação era sua amiga Susie. Aparentemente, a enfermeira reconheceu que estava lidando com uma daquelas pessoas que se dedicam aos outros à custa de suas próprias necessidades. Gentilmente ela direcionou Astrid para tratamentos de relaxamento, como o "toque curativo". Astrid fez algumas aulas de ioga, deu um passeio para observar os pássaros e fez um curso de culinária, além de limpeza de pele, algumas massagens e um pouco de golfe. Ela se queixava de ser auxiliada em tudo, mas, para sua surpresa, conseguiu sobreviver e descobriu que alguns aspectos daquele tratamento não eram tão terríveis assim.

Buffett voou da reunião em San Diego a São Francisco na véspera da cirurgia de Susie. Ele deveria ter ido a um evento de marketing da NetJets naquele dia e estava decidido a ir, mas Susie Jr., que via nisso uma forma de negação, disse que ele tinha de ir a São Francisco. Relutante, portanto, ele se uniu à família para jantar no apartamento de Susie. Todos se comportaram de forma condizente. Como não tinha de quem cuidar (a não ser de si mesma), Susie evitava discutir com a família seus sentimentos sobre a cirurgia do dia seguinte e se ocupava falando ao telefone. Warren passou boa parte da noite brincando de helicóptero, com os olhos grudados no computador.

Bem cedo na manhã seguinte a família acompanhou Susie ao San Francisco Medical Center, na Universidade da Califórnia, onde técnicos a colocaram no soro e desenharam com um pilot uma grande forma oval que ia do joelho até seu tornozelo esquerdo. Disseram que aquilo era para indicar a área em que abririam sua perna para tirar o que era necessário para o enxerto de osso. O Dr. Isley, o cirurgião de Susie, passou para dizer que, após aproximadamente 90 minutos na sala de cirurgia, ele lhes informaria se o câncer se havia espalhado.

Depois Susie entrou com a filha no banheiro e trancou a porta. Ela não queria que Warren ouvisse o que tinha a dizer. "Ouça", disse, "ele é um medroso. *Você precisa entender que, se eles virem que há mais câncer, não deve deixá-los operar. Tenho medo de que ele diga para operar mesmo que o câncer já esteja bem espalhado porque não quer que eu morra.*"

Às 8 horas Susie estava sendo operada, e a família foi para a sala de espera principal, onde aguardaria alguma notícia junto com todas as outras pessoas que assistiam a Jerry Springer na televisão enquanto seus entes queridos estavam sendo submetidos a cirurgias. Warren fingia ler o jornal. De tempos em tempos fechava-o, colocava-o na frente do rosto, recolhia uma das mãos para enxugar lágrimas dos olhos e abria-o novamente.

O Dr. Isley voltou 45 minutos depois. Apesar de ter encontrado câncer em dois linfonodos, a doença não se espalhara, o que era uma boa notícia. A cirurgia removeria apenas a parte mais inferior de sua boca, a parte interna da bochecha e cerca de um terço da língua. Ela não precisava de enxerto ósseo. Depois que o Dr. Isley foi embora, Warren começou a perguntar: "*Bem, Sooz, ele não tinha dito que demoraria uma hora e meia para dar notícias, ou será que ele ainda vai voltar? Tem certeza? Será que eles sabem mesmo?*" A cada vez, Susie Jr. garantia que eles já tinham a resposta e, a cada vez, ele esperava alguns minutos e perguntava novamente. "*Bem, como eles ficaram sabendo tão rápido?*" Continuava dizendo: "*Acho que isso não é bom. Talvez ele vá sair outra vez.*"

Dezesseis horas mais tarde, Susie estava na UTI, respirando através de um tubo de traqueostomia. Seu braço esquerdo estava enfaixado do punho até o ombro, no local em que o cirurgião havia retirado uma faixa de tecido para o enxerto de pele dentro de sua boca. Como a sua língua estava inchada e ficava pendurada fora da boca, um tubo de alimentação que chegava até o estômago havia sido inserido em seu nariz. Ela tossia continuamente, entupindo o tubo da traqueostomia, que tinha de ser limpo com frequência para que ela pudesse respirar.[12]

Na manhã seguinte, no hospital, Susie Jr. disse ao pai: "Você precisa realmente se preparar para isso. É uma visão chocante." Warren se enrijeceu ao entrar no quarto de Susie. Ele sabia que não podia permitir que ela visse nenhum espasmo em seu rosto que revelasse a sua terrível aparência. Fazendo um grande esforço, ele conseguiu ficar sentado ao lado dela, impassível, por um breve período. Depois Susie Jr. disse a ele e aos irmãos que podiam ir para casa. Não havia mais nada que pudessem fazer. Tendo guardado seus sentimentos numa caixa de Pandora enquanto estava ao lado de Susie, Buffett lembra: "*Depois de sair, passei praticamente dois dias chorando.*"

Ele voltou a São Francisco nos dois fins de semana seguintes. Depois, pouco antes de Susie ter alta do hospital e ir para casa, foi à Geórgia e deu uma palestra para um grupo de estudantes da Georgia Tech. Não falou muito sobre negócios, mas invocou muitos dos seus temas habituais. Contou-lhes a fábula do gênio e falou a respeito de filantropia. Disse que o melhor investimento que eles poderiam fazer na vida era em si mesmos. Falou do seu herói Ben Graham e disse para eles escolherem seus próprios heróis com cautela, pois heróis são importantes na vida. Falou que eles deveriam trabalhar para pessoas que admirassem.

Eles lhe perguntaram qual tinha sido seu maior sucesso e seu maior fracasso. Mas dessa vez ele não falou dos erros de omissão que cometera nos negócios. Em seu lugar, disse:

"Basicamente, quando você chega à minha idade, a sua medida do sucesso na vida realmente é o número de pessoas que você quer que o amem e que de fato o amam.

Conheço pessoas que têm muito dinheiro; jantares são organizados em sua homenagem, e alas de hospital ganham os seus nomes. Mas a verdade é que ninguém no mundo as ama. Se você chega à minha idade e ninguém tem uma boa opinião de você, sua vida foi um desastre, a despeito do tamanho da sua conta no banco.

Esse é o teste supremo de como você levou a sua vida. O problema do amor é que não se pode comprá-lo. É possível comprar sexo. Até comprar jantares em sua homenagem e panfletos que dizem como você é maravilhoso. Mas a única maneira de conseguir amor é sendo digno de amor. É muito irritante quando se tem muito dinheiro. Seria bom poder pensar que é só fazer um cheque: 'Vou comprar mil dólares de amor.' Mas não é assim que funciona. Quanto mais amor se dá, mais se recebe."[13]

WARREN CONTINUOU A VISITAR SUSIE TODOS OS FINS DE SEMANA DEPOIS QUE ELA voltou para o seu luminoso apartamento com vista para a baía de São Francisco. Os tapetes amarelo-ovo tinham sido retirados para que a poeira não entupisse o tubo da traqueostomia. Cadeiras elevadoras a carregaram pelos quatro lances de escadas. As enfermeiras usavam um sistema de sucção de traqueostomia. Os médicos começaram a preparar Susie para o ciclo de seis semanas de radioterapia, cujo objetivo era eliminar todas as células cancerosas remanescentes. O tratamento começaria em dezembro e continuaria durante as festas. A radiação, com a qual ela nunca tinha exatamente concordado, queimaria a sua garganta. Os médicos disseram para ela se fortalecer antes da cirurgia porque era possível que ela perdesse até 25 quilos ao longo da radioterapia. Era muito peso, mas um dos pensamentos que a reconfortaram antes da cirurgia foi que ela podia se dar ao luxo de perder esse peso. Então, quando o tubo de alimentação foi removido, as enfermeiras começaram a alimentar Susie com seis unidades por dia de substitutos líquidos de refeições. Ela demorava boa parte do dia para deglutí-los por causa da dor.

Sob estresse, Warren ganhou um pouco de peso. Ele achava que precisava perder 10 quilos e decidiu fazer dieta ao mesmo tempo que Susie seguia seu regime líquido. *"Isso não pode ser muito divertido"*, ele disse, *"então também não vou me divertir."*

O modo de fazer dieta de Buffett era tão excêntrico e insalubre quanto o resto de seus hábitos alimentares. Ele decidiu se ater à sua abordagem usual, ou seja, consumir apenas 1.000 calorias por dia e distribuí-las da forma que quisesse. Isso significava que ele podia consumir 1.000 calorias em alcaçuz, pé de moleque, hambúrguer ou o que quer que ele desejasse comer, desde que o limite autoimposto não fosse excedido. O passo mais fácil era reduzir a quantidade de Cherry Coke, substituindo-a por nada e, portanto, ficando desidratado. A ideia por trás do regime de fome de 1.000 calorias era acabar rapidamente com a dificuldade da dieta. Ele estava impaciente e não queria discutir os méritos para a saúde de uma dieta daquele tipo. *"Na minha idade e com o meu peso"*, ele disse, *"acho que posso comer cerca de 1 milhão de calorias por ano e manter meu peso."* (O número redondo de 1 milhão de calorias lhe agradava.) Posso gastar essas calorias como eu quiser. Se eu quiser, posso comer um monte de sundaes com calda quente de chocolate em janeiro e passar fome o resto do ano.

Era completamente racional (em tese), mas totalmente ridículo. Mas, como ele nunca tinha estado muito acima do peso nem gravemente doente, era inútil discutir. (Ele seguia essa dieta-relâmpago todos os anos, pouco antes da reunião com os acionistas; mas toda essa desidratação talvez não tenha relação com o cálculo renal que ele desenvolvera anteriormente.) De qualquer forma, Buffett tinha uma maneira de vencer as discussões antes mesmo que elas acontecessem. A exceção extremamente rara era quando ele discutia com a imprensa a respeito de como ela o apresentava. Ele nunca brigou como o *Financial Times* ou com o *New York Times*, jornais que ele lia religiosamente. O seu problema era com o *Wall Street Journal*.

Ao longo dos anos a sua propensão a enxergar Wall Street como uma espécie de bar clandestino frequentado por pessoas que queriam roubar de todos tornou o diálogo com o *Journal*, o diário oficial de Wall Street, perigosamente carregado. Certa vez ele organizou um almoço com o "conselho editorial" do *Journal*, que acabou tendo resultado oposto ao esperado. As reuniões do conselho editorial eram uma oportunidade para que Buffett assumisse a sua posição de professor e explicasse as questões econômicas do momento aos editores – algo que ele adorava –, mas, daquela vez, uma citação não oficial foi publicada no jornal. A regra de Kay Graham para o jornalismo o tinha feito tropeçar – a máxima de Graham era a de que, para uma declaração não oficial, não eram usadas aspas, a menos que ela fosse muito boa.[14] Buffett ficou furioso e obteve um pedido de desculpas do *Journal* pela traição que não podia ser desfeita. Além disso, a página editorial do *Journal* jogava ácido nele periodicamente por apoiar o deslocamento da carga tributária dos pobres e da classe média para os ricos.

Mesmo assim, Warren jamais sonharia ficar um dia sem ler o *Journal*, nem mesmo às sextas-feiras, dia em que ia ao aeródromo Eppley para o voo de três horas com a NetJets até São Francisco. Sharon Osberg o pegava no aeroporto e o levava diretamente para o apartamento de Susie em Pacific Heights. Sem querer incomodá-la, nem ser acordado pela luz que entrava pelas enormes janelas sem cortinas de Susie, ele dormia no apartamento do térreo, que ela usava principalmente como depósito. Enquanto Susie cochilava e dormia, ele ia à casa de Sharon para assistir a jogos de futebol americano na televisão e chorar em seu ombro. Às vezes eles iam ao cinema na sessão de meia-noite.

Quando Warren estava na cidade, Susie não recebia visitas: apenas a filha, as enfermeiras e algumas pessoas como Kathleen, que cuidavam dela no dia a dia, podiam aparecer. Quase todos, até Jeannie Lipsey Rosenblum e Bertie, a irmã de Warren, que tinham comprado apartamentos no mesmo prédio, eram mantidos afastados o tempo todo – não apenas durante os fins de semana –, pois a ideia era que mesmo um pequeno traço de atenção poderia ser extenuante demais para Susie. Jeannie escrevia todos os dias um cartão para Susie e o deixava lá embaixo, para ela. Como muitos dos entes queridos de Susie, Bertie ficava triste por não poder ver sua cunhada. Ela sempre considerara Susie um exemplo por sua sabedoria em relação às pessoas, e, naquele momento, logo após a morte do seu marido, acreditava que tinha adquirido uma sabedoria semelhante. "Hilt era psicólogo", ela diz, "e, mesmo sem se esforçar, podia entender que mensagem oculta as pessoas queriam passar. Ao morrer, Hilt desejava que eu pudesse ver coisas nas outras pessoas que eu nunca tinha visto. E, de repente, meus olhos se abriram para muitas coisas que eu nunca havia entendido." Bertie achava que naquele momento seu relacionamento com Susie seria diferente, mais igualitário, de forma que ela não precisasse mais se apoiar em Susie. Ela também achava que estava começando a entendê-la pela primeira vez.

Enquanto viajava o tempo todo de e para São Francisco, seu irmão também estava aprendendo coisas das quais não entendia – medicamentos, radiação e os bastidores das relações com médicos, enfermeiras e equipamentos hospitalares. Ele também estava explorando um novo território emocional – enfrentando os medos de Susie, bem como os seus próprios medos. Ao falar do novo mundo no qual tinha entrado, ele media as palavras, guardando os próprios sentimentos para si, ajustando o grau de compartilhamento de acordo com a intimidade que tinha com seus interlocutores. Às vezes ele usava como distração um adereço favorito, Arnold Schwarzenegger, um amigo que ele recentemente apoiara como candidato republicano numa eleição extraordinária para tirar do poder Gray Davis, governador da Califórnia. "*Minha mulher foi operada em São Francisco há cerca de seis semanas, e vou passar uns dois dias lá toda semana. (Pausa) Bem, você sabe, Arnold, às vezes as pessoas não sabem diferenciar quem é quem quando estamos perto um do outro. Quando estamos nus, então, ninguém consegue.*"

Quando alguém que ele conhecia melhor ligava, Warren lutava para conversar sobre um assunto que anteriormente teria evitado a todo custo.

"*Oi, Chuck. Sim. Bem, ela está melhor sob todos os aspectos. Ela anda sem energia alguma, e isso é... tem sido uma experiência inédita para ela. Mas, em termos da cura da sua boca, em termos de deglutição... tudo está indo bem. E as pessoas são incríveis. Ela não está sentindo mais tanta dor agora: acho que é psicológico, mais do que... quero dizer, ela não está achando a vida muito engraçada no momento, mas...*

A reunião anual? Bem, eu diria o seguinte: agora, com a doença de Susie desse jeito, acho que vamos pular a música e... bem, ela não vai poder cantar na reunião de maio; vamos ver o que acontece no ano que vem."

De tempos em tempos, ele ainda falava sobre a possibilidade de Susie voltar a cantar, embora aquilo não fosse acontecer. E apenas com pessoas muito íntimas, como sua filha, ele dava indícios de que precisava de ajuda.

"*Alô. Oi. Estou bem. Estou dormindo duas horas por noite. Ah, ótimo. Por que você não vem aqui e troca de carro comigo? Ah, está bem, há um pernil para pegar também. Está aqui... Vamos sim. Talvez amanhã. Certo. Está bem? Está bem.*"

Duas horas de sono por noite.

"*Se estou pensando em alguma coisa, não durmo. Dormi duas horas na noite passada, na verdade, e me sinto ótimo. Ficar sem dormir não me mata. Susie está pensando de novo se quer ou não fazer radioterapia.*

Vamos superar. A propensão dela a respeito disso estava tomando um rumo pior quando deixei São Francisco, mas mesmo assim estava melhor do que quando cheguei lá. Então...

A única coisa boa de Susie ter sido operada é que será a primeira vez, em mais de 30 anos, que não vou passar o Natal em Emerald Bay. Nem sei ao certo se a minha casa ainda está lá."

59
Inverno

Omaha e São Francisco – dezembro de 2003-janeiro de 2004

Susie ainda resistia à ideia da radiação. Aquilo a deixava tão ansiosa que ela andava tomando muito tranquilizante. "Dr. Isley começou a me dar alguns sermões sobre Ativan", falou Susie Jr. "Ele disse que eu tinha que parar de pedir tantas receitas de Ativan para ela. Mas a história da radioterapia a deixou muito agitada."

Na visão de Warren, era uma questão de calcular os riscos: se a radiação melhorava as chances, por que não fazê-lo? A cirurgia, ele argumentou, era a parte mais difícil. A radioterapia não seria tão dura. Mas o oncologista dissera a Susie que não era para ela acreditar quando alguém lhe falasse que a radioterapia não era tão ruim assim: "A radiação na boca não é como qualquer outra. Tudo passa a ter gosto de metal. Sua boca inteira será queimada. Suas glândulas salivares serão danificadas ou destruídas. Pode ser que você perca suas papilas gustativas. Vai sentir muita dor." Susie já suportara muita dor. Achava que tinha o direito de se recusar a sentir mais.

"Ela viu muita gente morrer, gente sofrer mais do que era necessário. Nós dois queremos ter controle em relação ao final da vida. Ela não tem medo da morte, mas de alguma maneira sentiu que, ao se expor à radiação, perderia o controle, e que o tratamento aumentaria suas probabilidades de ter um fim terrível. Falamos disso durante horas e horas sem resolver nada. Ela é que tomaria a decisão. Por outro lado, nada fazia muito sentido agora. Ela dizia. 'Sei que meu cérebro não está funcionando direito.' E seus dois médicos a preparam, da melhor maneira possível, para a hipótese de tudo dar errado, porque eles acham que é assim que deve ser."

Para diminuir a ansiedade, ela seguia uma espécie de ritual na hora de dormir, que repetia todas as noites, em torno de uma canção do cantor Bono, que se tornara amigo de Susie Jr. depois de conhecer Warren num evento da NetJets. Agora Susie colocava o DVD do U2, *Rattle and Hum*, sempre que ia para a cama, e dormia ao som de "All I Want Is You" (Tudo o que quero é você).

> *"All the promises we break*
> *From the cradle to the grave*
> *When all I want is you..."*
>
> (Todas as promessas que não cumprimos
> do berço à sepultura
> quando tudo o que quero é você...)

No evento da NetJets, Bono iniciara sua ligação com os Buffett ao pedir a Warren 15 minutos de seu tempo.

"Eu não sabia nada sobre Bono, para falar a verdade. Ele me fez algumas perguntas e, por alguma razão, nós nos entendemos muito bem. Quando eu lhe dava uma ideia e ele gostava, dizia: 'É uma melodia!' No final, ele falou: 'Não posso acreditar. Quatro melodias em 15 minutos...' Adoro música. Mas na verdade não sou tão fã assim da música do U2. O que me interessa é que o Bono divide a renda do U2 entre quatro pessoas de forma absolutamente igual."

Às vezes, Buffett podia ser brutalmente racional sobre a forma como uma vasta soma de dinheiro tornava uma pessoa mais atraente, engraçada e inteligente. Ainda assim, nunca parou de se espantar ao ser procurado por qualquer tipo de celebridade. Por mais indiferente que ele quisesse parecer, sentia-se lisonjeado quando um personagem do porte de Bono o considerava inteligente. Quando Bono foi a Omaha, durante a turnê *Heartland of America*, entrou em contato com Buffett e, através dele, conheceu Susie Jr. Ainda fã ardorosa de rock and roll, Susie Jr. ficou ao mesmo tempo lisonjeada e cativada pelo interesse do cantor. O líder sensível daquela que é considerada a maior banda de rock do mundo tinha uma nobreza romântica, que era atraente tanto para ela quanto para sua mãe. A música do U2 falava dos desejos espirituais por amor e paz. A mensagem – "Quanto mais você ganha, menos sente, precisa dar" – era exatamente o tipo de coisa que mobilizava as duas Susies. Ele convidou Susie Jr. para fazer parte do conselho de sua ONG Data (Debt, Aids, Trade Africa). Ele também causou um impacto nos filhos de Susie Jr.

"Ele era incrível com meus netos – os filhos de Susie Jr., Emily e Michael. Ele conversava com Emily e provocava uma enorme reação nela."

Bono convidou Emily para trabalhar como estagiária da Data no verão seguinte. Susie, porém, não conhecia o chefe roqueiro de sua neta. Ela parecia achar que tinha encerrado sua missão pessoal na Terra. "Por que não posso passar o resto da minha vida na cama?", dizia. "Meus netos podem vir me visitar, e tudo ficará bem." "Será que ela está brincando?", perguntava Susie Jr. "Isso não vai acontecer. Você precisa se levantar, mãe! Não pode ficar na cama o resto da sua vida. Vai fazer radioterapia e ficará melhor. Será capaz de voltar a viajar." Susie olhou para a filha com surpresa. "Você acha mesmo?", perguntou.[1]

Finalmente Susie foi persuadida a levar adiante o tratamento. Tirou as medidas para a máscara que o radiologista precisava construir para cobrir seu rosto, para que a radiação pudesse ser aplicada com segurança. Buffett agora se envolvia cada vez mais nos detalhes do tratamento da esposa.

"Fiquei louco pela radiologista que projeta a máscara e o ângulo de ataque. Ela me mostra no computador exatamente o que é atingido e de que ângulo, e onde estão a língua e as cordas vocais."

Alguns dos amigos de Susie se perguntaram se ela não estava, mais uma vez, fazendo algo para agradar todo mundo, em vez de manter suas próprias escolhas. De qualquer maneira, ela concordara com 33 sessões de radioterapia, cinco por semana, com folgas nos fins de semana, a partir de meados de dezembro. Como os médicos enfatizavam a importância da continuidade da radiação, o racional Buffett ficava ruminando o fato de os dois dias de descanso coincidirem com os fins de semana. Achava que isso parecia terrivelmente conveniente para os médicos e questionava se a saúde da sua mulher não seria prejudicada.

Uma semana depois do início do tratamento, ele voou para Buffalo, onde foi anunciar a abertura ali perto de uma nova sede da Geico, um investimento de 40 milhões de dólares para poder dar conta da rápida expansão da empresa. Warren participou de uma entrevista coletiva com o governador de Nova York, George Pataki. A nova sede geraria 2 mil novos empregos para o estado, ou mais, numa região que tinha perdido 17.700 empregos nos últimos três anos.[2] Buffett empregou o melhor discurso à la Dale Carnegie para descrever Buffalo, uma cidade escolhida por sua "gente inteligente e amistosa".

Dali dirigiu-se a São Francisco, para passar o Natal, que coincidiu com as primeiras semanas do tratamento de Susie. Pela primeira vez, desde os anos 1970, ela não estaria com os filhos e os netos nas festas natalinas. Mas queria que todos estivessem juntos. Assim, o restante da família se reuniu na casa de Susie Jr. em Omaha, enquanto Warren e Susie passavam um tempo juntos em São Francisco.

Warren e Susie deram de presente a cada filho 600 ações da Berkshire, para aplicarem nas suas fundações – uma completa surpresa que os deixou emocionados.[3] Howie tinha doado a maior parte de seu dinheiro para causas ambientalistas e em defesa da vida selvagem. Susie Jr. trabalhava em prol da educação e de questões regionais de Omaha, e Peter dedicava-se ao meio ambiente, aos indígenas e a questões regionais em Wisconsin.[4] Com o olho no futuro, sabendo que um dia eles teriam quantias maiores para distribuir, os pais tinham decidido lhes dar esse presente como uma forma de treiná-los em filantropia. Dois anos depois que Warren ou Susie morressem, 30, 40, 50 bilhões de dólares ou mais – dependendo do valor das ações da Berkshire na época – seriam despejados na Buffett Foundation, e a lei exigia que, em seguida, a fundação começasse a distribuir 5% ao ano. Buffett não acreditava em fundações perpétuas que confiavam seu dinheiro aos caprichos das futuras gerações de conselheiros. Mas, com apenas dois funcionários, a Buffett Foundation estava precariamente equipada para conseguir se organizar depressa o bastante para doar 1 bilhão de dólares por ano.[5] Warren já vinha pensando nesse problema havia muito tempo, e lhe ocorreu que a única maneira que Susie teria para lidar com a questão seria destinar parte do dinheiro da Buffett Foundation para os Gates. A Bill & Melinda Gates Foundation tinha crescido muito desde a sua criação, em 2000, tornando-se uma operação de filantropia multibilionária. Gates disse que 4,2 bilhões de pessoas no mundo, quase a população inteira, ganhavam menos de 2 dólares por dia. Porém suas vidas valiam tanto quanto a de qualquer americano. Essas pessoas viviam no "aqui e agora", não pertenciam a alguma geração do futuro distante.

"*Bill Gates é um sujeito muito racional em relação à sua fundação. Ele e Melinda estão salvando mais vidas, em termos de doações, do que qualquer outro. Trabalham duro para isso. Ele pensa muito bem. Lê milhares de páginas por ano sobre filantropia e saúde. Seria difícil encontrar duas pessoas melhores para cuidar de tudo.*

Eles fazem um trabalho incrível, tudo muito bem planejado. Seus valores são corretos. Sua lógica é correta."

Warren ainda presumia que Susie, em última instância, seria a pessoa que deveria tomar tais decisões.

"*É Susie quem fica com todo o dinheiro. E no controle total de tudo. Meu testamento entrega tudo para ela e o dela me entrega tudo, simplesmente.*

É uma maluquice tentar escrever testamentos complicados. Não é necessário. Ela pode entregar tudo para as fundações dos meninos, se quiser. Não há restrições. Mas Susie não se importa de ter só uma ação da Berkshire ou centenas de milhares.[6] Provavelmente vai deixar tudo para a fundação. Mas não será necessário vender uma ação sequer. Nos dois primeiros anos, enquanto estiverem se organizando ou cuidando de tudo, se fizerem as mesmas coisas que os Gates e derem 2 bilhões em vez de 1 bilhão por ano, será perfeitamente apropriado. Não pense que estou querendo o controle de tudo. Estou perfeitamente aberto à ideia de deixar que outras pessoas façam o trabalho na Berkshire. Mas essas mesmas pessoas detestariam fazê-lo na Buffett Foundation, o que pode parecer pouco imaginativo ou inovador. Apesar de ser terrivelmente lógico.

Mas não é o que as pessoas querem fazer, quero dizer, o ser humano normal reage contra. Não é um sistema maluco, porém. É como dobrar sua posição num determinado papel.

Os Gates já têm a equipe pronta. Se déssemos o dinheiro a eles, a segunda metade seria usada com tanta inteligência quanto a primeira. Haveria pouca perda do primeiro ao último dólar. Dar dinheiro para outras fundações não é coisa que as fundações gostem de fazer. Mas não há nada de errado em copiar boas pessoas."

"Agarrar-se nas casacas" por meio de doações em dinheiro para a Gates Foundation enquanto a Buffett Foundation ainda estivesse se preparando para distribuir suas dezenas de bilhões de dólares pode ser completamente lógico. O que não era nem um pouco lógico, diante das circunstâncias, era que Warren presumisse que Susie seria a pessoa que deveria tomar tais decisões, em vez dele ou da filha, e operasse naquelas condições sem um plano B. Mas talvez ele estivesse começando a ter um embrião de plano B.

Durante as festas, Susie voltou a ficar deprimida devido ao tratamento com radiação. Ameaçou interrompê-lo. Buffett passou por outras sessões de horas e horas tentando convencê-la a prosseguir, agora que já tinha ido tão longe e não fazia sentido parar. Independentemente da decisão de Susie, entretanto, a programação da terapia teria duas interrupções – justamente no Natal e no ano-novo. Warren soltava fumaça pelo nariz. *"Me incomoda que eles parem de trabalhar nos feriados, bem como nos fins de semana. Ela teve oito sessões. Não parece correto. E a radiologista me garantiu que interromper as sessões por quatro dias na mesma semana tem lá seus riscos."*

Susie ainda não estava bem o bastante para receber novas visitas. Nenhum dos dois filhos homens tinha visto a mãe desde a cirurgia. Mas Howie, sua mulher Devon e seu filho Howie B finalmente se juntaram a Warren em São Francisco por alguns dias. Howie, que ainda tinha a energia equivalente à de uma fileira de coristas, viu Susie "por um momento". Mas a família ainda não permitia a visita de outras pessoas.

"É melhor que ela preserve suas forças e não as gaste com visitas. Com toda a franqueza, há um grande número de pessoas que estão ansiosas para falar com ela. Para alguns, ela é uma muleta enorme, e tudo que farão será drenar suas forças se chegarem perto, porque ela não consegue deixar de ser a psiquiatra residente, ou professora, ou coisa parecida. Ela se sente um pouco mais segura quando estou aqui, mas sabe que, se começar a ver outras pessoas, elas vão tentar essencialmente sugar sua energia. Comigo ou com Sooz, ela não se sente assim. Mas mesmo com minha irmã ou Bella, sua melhor amiga, ela não consegue parar e entra no 'modo doador', enquanto as duas ficam no 'modo receptor'."

Susie Jr. instruíra todo mundo em volta da mãe a manter uma atitude otimista. Havia coisas que a mãe ignorava, que tinham que ficar escondidas, e Susie Jr. monitorava o fax para ter certeza de que continuaria assim. Susie não sabia que Larry Tisch tinha morrido de câncer, ou que Bill Ruane telefonara a Warren para contar que tinha sido diagnosticado com câncer no pulmão. Ruane fazia quimioterapia no Sloan-Kettering, onde Susie tinha obtido uma segunda opinião. Warren ficava com lágrimas nos olhos toda vez que o nome de Ruane era mencionado. Na sua cabeça, a combinação disso com Susie era demais. Ele abandonou sua dieta de 1.000 calorias diárias.

"*O peso de Susie tinha ficado bem estável nas últimas semanas. Nós acompanhávamos tudo num quadro. Quando eu tomo um sundae de chocolate, ela toma um pouquinho. Como minha dieta é naturalmente engordativa, isso a ajuda. Estou engordando, e ela ficou estável. Não corre risco de se tornar anoréxica.*"

Na véspera de ano-novo, Nancy Munger estava organizando uma grande festa de 80 anos para Charlie. Buffett voou para Los Angeles, para participar dos festejos. Precisava desesperadamente de alguma distração, embora incomodasse o fato de estar sozinho numa festa, da mesma maneira que incomodara aparecer sozinho em uma reunião do Grupo Buffett.

Ele encomendara uma enorme reprodução de Benjamin Franklin recortada em papelão para fazer uma brincadeira satirizando o fascínio de Munger por Franklin. Buffett precisou enviar a figura para a Califórnia com antecedência, preocupado em saber se chegaria a tempo. Mas tudo deu certo, e ele fez uma apresentação clássica que incluiu cantar "What a Friend I Have in Charlie" (Que amigo eu tenho em Charlie).

Munger encerrou as festividades com um discurso. Começou com conselhos para a plateia. Os amigos de Charlie, parentes e membros do Grupo Buffett tinham compilado vários trechos de seus discursos num livro, *Poor Charlie's Almanack* (O almanaque do pobre Charlie).[7] A fórmula favorita de Munger era invocar Carl Jacobi: "Inverta, inverta sempre." Vire uma situação ou um problema de cabeça para baixo. Olhe de trás para a frente. O que o outro sujeito vai ganhar? O que acontece se nossos planos fracassarem? Até onde queremos ir, e como se chega lá? Em vez de procurar o sucesso, faça uma lista de como fracassar – pela preguiça, inveja, ressentimento, autopiedade, todos os hábitos mentais da autoderrota. Evite essas falhas e terá sucesso. Diga onde vou morrer, para que eu não vá até lá.

Outro teorema favorito de Munger acusava todas as disciplinas acadêmicas – biologia, física, economia, psicologia, assim por diante – de desenvolverem certos modelos úteis e então aplicá-los indiscriminadamente, usando antolhos. Defendia uma "abordagem por meio de um modelo multidisciplinar" para evitar a "síndrome do homem com um martelo" – o homem que acha que tudo no mundo é um prego. Munger reuniu modelos e dispôs deles como ferramentas úteis para sua vida. Tinha seguidores devotados, que apreciavam a forma como ele cortava o nó górdio de problemas difíceis, muitas vezes dizendo aquilo que ninguém ousava dizer. Consideravam sua capacidade de síntese esclarecedora. Alguns achavam até que o gênio de Munger não recebeu todo o reconhecimento que merecia por ter sido engolido pela sombra de Buffett, o showman. Nos últimos anos, no entanto, Munger se tornara um defensor mais visível de seus pontos de vista. Estava sempre aparecendo com algum arcano surpreendente para servir de ilustração. No momento estava fascinado com o sistema de magistratura leiga da Inglaterra, o que considerava um modelo para incentivar, da forma adequada, um comportamento ético, e vários aspectos desse sistema foram invocados no discurso de aniversário. Munger fez uma pequena divagação para elogiar as inúmeras qualidades da sua mulher e a seguir voltou a dar conselhos para a plateia sobre os modelos que levam ao sucesso e à felicidade na vida. Parecia convencido, entretanto, de que ele (e Buffett) agora ocupava uma esfera mais elevada. Invocou a sua independência e a de Buffett como razão para o sucesso, mas ponderou que talvez não fosse sábio para outras pessoas – inclusive seus filhos – tentar imitar algum dos dois.

Nancy Munger, que estava ao lado de Buffett, perguntou: "Como faço para pará-lo?"

Charlie aproximou-se do desfecho. "No final das contas", ele disse, "acho que sou parecido com o velho personagem Valente, em *O peregrino*, que dizia: 'Minha espada, deixo a quem possa usar.'" Minha nossa, pensaram alguns dos membros do Grupo Buffett.

Nancy acabou indo até o palco e discretamente tirou Charlie de lá.

Buffett saiu da festa e voltou diretamente a São Francisco para ver Susie, que acabara de passar pela décima segunda sessão de radioterapia. O cronograma despertou seus instintos protetores.

"*Quatro semanas e meia pela frente. O feriado em homenagem a Martin Luther King é em janeiro. Aqueles técnicos de radiologia – acreditem em mim –, eles tiram todos os feriados do mundo. Mas, de qualquer forma, eu diria que tudo está indo bem. Dizem que a partir desta semana vão atacar com toda a força, mas ainda não o fizeram. Ela bebe uma coisa que chama de óleo de carro e que protege a garganta.*"

Susie estava passando a maior parte do tempo na cama.

"*É impressionante como ela fica pouco tempo de pé. Ou está adormecida, ou se preparando para dormir, ou acabando de acordar. Eu diria que, das 24 horas do dia, ela passa 17 adormecida. Temos uma combinação: não importa o que aconteça, caminhamos seis quarteirões, mais ou menos, todos os dias. No resto do tempo eu apenas a apoio.*"

O homem que estava acostumado a receber agora aprendia a dar. Ao invés de receber os cuidados da mulher, ele agora cuidava dela. Buffett, é claro, não se transformara numa pessoa diferente. Mas, ao colocar em prática seus valores – lealdade, confiança –, ele pareceu ter incorporado à sua vida, à sua própria maneira, algumas das lições da vida de Susie.

60
Coca congelada

Omaha e Wilmington, Delaware – primavera de 2004

Perto do final das sessões de radiação, a boca de Susie estava tão queimada e tão seca que em alguns dias ela sequer conseguia comer ou beber. Os médicos a puseram de volta no soro, pois sua garganta estava obstruída por um muco denso e seco. Passava a maior parte do tempo dormindo. Mas todos os dias ela e a filha ou Kathleen caminhavam alguns quarteirões pela Sacramento Street. Enquanto a primavera baixava sobre São Francisco, Susie permanecia envolta em casaco, luvas, cachecol e protetores de orelha, para se manter aquecida.

Odiava ficar sozinha. "Será que você não pode se sentar no sofá e dar uma olhada nas revistas enquanto estou acordada?", perguntava a Susie Jr. Então rabiscava "WHT", iniciais do pai, num pedaço de papel, uma espirituosa referência à característica familiar de sentir ansiedade ao ficar só.

Ela recebia cuidados das enfermeiras, de Kathleen, da filha e de John McCabe, seu ex-professor de tênis, que depois de muitos anos tomando conta dela, após a mudança para São Francisco, estava escolado no papel de lhe emprestar 100% de apoio. Outras pessoas, entretanto, podiam desencadear seus impulsos "doadores" e drenar sua energia.[1] Nos fins de semana, quando Warren vinha, ficava com Susie na sala de televisão vendo episódios antigos de *Frasier*, ou simplesmente passava o tempo de roupão, lendo jornais. Susie se sentia confortável em tê-lo por perto. Ele fazia com que ela se sentisse segura – mas décadas de ela "dar" e ele receber não desapareceriam de uma hora para outra. Às vezes Susie ficava tão mal com os efeitos da radiação que até Warren precisava partir. Mas ele estava fazendo o melhor possível para se envolver nas necessidades cotidianas da família de uma forma que nunca fizera. Para dar à filha um descanso, depois de dias infindáveis no apartamento de Susie, Warren a levou para comer um hambúrguer no Johnny Rockets. O resto do tempo ele passava com Sharon.

Ele se envolveu até mesmo nos detalhes dos tratamentos com radiação de

Susie. "*Suas papilas gustativas não foram liquidadas ainda. Falei com o oncologista da radiação, e é possível que uma parte da língua não seja atingida pelo que estão fazendo, o que eu presumo que signifique que um bocado de papilas gustativas continue por ali.*"

Warren Buffett – o homem que fugia do assunto quando alguém falava de um simples resfriado e usava termos como *"Não está em seu melhor momento"* como um eufemismo para a doença, o homem que mudava de assunto ansiosamente quando alguém se queixava da saúde e que professava ignorância sobre os mais básicos pontos da anatomia – agora usava termos como "oncologista da radiação" e fazia pesquisas médicas sobre a doença de Susie.

Mesmo que o seu otimismo em relação à recuperação de Susie aumentasse, ele começou a ficar mais irritável e carente. Os eventos de negócios de 2004 começaram a consumi-lo entre as viagens que fazia a São Francisco nos finais de semana. Ao contrário de sua jornada de ascensão à glória de 2003, esse seria um ano muito diferente. Além do mais, no início de 2004 ele se viu sem uma de suas mais regulares fontes de apoio. Sharon Osberg partira para uma longa viagem à Antártida com sua irmã Bertie. A bordo de um navio quebra-gelo, ela só podia ser alcançada por esporádicos e-mails. Warren preenchia suas horas rabiscando a carta para os acionistas, trocando e-mails com Carol Loomis e servindo de professor e padre confessor para a América corporativa. Ele se tornara o ancião do mundo dos negócios. Buffett sempre disse: seja ganancioso a longo prazo, e não a curto prazo. As pessoas se voltavam para ele, pois confiavam na sua forma direta de chegar ao âmago das questões e no seu senso de certo e errado. Embora mais rico do que jamais sonhara, ele abrira mão de muitas oportunidades de ganhar mais dinheiro, ou de ganhá-lo mais depressa. Isso lhe trouxera poder e respeito de espécies diferentes. Não era temido, como tantos homens de negócios. Era admirado.

Pessoas de destaque faziam a peregrinação a Omaha ou o procuravam em eventos para pedir ajuda. Ídolos do esporte como Michael Jordan, LeBron James, Cal Ripken Jr. e Alex Rodriguez lhe pediam conselhos. Bill Clinton lhe pediu orientação sobre a arrecadação de fundos para sua nova instituição beneficente. Buffett também tinha amigos como Mike Bloomberg, se dava bem com John McCain e mantinha um bom relacionamento com os Bush mais idosos e outros republicanos, como Chris Shays. Ele apoiou a candidatura do senador John Kerry para a presidência, mas Kerry não era "O Candidato" e, ao contrário do que aconteceu com o triunfo da campanha de Schwarzenegger para o governo da Califórnia – Schwarzenegger era definitivamente "O Candidato" –, Buffett se viu associado a um senador respeitável mas sem carisma.

A campanha pouco eletrizante de Kerry fez Buffett concentrar mais atenção em seus negócios em 2004. CEOs como Jeffrey Immelt, da General Electric, Anne Mulcahy, da Xerox, e Jamie Dimon, do JP Morgan, apareceram em Omaha para ouvir suas ideias.[2] Google, a empresa de busca na internet, estava abrindo o capital naquele verão, e seus fundadores, Sergey Brin e Larry Page, pararam lá para fazer uma visita, porque admiravam suas cartas aos acionistas. No outono anterior, depois de ser acusada de mentir para o governo em relação ao uso de informações privilegiadas – pelo que nunca chegou a ser processada –, Martha Stewart e sua CEO, Sharon Patrick, também passaram em Omaha para visitá-lo. Buffett pagou um jantar para as duas, mas não pôde resolver os problemas legais de Stewart.

O ambiente para processos de fraudes de colarinho-branco mudava rapidamente, em parte porque naquela época não havia tantos casos assim que merecessem ir aos tribunais. Eliot Spitzer, procurador-geral de Nova York, que iniciara um ataque impiedoso à corrupção nos negócios e em Wall Street, agora disputava com a SEC e o Departamento de Justiça para ver quem conseguia promover processos mais zelosos. Outros claudicavam com desespero, tentando manter o ritmo de Spitzer. No final, todas as acusações acabaram embrulhadas num acordo. Spitzer foi diabolicamente inventivo no emprego das novas ferramentas eletrônicas da internet – especialmente o e-mail –, alimentou uma imprensa simpática como arma e recorreu a um arcaico estatuto nova-iorquino, o Martin Act, que lhe deu virtualmente poderes ilimitados, controlados apenas pelo seu senso pessoal – praticamente inexistente – de discrição processual.

Com essas ferramentas, ele forçara dois proeminentes CEOs a deixarem seus cargos – Hank Greenberg, o colega de Buffett que agora era o ex-CEO da AIG, e seu filho Jeffrey Greenberg, ex-CEO da corretora de seguros Marsh & McLennan. Uma atmosfera de medo cobriu a América corporativa. Spitzer era tão bem-sucedido em suas execuções via mídia que a piada amarga que corria era que ele estava economizando para o governo os custos de acusação e julgamento. Os júris, que anteriormente tratavam os malfeitores de colarinho-branco com deferência, agora os enviavam rotineiramente para a cadeia como criminosos comuns. Sob novas e obrigatórias diretrizes para as sentenças, os juízes vinham impondo duras penas. Em parte isso era bem merecido. Ganância, excesso de confiança e falhas no cumprimento das leis tinham dado a muita gente do mundo dos negócios a impressão de que as regras não valiam para eles. Da mesma forma que as opções de ações e a bolha da internet tinham devorado as carteiras numa velocidade exponencial, a reação veio em proporções gigantescas. Buffett – como a maior parte da América corporativa – não se adaptara por completo a esse novo ambiente. Seu senso de proporção tinha sido formado numa era anterior, definida pelo cuidadoso equilíbrio processual do ex-chefe de execuções da SEC, Stanley Sporkin, e pelos esforços da Salomon, quando Paul Moser, responsável pela quase derrubada de todo o sistema financeiro, depois de Gutfreund deixar de relatar um crime, passara apenas quatro meses na cadeia. Mas ele acabaria revendo seu ponto de vista em função do desfecho de acontecimentos na própria Berkshire Hathaway.

Buffett tinha o hábito de ir pessoalmente ao aeroporto receber seus convidados. Então os levava até seu escritório – a viagem era cansativa, mas eles geralmente estavam fascinados demais para reparar – e passava algumas horas ouvindo suas questões e dando ideias enquanto os acompanhava até o Gorat's e os regalava com um filé e batatas. Ele lhes dizia para serem diretos com os acionistas nos relatórios anuais, para remunerarem os empregados em alinhamento com os acionistas, para não comandarem os negócios segundo os caprichos dos analistas de Wall Street, para lidarem com os problemas de frente sem se envolverem em manobras contábeis e escolhendo bons consultores para fundos de pensão. Às vezes as pessoas lhe perguntavam como deveriam administrar seu próprio dinheiro. Ele dava algumas ideias básicas, mas nunca dicas de ações.

Para todos aqueles que sentiam que a vida de CEO sob escrutínio não era a mesma coisa de antes, Buffett falava do "nonagésimo oitavo andar" em termos que um CEO podia compreender. As pessoas que olhavam do alto para o resto do mundo tinham que manter a perspectiva. E o que aconteceria se você fosse derrubado em alguns pontos ou perdesse uma parte do dinheiro deles? Aqueles que ainda tinham família, saúde e uma chance de fazer algo de útil no mundo deveriam ver o lado bom, e não se prender às mazelas.

"Se você vai do primeiro andar para o centésimo andar de um prédio e então volta para o nonagésimo oitavo, se sentirá pior do que se estivesse indo do primeiro para o segundo. Mas você precisa combater esse sentimento, porque ainda está no nonagésimo oitavo andar."

Ele se considerava no centésimo andar na maior parte do tempo. Entretanto, na primavera de 2004 parecia que tinha voltado ao nonagésimo oitavo. Warren esperava com impaciência que Susie atravessasse o sofrimento de suas sessões de radiação até o final da primavera, quando os médicos fariam um exame de imagens por ressonância magnética para avaliar se o tratamento tinha destruído as células cancerosas. Os negócios também apresentavam problemas em várias frentes: Buffett sentiu que chutava algumas "bolas fora" quando se tratava de trazer para casa os "biscoitos": novas aquisições e novas ações para comprar. A Berkshire estava com cerca de 40 bilhões de dólares em dinheiro ou o equivalente, o que não era *"uma situação muito feliz"*.[3]

A maior parte das empresas dentro da Berkshire Hathaway estava bem – mesmo a sitiada General Re revertera finalmente, e definitivamente, o seu curso, divulgando lucros de *underwriting* em 2003. Mas a Geico tinha acabado de sair de uma amarga guerra de preços e estava envolvida numa batalha por clientes com sua arquirrival, a Progressive. Em 1999 a Geico veiculara um comercial com um novo e popular personagem, a lagartixa da Geico. Mas a presença da empresa na internet estava deixando a desejar, se comparada com a página da Progressive, que permitia aos clientes fazer comparações de preços on-line. Buffett vinha pensando sobre internet e seguros automotivos havia mais de uma década. Ia às reuniões na sede da empresa, perto de Washington, e repetia sem parar uma frase: *"Quem vencer na internet ganha a guerra."* Ele esperou impacientemente que os negócios na internet atingissem seu completo potencial. A Berkshire tinha nomeado uma nova conselheira, Charlotte Guyman, ex-executiva da Microsoft. Agora o conselho tinha sua primeira mulher e também baixara sua média de idade, mas Buffett declarou que não escolhia membros do conselho em função de idade ou sexo. Ele queria "conselheiros capazes de defender os interesses dos donos, com conhecimentos de negócios, interessados e realmente independentes".[4] Na ocasião Buffett enviou Sharon Osberg e Guyman a Washington, para ajudar a Geico a aprimorar seu site na web. *"Tenho total confiança na Geico"*, ele disse, ao mesmo tempo que invocava seu novo mantra: quem vencer na internet ganha a guerra.

Buffett dava mais atenção à Geico que à maioria de seus outros negócios simplesmente porque adorava a empresa. Era também um grande fã de Tony Nicely e seu co-CEO Lou Simpson, cujo currículo de investimentos ele agora trombeteava, pela primeira vez, para os acionistas, no informativo anual. Nos últimos 25 anos Simpson obtivera uma média de desempenho de 20,3%, superando o mercado em 6,8% ao ano. As ações que ele comprava eram diferentes das de Buffett, mas o método era o mesmo, e seus antecedentes eram quase tão bons quanto os do próprio Buffett. Agora ficava óbvio por que Buffett lhe dera tanta autonomia e lhe pagava tão bem. Simpson estava qualificado para ser outro dos superinvestidores de Graham-and-Doddsville. Reconhecidamente, contudo, com o aumento da concorrência, o trabalho de um superinvestidor estava ficando cada vez mais difícil.

Ainda assim, o desafio de encontrar novos investimentos não era tão severo quanto o de vigiar aqueles que a Berkshire já tinha. A Coca-Cola estava se transformando mais uma vez numa preocupação com dimensões de pesadelo. Desde a morte de Goizueta, de trimestre em trimestre, mês a mês, o negócio não parava de piorar. Novas provas de maquiagem na contabilidade apareciam como cracas a sangrar os lucros da Coca-Cola. As ações desabaram para menos de 50 dólares depois de terem chegado a passar dos 80. Em termos percentuais, a empresa andava perto do sexagésimo andar.

Doug Daft ganhou reputação pelo humor volátil e as politicagens bizantinas. Um bom número de veteranos da administração deixou a empresa durante a sua gestão.[5] Os ajustes sutis feitos nas quatro principais marcas da Coca-Cola produziram resultados nada espetaculares juntamente com páginas e páginas de anúncios ineptos e pouco originais.[6] A Pepsi tinha conquistado um enorme sucesso com o Gatorade depois que a Coca-Cola não conseguiu fechar um acordo com a Quaker Oats em 2000. Então um informante declarou que a Coca-Cola preparava um teste de marketing para um produto chamado Frozen Coke, para agradar um antigo cliente, o Burger King. O informante também acusou a empresa de fraude contábil, e a SEC, o FBI e a Procuradoria-Geral dos Estados Unidos começaram a investigar. O preço das ações da empresa caiu até 43 dólares. Buffett já estava cheio dos "ganhos administrados" que estavam no fundo desses problemas, nos quais as previsões dos analistas de Wall Street sobre os rendimentos de uma determinada empresa induziam os administradores a procurar até a última moeda para "maquiar os números", para corresponder ou superar as expectativas "consensuais" e agradar aos investidores. Pelo fato de a imensa maioria das empresas ter tentado estabelecer e em seguida ultrapassar as expectativas de Wall Street, em vez de simplesmente informar sobre seus ganhos, essa prática se generalizou – mas a manipulação de um único centavo por ação provocava problemas que levavam, frequentemente, a quedas violentas nas cotações. Dessa forma as empresas alegavam que "precisavam" administrar os lucros, num jogo viciado de autoengano. Mas essa "administração de resultados" era uma espécie de esquema Ponzi. Se continuasse por muito tempo, uma pequena trapaça podia crescer como uma bola de neve até ganhar dimensões de roubo.

"*Não posso dizer o quanto eu detesto ganhos administrados e o que eles fazem com as pessoas. A natureza dos ganhos administrados é que você começa com pouco. É como roubar 5 dólares de uma caixa registradora e prometer a você mesmo que vai devolver. Você nunca devolve. Da próxima vez você acaba pegando 10 paus. Uma vez começado esse tipo de jogo, ele envolve todo mundo. A organização progride, as pessoas ficam engraçadinhas e espertinhas, e a coisa vira uma bola de neve. Fiz discursos depois que descobrimos. Disse a eles: 'Agora o macaco saiu das nossas costas. Não temos que fazer qualquer previsão para os analistas. Vamos simplesmente entregar as folhas com os resultados a cada ano – e o que ganharmos, ganhamos.'*"[7]

Buffett queria sair do jogo. Se indagado extraoficialmente sobre qual teria sido seu pior erro em negócios, ele não respondia mais "*os pecados da omissão*". Agora dizia *"servir em conselhos".* Estava exausto, principalmente, pela forma como ficava de mãos atadas. A Coca-Cola tinha alterado a política que exigia que os diretores se aposentassem aos 74 anos, determinando que os que tivessem essa idade apresentassem uma carta de demissão para ser apreciada pelo conselho. Sair do conselho da Coca-Cola o deixaria livre para sapatear até o pôr do sol. Mas, para o salvador da Salomon, esnobar uma empresa com problemas seria como atravessar uma adaga nas ações. *"Não ficaria no conselho, mas não queria deixar os outros caras lidando sozinhos com a bagunça na Coca-Cola"*, disse Buffett. Sua carta de demissão pro forma foi, naturalmente, rejeitada. Externamente, aquilo foi visto como um jogo de poder para manter o conforto de um conselho de comparsas. Buffett não tinha a menor ideia sobre o prato cheio de sofrimento que tinha acabado de pedir.

Assim que a procuração foi preparada – com o nome de Buffett na lista para sua eleição como conselheiro –, a Institutional Shareholder Services, uma poderosa organização que dava consultoria para votos de acionistas e recomendava procuradores que representavam investidores institucionais, disse a seus clientes para se recusarem a votar nele. Segundo a ISS, a independência de Buffett como membro do comitê de auditoria seria afetada pelo fato de empresas da Berkshire Hathaway, como a Dairy Queen e a McLane, comprarem 102 milhões de dólares em produtos da Coca-Cola. Numa época em que escândalos envolvendo conflitos de interesses tinham abalado a confiança nas mais diversas instituições – incluindo a Igreja, os militares, o governo, as empresas privadas e as instituições sem fins lucrativos –, insinuações de conflitos de interesses e questões de governança eram consideradas com uma gravidade inédita. O conselho da Coca-Cola poderia ter sido atacado em outros aspectos, mas a ISS não demonstrara senso de proporção ao aplicar os princípios do conflito de interesses nesse caso. Algo, aliás, compatível com a falta de proporção demonstrada pela maioria dos que atacavam os negócios na época (ainda que merecidamente em muitos casos). Como as compras feitas pela Berkshire à Coca-Cola eram triviais em relação à participação da Berkshire no controle da empresa, que era imensa, como poderia o comportamento de Buffett como membro do comitê de auditoria ou no conselho ser considerado conflituoso?[8]

As regras da ISS, entretanto, eram baseadas numa lista rígida de tópicos, sem qualquer jogo de cintura para o bom senso. O CalPERS, o poderoso *California Public Employees' Retirement System* (Sistema de aposentadoria dos funcionários públicos da Califórnia), também decidiu retirar seu apoio a metade dos conselheiros da Coca-Cola, entre eles Buffett – no caso de Buffett, porque o comitê de auditoria do qual participava aprovara que os auditores realizassem trabalhos sem relação com auditorias.⁹ O CalPERS sempre assumira uma posição bem fundamentada em relação aos auditores, mas essa recomendação equivalia a apagar velinhas de um bolo de aniversário com um extintor de incêndio.

Buffett fez uma espécie de piada disso tudo em público dizendo que estava pagando o CalPERS e a ISS para votarem contra ele como pretexto para sair do conselho. Mas na verdade estava furioso, especialmente com a ISS. Parecia óbvio para ele que os bilhões de dólares em ações da Coca-Cola controlados pela Berkshire suplantavam em grande medida o valor dos produtos Coca-Cola que a Berkshire Hathaway adquiria.

"Se eu fosse um bebum caído no meio da rua, aqueles valores sobre os quais eles falavam poderiam parecer significativos. Mas eu possuo 8% da Coca-Cola. Temos mais dólares na empresa do que em qualquer outra coisa. Como eu poderia favorecer os interesses da Dairy Queen em relação à Coca-Cola, quando possuo tanto de suas ações?"

Herbert Allen enviou uma carta apaixonada ao *Wall Street Journal* citando o julgamento das bruxas de Salem, quando "pessoas razoavelmente estúpidas acusaram pessoas razoavelmente inteligentes e bem-dotadas de serem bruxas e fazerem feitiços. Então queimaram todo mundo... Até os gênios da ISS dizerem, ninguém imaginava que Warren era na verdade uma bruxa".¹⁰

Quando membros do conselho de administração foram questionados, eles consideraram unanimemente que Buffett era o conselheiro de seus sonhos. "Nós lavaríamos pessoalmente o carro de Buffett para tê-lo no conselho... Não há uma pessoa no mundo que não queira suas recomendações... A atitude do CalPERS demonstra a estupidez e a falta de controle da governança corporativa... Lembra um técnico da liga de futebol americano que prefere um *quarterback* desconhecido da segunda divisão universitária a outro que já jogou o Super Bowl... Se você fosse um acionista e pudesse escolher, com certeza ia querer ter Warren Buffett no conselho."¹¹ O *Financial Times* referiu-se à ISS como o Darth Vader da governança corporativa, uma posição "estofada de dogma".¹² Com tinteiros de reações negativas sendo derramados sobre os dois, o CalPERS e a ISS começaram a parecer tolos como "populistas horrorosos em busca de promoção", segundo um CEO aposentado. "Como é possível se colocar contra ele como conselheiro e achar que ele está defendendo os interesses dos acionistas? Que conselho ridículo!"¹³

Tirar Buffett do conselho para melhorar o comitê de auditoria era como atirar no médico por ainda se estar doente. O que a Coca-Cola precisava era de mais Buffett, não de menos. A ISS reagiu dizendo que não estava defendendo o voto "contra" Buffett. Em vez disso, estava recomendando que se "negassem" votos a ele por conta de sua posição no comitê de auditoria.¹⁴ Mas negar um voto era a mesma coisa que votar contra, não importa como se mudem as palavras ou a justificativa que se use. Quanto mais a ISS se explicava, menos as pessoas ficavam convencidas.

O maior problema era que a ISS não estava apenas dando conselhos. Muitos investidores tinham simplesmente delegado seus direitos de voto à ISS, que se tornara assim uma espécie de acionista gigante que controlava cerca de 20% de todos os votos no conselho das maiores corporações dos Estados Unidos. As leis de valores não tinham previsto que uma situação como aquela pudesse acontecer, na qual um "acionista" não regulado e imperioso tivesse tanto poder sobre os negócios americanos. Mas estava acontecendo.

Buffett tinha uma visão apaixonada sobre as responsabilidades de um conselho corporativo fundamentada na sua sociedade e baseada no alinhamento de interesses. *"Acho que donos devem se comportar como donos – e que devem se importar com independência. Aqueles sujeitos podem ter razão em duas de cada três coisas. O problema é que eles não têm a menor ideia sobre o que é independência e como funcionam os conselhos. A abordagem por checagem de pontos é totalmente maluca. Se saíssemos agora e procurássemos alguém na fila dos desempregados e pagássemos 125 mil dólares para ele ser um conselheiro da Coca-Cola, essa pessoa seria considerada 'independente'. E o CalPERS e a ISS não teriam problemas em votar nele, apesar de sua renda depender totalmente do salário da Coca-Cola."*

Os estudos, entretanto, não demonstravam qualquer relação, positiva ou negativa, entre a independência do conselho e o desempenho de uma empresa.[15] Mas o conselho da Coca-Cola também se ressentia de certa falta de credibilidade e decoro para juntar forças contra a ISS. Agora que as ações da empresa eram picadinho, os membros do conselho conseguiam apenas convocar forças das trevas. As acusações de "conselho de comparsas" não estavam muito distantes da realidade. Embora tivesse facções, uma facção governava, ou, melhor, governava mal. Buffett admitia que deveria ter feito mais para tentar colocar as coisas nos trilhos. De fato, se a Coca-Cola tivesse sido comandada por ele, com a ajuda de apenas uma embalagem de seis latas de Cherry Coke, talvez muitas desgraças pudessem ter sido evitadas.

O que aconteceu foi que uma mistura de pessoas importantes, com personalidades titânicas e acostumadas com o poder, não podia simplesmente ficar sentada passivamente sob o domínio de um CEO fraco. Então criaram um verdadeiro redemoinho. Não foi suficiente para detê-los o fato de que Daft havia ampliado a margem de lucros da Coca-Cola, as suas vendas e o seu fluxo de caixa, e que tinha consertado as relações viciadas com as engarrafadoras. Em fevereiro, Daft subitamente avisou ao conselho que estava se demitindo.

Daft era impopular para muitos, mas o anúncio causou consternação, pela perspectiva de trazer mais publicidade negativa para a Coca-Cola. Dessa vez não se podia simplesmente chamar o próximo da fila para assumir a tarefa. Alguns membros do conselho viram que essa era a chance de finalmente fazerem a coisa certa! Num movimento que provocou uma polêmica imediata, ao mesmo tempo que foi anunciada a saída de Daft, Don Keough, de 77 anos, entrou para o conselho. Keough, que às vezes era chamado de "o CEO sombra", tornou-se presidente do comitê de auditoria. Ele e Buffett agora passavam horas ao telefone tentando encontrar um líder para a Coca-Cola.

A busca pelo quarto CEO em oito anos logo se transformou num espetáculo. O conselho examinou o presidente da Coca-Cola, Steve Heyer, antes considerado uma barbada, mas os membros se dividiram e, assim que apareceram candidatos de fora, as chances de Heyer começaram a se desfazer. Vários CEOs célebres foram convidados, mas recusaram o trabalho. Cada rejeição alimentava a mídia com mais um pedaço de *Schadenfreudenfodder*, o sentimento de alegria pela desgraça alheia. Rumores à boca pequena começaram a circular. Talvez a Coca-Cola comprasse outra empresa. Talvez fosse vendida para a Nestlé.

Em 20 de abril, Buffett foi a uma reunião do conselho em Wilmington, Delaware, na noite anterior à reunião de acionistas, preparado para dois dias de trabalho intenso. Não se mostrava ansioso para saber o resultado da eleição de conselheiros, que teria um razoável número de votos negados a ele. Na grandiosidade desbotada do velho Hotel Du Pont, Buffett começou a reunião do comitê de auditoria, que ainda conduzia a inquisição e se preparava para uma penitência corporativa diante da investigação da SEC sobre a administração de lucros.[16]

"*Se você não sai limpo na primeira vez, está atolado. E isso pode significar desistir do seu trabalho também. Posso imaginar como aconteceu. Roberto era um sujeito maravilhoso. Cumpria bem seu trabalho de comandar a empresa. E o resto eram pessoas decentes, a maioria. Mas, se Roberto lhes dissesse 'Quero enviar para vocês algumas caixas a mais', não haveria questionamentos da Coca-Cola Company.*"

O comitê de auditoria sentia que tudo isso tinha sido ocultado deles. Buffett, sentenciado a permanecer mais um ano no conselho da Coca-Cola, sabia que não havia solução possível além de limpar aquela bagunça e não voltar a fazê-la. Passou para o comitê de finanças e, em seguida, para o comitê executivo. O conselho tinha diversas questões espinhosas para resolver. Finalmente a noite terminou.

Na manhã seguinte, enquanto se vestia para ir à reunião, ele refletia sobre os eventos que o aguardavam. Os representantes do sindicato dos caminhoneiros já deveriam estar ocupando a rua diante do hotel, com seu caminhão azul e um trailer estacionados entre os estudantes, empunhando cartazes com dizeres como "Coca-Cola destrói vidas, salários e comunidades" e "Cola Assassina, Cola

Tóxica, Cola Racista". Ele não conseguia ver nada pela janela nem saber se os sindicalistas tinham mesmo trazido um rato inflável com 20 metros de altura. A reunião dos acionistas da Coca-Cola se tornara um ritual periódico na agenda da comunidade de ativistas.

Então tocou o telefone do quarto. Ele atendeu e descobriu que do outro lado da linha estava a última pessoa que ele esperava ouvir – Jesse Jackson. Jackson disse apenas que queria exprimir sua admiração por Buffett. Falaram por um minuto ou dois sobre assuntos gerais e desligaram. Que coisa estranha, pensou Buffett. De fato, era o primeiro sinal de que essa seria a reunião de acionistas da Coca-Cola para acabar com todas as outras reuniões.

Lá embaixo, no saguão, havia mais manifestantes que acionistas. Membros do sindicato da indústria do vidro distribuíam adesivos para protestar contra a aquisição de garrafas do México.[17] Manifestantes espalhavam folhetos acusando a Coca-Cola de conspirar com grupos paramilitares da Colômbia para assassinar líderes trabalhistas. Estudantes universitários protestavam contra a presença da Coca-Cola nos campi. Buffett atravessou rapidamente o saguão e seguiu na direção do salão de baile, onde foi reconhecido e teve a entrada autorizada junto com os demais conselheiros. Sentou-se na primeira fila. Os outros participantes pegaram as credenciais, passaram pela segurança, onde seus pertences foram submetidos a detectores de metais, e tiveram retidos seus celulares, câmeras e gravadores. A revista rigorosa entre molduras douradas e candelabros de cristal emprestava ao lugar o ar de um desagradável e tumultuado palácio de governo de alguma antiga colônia que estivesse sob implacável ditadura. Os visitantes pareciam ter chegado a algum lugar desolador e perigoso. A Coca-Cola espalhou folhetos pelo saguão chamando a atenção para seus projetos comunitários e colocou um refrigerador com Coca-Cola e água mineral à disposição das pessoas que se encaminhavam aos assentos apertados em que os acionistas deviam se acomodar para uma jornada de duas horas. Aquilo parecia uma novela de Kafka, mas era a versão moderna da reunião anual.

Iniciando a reunião, Doug Daft, com um ar fúnebre, fez alguns comentários entre duas mesas compridas cobertas de branco atrás das quais se encontravam outros executivos. Perguntou se haveria alguma discussão sobre a proposta de se fazer a eleição de conselheiros. Buffett, sentado na primeira fila, virou-se quando Ray Rogers, presidente da Corporate Campaign Inc. – um grupo de manifestantes de aluguel que trabalhava principalmente para sindicatos –, levantou-se e arrebatou o microfone da mão de um funcionário que passava pelas fileiras de cadeiras. Rogers começou a berrar que negaria votos "até que um certo número de coisas erradas fosse consertado pelo conselho". Segundo ele, a Coca-Cola estava tomada "pela imoralidade, corrupção e cumplicidade em relação a absurdas violações dos direitos humanos, incluindo assassinatos e tortura". Daft era um mentiroso, ele urrou, a liderança da empresa funcionava à base de "ganância descontrolada", como um "parasita completo" dos Estados Unidos que ganhava dinheiro "graças à destruição de muitas comunidades". Enquanto Daft tentava retomar o controle da reunião, Rogers continuava a gritar e a folhear o que parecia ser um volumoso texto. Daft lhe disse que seu tempo tinha acabado e pediu que ele parasse de falar, mas Rogers continuou. Os técnicos de som desligaram o microfone, mas as cordas vocais de Rogers, muito bem exercitadas, não se sentiram intimidadas pela ausência de um amplificador de som. Até que um grupo de seis seguranças finalmente o jogou ao chão e o levou embora, enquanto a plateia assistia a tudo em estado de choque, ao mesmo tempo que Daft tentava restaurar a ordem, implorando aos seguranças: "Sejam gentis, por favor!" Então resmungou, de forma que todos ouvissem, para um colega: "Nós não deveríamos ter feito isso."[18]

Depois de terminada a sessão de luta livre, um silêncio nervoso baixou no salão. A irmã Vicky Bergkemp, dos Adoradores do Sangue de Cristo, tomou o microfone em seguida. Fez um rápido discurso sobre Aids e pediu à direção da Coca-Cola que informasse os acionistas sobre os efeitos da pandemia de Aids nos negócios da Coca-Cola. Como a Aids não tinha qualquer relação com os negócios da Coca-Cola, a direção a ouviu com bom humor. A seguir os acionistas apresentaram propostas relacionadas com o suposto excesso de benefícios dados aos administradores. A empresa recomendou que se votasse contra todas elas.

Finalmente saiu o resultado da eleição de conselheiros. Era o momento que Buffett temia. "Cada um dos indicados recebeu mais de 96% dos votos", disse o conselheiro geral, "com exceção do senhor Buffett. O senhor Buffett não recebeu mais de 84% dos votos."[19]

Ser nomeado publicamente o conselheiro menos popular da Coca-Cola era humilhante. Nunca antes ele tinha sido rejeitado por um grupo de acionistas. O CalPERS e a ISS foram responsáveis por praticamente todos os 16% que não o aprovaram, mas, apesar de os investidores institucionais, em sua maioria, os terem ignorado, defendendo seu nome, isso não parecia um triunfo. Poucas vezes Buffett se arrependera tanto de participar de conselhos como naquele momento. Mas não houve muito tempo para ele pensar no assunto, porque Daft pôs o microfone à disposição para as perguntas dos acionistas. O reverendo Jesse Jackson prontamente se levantou, roubando a cena.

"Senhor Daft e membros do conselho", ele começou, com um tom retumbante, "permitam-me dizer, logo de início... que, embora muitos tenham discordado da primeira pessoa que fez comentários... a sua remoção violenta... foi algo aquém... da dignidade... desta empresa. Foi... uma reação exagerada... Foi... um abuso de poder. Eu gostaria de saber", perguntou Jackson retoricamente, "se há uma pessoa de cor... entre aqueles que estão sendo considerados para o cargo de CEO." As reclamações dos estudantes universitários sobre Coca-Cola nos campi e as acusações de que a empresa assassinara sindicalistas na Colômbia agora pareciam um anticlímax. Daft lutava agora para encerrar a mais desastrosa reunião de acionistas da história da Coca-Cola, enquanto os conselheiros juravam que jamais deixariam que aquele encontro escapasse ao controle novamente.

Depois desse fiasco, a busca por um CEO ganhou um sentido de urgência. Steve Heyer, o candidato da casa que tinha sido eliminado na última reunião do conselho, estava de partida para cuidar de outros negócios junto ao grupo Starwood Hotels e recebera um pacote amplo e polêmico de benefícios pelo seu afastamento, causando mais constrangimentos para a Coca-Cola. Finalmente o conselho voltou sua atenção para outro candidato, Neville Isdell, de 60 anos, que se aposentara após ter sido preterido anos antes por Doug Ivester. Irlandês alto e carismático criado na África do Sul, Isdell era popular entre os conselheiros. Naquele momento, entretanto, a Coca-Cola não conseguia fazer nada que agradasse à plateia. "Estão trazendo de volta os comparsas", foi a reação. "Contrataram outro Daft."[20] Isdell já era considerado uma futura vítima do machado do conselho, pois este ganhara uma reputação amedrontadora por seu comportamento errático e duro.[21]

Entretanto, esse conselho era o mesmo que passara anos a fio em completo recato, como se não fosse nada mais que um capacho de Goizueta. Foi apenas depois da sua morte inesperada, quando a liderança foi desfeita, que o conselho, formado na maioria por pessoas que já estavam lá na gestão de Goizueta, se dividiu em duas alas. Durante seis anos, um pequeno grupo de conselheiros tentou tomar as rédeas da desgovernada carruagem da Coca-Cola. Mas a empresa falhou ao não acompanhar as tendências dos consumidores e cometeu erros estratégicos. Para compensar e corrigir seus problemas, a Coca-Cola precisava de um CEO duro e determinado que pudesse domar a parte do conselho que se tornara autoritária na ausência de um líder forte, que pudesse mantê-la na linha. A estabilidade de Isdell no cargo dependeria da sua capacidade em demonstrar força.

Buffett fez um discurso sobre administração de lucros. Keough começou a ajudar Isdell, como fazia com todos os novos CEOs. Isdell aceitou, mas, como ficou evidente mais tarde, ele na realidade não precisava de tanta ajuda assim.

61
O sétimo fogo
Nova York, Sun Valley, Cody – março-julho de 2004

Buffett já havia passado 26 finais de semana em São Francisco. Ele e Susie tinham visto quase 100 episódios do seriado *Frasier* juntos. A família continuava a protegê-la. Ela ainda não via quase ninguém.

Susie estava começando a comer novamente. Seu amigo Tom Newman, que era *chef* e tinha um bufê, tentou despertar seu interesse em alimentos mais saudáveis que sorvetes e milk shakes de chocolate, preparando purê de cenouras, creme de espinafre, purê de batatas, salada de ovo e "qualquer coisa que pudesse lhe fornecer uma nutrição adequada".[1]

Em março ela fez o primeiro exame de ressonância magnética depois da cirurgia. Buffett sabia o que estava em jogo naquele momento. Susie tinha dito que não aceitaria novas cirurgias.

"Ela não vai voltar para o hospital. Não vai. Acho que as chances são razoavelmente boas, mas..."

Os exames apresentaram ótimos resultados. Buffett transbordava de alegria. Segundo ele, os médicos de Susie disseram que ela teria a mesma chance de reincidência de uma pessoa que nunca tivera câncer. Susie pode até ter explicado as coisas dessa maneira para Warren, por pensar que era aquilo que ele precisava ouvir, mas o que o Dr. Schmidt lhe dissera realmente era que ela podia contar em ter um bom ano pela frente. Depois disso, o futuro era incerto.[2]

Os meses em que passou presa a uma cama por causa da doença, como acontecera na infância, tiveram um efeito previsível sobre Susie. Mesmo fraca como estava, sua energia reprimida de viver novamente explodiu. "Vou aproveitar minha família", ela disse. "Quero ver todo mundo. Vou fazer tudo o que quiser até o Dr. Schmidt me dizer que não posso."[3]

A primeira coisa que ela queria fazer era ir para a casa em Laguna e receber a visita dos netos. Para o bem de Warren, ela queria comparecer à reunião dos acionistas da Berkshire. Queria estar forte o bastante para assistir à première do show multimídia de Peter, *Spirit – The Seventh Fire* (Espírito – O sétimo fogo), que aconteceria em Omaha em julho. Tinha uma longa lista de coisas a fazer.

O cabelo de Susie, que tinha ficado mais claro nos últimos anos, agora estava bem curtinho. Seu rosto juvenil parecia um pouco mais magro, mas, fora isso, não estava muito diferente do que era antes. Falava com um ligeiro chiado, mas era fácil esquecer o que tinha acontecido e não perceber como ela havia sofrido.

A preocupação de Buffett era saber se ela poderia comparecer à reunião dos acionistas em maio. A reunião assumira um tal simbolismo para ele que lhe servia como uma medida do quanto as pessoas gostavam dele – e o quanto estavam disponíveis para viajar a Omaha para o evento. A presença de Susie lhe dava segurança. Ela não era uma simples espectadora, ela fazia parte do show. Se ela não pudesse comparecer, era como se faltasse uma protagonista no palco.

Os Buffett programaram o fim de semana dos acionistas de tal forma que Astrid (que achava aquilo uma chatice e ficava feliz por não precisar participar) acompanhasse Warren a apenas alguns eventos sociais nos bastidores, como costumava fazer na vida real, enquanto Susie comparecia aos eventos sociais públicos "oficiais", no papel de "esposa". Na reunião, ela se sentava na área reservada aos diretores e cantava com a banda de Al Oehrle no shopping na Borsheim's na tarde de domingo. O elenco de coadjuvantes de Buffett formado por outras Violetas Buscapé tinha aumentado com o passar do tempo, e ele fazia questão que elas comparecessem também. Um retinir anunciava a chegada de Carol Loomis usando pulseiras com uma coleção de 27 amuletos do tamanho de palitos de fósforo em ouro e esmalte, fac-símiles dos relatórios anuais da Berkshire Hathaway – um para cada ano em que ela editara as palavras de Buffett. Sharon Osberg tornou-se uma atração enfrentando qualquer acionista que desejasse jogar bridge com uma campeã, na tarde de domingo, na grande tenda branca do lado de fora da Borsheim's. Buffett ainda não encontrara uma forma de incorporar a sua mais recente Violeta, Devon Spurgeon, a ex-repórter do *Wall Street Journal* que cobrira a Berkshire por algum tempo e estava começando a estudar Direito naquele outono. Buffett adotara Spurgeon como uma nova integrante da sua turma, uma grande raridade que agora só acontecia com intervalos de anos. Mas ela logo percebeu o conflito que isso poderia causar e deixou o *Journal* para não se comprometer. Buffett chegou a sugerir que ela se casasse durante a reunião, quando ele poderia atravessar com ela o comprido corredor central e entregá-la a seu noivo. "*Imagine quantos presentes você não ganharia da Berkshire*", disse. Genuinamente emocionada pela oferta – mas antevendo notícias mostrando suas núpcias como uma "versão Berkshire" de um casamento da seita Moon –, Spurgeon e seu noivo Kevin Helliker preferiram se casar na Itália. Buffett dera a ela um assento junto aos diretores na seção reservada.[4] Osberg e Loomis, que eram de fato familiares, se sentavam no setor reservado para familiares e membros do conselho.

Todos os outros precisavam lutar para não ficar atrás das pilastras. Nesse ano, tinham chegado tantos pedidos de credenciais que eram aguardadas quase 20 mil pessoas.

Um mercado negro de cambistas apareceu no eBay, vendendo credenciais para as reuniões por até 250 dólares pelo conjunto de quatro passes. Buffett ficou surpreso. Quem já tinha ouvido falar em mercado negro de ingressos para reuniões de acionistas? A chamada do eBay dizia: "Possibilidade de conhecer Warren Buffett ou de lhe fazer uma pergunta durante a reunião (...) O comprador também receberá o guia de visitantes. O passe dá descontos especiais de funcionário no Nebraska Furniture Mart e na joalheria Borsheim's (...) Churrasco (...) Coquetel na Borsheim's (...) Festa dos acionistas na churrascaria favorita de Buffett (...) Veja apresentações de muitas das empresas controladas pela Berkshire."

Por mais que ficasse impressionado com aquilo, o filho de Howard Buffett queria que os cambistas ficassem fora. Ele não podia permitir que pessoas fossem exploradas apenas para participar de uma reunião de acionistas. O homem que, um ou dois anos antes, afirmara (com motivos) ser ignorante a respeito da tecnologia organizou sua própria loja no eBay, anunciando credenciais para as reuniões por 5 dólares o par. As pessoas mandavam e-mails angustiados. Essas credenciais seriam "reais" ou teriam uma aparência diferente, estigmatizando o comprador como não sendo um acionista "real"? A pergunta implicava que seria horrível ser classificado como alguém que "não fazia parte do clube".

Não, as credenciais eram reais, apesar de vendidas. E assim a Berkshire Hathaway, que já tinha sido um clubinho reservado composto de sócios ricos a quem Buffett considerava seus amigos, subitamente se transformou num fã-clube. Buffett abrira a tenda e convidara todo mundo a participar.

O NOVÍSSIMO QWEST CENTER EM OMAHA erguia-se como uma grande tenda de circo prateada nas imediações do rio Missouri. Sua fachada espelhada contrastava com o caquético Civic Auditorium, do outro lado da cidade, cenário das últimas quatro reuniões. Kelly Muchemore caminhou pelo tablado durante dias antes do evento com seu walkie-talkie observando se as empilhadeiras estavam cheias de fardos de feno, caixotes de flores, postes e toneladas de terra e estrume que seriam transformadas em jardim e área de descanso na sala de exposição. Trabalhadores construíam conjuntos de estandes para apresentar toldos, compressores de ar, conjuntos de facas, enciclopédias, aspiradores de pó e molduras. Operários instalavam a sinalização que indicava as ruas e avenidas de "Berkyville", que serpenteavam entre o showroom de mobílias, a loja de artigos para cozinha, a área para experimentar botas no estilo western, a livraria Bookworm, a loja de doces, o balcão de vendas de seguros e a sapataria feminina. Lá em cima, na arena, a equipe do palco arrumava a mesa coberta de toalhas brancas com microfones e imensos telões onde ficariam Buffett e Munger, enquanto os técnicos de iluminação testavam o painel que criava o show de luzes que marcaria a abertura do evento. Um camarim particular de "estrela" foi montado nos bastidores para que Susie tivesse um lugar para descansar. Um caminhão blindado trouxe um par de botas com pedras preciosas que valia 250 mil dólares para a exposição da Justin. Um projetor de cinema, tela e almofadas gigantes aguardavam na sala de festas – para onde centenas de empregados exaustos da Berkshire Hathaway poderiam se arrastar e desabar depois de trabalharem de graça.

Buffett saltitava pelo escritório como se fosse um adolescente. Visitantes e um grupo de estudantes universitários passaram para vê-lo. Sua voz ficou cada vez mais rouca à medida que a semana passava e o número de visitantes aumentava. Todo mundo insistia com ele para que economizasse a voz para os discursos, mas ele ignorou. Aplicava spray na garganta e continuava falando. Pedidos para mais de 1.000 ingressos tinham chegado do Texas, 2.000 da Califórnia e outros 1.500 de fora dos Estados Unidos. Um grupo de 77 pessoas alugou um avião para ir da Austrália.

Na sexta-feira a voz de Buffett parecia a de alguém que estava se recuperando de uma gripe forte. Mas ele continuava se recusando a fechar a boca. Buffett nunca tinha parado de falar em momento algum da sua vida. Desde que era um menininho e surpreendia os amigos dos pais com sua precocidade, desde que dava conselhos sobre ações aos professores da escola secundária, desde que os colegas da Alpha Sig se reuniam para ouvi-lo em palestras nas festas da fraternidade universitária, desde que ele e Ben Graham faziam dueto em volta da mesa de reuniões em Columbia, desde que vendia ações da Geico como um "farmacêutico", desde que pegou um pedaço de giz e deu aulas sobre investimentos em cursos noturnos, desde que enfeitiçara pessoas em coquetéis em Omaha e jantares em Nova York, da primeira reunião de sócios até a última, do dia em que ele respondeu às perguntas de Conrad Taff na sede original das reuniões da Berkshire, nos antigos cômodos de Seabury Stanton, ao último grupo de estudantes que aparecera na sua porta – enquanto pudesse ensinar alguma coisa a alguém, Buffett nunca pararia de falar.

Na noite de sexta-feira, ele falou para um pequeno grupo durante um teste de figurinos[5] e depois se dirigiu a um jantar particular, organizado por Charlie Munger.

Antes do amanhecer do dia seguinte começaram a chegar os fornecedores com a comida para o reservado da imprensa, os bastidores e para os vendedores no Beehive Café. Pessoas vestidas com casacos esportivos, camisas polo, camisetas e shorts e usando grandes chapéus amarelos de espuma já tinham formado uma fila, parecendo a entrada da Macy's na manhã seguinte ao Dia de Ação de Graças. Quando as portas se abriram, às 7 horas, todos correram até a arena e pegaram os melhores assentos. Às 8h30 todos os lugares estavam ocupados. Quando as luzes diminuíram, as conversas pararam imediatamente. Ninguém sussurrou, houve um silêncio total. A plateia esperava, fascinada. A música começou e o filme foi projetado.

A produção do filme de introdução à reunião desse ano tinha consumido muitas energias de Buffett na primavera, entre viagens a São Francisco e longos telefonemas a respeito do problema com a Coca-Cola. Pela primeira vez envolvera um roteiro digno de Hollywood, um trabalho de câmera profissional e – para o deleite quase orgástico de Buffett – o uso de um dublê de corpo. Seu clone pessoal! Ele assistira a tudo várias e várias vezes em seu escritório, antecipando a reação da plateia.

O rosto do novo governador da Califórnia apareceu na tela. Usando um uniforme de sargento, Arnold Schwarzenegger estava sentado à sua mesa de trabalho, numa bem equipada sala de musculação. O filme era uma paródia de *A força do destino*, na qual Arnold fazia o papel de Lou Gossett Jr. submetendo o dublê de Buffett a uma série de exercícios torturantes como punição por ter falado indiscriminadamente ao *Wall Street Journal* sobre as bizarras e injustas leis de impostos sobre a propriedade durante a eleição para o governo do estado. Buffett tinha brigado com o jornal pelo uso seletivo de suas palavras e conquistou, aparentemente, uma vitória estrondosa, nas mentes dos leitores, ao escrever uma carta ao editor defendendo o seu ponto de vista, com uma cópia para o site da Berkshire. Desde então tentava ao mesmo tempo valorizar e minimizar o incidente.

"Você quer parar, diga! Diga que você quer parar!", Arnold falava com voz de trovão.

"Não, senhor! O senhor não pode me forçar a dizer isso! Não, senhor! Não tenho para onde ir!", berrava o dublê de Buffett. Mas ele fazia os exercícios com a mesma facilidade com que leria o *Journal* sentado numa poltrona de casa.

Na cena seguinte, Arnold estava no gabinete do governador, adormecido, apoiando a cabeça na mesa.

Assessor: "Senhor governador."

Arnold: "Não sei para onde ir!... O quê?"

Assessor: "Acabou a hora da soneca, senhor. Está na hora de trabalhar em mais algumas propostas para resolver a bagunça em que estamos metidos."

Arnold: "O quê? Tudo bem. Uau. Tive um sonho tão esquisito..."

Ele então pegava uma revista sobre a mesa, e sua expressão se crispava. Na capa de *Muscle & Fitness*, numa montagem, estava a rosto sorridente de Buffett exibindo o corpo volumoso de Schwarzenegger dos tempos de Mister Universo. Arnold recuava, e sua expressão se transformava numa máscara de medo.[6]

Ali estava o sonho mais delirante de Buffett. Para realizá-lo ele precisou da ajuda do mais famoso fisiculturista do mundo e de um pouco da magia do cinema. Mas finalmente tinha conseguido. Transformou-se no equivalente moderno do livro *Big Arms*. Pudgy Stockton teria ficado deveras impressionada.

A plateia caiu na gargalhada. Então o filme prosseguiu, apresentando Warren e Charlie, mas principalmente Warren como um super-herói, com vários disfarces. A maioria dos esquetes e dos desenhos animados debochava da sovinice de Buffett e Munger.

Em seguida as luzes do auditório diminuíram. Quando o palco voltou a ficar iluminado, Susie, de saia e suéter rosa, parecendo alguns quilos mais magra, andou com firmeza até a área reservada aos diretores, bem na frente do palco, e se sentou. Buffett e Munger entraram logo depois, como um par de apresentadores de televisão grisalhos, e se sentaram junto à mesa coberta por uma toalha branca. Telas enormes mostrando os dois tinham sido posicionadas por toda a arena, para que todo mundo pudesse vê-los bem de perto. Buffett contemplou a arena escura, pontilhada de luzes que piscavam, com uma plateia numerosa como a que apareceria em Nebraska para um show dos Rolling Stones.

Antes de começarem as perguntas, Buffett deu o pontapé inicial na reunião com presteza para, por formalidade, cumprir uma agenda de cinco minutos que incluía eleição de conselheiros, ratificação de auditores e coisas assim. Quase que imediatamente um dos acionistas procurou um dos microfones e, com uma voz tímida, disse que ia retirar seu voto. Sugeriu uma moção da plateia, pedindo que Buffett considerasse colocar alguns dos CEOs das suas empresas como conselheiros, pois tinham qualificações melhores do que Susie e Howie Buffett.

Um burburinho atravessou o auditório. A moção, mesmo apresentada em tom respeitoso, parecia uma grande mancha a marcar a superfície suave e bem desenhada da agenda da reunião de acionistas. A maioria da plateia ficou chocada. A Berkshire era agora a décima quarta maior empresa dos Estados Unidos, com mais de 172 mil empregados, uma receita de 64,4 bilhões de dólares e lucros de 8 bilhões ao ano. Mas permanecia essencialmente uma empresa familiar na medida em que o maior acionista, Buffett, se quisesse, tinha votos para eleger um par de membros da família para o conselho. Ele via o papel da sua família na Berkshire como sendo semelhante ao dos Walton na Wal-Mart, uma ligação entre a Buffett Foundation e a empresa. Inquestionavelmente, ele montara o conselho de uma forma puramente pessoal – embora, por acaso, alguns dos seus integrantes fossem homens de negócios muito bem-sucedidos.

"*Obrigado*", disse Buffett. "*Charlie, o que você acha disso?*"

O apelo a Munger – sem uma resposta rápida ou um comentário ácido – dava a medida do total desconforto de Buffett. Mas também deixava Munger exposto, pois qualquer coisa que ele dissesse significaria que ele tinha alguma influência na forma como Buffett escolhia o conselho. E ele não tinha influência alguma. Assim, Munger se limitou a dizer: "Acho que devemos passar ao próximo assunto."

Outra moção veio da plateia. Tom Strobhar, em nome da Human Life International, uma das organizações que boicotaram a Berkshire Hathaway e que forçara a empresa, com sucesso, a encerrar seu programa de contribuições de caridade, fez um discurso sobre o aborto que era, como mais tarde escreveu, "ostensivamente disfarçado" [sic], propondo que a Berkshire publicasse uma lista de suas doações políticas.[7]

Buffett respondeu simplesmente que a Berkshire não fizera doações políticas. A moção foi rejeitada.

Essa parte de negócios da reunião já tinha consumido meia hora, em vez dos cinco minutos habituais, e pela primeira vez fez lembrar a desagradável reunião da Coca-Cola. Durante todo esse tempo, acionistas empunhando papéis com perguntas escritas tinham esperado pacientemente enfileirados nas plataformas numeradas equipadas com microfones localizadas por toda a arena. Buffett finalmente abriu a sessão para as perguntas, pedindo para ouvir "o microfone número um". As perguntas começaram, e sua mente não parava de trabalhar na questão que o estava incomodando. Ele usou uma pergunta sobre outro assunto como oportunidade de falar do papel de sua família no conselho. Sua mulher e seu filho, disse, estavam no conselho "*como guardiães da cultura, e não para tirar proveito para si*".

Foi um momento memorável. Pela primeira vez, Buffett defendia em público a forma como comandava a sua empresa. Depois disso ninguém ousou perguntar mais nada sobre esse assunto. Os acionistas da Berkshire Hathaway estavam satisfeitos com as coisas do jeito que elas eram. Pela forma como pensavam, Buffett conquistara o direito de cuidar da empresa do jeito que bem entendesse. Estavam felizes. "Como está o clima para investimentos?", perguntaram. "*Nosso capital está subutilizado no momento*", ele respondeu. "*É uma situação dolorosa, mas não tão dolorosa quanto fazer alguma coisa estúpida.*"

Alguém perguntou sobre a recomendação da ISS de que não votassem nele para o conselho da Coca-Cola. A questão permanecia no ar. "*Acho que foi Bertrand Russell*", disse ele, "*que falou que a maioria dos homens preferiria morrer a ter que pensar. Muitos concordam.*"

"A causa da mudança é prejudicada, e não estimulada", acrescentou Munger num tom ácido, "quando um ativista faz uma sugestão idiota como essa, como se a presença de Warren no conselho da Coca-Cola Company contrariasse os interesses da empresa. Ações malucas não ajudam em nada."[8]

Como acontecia a cada ano, alguém perguntou a Buffett o que ele estava fazendo com todos aqueles armazéns repletos de prata que tinha adquirido alguns anos antes. Ele parou por um minuto e disse que não podia fazer comentários. Munger fez alguns ruídos ininteligíveis ao fundo e o acionista se sentou, sem ter sua pergunta respondida. Na verdade, a prata tinha sido vendida.

Buffett e Munger começaram a mordiscar amendoins confeitados, e as pessoas se dirigiram ao porão, no salão de exposições, onde 37 subsidiárias da Berkshire Hathaway vendiam seus produtos, incluindo toda sorte de doces da loja da See's Candies. Quando Buffett e Munger começaram a comer Dilly Bars da Dairy Queen, elas rapidamente se esgotaram. Muita gente comprou caixas de doces e voltou com elas para a sala de reuniões, no andar de cima, onde novamente se sentaram para ouvir Buffett enquanto se entupiam de guloseimas.

Enquanto respondia a muitas perguntas repetitivas, com poucas novas e relevantes, Buffett conseguia incluir nas suas respostas muitos pontos que ele queria discutir. Ele usou essa reunião como pretexto para expor o tema "Por que não confio na força do dólar". Os Estados Unidos, ele afirmou, eram como uma família que gasta mais do que ganha. Os americanos estavam comprando imensas quantidades de produtos de outros países e não tinham renda suficiente para pagá-los, porque não estavam vendendo na mesma proporção. Para compensar a diferença, pegavam dinheiro emprestado. E aqueles que emprestavam agora talvez não estivessem tão dispostos a fazê-lo no futuro.

"*Estamos gastando mais de 2% de nossa receita apenas para pagar os juros de nossa dívida nacional, e isso significa que a situação é difícil de ser revertida*", Buffett declarou. O mais provável, pensava, era que em algum momento os investidores estrangeiros decidissem que gostavam mais de nossos imóveis, negócios e outros "ativos reais" do que de nossos títulos em papel. Começariam então a comprar pedaços da América, como prédios de escritórios e empresas.

"*Achamos que, com o tempo, é provável que o dólar americano perca valor em relação a outras moedas importantes*", disse. Portanto, a economia – que tinha sido maravilhosa nos últimos 20 anos, com taxas de juros baixas e inflação reduzida – poderia mudar de rumo em algum momento. As taxas de juros provavelmente aumentariam, assim como a inflação, o que seria uma combinação infeliz. Como sempre que fazia previsões, ele não podia dizer quando isso aconteceria. Nesse ínterim, porém, ele tinha comprado 12 bilhões de dólares em moedas estrangeiras para proteger a Berkshire dos riscos do dólar.

Enquanto Buffett e Munger falavam sobre os perigos do endividamento, pessoas desciam as rampas e as escadas rolantes até a sapataria e esperavam na fila para passar seus cartões de crédito. A Tony Lama e a Justin vendiam um par de botas por minuto, de simples westerns para o dia a dia até modelos fabulosos em pele de lagarto. Na Borsheim's, no lado oeste da cidade, mais de 1.000 relógios e 187 anéis de noivado foram vendidos. O Furniture Mart fazia negócios recordes de 17 milhões de dólares.

O centro de convenções tinha muitos elementos de um parque de diversões. Uma lagartixa da Geico, estacionada ao lado de um carro de corrida Nascar, acenava para os passantes. Um personagem vestido como um tijolo Acme acompanhava outro fantasiado de casquinha de sorvete. Um palhaço de rodeio percorria o pavimento com pernas de pau, entre compressores de ar e manivelas para âncoras de embarcações. No extremo sul do salão de exposições, projetando-se sobre a multidão, exatamente como Buffett tinha concebido, estava uma casa pré-fabricada Clayton Home, com revestimento bege, uma varanda confortável na frente, janelas pintadas em tons de areia, um autêntico gramado e fundações de tijolos enfeitadas com arbustos. Também como ele previra, uma fila serpenteava nos encordoamentos em ziguezague, como se fosse a fila de espera para a Space Mountain, na Disneylândia.[9]

Mas era o stand da Fruit of the Loom que melhor incorporava o espírito do Reino de Berkshire. Ali não era preciso distribuir chaveiros ou baralhos de brinde. As pessoas ficavam espontaneamente nas longas filas para comprar um pacote com 5 cuecas e tirar retrato com os sujeitos que usavam ternos de uva e de maçã. No final do dia, quase todas as roupas íntimas expostas tinham sido vendidas.

A loja em preto e branco da See's Candies, convenientemente localizada no meio do salão de exposições, também estava com seus corredores tomados, tão tomados que, em menos de três horas, acabaram os pirulitos, as nozes salgadas e os amendoins confeitados. Muitos clientes não se deram o trabalho de pagar. Aqueles que se aproveitavam do "desconto dos mãos-leves" agarraram grandes quantidades de doces, bem como dúzias de pares de sapatos na sapataria, enquanto sobre suas cabeças Buffett e Munger falavam sobre honestidade e um modo de vida ético.

Ainda desconhecendo a roubalheira que acontecia sob seus pés, algo que os teria feito considerar a instalação de uma cadeia em Berkyville ao lado da livraria no ano seguinte, Buffett e Munger prosseguiam respondendo a perguntas e devorando doces enquanto atravessavam mais de seis horas de falação.

Qualquer pessoa normal estaria exausta depois de aguentar uma apresentação tão demorada sem roteiro, mas quando a reunião foi encerrada Buffett e Munger se dirigiram a uma grande sala no andar de cima, onde, numa mesa, deram autógrafos para os acionistas vindos do exterior, que assim podiam chegar perto deles – uma ideia recente de Buffett. Munger sentou-se pacientemente, mas estava cansado e de vez em quando falava com estupefação sobre o circo criado por Warren. Ele também adorava ser bajulado, mas nunca teria promovido um espetáculo de "administre e encoraje" como fez seu sócio.

Susie saiu para se deitar duas horas após o início da reunião. Ela pulou o *brunch* de domingo, mas voou para Nova York com Warren na segunda-feira. Ficou na cama, no quarto de hotel, até às 13 horas, engolindo comprimidos com sorvete que lhe levaram no quarto. Susie Jr. a acompanhava de perto, para ter certeza de que ela não ia exagerar nas atividades. Queria que a mãe limitasse sua programação a uma atividade por dia – um visitante, uma saída para compras, um passeio de 15 minutos no saguão do hotel.[10]

Susie compareceu ao tradicional jantar que Sandy e Ruth Gottesman realizavam em sua homenagem todos os anos. Desde meados da década de 1990, essa se tornara a única ocasião em que muitos membros do Grupo Buffett podiam ter a chance de ver os velhos amigos durante a viagem anual a Nova York. Susie Jr. disse a Ruth Gottesman: "Ela está tentando fazer mais do que deveria. Vai dizer que está ótima. Vai mentir para você", e pediu sua ajuda para proteger a mãe. A maioria das pessoas reunidas na casa dos Gottesman não tinha visto Susie durante todo o ano anterior, exceto talvez na reunião de acionistas, e mesmo assim por pouco tempo. Ela se sentou numa sala e Warren em outra, enquanto as pessoas entravam para cumprimentá-los e conversar. Mais tarde muitas pessoas descreveriam o evento como comovente. Susie declarou que estava feliz de ter ido lá, mas ficou exausta.

Warren quis também que ela participasse de um programa de entrevistas da emissora de televisão pública apresentado por Charlie Rose. Susie disse muitas coisas sentimentais e lisonjeiras sobre o marido e explicou que dedicava a Warren "amor incondicional". Também falou sobre sua mudança para São Francisco, dizendo que partira, como alegara a Warren, porque "queria ter um lugar onde pudesse ter um quarto para chamar de meu. Seria ótimo". Sobre Astrid, Rose perguntou: "Ela tomou conta do seu marido em seu lugar?" "Sim, e toma conta dele muito bem. Ele aprecia isso, e eu também. Ela me fez um grande favor", Susie respondeu. Talvez pela forma como a pergunta foi apresentada, o diálogo deixava claro que Susie considerava Astrid uma ferramenta para administrar Warren – coisa que Susie nunca tivera intenção de revelar de maneira tão direta. Depois da entrevista, disse a Susie Jr.: "Vamos para a Bergdorf's."[11] Lá, ela se sentou numa cadeira e olhou algumas coisas, mas logo disse que estava cansada e voltou para o hotel.

Alguns dias depois, no Dia das Mães, ela recuperou energia suficiente para aceitar um convite para um encontro com o cantor Bono, no Tribeca Film Festival. Bono vinha enviando cartas por fax enquanto ela convalescia, e Susie Jr. as lia em voz alta. As cartas, segundo Susie Jr., "eram algo muito importante para ela". Em maio, depois de passar todas as noites indo para a cama ao som da voz de Bono, ela ficou intensamente interessada em conhecer o messiânico cantor. Os dois tiveram breves encontros: "Não dá nem para explicar o quanto ela estava animada", diz Susie Jr.

Susie foi para a cama e descansou durante dois dias. Então Bono, sua mulher Ali, suas filhas e Bobby Shriver (irmão de Maria Shriver, esposa de Arnold Schwarzenegger), cofundador da instituição de auxílio Africa Data em sociedade com Bono, foram ao Plaza Hotel almoçar com Susie. Durante três horas, Susie e Bono ficaram conversando. Então ele lhe deu de presente um retrato que pintara tendo como modelo uma foto dela, onde estavam escritos versos de "One", uma das canções do U2. Susie transbordou de alegria. Bono a convidou a visitá-lo na França com Susie Jr., que planejava viajar para lá para participar de uma reunião do conselho da sua fundação.

Quando Susie voltou a São Francisco, imediatamente ela deu ao quadro um lugar de honra, abrindo espaço entre outras obras de arte, máscaras e objetos decorativos que enfeitavam suas paredes. Então decidiu viajar para a França. As férias na África tinham sido novamente canceladas, pois ela estava fraca demais, mas Susie achava que aguentaria uma viagem à França. Ela e Susie Jr. passaram inicialmente quatro dias no Ritz, em Paris, onde Susie se recuperou da viagem e da diferença de seis horas no fuso horário, seguindo a rotina de acordar à 1 hora da manhã para tomar comprimidos com sorvete e saindo durante o dia para fazer coisas simples. Então pegaram o TGV, o trem-bala, até Nice, rumo à mansão de estuque cor de salmão de Bono, em Eze Bord de Mer.

Essa casa, onde Gandhi teria orado uma vez, tem vista para o Mediterrâneo. O quarto de Susie, com pé-direito alto, era aquecido por uma lareira e iluminado por grandes janelas enfeitadas com cortinas de gaze branca que se abriam para o mar. Ela passou a maior parte dos dias dormindo. Uma tarde Susie Jr. a chamou ao terraço, onde Bono tocou músicas de *How to Dismantle the Atomic Bomb*, o álbum do U2 que ainda não tinha sido lançado. Ele cantou uma música que escrevera para o funeral do pai: "Sometimes You Can't Make It on Your Own". Naquela noite passaram quatro horas conversando durante o jantar, e Bono fez um brinde, dizendo: "Conheci minha alma gêmea."

A admiração de Susie pelo carismático astro do rock aumentou muito depois que ela o conheceu pessoalmente. No dia seguinte, no avião que a levou de volta para casa, Susie ficou acordada ouvindo músicas do U2 no seu iPod durante toda a viagem. "Não posso explicar o quanto consegui descansar ali", diria mais tarde, ao falar sobre a casa de Bono.[12]

Mais ou menos uma semana depois que as duas Susies voltaram da França, a maior parte da família foi para Sun Valley, enquanto Peter e Jennifer permaneciam em Omaha, envolvidos com os preparativos para a estreia de seu espetáculo *Spirit – The Seventh Fire*. Depois de um longo ano de dor e isolamento, Susie compensava o tempo perdido tentando visitar todo mundo e ir a todos os lugares. Em Sun Valley, ela passou seu tempo com as mais variadas pessoas, incluindo Barry Diller e Diane von Furstenberg, uma sobrevivente de câncer oral cujos faxes e conselhos ajudaram a manter o ânimo de Susie nos últimos meses. Mas a sensação de liberdade não era irrestrita. Ela estava tão cansada que não pôde assistir à primeira palestra do dia. No almoço, mais tarde, quando se aventurou a ir ao restaurante para pegar leite desnatado, foi subitamente cercada por pessoas que queriam cumprimentá-la. Susie Jr. enviou Howie para resgatar a mãe, dizendo: "Ela não pode fazer isso. Ela vai continuar tentando, mas não pode. Faça com que ela se sente."

No segundo dia, Susie Jr. arranjou um carrinho de golfe para se locomover com a mãe. Quando entrou no apartamento para pegar a mãe, Susie Jr. encontrou-a enrolada como uma bolinha, num canto do sofá, chorando. "Eu não consigo",[13] disse. Apesar de passar a maior parte do resto da viagem descansando, suas pequenas reservas de energia já tinham sido consumidas.

Quando a família voltou para Omaha, para a première da obra de Peter, Susie aproveitou a oportunidade para visitar a nova loja de tricô da filha. Susie Jr. tinha arranjado um sócio e abrira a String of Purls num shopping center no subúrbio. Buffett ficou honestamente animado pelo empreendedorismo da filha. Ele era capaz de se identificar com uma loja de tricô. Ela analisara as perspectivas do setor e acreditava que poderia faturar até 500 mil dólares por ano. Mais uma vez ele podia se aproximar da filha de uma forma especial. Estava tão entusiasmado com aquele negócio como ficaria com qualquer outro: ele o atraía pela mesma razão que o fazia se debruçar sobre os relatórios da Geico, ou acompanhar o crescimento de suas vendas via internet, semana após semana. Pela mesma razão que o levava a monitorar o desempenho de todos os pontos de venda da See's Candies durante as festas de fim de ano ou ler os faxes com os relatórios de vendas diárias da Shaw Carpets. E examinar os relatórios tediosos da Borsheim's antes do Natal. E memorizar as estatísticas das listagens de imóveis da Home Services of America (propriedade da MidAmerican Energy). E recitar os preços do combustível para jatos e estatísticas de propriedade da NetJets. E saber de cor quais eram os anunciantes do *Buffalo News*.

O evento multimídia de Peter não era nada parecido com a loja de tricô. Para Buffett, era algo mais difícil de compreender. Baseado num especial da PBS que

Peter fizera antes, consumira quatro anos de esforços, durante os quais ele se concentrara em aprimorar a execução e a experiência das apresentações ao vivo, ao mesmo tempo que aperfeiçoava a música e o argumento. E todo esse empenho não tinha um resultado palpável – a não ser a satisfação de um ato criativo.

Buffett havia visto as primeiras apresentações ao vivo e sabia que o espetáculo contava com Peter no teclado, uma banda, um teatro especial na forma de tenda, lasers, tambores, vídeos e cantores e dançarinos indígenas. Warren sempre aconselhara os alunos a seguirem suas paixões, mas os exemplos de paixão que ele usava, como tornar-se campeão mundial de gamão, eram competitivos em sua essência. Alguém que fosse guiado por um fogo interior para produzir arte, indiferente às recompensas do mundo, era uma coisa simplesmente inexistente no mapa do que ele chamava de realidade. Aquele era o território de Susie, o domínio do espírito, da alma e do coração, da poetisa em seu quartinho solitário, do pintor lutando para expressar seus anseios sobre a tela durante anos sem o reconhecimento público do valor de sua obra. De qualquer maneira, sua própria paixão, paciência e criatividade ao trabalhar com o capital lembravam a paixão, paciência e visão artística de Peter em relação à música. Dessa forma, o desejo genuíno de Buffett pelo sucesso de Peter encontrou sua melhor expressão na única forma que ele conhecia – no casamento entre arte e comércio. O potencial comercial do show preocupava Buffett. "Já vi várias vezes, e foi uma experiência diferente quase sempre. Conquista reações entusiasmadas, mas o que não sei é o tamanho do seu mercado. Não é como um musical da Broadway, em termos de amplidão de mercado. Veremos."

O nome Buffett tinha atrapalhado muito Peter na hora de levantar dinheiro, porque as pessoas presumiam que ele tinha acesso fácil a fundos ilimitados. As pessoas não o levavam a sério quando ele dizia que não tinha dinheiro, até que ele chegou a hipotecar a casa para bancar o espetáculo. Warren, de forma típica, ofereceu-se para pagar os últimos 10% dos custos se Peter conseguisse levantar o resto do dinheiro. Quando conseguiu 2 milhões de dólares, o pai lhe deu 200 mil, dos 300 mil que prometera. Peter então levantou sozinho o resto do dinheiro, a maior parte por meio de uma bolsa da Rudolph Steiner Foundation. Do início ao fim, ele lutou com grandes dificuldades para levantar verbas, ao mesmo tempo que montava e produzia o show. Naquele mesmo período seus pais tinham deixado de lado a regra de não fazer doações e preencheram um cheque de 10 milhões de dólares para a organização Save the Children, de Tom Murphy, num gesto de amizade e apoio.

Parecia um pouco frio – mesmo que fosse justificado como uma maneira de cultivar o espírito de independência da sua prole – que os Buffett apoiassem a causa do filho com apenas 2% da quantia que deram a um amigo da família. Ao olhar para trás, porém, Peter ficou agradecido pelo fato de seu espetáculo não ter se tornado uma extravagância financiada pelo pai – algo que ninguém levaria a sério. Ele achou que a forma como Warren lidou com a situação foi uma de suas soluções tipicamente brilhantes para problemas complexos. Dava a Peter o apoio da família, pelo qual era grato, ao mesmo tempo que permitia que ele lutasse e pudesse se orgulhar de levantar a maior parte daqueles 3 milhões sozinho – embora ele bem que pudesse usar aqueles últimos 100 mil dólares.

Warren não compreendia muito bem o fascínio do filho pelos indígenas americanos. Como o resto da família, ele pensava naquilo como *"o show dos índios"*. Warren nunca fora muito reflexivo, e lhe escapava o simbolismo da identidade e da exploração, ou o triunfo da vontade do homem ao reclamar o que tinha sido perdido.

Spirit – The Seventh Fire era uma montagem deslumbrante, protagonizada por um indígena que contava a história de sua volta ao mundo moderno para reclamar sua herança cultural. O palco cercado, espaçoso e intimista, parecia uma tenda, ao mesmo tempo contemporânea e histórica. A música de Peter, exótica mas familiar, fluía e pulsava em torno da plateia, enquanto os artistas indígenas, com figurinos cobertos de plumas, dançavam e cantavam, com um filme épico projetado ao fundo.

Susie ficara zangada com Peter durante toda a primavera por causa de sua obsessão com o show. Peter tinha uma personalidade muito diferente da de seu pai, mas Susie achava que ele corria o risco de se transformar numa versão musical de Warren, colocando em perigo o seu casamento com Jennifer. Mas ela era capaz de apreciar os efeitos e os sentimentos expressos no show – e deixar que a música intensificasse seus outros sentidos. Susie admirou a conquista artística de Peter. Warren adorava música e estava orgulhoso do filho, mas, enquanto assistia à première, sentiu-se oprimido pelo calidoscópio multifacetado de impressões visuais, sem saber exatamente o que tudo aquilo queria dizer. Olhava para as outras pessoas na plateia e via que estavam aplaudindo e gritando, o que indicava que o espetáculo devia ser bom. E, quando o *Omaha World-Herald* classificou o show de "tocante, triste, edificante, emocionante e poderoso", ele ficou encantado. Internamente, ele vinha prendendo a respiração havia mais de um ano, antecipando aquele momento, mas ficou aliviado por Peter ter alcançado o sucesso numa escala tão evidente. Mas também temia, com alguma razão, a parcialidade dos críticos da cidade natal e esperou para ver se o espetáculo seria bem recebido em outros lugares.

Enquanto *Spirit* continuava sua temporada em Omaha, Susie foi para Laguna com um grupo de netos. Eles estavam acostumados a ser mimados por Susie, que fazia todas as suas vontades, como uma avó perfeita. E ela não os desapontou. Levou todos ao shopping, como nos velhos tempos: sentava-se numa cadeira e apontava para toda a loja dizendo: "Vou levar um daqueles, e dois desses, mais um daqueles ali."[14] Depois do passeio ficava exausta, mas mesmo assim começou a se preparar para a viagem anual rumo à reunião de Herbert Allen, que acontecia sempre após o evento de Sun Valley.

Passar mais um longo fim de semana com um grupo de pessoas na altitude de Cody, Wyoming, tão pouco tempo depois de Sun Valley, era uma decisão de sensatez questionável, e algumas pessoas da família se manifestaram contrárias à viagem. Mas Susie estava dando cambalhotas pela pura alegria de viver, e Warren queria sentir que tudo estava voltando ao normal. Assim, na última semana de julho, Warren e Susie se reuniram para um fim de semana prolongado no rancho J-9, de Herbert Allen.

Susie chamou a atenção das pessoas pela sua exuberância e pela felicidade que demonstrava por estar lá.[15] Durante o jantar, no grande salão onde uma lareira gigante espantava o ar frio da montanha, ela mostrou-se faladora e desembaraçada. Chegou a propor que os convidados fizessem uma votação informal sobre as eleições que se aproximavam.[16] Depois, quando a mesa já tinha sido limpa e todos pensavam em sobremesa e café, ela foi para a cozinha, contando a todos como a doença a aproximara da filha.[17] De repente piscou e disse que alguma coisa engraçada estava acontecendo dentro de sua cabeça.[18] Por uma fração de segundo Herbert Allen pensou que ela estava fazendo algum estranho passo de dança. Percebeu então que Susie estava caindo. Quando as pernas dela cederam, ele e Barbara Oehrle a alcançaram antes que ela atingisse o chão.[19]

Levaram-na para um sofá próximo, onde o professor de ioga que Herbert Allen trouxera para o fim de semana a segurou. Mandaram Warren voltar ao chalé e pegar seus remédios. A saúde de Susie andava tão instável, e ela já tinha superado tantas outras crises, que ninguém supôs que deveria ser alguma coisa muito séria. De qualquer maneira, chamaram os paramédicos. Warren ligou para Susie Jr., que estava na convenção do Partido Democrata em Boston, com Bobby Shriver e Bill Clinton, assistindo ao discurso de John Edwards. Warren falou alguma coisa sobre uma dor de cabeça e pediu o número do doutor Isley. Ela lhe passou o número, e ele desligou. Por um minuto perguntou a seus botões se alguma coisa estava errada, e então pensou: "Minha mãe pode ter quebrado o dedo do pé."[20]

Deitada no sofá, Susie tinha problemas para erguer o braço. Vomitou duas vezes e disse que estava sentindo muito frio e uma terrível dor de cabeça. Enrolaram-na em cobertores. Começou a perder e a recobrar a consciência, às vezes com dificuldade para falar. Warren conseguira as informações sobre seus medicamentos, que seriam importantes para os paramédicos. Enquanto observava o estado de Susie, ele ficou cada vez mais perturbado. Surgiu a forte suspeita de que ela provavelmente tinha sofrido um derrame. Os outros convidados esperavam impotentes pela chegada da ambulância. O tempo passava vagarosamente. Depois de algum tempo, todos ficaram mais esperançosos, quando Susie comentou que as dores tinham diminuído e reagia quando lhe pediam que movimentasse os braços e os pés. Os paramédicos chegaram e, após alguns exames, colocaram-na na maca e a levaram para fora, seguidos por Warren. Depois ergueram a maca e a colocaram na parte de trás do veículo, entraram e fecharam a porta. Warren sentou-se no banco da frente, e o motorista iniciou a viagem de 50 quilômetros pelas sinuosas estradas que levavam até o West Park Hospital, em Cody.[21]

Assim que entraram na ambulância, Warren ligou para Susie Jr.: *"Você precisa vir para cá. Alguma coisa aconteceu com a mamãe. Acho que ela teve um derrame."* Poucos minutos depois ele ligou novamente e disse: *"Você precisa encontrar seus irmãos e trazê-los para cá também."*

Susie Jr. encontrou Peter em Omaha, no quarto de hotel, preparando-se para o show. Achou Devon em um Wal-Mart de Indiana. "Onde está Howie?", perguntou. "Na África", respondeu Devon. "Vai aterrissar lá dentro de uma meia hora." Susie Jr. tentou apressar o avião da NetJets, que iria primeiro a Boston para pegá-la e, em seguida, pararia em Omaha para recolher Peter, antes de prosseguir viagem até Cody.[22] A essa altura Howie já tinha pousado na África, onde recebeu um recado pedindo para ligar imediatamente para a irmã. Sua primeira ideia foi: "Alguma coisa aconteceu com meu pai." Sua segunda ideia foi: "Alguma coisa aconteceu com Peter." "Não me passou pela cabeça que pudesse ser algo relacionado com minha mãe", diz ele. Ele ficou horrorizado por estar fora de alcance, impossibilitado de conseguir um voo de volta antes do dia seguinte.[23]

Enquanto Susie Jr. cuidava da logística, Herbert Allen e um amigo, o escultor T. D. Kelsey, seguiram a ambulância no carro de Allen. Ficaram frustrados com a lentidão do outro veículo – e aflitos por Buffett estar aprisionado dentro dele, sujeito àquela viagem sem fim. Num determinado momento emparelharam o carro com a ambulância e perguntaram ao motorista o que cargas-d'água estava acontecendo, mas ninguém respondeu.

Quando finalmente chegaram ao hospital, a tomografia computadorizada revelou que Susie tivera uma grande hemorragia cerebral. Warren andava de um lado para outro na emergência e, depois de um tempo, apareceu um médico dizendo que Susie tinha poucas chances de sobreviver àquela noite. Chorando e profundamente perturbado, ele foi ao saguão e contou tudo a Kelsey e Allen.[24] Então voltou para o andar superior e se sentou, no quarto, ao lado de Susie, esperando. Estavam sós.

Por volta das 4h30 da madrugada chegou o avião com Susie Jr. e Peter. Depois de desembarcarem no estacionamento do hospital, com as montanhas ao fundo como em Sun Valley, a primeira pessoa que viram no saguão foi Herbert Allen. A primeira coisa que Susie pensou foi: "Meu Deus, isso me lembra o que aconteceu com a senhora Graham." No andar de cima encontraram o pai sentado ao lado da mãe, segurando sua mão. Uma Cherry Coke intocada estava sobre uma mesa próxima. *"Estou aqui há cinco horas"*, ele disse. Susie estava tão quieta que mal era possível perceber sua respiração sob a pequena máscara de oxigênio.

Warren foi se deitar na cama do quarto ao lado. Peter se deitou no chão, e os dois adormeceram. Susie Jr. sentou-se numa cadeira ao lado da mãe e a tocou.

Pouco depois percebeu que Susie não estava mais respirando. Saiu para procurar uma enfermeira. Então juntou forças e acordou o pai para lhe dar a notícia.[25]

Warren chorava, enquanto os filhos passavam as horas seguintes se ocupando do que precisava ser resolvido. Trabalharam com Herbert Allen no esboço de um comunicado à imprensa, assinaram os documentos necessários para liberar o corpo e os órgãos para doação, tomaram conta dos arranjos para a chegada a Omaha e deram telefonemas para Astrid, Kathleen e outras pessoas próximas a Susie e Warren, para que não recebessem a notícia pela CNN. Por volta do meio-dia todos estavam no G-IV, prontos para o pior voo de suas vidas.

Depois de algum tempo no ar, Warren respirou fundo e perguntou: *"Há um banheiro na frente?"* Não havia. *"Caminhe de costas para o sofá"*, disse-lhe Susie Jr. Lentamente, ele caminhou até a traseira do avião com os olhos afastados do sofá onde, num saco com zíper, estava o corpo de Susie.[26]

Quando aterrissaram em Omaha, o avião, em vez de parar na pista, taxiou rumo ao hangar, onde um carro fúnebre os aguardava para que pudessem desembarcar sem precisar ter sua dor invadida por um bando de paparazzi. Warren foi diretamente para casa, subiu até seu quarto, trancou a porta, desligou as luzes e se escondeu debaixo das cobertas.

Astrid sabia o que fazer, ou melhor, o que não fazer. Garantiu que ele teria seus comprimidos para dormir e deixou que ficasse quieto. De vez em quando ia até a casa de Susie Jr. e chorava. O resto do tempo ela passava em casa cuidando de Warren.

No dia seguinte, sexta-feira, ele continuava debaixo das cobertas. Tom Olson, que tinha algumas obrigações legais relativas ao testamento de Susie e era um amigo próximo de grande influência junto à família, particularmente junto aos filhos, chegou de Los Angeles com sua mulher, Jane. Warren desceu, e os Olson ficaram com ele por algum tempo. Uma hora depois o telefone tocou. Era Don Graham. "Onde você está", perguntou Susie Jr. "No Hilton do centro da cidade", disse. Ele sabia que deveria estar ali sem que ninguém tivesse lhe pedido. Então Susie Jr. listou alguns de seus amigos, para recebê-los em casa. Nos dias que se seguiram, todos ficaram sentados na sala de estar para ajudar a distrair Warren e garantir que ele nunca ficasse sozinho. Todas as noites, às 21h30, ele ia para a cama e tomava um comprimido para dormir.

Um ou dois dias depois Warren tentou ligar para algumas pessoas. Quando atenderam, nenhuma palavra saiu. Sua garganta fechou. Ele parou de tentar falar e soluçou por alguns minutos. Então, depois do fim da tempestade de lágrimas, ele conseguiu dizer apenas *"Sinto muito"* e desligou. Nunca saberiam quem teria sido o autor do telefonema se não fosse o fato de que o som de Warren ao enviar um pedido de socorro era inconfundível.

Susie Jr. já tinha chamado as pessoas cuja presença era necessária. Na semana seguinte, Bill Ruane e Carol Loomis chegaram para fazer uma visita de algumas horas. Sharon Osberg veio. Bill Gates chegou. Kathleen Cole pousou. E Howie finalmente voltou da África depois "da mais longa viagem de volta". Uma viagem que ele jamais gostaria de lembrar.[27]

Bill e Sharon iniciaram um torneio de bridge que tinham programado – com Warren – para aquela semana. Ele conseguiu reunir-se a eles para jantar uma noite, no hotel onde o torneio acontecia, e assistiu ao jogo por algum tempo, coisa que ajudou a distrair sua cabeça. Em outra noite eles foram até a casa de Warren, que quis que se sentassem com ele para assistir ao vídeo da entrevista de Susie a Charlie Rose. Compreensivelmente, Astrid não quisera assistir, mas Warren tinha medo de vê-lo sozinho. Colocaram o DVD no aparelho e começaram a ver. Depois de algum tempo, Warren estava em prantos. Bill deixou o cômodo e Sharon foi para perto dele e o embalou enquanto chorava.[28]

Qualquer menção ao nome de Susie fazia Warren chorar. Enquanto o funeral se aproximava, ficou aparente para Susie Jr., que cuidava do planejamento, que algo mais estava incomodando o pai. Teve uma ideia do que seria. "Você não precisa ir", disse a ele.

Warren foi tomado de alívio. *"Não consigo"*, disse. Ficar sentado ali, esmagado pelas lembranças de Susie, diante de todo mundo, era demais. *"Não posso ir."*[29]

Ao contrário de Warren, centenas de outras pessoas queriam estar juntas para prantear Susan Buffett pessoalmente numa cerimônia em sua memória. Nenhuma cerimônia assim aconteceu. Só a família, alguns dos amigos mais próximos de Susie Jr., Bono e sua mulher Ali e Bobby Shriver foram convidados para o funeral. Dave Stryker, o amigo músico de Susie, tocou guitarra; o reverendo Cecil Williams, da Glide Memorial Church, conduziu o serviço religioso. Bono cantou "Sometimes You Can't Make It on Your Own". Os netos choraram.

E, por muitas semanas, foi tudo. Warren enfrentava o vazio. Muitos, inclusive a própria Susie, tinham se perguntado se ele poderia sobreviver sem ela. Ele nunca se recuperara inteiramente da morte do pai e ainda não conseguira enfrentar as caixas de documentos de Howard, guardadas no porão. Como disse Sharon, ele tinha uma tendência a pensar na terceira pessoa. Mas dessa vez ele sofria na primeira pessoa, sentindo todo o pesar, vivenciando tudo ao seu redor – apesar de estar aterrorizado por esse momento.

A morte de Susie trouxe para ele uma constatação profunda da sua própria mortalidade. Seu aniversário de 74 anos se aproximava com o compassado tiquetaquear do destino. Ele queria muito se sentir melhor e tentou conversar com alguns amigos, que fizeram planos de visitá-lo em Omaha no aniversário. Alguns dias depois, Susie Jr. ligou e disse: "Não venham."[30] Warren não estava pronto. De fato, distrair-se não era a melhor coisa. O processo de luto não podia ser encurtado. Só podia ser suportado.

Ele não era capaz de fugir da dor nem mesmo durante o sono. Era assombrado por pesadelos, na verdade sempre o mesmo. A separação de Susie, o afastamento que ele nunca fora capaz de contemplar durante todos aqueles anos em que viveram distantes, acontecia agora bem diante de seus olhos. Ele era prisioneiro de uma infindável viagem para o hospital em Cody, trancado na ambulância, incapaz de ajudá-la, sem forças para interromper o que estava acontecendo. As silhuetas das montanhas silenciosas se projetavam no céu estrelado de julho através do ar rarefeito da noite. Silenciosamente, o motorista abria caminho pelas colinas sinuosas. A estrada se desenrolava diante deles, quilômetro após quilômetro, com fileiras de árvores passando como peregrinos que se encaminhavam aos sopés das montanhas. Os sons da ambulância ficaram abafados com o passar do tempo. Ramos de zimbro se estendiam como musgo das encostas, enquanto a estrada ficava cada vez mais estreita. As estrelas estavam silenciosas no negrume da noite. O tempo se tornava mais lento, até a eternidade.

Tudo que ele sempre lhe pedira era que não o deixasse sozinho, e ela prometera que isso nunca aconteceria. Não importava de quantas pessoas ela cuidava ou quantas apoiava, não importava a direção para onde seu coração a tinha rebocado, nem importavam todas as suas viagens. Não importava quantos rumos diferentes ela quisesse seguir. Susie sempre voltava para ele. Nunca o tinha desapontado.

Agora não havia resposta. Precisava dela de tal forma que era impossível que ela o deixasse. Ele estava preso, não queria se afastar. Ela precisava ficar com ele.

A ambulância se arrastava pelas montanhas escuras. O zumbido manso do tanque de oxigênio se confundia com as suas lágrimas. Na traseira havia apenas calma, um leve suspiro de respiração, nenhum sinal evidente de dor.

Era o peito de Warren que queimava. Era seu coração que explodia a cada giro das rodas. Você não pode me abandonar. Você não pode me abandonar. Por favor, não me abandone.

Mas Susie já estava além de seu alcance, estava agora em outras mãos. E a força de sua saída do mundo de Warren para o outro o estava deixando em frangalhos.

62
Cheques pré-datados

Omaha e Nova York – 2004-2008

As primeiras ondas de choque após a morte de Susie foram sentidas durante a leitura de seu testamento, apesar de a maioria das cláusulas não trazer qualquer surpresa. Ela deixou quase todas as suas ações da Berkshire, no valor de 3 bilhões de dólares, para a Susan Thompson Buffett Foundation, a fundação familiar que acabara de ser renomeada e passava a ser encabeçada por sua filha. Outras 600 ações, valendo 50 milhões de dólares, foram para as instituições criadas pelos filhos.

Susie foi generosa com as pessoas de quem gostava, mas seguramente a influência do marido moderou essa generosidade. Cada filho recebeu 10 milhões de dólares. Uma longa lista de outras pessoas, encabeçada por Kathleen Cole e o marido, recebeu quantias menores. Mas, um ano antes de sua morte, ela havia feito uma emenda no testamento por meio de um aditamento realizado por um novo advogado. O aditamento destinava 8 milhões de dólares para John McCabe. Também deixava 1 milhão para Ron Parks, o amigo que passara tantos anos como executivo financeiro extraoficial da "STB Empreendimentos".[1]

A emenda secreta deixou quase todo mundo chocado. Susie nunca conseguiu conciliar os diferentes compartimentos de seu mundo e, no final, escolheu deixá-los sem explicação. A vida que ela teve em prol dos outros era o seu legado. Sua verdade interior permaneceria eternamente desconhecida. Dessa forma, caberia a cada um fazer sua própria interpretação.

Warren amava sua mulher como um ideal. Susie tinha sido o fio que fazia sua ligação com o mundo exterior, bem como a "cola" que mantinha a família unida.[2] Depois de sua morte, ele nunca mais foi capaz de olhar para uma foto dela sem chorar. Mas não entrou numa depressão prolongada, nem, é claro, cometeu suicídio, como a própria Susie achava que poderia acontecer. Ele mergulhou no luto por dois meses, profundamente triste. Mas então, como acontece com a maioria das pessoas, Warren gradualmente voltou à vida. A sua "memória de banheira" começou a funcionar, e seu amor por Susie superou o resto.

"Indiscutivelmente foi o seu relacionamento mais importante", diz Howie. "Meu pai dependia muito dela. Mas ele é um sobrevivente. Quem achava que ele ia desmoronar após a morte de mamãe não o conhecia bem, eu acho. Porque ele não desmorona por coisa alguma. Ele tem muita resistência, embora as pessoas nem sempre percebam isso. Não chegaria aonde chegou se fosse apenas um fracote."[3]

Essa resistência o ajudou não apenas a sobreviver, mas a adaptar-se e mesmo crescer. Quando voltava a surgir no ar, como uma bolha de sabão, a ideia de que "Susie vai cuidar de tudo", Warren demonstrava um novo realismo. A cada mês que passava, ele lidava com mais naturalidade com as ideias de finitude e mortalidade. Procurava se aproximar dos filhos de uma forma diferente. Como diria sua irmã Bertie, Susie parecia ter legado a ele algo de sua força, um pouco da sua facilidade de exprimir emoção e muito de sua generosidade. Warren parecia estar desenvolvendo uma vida interior profunda, até então desconhecida, como se reclamasse para si uma parte do território emocional que sempre delegara à esposa. Ele ficou mais consciente dos sentimentos dos filhos, do que faziam e do que era importante para eles.

Peter ia levar *Spirit – The Seventh Fire* para o National Mall, em Washington, como parte da celebração da abertura do Museu Nacional do Índio Americano. Um dia ligou para Warren: "Pai, vamos montar a tenda!" Só depois percebeu que, em outros tempos, teria telefonado para a mãe, que por sua vez teria avisado a ele. Era bom ter esse contato direto.[4] Warren reuniu um grupo de amigos e voou para Washington, para comparecer ao coquetel e à abertura. Quando *Spirit* estreou, Peter já havia lançado ou participado de 13 álbuns e trilhas sonoras. Mas, com aquele show, Warren sentiu uma nova ligação com o filho – motivada não apenas pelo seu sucesso, mas pelo esforço que agora os dois faziam para se tornarem parte da vida um do outro.

Quando *Spirit* chegou à Filadélfia, recebeu o tipo de reconhecimento que Buffett compreendia. Foi comparado a "uma versão indígena da ópera-balé *1.001 Airplanes on the Roof*, com "solos de guitarra que deixariam The Edge, do U2, morto de inveja".[5] Os altos custos de produção, porém, significavam que, mesmo com ingressos mais caros, *Spirit* perdia dinheiro ao excursionar. Peter fez uma pausa e, enquanto trabalhava em seu novo CD, *Gold Star*, o primeiro em que cantava, começou a refletir sobre o que deveria fazer em relação a *Spirit* a longo prazo.

Howie tinha lançado os livros de fotografias *On the Edge* e *Tapestry of Life*, além de fazer exposições e palestras sobre o seu trabalho no Terceiro Mundo. O escritório de sua fundação parecia o quarto de um adolescente, com jipes de brinquedo, escavadeiras e equipamentos que lembravam o radioamador dos tempos de menino. Mas sua experiência em negócios tinha amadurecido. Agora ele servia no conselho de administração da Lindsay Manufacturing e da ConAgra e já tinha enfrentado a dura tarefa de demitir dois CEOs. Astuto com o dinheiro, manteve as ações da CCE e investiu na Berkshire Hathaway. Esse último gesto criou uma nova e especial ligação com seu pai. Warren percebeu como seu filho se estabilizara e amadurecera nos últimos 10 anos. Howie, "manteiga derretida" do ponto de vista emocional, sempre estivera mais próximo da mãe – e ansiara toda a vida por laços afetivos com o pai. Agora ele via uma oportunidade de estabelecer com o pai um tipo diferente de relação. Ele e Devon compraram uma casa em Omaha para ficarem mais próximos.

Os acontecimentos que se seguiram à morte de Susie afetaram Astrid profundamente. Ela havia perdido alguém a quem considerava uma amiga próxima, para em seguida descobrir que a vida de Susie tinha seguido um caminho paralelo – uma trilha invisível para ela. Os anos que passara nos bastidores, em sinal de respeito a Susie e ao casamento que, apesar de pouco convencional, era apresentado a todos como uma espécie de situação ideal, subitamente pareciam fundados em falsidades. Ela sabia do poder do fascínio de Susie sobre Warren e tinha visto a "memória de banheira" funcionar muitas vezes, mas ficou furiosa por ele ter permitido que aquilo acontecesse. Astrid se sentiu traída e usada. Tardiamente, Warren reconheceu o alto preço pago por Astrid para a manutenção do arranjo que ele e Susie tinham estabelecido – uma realidade que ambos evitaram enfrentar por todos aqueles anos. Ele assumiu a culpa e decidiu consertar as coisas. Aos poucos, enquanto superava as etapas do luto, fez Astrid participar cada vez mais de sua vida pública.

Em dezembro, Warren enviou para os netos generosos cheques como presentes de Natal. Sempre pagara a mensalidade dos cursos universitários, mas nunca dera a eles dinheiro sem qualquer tipo de compromisso. Escreveu a cada um deles uma carta com conselhos sobre como gastar. *"Faça algo de divertido, disse, mas pague também a hipoteca da sua casa. Não vou pensar mal de você se preferir gastar tudo. Você receberá outro cheque no próximo ano."*[6]

Houve duas exceções. Ele não incluiu na lista dos cheques Nicole e Erica Buffett, as filhas adotivas de Peter. Susie sempre adorara Erica e Nicole. As duas apareceram no funeral em roupas esvoaçantes e gemeram como almas penadas de cabelos castanhos. Susie deixou para cada um de seus "netos adorados", inclusive Nicole e Erica, 100 mil dólares, "como um abraço", em seu testamento. Mas, 10 dias depois do enterro de Susie, Warren avisou a Peter: *"Eu não considero essas meninas minhas netas. Não quero que elas esperem nada de mim no meu testamento."* Peter considerou isso inexplicável. "Tem certeza de que é o que deseja fazer?", indagou. Seu pai estava determinado. O fato de Susie ter deixado dinheiro para as meninas, dando a elas o mesmo status de seus outros netos em seu testamento, parecia ter provocado sentimentos possessivos de Warren em relação ao dinheiro. Mas Peter decidiu esquecer o assunto. Chegou à conclusão de que, se seu pai deixasse as meninas fora do testamento, elas nunca entenderiam a razão. De fato, quando o Natal chegou e elas não receberam os cheques, nunca ficaram sabendo.[7]

Warren passou o ano-novo com Astrid na casa de Sharon Osberg e seu marido, David Smith, em Marin County, na Califórnia. Ele, Osberg, Gates e o resto da turma organizaram uma de suas maratonas de bridge, enquanto Astrid fazia compras no Trader Joe's. No início de novembro Buffett superara algumas de suas reservas sobre a influência que a poderosa personalidade de Gates poderia ter sobre o conselho da Berkshire – e o convidou a participar do encontro. Sharon e Bill vinham conversando havia algum tempo sobre os desafios que a Buffett Foundation enfrentaria. Para distribuir vários bilhões de dólares um ano depois de Warren partir, ela teria de mudar dramaticamente. Nenhuma fundação na História obtivera sucesso numa transformação desse tipo – simplesmente porque nenhuma tinha tentado. Com uma exceção – a Gates Foundation –, nenhuma outra organização filantrópica jamais trabalhara com quantias tão altas.

Warren também vinha pensando no problema. No outono ele gravou em vídeo uma sessão de perguntas e respostas com os conselheiros da fundação, para ter certeza de que compreendiam os seus desejos e os daqueles que estavam sendo homenageados. Como Walter Annenberg, ele queria reduzir as possibilidades de ser passado para trás depois de morto. Afinal de contas, Boy's Town acabara passando a perna no padre Flanagan. Se nem o padre Flanagan foi respeitado, quais seriam as chances de Warren Buffett?

No início de 2005, Osberg "inventou um pretexto" e viajou a Omaha para falar com Buffett. Considerando a admiração que ele, Buffett, tinha por Gates, ela pensou, será que ele não deveria deixar sua fortuna para a Gates Foundation quando morresse? Embora Buffett não dissesse nem que sim nem que não,[8] ele já vinha considerando a hipótese de deixar pelo menos uma parte do dinheiro para os Gates bem antes de Susie morrer.

Charlie Munger o encorajou. "Não me surpreenderia se decidissem que Gates vai cuidar de tudo em algum momento", ele disse, pouco depois da morte de Susie. "Não me surpreenderia de forma alguma. Warren não gosta da pompa convencional. Gates é pouco convencional na forma de pensar – e está com 50 anos, não?"[9]

Por muito tempo, Buffett sentira que serviria melhor à sociedade se continuasse a ganhar dinheiro, ao invés de doá-lo, para que houvesse mais dinheiro para ser distribuído no futuro. Mas adiar o presente até sua morte também funcionava como a "geleia amanhã" da Rainha Branca – uma negação de seu conflito em relação aos finais, à perda, à morte e ao desapego. Com os anos, ele evoluíra gradativamente de um menino que roubou a bicicleta da irmã e conseguiu que outras pessoas lhe comprassem halteres, de um pai que negava qualquer pedido de dinheiro feito pelos filhos, a um homem que dava a eles 1 milhão de dólares de 5 em 5 anos, nos seus aniversários, um homem que comprava um anel com um diamante cor-de-rosa no formato de coração para a filha. Mas ele ainda tinha alguns problemas com dinheiro – como os que pareciam ter sido desencadeados pelo testamento de Susie. De qualquer forma, em outro sinal de mudança profunda, ele estava examinando o problema de decidir se serviria um pouco de "geleia amanhã" ainda hoje.

Entretanto, essa antecipação não seria nada fácil para ele. Um ano depois da morte de Susie, Buffett ficou novamente em pânico pela proximidade de mais um aniversário. Seria possível que estivesse completando três quartos de século? Falava daquilo com descrença. Então se apropriou de exemplos de saúde e vitalidade que duraram até uma idade avançada: sua mãe, que viveu até os 92 anos; sua tia Katie, que chegou aos 97; Walter Schloss, que ainda jogava tênis com quase 80. E, naturalmente, seu ídolo, Rose Blumkin.

A festa dos 75 anos aconteceu na casa de Sharon e David, tendo como convidados Astrid, Bill Gates e sua irmã Bertie. O bolo era uma réplica em chocolate branco de uma nota de 100 dólares. Na manhã de sábado, David agendara uma partida de pingue-pongue entre Buffett e Ariel Hsing, uma campeã mirim de 9 anos, de origem chinesa. Com a câmera de vídeo em funcionamento, a pequena acabou com ele no jogo. Depois de um intenso torneio de bridge na manhã seguinte, um artista contratado por Osberg e Smith apareceu para entreter Buffett e Gates e tentar lhes ensinar a arte da pintura de paisagens. Buffett heroicamente deu algumas pinceladas com tinta acrílica, mas a arte da pintura, ao contrário do pingue-pongue, não era rítmica nem repetitiva, e os resultados foram hilariantes. Ele produziu uma tela adornada por árvores que pareciam pirulitos marrons. Nesse meio-tempo, o jogo de pingue-pongue da véspera tinha colocado uma ideia em fermentação. Por que não acrescentar o vídeo com sua fragorosa derrota diante de Ariel Hsing ao filme, cada vez mais longo, que abriria a reunião dos acionistas?

Até 2003, a necessidade de Buffett por atenção tinha sido saciada por algumas entrevistas por ano e pela reunião dos acionistas. Ele sempre fora cuidadoso e estratégico em sua cooperação com a mídia (embora não admitisse o quanto chegara a ser cooperativo). Mas, na época da doença de Susie, por alguma razão, ele começou a precisar do espelho da atenção da mídia, especialmente das câmeras de televisão, quase como uma droga. Os intervalos que ele conseguia tolerar sem publicidade estavam ficando menores. Cooperou com documentários, passou horas conversando com Charlie Rose e se tornou frequentador assíduo da CNBC, a ponto de provocar comentários de seus amigos surpresos.

O Buffett que ansiava por atenção contrastava fortemente com o Buffett que se concentrava com intensidade constante na Berkshire Hathaway. Vê-lo passar de um módulo para outro em menos de um segundo era atordoante. Além da entrada de Bill Gates no conselho, ele agora estabelecera um "disque dedo-duro" para que os empregados pudessem denunciar o que estava acontecendo de errado na empresa. E – um enorme passo para o dia em que o conselho da Berkshire tivesse que tomar decisões sem ele – iniciou reuniões do conselho sem a sua presença. Ainda assim, ele continuava tão concentrado nos investimentos quanto quando era jovem.

Desde que as taxas de juros tinham sido dramaticamente reduzidas pelo Federal Reserve, depois do 11 de Setembro, o mercado vinha se recuperando das perdas de forma constante, até chegar perto dos níveis da época da bolha. Buffett escreveu em sua carta de 2004 aos acionistas: *"Minha esperança era fazer várias aquisições multibilionárias que acrescentariam novos e significativos fluxos de receita aos muitos que já temos. Mas falhei. Além disso, encontrei muito poucos valores atraentes para comprar. A Berkshire, portanto, terminou o ano com 43 bilhões de dólares em caixa, uma posição não muito feliz."* No ano seguinte a Berkshire usou parte desse dinheiro para fazer quatro pequenas aquisições: duas seguradoras – a Medical Protective Company e a Applied Underwriters –, a Forest River, fabricante de veículos esportivos, e a Business Wire, que distribuía material de relações públicas para empresas. E fez também uma grande aquisição, a PacificCorp, empresa de energia elétrica, para a MidAmerican Energy. Embora a MidAmerican ainda não houvesse gerado uma série de imensas aquisições, como Buffett esperava, a sabedoria de comprá-la estava agora mais evidente. O preço do petróleo continuava a subir. A MidAmerican tinha um pezinho significativo na energia alternativa. Suas relações com os consumidores e os reguladores eram excelentes. Seu CEO, David Sokol, era frequentemente mencionado como sucessor em potencial de Buffett, embora o próprio Buffett estivesse guardando suas cartas bem escondidas no bolso do colete.

Buffett também usou esse relatório para reiterar que ainda não confiava no dólar e achava que ele ia cair. O dólar se fortalecera desde o seu primeiro artigo, e agora seu ponto de vista vinha sendo amplamente criticado pela imprensa financeira. Ele reduziu as apostas cambiais em favor da compra de ações estrangeiras, mas nada mudou sua opinião. Mais uma vez ele condenou o excesso de benefícios dos executivos. Sobre os derivativos, assunto de que passou a tratar todos os anos, Buffett escreveu:

"Muito tempo atrás, Mark Twain disse: 'Um homem que tenta levar um gato para casa pelo rabo vai aprender uma lição que poderia ser ensinada de outra forma.' Insisto

em nossas experiências com derivativos a cada ano, por duas razões. Uma é pessoal e desagradável. Tanto Charlie quanto eu mesmo sabíamos, na época da aquisição da General Re, que isso seria um problema, e dissemos à administração que queríamos sair dos negócios. Era minha responsabilidade garantir que isso acontecesse. Em vez de enfrentar a situação de frente, desperdicei diversos anos enquanto tentávamos vender a empresa. Era um empreendimento condenado, pois não havia uma solução realista que nos retirasse do labirinto de dívidas que existiriam por décadas. Nossas obrigações eram particularmente preocupantes, pois seu potencial explosivo não poderia ser medido. Além do mais, se problemas sérios ocorressem, sabíamos que eles poderiam se combinar com outros problemas nos mercados financeiros.

Assim, fracassei na minha tentativa de sair de forma indolor e, nesse meio-tempo, mais negócios entraram na agenda." Buffett se referia ao período em que contratou um novo administrador, deixando, por algum tempo, que ele expandisse o negócio. Algumas dessas transações mais tarde demonstraram-se difíceis de ser encerradas. "Culpem-me pela hesitação (Charlie chama isso de ficar chupando dedo). Quando um problema existe, seja pessoal ou nos negócios, a hora de agir é sempre agora.

A segunda razão que me leva a descrever costumeiramente nossos problemas nessa área está na esperança de que nossas experiências possam ser instrutivas para administradores, auditores e reguladores. Em certo sentido, somos um canário na mina de carvão dos negócios e devemos cantar uma canção de alerta enquanto expiramos... A General Re era uma operadora relativamente pequena no campo de derivativos. Teve o bom senso de encerrar suas posições supostamente líquidas num mercado benevolente ainda livre de pressões, financeiras ou de outros tipos, que pudessem forçá-la a conduzir a liquidação de forma menos do que eficiente. Nossa contabilidade no passado era convencional e considerada conservadora. Além disso, não temos conhecimento de comportamento inadequado da parte de nenhum dos envolvidos.

Poderia ser uma história diferente para outros no futuro. Imaginem, se quiserem, uma ou mais empresas (os problemas geralmente se espalham) com posições num mercado benevolente que são muitas vezes maiores que as nossas, tentando liquidá-las num mercado caótico e sob extremas e bem divulgadas pressões. O momento de pensar – e aprimorar – a confiabilidade dos diques de Nova Orleans antes do [furacão] Katrina."[10]

A crença geral, porém, continuava a ser a de que os derivativos dissipavam e reduziam os riscos. Num mercado empurrado para cima quase que diariamente por pequenas dívidas e derivativos, as baixas taxas de juros e a "securitização" das hipotecas em derivativos estavam alimentando um boom habitacional que chegaria ao auge em 2006. De acordo com uma estimativa, a alavancagem global das dívidas quadruplicou em menos de uma década.[11] Buffett lamentava, ocasionalmente, que talvez nunca mais pudesse ver o tipo de atmosfera tão propícia para os investimentos com que fora abençoado nos anos 1970. Mas nunca parava de procurar. Nunca parava de pensar em novas ideias.

CERTO DIA, EM 2004, ELE OBTEVE DE SEU CORRETOR UM LIVRO GROSSO COMO SE várias listas de telefone tivessem sido grampeadas. As páginas continham listagens de ações coreanas. Ele andara varrendo a economia global à procura de um país, de um mercado que tivesse sido negligenciado e subvalorizado. Descobriu o que procurava na Coreia. Noite após noite, folheou o tomo, estudando coluna após coluna de números, página por página. Mas os números e sua nomenclatura o confundiam. Percebeu que precisava aprender uma língua de negócios totalmente nova, que descrevia uma cultura diferente de comércio. Assim, pegou outro livro e descobriu tudo o que era importante saber sobre a contabilidade coreana. Aquilo reduziria as chances de ser ludibriado pelos números.

Assim que obteve algum domínio sobre as listagens, começou a peneirar e separar. Era parecido com os velhos dias na Graham-Newman, quando se sentava ao lado da máquina de cotações vestido com seu adorado paletó cinza de algodão. Contemplando centenas de páginas de números, podia escolher aqueles que eram importantes e como preenchiam um modelo coerente. Trabalhando com uma lista de muitos milhares de ações coreanas, ele logo reduziu o número para algo com que podia trabalhar. Depois de tomar algumas notas num bloco amarelo, ele continuava a garimpar, como fazia quando folheava o *Moody's Manual*, gemas no meio do lixo – até chegar a uma lista bem mais curta.

A lista reduzida era tão curta que poderia caber em apenas uma folha de bloco. Ao se sentar com um visitante, ele apresentava a lista, que consistia de no máximo duas dúzias de empresas. Algumas eram grandes – estavam entre as maiores do mundo –, mas a maioria era muito pequena.

"Olhe só", ele dizia, "é assim que eu faço. Estão cotadas em won. Se você procurar na internet e olhar na Bolsa de Valores da Coreia, elas vão aparecer como números, e não como abreviaturas nas cotações, e todas terminam em zero, a não ser que sejam preferenciais, caso em que você clica no 5. Se tiverem uma preferencial de segunda classe, você não clica no seis, mas no 7. Dá para ir todas as noites para a internet a uma certa hora, examinar alguns dados e descobrir os cinco papéis mais comprados e os cinco papéis mais vendidos daquele dia. Mas é preciso abrir uma conta especial num banco na Coreia para isso. Não é uma coisa fácil de se fazer. Estou aprendendo com a experiência.*

É como encontrar uma nova garota.

Essas empresas são boas, e ainda estão baratas. As ações ficaram mais baratas do que estavam cinco anos atrás, apesar de os seus negócios serem mais valiosos hoje. Metade das empresas tem nomes que parecem ter saído de algum filme pornô. Fazem produtos básicos como aço, cimento, farinha e eletricidade, coisas que as pessoas ainda vão estar comprando daqui a 10 anos. Uma grande fatia no mercado coreano não vai mudar, e algumas dessas empresas estão exportando também para a China e o Japão. Entretanto, por alguma razão ainda não foram percebidas. Veja, essa empresa de farinha tem mais dinheiro em caixa do que seu valor de mercado e custa três vezes seus rendimentos. Não poderia comprar muito, mas consegui algumas ações. Aqui está outra, de laticínios. Mas posso acabar com nada além de um punhado de valores coreanos na minha carteira de investimentos.

Não sou especialista em moedas estrangeiras, mas me sinto confortável em possuir valores em won agora.

O maior risco – e uma das razões pelas quais essas ações andam tão baratas – é a Coreia do Norte. E a Coreia do Norte é uma ameaça real. Se a Coreia do Norte invadir a Coreia do Sul, o mundo inteiro pode ficar de cabeça para baixo. A China, o Japão, a Ásia inteira entraria numa guerra. As consequências disso são quase inimagináveis. A Coreia do Norte está muito próxima de ter armamentos nucleares. Eu a vejo como um dos países mais perigosos do mundo. Mas sou capaz de apostar que o mundo inteiro, inclusive a China e o Japão, não vai simplesmente deixar que a situação chegue ao ponto de a Coreia do Norte poder fazer um ataque nuclear à Coreia do Sul no futuro.

Para investir é preciso correr algum risco. O futuro é sempre incerto. Acho que um grupo dessas ações vai render bem por muitos anos. Algumas delas podem não ter um desempenho tão bom, mas, como grupo, vão funcionar muito bem. Poderia acabar ficando com elas por vários anos."

Ele tinha descoberto um novo jogo, um quebra-cabeça para decifrar. Queria mais e continuava procurando oportunidades com a mesma disposição que demonstrara quando buscava apostas vencedoras nas corridas de cavalo.

Em dezembro de 2005, durante uma palestra na Harvard Business School, perguntaram-lhe sobre as expectativas que ele tinha em relação ao impacto da Buffett Foundation na sociedade, já que ela seria, em algum momento, a entidade filantrópica com mais recursos em todo o mundo. Buffett respondeu que seu palpite era que não estaria fazendo um grande favor para a sociedade ao ganhar mais dinheiro. Naqueles dias ele estava pensando mais em como *distribuir* dinheiro.

Ninguém disse nada. Ninguém parecia perceber que Buffett acabara de sinalizar uma radical mudança de direção.

Mais tarde, naquele mesmo discurso, ele falou sobre a Gates Foundation. Admirava Bill e Melinda Gates mais que qualquer outro filantropo, disse. Nenhuma outra fundação tinha uma filosofia mais racional ou mais bem executada que a deles. E ele gostava do fato de não procurarem publicidade com a instituição. Não queriam seus nomes em prédios.

No início de 2006, seus pensamentos começaram a se cristalizar. Ao mesmo tempo que estava feliz com aquilo que os filhos faziam com suas próprias fundações, o senso de segurança e estabilidade que Susie tinha lhe transmitido era insubstituível. Essa força emocional funcionava além do nível consciente. Sua decisão de deixá-la responsável pelo dinheiro não fora baseada numa avaliação racional ou calculada de suas qualificações enquanto filantropa. Com o acréscimo de um relacionamento de décadas, ele simplesmente construíra camadas de confiança pessoal no julgamento e na sabedoria da esposa. Agora que ela havia partido, tudo era diferente. Ele mencionou essa mudança para Tom Murphy no casamento da sua filha. Do nada, falou também com Sharon Osberg. E em seguida com Devon Spurgeon. Ele ia distribuir o dinheiro mais cedo. Mas tinha apenas uma ideia, e não um plano.

O plano, que seria complicado, levou meses para ser preparado em detalhes. Na primavera seguinte ele começou a contar tudo às pessoas que eram diretamente afetadas. "Prepare-se", ele disse, ao se sentar com Carol Loomis, uma das conselheiras da Buffett Foundation. "A notícia foi atordoante", ela escreveu.[12]

"*Fizeram muitas perguntas*", ele disse, sobre a conversa em que fez o anúncio surpreendente. "*A princípio algumas pessoas tiveram receios, porque era uma mudança radical em relação àquilo que previam.*"[13] Suas irmãs, por outro lado, ficaram logo entusiasmadas assim que descobriram. "É a melhor ideia que você já teve", escreveu Bertie depois, "desde que fingiu ter asma para ser mandado de volta para casa quando estava em Fredericksburg."[14] Doris – que sabia pela experiência com a Sunshine Lady Foundation quanto trabalho estava envolvido na doação inteligente de alguns milhões de dólares – considerou a decisão brilhante.[15]

Em 26 de junho de 2006, Buffett anunciou que entregaria 85% das suas ações da Berkshire Hathaway – algo em torno de 37 bilhões de dólares na época – para um grupo de fundações nos anos seguintes. Nenhuma doação dessas proporções havia sido feita em toda a história da filantropia. Cinco de cada seis ações iriam para a Bill and Melinda Gates Foundation, que já era a maior instituição de caridade do mundo, num casamento histórico de duas fortunas em prol de um mundo melhor.[16] Ele exigia que o dinheiro fosse gasto à medida que fosse recebido, de forma que as fundações não pudessem protelar suas ações. Para amortecer o choque de perder o dinheiro que algum dia tornaria a fundação familiar a maior do mundo, Buffett dividiu as ações restantes, no valor de 6 bilhões de dólares, entre as instituições de cada filho, que receberiam, cada uma, ações no valor de 1 bilhão de dólares, e a Susan Thompson Buffett Foundation, que receberia o equivalente a 3 bilhões de dólares. Nenhum de seus filhos esperara que as fundações pessoais alcançassem esse tamanho, especialmente enquanto Warren estivesse vivo. Na data da doação, as ações entregues para a primeira parcela totalizavam 1,5 bilhão para a Gates Foundation, 50 milhões para cada uma das fundações dos filhos e 150 milhões para a Susan Thompson Buffett Foundation. Dependendo da cotação das ações da Berkshire, esses valores podiam variar. Acabariam aumentando. Aumentariam muito.[17]

O homem que era na época o segundo mais rico do planeta estava dando seu dinheiro sem deixar qualquer vestígio de sua passagem. Ele tinha passado a vida inteira aumentando a bola de neve, como se ela fosse uma extensão de si mesmo, mas não estabeleceria uma Warren Buffett Foundation, uma ala hospitalar Buffett, nenhum fundo universitário ou prédio com seu nome. Doar o dinheiro sem deixar nada com seu nome, sem controlar pessoalmente como ele seria gasto – colocar dinheiro nos cofres de outra fundação, que ele selecionara pela competência e pela eficiência, em vez de criar um império completamente novo –, subvertia todas as convenções das doações. Nenhum grande benfeitor fizeram nada parecido antes. "Foi um momento histórico na filantropia mundial", disse Doug Bauer, do Rockefeller Philanthropy Advisors. "Estabeleceu um parâmetro, um marco, para os próximos doadores."[18]

O que Warren Buffett fez era ao mesmo tempo surpreendente e previsível. Pensador pouco convencional e solucionador de problemas, ele estava fazendo um gesto contra o desperdício e a ostentação na filantropia. A Gates Foundation pegou o dinheiro, mas tinha que usá-lo – e rapidamente. A decisão era incomum, muito pessoal, uma manifestação da sua forma de ensinar através de exemplos e – naturalmente – capaz de gerar muita atenção. Ao mesmo tempo, por outro lado, era um clássico negócio de Buffett sem risco de perdas. Ele deixou o mundo atordoado ao distribuir boa parte do seu dinheiro e definir a sua destinação – mas ainda assim ficou com a maior parte dele até que as ações fossem efetivamente transferidas. De qualquer forma, com um só gesto ele tinha transformado uma vida de acumulação, deixando que o dinheiro partisse – e estava começando a desembolsar bilhões. O menino que não deixava que sequer tocassem no armário onde guardava as moedas finalmente se transformara num homem que poderia entregar dezenas de bilhões nas mãos de outra pessoa.

No discurso em que fez o anúncio, Buffett disse: "*Há pouco mais de 50 anos eu me sentei com sete pessoas que me entregaram 150 mil dólares para administrar, numa pequena sociedade de investimentos. E aquelas pessoas julgaram que eu poderia fazer melhor do que elas mesmas o trabalho de juntar uma fortuna para elas.*

Cinquenta anos depois, eu me sentei e me perguntei quem poderia fazer melhor do que eu o trabalho de distribuir essa riqueza. Na verdade, é algo incomum. As pessoas não têm normalmente uma segunda chance para sentar-se e refletir. Estão sempre perguntando: quem deveria cuidar do meu dinheiro? E estão sempre dispostas a entregar suas economias a pessoas que demonstram certo talento. Mas não parecem pensar nisso com muita frequência quando se trata de filantropia. Deixam para companheiros de negócios ou qualquer outra pessoa a missão de administrar a riqueza quando partirem, ou seja, quando sequer poderão observar o que está acontecendo.

Assim, me considero muito sortudo, porque a filantropia é mais difícil do que os negócios. Ela enfrenta problemas importantes, que pessoas com intelecto e dinheiro enfrentaram no passado e tiveram dificuldades para resolver. Assim, a procura por talentos em filantropia deveria ser até mais importante do que a procura por talentos nos investimentos, onde o jogo não é tão duro."

Buffett então falou sobre a "Loteria do Ovário".

"Tive muita sorte de ter nascido em 1930 nos Estados Unidos. Tirei a sorte grande na loteria no dia em que nasci. Tive pais maravilhosos, uma boa educação e fui favorecido de uma maneira que rendeu benefícios desproporcionais na nossa sociedade em particular. Se eu tivesse nascido muito tempo atrás, ou em outro país, minhas qualidades particulares não teriam rendido tanto. Mas num sistema de mercado, onde estar preparado para alocar capital é uma coisa importante, é possível receber benefícios como em nenhum outro lugar.

Durante todo esse tempo achei que o dinheiro era apenas cheques pré-datados que deveriam voltar para a sociedade. Não sou fã das dinastias de fortunas, particularmente quando a alternativa é poder dar a 6 bilhões de pessoas, com menos condições na vida, os benefícios desse dinheiro. E minha mulher concordava comigo.

Estava claro que Bill Gates tinha uma mente notável e os objetivos corretos, concentrando-se intensamente, com paixão, em melhorar as condições de vida da humanidade ao redor do mundo, sem levar em consideração gênero, religião, cor ou geografia. Ele estava simplesmente fazendo o que era melhor para o maior número de pessoas. Assim, quando chegou a hora de tomar uma decisão sobre onde deveria colocar o dinheiro, foi simples."

A Gates Foundation seguia um credo básico, compartilhado por Buffett. "Guiada pela crença de que toda vida tem o mesmo valor", ela lutava para "reduzir as desigualdades e melhorar as condições de vida em todo o mundo" nas áreas de saúde e educação. Os Gates se viam como "agregadores" que juntavam as melhores mentes para servir como consultores, trabalhando em soluções permanentes de problemas enormes.[19]

Apesar de todas as mudanças que Buffett vinha sofrendo desde a morte de Susie, ele continuava o mesmo em alguns aspectos. Allen Greenberg, que comandava a

Buffett Foundation, descobriu, por meio de terceiros, que a fundação de que ele cuidava seria uma fundação de 6 bilhões de dólares, e não mais de 45 bilhões, como ele imaginava havia tanto tempo. Foi Susie Jr., sua nova patroa e ex-mulher, quem lhe trouxe as novas. Warren não conseguira encontrar um jeito de enfrentar Greenberg para lhe dizer que todos os seus planos e pensamentos relativos ao futuro da fundação precisariam ser redimensionados. Susie Jr. precisou convencer Allen de que isso não era, de forma alguma, reflexo de uma avaliação negativa de seu desempenho. Depois da explosão inicial por não ter ouvido a notícia diretamente da fonte, ele admitiu que ainda estaria administrando um dos 10 maiores cofres do mundo entre as instituições de caridade, e a paz acabou reinando.

Todos os envolvidos tinham muitas razões para reagir bem. Apesar de Buffett estar doando uma enorme quantia, o dinheiro só seria pago ao longo dos anos. E as ações que sobravam estavam estimadas em mais de 6 bilhões de dólares na época. Ele ainda tinha muito o que distribuir.

Os efeitos do anúncio feito por Buffett foram imediatos e significativos. Jackie Chan, o ator de Hong Kong, anunciou que daria metade de sua fortuna. Li Ka-shing, o homem mais rico da Ásia, destinou um terço de seus 19 bilhões de dólares para a sua própria instituição de caridade. Carlos Slim, o monopolista das comunicações no México, ridicularizou Buffett e Gates pela filantropia, mas alguns meses depois deu uma reviravolta e anunciou que também faria grandes doações. E os Gates criaram uma nova divisão dentro da fundação apenas para lidar com pessoas que queriam fazer doações – como uma menina de 7 anos que enviou para eles suas economias de 35 dólares.

A Gates Foundation, recentemente enriquecida, estava tendo um efeito tectônico no mundo da filantropia. Sua abordagem, influenciada pelas ideias de Buffett sobre concentração – e pelo seu estilo de investimentos –, era concentrar os recursos numa lista curta e cuidadosamente selecionada de problemas sérios. Aquilo a diferenciava de forma notável de muitas outras grandes fundações e fundos comunitários, nos quais a equipe de "filantropoides" da sede recebia uma série de pedintes, jogava uni-duni-tê e distribuía somas fragmentadas. No final de 2006, certas organizações, como a Rockefeller Foundation, tinham começado a modificar a sua filosofia, aproximando-se da abordagem de Gates.[20]

Três mil cartas de pessoas necessitadas foram despejadas no escritório de Buffett depois do anúncio relativo aos Gates, e a cada dia chegavam mais. Indivíduos que não tinham seguros de saúde e estavam esmagados pelas contas médicas, ou tinham sofrido acidentes de trabalho, ou estavam sendo despejados de suas casas. Seus filhos tinham problemas de saúde catastróficos e precisavam de cuidados especiais, o que os impedia de ganhar dinheiro suficiente para pagar a hipoteca.

Ou eram mulheres cujos namorados as engravidaram e tiraram o dinheiro delas, convencendo-as a assumirem suas dívidas, e então desapareceram, sem pagar pensão para as crianças. Eram os perdedores da "Loteria do Ovário". Warren remeteu todas as cartas para sua irmã Doris. Nos últimos 10 anos, na Sunshine Lady Foundation, com fundos que vieram da herança de Howard Buffett, ela já tinha ajudado milhares de vítimas de violência doméstica, pessoas com sérios problemas e famílias em crise. Junto com as cartas, ele enviou também 5 milhões de dólares para ajudar a financiar o trabalho de Doris.

Ela contratou um grupo de mulheres com mais de 50 anos para ajudar a selecionar as cartas nas quais "a má sorte, e não as más escolhas", tivera um papel importante, e nas quais somas relativamente pequenas poderiam ajudar a reerguer a pessoa. Geralmente davam conselhos aos jogadores, aos viciados em cartão de crédito e às pessoas que simplesmente não queriam trabalhar, mas nunca ajudaram aqueles que tinham outras formas de resolver seus problemas. E Doris nunca pagava tudo. "Não quero ser a mamãe deles", dizia. Também fazia com que escrevessem cartas de agradecimento. Seu tipo de filantropia ensinava também gratidão e respeito.[21]

Buffett continuou a distribuir seus bilhões. Já estava dando 5 milhões de dólares anuais para o Nuclear Threat Initiative (NTI), de Ted Turner, que considerava a organização mais importante dos Estados Unidos focada na ameaça nuclear global, e estava disposto a dar mais ainda. O ex-senador Sam Nunn, que comandava a NTI, propusera uma reserva de combustível nuclear que pudesse ser usada pelos países, em vez de estimulá-los a desenvolver seus próprios programas de enriquecimento de urânio, reduzindo assim as chances de proliferação nuclear. Buffett sentia que a ideia tinha mérito considerável e prometeu uma contrapartida de 30 milhões de dólares se conseguissem levantar uma quantia semelhante. Ele disponibilizaria enormes somas para qualquer causa antinuclear que lhe parecesse capaz de encontrar soluções realistas para o problema.

Buffett também fez uma doação para o ex-presidente Jimmy Carter, apoiando o trabalho do Carter Center. Depois de sair do governo como um presidente impopular, Carter se tornara um exemplo de alguém que caiu para o nonagésimo oitavo andar e que soube olhar para a frente, e não para trás, até ganhar o Prêmio Nobel da Paz pelo seu trabalho em saúde, democracia e direitos humanos. "Adoraria que você pudesse nos encontrar em Gana, de 6 a 8 de fevereiro de 2007", escreveu Carter calorosamente depois da doação, "para ver nosso trabalho com parasitas intestinais."[22] Buffett considerava Carter um amigo, mas *ninguém* – nem Howie, nem Susie, nem mesmo Bill Gates – seria capaz de colocá-lo dentro de um avião para ver parasitas intestinais.[23]

Assim, pela terceira vez, ele evitou fazer uma viagem à África. Algumas coisas não mudavam. Mas o tempo passou e outras coisas mudaram.

Astrid era agora a acompanhante oficial de Warren nos eventos fora de Omaha. Permanecia praticamente a mesma – uma pessoa simples e despretensiosa –, mas seu mundo se ampliara numa velocidade alucinante. Agora ela socializava rotineiramente com Bill e Melinda Gates. No outono de 2005, ela e Warren voaram para o Taiti, para participar da festa pelos 50 anos de Bill Gates, realizada na elegante embarcação azul e branca de Paul Allen, o *Octopus*, um dos maiores iates do mundo. Fantasia bilionária de menino, que pertencia ao sexto homem mais rico do mundo, o *Octopus* tinha um cinema, um estúdio de gravação, um heliporto, uma lancha de 63 pés apenas para o desembarque dos passageiros e um pequeno submarino, onde poderiam dormir oito pessoas durante duas semanas no leito do oceano. Ela e Warren ficaram no camarote da mãe de Paul Allen, uma enorme suíte com um closet e uma biblioteca na sala de estar. "Minha nossa!", diz Astrid. "Era inacreditável. Nunca tive uma experiência daquelas, e provavelmente nunca mais terei."

"*É melhor que a nossa casa*", foi a reação de Warren. Ele voltou da viagem falando sobre os jogos de bridge realizados a bordo.[24]

Dois anos depois da morte de Susie, no seu aniversário de 76 anos, Warren casou-se com Astrid, numa cerimônia civil simples na casa de Susie Jr., sem nenhum outro convidado além da família. Astrid usou uma blusa turquesa discreta e calças brancas, enquanto Warren vestiu um terno. Lágrimas brotaram dos olhos dela quando ele colocou um grande diamante solitário em seu dedo. Em seguida foram para o Bonofish Grill, próximo da Borsheim's, para jantar, e então voaram para São Francisco, para uma festa de casamento e um bolo tradicional na casa de Sharon Osberg e David Smith. Os Gates se juntaram a eles para celebrar.

Warren Buffett, o homem nada simples com gostos simples, agora tinha a vida simples do homem que ele sempre acreditara ser. Tinha uma mulher, dirigia um carro, ocupava uma casa que não era redecorada fazia anos, cuidava de um negócio e passava cada vez mais tempo com a família.[25]

Buffett sempre disse que as árvores não crescem até chegar ao céu, mas formam novos brotos.

A questão sobre sua sucessão preocupava os acionistas havia muito tempo.

Algumas vezes ele deixava escapar que a Berkshire poderia ser comandada por alguém que trabalhasse apenas cinco horas por semana, ou pelo busto de Ben Franklin de Charlie, ou por um boneco de papelão.

Também fazia piadas sobre como exerceria o controle depois de sua morte. "*Bom, meu plano B é aquele em que eu descubro como administrar a empresa numa sessão espírita."* Ninguém se deixava enganar pelas gracinhas. Em outras ocasiões ele seria capaz de dizer aos ouvintes: *"Minha psique está toda voltada para a Berkshire."* E aqueles que trabalhavam e investiam na Berkshire estavam todos voltados para Buffett. Ele não era substituível. O que aconteceria com todo aquele capital? A questão da distribuição de dividendos ou de uma imensa recompra de ações apareceria imediatamente assim que ele partisse. Seu sucessor teria que modificar algumas coisas – pois, se algumas partes do modelo da Berkshire deviam ser preservadas, outras não. A equipe da sede – famosa por ser minúscula – teria provavelmente que crescer à medida que assumisse outras funções. Presumia-se que todos os candidatos à sucessão já trabalhavam na Berkshire, mas isso não era necessariamente verdadeiro. De fato, o conselho seria obrigado a examinar candidaturas externas quando chegasse a hora.

Buffett disse uma vez que ficaria feliz se a Berkshire ainda estivesse trabalhando para os seus acionistas 30 anos depois de sua morte. Esse era o seu plano. A máquina elegante que ele tinha criado fora construída para durar mais de uma geração depois dele. Entretanto, mantê-la seria um grande desafio. Ele era a alma daquela máquina, e sem ele haveria um vácuo no centro, independentemente do que acontecesse. Pois Buffett sempre seria insubstituível em algo que só ele podia fazer com perfeição: ser ele mesmo.

Nenhum grupo de acionistas na história sentiria tanta falta de seu CEO quanto os acionistas da Berkshire quando Buffett finalmente partisse. Ninguém havia pensado no CEO como um professor e um amigo da forma que os acionistas de Buffett pensavam. O homem que ganhara bilhões de dólares conquistara milhares de pessoas e tinha um relacionamento que parecia pessoal com incontáveis outras a quem ele nunca havia visto antes. Mas, estranhamente, não importava quantas cartas de admiradores Buffett recebia, nem quantos autógrafos assinava. Ele nunca compreendeu totalmente como era amado e admirado. Ficava animado com todas as cartas e pedidos de autógrafos como se fossem os primeiros.

Em julho de 2007, o Dow Jones atingiu uma nova alta, chegando a 14.000 pontos. Em seguida começou a cair. A inadimplência das moradias chegara ao auge, do jeito que toda grande bolha chega ao auge, em parte porque o Federal Reserve finalmente começou a aumentar as taxas de juros, em parte porque o preço das casas começara a cair. Incapazes de obter refinanciamento, os proprietários estavam deixando de pagar as hipotecas em números nunca antes vistos.

O alerta global começou em agosto. Em oito meses o mundo financeiro implodiu, com uma crise de crédito de proporções históricas. Nunca, desde a Grande Depressão, houvera restrições tão severas ao crédito. Nunca, desde o

Pânico de 1907, quando o velho J. P. Morgan em pessoa interferiu para encontrar uma solução para a crise, acontecera uma intervenção tão formidável nos mercados financeiros como aconteceria em 2008.

A crise avançou aos solavancos, com semanas e até meses de calmaria aparente, seguidos por convulsões que deixavam vítimas espalhadas como conchas quebradas na praia. Pelo que se viu, os derivativos tinham de fato "distribuído" o risco – os bancos relataram dezenas de bilhões de dólares em prejuízos, uma companhia de administração hospitalar na Austrália perdeu um quarto de sua carteira de investimentos. Oito cidades norueguesas perderam milhões de dólares no que aparentava ser valores hipotecários seguros. As estimativas das perdas totais variavam de centenas de bilhões a 1 trilhão de dólares de todos os envolvidos. Como no caso do Long-Term Capital, as apostas implícitas tinham sido feitas na direção errada. Elas assumiram o pressuposto de que, num mercado racional e "eficiente", a queda dos preços seria interrompida por compradores de temperamento frio e calculista.

"Disseram que todos aqueles derivativos fariam do mundo um lugar mais seguro e diminuiriam o risco. Mas não diminuíram o risco em termos de como as pessoas reagiriam a um determinado estímulo. Você pode argumentar que teria sido muito melhor ter aquele crédito com apenas cinco bancos, em vez de milhares espalhados pelo globo – todos decididos a sair correndo da situação na mesma hora."

O Federal Reserve diminuiu os juros mais uma vez e trabalhou com outros bancos centrais para ativar outras fontes de financiamento emergencial,[26] mas a crise do crédito continuou a se espalhar.

A relutância em emprestar começou a mostrar sinais de contágio. O Dow Jones caiu 17%, até 11.740 pontos, desde a alta de outubro. A cada novo anúncio de venda, falência ou colapso, os rumores amortecidos do pânico se tornavam mais audíveis. A maior parte das pessoas tentou vender ativos nos bastidores e não encontrou quem os comprasse. Mais e mais credores reclamavam o pagamento de dívidas.

Em 13 de março de 2008, uma quinta-feira, começou uma correria, dessa vez em relação ao Bear Stearns, o mais fraco dos bancos de investimentos, quando seus credores começaram a se recusar a rolar as dívidas. Parecia a reprise da crise da Salomon de 17 anos antes. No dia seguinte, o Bear quase desmoronou pela falta de financiamento. Mas, dessa vez, o Federal Reserve tomou a medida inédita de garantir 30 bilhões de dólares da dívida do Bear Stearns – foi a primeira vez que o Federal Reserve ajudou um banco de investimentos. O Bear fechou a sexta-feira cotado a 30 dólares por ação. Buffett examinou a situação naquela noite. O auxílio ao Long-Term Capital Management tinha sido apenas um ensaio de figurinos – numa escala muito reduzida – para o que viria.

"A velocidade com que o medo se espalha – ninguém precisa ter uma conta no Bear

Stearns, ninguém precisa lhe emprestar dinheiro. É uma versão daquilo que eu passei na Salomon, onde estava o tempo todo a centímetros de uma corrida eletrônica ao banco. Bancos não suportam isso. O Federal Reserve nunca havia salvado bancos de investimentos em situações como essa, e era exatamente isso que eu, de certa forma, implorava que acontecesse em 1991, com a Salomon. Se a Salomon caísse, quem sabe quantas peças de dominó cairiam junto? Não tenho boas respostas para dizer o que o Fed deveria fazer. Alguns setores do mercado estão bem próximos de uma paralisação. Não querem que o contágio se espalhe para aquelas que consideram instituições saudáveis; se o Bear falir, dois minutos depois começam a se preocupar que o Lehman também possa cair, e dois minutos depois se preocupam com o Merrill, e assim por diante."

O Buffett racional tentou desvendar o enigma embutido nas escolhas arriscadas que deveriam ser feitas pelo Federal Reserve. Na verdade não havia boas opções. Ou ele permitia uma hecatombe financeira ou adotava ações que promoveriam a inflação, ao aumentar as pressões de queda do dólar.

"Tudo podia acabar com relativamente poucos problemas se inundassem o sistema com liquidez suficiente, mas há consequências, ao se fazer isso, que podem ser dramáticas, incluindo uma expectativa imediata de alta da inflação. Muitas coisas desagradáveis poderiam acontecer. A economia está definitivamente mudando de direção. Não é meu jogo, mas se precisasse apostar em um lado ou outro... Todo mundo sempre diz que uma recessão será curta e superficial. Eu diria que será longa e profunda.

Você com toda a certeza nunca quer estar numa posição na qual, na manhã seguinte, precisa depender da bondade dos estranhos do mundo financeiro. Passei muito tempo pensando nisso. Não quero nunca ter que arranjar 1 bilhão de dólares para a manhã seguinte. Bom, 1 bilhão eu até que poderia. Mas qualquer quantia significativa. Porque você simplesmente não pode ter certeza de nada. Você precisa pensar sobre coisas que nunca aconteceram antes. Você quer ter sempre um bocado de dinheiro por perto."

Durante todo o final de semana os reguladores e os banqueiros labutaram da mesma forma que tinham feito anos antes em relação à Salomon. Dessa vez, porém, era com o conhecimento de que a falência do banco, com quase toda a certeza, acarretaria consequências catastróficas para o sistema financeiro mundial. Não se discutia se o Bear Stearns merecia ou não aquele destino. Pouco antes de os mercados de Tóquio abrirem no domingo, o Federal Reserve anunciou que tinha orquestrado a venda do Bear para o banco de investimentos J. P. Morgan Chase por uma ninharia. Tinham oferecido o mesmo negócio a Buffett, mas ele achou que continha riscos demais por tempo indeterminado.

No mesmo dia em que o socorro financeiro ao Bear foi anunciado, o Federal Reserve, procurando acalmar o pânico e impedir uma corrida ao Lehman Brothers, de fato começou a inundar o sistema com liquidez. Deu permissão para que os maiores bancos de investimentos tomassem emprestados até 200 bilhões de dólares por intermédio do mecanismo de "redesconto", usando títulos lastreados em hipotecas como garantia. O uso do redesconto, antes privilégio restrito aos bancos comerciais, nunca tinha sido estendido aos bancos de investimentos, que não estão sujeitos a regras de divulgação de informações e de composição de capital, condições básicas para tais empréstimos. A medida não acalmou o pânico. Então o governo abriu ainda mais a proposta. Ia aceitar empréstimos podres como caução. Começou a tomar uma variedade de medidas inéditas para tentar descongelar o mercado de hipotecas e ajudar os credores em dificuldades. Sabichões do mercado elogiaram o resgate do Bear, feito pelo Fed, e as frentes de trabalho para os bancos de investimentos como a única forma de impedir o contágio, mas discutiam se as ações seriam capazes de apressar a recuperação econômica ou apenas prolongar a dor e plantar as sementes para a próxima bolha. E por sete meses, enquanto esses desastres financeiros se desenrolavam, o valor do dólar – que já vinha caindo havia algum tempo – continuou a baixar. Enquanto isso, o preço do petróleo disparou. Em maio de 2008 o barril era vendido a 123 dólares.

"*É UMA ÉPOCA ESQUISITA. ENTRAMOS NUM MUNDO DIFERENTE, E NINGUÉM SABE O QUE VAI acontecer, mas Charlie e eu olhamos para o lado negativo, coisa que ninguém fazia muito.*"

Desalavancar poderia ser um processo doloroso, no qual os bancos, fundos de hedge, empresas de serviços financeiros, as prefeituras, os setores de construção e turismo e, em suma, a economia como um todo passariam por uma tremenda ressaca – rápida e dolorosa ou lenta e dolorosa – da intoxicação com o crédito fácil. O retorno de ativos poderia ficar bem abaixo da média por muito tempo – o que Charlie Munger denominava de "um mundo com 4% de rentabilidade". "Cuidado com golpes e charlatães", disse Munger. "Eles podem proliferar, porque a forma mais fácil de transformar 4% em 16% é a ladroagem."

No meio de todo esse caos na primavera de 2008, lá estava Buffett, cujos pensamentos sobre valor e risco não mudaram em quase 60 anos de carreira. "*Há sempre pessoas que dizem que as regras mudaram. Mas isso só parece ser assim*", dizia ele, "*se a janela de tempo for curta demais.*"

Lá estava Buffett, curvando-se para pegar guimbas de charuto como se fosse novamente um garoto. Ele não extraía alegria da dor dos outros, mas no negócio da vida todo mundo escolhe um lado para jogar. Tempos como esses traziam à tona suas maiores habilidades, a alegria de fazer o que ele amava, segundo seus princípios. "*Estamos vendendo alguns* swaps *de riscos de crédito (uma espécie de seguros para falências) em situações em que eles se encontram subavaliados. Estou* aqui sentado com um exemplar do mais recente jornal diário que incluí nas minhas leituras, o Bond Buyer, bem no meu colo. Quem imaginaria que eu passaria a ler o Bond Buyer todos os dias? O Bond Buyer custa 2.400 dólares por ano. Estou pensando em pedir um desconto na assinatura. Tenho usado as listas de ofertas em leilões fracassados de fundos de renda fixa isentos de impostos e de outros títulos em leilão para avaliá-los e selecioná-los. O mesmo fundo é negociado na mesma hora, no mesmo dia, pelo mesmo corretor com taxas de juros de 5,4% e 8,2%. O que é uma loucura, pois são exatamente a mesma coisa, e os empréstimos que os sustentam são perfeitamente bons. Não há razão para que devam ser negociados a 20 dólares, mas nós damos lances de 20 dólares e talvez ganhemos um, enquanto alguém, ao mesmo tempo, talvez compre exatamente a mesma emissão por 54. Se você me dissesse algumas semanas atrás que eu iria fazer algo assim, eu teria respondido que isso era tão provável quanto me tornar stripper. Mas pusemos 4 bilhões de dólares nesse negócio. É a coisa mais dramática que já fiz na minha vida. Se um mercado assim for considerado eficiente, então os dicionários precisam redefinir a palavra "eficiência".

Quem pensaria que fundos de renda fixa isentos de impostos se tornariam guimbas de charuto?

"Mas a oportunidade mais imediata e viável são algumas coisas esquisitas no mercado de crédito. E a maior delas envolve as hipotecas. Ainda não consigo entendê-las muito bem, mas estou aprendendo. E, se achar que tenho uma boa margem de segurança, vou fazê-lo."

Mas o cidadão comum não deveria imitá-lo...

"Não. Ações são coisas para se ter ao longo do tempo. A produtividade aumenta e as ações também se valorizam. Há apenas algumas poucas coisas que podem ser feitas de errado. Uma é comprar e vender na hora errada. Pagar comissões altas demais é outra forma de ser trucidado. A melhor maneira de evitar tudo isso é comprar um fundo índice de baixo custo e, com o passar do tempo, comprar mais. Seja ganancioso quando os outros estiverem amedrontados e amedrontado quando os outros estiverem gananciosos, mas não pense que você pode ser mais esperto que o mercado.

Se uma amostragem da indústria americana promete um bom desempenho com o passar do tempo, então por que tentar escolher belezinhas arriscadas e achar que você pode se dar melhor assim? Poucas pessoas conseguem ser investidores ativos."

Se há alguma lição que se pode tirar da vida de Warren Buffett, é a verdade dessa afirmação.

As árvores não crescem até atingir o céu, mas Buffett sentia que podia ajudar os novos brotos a se enraizarem. Ele nunca perdeu seu foco nos negócios, mas, ao contemplar a forma ideal de passar o resto de sua vida, ele novamente foi mobilizado pelo desejo de pregar. Já havia algum tempo que vinha fazendo palestras para estudantes universitários, viajando até as faculdades ou recebendo-os em Omaha. Gostava de conversar com os estudantes, porque eles ainda não tinham cristalizado seus hábitos. Ainda eram jovens o bastante para tirar benefícios de suas palavras.

"*Comecei minha pequena bola de neve muito cedo. Se tivesse iniciado 10 anos depois, estaria numa situação muito diferente, em outro lugar da colina que ocupo agora. Portanto, recomendo aos estudantes que comecem o jogo um pouco antes – não precisa ser muito antes, mas é melhor não começar depois dos outros. E os cartões de crédito, lembrem-se, realmente atrasam a partida.*"

No início de 2002, ele tinha aumentado a frequência de suas palestras para os estudantes. Vinham do MIT, Northwestern, Universidade de Iowa, Universidade de Nebraska, Wesleyan, Universidade de Chicago, Wayne State, Dartmouth, Universidade de Indiana, Universidade de Michigan, Notre Dame, Columbia, Yale, Universidade de Houston, Harvard/Radcliffe, Universidade de Missouri, Universidade do Tennessee, UC Berkeley, Rice, Stanford, Iowa State, Universidade de Utah, Texas A&M University. Uma boa parte da sua mensagem era: ficar rico não é o objetivo mais digno da vida. Ironicamente, eram a competitividade e o impulso a venerar os ricos e famosos que faziam a plateia procurá-lo para ouvir essas palavras. Como em tudo na sua vida, as visitas dos estudantes começaram a formar uma bola de neve.

Em 2008, ele foi coroado o homem mais rico do mundo pela primeira vez. A essa altura, os estudantes estavam chegando também da Ásia e da América Latina, em grupos de duas ou três faculdades por vez, às vezes mais de 200 pessoas juntas, às vezes diversos grupos por mês.

Os estudantes que faziam a peregrinação para visitar o Sábio de Omaha recebiam um tratamento completo (embora Buffett não fosse mais pessoalmente aos hotéis, às 6h30 da manhã, deixar volumes encadernados com relatórios anuais na recepção; a internet agora se encarregava disso). Visitavam o Nebraska Furniture Mart, de Rose Blumkin, e vagavam pelos corredores da Borsheim's. Buffett se encontrava com eles no escritório. Agora passara a abandonar os ternos cinza e os colarinhos apertados alguns dias da semana, parecendo mais relaxado em roupas informais. As perguntas geralmente avançavam para territórios além dos negócios. Qual o objetivo da vida? Alguns queriam saber. Ele respondia a essa pergunta da mesma forma que respondia àquelas relativas aos negócios: de forma matemática.

Como dissera aos estudantes de Georgia Tech quando Susie estava no hospital, recuperando-se da cirurgia: "*O objetivo da vida é ser amado pelo maior número de pessoas possível entre aquelas que você deseja que amem você.*"

Como a sociedade deveria ser organizada? Ele falava sobre a "Loteria do Ovário". Como posso encontrar o cônjuge perfeito? "*Case-se.*" (Ele não estava falando de dinheiro.) Como posso saber o que é certo? *"Siga seu Placar Interno."* O que devo fazer em relação à carreira? *"Encontre alguma coisa pela qual seja apaixonado. E só trabalhe com pessoas de quem goste. Se você trabalha todos os dias com o estômago embrulhado, está no lugar errado."*

Contava a eles sobre o gênio: *"Tratem seu corpo como se fosse o único carro que terão. Mimem esse carro. Guardem-no na garagem todas as noites, consertem todos os amassados e troquem o óleo todas as semanas."* Então levava todos para almoçar ou jantar no Gorat's, e todo mundo se refestelava com bifes e batatas nas mesas de fórmica arranhada, como se o gênio tivesse aberto exceção às suas regras. Enquanto comiam, levantavam-se, um de cada vez, e iam tirar um retrato com Warren Buffett. Algum dia, talvez dali a 40 anos, quando afirmassem que tinham conversado à mesa de jantar com o Oráculo de Omaha, seus netos acreditariam.

O que ele lhes passava eram as lições que aprendera no desenrolar de sua própria vida.

Nesse desenrolar de vida, ele reconhece a ambição, mas nega que tenha havido qualquer plano. Acha difícil atribuir à sua própria mão poderosa a criação da tela arrebatadora que é sua obra-prima. Uma série de acidentes felizes construiu a Berkshire Hathaway, uma máquina de fazer dinheiro que brotou sem qualquer projeto. Mas a sua estrutura refinada, fundamentada na verdadeira sociedade com acionistas que compartilham os mesmos pensamentos, erguida sobre aquilo que Munger chamava de "uma teia invisível de confiança merecida", com uma carteira de investimentos baseada num conjunto de negócios entrelaçados cujo capital poderia ser transferido segundo as necessidades, todos superabastecidos com float – tudo isso foi um reflexo da sua personalidade. O produto final era um modelo que poderia ser analisado e compreendido, mas poucos fizeram isso, e quase ninguém se agarrou nas suas casacas. O que atraía a atenção das pessoas era quanto ele estava rico. Por outro lado, por mais que ele quisesse que estudassem seu modelo, Buffett, às vezes inadvertidamente, os desencorajava a fazê-lo. Ele queria que acreditassem que ele tinha simplesmente sapateado todos os dias no trabalho e se divertido muito.

Mas essa seria a versão menos lisonjeira.

A verdade é a seguinte:

Quando Warren era um menininho que tirava impressões digitais das freiras e colecionava tampas de garrafa, não tinha conhecimento do que se tornaria no futuro. Mas, enquanto andava de bicicleta por Spring Valley, entregando jornais dia após dia, e corria pelos corredores de Westchester, com o coração batendo depressa, tentando fazer as entregas sem atrasos, se alguém lhe perguntasse se queria ser o homem mais rico do mundo, com todo o seu coração ele teria dito que sim.

A paixão o levara a estudar um universo de milhares de ações. Ele passou horas enterrado em bibliotecas e arquivos, examinando registros que ninguém se dava o trabalho de olhar. Passou noites e noites estudando centenas de milhares de números, que queimariam os olhos de outras pessoas. Leu todas as palavras de diversos jornais a cada manhã e absorveu o *Wall Street Journal* como se fosse sua Pepsi matinal (e depois Coca-Cola). Apareceu de surpresa nas companhias, conversou durante horas sobre barris com a mulher que cuidava do posto avançado da Greif Bros. Cooperage – ou sobre seguros de automóveis com Lorimer Davidson. Leu revistas como *Progressive Grocer,* para aprender como abastecer um departamento de carnes. Encheu o banco traseiro de seu carro com *Moody's Manuals* e livros contábeis durante a lua de mel. Passou meses lendo jornais velhos que remontavam a um século para aprender sobre os ciclos dos negócios, a história de Wall Street, a história do capitalismo, a história das corporações modernas. Acompanhou a política mundial intensamente e compreendeu a forma como ela afetava os negócios. Analisou as estatísticas econômicas até chegar a um entendimento profundo do que significavam. Desde a infância, leu todas as biografias que podia encontrar de pessoas que admirava, procurando lições que pudesse tirar daquelas vidas. Ligou-se a todos que poderiam ajudá-lo e se agarrou às casacas de qualquer um que considerasse esperto. Deixou de lado as atenções para quase tudo que não fossem negócios – arte, literatura, ciência, viagens, arquitetura – para poder se concentrar na sua paixão. Definiu um círculo de competência para evitar cometer erros. Para limitar o risco, nunca assumiu dívidas significativas. Nunca parou de pensar sobre negócios, sobre o que fazia um negócio ser bom e o que fazia um negócio ser ruim, como eles competiam entre si, o que fazia a clientela ser leal a um e não a outro. Tinha uma forma pouco convencional racionalizar os problemas virando-os de cabeça para baixo, o que permitia ter ideias que ninguém mais tinha. Desenvolveu uma rede de relacionamentos que – por causa da sua amizade, mas também da sua sagacidade – não apenas o ajudou, mas também soube ficar a distância quando ele precisava. Em tempos difíceis ou fáceis, nunca parou de pensar em formas de ganhar dinheiro. E toda essa energia e essa intensidade se tornaram o motor que alimentava sua inteligência inata, seu temperamento e suas habilidades.

Warren Buffett é um homem que amou o dinheiro. Um homem em cujas veias corria o jogo da capitalização, como seu sangue. Esse amor fez que continuasse a comprar pequenas ações, como as da National American, vender papéis da Geico para ter dinheiro para comprar algo mais barato, forçar a entrada em conselhos de empresas, como a Sanborn Map, para fazer a coisa certa em prol dos acionistas. Tornou-o independente e competitivo o bastante para querer ter sua própria sociedade de investimentos e dizer não à chance de se tornar sócio júnior, assumindo a antiga empresa de Ben Graham. Deu-lhe forças suficientes para fechar o centro de distribuição da Dempster e demitir Lee Dimon. Forneceu-lhe a determinação para domar Seabury Stanton. Aplacou sua impaciência e fez com que desse ouvidos a Charlie Munger quando este insistiu para comprarem grandes negócios, apesar de as pessoas dizerem que talvez fosse algo que contrariava sua natureza. Deu-lhe resistência para sobreviver à investigação da SEC sobre a Blue Chip e acabar com a greve no *Buffalo News*. Fez com que ele se tornasse um comprador implacável. Levou-o a diminuir seus padrões, de tempos em tempos, quando a grama secava. Mas também o poupou de sérios prejuízos, ao mantê-lo longe da tentação de abandonar sua margem de segurança.

Warren Buffett foi um homem tímido, que evitava confrontos e precisava que as pessoas suavizassem para ele os aspectos mais ásperos da vida. Mas seus medos eram de natureza pessoal, não financeira. Quando se tratava de dinheiro, ele nunca foi tímido. Foi a sua vontade apaixonada de ficar rico que lhe deu coragem para enfrentar com sua bicicleta aquela casa com o cachorro terrível, quando entregava jornais em Spring Valley. Foi ela que o fez se matricular em Columbia, em busca de Ben Graham, depois de ter sido rejeitado por Harvard. Foi ela que fez com que ele desse um passo à frente, visitando investidores em potencial como "farmacêutico", mesmo sendo rejeitado muitas e muitas vezes. Foi também essa vontade que lhe deu força para voltar ao curso de Dale Carnegie, depois de perder a coragem na primeira vez; que o forçou a tomar a decisão, durante a crise da Salomon, de resgatar a sua reputação; e que lhe emprestou dignidade para enfrentar anos de críticas quase intoleráveis, sem contra-atacar, durante a bolha da internet. Ele tinha passado a vida inteira observando e analisando o mercado, limitando e evitando riscos. Mas, no final, foi mais corajoso do que imaginava.

Warren Buffett nunca se considerou corajoso. Reconhecia, em si mesmo, energia, capacidade de concentração e um temperamento racional. Acima de tudo, ele se enxergava como um professor. Em toda a sua vida adulta ele procurou seguir os valores ensinados por seu pai, Howard, que lhe mostrou que o "como" importava mais do que o "quanto". Aprender a manter sob controle sua agressividade não foi uma coisa fácil. Mas o fato de ele ser fundamentalmente honesto – e imbuído do desejo de pregar – ajudou. "Ele impôs limites ao seu capital deliberadamente", diz Munger. "Warren poderia ter muito mais dinheiro se não carregasse todos aqueles acionistas, ou se tivesse mantido a sua sociedade por mais tempo, reinvestindo os adiantamentos de comissões." Com juros compostos, ao longo de 33 anos, esse dinheiro extra valeria muitos bilhões – dezenas de bilhões.[27] Ele poderia ter comprado e vendido os negócios dentro da Berkshire Hathaway, fazendo um cálculo frio sobre o seu retorno financeiro, sem considerar o que sentia em relação às pessoas envolvidas. Poderia ter se tornado um rei do controle acionário. Poderia ter promovido e emprestado seu nome para uma variedade de empreendimentos. "No final das contas", diz Munger, "ele não queria fazer isso. Era competitivo, mas nunca de forma grosseira e sem ética. Queria levar a vida da maneira que projetou, e isso lhe deu uma imagem e uma plataforma públicas. E eu acredito que a vida de Warren funcionou melhor assim."[28]

O desejo de compartilhar o que sabia, num gesto de pura generosidade, fez com que ele passasse meses escrevendo sua carta anual aos acionistas. Seu entusiasmo e seu gosto pelo espetáculo o faziam antecipar os temas da reunião. Seu "Placar Interno" sempre exigiu que respeitasse margens de segurança. E, por pura humildade, ele se transformou no que Munger chamou de "uma máquina de aprender". Sua habilidade analítica permitiu que usasse o seu conhecimento para descobrir o que o futuro poderia trazer. E sua vontade de pregar o fez alertar o mundo sobre perigos iminentes.

Quando Warren completou 77 anos, ponderou que tinha vivido o equivalente a mais de um terço do tempo de existência dos Estados Unidos como nação independente. A idade pesava. Estava ficando mais difícil ler o dia inteiro, como costumava fazer, pois sua vista tinha enfraquecido. Assim, passou a selecionar mais o que lia. Finalmente se rendeu e concordou em usar um aparelho de surdez. Sua voz enroquecia mais rápido do que antes. Também se cansava mais depressa. Mas seu julgamento para os negócios ainda era veloz e certeiro.

Ele desejava ainda poder ler por mais 10 anos os jornais entregues na sua porta. Os anos à sua frente estavam chegando ao fim, mas com sorte ainda podiam ser numerosos. As árvores não chegam até o céu, mas ele ainda não tinha arranhado o horizonte. Outra pessoa nova, outro investimento, outra ideia sempre apareciam à sua frente. As coisas que ainda precisavam ser aprendidas eram agora em número muito superior às que ele já sabia.

"A bola de neve acontece simplesmente se você tem o tipo certo de neve, e foi isso que aconteceu comigo. Não estou me referindo apenas a juntar dinheiro. É algo ligado à sua compreensão do mundo e ao tipo de amigos que você acumula. Você acaba selecionando, com o tempo: precisa ser o tipo de pessoa com quem a neve tenha afinidade. Na verdade você precisa ser a sua própria neve. E é melhor juntar mais neve pelo caminho, porque você não vai poder voltar ao topo da colina depois. A vida é assim."

A bola de neve que Buffett fez com tanto cuidado hoje está enorme. Mas a sua atitude em relação a ela permaneceu a mesma. Não importa quantos aniversários ainda tenha pela frente, ele sempre se surpreende a cada mudança no calendário. Enquanto viver, nunca deixará de se sentir como se fosse apenas um broto. Pois ele não olha para trás, para o topo da colina. É um mundo grande, e ele está apenas começando.

Posfácio

Em outubro de 2006, a Berkshire Hathaway se tornou a primeira ação americana a ser negociada por mais de 100 mil dólares a unidade. No final de 2007, uma ação da BRK já valia mais de 140 mil dólares, o que tornava a Berkshire uma empresa de mais de 200 bilhões de dólares. Era a empresa mais respeitada do mundo, segundo uma pesquisa da *Barron's*.[1] A fortuna pessoal de Buffett passava de 60 bilhões de dólares.

Por uma década as ações da BRK tiveram uma valorização média de pouco mais de 12% ao ano – uma taxa que poderia até ser considerada desfavoravelmente em comparação com os primeiros anos de Buffett, quando ele obtinha uma média de 27% de rentabilidade. Mas as árvores não crescem até o céu, ele sempre disse. Enquanto o capital da Berkshire crescia, a subida se tornava mais íngreme. Mas seus investidores estavam gratos pelos retornos "mais baixos". Aqueles que acompanharam a média do mercado haviam tido o que o *Wall Street Journal* chamou de "a década perdida", na qual o índice S&P 500 não saiu do lugar – chegando a ficar abaixo dos níveis de abril de 1999.[2] A previsão de Buffett em Sun Valley se desenrolava dentro dos parâmetros que ele apresentara. O período que se seguiu ao estouro da bolha do mercado de ações, em 1999, era agora o terceiro mais longo, nos últimos 100 anos, em que o mercado não progrediu. Buffett também disse que as ações são os melhores investimentos a longo prazo – desde que sejam adquiridas pelo preço certo e com uma comissão pequena. No início de 2007 ele estava comprando ações, não no atacado, mas com grande entusiasmo. Mais cedo ou mais tarde a balança do mercado empataria com a urna eletrônica dos investidores, mas isso ainda estava por vir. Nesse meio-tempo, ele continuou, principalmente, a adquirir negócios.

A Berkshire, atendendo a um pedido da SEC, concordou em adotar um processo formal para que os acionistas indicassem os conselheiros. Buffett acrescentou vários novos membros ao conselho da Berkshire nos últimos anos, os mais recentes deles sendo Bill Gates e Charlotte Guyman. Na carta de 2005, ele convidou os acionistas a se candidatarem ao cargo de conselheiro. As cartas começaram a aparecer, e Buffett – naturalmente – começou a colecioná-las. Divertiu-se, entreteve-se e, em alguns casos, impressionou-se com as pessoas que se candidataram. Apesar disso, no final ele acrescentou Don Keough e Tom Murphy, em vez de escolher um dos candidatos voluntários. Contudo, o processo, no mínimo, revelou como era altamente pessoal a governança corporativa na Berkshire. Em 2007 a BRK recebeu outra mulher, a diretora financeira do Yahoo!, Susan Decker, baixando a faixa etária do conselho.

No meio do caminho, Buffett descobriu que gostava da ideia de abrir as portas para que as pessoas se candidatassem aos empregos. Ele sempre preferiu que lhe pedissem coisas, não gostava de pedir. Na carta de 2006 aos acionistas, provocado por Gates, sugeriu que os antecedentes *"de primeira linha"* de Lou Simpson não eliminavam o risco de alguma coisa acontecer, abrindo assim a candidatura à sucessão de Simpson. *"Enviem seus currículos"*, disse Buffett. A primeira coisa que ele e Munger procuravam era alguém que compreendesse o que era risco. Setecentas propostas chegaram de todas as partes do mundo. Uma pessoa explicou: "Já me disseram que sou egoísta e agressivo." Várias pessoas descreveram detalhadamente – bem detalhadamente – por que acreditavam serem "farinha do mesmo saco" de Buffett – sem apresentar qualquer qualificação para o emprego, e muitas, muitas mesmo, escreveram dizendo que não tinham a experiência necessária, mas queriam ser aprendizes, substitutos ou protegidos de Buffett. Ele guardou todas essas cartas em grandes caixas na sala de reuniões antes de mandar arquivar tudo. No fim, escolheu quatro candidatos que já eram bem-sucedidos e tinham experiência com administração de recursos. Agora eles aguardavam nos bastidores.

DEPOIS DA DESASTRADA REUNIÃO DE ACIONISTAS DE 2004, BUFFETT TRANSFERIU, no ano seguinte, o segmento relativo aos negócios para o final da tarde. Em 2005 e 2006, nenhum ativista apareceu. Mas pouco antes da reunião de 2007 puseram um letreiro nas principais estradas de Omaha que dizia: "Será que sua consciência vai deixar você em paz em relação a um detalhe técnico?" A pergunta se referia a uma resolução proposta para forçar a Berkshire a vender sua posição na PetroChina. A matriz da PetroChina, a Chinese National Petroleum Company (CNPC), estava envolvida na captação dos fundos para o patrocínio, pelo governo chinês, do genocídio em Darfur. Embora não fosse tecnicamente exigido colocar tal resolução na pauta, Buffett fez com que isso acontecesse e permitiu uma vigorosa divulgação dos problemas em Darfur durante a reunião de acionistas.

As cláusulas que garantiam superpoderes de votos para as "ações A" significavam que a resolução poderia nunca ser aprovada, mas Buffett se importava profundamente com o que seus acionistas pensavam dele e da empresa. A questão perdeu importância quando, no final de 2007, por razões que ele garantiu não terem relação com o problema em Darfur, Buffett vendeu o investimento na PetroChina, que tinha custado à Berkshire 500 milhões de dólares. A empresa teve um lucro de 3,5 bilhões. As reuniões de acionistas permaneceram um modelo de decoro. Alguns manifestantes pediam o microfone, mas sempre eram saudados respeitosamente. Em seguida o evento prosseguia.

A BERKSHIRE COMPROU UMA SÉRIE DE OUTROS NEGÓCIOS. O MAIS SIGNIFICATIVO, em 2006, incluía a Iscar, um fabricante israelense altamente automatizado de ferramentas para cortar metal – a sua primeira aquisição de uma companhia de fora dos Estados Unidos. Adquiriu o controle da Equitas, assumindo antigos encargos do Lloyd's de Londres em troca de 7 bilhões de dólares em float de seguros. A Berkshire também comprou o distribuidor de produtos eletrônicos TTI. Em 2007, Buffett investiu nas ações da BNSF (Burlington Northern Santa Fe), de ferrovias, deflagrando uma breve onda de compras desse tipo de papel. Um investimento que Buffett não fez foi no *Wall Street Journal*. Ele nunca possuiu ações de seu jornal favorito. O magnata da imprensa Rupert Murdoch se ofereceu para comprá-lo em 2007. Alguns editores e funcionários do *Journal* esperavam que Buffett salvasse o jornal, na defesa de uma imprensa de qualidade. Mas ele não pagaria a peso de ouro para ter um troféu de homem rico, nem mesmo para se tornar o salvador da imprensa de qualidade. Muito tempo antes, desde os dias da *Washington Monthly*, o lado não sentimental de Buffett já tinha promovido um divórcio entre a sua carteira e sua estima pelo jornalismo. E isso não mudaria mais.

Em 2008, o fabricante de doces Mars Inc. anunciou que estava comprando a Wm. Wrigley Jr. Company por 25 bilhões de dólares. Buffett concordou em emprestar, com recursos da Berkshire, 6,5 bilhões como parte do negócio, num arranjo facilitado por Byron Trott, seu gerente de investimentos no Goldman Sachs. Trott já tinha sido responsável por várias aquisições da Berkshire. Compreendia como Buffett pensava, e Buffett dizia que ele levava os interesses da empresa no coração. "*Venho fazendo degustações assim há 70 anos*", disse Buffett sobre a Wrigley. O negócio com a empresa lembrava os velhos tempos, quando ele se recusara a vender um chiclete fora da caixa para Virginia Macoubrie.

O primeiro pensamento de Buffett depois de ter aceitado fazer o empréstimo naturalmente foi ligar para Kelly Muchmore Broz e pedir que separasse alguma área de exposição, durante a reunião da Berkshire, caso a Mars e a Wrigley desejassem vender alguns de seus produtos para os acionistas. A reunião se transformou num minifestival de doces e chicletes. O público foi novamente recorde: 31 mil pessoas compareceram.

Também em 2008 a Berkshire adquiriu a Marmon, um pequeno conglomerado industrial que produzia componentes elétricos, carros-tanques, contêineres para estradas de ferro, caminhões plataformas, equipamentos e materiais industriais, com receitas de 7 bilhões de dólares. O vendedor era a família Pritzker, que decidira se desfazer do conglomerado para resolver disputas familiares que começaram depois da morte, em 1999, de Jay Pritzker, antigo herói de Buffett nos tempos em que se agarrava nas casacas alheias.

BUFFETT VIU MUITOS CASOS DE DISPUTAS FAMILIARES ENTRE OS RICOS DEPOIS DA morte do patriarca. Estava seguro de que os arranjos que tinha feito impediriam que isso acontecesse na sua família. De fato, poucas disputas na família Buffett vieram no rastro do testamento de Susie e da doação para a Gates Foundation. Howie e Susie Jr. estavam fazendo aquilo que amavam: cuidando da fazenda e dando dinheiro aos outros. Peter estava em negociações com Robert Redford para levar *Spirit – The Seventh Fire* para o resort de Redford em Sundance, como um evento anual. Também estava tendo conversas com patrocinadores na Alemanha e na China sobre turnês do espetáculo e prestes a lançar seu novo CD, *Imaginary Kingdom*.

A única exceção à harmonia era a neta adotiva de Buffett, Nicole. Em 2006, ela participou do documentário de Jamie Johnson e Nick Kurzon *The One Percent*, sobre os filhos dos muito ricos. No filme, de forma insensata, Nicole se apresentava como porta-voz do estilo de vida despojado dos Buffett. O documentário, lançado pouco depois da doação de Buffett para a Gates Foundation, teve como resultado aparições de Nicole na CNN, na National Public Radio e um convite para aparecer no programa de Oprah sobre classes sociais na América. A reação de Buffett foi dura. Enviou um recado a Nicole dizendo que não a considerava neta e que repetiria isso se alguém lhe perguntasse. Nicole disse a Oprah: "É uma coisa estranha estar trabalhando, considerando-se que venho de uma das famílias mais ricas da América." E disse que "estava em paz" com o fato de não ter uma fortuna adquirida por herança – aparentemente uma referência à pequena quantia que Susie deixara de presente para os netos. Mas acrescentou: "Sinto que seria bom estar envolvida com a criação de coisas para outras pessoas com aquele dinheiro e participar. Sinto-me completamente excluída". Esse aspecto "pobre de mim" na entrevista foi seu segundo erro.

Depois ela enviou uma carta a Buffett perguntando por que ele a renegara. Em agosto de 2006 ele respondeu,[3] desejando-lhe tudo de bom. Disse que ela tinha razão de estar orgulhosa de suas conquistas e lhe deu alguns conselhos valiosos. Apresentar-se como membro da família Buffett era um erro, ele escreveu. "*Se você o fizer, isso se tornará a sua primeira identidade. As pessoas reagirão a você com base nesse 'fato', em vez de levar em conta quem você é ou o que você realizou.*" Ele também escreveu: "*Não adotei você nem legal nem emocionalmente como minha neta, nem o resto da família a adotou como sobrinha ou prima... É um simples fato, pois, como não considero [sua mãe] minha nora, os filhos dela não são meus netos.*"

Apesar do tom controlado da carta, Nicole o tinha ferido em seu ponto mais fraco – a sua identidade e a de sua família. Em outro caso, ele teria pensado duas vezes antes de enviar a carta, que acabou trazendo repercussões ruins. Nicole podia ter agido mal, mas parecia sincera. Em vez de controlá-la, a carta com a rejeição deflagrou uma nova rodada de entrevistas, que fez Buffett parecer um Ebenezer Scrooge.* Uma das consequências foi uma matéria na página 6 do *New York Post* ("Buffett diz a uma parente: você está despedida!"),[4] dizendo que ele estava se vingando dela pela participação no documentário. Para o homem que trabalhou tão duro a vida inteira para não se indispor com ninguém, era uma ironia dolorosa – mas talvez a história pudesse ter um final mais feliz algum dia. Buffett tinha sido capaz de fazer as pazes com a Sra. B. Seria capaz de fazer as pazes com qualquer um no devido tempo.

Em 2008, as ações da Coca-Cola tinham subido 45% desde a sua baixa, chegando a 58 dólares. Os lucros vinham aumentando constantemente sob o comando do CEO Neville Isdell. Ele fizera um acordo em torno da investigação do Departamento de Justiça, encerrando um processo de 200 milhões de dólares por discriminação racial. Buffett deixou o conselho em fevereiro de 2006. Sua última reunião de acionistas da Coca-Cola foi outro festival de ativismo, mas ninguém precisou ser imobilizado ou lançado ao chão, e o ambiente estava menos tenso. Em 2007, Isdell anunciou sua aposentadoria. O novo CEO, Muhtar Kent, foi responsável pela bem-sucedida expansão no terreno dos refrigerantes não gaseificados, setor que a empresa demorou a explorar, desviando-se do curso mais estratégico.

---

* Protagonista de "Um conto de Natal", de Charles Dickens, cujo nome passou a ser associado a sovinice e desumanidade. (*N. do T.*)

"Eu costumava dizer a Gates que um sanduíche de presunto poderia comandar a Coca-Cola. E isso tinha um lado bom, porque tivemos um período ali, há uns dois anos, no qual a empresa poderia ter sucumbido se não fosse um negócio tão maravilhoso."

A GENERAL RE, O OUTRO INVESTIMENTO-PROBLEMA DA BERKSHIRE, SE beneficiou do bom momento dos mercados de seguros depois do 11 de Setembro. Em 2007 apresentou os melhores resultados de sua história, com 2,2 bilhões de dólares de faturamento bruto.[5] Nesse momento a Gen Re já tinha conseguido recuperar os prejuízos e equilibrar o balanço, apresentando uma situação melhor do que na época em que foi comprada por Buffett. De 14 bilhões de dólares em float, no final de 1998, uma década depois a General Re tinha 25 bilhões em float e 12,5 bilhões de capital. E estava operando com quase um terço a menos de funcionários. A empresa tinha mudado.[6] Desde 2001, a General Re vinha produzindo um rendimento anual médio de 13,4% sobre o capital, um número que poderia ser maior, segundo escreveu numa carta para Buffett o CEO Joe Brandon, se não fossem alguns "problemas infames que herdamos".[7] Esses problemas incluíam prejuízos de 2,3 bilhões de dólares relativos a seguros e resseguros vendidos em anos anteriores e 412 milhões de dólares em débitos pela operação da Gen Re Securities, a unidade de derivativos da empresa. De qualquer forma, a General Re tinha escapado do destino da Salomon, superando o estigma de sua "letra escarlate". Buffett foi finalmente capaz de tecer elogios à empresa e a seus veteranos administradores, na carta aos acionistas de 2007, dizendo que *"o brilho da empresa foi restaurado ao se fazerem negócios de primeira classe com um comportamento de primeira classe"*.[8]

Mas um vestígio marcante e duradouro dos antigos problemas da General Re permanecia. Um último ato de ignomínia antes da mudança de direção, em 2001, tinha sido um escândalo no estilo Salomon que quase fez Buffett infringir a regra de "não comprometer a reputação por causa da empresa". Foi o acontecimento que transformaria, enquanto se desenrolava, a percepção de Buffett em relação ao novo ambiente de aplicação das leis, no qual demonstrar extrema contrição e cooperação não trazia qualquer vantagem em relação à forma como a empresa seria tratada pela acusação. Contrição extrema e cooperação agora eram os mínimos requisitos esperados – e isso acontecia em parte por causa da Salomon. Qualquer coisa a menos – a defesa da empresa e de seus empregados, por exemplo – poderia ser interpretada como motivo para uma acusação formal.

A General Re estava envolvida em problemas legais e regulatórios quando, em 2004, o procurador-geral de Nova York, Eliot Spitzer, começou a investigar o setor de seguros e sua relação com os resseguros "finitos". Resseguros "finitos" foram definidos de diversas formas, mas, para simplificar, digamos que é um tipo de resseguro utilizado pelo cliente, principalmente por razões financeiras ou contábeis, para inflar seu capital ou para melhorar o valor de seus lucros. Embora tenha suporte legal e algumas vezes seja um recurso legítimo, o resseguro finito foi objeto de um abuso tão indiscriminado que os reguladores da contabilidade passaram décadas tentando encontrar uma forma de detê-lo.

Antes de trabalhar em Wall Street, fui, como gerente de projetos do Financial Accounting Standards Board, a principal reguladora contábil, uma daquelas pessoas que tentaram colocar o resseguro finito sob controle. Ajudei a esboçar regras que especificam como dar satisfações sobre resseguro finito. Depois de deixar o Fasb, tornei-me analista financeira. Enquanto trabalhava na PaineWebber, acompanhei as ações da General Re na época que a empresa foi adquirida pela Berkshire Hathaway. Conheci Warren durante a aquisição e, posteriormente, comecei a acompanhar a Berkshire. Warren nunca tinha conversado antes com analistas de Wall Street, mas abriu uma exceção para mim. E declarou ao *New York Times* que gostava da forma como penso e escrevo.

Em 2003, depois de começar a trabalhar neste livro, tanto a General Re quanto o Ajit Jain Re, da Berkshire, foram condenados em investigações especiais por venderem resseguros finitos que supostamente contribuíram para o colapso da seguradora australiana HIH.[9] Dois anos mais tarde a General Re foi acusada de fraude por reguladores de seguros e segurados por sua relação com a falência de uma empresa da Virgínia especializada em seguros contra erros médicos, a Reciprocal of America. Embora o Departamento de Justiça investigasse as alegações em profundidade, nenhuma acusação foi formulada contra a General Re ou qualquer um de seus funcionários.[10] Naquele mesmo ano a investigação de Eliot Spitzer sobre o setor de seguros provocou outra investigação, feita pelo escritório de advocacia da Berkshire, Munger, Tolles & Olson, que descobriu que seis empregados, entre eles o ex-CEO da General Re, Ron Ferguson, tinham conspirado com um cliente, a AIG, para acobertar uma fraude contábil. A suposta fraude foi executada por meio de uma transação de resseguros programada para enganar os investidores e analistas de Wall Street (eu inclusive), ao transferir 500 milhões de dólares em reservas para a AIG para maquiar o balanço da empresa. Em junho de 2005, dois dos supostos conspiradores, Richard Napier e John Houldsworth, recorreram e testemunharam pela acusação, enquanto outros cinco – quatro gerentes veteranos da General Re e um da AIG – foram acusados de conspiração e fraude.

O julgamento, conduzido no tribunal federal de Hartford, Connecticut, em janeiro e fevereiro de 2008, foi notável pelo uso de conversas telefônicas gravadas pela promotoria, nas quais vários dos réus discutiam repetidas vezes a transação numa linguagem exuberante. Os réus invocaram a "defesa de Buffett", dizendo que Buffett aprovara as linhas gerais da transação e se envolvera no estabelecimento da comissão. Buffett não foi acusado por nenhum ato, e a acusação declarou que ele não estava envolvido. O CEO da General Re, Joseph Brandon, listado entre os vários cúmplices que teriam escapado do processo, foi mencionado várias vezes pelos advogados dos réus como tendo conhecimento do negócio. Ele cooperou com promotores federais sem pedir imunidade. O diretor de operações da General Re, Tad Montross, também foi citado pelos réus como tendo conhecimento da transação. Nem ele nem Buffett, entretanto, foram listados entre os cúmplices não indiciados. Nenhum dos três testemunhou no processo.

Fui intimada pela acusação como testemunha dos fatos e especialista no assunto. Testemunhei que, "com quase toda a certeza", não teria promovido a AIG à categoria de "boa compra" no início de 2000 se soubesse a verdadeira situação financeira da empresa. Durante o meu depoimento, falei a respeito do meu conhecimento de todos os réus. Conheço alguns mais que outros, mas sempre tive o maior respeito por todos. Também falei sobre minha relação com Warren, disse que estava escrevendo este livro e que Joe Brandon era um amigo próximo desde 1992. Não me perguntaram sobre Tad, mas também o conheço.

Em fevereiro de 2008, os cinco réus foram condenados por todas as acusações. Estão esperando a sentença enquanto este livro vai para a gráfica. As penas possíveis não descartam a prisão perpétua, embora provavelmente possam ser bem mais leves do que isso. Os réus condenados disseram que vão apelar.

Também recebi intimação para depor no caso do ex-CEO da AIG, Hank Greenberg, apresentado pela promotoria-geral de Nova York. No momento em que escrevo, a Berkshire Hathaway ainda não fechou um acordo com a SEC nem com o Departamento de Justiça. Em abril de 2008, o CEO da General Re, Joe Brandon, pediu demissão para facilitar as negociações entre a empresa e as autoridades do governo.

Por causa disso, não posso fazer mais nenhum comentário sobre o caso neste momento. A personalidade de Warren Buffett, entretanto, está exposta neste livro. Os leitores serão capazes de formar suas opiniões e decidir se acham que ele teria participado ou aprovado a colaboração e o acobertamento de uma fraude cometida por clientes da Berkshire Hathaway.

Notas

Capítulo 1

1. Essa citação, ou sua variante, "Por trás de toda grande fortuna há um grande crime", é frequentemente usada sem uma fonte específica: por exemplo, no livro *O poderoso chefão*, de Mario Puzo, em críticas sobre o programa de televisão *A família Soprano* e em textos sobre a bolha da internet. Essa versão mais concisa condensa o que Honoré de Balzac de fato escreveu em *O pai Goriot*: "O segredo de um grande sucesso que não conseguimos explicar é um crime que jamais foi descoberto, por ter sido executado de forma correta."

Capítulo 2

1. Herbert Allen abriu uma exceção para Ken Auletta na primeira e única vez em que um jornalista teve permissão para assistir e escrever sobre Sun Valley. "What I Did at Summer Camp" foi publicado na revista *The New Yorker* em 26 de julho de 1999.
2. Entrevista com Don Keough. Outros convidados também comentaram o papel de Buffett em Sun Valley.
3. Exceto Donald Trump, é claro.
4. MACHAN, Dyan. "Herbert Allen and His Merry Dealsters". *Forbes*, 1º de julho de 1996.
5. As manadas de elefantes são matriarcais: as fêmeas expulsam os machos do bando assim que eles têm idade suficiente para se tornarem dominantes e agressivos. Então os machos solitários se aproximam de bandos de fêmeas, tentando acasalar. Mas não é exatamente assim que funcionam os encontros de elefantes humanos.
6. A Allen & Co. não divulga os números, mas se comenta que o encontro custa por volta de 10 milhões de dólares, mais de 36 mil dólares por família. Quer sejam 5 ou 15 milhões, é dinheiro suficiente para bastante pescaria e golfe durante um fim de semana prolongado. Boa parte dele serve para custear o elaborado esquema de segurança e logística.
7. Buffett gosta de brincar sobre o fato de ter chegado até essa posição privilegiada pelo trabalho, dizendo que começou com um trailer, depois foi para um alojamento, então para um condomínio de baixa renda, e assim por diante.
8. O filho de Herbert Allen, Herbert Jr., é geralmente chamado de "Herb". Como algumas poucas outras pessoas, no entanto, Buffett se refere a Herbert Allen como "Herb", como indicador da amizade dos dois.
9. Essa descrição de Sun Valley e do impacto dos bilionários empreendimentos pontocom foi feita com base numa série de entrevistas, incluindo gestores de investimentos sem motivos para rancor. A maioria deles pediu para permanecer anônima.
10. Estimativa da Allen & Co. e da autora. Esse é o total de ativos sob controle dos gestores de recursos que participaram do encontro, acrescido das fortunas pessoais dos convidados. Ele representa a totalidade do seu poder econômico, não de seu patrimônio. Para efeito de comparação, o valor total do mercado de ações americano na época era de cerca de 10 trilhões de dólares.
11. Seriam 340 mil dólares por carro no Alasca, Delaware, Havaí, Montana, New Hampshire, nas duas Dakotas, Vermont, Wyoming e Washington, D. C., para completar (uma vez que o distrito de Columbia não é um estado).
12. Entrevista com Herbert Allen.
13. Buffett já tinha feito duas palestras no encontro de Allen, em 1992 e 1995.
14. Buffett e Munger pregavam bastante para seus acionistas nas assembleias anuais da Berkshire Hathaway, mas essa pregação para o coro da igreja não conta.

15. PAGEL, Al. "Coca-Cola Turns to the Midlands for Leadership". *Omaha World-Herald*, 14 de março de 1982.
16. As observações de Buffett foram condensadas, para maior fluência.
17. PowerPoint é o programa da Microsoft mais usado para as apresentações de slides, onipresente no mundo dos negócios americano.
18. Entrevista com Bill Gates.
19. Os lucros corporativos daquela época correspondiam a mais de 6% do PIB, comparados à média de longo prazo de 4,88%. Desde então eles subiram até mais de 9%, muito acima dos patamares históricos.
20. Durante longos períodos a economia americana cresceu a uma taxa real de 3% e à taxa nominal (incluindo a inflação) de 5%. Descontando-se o boom do pós-guerra e recuperações após recessões graves, esse nível foi raramente excedido.
21. A American Motors, a menor das "quatro grandes" montadoras de automóveis, foi vendida à Chrysler em 1987.
22. Buffett está falando metaforicamente nesse caso. Ele admite ter investido ocasionalmente em coisas que voam, sem bons resultados.
23. Buffett usou essa história pela primeira vez em sua carta de 1985 aos acionistas, citando Ben Graham, que, por sua vez, a contara na sua décima palestra do ciclo Current Problems in Security Analysis, no Instituto de Finanças de Nova York. A transcrição dessas palestras, feitas entre setembro de 1946 e fevereiro de 1947, está disponível em http://www.wiley.com/legacy/products/subject/finance/bgraham/ ou em GRAHAM, Benjamin e LOWE, Janet. *The Rediscovered Benjamin Graham: Selected Writings of the Wall Street Legend*. Nova York: Wiley, 1999.
24. Uma versão condensada e editada desse discurso foi publicada como "Mr. Buffett on the Stock Market". *Fortune*, 22 de novembro de 1999.
25. Enquete da PaineWebber-Gallup, julho de 1999.
26. SCHWED Jr., Fred. *Where are the Customer's Yachts? or, A Good Hard Look at Wall Street*. Nova York: Simon & Schuster, 1940.
27. Entrevista com Bill Gates.
28. Keynes escreveu: "É perigoso (...) aplicar argumentos que pretendem prever o futuro baseando-se em experiências passadas, a não ser que se possa distinguir a gama de motivos que levou a experiência passada a ser o que foi", numa resenha do livro *Common Stocks as Long-Term Investments*, de Smith, in *National and Athenaeum*, em 1925. Posteriormente, o texto se tornaria prefácio de KEYNES, *The Collected Writings of John Maynard Keynes, Vol. 12, Economic Articles and Correspondence, Investments and Editorial*. Cambridge: Cambridge University Press, 1983.
29. O comediante Mort Sahl costumava terminar seu número dizendo: "Sobrou alguém que eu não tenha insultado?"
30. Segundo uma fonte que ouviu suas conversas e preferiu permanecer anônima.
31. Entrevista com Don Keough.

Capítulo 3

1. Entrevista com Charlie Munger.
2. Partes da explicação de Munger foram retiradas de três palestras suas sobre a psicologia do mau juízo humano e de sua aula inaugural na Harvard School of Business, em 13 de junho de 1986, presentes em KAUFMAN, Peter D. (ed.). *Poor Charlie's Almanac, The Wit and Wisdom of Charles T. Munger*. Virginia Beach, Virgínia: Donning Company Publishers, 2005. O restante foi retirado de entrevistas com o autor. As observações foram editadas para maior síntese e clareza.
3. Entrevista com Charlie Munger.
4. Os hábitos de Munger ao volante são descritos em LOWE, Janet. *Damn right! Behind the Scenes with Berkshire Hathaway Billionaire Charlie Munger*. Nova York: John Wiley & Sons, 2000.
5. Quando lhe pediram para apresentar um atestado médico provando que ele era cego de um olho e apto a uma carteira de motorista especial no Departamento de Veículos Motorizados da Califórnia, Munger se recusou, dispondo-se, em vez disso, a tirar seu olho de vidro.
6. O médico de Munger utilizou uma técnica antiga de cirurgia, com uma probabilidade maior de complicações.

Em vez de culpar o médico, Munger afirma que deveria ter pesquisado melhor os profissionais e suas técnicas cirúrgicas.
7. O interesse de Buffett em produtos como chiqueiros e máquinas de contar ovos é limitado; ele analisa essas estatísticas numa versão resumida.
8. Apesar das reclamações dos passageiros, até onde a autora sabe, Buffett jamais foi responsável por um acidente, apenas por quase causar ataques cardíacos.
9. BOTTS, Beth; EDWARDSEN, Elizabeth; JENSEN, Bob; KOFE, Stephen e STOUT, Richard T. "The Cornfed Capitalists". *Regardie's*, fevereiro de 1986.

Capítulo 4
1. Buffett previu até 6% de crescimento ao ano no mercado, mas apresentou registros históricos de crescimento zero, e a matemática subjacente sugeria que o número seria alto. Os 6% eram uma aposta segura.
2. O S&P é o Standard & Poor's Industrial Average, a medida mais utilizada do desempenho geral do mercado de ações. O S&P inclui os dividendos reinvestidos. A Berkshire não paga dividendo algum. Todos os números são arredondados.
3. "Toys 'R' US vs. eToys, Value vs. Euphoria". Century Management, http://www.centman.com/Library/Articles/Aug99/ToysRUsvsEtoys.html. Em março de 2005 a Toys 'R' Us aceitou uma oferta de aquisição das firmas de capital fechado Kohlberg Kravis Roberts & Co., Bain Capital e do grupo imobiliário Vornado Realty Trust, num acordo avaliado em 6,6 bilhões de dólares.
4. Entrevista com Sharon Osberg.
5. Buffett, no evento An evening with Warren Buffett, no Oquirrh Club, em outubro de 2003.

Capítulo 5
1. Doris Buffett, irmã de Warren e genealogista da família, fez uma extensa pesquisa sobre a árvore genealógica dos Buffett. Esse relato resumido dos seus ancestrais se baseia na sua pesquisa.
2. Nathaniel ou Joseph.
3. Aquela era a maior e melhor cocheira da cidade, com 70 cavalos, no seu auge, ostentando trenós, carroças, um batelão de circo e até um ataúde. Ela prosperou por diversos anos, mas desapareceu em algum momento durante a aurora do automóvel. "Six Generations Prove That Buffett Family Is Really Here to Remain". *Omaha World-Herald*, 16 de junho de 1950.
4. MENARD, Orville D. "Tom Dennison... The Rogue Who Ruled Omaha". *Omaha*, março de 1978. DAVIS, John Kyle. "The Gray Wolf: Tom Dennison of Omaha". *Nebraska History*, v. 58, nº 1, primavera de 1977.
5. "Dry Law Introduced as Legislators Sing". *Omaha World-Herald*, 1º de fevereiro de 1917.
6. "Omaha's Most Historic Grocery Store Still at 50th and Underwood". *Dundee and West Omaha Sun*, 25 de abril de 1963.
7. Zebulon Buffett. Carta a Sidney Buffett, 21 de dezembro de 1869.
8. A loja de Sidney era chamada originalmente de Sidney H. Buffett and Sons, na qual os dois irmãos, Ernest e Frank, trabalhavam. Ela ficava no número 315 South da Rua 14, no centro da cidade, e lá permaneceu até fechar, em 1935. Frank se tornou o único proprietário depois da morte de Sidney, em 1927. Em 1915, Ernest abriu uma filial, que foi transferida para oeste, no número 5.015 da Underwood Avenue, em Dundee, no ano de 1918. (Naquela época Dundee era uma cidade independente, tendo sido posteriormente anexada por Omaha.)
9. Uma terceira criança, chamada Grace, morreu em 1926. Outros três filhos, George, Nellie e Nettie, morreram jovens, no século XIX.
10. Warren Buffett, citando Charlie Munger.
11. Segundo Doris Buffett, ela nasceu Daisy Henrietta Duvall e passou a adotar o nome de Henrietta (o de sua mãe), em vez de Daisy, quando chegou a Omaha.
12. Carta de Charles T. Munger a Katharine Graham, 13 de novembro de 1974.
13. Carta de Ernest Buffett à Barnhart & Son, 12 de fevereiro de 1924.
14. Entrevista com Charlie Munger. Sua mãe lhe contou a história, embora ele observe: "Talvez ela a tenha enfeitado só um pouquinho." Outros, no entanto, se recordam do bloco de anotações.

15. Em cartas como a que escreveu ao filho Clarence em janeiro de 1931, ele analisou o efeito da automação das ferrovias sobre o desemprego, sugerindo que a melhor solução para a Grande Depressão era um grande projeto de construção civil. É irônico que ele e seu filho Howard tenham se tornado inimigos ferrenhos de Roosevelt quando ele fundou a Works Progress Administration após a eleição seguinte.
16. Carta de Ernest Buffett a Fred e Katherine Buffett, sem data, "10 anos depois de vocês se casarem", *circa* junho de 1939.
17. Ele morreu jovem, num acidente automobilístico no Texas, em 1937.
18. *Coffee with Congress,* entrevista radiofônica com Howard, Leila, Doris e Roberta Buffett, WRC Radio, 18 de outubro de 1947, tendo Bill Herson como moderador. A descrição é baseada numa gravação em fita da transmissão.
19. Entrevista com Doris Buffett.
20. Baseado essencialmente nos arquivos da família.
21. O discurso "Cross of Gold", de Bryan, proferido em 9 de julho de 1896, já foi considerado o discurso político mais famoso da história dos Estados Unidos. Bryan é mais conhecido por sua oposição ao padrão-ouro e por seu envolvimento no caso Scopes, no qual o célebre advogado Clarence Darrow o fez passar vergonha ao testemunhar contra o ensino da Teoria da Evolução nas escolas. Na verdade, seus interesses eram mais amplos e menos extremados, e sua influência, bem maior na época do que a lembrança dele hoje.
22. Arquivos da família. Bernice culpava seu pai por ter se unido pelo matrimônio a uma família com problemas mentais genéticos, gerando filhos que sofreriam as consequências.
23. Leila era caloura na Universidade de Nebraska durante o ano letivo de 1923-24, segundo o Livro do Ano da instituição, quando Howard já estava no penúltimo ano. No programa de rádio *Coffee with Congress,* Howard observou que eles se conheceram no outono de 1923, quando Leila tinha 19 anos. Uma vez que os alunos geralmente entravam na faculdade aos 17, isso indica que ela teria trabalhado durante dois anos antes de começar os estudos. Ela se candidatou à Alpha Chi Omega como caloura no ano letivo de 1923-24, mas ainda era classificada como caloura em 1925, o que indica que voltou para casa para trabalhar no jornal e retornou à universidade na primavera de 1925.
24. Provavelmente no outono de 1923.
25. Howard foi secretário dos Innocents (*Daily Nebraskan,* 27 de setembro de 1923). O grupo perdurou por vários anos até que, nas palavras de Buffett, "chegou o dia em que não conseguiram mais encontrar 13 pessoas inocentes".
26. *Coffee with Congress.*
27. Entrevista com Roberta Buffett Bialek.
28. Na Harry A. Koch Co., cujo lema era "Pagamos a indenização primeiro", ele ganhava 125 dólares por mês.
29. Recibo da Beebe & Ronyan, 21 de dezembro de 1926, com anotações de Leila.
30. Eles se casaram no dia 26 de dezembro de 1925.
31. 12 de fevereiro de 1928.
32. Howard se tornou diácono em 1928, aos 25 anos.
33. Palestra na Associação Americana de Editores de Jornal, Washington, D. C., 25 de janeiro de 1925.

Capítulo 6

1. Mesmo assim, apenas três em cada 100 americanos possuíam ações. Muitos contraíam dívidas pesadas para investir na bolsa, hipnotizados pelo artigo de John J. Raskob "Everybody Ought to Be Rich", publicado no *Ladies' Home Journal* de agosto de 1929, e na demonstração de Edgar Lawrence Smith de que as ações tinham um desempenho melhor do que os títulos (*Common Stocks as Long-Term Investments.* Nova York: The MacMillan Company, 1925).
2. "Stock Prices Slump $14,000,000,000 in Nation-Wide Stampede to Unload; Bankers to Support Market Today". *The New York Times,* 29 de outubro de 1929; KENNEDY, David M. *Freedom from Fear, The American People in Depression and War, 1929-45.* Nova York: Oxford University Press, 1999; BROOKS, John. *Once in Golconda, A True Drama of Wall Street; 1920-38.* Nova York: Harper & Row, 1969. O famoso alerta de Roger Babson – "Repito o que disse nesta mesma época no ano passado e no retrasado: mais cedo ou mais tarde a quebra vai acontecer" – foi inútil.

3. KENNEDY, David M. *Freedom from Fear*. Kennedy observa que os pagamentos de juros da dívida interna aumentaram de 25 milhões de dólares, em 1914, para 1 bilhão na década de 1920, por causa dos gastos com a Primeira Guerra Mundial, correspondendo a um terço do orçamento federal. O orçamento em 1929 era de 3.127 bilhões de dólares anuais (*Budget of the U. S. Government, Fiscal Year 1999 – Historical Tables*, Table 1.1 – Summary of Receipts, Outlays, and Surpluses or Deficits: 1789-2003. Washington, D. C.: Government Printing Office).
4. Ao alcançar o fundo do poço em 13 de novembro, o mercado tinha perdido de 26 a 30 bilhões de dólares do seu valor antes da quebra, que era de aproximadamente 80 bilhões (KENNEDY, op. cit.; BROOKS, op. cit.). A Primeira Guerra Mundial custara algo em torno de 32 bilhões de dólares (McELVAINE, Robert. *The Great Depression: America, 1929-41*. Nova York: Three Rivers Press, 1993; ver também: ROCKOFF, Hugh. *It's Over, Over There: The U. S. Economy in World War I*. National Bureau of Economic Research Working Paper nº 10580).
5. Charlie Munger, numa carta a Katharine Graham datada de 13 de novembro de 1974, escreveu que todos os Buffett, incluindo os que tinham outros empregos, trabalhavam na loja.
6. *Coffee with Congress*.
7. LOWENSTEIN, Roger. *Buffett: A formação de um capitalista americano*. Rio de Janeiro: Nova Fronteira, 1997.
8. LOWENSTEIN, Roger, in *Buffett*, cita as memórias de Leila Buffett sobre esse fato.
9. Carta de Ernest Buffett ao Sr. e Sra. Clarence Buffett e a Marjorie Bailey, 17 de agosto de 1931.
10. "Union State Bank Closes Doors Today: Reports Assets in Good Condition; Reopening Planned". *Omaha World-Herald*, 15 de agosto de 1931. Caracteristicamente, a matéria atenuava a situação crítica do banco. Ele passou por uma reorganização, sob supervisão reguladora, e entrou com um pedido de falência.
11. Howard pedira 9 mil dólares emprestados para pagar 10 mil dólares em ações no banco. A ação passara a não valer nada. A casa e a hipoteca estavam no nome de Leila. Standard Accident Insurance Company, requerimento feito por Howard Homan Buffett de um seguro-fidelidade.
12. "Buffett, Sklenicka and Falk Form New Firm". *Omaha Bee News*, 8 de setembro de 1931. Balanço mensal da Buffett, Sklenicka & Co. em 30 de setembro de 1931.
13. A onda atingiu seu auge em dezembro de 1931, com a falência do Bank of the United States, uma instituição cujo nome soava oficial, mas que nada tinha a ver com o governo. O colapso de 286 milhões de dólares quebrou um recorde, derrubou 400 mil investidores e foi interpretado por todos – de uma ou de outra forma – como uma falência da confiança pública (KENNEDY, *Freedom from Fear*). Aquilo puxou o tapete do combalido sistema bancário e provocou o colapso da já castigada economia.
14. Apesar desse pequeno retorno naquela altura, a firma demonstrava lucros consistentes e permaneceria assim, exceto durante poucos meses.
15. No final de 1932, Howard Buffett estava tirando de 40 a 50% a mais de comissões do que em 1931, tomando como base os balanços financeiros da Buffett, Sklenicka & Co.
16. Charles Lindbergh Jr., "O Filhotinho de Águia", foi raptado no dia 1º de março de 1932. Seu corpo foi encontrado no dia 12 de maio do mesmo ano. Muitos pais, nas décadas de 1920 e 1930, ficaram preocupados com sequestros, um medo que começou, na verdade, com o caso Leopold e Loeb, em 1924, mas chegou ao auge com o bebê de Lindbergh. O zelador de um country club de Omaha afirmou ter sido sequestrado e roubado em 7 dólares. Em Dallas, um pastor forjou seu próprio sequestro, amarrando-se ao ventilador elétrico da sua igreja (*Omaha World-Herald*, 4 de agosto e 20 de junho de 1931).
17. Segundo Roberta Buffett Bialek, certa vez Howard teve febre reumática, o que pode ter enfraquecido seu coração.
18. Entrevista com Doris Buffett.
19. Entrevista com Doris Buffett. Warren também se lembra disso.
20. Entrevista com Roberta Buffett Bialek.
21. Entrevistas com Jack Frost, Norma Thurston-Perna, Stu Erikson e Lou Battistone.
22. O termo clínico correto para o mal de Leila é desconhecido, mas ele pode ter-se resumido a uma dor no pescoço – uma nevralgia occipital, dor crônica causada por uma irritação ou dano no nervo occipital, que se localiza na parte de trás da cabeça. Esse distúrbio causa uma dor latejante semelhante à da enxaqueca,

que começa na nuca e se espalha ao redor da testa e do couro cabeludo. A nevralgia occipital pode resultar de estresse físico, trauma ou contração repetida dos músculos do pescoço.

23. Entrevista com Katie Buffett. Isso pode ter sido quando ela estava grávida de Warren ou de Bertie.
24. Entrevista com Katie Buffett.
25. "Beer is Back! Omaha to Have Belated Party". *Omaha World-Herald*, 9 de agosto de 1933; "Nebraska Would Have Voted Down Ten Commandments, Dry Head Says". *Omaha World-Herald*, 15 de novembro de 1944; "Roosevelt Issues Plea for Repeal of Prohibition". Associated Press, 8 de julho de 1933, conforme publicado no *Omaha World-Herald*.
26. U. S. and Nebraska Division of Agricultural Statistics. *Nebraska Agricultural Statistics, Historical Record 1866-1954*. Lincoln: Government Printing Office, 1957; *Almanac for Nebraskans 1939*, The Federal Writers' Project Works Progress Administration, State of Nebraska; WARNE, Clinton. "Some Effects of the Introduction of the Automobile on Highways and Land Values in Nebraska". *Nebraska History Quarterly*, The Nebraska State Historical Society, v. 38, nº 1, 1º de março de 1957, p. 4.
27. No Kansas, um banqueiro enviado para executar a hipoteca de uma fazenda apareceu morto, crivado de balas calibres 22 e 38 e arrastado pelo seu próprio carro. "Forecloser on Farm Found Fatally Shot". *Omaha World-Herald*, 31 de janeiro de 1933. Ver também "Nickle Bidders' Halted by Use of Injunctions". *Omaha World-Herald*, 27 de janeiro de 1933; "Tax Sales Blocked by 300 Farmers in Council Bluffs". *Omaha World-Herald*, 27 de fevereiro de 1933; "Penny Sale Turned into Real Auction". *Omaha World-Herald*, 12 de março de 1933; "Neighbors Bid $8.05 at Sale When Man with Son, Ill, Asks Note Money". *Omaha World-Herald*, 28 de janeiro de 1933, para exemplos da crise das hipotecas.
28. "The Dust Storm of November 12 and 13, 1933". *Bulletin of the American Meterological Society*, fevereiro de 1934; "60 Miles an Hour in Iowa". Reportagem especial para o *New York Times*, 13 de novembro de 1933; KAEMPFFERT, Waudemar. "The Week in Science: Storms of Dust". *New York Times*, 19 de novembro de 1933.
29. Também citado das memórias de Leila em *Buffett*, de Roger Lowenstein.
30. Do *Almanac for Nebraskans 1939*. Patrocinado pela Nebraska State Historical Society, também trazia histórias fantásticas, como a ideia de se arear panelas segurando-as diante de um buraco de fechadura.
31. "Hot Weather and the Drought of 1934". *Bulletin of the American Meterological Society*, junho-julho de 1934.
32. Gafanhotos são a mascote informal do estado; Nebraska se autointitula o "Bugeater State" ("Estado Papa-inseto"). Em 1892, muito antes de se chamar Cornhuskers, o time de futebol americano da Universidade de Nebraska foi batizado de "Bugeaters" em homenagem aos seus hóspedes voadores. Os torcedores de futebol americano de Nebraska ainda se chamam informalmente de Bugeaters. Gafanhotos adoram as condições climáticas da seca e contribuem para a erosão do solo ao devorarem até o talo cada planta viva. De 1934 até 1938, estima-se que a destruição causada pelos gafanhotos custou ao país 315,8 milhões de dólares (o equivalente a cerca de 4,7 bilhões em 2007). A região que engloba Nebraska, as duas Dakotas, Kansas e Iowa foi o epicentro da praga de gafanhotos. Ver *Almanac for Nebraskans 1939*; ver também TANNEHILL, Ivan Ray. *Drought: Its Causes and Effects*. Princeton: University Press, 1947.
33. "Farmers Harvest Hoppers for Fish Bait". *Omaha World-Herald*, 1º de agosto de 1931.
34. Conforme afirmado no discurso de posse de Franklin Delano Roosevelt (4 de março de 1933). Ele estava falando, porém, de paralisia econômica.
35. Sem contarem com segurança eletrônica e controle atento do fluxo de dinheiro, os bancos eram mais vulneráveis a assaltos do que atualmente, e assim a década de 1930 testemunhou uma epidemia de roubos a agências bancárias.
36. Vários Buffett, incluindo Howard e Bertie, contraíram poliomielite. Houve uma segunda epidemia em meados da década de 1940. As pessoas nascidas depois da descoberta da vacina, nos anos 1950 e 1960, podem ter dificuldade para compreender o pânico gerado por essa doença, mas ele era muito real na época.
37. Em 1912, 25 pessoas ficaram feridas quando uma ventania intensa descarrilou um trem perto de North Loup, em Nebraska, segundo o *Almanac for Nebraskans 1939*.
38. Carta de Ted Keitch a Warren Buffett, 29 de maio de 2003. O pai de Keitch trabalhava na loja de Buffett.
39. Entrevista com Doris Buffett.

40. Howard queria que seus filhos fossem para a Benson High School, em Dundee, e não para a Central, onde ele tinha sido alvo de esnobismo.
41. Marion Barber Stahl era sócio da sua própria firma, a Stahl and Updike, e se tornara consultor do *New York Daily News*, entre outros clientes. Ele e sua mulher, Dorothy, moravam na Park Avenue e não tinham filhos. Obituário de Marion Stahl, *New York Times*, 11 de novembro de 1936.
42. Entrevista com Roberta Buffett Bialek.
43. Entrevistas com Roberta Buffett Bialek, Warren Buffett e Doris Buffett.
44. Entrevista com Doris Buffett.
45. Columbian School, 9 de setembro de 1935.
46. Entrevista com Roberta Buffett Bialek e também com Warren Buffett.

Capítulo 7

1. Adultos que frequentaram a Rosehill School, entrevistados pela autora, se recordam dela como um lugar idílico. Mas, um ano antes de Warren começar a primeira série, diversos pais de alunos pediam auxílio do governo para resolver problemas como salas de aula superlotadas e um playground que era "um lamaçal". A resposta foi que não esperassem ajuda "antes de o xerife do condado receber os impostos atrasados". "School Plea Proves Vain". *Omaha World-Herald*, 22 de janeiro de 1935.
2. Entrevista com Roberta Buffett Bialek.
3. Walt Loomis, o professor de boxe, era um garoto grande, da idade de Doris.
4. Entrevista com Roberta Buffett Bialek.
5. Os médicos de Stella diziam que ela era esquizofrênica, embora observassem que ela sofria anualmente de períodos previsíveis de agitação e desorientação, ressaltando que sua personalidade não se deteriorava conforme o esperado em casos de esquizofrenia. Baseando-se no histórico familiar e na afirmação de Bernice de que outros parentes mais velhos, além de Susan Barber, mãe de Stella, eram "loucos" ou mentalmente instáveis, podemos suspeitar que o transtorno bipolar fosse a verdadeira doença. Esse quadro era muito pouco compreendido, para dizer o mínimo, nas décadas de 1930 e 1940.
6. Retirado de uma entrada no "diário" de Leila.
7. Numa entrevista, uma de suas colegas de classe, Joan Fugate Martin, lembrou que, durante suas andanças, Warren aparecia periodicamente na entrada da garagem da sua casa para "jogar conversa fora".
8. Entrevista com Roberta Buffett Bialek.
9. Entrevistas com Stu Erickson e Warren Buffett.
10. Segundo a transcrição do histórico de Warren em Rosehill, ele foi promovido para a 4B em 1939.
11. Entrevista com Stu Erickson.
12. "Minha operação de retirada do apêndice foi o ponto alto da minha vida social", afirma Buffett.
13. "Quem me dera que alguma daquelas freiras tivesse se desvirtuado", diz ele hoje em dia.
14. MCGOWEN, Rosco. "Dodgers Battle Cubs to 19-Inning Tie". *New York Times*, 18 de maio de 1939. (Warren e Ernest não ficaram até o final do jogo.)
15. CULBERTSON, Ely. *Contract Bridge Complete: The New Gold Book of Bidding and Play*. Filadélfia: The John C. Winston Co., 1936.
16. Essa explicação do jogo de bridge foi dada por Bob Hamman, campeão do mundo 11 vezes e primeiro do ranking mundial de jogadores profissionais entre 1985 e 2004. Hamman frequenta a assembleia de acionistas da Berkshire.

Capítulo 8

1. Warren comprava o chiclete do seu avô a 3 centavos o pacote.
2. Entrevistas com Doris Buffett e Roberta Buffett Bialek.
3. Dois presidentes, Ulysses S. Grant e Theodore Roosevelt, já haviam tentado se eleger para um terceiro mandato. Os dois foram derrotados.
4. A Trans-Lux Corporation instalou o primeiro sistema de projeção de cotações na Bolsa de Valores de Nova York em 1923. O sistema funcionava de forma semelhante a uma máquina de fax. A Trans-Lux

sabia reconhecer uma boa ideia quando a via: as ações da própria empresa estavam registradas na Bolsa de Valores americana em 1925, e ela continua sendo a companhia mais antiga da bolsa atualmente.
5. Frank Buffett se reconciliara com Ernest após a morte de Henrietta, em 1921, e administrava a outra loja dos Buffett. John Barber era corretor imobiliário.
6. Esquemas em pirâmide são fraudes que prometem retornos impossíveis aos investidores. Consistem em usar dinheiro de investidores mais recentes para pagar os mais antigos e criar uma aparência de sucesso. Para se manter funcionando, o esquema precisa crescer como uma pirâmide, porém sua estrutura geometricamente cumulativa garante que, com o tempo, ele fracassará e será desmascarado.
7. WHITMAN, Alden. "Sidney J. Weinberg Dies at 77; 'Mr. Wall Street' of Finance". *New York Times*, 24 de julho de 1969; ENDLICH, Lisa. *Goldman Sachs: a cultura do sucesso*. São Paulo: Nobel, 2000.
8. O fato de Weinberg se importar com sua opinião era mais importante do que ela própria; Buffett não se lembra de qual ação recomendou para Weinberg.
9. Buffett disse posteriormente, numa entrevista, que foram essas as palavras que lhe passaram pela cabeça – "É aí que está o dinheiro" –, embora não conhecesse na época a famosa frase atribuída ao assaltante de bancos Willie Sutton.
10. Quase uma década depois ele baixaria a idade para 30, ao conversar com sua irmã Bertie, que tinha 14 ou 15 na época. Entrevista com Roberta Buffett Bialek.
11. Buffett acredita ter ouvido seu pai falando sobre a ação, que era negociada na "Curb Exchange", com os corretores reunidos no meio da rua (o que mais tarde se tornaria a Bolsa de Valores americana).
12. Dos registros da Buffett, Sklenicka & Co.

Capítulo 9
1. "Todos esses auxílios à Europa estão sendo usados por políticos para manter e expandir seus próprios poderes." "U. S. Moving to Socialism", citando Howard Buffett. *Omaha World-Herald*, 30 de setembro de 1948.
2. Roosevelt fez essa afirmação em Boston, no dia 30 de outubro de 1940, durante a campanha para o seu terceiro mandato, 14 meses antes de Pearl Harbor.
3. Carta de Leila Buffett a Clyde e Edna Buffett, sem data, por volta de 1964.
4. Nebraska Agricultural Statistics (relatório preliminar) 1930. United States Department of Agriculture and Nebraska Department of Agriculture. Lincoln: Government Printing Office, 1930, p. 3.
5. A impressão que Buffett tinha de South Omaha era vívida: *"Se você andasse por ali naquela época, acredite, sentiria vontade de comer cachorros-quentes."*
6. COMMONS, John R. "Labor Conditions in Meat Packing and Recent Strike". *The Quarterly Journal of Economics*, novembro de 1904; HOROWITZ, Roger. "'Where Men Will Not Work': Gender, Power, Space and the Sexual Division of Labor in America's Meatpacking Industry, 1890-1990". *Technology and Culture*, 1997; LARSEN, Lawrence H. e COTTRELL, Barbara J. *The Gate City: A History of Omaha*. Lincoln: The University of Nebraska Press, 1997; OTIS, Harry B. e ERICKSON, Donald H. *E. Pluribus Omaha: Immigrants All*. Omaha: Lamplighter Press (Douglas County Historical Society), 2000. Horowitz, falando especificamente sobre Omaha, aponta que os abatedouros na década de 1930 ainda eram organizados de maneira muito semelhante à retratada no romance *The Jungle*, de Upton Sinclair, de 1906.
7. Em 2005, o GAO (órgão de contabilidade geral do governo americano) apontou "irritação respiratória ou até mesmo asfixia por exposição a produtos químicos, elementos patogênicos e gases" como risco ocupacional para os trabalhadores industriais no relatório GAO 05-95 "Health and Safety of Meat and Poultry Workers". Ver também Nebraska Meatpacking Industry Workers Bill of Rights (2000), um "instrumento voluntário", cujo "alcance tem sido modesto", segundo Joe Santos, do Departamento Estadual do Trabalho, citado pelo Human Rights Watch no seu relatório "Blood, Sweat and Fear: Workers' Rights in the U. S. Meat and Poultry Industry", dezembro de 2004.
8. Essa descrição de Washington durante a guerra se deve muito a BRINKLEY, David. *Washington Goes to War*. Nova York: Alfred A. Knopf, 1988.
9. Com tantos homens enviados à guerra, 15% dos ônibus e bondes da cidade ficaram parados. A empresa Capital Transit, que se recusava a admitir negros como condutores ou motorneiros, contratou um operador negro depois que os funcionários brancos abandonaram o emprego em 1943. (No decorrer de

1944 e 1945, J. Edgar Hoover, diretor do FBI, relatou ao procurador-geral de Justiça que, "se a companhia contratar negros como operadores, haverá imediatamente uma greve 'descontrolada' (...) e o resultado inevitável será a paralisação completa do sistema de transportes do distrito de Columbia". (Memorandos oficiais a respeito das condições raciais em Washington, D. C., 5 de setembro de 1944 e 9 de dezembro de 1944, da Coleção Especial do Estado da Geórgia.)

10. Os alunos da Universidade Howard utilizaram "ocupações" em duas ocasiões: em abril de 1943, no restaurante Little Palace, até o proprietário mudar sua política; e um ano depois, quando 56 estudantes ocuparam o restaurante Thompson's – na ocasião, alguns brancos se uniram à causa, uma multidão se juntou e a polícia obrigou o Thompson's a servir a todos, temporariamente. (BROWN, Flora Bryant. "NAACP Sponsored Sit-Ins by Howard University Students in Washington, D. C., 1943-1944". *The Journal of Negro History*, 85.4, outono de 2000.)
11. O Dr. Frank Reichel era diretor da American Viscose.
12. Entrevistas com Doris Buffett, Roberta Buffett Bialek e Warren Buffett.
13. Buffett provavelmente está enfeitando a história ao recordá-la.
14. Entrevista com Roberta Buffett Bialek.
15. Gladys, antes conhecida como Gussie, mudou seu nome para Mary em algum momento durante esse período. Warren tentou em vão iniciar um romance com sua filha Carolyn, que viria a se casar com Walter Scott, amigo dele.
16. Warren afirma que a ideia foi de Byron. Byron afirma que foi ideia de Buffett. Stu diz que não se lembra.
17. Joan Fugate Martin, que se recorda do encontro, corroborou a história numa entrevista. Ela chamou os meninos de perfeitos cavalheiros, mas não teve nada a acrescentar quanto à falta de jeito confessa deles.
18. Entrevistas com Stu Erickson e Byron Swanson, que forneceram vários detalhes da história.
19. O número de telefone foi retirado de uma carta da Sra. Anna Mae Junno, cujo avô trabalhava como açougueiro.
20. O garoto do estoque era Charlie Munger.
21. Entrevista com Katie Buffett.
22. Ibidem. Leila tinha fascinação por hierarquias e mobilidade social.
23. *"Pode-se dizer que foi o fato de ter trabalhado na loja do meu avô que alimentou um grande desejo de independência em mim"*, afirma Buffett.
24. Essa carta, que já foi uma das relíquias mais estimadas de Buffett, ficou muitos anos na gaveta da sua mesa, escrita em um pedaço de papel amarelo. Ele não sabe mais seu paradeiro. Por meio de uma associação comercial, Ernest fez lobby contra as cadeias de lojas e trabalhou em prol de uma legislação que as taxaria com impostos especiais – em vão.
25. Entrevista com Doris Buffett.
26. Carta de Warren Buffett a Meg Greenfield, 19 de junho de 1984.
27. Infelizmente, nenhum membro da família consegue localizar uma cópia desse manuscrito hoje em dia.
28. Panfleto de propaganda de Spring Valley. O bairro tinha seu próprio brasão.
29. "Women Accepted for Volunteer Emergency Service". Antes das Waves, a Marinha aceitava mulheres apenas como enfermeiras.
30. A Alice Deal Junior High School foi batizada em homenagem à diretora da primeira escola secundária de Washington, D. C.
31. Buffett tem quase certeza de que a Sra. Allwine era sua professora de inglês – e que *"ela tinha bons motivos"* para ter uma opinião desfavorável a seu respeito. *"Eu merecia"*, ele diz.
32. Entrevista com Casper Heindel.
33. *"Também não sei ao certo se paguei impostos sobre aquilo"*, acrescenta Warren.
34. Em suas memórias, Leila escreveu que Warren não a deixava encostar no dinheiro.
35. Roger Bell, que confirma a história numa entrevista, estava guardando cupons de bônus de guerra até ter dinheiro suficiente para comprar um título de verdade e os sacou para custear a viagem. "Falei para minha mãe que estávamos indo, mas ela não acreditou", diz.

36. Entrevista com Roger Bell.
37. Dos boletins de 1944 de Buffett.
38. Baseado em comentários nos seus boletins.
39. Entrevista com Norma Thurston-Perna.
40. A rainha Guilhermina possuía ações da holding holandesa que comprara o Westchester.
41. Ele colecionava passagens de ônibus de várias linhas. *"Elas eram coloridas. E eu colecionava de tudo."* Quando perguntado se mais alguém da família colecionava alguma coisa, ele diz: *"Não. Eles eram mais comuns."*
42. Clientes também largavam revistas velhas nas escadas, e Warren as apanhava.
43. Embora Warren se recorde da história, foi Lou Battistone que se lembrou dos detalhes fascinantes.
44. Entrevista com Lou Battistone.

Capítulo 10

1. Essa carta-trote em especial circulou amplamente em meados do século XX. Não se sabe a origem da ideia ou onde Warren pode ter conseguido a cópia. O que torna esse trote lembrado com carinho e bom humor (sem levar em conta se ele o executou de fato, com que frequência e à custa de quem) é como ele brinca com o interesse habitual em vidas secretas e pés de barro. Sua essência é um tributo ao poder da vergonha.
2. O impacto da Sears, a primeira loja de departamentos em Tenleytown, e seu incomum estacionamento no terraço, são descritos em HELM, Judith Beck. *Tenleytown, D. C.: Country Village into City Neighborhood.* Washington, D. C.: Tennally Press, 1981.
3. Numa entrevista, Norma Thurston-Perna confirma os elementos básicos dessa história, lembra-se do seu namorado Don Danly "fazendo coletas" na Sears com Warren, acrescenta que esse comportamento perdurou até o ensino médio e menciona como ficou irritada ao descobrir que o impressionante conjunto de perfumes e sais de banho de madressilva que Don lhe dera de presente de aniversário tinha sido roubado da Sears.
4. Uma carta de Suzanne M. Armstrong a Warren Buffett, de 20 de dezembro de 2007, recorda que um amigo do primo do seu pai, Jimmy Parsons, roubava bolas de golfe com Buffett enquanto cursava a Woodrow Wilson High School.
5. Hannibal é o canibal do livro e do filme *O silêncio dos inocentes*.

Capítulo 11

1. Para um retrato admirável de Taft escrito de uma perspectiva diametralmente oposta, ver KENNEDY, John F. *Profiles in Courage.* Nova York: Harper Collins, 1955.
2. De 1933, quando os Estados Unidos abandonaram o padrão-ouro, até 1947, o índice de preços ao consumidor oscilou violentamente, mais de 18%. A história do Federal Reserve sob condições inflacionárias foi curta e forneceu poucas evidências capazes de sustentar qualquer tipo de opinião.
3. Entrevista com Roberta Buffett Bialek. Os demais se lembram dessa história.
4. *Coffee with Congress.*
5. Entrevista com Katie Buffett. Aparentemente, Leila ficou obcecada por Wallis Warfield Simpson por volta de 1936, durante a crise da abdicação na Inglaterra.
6. Os períodos letivos da Woodrow Wilson terminavam em fevereiro e junho. Uma vez que Warren pulara meio ano, ele começou seu segundo ano em fevereiro.
7. O cartunista Al Capp criou Ferdinando Buscapé (Li'l Abner), que herdara sua força da mãe, a dominadora Xulipa Buscapé (Mammy Yokum), cujo soco demolidor "Boa noite, Irene" mantinha a disciplina na família.
8. Entrevista com Doris Buffett.
9. Battistone recorda que Howard deu carona a eles pelo menos até à metade do caminho.
10. Embora a maior parte dessas informações venha da *Strength and Health*, Elizabeth McCracken escreveu "The Belle of the Barbell", um tributo a Pudgy Stockton, na *The New York Times Maganize*, 31 de dezembro de 2006.
11. Pudgy era casada com Les Stockton, o fisiculturista que a iniciara no levantamento de peso.

Capítulo 12

1. *"Nunca foi um sucesso muito grande... Ela não foi muito bem. Mas também não foi terrivelmente mal. E não durou muito tempo"*, afirma Buffett.
2. Em entrevistas, Roger Bell e Casper Heindel, assim como Warren Buffett, ajudaram a recordar detalhes sobre a fazenda. Buffett acredita que a comprou do seu tio John Barber, um corretor de imóveis, ou por intermédio dele.
3. Entrevista com Casper Heindel. Mais da metade de todas as terras de Nebraska era cultivada por fazendeiros arrendatários. Financiamentos hipotecários não eram populares, pois a instabilidade dos preços das colheitas deixava os fazendeiros vulneráveis à execução da hipoteca.
4. Entrevista com Norma Thurston-Perna.
5. Em uma entrevista, Lou Battistone comenta que percebeu os "dois lados" do cérebro de Buffett no ensino médio – o homem de negócios frio e calculista e o que gostava de assistir às dançarinas em casas noturnas – num desses espetáculos.
6. Entrevista com Lou Battistone.
7. Buffett contou essa história na Harvard Business School em 2005.
8. Carnegie era vendedor da Armour & Co. e cobria o território de Omaha; a compatibilidade dos seus pontos de vista com o temperamento de Buffett provavelmente se deve em parte ao ethos do Meio-Oeste, que ambos compartilhavam.
9. Todos os textos de CARNEGIE, Dale. *Como fazer amigos e influenciar pessoas*. 48. ed. São Paulo: IBEP Nacional, 2000. Copyright Dale Carnegie & Associates. Cortesia de Dale Carnegie & Associates.
10. Dale Carnegie citando John Dewey.
11. O americano médio ganhava 2.463 dólares por ano em 1946, segundo o Departamento de Comércio americano, Agência do Censo. *Historical Statistics of the United States: Colonial Times to 1970, Bicentennial Edition*. Washington, D. C.: Government Printing Office, 1975, Series D-722-727, p. 164.
12. De acordo com Lou Battistone, numa entrevista.
13. Segundo um anúncio de jornal de 24 de julho de 1931, com preços de 12 anos antes, no início da era da Depressão, três bolas de golfe restauradas de qualidade custavam 1,05 dólar.
14. Entrevista com Don Dedrick, parceiro de golfe no ensino médio.
15. Entrevista com Lou Battistone.
16. "Nós éramos os únicos que pagávamos o imposto do selo de 50 dólares sobre as máquinas de pinball", diz Warren. "Não sei se teríamos pagado se meu pai não tivesse insistido."
17. Entrevista com Lou Battistone. O nome "Wilson" foi tirado da Woodrow Wilson High School.
18. Uma tentativa de vender comida na barbearia terminou rapidamente quando a máquina de amendoim, cheia de castanhas, quebrou, dando aos clientes um punhado de castanhas misturadas com vidro moído.
19. Os diálogos e as expressões usadas por Buffett nessa história vieram de Lou Battistone. Os fatos combinam com as lembranças de Buffett.
20. Entrevista com Don Dedrick.
21. Em outra versão dessa história, contada por um amigo de escola de Buffett que não estava presente, Kerlin era esperto demais para cair naquilo e nunca chegou a ir até o campo de golfe. Independentemente do que tenha acontecido, a versão de Buffett é, como era de se esperar, mais engraçada.

Capítulo 13

1. Entrevista com Katie Buffett.
2. Embora essa história pareça ter sido enfeitada e burilada com o passar dos anos, o seu tom soa verdadeiro. As cartas que Warren enviaria ao pai, da faculdade, alguns anos depois, revelavam a mesma descontração.
3. Entrevista com Stu Erickson.
4. Entrevista com Don Dedrick.
5. Entrevista com Bob Dwyer.

6. Segundo Gray, Buffett também bolou, de brincadeira, uma ideia para uma revista chamada *Sex Crimes Illustrated* enquanto seguia de trem para o hipódromo em Havre de Grace.
7. Entrevista com Bill Gray, atualmente professor emérito de ciências da atmosfera na Universidade Estadual do Colorado e diretor do Tropical Meteorology Project.

Capítulo 14

1. O tamanho da turma é aproximado, porque a Woodrow Wilson tinha, na verdade, duas delas se formando paralelamente (formandos de fevereiro e junho); alunos como Warren poderiam mudar da turma de fevereiro para a de junho anterior fazendo alguns créditos extras. Buffett foi classificado entre os melhores 50 alunos, ficando no grupo de $1/7$ de maior destaque.
2. Barbara "Bobby" Weigand se lembra apenas do carro funerário. Doris Buffett se lembrou da discussão da família sobre o carro.
3. Entrevistas com Bob Feitler, Ann Beck Macfarlane e Waldo Beck. David Brown se tornou cunhado de Waldo Beck, irmão de Ann Beck.
4. Entrevistas com Bob Feitler e Warren Buffett. Vale notar que, como ele estava usando o carro para objetivos comerciais, Buffett provavelmente podia conseguir vales-gasolina extras numa época de severo racionamento.
5. O termo *"policy"* vem provavelmente do gaélico *pá lae sámh* (pronuncia-se pá-lei-si), que significa *"easy payday"* (numa tradução livre, "dinheiro fácil"), uma gíria entre jogadores irlando-americanos do século XIX.
6. A lei gerou retaliações ferozes anti-Taft entre os trabalhadores do Meio-Oeste.
7. Entrevista com Doris Buffett.
8. Estimativa baseada em dados fornecidos por Nancy R. Miller, arquivista do The University Archives and Record Center da Universidade da Pensilvânia.
9. Jolson, um cantor de vaudeville, era o artista de teatro de variedades mais popular do começo do século XX. Ele tornou famosas canções como "You Made Me Love You", "Rock-a-Bye Your Baby with a Dixie Melody", "Swanee", "April Showers", "Toot, Toot, Tootsie, Goodbye" e "California, Here I Come". Cantou "My Mammy" com o rosto pintado de preto no filme *O cantor de jazz*, de 1927, o primeiro longa-metragem sonoro a gozar de amplo sucesso comercial. Jolson foi eleito o "Vocalista Masculino Mais Popular" numa enquete de 1948 da revista *Variety*, na esteira de um filme sobre a sua vida, *The Al Jolson Story*, que o repopularizou para uma geração mais jovem. Apresentar-se com o rosto pintado de preto seria considerado racismo hoje em dia, mas era algo difundido e comum naquela época.
10. "My Mammy", letra de Sam Lewis e Joe Young; música de Walter Donaldson, copyright 1920.
11. COHEN, Rich. "Pledge Allegiance". In: *Killed: Great Journalism Too Hot to Print*. David Wallace (ed.). Nova York: National Books, 2004.
12. Entrevista com Clyde Reighard.
13. *Coffee with Congress*.
14. Entrevista com Chuck Peterson.
15. Entrevista com Clyde Reighard.
16. Entrevista com Chuck Peterson, Sharon e Gertrude Martin.
17. Entrevista com Anthony Vecchione, conforme citada in: LOWENSTEIN, Roger. *Buffett: A formação de um capitalista americano*. Rio de Janeiro: Nova Fronteira, 1997.
18. Peterson se lembra que aturou aquilo o ano inteiro – bem, quase.
19. Entrevista com Doris Buffett.
20. LANDIS, Kenesaw Mountain. "Segregation in Washington: A Report, November, 1948". Chicago: National Committee on Segregation in the Nation's Capital, 1948.
21. Entrevista com Bob Dwyer.
22. Don Danly, conforme citado em LOWENSTEIN, *Buffett*. Danly já faleceu.
23. Entrevista com Norma Thurston-Perna.
24. Entrevista com Barbara Worley Potter.

25. Entrevista com Clyde Reighard.
26. Beja, conforme citado em LOWENSTEIN, *Buffet*. Beja já faleceu.
27. Entrevista com Don Sparks.
28. Engraxar sapatos era importante na Penn; um trote comum a que os candidatos às fraternidades eram submetidos consistia em engraxar os sapatos dos outros membros.
29. Numa entrevista, Reighard recordou as linhas gerais da história. Buffett ficou muito amigo do colega de quarto da vítima Beja, Jerry Oransky (rebatizado Orans), já falecido.
30. Entrevista com Barbara Worley Potter.
31. Entrevista com Ann Beck MacFarlane, que acha que o encontro foi armado por seus pais e Leila Buffett.
32. Susan Thompson Buffett descreveu seu marido dessa forma por volta de 1950.
33. Entrevista com Clyde Reighard.
34. Entrevista com Bob Feitler.
35. Entrevista com Clyde Reighard.
36. Entrevista com Anthony Vecchione, conforme citado em LOWENSTEIN, *Buffett*.
37. Entrevista com Martin Wiegand.
38. "Buffett Lashes Marshall Plan". *Omaha World-Herald*, 28 de janeiro de 1948. O programa da campanha de Buffett também descreve o auxílio a outros países como dinheiro jogado pelo ralo.
39. Inauguração do Memorial Park, 5 de junho de 1948.
40. Testamento de Frank D. Buffett, registrado em 19 de fevereiro de 1949.
41. Pedido aprovado no tribunal do condado de Douglas, Nebraska, em 14 de abril de 1958. Esperou-se que os títulos vencessem, uma vez que o testamento dizia que o lucro de qualquer propriedade "vendida" podia ser investido apenas em títulos do governo dos Estados Unidos. Dados o custo de oportunidade e as taxas de juros, a jogada de Howard foi inteligente.
42. Diários de Leila Buffett. "It's cold – But Remember that Bitter Winter of '48-'49?". *Omaha World-Herald*, 6 de janeiro de 1948.
43. *Commercial & Financial Chronicle*, 6 de maio de 1948.
44. Entrevista com Doris Buffett.
45. Entrevista com Lou Battistone.
46. Entrevista com Sharon Martin.
47. Entrevistas com Waldo Beck e Ann Beck MacFarlane, a quem Brown repetiu a história.

Capítulo 15
1. Eles venderiam 220 dúzias de bolinhas por um total de 1.200 dólares.
2. Carta de Warren Buffett a Howard Buffett, 16 de fevereiro de 1950.
3. Ele pediu que Howard lhe adiantasse os 1.426 dólares que o corretor exigiu para manter em depósito, assinando: "Por menores lucros na indústria automobilística, Warren." Carta de Warren Buffett a Howard Buffett, 16 de fevereiro de 1950.
4. Carta de Warren Buffett a Jerry Orans, 1º de maio de 1950, citada em LOWENSTEIN, Roger. *Buffett: A formação de um capitalista americano*. Rio de Janeiro: Nova Fronteira, 1997.
5. "Bizad Students Win Scholarships". *Daily Nebraskan*, 19 de maio de 1950.
6. GRAHAM, Benjamin. *O investidor inteligente: Um guia prático de como ganhar dinheiro na Bolsa*. Rio de Janeiro: Nova Fronteira, 1997.
7. DREW, Garfield A. *New Methods for Profit in the Stock Market*. Boston: The Metcalf Press, 1941.
8. EDWARDS, Robert D., e MCGEE, John. *Technical Analysis of Stock Market Trends*. Springfield, Mass.: Stock Trend Service, 1948.
9. Wood, conforme citado em LOWENSTEIN, *Buffett*. Wood já faleceu. Ele disse a Lowenstein que não tinha certeza de quando essa conversa se deu – se antes de Buffett ser recusado por Harvard ou mesmo depois que ele ingressou em Columbia, mas, ao que tudo indica, foi antes de conhecer Graham pessoalmente.

10. Segundo Warren, Howard Buffett conhecia um dos membros do conselho.
11. Universidade Columbia da cidade de Nova York. Anúncio de sua Graduate School of Business para os períodos letivos de inverno e primavera de 1950-1951. Columbia University Press.

Capítulo 16

1. Em suas memórias, *Man of the House* (Nova York: Random House, 1987), o falecido congressista Tip O'Neill recorda que seu pastor, monsenhor Blunt, dizia que era pecado para católicos frequentar a Associação Cristã de Moços, que era administrada por protestantes. O'Neill e um amigo judeu ficaram na Sloane House mesmo assim. Normalmente, o pernoite, na década de 1930, custava 65 centavos, mas, segundo O'Neill: "Se você se cadastrasse para prestar serviços episcopais, ele saía por apenas 35 centavos, com café da manhã incluído. Não éramos bobos, então nos registramos por 35 centavos e planejamos fugir depois do café e antes da missa. Mas parece que não fomos os primeiros a bolar aquele plano brilhante, pois trancavam as portas durante o café da manhã, o que significava que ficávamos presos." Já na década de 1950 não havia mais a opção de "pague ou reze" na Sloane House. *"Se tivesse"*, afirma Buffett, *"eu teria tido uma revelação e abraçado a seita que oferecesse o melhor desconto."*
2. Buffett não sabe ao certo se o acordo de não fumar valia para todos os três filhos dos Buffett ou só para suas irmãs, mas todos ganharam os 2 mil dólares ao se formarem, basicamente sob os mesmos termos.
3. A maior parte do dinheiro foi investida na U. S. International Securities e na Parkersburg Rig & Reel, que ele substituiu pela Tri-Continental Corporation em 1º de janeiro de 1951. Howard contribuiu com a maioria do dinheiro e Warren, com as ideias e o trabalho, ou "ações de suor", na sociedade informal.
4. GRAHAM, Benjamin, e DODD, David L. *Security Analysis, Principles and Technique*. Nova York: McGraw-Hill, 1934.
5. Carta de Barbara Dodd Anderson a Warren Buffett, 19 de abril de 1989.
6. Carta de David Dodd a Warren Buffett, 2 de abril de 1986.
7. No século XIX, a Union Pacific Railroad foi a ferrovia mais contaminada por escândalos e repleta de falências da nação.
8. TOWNSEND, William W. *Bond Salesmanship*. Nova York: Henry Holt, 1924. Buffett leu esse livro três ou quatro vezes.
9. Entrevista com Jack Alexander.
10. E, segundo Buffet, com uma mulher, Maggie Shanks.
11. Entrevista com Fred Stanback.
12. Qualquer um de certa idade que more na região da Nova Inglaterra ainda é capaz de reconhecer o slogan *"Snap back with Stanback"* (numa tradução livre, "Melhore de uma vez com Stanback"), e "nevralgia" era um termo usado antigamente para dores de cabeça fortes.
13. Hoje em dia, a Regulation Fair Disclosure da SEC impede a divulgação seletiva de informações materiais privadas e exige que elas sejam veiculadas simultaneamente pelas companhias ao mercado em tempo hábil.
14. Recebendo 2.600 dólares por ano, Schloss estava ganhando, como investidor, menos do que um secretário comum em 1951, que tinha uma renda de 3.060 dólares, segundo uma pesquisa da National Secretaries Association.
15. Entrevista com Fred Stanback.
16. Entrevista com Walter Schloss. Parte do material foi retirado de SCHLOSS, Walter, CORMAN, Nick, e ROSEN, Jamie. *The Memoirs of Walter J. Schloss: A Personal and Family History*. Nova York: September Press, 2003.
17. GRAHAM, Benjamin. *The Memoirs of the Dean of Wall Street*. Nova York: McGraw-Hill, 1996.
18. A Stryker & Brown era uma *market maker*, ou operadora principal, das ações da Marshall-Wells.
19. A ação da Marshall-Wells foi o segundo papel da Graham and Dodd que ele comprou, depois dos papéis da Parkersburg Rig & Reel. Stanback confirma o almoço com Green, mas não se lembra da data.
20. Não, como já foi escrito, da *Who's Who in America*. Embora ele possa ter descoberto aquilo ao ler o *Moody's* através de David Dodd ou Walter Schloss, ou em um jornal ou revista.
21. Em função de um detalhe técnico legal, essa alienação das ações da Geico foi exigida pela SEC em 1948. A Graham-Newman violou o artigo 12(d)(2) do Investment Company Act de 1940, embora "tenha acreditado,

de boa-fé, ainda que equivocadamente, que a aquisição pudesse ser consumada segundo a lei". Uma companhia de investimentos registrada (a Graham-Newman era "uma companhia de investimentos diversificada do tipo aberto") não poderia adquirir mais de 10% do total de ações com direito a voto em circulação de uma seguradora se já fosse dona de 25% dela.
22. Entrevista oral de Lorimer Davidson sobre a história da Geico, feita por Walter Smith em 19 de junho de 1998. Ver também KLINGAMAN, William K. "Geico, The First Forty Years". Washington, D. C.: Geico Corporation, 1994, para uma versão condensada da história.
23. Ganhar 100 mil dólares em 1929 era o equivalente a ganhar 1.212.530 dólares em 2007.
24. Em 1951, a Geico reduziu a ênfase na mala direta em favor de pelotões de telefonistas simpáticas, que recebiam ligações nos escritórios regionais e eram treinadas para ocultar rapidamente os riscos.
25. O tipo de seguradora chamada de "fora do padrão" se especializa nesses clientes, sobretaxando-os, digamos, em 80%. A USAA e a Geico eram companhias "ultrapreferidas", especializadas nos melhores riscos.
26. O maior problema das tontinas era que as pessoas estavam jogando com suas apólices de seguro de vida em vez de usá-las como proteção. Originalmente sendo uma "aposta em quem vai sobreviver", a exploração de uma tontina passou a se basear no não pagamento de indenizações por qualquer motivo. "É um jogo tentador; mas como é cruel!" "Papers Relating to Tontine Insurance". Hartford, Conn.: The Connecticut Mutual Life Insurance Company, 1887.
27. Memorando oficial, Government Employees Insurance Corporation, Buffett-Falk & Co., 9 de outubro de 1951.

Capítulo 17

1. GRAHAM, Benjamin. *The Memoirs of the Dean of Wall Street*. Nova York: McGraw-Hill, 1996. Os depoimentos dessa fonte foram verificados com Warren Buffett.
2. Em 1915, os membros da família Grossbaum, como muitos judeus americanos, começaram a anglicizar seus nomes para Graham, como reação ao antissemitismo que floresceu durante e após a Primeira Guerra Mundial. A família de Ben fez a mudança em abril de 1917. Fonte: 15 de novembro de 2007, discurso de Jim Grant para o Center of Jewish History na palestra "My Hero, Benjamin Grossbaum".
3. Graham nasceu em 1894, o ano de um dos maiores pânicos financeiros da história dos Estados Unidos, que foi seguido pela depressão de 1896-97, pelo pânico de 1901, pelo de 1903-04 ("O Pânico dos Ricos"), o de 1907, a depressão da guerra de 1913-14 e a depressão do pós-guerra de 1920-22.
4. GRAHAM, Benjamin. *Memoirs*.
5. Ibidem.
6. Ibidem.
7. Tradicionalmente, as pessoas chegavam a Wall Street de duas maneiras. Ou entravam no negócio da família, sucedendo um parente num determinado cargo, ou, caso não tivessem esse tipo de contato, elas "entravam de gaiato", usando uma expressão náutica comum naquela época em Wall Street, começando jovens como mensageiros ou assistentes no quadro de cotações e ascendendo por meio do trabalho, como Sidney Weinberg, Ben Graham e Walter Schloss. Frequentar escolas de administração com a intenção de trabalhar em Wall Street era algo um tanto sem precedentes até o começo da década de 1950, pois, em sua maioria, as áreas financeiras – e sobretudo a arte de avaliar títulos mobiliários – ainda não tinham se tornado disciplinas acadêmicas.
8. Os detalhes do início da carreira de Graham foram retirados de LOWE, Janet. *Benjamin Graham on Value Investing: Lessons from the Dean of Wall Street*. Chicago: Dearborn Financial Publishing Inc., 1994.
9. Graham acreditava que as pessoas poderiam ser influenciadas por personalidades fortes e bons vendedores ao frequentar reuniões com a diretoria de uma empresa, de modo que isso era, em parte, uma forma de se manter isento. Mas Graham também não se interessava muito por seres humanos.
10. Entrevista com Rhoda e Bernie Sarnat.
11. Conforme citado por Lowe.
12. GRAHAM, Benjamin. *Memoirs*.
13. Ibidem.
14. Entrevista com Jack Alexander.

15. Em *Security Analysis, Principles, and Technique* (Nova York: McGraw-Hill, 1934), Benjamin Graham e Dodd frisaram que não há uma definição única de "valor intrínseco", que depende de ganhos, dividendos, ativos, estrutura de capital, termos do valor mobiliário e "outros" fatores. Uma vez que estimativas são sempre subjetivas, o fato mais importante a ser levado em conta, escreveram eles, é – sempre – a margem de segurança.
16. A boa analogia da caverna de Platão foi feita originalmente por Patrick Byrne.
17. Muitas vezes isso se dava porque as ações subvalorizadas que o atraíam eram ilíquidas e não podiam ser compradas em grandes posições. Mas Buffett achava que Graham poderia ter seguido uma estratégia mais corajosa.
18. Entrevista com Jack Alexander.
19. Entrevista com Bill Ruane.
20. Entrevistas com Jack Alexander e Bill Ruane.
21. Schloss, nas suas memórias, escreveu de forma afetuosa sobre sua mulher, Louise, que "lutou contra a depressão por toda sua vida adulta". Eles ficaram casados por 53 anos, até ela morrer, em 2000.
22. Entrevista com Walter Schloss.

Capítulo 18

1. Mary Monen, irmã de Dan Moren, que futuramente se tornaria seu advogado.
2. Os pais de Susie eram amigos de Howard e Leila Buffett, mas seus filhos frequentavam escolas diferentes, de modo que não se socializavam.
3. Entrevista com Roberta Buffett Bialek. Susie nasceu em 15 de junho de 1932. Bertie nasceu em 15 de novembro de 1933.
4. Earl Wilson era o repórter de rua do *New York Post*. Ao descrever Jimmy Breslin, jornalista do *Newsday*, a *Media Life Magazine* definiu o repórter de rua como o fornecedor de "um certo estilo de jornalismo que é próprio de Nova York e um tanto peculiar, no qual o jornalista circula pelos lugares em que pessoas comuns podem ser encontradas e escreve sobre suas opiniões no que diz respeito à condição humana".
5. Um hotel só para mulheres que ainda funciona atualmente (no número 419 Oeste da Rua 34, na cidade de Nova York).
6. Vanita, numa carta de Dia dos Namorados a Warren, de fevereiro de 1991, escreveu: "Nunca gostei de sanduíches de queijo e só os comia para agradá-lo".
7. Essa descrição foi retirada de várias cartas de Vanita relembrando seus encontros com Warren – 1º de janeiro de 1991, 19 de fevereiro de 1991, 1º de janeiro de 1994, diversas sem data. Buffett concorda.
8. Susan Thompson Buffett, conforme contado a Warren Buffett em 2004. Ele não se recorda disso e acrescenta que, obviamente, não tinha como.
9. Buffett afirma que, apesar das suas excentricidades, ele nunca se sentiu intimidado por Vanita. *"Eu jamais teria coragem de enfiar Pudgy em uma lata de lixo"*, diz. *"Quero dizer, ela teria me arrancado o couro"*. Por sua vez, Vanita afirmou posteriormente a Fred Stanback que esse incidente nunca aconteceu – embora ela tivesse sido algo incentivada a subestimar o lado histriônico da sua personalidade para Fred.
10. Nas palavras de Charlie Munger, Buffett escapou por pouco de um casamento desastroso, ao "fugir das garras de Vanita".
11. "A Star is Born?". Associated Press, *Town & Country Magazine*, 24 de setembro de 1977.
12. As informações sobre William Thompson vêm de diversas fontes, entre elas, entrevistas com Warren, Roberta e Doris Buffett e outros membros da família, além das reportagens "Presbyterian Minister Reviews Thompson Book". *Omaha World-Herald*, 5 de janeiro de 1967; "Old 'Prof' Still Feels Optimistic About Younger Generation". *Omaha World-Herald*, 28 de março de 1970; "W. H. Thompson, Educator, Is Dead". *Omaha World-Herald*, 7 de abril de 1981. "O. U. Alumni Honor Dean", *Omaha World-Herald*, 15 de maio de 1960.
13. Como supervisor dos testes de QI do sistema escolar, Doc Thompson tinha acesso ao QI de Warren e, segundo Buffett, sabia qual era. Na verdade, os resultados dos testes de QI das três crianças da família Buffett devem tê-lo deixado intrigado, devido a seus valores extraordinariamente altos – e extraordinariamente semelhantes.
14. Numa entrevista, Marge Backhus Turtscher, que frequentava essas missas, se perguntou o que motivava Thompson a fazer uma viagem longa todos os domingos para pregar naquela igrejinha. Thompson também publicou um livro: *The Fool Has Said God Is Dead*. Boston: Christopher Publishing House, 1966.

15. Susan Thompson Buffett contou essa história a diversos membros da família.
16. Em muitos pacientes, a febre reumática causa desde pequenas até graves complicações cardíacas (no caso de Howard Buffett, elas foram no mínimo moderadas), porém, levando em conta seu histórico médico subsequente, Susan Thompson parecia estar entre os 20 a 60% que escapam de uma inflamação cardíaca expressiva ou de danos permanentes ao coração.
17. Warren, Doris Buffett, Roberta Buffett Bialek, Susie Buffett Jr. e outros Buffett falam sobre esse filme impressionante.
18. Entrevista com Racquel "Rackie" Newman.
19. PAGEL, Al. "Susie Sings for More Than Her Supper". *Omaha World-Herald*, 17 de abril de 1977.
20. Entrevistas com Charlene Moscrey, Sue James Stewart e Marilyn Kaplan Weisberg.
21. Segundo alguns colegas do ensino médio, que pediram para não ser identificados.
22. Entrevistas com Donna Miller e Inga Swenson. Swenson, que se tornaria atriz profissional, interpretou Cornelia Otis Skinner, contracenando com Emily Kimbrough, de Thompson.
23. Uma combinação retirada de entrevistas com Inga Swenson, Donna Miller, Roberta Buffett Bialek e John Smith, cujo irmão Dick Smith levou Susie para dançar.
24. Entrevistas com Sue James Stewart e Marilyn Kaplan Weisberg. Stewart, que se chamava Sue Brownlee no ensino médio, tinha acesso a um carro e levava sua melhor amiga Susie até Council Bluffs, para ela se encontrar com Brown.
25. Entrevistas com Roberta Buffett Bialek, Warren Buffett, Doris Buffett e Marilyn Kaplan Weisberg.
26. "Não acho que algo tão empolgante assim já tenha acontecido comigo", declarou Bertie para o jornal da faculdade. "Foi para isso que nós a mandamos para a Northwestern?", perguntou-se Howard.
27. O Wildcat Council guiava visitantes pelo campus e organizava a Semana dos Calouros. Para se tornar membro, era preciso enviar um requerimento para o conselho *(Northwestern University Student Handbook, 1950-51)*.
28. Entrevista com Milton Brown, que diz que teria abandonado a fraternidade caso tivesse sido o contrário.
29. Entrevista com Sue James Stewart: Susie, que se descreve como adepta de um "teísmo pessoal", flertou com o budismo, uma religião ateísta, durante toda a sua vida e se referia com frequência ao Zen, e a si mesma como uma "pessoa zen". Não seria injusto dizer que ela usava os termos "zen" e "teísta" vagamente.
30. PAGEL, Al. Op. cit.
31. Entrevista com Roberta Buffett Bialek.
32. Entrevistas com Chuck Peterson e Doris Buffett.
33. Entrevista com Charlie Munger.
34. Entrevista com Milton Brown. Numa nota de pé de página de menor importância à história, essa foi a única vez em que Brown entrou na casa da família Buffett.
35. Entrevista com Sue James Stewart.
36. *"Consigo vê-la num daqueles vestidos agora"*, diz Buffett, numa declaração comovente, vinda de um homem que não sabe a cor das paredes do seu próprio quarto.
37. "Debaters Win at Southwest Meet". *Gateway*, 14 de dezembro de 1951.
38. "ASGD Plans Meet for New Members". *Gateway*, 19 de outubro de 1951.
39. Carta de Warren Buffett a Dorothy Stahl, 6 de outubro de 1951.
40. Susan Thompson Buffett, conforme disse a Warren Buffett.
41. Entrevista com Milton Brown.
42. Os Estados Unidos transportaram comida e suprimentos por avião para Berlim Ocidental no decorrer dos anos de 1948 e 1949, durante um bloqueio no qual a União Soviética tentou capturar a cidade inteira, dividida após a Segunda Guerra Mundial.
43. Buffett lembra-se de um sermão de seguramente 3 horas. Uma conversa tão longa foi quase sem dúvida resultado do tempo que ele precisou para criar coragem de fazer a pergunta, enquanto Doc Thompson continuava falando.

Capítulo 19

1. O ganho líquido sobre investimentos foi de 7.434 dólares. Ele também incluiu na conta 2.500 dólares que havia economizado ao trabalhar na Buffett-Falk.
2. Mergulhando um pouco mais fundo no raciocínio de Buffett sobre a avaliação de um negócio no ramo dos seguros: *"A ação estava sendo negociada a cerca de 40 dólares e, portanto, a companhia inteira estava sendo vendida por 7 milhões. Calculei que a companhia valeria tanto quanto o volume de prêmios aproximadamente, pois eles receberiam o rendimento dos investimentos sobre o float, cuja proporção era bem próxima de 1 dólar para 1, talvez com a receita dos prêmios. Além disso, ainda haveria seu valor contábil. Então deduzi que ela sempre valeria pelo menos tanto quanto os prêmios. Portanto, tudo que eu precisava fazer era chegar a 1 bilhão de dólares em receita de prêmios e eu estaria milionário."*
3. Essa companhia se tornou posteriormente a ConAgra. A Buffett-Falk aparentemente administrou uma oferta de 100 mil dólares em ações preferenciais para ela como banco de investimentos – na época, uma transação nada trivial.
4. Entrevista com Margaret Landon, secretária da Buffett-Falk.
5. Segundo uma entrevista com Walter Schloss, a família Norman, que era herdeira de Julius Rosenwald, da Sears, Roebuck, "aceitou a ação da Geico porque eles investiam pesado na Graham-Newman. Quando os Norman quiseram investir mais dinheiro nessa última empresa, eles deram a Ben Graham a ação da Geico que ele havia distribuído para eles em vez de injetarem dinheiro. Enquanto isso, Warren está em Omaha comprando a Geico. Porém Graham não sabia que estava vendendo para Warren, que não conseguia entender por que a Graham-Newman estava vendendo". A distribuição das ações da Geico pela Graham-Newman também é descrita em LOWE, Janet. *Benjamin Graham on Value Investing: Lessons from the Dean of Wall Street*. Chicago: Dearborn Financial Publishing Inc., 1994.
6. Entrevista com Bob Soener, que o chamava de "Buffie" naquela época.
7. Conforme visto em uma fotografia tirada na sala de aula.
8. Entrevista com Lee Seeman.
9. As pessoas frequentavam o curso em parte para conseguir ideias de investimentos em ações. Essa era a única hora em que ele se parecia com Graham no que diz respeito a oferecer palpites. Ele o fazia principalmente por ter mais ideias do que dinheiro.
10. Entrevista com Margaret Landon. Ela se lembra dele nessa posição, lendo.
11. Memorando oficial, Cleveland Worsted Mills Company, Buffett-Falk Company, 19 de setembro de 1952.
12. Entrevista com Fred Stanback.
13. Buffett negociou duas ações pessoalmente, a da Carpenter Paper e a da Fairmont Foods. Embora fosse astuto o suficiente para elevar a firma até o patamar de *market maker* e negociar as ações, ele era imaturo (apesar de brilhante) o suficiente para se referir ao CEO da Fairmont Foods, D. K. Howe, como ("Don't Know Howe" ("Howe Sei Lá").
14. Bill Rosenwald fundou posteriormente o United Jewish Appeal (Petição Judaica Unida) de Nova York.
15. Entrevistas com Doris Buffett e Roberta Buffett Bialek.
16. Entrevista com Fred Stanback.
17. Entrevista com Chuck Peterson.
18. General de brigada Warren Wood, da 34ª Divisão da Guarda Nacional.
19. Entrevista com Byron Swanson.
20. Entrevista com Fred Stanback.
21. Susie contou isso a Susie Brownlee (Sue James Stewart) na semana depois que ela voltou de sua lua de mel. Entrevista com Sue James Stewart.
22. Wahoo é mais conhecida como a cidade natal do magnata da indústria cinematográfica Darryl F. Zanuck.
23. "Love Only Thing That Stops Guard". *Omaha World-Herald*, 20 de abril de 1952.
24. Entrevista com Buffett. Ver também: BEERMAN, Brian James. "Where in the Hell is Omaha?". American-mafia.com, 21 de março de 2004.

Capítulo 20

1. O general Douglas MacArthur fez uma tentativa tímida de lançar sua candidatura, porém foi eclipsado por Taft. Ele e seu ex-assistente Eisenhower eram inimigos mortais.
2. Entrevista com Roberta Buffett Bialek.
3. David L. Dodd, vice-reitor da Universidade Columbia. Carta a Warren Buffett, 20 de maio de 1952.
4. Esse era o mesmo Robert Taft que havia copatrocinado o Taft-Harley Act, muito estimado entre os homens de negócios, porém desprezado por tantos americanos. Resumindo, Taft representava a ala extrema do partido, o que tornava pouco provável que ele conseguisse o voto dos moderados.
5. Ironicamente, muitos desse grupo apoiavam tarifas, subsídios rurais do governo e leis trabalhistas duras desejadas pelos eleitores donos de pequenos negócios e fazendas, mesmo que isso entrasse em conflito com sua visão do governo. Outro membro famoso desse grupo era o popular senador de Nebraska Ken Wherry, o "coveiro feliz", conhecido por suas confusões linguísticas, como chamar a Indochina de "Índigo China", chamar o presidente de "Sr. Parágrafo" e oferecer sua "opinião unânime". *Time*, 25 de junho de 1951. Wherry faleceu pouco depois da eleição.
6. Os líderes dessa ala do partido eram Henry Cabot Lodge e Nelson Rockefeller, desprezados por Howard Buffett, e republicanos que partilhavam de suas opiniões como membros da elite abastada da Costa Leste, crias da Ivy League que abandonavam os princípios republicanos mais fundamentais para juntar forças com democratas sempre que isso servia aos seus interesses pragmáticos e àqueles dos "grandes negócios".
7. "Top GOP Rift Closed But Not the Democrats". *New York Times*, 14 de setembro de 1952; ABEL, Elie. "Taft Rallies Aid for GOP Ticket". *New York Times*, 5 de outubro de 1952.
8. Howard Buffett escreveu para o ex-presidente Hoover em 23 de outubro de 1952: "Não tenho entusiasmo algum por Eisenhower, mas sua decisão de apoiar sua eleição está bem para mim." Ele aparentemente mudou de ideia depois de escrever essa carta.
9. Entrevista com Roberta Buffett Bialek.
10. Entrevista com Katie Buffett, que recordou essa conversa e a achou divertida. "Warren provavelmente esqueceu que me tinha contado isso", disse ela.
11. Susan Goodwillie Stedman, recordando uma entrevista pessoal com Susan Thompson Buffett, realizada em novembro de 2001, cortesia de Susan Goodwillie Stedman e Elizabeth Wheeler.
12. Entrevista com Susan T. Buffett.
13. Entrevistas com Mary e Dick Holland e Warren Buffett.
14. Entrevistas com Racquel Newman e Astrid Buffett.
15. A história do QI faz parte do folclore familiar, mas, uma vez que o Dr. Thompson era o responsável pelos testes de QI de todo o sistema escolar, ela tem pelo menos alguma credibilidade. Dentro da família, o Dr. Thompson testava com frequência suas filhas e seus netos à medida que criava novos testes psicológicos e de inteligência. Fosse qual fosse seu QI, Dottie não era considerada nenhuma tapada.
16. Essa história é relatada no diário de Leila Buffett. Ver também: PARKS, Gabe. "Court Has Nomination Vote Vacancy". *Omaha World-Herald*, 4 de julho de 1954.
17. "Buffett May Join Faculty at UNO". *Omaha World-Herald*, 30 de abril de 1952; anúncio da Buffett-Falk and Company. *Omaha World-Herald*, 9 de Janeiro de 1953; "Talks on Government Scheduled at Midland". *Omaha World-Herald*, 6 de fevereiro de 1955; "Buffett Midland Lecturer in 1956". *Omaha World-Herald*, 15 de fevereiro de 1955.
18. Carta de Warren Buffett ao "Papai" Howard Buffett, datada de "quarta-feira", supostamente o dia 4 de agosto de 1954. "Scarsdale G. I. Suicide, Army Reports the Death of Pvt. Newton Graham in France". *New York Times*, 3 de agosto de 1954. O texto completo da nota dizia: "Frankfurt, Alemanha, 2 de agosto (Reuters) – O soldado raso Newton Graham, de Scarsdale, N. Y., cometeu suicídio em La Rochelle, França, conforme noticiou hoje o Exército dos Estados Unidos." Newton – cujo nome era uma homenagem a Sir Isaac Newton – era o segundo dos filhos de Graham a receber esse nome; o primeiro morrera de meningite aos 9 anos. Notando a instabilidade mental cada vez maior de Newton, que ele classificava de "extremamente neurótico, provavelmente até esquizofrênico", Graham escrevera cartas tentando dispensá-lo do Exército, mas fracassou. (GRAHAM, Benjamin. *The Memoirs of the Dean of Wall Street*. Nova York: McGraw-Hill, 1996.)
19. Susie Buffett Jr. afirma ter tido um berço.

20. O verbo "pagar" aqui é usado vagamente, uma vez que todos os lucros não eram, na verdade, pagos como dividendos. A diferença já foi motivo de um feroz debate acadêmico quanto a qual desconto deveria ser imputado à avaliação de uma ação por lucros que não foram pagos como dividendos. O prêmio atribuído a uma companhia que paga dividendos diminuiu, por uma série de motivos. Ver também a referência à "Corporação Congelada" no capítulo 46, "Rubicão".
21. Entrevista com Fred Stanback.
22. O retorno dos seus investimentos pessoais naquele ano foi de 144,8%, contra 50,1% do índice Dow Jones.
23. A Union Underwear foi a antecessora da Fruit of the Loom.
24. Buffett recordou essa história clássica numa entrevista.
25. Entrevista com Sue James Stewart.
26. Entrevista com Elizabeth Trumble.
27. Entrevista com Roxanne Brandt.
28. *I Love Lucy*. Primeira temporada, episódio 6, 11 de novembro de 1951.
29. A frase exata de Buffett foi: *"Posso vê-la trepidando e gemendo enquanto dizia: 'Conte-me mais...'"*

Capítulo 21

1. Carta do presidente da Berkshire Hathaway, 1988.
2. Regulamento de impostos aplicado às liquidações de estoque pelo sistema UEPS (último a entrar, primeiro a sair). Para cumprir objetivos fiscais, a Rockwood usava a contabilidade UEPS, que permite que se calculem os lucros utilizando os preços mais recentes dos grãos de cacau. Isso minimiza a carga fiscal. Da mesma forma, os grãos de cacau eram transportados para o estoque sob os preços antigos. Assim, se o estoque fosse vendido, haveria um polpudo lucro sujeito a impostos.
3. Pritzker criou um conglomerado de negócios graças à sua carreira nos investimentos. Mas é mais conhecido como o fundador da rede de hotéis Hyatt.
4. No início do período de trocas, os grãos de cacau Accra, que constituíam metade dos quase 6 milhões de quilos acumulados pela Rockwood, estavam cotados a 1,15 dólar por quilo. O preço caiu para 97 centavos ao final do período. Os grãos tinham chegado a 1,66 dólar por quilo em agosto de 1954, fazendo com que os fabricantes de doces reduzissem o tamanho das barras de 5 centavos. AUERBACH, George. "Nickel Candy Bar Wins a Reprieve". *New York Times*, 26 de março de 1955; "Commodity Cash Prices". *New York Times*, 4 e 20 de outubro de 1954.
5. Carta aos acionistas da Rockwood & Co., 28 de setembro de 1954.
6. Trecho da carta do presidente aos acionistas, parte do relatório anual da Berkshire de 1988, que contém uma descrição breve da transação com a Rockwood.
7. O retorno do especulador sobre o contrato também reflete seu custo de captação. Por exemplo, se o especulador consegue empatar num contrato de três meses – sem contar sua comissão –, o contrato, na realidade, lhe traz prejuízos, pois há que se considerar seus custos de captação.
8. No mercado futuro, a diferença entre um especulador e um *hedger* (ou "protegido") é essencialmente o fato de existir ou não uma posição na commodity subjacente que deva ser protegida.
9. Entrevistas com Tom Knapp e Walter Schloss, bem como com Buffett.
10. Carta de Warren Buffett a David Elliot, 5 de fevereiro de 1955.
11. Baseado em seu perfil no *Moody's Industrial Manual*, a Rockwood era negociada entre 14,75 e 15 dólares em 1954, e entre 76 e 105 dólares em 1955. Buffett manteve os papéis até 1956. A rentabilidade do negócio é uma estimativa. A Rockwood foi negociada a mais de 80 dólares no início de 1956, segundo o relatório anual da Graham-Newman.
12. Na carta a David Elliot mencionada anteriormente (5 de fevereiro de 1955), Buffett explica que a Rockwood é sua segunda maior posição (depois da Philadelphia & Reading, que ele não revelou) e escreve que Pritzker *"fez suas operações com velocidade no passado. Ele comprou a Colson Corp há uns dois anos e, depois de vender a divisão de bicicletas para a Evans Products, vendeu o que sobrou para a F. L. Jacobs. Ele comprou a Hills & Hart um ano atrás e imediatamente parou com as atividades do matadouro de porcos e a transformou mais ou menos numa empresa de imóveis"*. Pritzker, segundo ele, *"tem cerca de metade das ações da Rockwood, o que representa cerca de 3 milhões de dólares em grãos de cacau. Estou bem certo de que*

ele não deve estar feliz sentado sobre tanto dinheiro parado nesse tipo de estoque e deve procurar algum tipo de fusão bem depressa". Ele não estudara apenas os números. Estudara também Jay Pritzker.

13. Inicialmente tinha comprado a ação de Graham-Newman quando era corretor, depois que um pequeno erro de execução deles em uma ordem levou-os a não reconhecê-la. Warren acabou ficando com a ação.
14. Antes de 2000, investidores e analistas costumavam procurar e receber informações reservadas que seriam vantajosas ao negociar ações. Esse fluxo gradual de informações, que beneficiava alguns investidores em prejuízo de outros, era considerado parte do funcionamento eficiente dos mercados de capital e uma recompensa pelo zelo na pesquisa. Warren Buffett e sua rede de amigos investidores tiveram lucros significativos com esse velho modo de se fazer negócios. Ben Graham foi intensamente interrogado sobre o tema, no Congresso, em 1955. Comentou que "muita informação de dia a dia e de mês a mês recebe a atenção natural de conselheiros e executivos. Não é viável que se publique diariamente um relatório sobre o progresso da empresa (...) Por outro lado, como assunto prático, não é exigido de conselheiros e executivos nenhum juramento de sigilo que os impeça de dizer algo em relação a informações de que tenham conhecimento a cada semana. O ponto básico é que, quando há uma questão de grande relevância, costuma ser considerada adequada a divulgação imediata para todos os acionistas, de forma que ninguém tire uma vantagem substanciosa dessa informação. Mas há diferentes níveis de importância, e é muito difícil determinar exatamente que tipo de informação deve ser divulgado e que tipo pode ficar restrito ao disse me disse habitual". Acrescentou que nem todos os investidores poderiam estar atentos ao disse me disse, mas achava que "a média das pessoas com alguma experiência presumiria que alguns provavelmente saibam mais sobre a empresa (cujas ações estão negociando) do que elas e provavelmente usariam esse conhecimento a seu favor". Até 2000 essa era, de fato, a posição da lei.

    Embora uma discussão sobre informações privilegiadas esteja além do escopo deste livro, a teoria foi promulgada pela norma 10b-5 da SEC, de 1942, mas estava "tão firmemente enraizada na tradição de Wall Street de tirar vantagens do público investidor", como diz John Brooks em *The Go-Go Years*, que a regra não foi cumprida até 1959, e somente nos anos 1980 alguém questionou seriamente a responsabilidade de outras pessoas, além dos *insiders*, na aplicação da lei em relação ao uso de informações privilegiadas. Mesmo então, a Suprema Corte decidiu, em Dirks vs. SEC, 463 US 646 (1983), que os analistas tinham direito de transmitir a seus clientes esse tipo de informação, e a Suprema Corte também já tinha concluído, em Chiarella vs. Estados Unidos, 445 US 222 (1980), que "a disparidade de informações é inevitável nos mercados de capitais". Em alguma medida estava subentendido existir algum benefício para o mercado no vazamento gradual de informações privilegiadas – afinal de contas, de que outra maneira a informação poderia circular? A prática das relações públicas institucionais e das teleconferências ainda não estava difundida.

    Nos casos ocorridos nos anos 1980, porém, a Suprema Corte definiu uma nova teoria sobre "a apropriação indevida" de informações privilegiadas que dispunha que informação privilegiada utilizada indevidamente por um fiduciário poderia provocar prejuízos. Assim, principalmente em resposta à proliferação de rendimentos que "cumpriam e superavam as estimativas" e "números cochichados" pelas empresas a seus analistas favoritos durante a era da Bolha, através da Regulation F-D (*Fair Disclosure* – "Divulgação Justa"), a SEC ampliou a teoria do uso indevido para incluir em seu escopo também analistas que recebem e disseminam seletivamente informações reservadas, obtidas junto à direção de uma empresa. Com o advento dessa regra, o disse me disse praticamente acabou, e teve início uma nova era de divulgações cuidadosamente orquestradas.
15. Ao fim de 1956, depois do pagamento dos dividendos, Warren possuía 576 ações, cotadas a 20 dólares, no valor de 11.520 dólares.
16. Ele registrava os valores em seu nome, em vez de usar o de seu corretor; por isso os cheques eram enviados diretamente para sua casa.
17. Entrevistas com George Gillespie e Elizabeth Trumble, que ouviu essa história de Madeline. Warren a ouviu pela primeira vez na festa de seus 50 anos, de Gillespie. Aparentemente Susie nunca mencionara o fato.
18. Mais de cinco décadas depois Howie menciona essa como sendo sua primeira lembrança. Embora pareça improvável, em "Origins of Autobiographical Memory", Harley e Reese (Universidade de Chicago, *Developmental Psychology*, v. 35, nº 5, 1999) estudam teorias sobre a forma como as memórias de infância são formadas desde os primeiros meses do bebê e concluem que esse fenômeno pode ocorrer. Uma das explicações é a repetição das histórias pelos pais. Um presente de Ben Graham – possivelmente importante para Warren – poderia ser lembrado desde a primeira infância por Howie, porque pelo menos um de seus pais o ajudou a gravar solidamente essa lembrança ao falar tanto sobre o assunto.

19. Entrevista com Bernie e Rhoda Sarnat.
20. O episódio também é citado por LOWE, Janet. *Benjamin Graham on Value Investing: Lessons from the Dean of Wall Street*. Chicago: Dearborn Financial Publishing, 1994.
21. Entrevista com Walter Schloss.
22. Carta de Warren Buffett ao Hilton Head Group, 3 de fevereiro de 1976.
23. Schloss começou sua sociedade com 5 mil dólares de capital próprio, um negócio arriscado que o deixava sem nada para viver. Buffett o ajudou com a habitação por meio de Dan Cowin. Ben Graham entrou com 10 mil dólares e fez com que alguns de seus amigos também participassem. Oito amigos de Schloss entraram, cada um com 5 mil dólares. Schloss cobrava comissão de 25% dos rendimentos, "mas isso era tudo. Se o mercado caísse, teríamos que compensar as perdas até meus sócios recuperarem seu patrimônio".
24. Knapp era analista de valores da Van Cleef, Jordan & Wood, uma consultoria de investimentos.
25. Entrevista com Tom Knapp.
26. Entrevista com Ed Anderson.
27. Ibidem.
28. Graham nasceu em 9 de maio de 1894. Ele decidiu encerrar a Graham-Newman aos 61 anos, mas a última reunião de acionistas se realizou em 20 de agosto de 1956.
29. No artigo "Lessons from the Greatest Investor Ever", na revista *Money* de julho de 2003, Jason Zweig escreve: "De 1936 a 1956, à frente do fundo mútuo da Graham-Newman, ele obteve um rendimento médio anual de mais de 14,7%, contra 12,2% da média do mercado, um dos mais amplos e duradouros desempenhos na história de Wall Street." Esse recorde não reflete o impressionante lucro da Geico distribuído aos acionistas em 1948.

Capítulo 22

1. Ele costumava dizer que queria ser milionário aos 30 anos.
2. Entrevista com Ed Anderson.
3. "Newman e Graham vieram antes de A. W. Jones, que todo mundo considera o primeiro fundo de hedge", diz Buffett. A. W. Jones é mais conhecido como o primeiro a promover o conceito de reduzir os riscos em ações com vendas a descoberto. Mas a estrutura de comissões, a organização da sociedade e a abordagem flexível nos investimentos – ou melhor, o clássico fundo de hedge da maneira com que o termo é hoje definido – foram aplicadas bem antes por Graham e talvez por outros pioneiros.
4. Entrevista com Chuck Peterson.
5. O acordo da primeira sociedade estabelecia: "Cada sócio limitado deverá receber juros de 4% ao ano sobre o saldo de sua conta de capital em 31 de dezembro do ano anterior, como demonstrado pela declaração de imposto de renda preenchida pela sociedade relativa ao referido ano, sendo que tais pagamentos de juros serão considerados como despesas da sociedade. Em vez de calcular em separado os juros para o período encerrado em 31 de dezembro de 1956, cada sócio limitado deverá pagar uma contribuição correspondente a 2% de seu capital original relativa às despesas da sociedade por aquele período. Além disso, cada sócio limitado deverá compartilhar os lucros gerais da sociedade, isto é, os lucros líquidos da sociedade da data de sua fundação a qualquer momento no tempo, na proporção estabelecida diante de seus nomes." Os juros totais dos sócios constituíam $21/42$, ou 50%, dos rendimentos totais sobre seus ganhos (Certificado de Sociedade Limitada, Buffett Associates, Ltd., 1º de maio de 1956). O acordo para se compartilhar as perdas foi feito apondo-se um adendo ao contrato social em 1º de abril de 1958.
6. Segundo Joyce Cowin, tanto Buffett quanto seu marido Dan Cowin, que fora apresentado a Buffet por Fred Kuhlken, cuidavam em separado do dinheiro de Gottschaldt e Elberfeld.
7. Entrevista com Chuck Peterson.
8. Algumas dessas afirmações foram feitas numa palestra para alunos da Georgia Tech, realizada em 2003, e o restante veio de entrevistas com o autor.
9. BUTLER JR., Herman L. "An Hour with Mr. Graham", 6 de março de 1976, entrevista incluída por KAHN, Irving e MILNE, Robert. *Benjamin Graham: The Father of Financial Analysis*. Occasional Paper nº 5. The Financial Analysts Research Foundation, 1977.
10. Entrevista com Tom Knapp.

11. "Tourist Killed Abroad, Portugal-Spain Highway Crash: Fatal to Long Island Man". *New York Times*, 23 de junho de 1956. Kuhlken estava passando um ano na Europa. O outro passageiro, Paul Kelting, ficou em estado grave, segundo a matéria.
12. WILSON, Sloan. *O homem no terno de flanela cinza*. São Paulo: A Girafa, 2005.
13. Entrevista com Susie Buffett Jr.
14. *Headliners & Legends*. MSNBC, 10 de fevereiro de 2001.
15. Entrevista com Charlie Munger.
16. Ou algo parecido.
17. Entrevista com Ed Anderson.
18. Segundo Tom Knapp, o que Dodge e Buffett tinham em comum era o pão-durismo. Mesmo mais tarde, quando se tornou um dos sócios mais ricos de Buffett, Homer Dodge continuaria a tentar convencer um fabricante de caiaques a dar um de graça para ele. Conhecia perfeitamente todos os caminhos para Nova York a partir dos aeroportos La Guardia e JFK e fazia viagens tortuosas de ônibus, metrô e a pé, em vez de usar um táxi.
19. Os Dodge escolheram um negócio ligeiramente diferente. A participação de Buffett nos lucros seria de apenas 25%, mas a quantia que ele poderia perder estava limitada a seu capital, que era inicialmente de apenas 100 dólares. Certificado de Sociedade Limitada, Buffet Fund Ltd., 1º de setembro de 1956.
20. Cleary dividia os lucros que excediam 4%, enquanto Buffett se expunha ao valor de qualquer dívida. Certificado de Sociedade Limitada. B-C Ltd., 1º de outubro de 1956. A B-C Ltd. foi incluída na Underwood Partnership Ltd.
21. Arquivos da Buffett Partnership. "Miscellaneous Expense" e "Postage and Insurance Expense", 1956 e 1957.
22. Primeira carta de Warren Buffett aos sócios, 27 de dezembro de 1956.
23. Durante a guerra as pessoas compravam Liberty Bonds, que pagavam juros baixos, como um ato de patriotismo. Posteriormente, quando as taxas cresceram, os títulos foram negociados abaixo do valor nominal. Promotores de ações as ofereciam aos donos dos títulos em troca, por seu valor de face. Os donos dos títulos achavam que estavam recebendo 100 dólares em ações por um título que estava sendo vendido no mercado por algo em torno de 85 dólares, quando de fato as ações é que valiam pouco ou nada. Vendedores também prometiam a alguns compradores um lugar no conselho de administração, segundo Hayden Ahmanson, que contou tudo isso a Buffett.
24. De 1924 a 1954, o manual foi publicado anualmente em cinco volumes sob o nome de *Moody's Manual of Investments*, sendo cada um deles dedicado a um tema: títulos do governo; bancos, companhias de seguros, sociedades de investimentos, imóveis, companhias de crédito e financiamento; ações de indústrias; ações de ferrovias; e ações de empresas de serviços públicos. Em 1955, a Moody's começou a publicar o *Moody's Bank and Finance Manual* em separado.
25. Buffett conta que essa foi a versão de Hayden Ahmanson para os acontecimentos.
26. Diz Buffett: *"Ele era meu sócio na seguradora National American. Dan não tinha muito dinheiro, por isso estava investindo o que planejara aplicar na sociedade e também pegou algum emprestado."*
27. Em função do Williams Act, aprovado em 1968, não seria possível se fazer a mesma coisa nos dias de hoje, nem Howard Ahmanson poderia comprar de volta as ações a conta-gotas. A lei exige que os compradores façam uma "oferta pública" que coloque todos os vendedores no mesmo nível, oferecendo a todos as mesmas condições e preços.
28. Segundo Fred Stanback, quando Buffett "já tinha comprado tudo pelo que podia pagar", ele permitiu também que Stanback começasse a comprar.
29. Um ano mais tarde Buffett vendeu as ações da National American por algo em torno de 125 dólares (pelo que ele se lembra) para J. M. Kaplan, um homem de negócios nova-iorquino que reorganizara e comandara a Welch's Grape Juice nas décadas de 1940 e 1950 e mais tarde ficou conhecido por seu trabalho filantrópico. Kaplan acabou vendendo as ações de volta para Howard Ahmanson.
30. Veja BROWN, Bill. "The Collecting Mania". *University of Chicago Magazine*, v. 94, nº 1, outubro de 2001.
31. Entrevista com Chuck Peterson. A soma provinha de seguros relativos aos bens do marido. Nessa época, Buffett já tinha decidido oferecer aos sócios diversas opções de riscos versus retorno. A senhora Peterson escolheu uma estrutura de comissões variáveis para Warren. Ele tinha que superar o mercado em 6%, em

vez dos 4% habituais, antes de ganhar qualquer coisa. Mas levava um terço do que obtivesse acima desse patamar. Sob essa estrutura, apenas o capital de Warren corria riscos devido à clausula de devolução de 25% das perdas. Certificado de Sociedade Limitada. Underwood Partnership Ltd., 12 de junho de 1957.

32. WIESENBERGER, Arthur. *Investment Companies*. Nova York: Arthur W. Wiesenberger & Co., publicado anualmente a partir de 1941.
33. A United States & International Securities Corp. foi formada com muita fanfarra em outubro de 1928 pela Dillon, Read & Co. e logo caiu em desgraça, tornando-se uma guimba de charuto no limiar dos anos 1950. Clarence Dillon, fundador da Dillon, Read, foi chamado para participar das audiências do Caso Pecora em 1933, para explicar como a Dillon, Read obtivera o controle da US&IS e da US&FS, as quais foram capitalizadas em 90 milhões de dólares, por apenas 5 milhões de dólares.
34. Citação de Lee Seeman. Buffett confirma a essência da declaração. A pergunta que não quer calar é: quem ou o que motivou o telefonema de Wiesenberger?
35. A lembrança de Lee Seeman durante uma entrevista é a de que Dorothy Davis foi a autora da comparação.
36. Buffett, recordando-se de uma conversa com Eddie Davis.
37. A Dacee parecia com o Fundo Buffett. Buffett receberia 25% do total de lucros que superassem a marca de 4%. Certificado de Sociedade Limitada, Dacee Ltd., 9 de agosto de 1957.
38. Registros do Congresso afirmam que uma loja de móveis de Washington, D. C. distribuía lotes de ações de empresas de urânio para quem fizesse compras durante a liquidação do dia de aniversário de Washington. (Estudo do Mercado de Ações, inquérito diante do Comitê de Bancos e Moeda do Senado dos Estados Unidos, março de 1955.)
39. Monen também investiu numa pequena sociedade imobiliária, com Warren e Chuck Peterson. O dinheiro proveniente desse investimento, junto com os ganhos gerados pela National American e, provavelmente, algumas economias pessoais, o tornaram em pouco tempo um dos mais importantes sócios de Buffett.
40. Acima de uma marca entre 4% e 6%. Ele estabeleceu um critério para si em comparação com as taxas de rendimento de títulos de longo prazo do governo, dizendo aos sócios que se não conseguisse resultados melhores do que aqueles não receberia nada em troca. A ampla margem de variação da participação nos lucros refletia o nível variável de risco que Warren assumia. Nas sociedades que lhe pagavam mais, ele também tinha a responsabilidade ilimitada de devolver os prejuízos.
41. Buffett estava cobrando 25% do que a sociedade arrecadasse além daqueles 6%.
42. Meg Mueller, durante uma entrevista, recorda-se do tamanho em relação a outras casas da rua naquela época.
43. Reynolds foi conselheiro municipal. "Sam Reynolds Home Sold to Warren Buffett". *Omaha World-Herald*, 9 de fevereiro de 1958. A "insensatez de Buffett" foi mencionada em uma carta a Jerry Orans, em 12 de março de 1958, mencionada por LOWENSTEIN, Roger. *Buffett: A formação de um capitalista americano*. Rio de Janeiro: Nova Fronteira, 1997.
44. Entrevista com Susie Buffett Jr.
45. Entrevista com Howie Buffett.
46. Pielonefrite, complicação que pode ser relacionada com a gravidez.
47. Como foi citado por LOWENSTEIN, Roger em *Buffett*. Bilig já faleceu.
48. Entrevista com Charlie Munger.
49. Durante as entrevistas, a Dra. Marcia Angle recordou que o aparelho de televisão foi adquirido no final da década de 1950 e impressionou muito o seu pai. Kelsey Flower e Meg Mueller lembram-se da repercussão na vizinhança.
50. Entrevistas com Howie Buffett, Peter Buffett e Susie Buffett Jr.
51. Entrevista com Thama Friedman. Laurette Eves era a terceira sócia.
52. Entrevista com Howie Buffett.
53. Kuhlken apresentara Cowin a Buffett em 1951, numa das viagens de Buffett a Nova York, depois de sua formatura em Columbia.
54. Retirado do discurso de Buffett durante o funeral de Cowin.
55. Do discurso fúnebre feito por Joyce Cowin em homenagem a Cowin.

56. Marshall Weinberg, Tom Knapps, Ed Anderson, Sandy Gottesman, Buffett e outros contribuíram para este perfil de Cowin.
57. *"Ele me emprestou sem exigir garantias. Um dólar de prejuízo a curto prazo supera 2 dólares de dividendos ganhos a longo prazo para fins fiscais, e você podia comprar cotas de um fundo mútuo que pagaria, a longo prazo, ganhos de capital e recuperar o dinheiro imediatamente, para lançar lucros a longo prazo até o final do ano. Comprei uma combinação de ganhos de longo prazo e prejuízos de curto prazo que, embora fosse semelhante em valor, tinha efeitos diferentes sobre o imposto de renda. Na época tudo era perfeitamente legal, mas hoje não se pode mais fazer isso. Provavelmente a manobra me fez economizar mil dólares. Nossa, era muito dinheiro",* diz Buffett.
58. Entrevista com Joyce Cowin.
59. Essa era uma cidade experimental, construída para receber 1.800 famílias em unidades de baixo custo. Numerosas propriedades governamentais foram leiloadas depois da Segunda Guerra Mundial. "House Passes Bill to Speed Greenbelt Sale". *Washington Post*, 14 de abril de 1949. "U. S. Sells Ohio Town It Built in Depression". *New York Times*, 7 de dezembro de 1948. "Greenbelt, Md., Sale Extended for 30 Days". *Washington Post*, 31 de maio de 1952.
60. Chuck Peterson cunhou essa citação a partir da versão que conheceu da história. Provavelmente a essência deve estar correta, mas, como acontece com qualquer citação retirada da memória, não se pode ter certeza das palavras exatas.

Capítulo 23

1. "A. C. Munger, Lawyer, Dies". *Omaha World-Herald*, 1º de julho de 1959.
2. O obituário de Henry A. Homan, filho de George W. Homan, no *Omaha World-Herald* menciona que Homan, 12 anos mais velho do que o juiz Munger, era seu amigo íntimo. Os ramos das famílias Homan e Buffett, entretanto, não eram próximos.
3. "33 Years a Federal Judge". *Omaha World-Herald*, 12 de março de 1939.
4. Carta de Charles Munger a Katharine Graham, datada de 13 de novembro de 1974. Quando o juiz Munger morreu, a mesma tia Ufie (Ruth) supostamente teria feito a bizarra declaração de que ele fora levado pela vontade de Deus por causa de um erro que cometera recentemente em aritmética. Ela disse que sabia "que ele não poderia continuar por aqui depois daquilo".
5. LOWE, Janet. *Damn Right!: Behind the Scenes with Berkshire Hathaway Billionaire Charlie Munger*. Nova York: John Wiley & Sons, 2000. A biografia de Lowe, baseada em longas entrevistas com parentes, foi a principal fonte da autora para a história familiar dos Munger.
6. Dito com tom de aprovação em LOWE, Janet. *Damn Right!*.
7. Entrevista com Lee Seeman.
8. Entrevista com Mary McArthur Holland.
9. Entrevista com Howard Jessen, amigo dos Buffett.
10. Seu avô, um renomado advogado de Omaha, fora amigo do diretor Roscoe Pound, da Harvard Law School.
11. Munger não fez qualquer esforço para reforçar seu currículo participando da *Law Review*, editada pelos alunos. Numa entrevista ele descreveu seu comportamento como distante.
12. O pai também lhe deu o mesmo conselho.
13. LOWE, Janet. *Damn Right!*.
14. Conforme citação de Lowe em *Damn Right!*.
15. Munger, segundo Janet Lowe, em *Damn Right!*.
16. Em *Damn Right!*, Munger comparou o ato de casar com o de investir. Nancy disse que ele ficava "tenso" em demonstrar suas emoções. O filho Charles Jr. disse: "Há coisas com as quais meu pai poderia lidar melhor se as enfrentasse mais. Mas ele simplesmente se afasta."
17. Munger, segundo citação de Lowe em *Damn Right!*.
18. Ibidem.
19. Em *Damn Right!*, Nancy disse que Charlie "não ajudava muito em casa". Quando ela completou 70 anos, segundo Buffett, Charlie foi a uma loja de penhores e lhe comprou um Coração Púrpura (condecoração entregue a todos os soldados americanos feridos ou mortos no serviço militar até 1917).

20. LOWENSTEIN, Roger. *Buffett: A formação de um capitalista americano*. Rio de Janeiro: Nova Fronteira, 1997.
21. LOWE, Janet. *Damn right!*.
22. Entrevista com Charlie Munger.
23. Entrevista com Lee Seeman.
24. Num ano em que o Dow Jones teve alta de 38,5%, Warren conseguira superá-lo correndo riscos mínimos.
25. Além de seu investimento de 100 dólares na Buffett Associates, mais tarde entrou com outros 100 dólares em cada uma de suas outras sociedades: Buffett Fund, B-C, Underwood, Dacee, Mo-Buff e Glenoff.
26. Entrevista com Lee Seeman.
27. Essa versão é diferente de outras publicadas anteriormente. Por exemplo, Susie Buffett disse que estava presente. Vários escritores localizaram o encontro como tendo acontecido durante um jantar no Johnny's Café. Roger Lowenstein, entretanto, também estabeleceu o Omaha Club como cenário da apresentação. O mais provável é que outras versões façam confusão com eventos posteriores. Para a autora, a versão de Seeman é a mais detalhada e ao mesmo tempo parece ser a menos enfeitada.
28. Entrevista com Charlie Munger. O jantar foi reconstituído a partir de entrevistas com Buffett e Munger, cujas lembranças são nebulosas. Nancy Munger não se lembra. As mulheres foram apresentadas logo após o primeiro encontro, e o Johnny's é o cenário mais provável. Buffett recorda-se claramente da reação de Munger.

Capítulo 24

1. Estimativa. Buffett administrava 78.211 dólares no final de 1958 em seis sociedades. A Sociedade Glenoff, com 50 mil dólares, foi formada em fevereiro de 1959. No final do ano, o valor de mercado das sociedades chegou a 1.131.884 dólares. Seus fundos pessoais e os da Buffett & Buffett aumentavam esse total.
2. A Sanborn envia revisões emendadas que indicavam novas construções, ocupação alterada, novas instalações de proteção contra incêndio e alterações nos materiais estruturais. Um novo mapa era publicado de década em década, mais ou menos. Buffett notou a empresa, pelo que se recorda, quando um grande lote de ações apareceu à venda. A viúva do falecido presidente supostamente estava vendendo as ações porque seu filho estava deixando a empresa. Phil Carret possuía 12 mil ações.
3. Cinco ou 10 ações por lote, 46 lotes no total.
4. Buffett se tornou amigo do CEO da empresa, Parker Herbell, que, segundo ele, o restante do conselho tratava como se não passasse de um "moleque de recados". Herbell apoiou o plano de separar os investimentos dos mapas e contribuiu para sua fundamentação por meio, por exemplo, desse estudo.
5. "Não faz sentido ter administradores, consultores e acionistas principais em completo acordo em relação a um curso de ação, mas incapazes de avançar por causa de conselheiros que possuem uma quantidade insignificante de papéis." Carta de Warren Buffett a C. P. Herbell, 25 de setembro de 1959.
6. Naquela época, ações valorizadas podiam ser trocadas por ações da própria empresa. Dessa forma, uma empresa poderia se livrar dos impostos sobre ganhos de capital que eram inerentes a sua operação, desde que vendesse ações de tempos em tempos.
7. Como parte do negócio, as sociedades Buffett concordaram em fazer um lance pelas ações.
8. Entrevista com Doris Buffett.
9. Entrevista com Kelsey Flower, amiga de infância de Susie Jr.
10. Entrevista com Dick e Mary Holland.
11. Entrevista com Peter Buffett.
12. Entrevista com Howie Buffett.
13. Ibidem.
14. *Gateway*, 26 de maio de 1961.
15. "Paul Revere's Ride", de Henry Wadsworth Longfellow. "Ouçam, crianças, e ouvirão as multidões que foram salvas por Susan Buffett."
16. A partir de comentários feitos por Eisenberg no enterro de Susie.
17. Segundo sua autobiografia, *Strange to the Game* (escrita com Lonnie Wheeler, Nova York: Penguin, 1994), Bob Gibson morava em Omaha fora da temporada. Ele escreve sobre jogar basquete em Omaha num time

de brancos em 1964, sobre viajar para Iowa para jogos e sobre passar o tempo num bar na Rua 30 Norte, onde o barman se recusava a atendê-lo.
18. Howard Buffett, citado por Paul Williams. "Buffet Tells Why He Joined Birch Society". *Benson Sun*, 6 de abril de 1961.
19. A Cruzada Cristã Anticomunista foi fundada em 1953 por um "austríaco vivaz, enérgico e cheio de confiança em si mesmo", Fred Schwarz, médico psiquiatra e pregador leigo. Ele usava os meios de comunicação para difundir sua filosofia anticomunista. PHILLIPS, Cabel. "Physician Leads Anti-Red Drive with 'Poor Man's Birch Society'". *New York Times*, 30 de abril de 1961. Visite o website http://www.schwarzreport. org.
20. Carta de Leila Buffett ao Dr. Hills, 10 de dezembro de 1958.
21. Leila Buffett à Sra. Kray, 25 de março de 1960.
22. Entrevista com Susie Buffett Jr. e Howie Buffett. Eles se recordam do comportamento do pai durante o período como sendo de rotina, mas, olhando para trás, reconhecem uma espécie de negação.
23. Entrevista com Howie Buffett.
24. Entrevista com Chuck Peterson.
25. Segundo Chuck Peterson, Carol Angle "não ouvia bem". Esse é um exemplo das histórias recontadas por Buffett. Ela diz que tinha perda progressiva de audição.
26. Entrevista com Lee Seeman.
27. Entrevista com Dick Holland.
28. Entrevistas com Frank Matthews Jr. e Walter Schloss, que concordam que a apresentação foi feita na esquina.
29. Essa é a forma como os fundos de hedge costumam ser administrados dentro dos limites legais de investimentos dos dias de hoje.
30. George Payne também participou da fundação da sociedade. A essa altura, a B-C tinha sido incorporada à Underwood. Além das 10 sociedades, Warren e seu pai ainda administravam a Buffett & Buffett.
31. Os resultados do Dow Jones incluem dividendos recebidos. É preciso observar que esse era o desempenho das sociedades antes de serem descontadas as comissões de Warren.
32. Entrevista com Chuck Peterson.
33. Entrevistas com Kelsey Flower e Meg Mueller.
34. Entrevista com Stan Lipsey.
35. Buffet tinha 31 anos em 1º de janeiro de 1962, mas seus investimentos pessoais e os ganhos com a sociedade fizeram com que passasse da meta de 1 milhão de dólares meses antes, quando ainda estava com 30 anos.
36. Entrevista com Bill Scott.
37. Buffett não cobrou comissão de Scott, um dos dois arranjos mais lucrativos que ele jamais fez com um empregado. (Leia sobre Henry Brandt em "Palheiros de ouro", e em "Insensatez" para o outro arranjo.)
38. Ele incluiu tudo, menos seus investimentos na Data Documents, que eram pessoais numa empresa privada.
39. Cartas aos sócios, 6 de julho de 1962. No segundo trimestre de 1962 o Dow Jones caiu de 723,3 para 561,3, o equivalente a 23%. No primeiro semestre daquele ano a sociedade viu uma perda, antes dos pagamentos aos integrantes, de 7,5%, comparada com a perda de 21,7%, incluindo dividendos, no Dow Jones. Os sócios superaram esses resultados em 14,2%.
40. As palavras de Buffett são uma versão esperta do original de Graham em *O investidor inteligente*: "A virtude soberana de todos os planos formulados reside na compulsão que produzem no investidor de vender, quando a multidão está comprando, e de comprar, quando a multidão demonstra falta de confiança" (*O investidor inteligente*, parte 1: Abordagem geral em relação aos investimentos. VI: Filosofia da Carteira de Investimentos para o investidor empreendedor; o lado positivo, edição de 1949). E em *Security Analysis*: "É recomendável aos investidores em títulos que ajam com cautela especial quando os negócios estão se expandindo e com maior confiança quando os tempos estiverem difíceis" (*Security Analysis*, parte II: Investimentos de renda fixa. XI: Padrões específicos para investimentos em títulos, edição de 1940).

Capítulo 25
1. Memorando datilografado por Warren Buffett, sem data.
2. Carta de Warren Buffett a Bob Dunn, 27 de junho de 1958.

3. Bilhete de Jack Thomsen a Warren Buffett, 8 de março de 1958: "Acho que temos que ser realistas e reorganizar-nos em bases que tenham possibilidades razoáveis de funcionar. (...) A única coisa com que Clyde se preocupa é o prestígio. (...) Hale recebeu uma carta de Clyde ontem notificando-o de que deixaria de ser um dos responsáveis pela administração de sua propriedade. Tenho certeza de que o mesmo rancor é e será dirigido a todos nós que ousamos nos opor a ele.(...) Sinto pena dele por suas dificuldades atuais, mas não acho que possamos corrigir os problemas com empatia."
4. Entrevista com Verne McKenzie, que diz que Buffett explicou isso a ele quando o contratou. Sem uma estratégia de saída pública, essa é uma das duas únicas maneiras possíveis de converter em dinheiro o valor dos ativos. Buffett ainda não tinha descoberto a outra, como verá o leitor.
5. Entrevista com Walter Schloss.
6. Carta de Warren Buffett a Clyde Dempster, 11 de abril de 1960.
7. Bilhete de Warren Buffett a Bob Dunn, 27 de junho de 1958: "...*tornou-se cada vez menos ativo nos negócios e parecia que a empresa estava à deriva por causa de seu desinteresse, sem que ninguém tivesse autoridade para fazer nada de diferente. (...) Finalmente realizamos a tarefa ao permitir que Clyde ficasse como presidente. Ele deu a Jack Thomsen, vice-presidente executivo, autoridade temporária para operações*".
8. Entrevista com Walter Schloss.
9. Pagando 30,25 dólares por unidade. Carta de Warren Buffett aos acionistas da Dempster, 7 de setembro de 1961.
10. Carta de Warren Buffett aos sócios, 22 de julho de 1961.
11. "*Dempster deu muito dinheiro no passado, mas no momento estava apenas se pagando. Continuamos a comprar ações em pequenas quantidades durante cinco anos. Durante a maior parte desse período, servi como conselheiro e fiquei cada vez menos impressionado com as perspectivas de lucros sob a administração vigente. Mas também me familiarizei com os ativos e as operações, e minha avaliação dos fatores quantitativos permaneceu muito favorável.*" Isso o levou a comprar mais ações. Carta aos sócios, 24 de janeiro de 1962.
12. E peças para sistemas de irrigação, pois a demanda por moinhos estava caindo.
13. "Tínhamos peças para moinhos e alguns equipamentos para agricultura", diz Scott, "onde tínhamos controle do ramo, e ao aumentar o preço poderíamos parar de perder dinheiro ali. E tivemos sucesso, até certo ponto."
14. 18 de janeiro de 1963.
15. Entrevista com Bill Scott.
16. "Still a Chance City Can Keep Dempster". *Beatrice Daily Sun*, 1º de setembro de 1963. "Drive to Keep Dempster Rolls". *Omaha World-Herald*, 30 de setembro de 1963.
17. Como sucessor de Buffett, o presidente da Dempster, W. B. McCarthy, afirmou: "Compreendemos, assim como você, que certo número de pessoas em Beatrice não reconhece o trabalho bom e necessário que você e Harry executaram com sucesso na Dempster." Carta de W. B. McCarthy a Warren Buffett, 19 de novembro de 1963.
18. Dos 2,8 milhões de dólares de financiamento total, 1,75 milhão foi para os vendedores, e o restante, para expandir a operação. "Launch 11th Hour Effort to Keep Dempster Plant Here". *Beatrice Daily Sun*, 29 de agosto de 1963.
19. "Beatrice Raises $ 500,000". *Lincoln Evening Journal*, 3 de setembro de 1963. "Fire Sirens Hail Victory. Beatrice Gets Funds to Keep Dempster". *Omaha World-Herald*, 4 de setembro de 1963. "Contracts for Dempster Sale Get Signatures". *Beatrice Daily Sun*, 12 de setembro de 1963.
20. A sociedade ganhou 2,3 milhões de dólares, quase três vezes o valor de seu investimento. Buffett mudou o nome da holding para First Beatrice Corp. e também a sede para o Kiewit Plaza.

Capítulo 26
1. Os palestrantes apareciam como indivíduos que, por acaso, pertenciam a diferentes grupos, em vez de se intitularem "representantes" de suas raças e credos. Tudo foi bem, a não ser, segundo Doris Buffett, quando um dos integrantes da mesa-redonda, um protestante, começou a dizer a um católico e a um judeu que ambos iam para o inferno.

2. Os trabalhadores negros estavam perdendo empregos em Omaha com a crise do setor de processamento de carnes. Marginalizados no gueto na região norte do centro da cidade chamado de Near North Side, moravam em casas de cômodos antigas e malconservadas, pelas quais o senhorio costumava cobrar aluguéis altos. Em 1957, o Omaha Plan, um estudo que envolveu toda a comunidade, propôs a reurbanização de Near North Side, mas a emissão de títulos foi indeferida. O movimento florescente em prol dos direitos civis, encabeçado por estudantes da Creighton University, pela Liga Urbana e por outros grupos, vinha lutando desde 1959 para melhorar os empregos para a comunidade negra e acabar com a segregação de professores nas escolas.
3. Entrevista com Susie Buffett Jr., que questionava se o apito do policial poderia ter algum efeito.
4. Entrevista com Peter Buffett.
5. Entrevista com Doris Buffett. FRANKL, Viktor Emil. *Em busca do sentido: Um psicólogo no campo de concentração*. Petrópolis, RJ: Vozes. 1999.
6. Entrevista com Sue James Stewart.
7. ELTISTE, Alton. "Miss Khafagy Gives Views on Homeland". *Gateway*, 5 de outubro de 1962.
8. Imaginar Susie Jr. como guarda num cruzamento pode surpreender os leitores atuais, mas nos Estados Unidos, na época, as crianças tinham significativamente mais liberdade e responsabilidades.
9. Entrevistas com Howie Buffett.
10. Em entrevistas, Howie e Susie Jr. descrevem dessa forma a si mesmos e seu relacionamento.
11. Esse retrato abrangente da casa dos Buffett é baseado em entrevistas com Susie Buffett Jr., Howie Buffett e Peter Buffett.
12. Entrevista com Meg Mueller. "Minha mãe comentou o assunto várias vezes, ao longo dos anos", diz ela.
13. Entrevista com Bill Ruane.
14. Entrevista com Dick Espenshade. Jamie Wood, um dos advogados fundadores, veio de outra empresa.
15. Entrevista com Ed Anderson.
16. O exemplo foi simplificado para facilitar a compreensão do conceito de alavancagem. Obviamente, o retorno preciso do capital depende de quanto tempo se leva para obter lucros e dos custos de captação.
17. Entrevista com Rick Guerin publicada por LOWE, Janet. *Damn Right!: Behind the Scenes with Berkshire Hathaway Billionaire Charlie Munger*. Nova York: John Wiley & Sons, 2000.
18. Descrição feita por Ed Anderson.
19. Entrevista com Ed Anderson.
20. Entrevista com Charlie Munger. A mãe de Guerin, que era costureira, morreu quando ele era adolescente.
21. Entrevistas com Rick Guerin e Ed Anderson.
22. LOWE, Janet. *Damn Right!*.
23. Entrevista com Ed Anderson. Guerin não se recorda desse incidente em particular, mas afirma ser bem possível.
24. Anderson assume a culpa de ser lerdo demais ao não conseguir ler os pensamentos de Munger, em vez de culpar Munger por não explicar o que desejava dele.
25. Entrevista com Ed Anderson.
26. Assim como Munger, Ed Anderson lembra essa extraordinária transação. Munger diz que a história é essencialmente verdadeira. Buffett também se recorda das linhas gerais.
27. Entrevista com Ed Anderson, que sugeriu a expressão "candidato ao trono", pois, segundo ele, "Charlie nunca se veria como 'aprendiz'".
28. Ira Marshall fala da confusão de Munger com os nomes em *Damn Right!*.
29. Entrevista com Ed Anderson. O termo era utilizado habitualmente entre os amigos de Buffett. Ele fez referência à expressão "agarrar-se às casacas" em carta aos sócios, 16 de janeiro de 1963.
30. Buffett também se lembra de ver Munger hiperventilar diante de suas próprias piadas.
31. Carta de Charles T. Munger a Katharine Graham, 9 de dezembro de 1974.
32. Ibidem.
33. Em 1953, Buffett vendeu cópias desse artigo por 5 dólares.
34. Buffett também deixou Brandt participar de um lucrativo investimento particular, a Mid-Continental Tab

Card Company. Embora Buffett abrisse mão de suas comissões sobre o dinheiro de Brandt, o acordo não tinha como não ser proveitoso.
35. "Deve haver, em algum lugar, um armazém entupido com esses relatórios", disse Bill Ruane numa entrevista, mas a autora nunca o encontrou.
36. Bill Ruane apresentou Buffett às ideias de Fisher. FISHER, Philip A. *Common Stocks and Uncommon Profits*. Nova York, Evanston e Londres: Harper & Row, 1958. (O termo adaptado na tradução como "mexericos" foi empregado, em inglês, em sua outra acepção: *"scuttlebutt"* é originalmente usado em náutica para descrever um barril com um furo, usado para guardar água potável para os marinheiros.)
37. O mercado para óleo de soja não era grande, um elemento-chave para o plano. Seria impossível para apenas um indivíduo tomar conta do mercado de, digamos, petróleo ou títulos do tesouro.
38. A maior parte dos relatos publicados a respeito do escândalo fala incorretamente de óleo flutuando sobre a água nos tanques.
39. WEINSTEIN, Mark I. "Don't Leave Home Without It: Limited Liability and American Express". American Law & Economics Association Annual Meetings. Trabalho nº 17. Berkeley Eletronic Press, 2005, 14-15, é a fonte que demonstra que a American Express estava emitindo mais recibos de armazenagem do que o volume de óleo que o Departamento de Agricultura dizia existir.
40. Haupt era um corretor de valores que negociava ações e commodities, membro da Bolsa de Nova York. Por isso precisava se submeter às regras da Bolsa sobre capital líquido (que estabelecem que o capital deve ser equivalente a $^1/_{20}$ de suas obrigações). A norma 15c3-1 da SEC regula o capital líquido de corretores. Sob o Padrão de Endividamento Agregado, 2% de capital líquido são exigidos nos dias de hoje, em comparação com os 5% dos anos 1960. A Bolsa de Nova York pagou 10 milhões de dólares para cobrir os prejuízos de seus clientes. MAIDENBERG, H. J. "Lost Soybean Oil Puzzles Wall St.". *Wall Street Journal*, 20 de novembro de 1963.
41. Equivalente a 2,9% de seu valor.
42. A Bolsa tinha fechado durante o pregão em 4 de agosto de 1933 por causa de uma brincadeira com gás lacrimogêneo. Alguns consideram que o encerramento depois do assassinato de Kennedy foi o primeiro fechamento "de verdade" durante o horário de operação.
43. LEE, John M. "Financial and Commodities Markets Shaken. Federal Reserve Acts to Avert Panic". *New York Times*, 23 de novembro de 1963.
44. MAIDENBERG, H. J. "Big Board Ends Ban on Williston, Walston and Merril Lynch Are Instrumental in the Broker's Reinstatement, Haupt Remains Shut, Effect of Move Is Swept Aside by Assassination of President Kennedy", 24 de novembro de 1963. O drama do óleo de soja, incluindo as ações da American Express, chegou ao auge na semana que se seguiu ao assassinato.
45. A American Express, na época, era a única grande empresa privada dos Estados Unidos capitalizada como sociedade anônima por ações, e não uma empresa de responsabilidade limitada. Isso significava que os acionistas poderiam ser cobrados pela deficiência em seu capital. *"Por isso, todo o departamento de trustes dos Estados Unidos entrou em pânico"*, recorda Buffett. *"Lembro que o Continental Bank tinha 5% da empresa. De uma só tacada, percebeu que, além de correr o risco de ver as contas de truste com ações valendo zero, também poderia estar sujeito a cobranças. A ação simplesmente foi despejada, como era de se esperar, e o mercado se comportou de forma ligeiramente ineficiente por um curto período."*
46. Cheques de viagem eram o principal produto da American Express na época. A empresa introduziu o cartão para se defender quando os bancos desenvolveram os cartões de crédito para concorrer com os cheques de viagem.
47. Carta de Warren Buffett a Howard L. Clark, da American Express Company, 16 de junho de 1964. Brandt enviou a Buffett uma pilha de material com mais de 30 centímetros de altura, segundo Jim Robinson, ex-CEO do American Express, que a viu. "Lembro de ver o material de Henry sobre a American Express, resmas e mais resmas de material", disse Bill Ruane durante uma entrevista.
48. No final, De Angelis declarou-se culpado em quatro acusações federais de fraude e conspiração. Foi sentenciado a 10 anos de prisão. "The Man Who Fooled Everybody". *Time*, 4 de junho de 1965.
49. Howard Buffett em seu testamento, 6 de agosto de 1953.
50. Entrevistas com Patricia Dunn, Susie Buffett Jr. e Warren Buffett.

51. Em *Grand Old Party* (Nova York: Random House, 2003) Lewis Gould descreve como os republicanos passaram a ser identificados com o racismo na cabeça de muita gente que acabou mudando de partido durante a campanha pelos direitos civis.
52. Buffett não consegue lembrar se inicialmente ele se registrou como independente ou democrata. Sua preferência teria sido pelo registro como independente, mas aquilo o excluiria de votar nas primárias. Naquele momento, ou poucos anos depois, ele se registrou como democrata.
53. Entrevista com Susie Buffett Jr.
54. Susan Goodwillie Stedman relatando entrevista com Susan T. Buffett, em novembro de 2001, cortesia de Susan Goodwillie Stedman e Elizabeth Wheeler.
55. Dan Monen segundo citação de LOWENSTEIN, Roger, em *Buffett: A formação de um capitalista americano*. Rio de Janeiro: Nova Fronteira, 1997. Monen já faleceu.
56. A incapacidade de Buffett em lidar com a morte de Howard é o acontecimento mais lembrado por seus familiares como representativo de seu estado interior no período.

Capítulo 27

1. Carta de Warren Buffett a Howard L. Clark, American Express Company, 16 de junho de 1964.
2. DAVIS, L. J. "Buffett Takes Stock". *New York Times*, 1º de abril de 1990.
3. "Não estou 100% certo disso. Outras pessoas me falaram do assunto e é difícil me lembrar, mas estou quase certo de que foi Howard Clark."
4. Em julho de 1964, a carta de Buffett aos sócios dizia "...*de nossa categoria geral agora fazem parte três empresas, das quais a BPL é a maior acionista*". Os leitores podem concluir, a partir dessa informação, que o portfólio de investimentos era bastante concentrado.
5. Carta de Warren Buffett aos sócios, 1º de novembro de 1963.
6. Carta de Warren Buffett aos sócios, 9 de outubro de 1967.
7. Carta de Warren Buffett aos sócios, 20 de janeiro de 1966.
8. A autora estudou o trabalho escrito de Buffett e trechos de entrevistas para chegar a essa conclusão. Charlie Munger, por outro lado, usava com frequência os termos "desonra" e "desgraça" (para se referir aos outros, e não a si mesmo).
9. Entrevista com John Harding.
10. Em 1962, segundo entrevista com Joyce Cowin.
11. Per capita. Segundo Everet ALLEN, em *Children of the Light: The Rise and Fall of New Bedford Whaling and the Death of the Arctic Fleet* (Boston: Little Brown, 1983), a renda anual resultante da pesca da baleia chegava a 12 milhões de dólares em 1854, tornando New Bedford provavelmente a cidade mais rica do mundo em renda per capita antes da Guerra Civil.
12. Mais de 30 barcos foram perdidos no desastre de 1871, a maioria de New Bedford. O custo devastador, em termos financeiros e humanos, arrasou o setor. Baleeiros começaram a construir barcos de metal que podiam quebrar o gelo, numa tentativa fútil de preservar o que tinha sobrado.
13. Barbatanas de baleia eram os "dentes" através dos quais os animais peneiravam o plâncton. O uso do aço flexível também reduziu a necessidade do produto.
14. HATHAWAY, Horatio. *A New Bedford Merchant*. Boston: D. B. Updike, The Merrymount Press, 1930.
15. Acordo da sociedade Hathaway Manufacturing Company, 1888. Entre os outros sócios estava William W. Crapo, antigo associado de Henry Green em New Bedford, que também investiu 25 mil dólares. O capital inicial total foi de 400 mil dólares.
16. Com uma fortuna estimada em 100 milhões de dólares.
17. RAUCHWAY, Eric. *Murdering McKinley: The Making of Theodore Roosevelt's America*. Nova York: Hill and Wang, 2003.
18. O Norte não chegava a ser um paraíso para os trabalhadores, mas no Sul praticamente não existiam leis contra o trabalho infantil ou restrições sobre carga horária excessiva ou condições perigosas de trabalho. As fábricas eram donas das casas onde os trabalhadores moravam e das lojas em que faziam compras, controlavam seu suprimento de água, possuíam as igrejas e efetivamente controlavam o governo estadual e os

tribunais. Milícias estaduais armadas de metralhadoras impediam as greves. Os trabalhadores pareciam meeiros. Quase 10 mil trabalhadores do Norte perderam o emprego na época em que a indústria têxtil tomou o caminho do Sul, rumo à Carolina, em busca de mão de obra mais barata, quando as fábricas com ar-condicionado foram construídas depois da Segunda Guerra Mundial.

19. STANTON, Seabury. *Berkshire Hathaway Inc., A Saga of Courage*. Nova York: Newcomen Society of North America, 1962. Stanton fez esse discurso para a Newcomen Society, em Boston, em 29 de novembro de 1961.
20. Ibidem.
21. Em *A Saga of Courage*, Seabury diz que imaginava que os Stanton faziam parte de "uma inquebrantável corrente de liderança" que se estendia até Oliver Chace, tendo fundado a indústria têxtil na Nova Inglaterra e criado a mais antiga predecessora da Berkshire Fine Spinning, em 1806. Chace foi aprendiz de Samuel Slater, o primeiro a trazer para os Estados Unidos a inovadora tecnologia de teares de Sir Richard Arkwright, no fim do século XVIII.
22. Folheto para visitantes da Hathaway Manufacturing Corporation, setembro de 1953. Cortesia de Mary Stanton Plowden-Wardlaw.
23. Se o objetivo fosse preservar empregos, não seria necessário gastar o dinheiro na modernização. Roger LOWENSTEIN, em *Buffett: A formação de um capitalista americano* (Rio de Janeiro: Nova Fronteira, 1997), cita Ken Chace (já falecido) como tendo afirmado que Seabury não tinha a menor ideia sobre o que significava retorno do investimento.
24. Stanton (já falecido) é mencionado como autor dessas opiniões por CAMPBELL, Jerome, em "Berkshire Hathaway's Brave New World". *Modern Textiles,* dezembro de 1957.
25. Carta do presidente da Berkshire Hathaway, 1994.
26. Entrevistas com David S. Gottesman e Marshall Weinberg.
27. Carta a Warren Buffett de 4 de maio de 1990, escrita por James M. Clark Jr. na Tweedy, Browne Co., mencionando que "Howard Browne criou códigos com iniciais para várias contas".
28. Entrevista com Ed Anderson.
29. Entrevistas com Chris Browne e Ed Anderson.
30. Segundo Ed Anderson, era assim que Buffett negociava. A autora está bem familiarizada com as técnicas típicas de Buffett em outros contextos.
31. A comissão parece minúscula, mas, a 10 centavos por ação, Buffett diria mais tarde que foi, de longe, a maior que ele pagou.
32. Entrevistas com Mary Stanton Plowden-Wardlaw e Verne McKenzie.
33. Ele também achava que a estratégia de Seabury, de tentar driblar os "conversores" de Nova York – aqueles que pegavam os "produtos cinzentos" da empresa, tingiam e vendiam para a clientela – era um sério erro de julgamento.
34. *"Se você está num negócio que não pode suportar uma greve prolongada, vai basicamente jogar com os sindicatos, porque os trabalhadores perderão seus empregos também, caso você feche as portas. (...) E há muito da teoria dos jogos envolvido no assunto. Em alguma medida, quanto mais fraco você for, melhores são suas condições de negociação – porque, se você estiver extremamente fraco e mesmo uma greve curta for capaz de tirá-lo do negócio, as pessoas do outro lado da mesa de negociação compreenderão esse fato. Por outro lado, se tiver uma boa reserva de força, eles poderão jogar mais pesado. Mas não é divertido estar em um negócio que não pode aguentar uma greve."* Warren Buffett e Charlie Munger, da Berkshire Hathaway, em "The Incentives in Hedge Funds Are Awesome, But Don't Expect the Returns to Be Too Swift". *Outstanding Investor Digest*, v. XVI, nº 4 & 5, edição de final de ano de 2001.
35. Diversos discípulos de Graham juram que viram o quarto. Buffett jura que a história não é verdadeira. Um ex-funcionário do Plaza Hotel confirma que havia alguns quartos excepcionalmente pequenos no décimo sétimo andar, com péssimas vistas, e que era possível pechinchar as diárias, especialmente mais tarde na noite.
36. Entrevista com Ken Chace Jr.
37. Segundo *Buffett*, de Roger LOWENSTEIN, Ken Chace era a fonte. Warren não se recorda dos detalhes e nem mesmo de ter falado com Jack Stanton, mas diz que o relato de Ken Chace provavelmente deve estar correto.

38. Carta de Mary Stanton Plowden-Wardlaw a Warren Buffett, 3 de junho de 1991. Stanley Rubin fez os arranjos.
39. Entrevista com Mary Stanton Plowden-Wardlaw.
40. A versão detalhada dessa história está no livro *Buffett*, de Roger LOWENSTEIN, tendo Ken Chace como fonte. Buffett lembra de sentar-se em um banco próximo ao Plaza com Chace e de tomar picolé.
41. "A Junior League é uma organização de mulheres comprometidas com a promoção do trabalho voluntário, desenvolvendo o potencial feminino e melhorando a comunidade através de ações efetivas e da liderança de voluntárias treinadas. Seu objetivo é exclusivamente educativo e caritativo", segundo sua declaração de princípios. (A autora é membro.)
42. Ele substituiu o idoso Abram Berkowitz, que trabalhava na firma de advocacia da empresa, a Ropes & Gray, e que decidira de boa vontade deixar o cargo.
43. Stanton disse que "apressou sua aposentadoria devido a discordâncias em relação à filosofia de certos interesses de agentes externos, que adquiriram ações suficientes para controlar a empresa". "Seabury Stanton Resigns at Berkshire". *New Bedford Standard-Times*, 10 de maio de 1965.
44. Minutas do conselho de administração da Berkshire Hathaway, 10 de maio de 1965.
45. "Buffett Means Business". *Daily News Record*, 20 de maio de 1965.
46. Adaptado em parte do documentário *Vintage Buffett: Warren Buffett Shares His Wealth* (junho de 2004) e também de entrevistas.

Capítulo 28
1. Entrevista com Doris Buffett.
2. Ibidem.
3. 10 de novembro de 1965.
4. *Report of the National Advisory Commission on Civil Disorders*. Nova York: Bantam Books, 1968.
5. "Riot Duty Troops Gather in Omaha". *New York Times*, 5 de julho de 1966. O governador disse que o problema era o desemprego, três vezes maior do que entre os brancos; 30% dos negros de Omaha estavam desempregados.
6. RUSSELL, Bertrand. *Tem futuro o homem?* Rio de Janeiro: Civilização Brasileira, 1942. Esse livro poderoso e radical argumentava que, a menos que alguma coisa "extrema" acontecesse, a humanidade estava praticamente condenada pelas armas de destruição em massa. Russell previa o desenvolvimento em larga escala de armas químicas e biológicas num futuro não muito distante.
7. Manifesto de Russell-Einstein, 1955. Russell era o presidente da Campanha de Desarmamento Nuclear em 1958 e foi um dos fundadores, ao lado de Einstein, da Conferência Pugwash, um grupo de cientistas preocupados com a proliferação nuclear.
8. Entrevista com Dick Holland.
9. Buffett e seu principal executivo na administração, John Harding, escolheram um conjunto de ações peso-pesado, criando com efeito um índice de mercado. Buffett não queria executar a transação por meio de uma corretora, pois o corretor mantinha os lucros das vendas e não lhe pagava juros. Harding entrou em contato com fundos de dotações das universidades. Buffett foi pessoalmente a Chicago para adquirir as ações. A ideia de emprestar ações diretamente para um vendedor a descoberto era tão inovadora na época que a maioria das universidades a rejeitou. Mesmo assim, Harding conseguiu pegar emprestados cerca de 4,6 milhões de dólares em ações.
10. Buffett colocou 500 mil dólares em títulos do Tesouro no primeiro trimestre de 1966.
11. Entrevista com Susie Buffett Jr., Meg Mueller e Mayrean McDonough.
12. Entrevista com Kelsey Flower.
13. Entrevista com Susie Buffett Jr.
14. Entrevista com Marshall Weinberg.

Capítulo 29
1. "The Raggedy Man", de James Whitcomb Riley, poema infantil sobre um faz-tudo.
2. Entrevista com Chuck Peterson.

3. Buffett conta a história, que Charlie Heider lembra e considera inesquecível. Parsow não se recorda.
4. Tanto a Byer-Rolnick quanto a Oxford foram adquiridas pela Koret em 1967.
5. Entrevista com Sol Parsow.
6. Gottesman trabalhou para Corvine and Company, que, segundo ele, estava fechando. Ele fundou sua própria firma, First Manhattan Co., em 1964.
7. Entrevista com Sandy Gottesman.
8. "Isso não é negociar", afirma Munger. "É apenas usar exemplos incisivos para levar as pessoas a fazerem o que deveriam fazer. Claro, é persuasão, mas é um tipo legítimo de persuasão."
9. Os Kohn estavam planejando a venda por um quarto a menos do valor dos ativos tangíveis líquidos do negócio. Gottesman fizera uma colocação privada de debêntures para a Hochschild-Kohn com a Equitable Life naquele ano e estava familiarizado com suas demonstrações financeiras. Sua sogra, o irmão dela Martin Kohn e outra irmã também eram acionistas que possuíam uma classe de ação preferencial da empresa. A ação preferencial tinha débitos vencidos e não pagava dividendos havia algum tempo. Com efeito, portanto, eles poderiam ter controlado o negócio. Porém não tinham exercido esse privilégio. As ações ordinárias eram possuídas principalmente pelo parente Louis Kohn, de outro ramo da família e o segundo no comando depois de Martin Kohn.
10. Documentos de oferta da DRC de debêntures de 8%, 18 de dezembro de 1967.
11. Ele lhes deu o dinheiro de qualquer maneira, em sociedade com a National City, para fornecer 9 milhões de dólares em financiamento de curto prazo para o negócio. Diversified Retailing Company Inc. Prospecto, 18 de dezembro de 1967. Segundo Gottesman e o *Moody's Bank & Finance Manual*, Martin Kohn estava no conselho do Maryland National Bank.
12. Testemunho de Charles T. Munger, *In the matter of Blue Chip Stamps, Berkshire Hathaway Incorporated*. HQ-784. Quinta-feira, 20 de março de 1975, p. 187.
13. Buffett mencionou o problema aos sócios, em carta de meados de 1966, mas enfatizou aspectos mais importantes da compra de uma empresa, em vez de uma ação. Outro fator eram os bancos, que também tinham começado a emitir cartões de crédito, diminuindo mais a vantagem da Hochschild-Kohn.
14. Entrevista com Charlie Munger. A empresa foi adquirida em abril de 1967.
15. Diversified Retailing Company, Inc. Prospecto, 18 de dezembro de 1967.
16. Buffett diz que Rosner lhe contou que obtivera o consentimento de Aye Simon para vender o negócio dizendo algo assim: "Vá para o inferno. Se vai mudar de ideia, melhor descer e tomar conta da loja." O relacionamento entre os dois foi rompido de forma irreversível.

Capítulo 30

1. Incluindo as ações de Buffett na Data Documents, um investimento em separado, o patrimônio líquido dos Buffett estava entre 9,5 milhões e 10 milhões de dólares.
2. A descrição de Buffett, em "The Convictions of a Long-Distance Investor", de Patricia E. Bauer, na revista *Channells* de novembro de 1966 foi: "Uma vez nosso cachorro estava no telhado, meu filho o chamou, e ele pulou. Foi tão terrível – o cão que ama tanto você que pula do telhado..." – deixando o leitor livre para pensar em como o cachorro chegou ao telhado.
3. Entrevista com Hallie Smith.
4. "Haight-Ashbury: The Birth of Hip". Rede de televisão CBC, 24 de março de 1968.
5. Em 1967, mais de 2,5 bilhões de ações foram negociadas, superando em um terço o recorde anterior, de 1966. MULLANEY, Thomas. "Week in Finance. Washington Bullish". *New York Times*, 31 de dezembro de 1967.
6. Mas as seguradoras pareciam subvalorizadas, e ele achou que podiam ser controladas. Comprou a Home Insurance e a Employers Group Associates.
7. Conferência de Sun Valley em 2001.
8. Com altas taxas de retorno e sem impostos, se um acionista pegasse 6 centavos por ação depois de pagar imposto sobre o dividendo de 10 centavos e pusesse no mercado com rendimentos médios de 5%, ele teria cerca de 42 centavos. Se Buffett tivesse guardado os 10 centavos, com os juros compostos de 21% que obtivera nos últimos 40 anos, um acionista que tivesse sido ligeiramente diluído ao longo dos anos teria mais 135 dólares. Numa escala maior, o pequenino dividendo "custou" aos acionistas da Berkshire mais de 200 milhões de dólares até 2007.

9. Entrevista com Verne Mckenzie.
10. Carta aos sócios, 12 de julho de 1967.
11. Entrevista com Verne McKenzie.
12. "Requiem for an Industry: Industry Comes Full Circle". *Providence Sunday Journal*, 3 de março de 1968.
13. Carta aos sócios, 25 de janeiro de 1967.
14. Em 30 de setembro de 1967 a sociedade tinha 14,2 milhões de dólares em caixa e débitos a receber de curto prazo, partindo de um total de 3,7 milhões de dólares investidos.
15. Alice era amiga de Ringwalt. A família acreditava que os dois tiveram algum tipo de "entendimento" que poderia ter levado a um casamento, até que Ernest colocou um ponto final na história. Ringwalt tinha reputação de mulherengo, mas Alice cuidava da casa para o pai, e "ninguém era bom o bastante para ela", segundo Buffett.
16. Entrevista com Bill Scott.
17. Entrevista com Charlie Heider.
18. DORR, Robert. "Unusual Risk' Ringwalt Specialty". *Omaha World-Herald*, 12 de março de 1967, e *Tales of National Indemnity and Its Founder*, de Ringwalt (Omaha: National Indemnity Co., 1990).
19. A Berkshire pagou uma comissão de 140 mil dólares a Heider pela transação.
20. Entrevista com Bill Scott.
21. Com a companhia sob controle, foi necessário apenas uma semana para reunir os 80% de aprovação necessários entre os acionistas.
22. Em seu livro, Ringwalt diz que estava apenas rodando e procurando por uma vaga com parquímetro na rua, porque se recusava a pagar por uma garagem.
23. Essa era uma razão pela qual a National Indemnity não precisava de resseguro ou proteção de outras seguradoras, que eram caros e a tornariam dependente.
24. Ringwalt também foi incluído no registro de acionistas da Diversified Retailing Company em 1976 (ele, na realidade, vendeu 3.052 ações de volta para a empresa, numa oferta de compra).

Capítulo 31

1. Como foi citado numa entrevista com Jose Yglesias, enquanto Martin Luther King se preparava para a Campanha das Pessoas Pobres. YGLESIAS, Jose. "Dr. King's March on Washington, Part II". *New York Times*, 31 de março de 1968.
2. Wead, que não quis dar entrevistas, era o diretor da Wesley House, uma organização em prol do progresso da comunidade que pertencia à Igreja Metodista.
3. Entrevista com Racquel Newman e seu filho Tom Newman. Outras pessoas também se lembraram das atividades de Susie e Rackie.
4. Entrevista com Chuck Peterson.
5. Buffett conhecera Rosenfield graças a uma relação com a Hochschild-Kohn.
6. O fundador de Grinnell, sacerdote congregacionista e pastor da igreja First Congregational em Washington, D. C., foi embora em 1852, quando sua congregação sulista não aceitou seus pontos de vista abolicionistas. Foi Grinnell que pediu conselhos ao famoso editor do *New York Herald*, Horace Greeley, e ouviu então as palavras que qualquer estudante da América ouviria depois, sem saber a origem. *"Go West, young man, go West!"* ("Vá para o Oeste, meu jovem, vá para o Oeste!"). A frase foi escrita originalmente por John Soule no *Terre Haute Express*, em 1851.
7. Entrevista com Waldo "Wally" Walker, diretor da administração na época.
8. O azarado George Champion, presidente do conselho do Chase Manhattan Bank, seguiu King na programação, falando sobre o tema "A obsolescência de nosso estado de bem-estar social".
9. Essa conhecida adaptação das palavras de Lowell é mais eloquente que o original: "Embora sua parte seja a força e no trono estejam os errados." LOWELL, James Russell (1819-91). "The Present Crisis", 1944.
10. Entrevista com Hallie Smith.
11. Do discurso de Martin Luther King em 1963, na Western Michigan University. King pode ter dito algo parecido na reunião de Grinnell em outubro de 1967, mas não há registro.

12. Martin Luther King disse isso pela primeira vez em Cleveland, em 1963, e usou variações em praticamente todos os seus discursos desde então. Ele considerava uma "meia verdade" a ideia de que não é possível legislar sobre a moralidade. "Pode ser verdade que a lei não possa obrigar um homem a me amar", ele dizia, "mas pode impedi-lo de me linchar, e acho que isso é muito importante."
13. Embora houvesse flertado rapidamente com a mágica marca de 1.000 pontos, acabaria caindo mais de 15%.
14. Carta aos sócios, 25 de janeiro de 1967.
15. Carta aos sócios, 24 de janeiro de 1968.
16. Galbraith em entrevista a Israel Shenker. "Galbraith: '29 Repeats Itself Today". *New York Times*, 3 de maio de 1970. "A explosão nos fundos mútuos é a contraparte dos velhos fundos de investimento. O público demonstrou extraordinária disposição para acreditar que existem centenas de gênios financeiros. O gênio financeiro é um mercado em ascensão. Tramoia financeira é um mercado em queda." Galbraith reafirma esse conceito em "The Commitment to Innocent Fraud", na *Challenge* de setembro/outubro de 1999: "No mundo das finanças, o gênio é um mercado em ascensão."
17. A Grinnell perdoou Noyce depois da intervenção de seu professor de física, Grant Gale, e, segundo Buffett, de Rosenfield também.
18. Wallace procurava assinaturas para ter seu nome incluído na cédula do estado de Nebraska como candidato pelo Partido Americano.
19. Wallace contratou integrantes da Ku Klux Klan para escrever discursos e fazer uma série de declarações explosivas em momentos diferentes, como "Rejeito a afirmativa do presidente Kennedy de que as pessoas de Birmingham infligiram abusos aos negros. (...) O presidente quer que deixemos o estado nas mãos de Martin Luther King e seu grupo de comunistas". Mas seu gesto mais famoso – bloquear as entradas do auditório Foster da Universidade do Alabama para impedir a matrícula de estudantes negros, até ser afastado pela Guarda Nacional – foi aparentemente orquestrado junto com a Casa Branca, como forma de oposição aos supremacistas brancos e para evitar a violência. Wallace depois pediu desculpas pelo seu ato à comunidade negra.
20. Associated Press. "Disorder, Shooting Trail Wallace Visit". *Hartford Courant*, 6 de março de 1968. BIGART, Homer. "Omaha Negro Leader Asks U. S. Inquiry". *New York Times*, 7 de março de 1968.
21. "Race Violence Flares in Omaha After Negro Teen-Ager Is Slain". *New York Times*, 6 de março de 1968. Bigart, Homer. "Omaha Negro Leader Asks U. S. Inquiry". *New York Times*, 7 de março de 1968.
22. Associated Press. "Disorder, Shooting Trail Wallace Visit".
23. UPI. "1 Wounded, 16 Held in Omaha Strike", 8 de julho de 1968.
24. Ele se recuperou depois de uma longa temporada no hospital. Parte desse relato foi retirado de *The Gate City: A History of Omaha* (Lincoln: The University of Nebraska Press, 1997).
25. Numa entrevista publicada pela *Playboy* em dezembro de 1981, Henry Fonda, natural de Omaha, contou ter testemunhado o mesmo acontecimento. "Foi uma experiência que nunca esquecerei. (...) O escritório do meu pai tinha vista para a praça do tribunal, então fomos lá para cima e vimos tudo pela janela. (...) Foi tão horrível. Quando acabou, fomos para casa. Meu pai nunca falou sobre o assunto, nunca deu sermões. Sabia simplesmente o tipo de impressão que aquilo causaria em mim."
26. 4 de abril de 1968.
27. Entrevista com Racquel Newman.
28. O clube mudou seu nome para Ironwood em 1999.
29. Na época, por coincidência, Chuck Peterson também se candidatara ao Highland. Peterson estava comendo muito ali com um certo Bob Levine, outro fã da aviação, e achou que deveria entrar para o clube, em vez de continuar filando refeições gratuitas.
30. Stan Lipsey, outro amigo de Buffett, também teve peso na aceitação de Chuck Peterson. "Fiquei tão conhecido por causa daquilo", relata Lipsey, "que me fizeram entrar para o conselho no ano seguinte. Não há boa ação que passe sem punição. Um colega do golfe chamado Buck Friedman era o presidente. Era muito sério, e eu tentava fazer com que ele perdesse a pose. Ele não gostava nada quando eu o chamava de Buckets ('Baldes')."

Capítulo 32
1. Carta de Warren Buffett a Ben Graham, 16 de janeiro de 1968.

2. Ibidem.
3. FLENN, Armon. "Run for Your Money". *New York Times*, 3 de junho de 1968. "Mutual interest". *Time*, 19 de janeiro de 1968. HERSHEY JR., Robert D. "Mutual Funds Reaching Further for Investment". *New York Times*, 29 de setembro de 1968.
4. Em 1929, apenas 3% da população possuíam ações. Em 1968, cerca de 12,5% da população tinham ações ou participavam de fundos mútuos.
5. Carta aos sócios, 11 de julho de 1968.
6. A SEC preparou um estudo informando que o novo sistema, Nasdaq, estava "no horizonte" em 1963. A Nasdaq entrou no ar em 8 de fevereiro de 1971 e negociou o mesmo volume que a American Stock Exchange, em seu primeiro ano. WEINER, Eric J. *What Goes Up: The Uncensored History of Modern Wall Street*. Nova York: Little, Brown. 2005.
7. Carta de Warren Buffett ao Grupo Graham, 16 de janeiro de 1968.
8. Carta de Warren Buffett ao Grupo Graham, 21 de setembro de 1971.
9. Os lucros da DRC tinham caído 400 mil dólares, ou 17%. Em 1968, a Associated Cotton Shops teve rendimentos de 20% em relação ao dinheiro investido no negócio, um desempenho notável em qualquer ano, mas especialmente no difícil 1968.
10. Carta aos sócios, 24 de janeiro de 1968.
11. Buffett perdeu dinheiro em ações algumas vezes, mas agia rápido para diminuir os prejuízos. A margem de segurança não impedia prejuízos, mas reduzia a probabilidade de que fossem muito grandes.
12. O Youth International Party (Yippees), uma brincadeira de um grupo de ativistas anarquistas, indicou Pigasus, o Porco, como candidato do partido. O líder, Jerry Rubin, disse "Por que votar em meios porcos como Nixon, Wallace e Humphrey quando se pode ter um porco inteiro?" durante um discurso no clube dos professores da Universidade de British Columbia, em 24 de outubro de 1968.
13. Entrevista com Verne McKenzie, que diz que Chace ficou perturbado mas não demonstrou. Fez o que tinha de fazer.
14. O impacto dos cartões de crédito e a mudança radical no raciocínio dos consumidores em relação ao consumo não podem ser menosprezados. Descontos e prestações – que eram comuns até na aquisição de itens como roupas – foram substituídos pelo débito. Embora os debates dos economistas mensurem a riqueza familiar ao longo do tempo, o resultado que se vê é um mundo de inquilinos que dão o dízimo a instituições financeiras. O "risco de terremotos" é o de uma desalavancagem maciça (veja a crise de crédito de 2008).
15. Varejistas pagavam, em média, 2 centavos para cada dólar de vendas pelos cupons que distribuíam e repassavam esse custo para os preços dos bens.
16. Cobravam menos pelos cupons da Blue Chip: 1,50 centavo.
17. A Blue Chip tinha 71% do negócio de cupons de troca na Califórnia na época. "Safe on Its Own Turf". *Forbes*, 15 de julho de 1968.
18. A Sperry & Hutchinson processou a Blue Chip quando as redes de mercearias Alpha Beta e Arden-Mayfair substituíram os cupons da S&H pelos da Blue Chip. A Blue Chip pagou 6 milhões de dólares para encerrar o caso.
19. Cada "pacote", ao preço de 101 dólares, consistia em títulos de dívida com valor de face de 100 dólares e taxa de 6,5% ao ano mais três ações ordinárias com preço de emissão de 0,333 centavo cada. Foi incluído na oferta um total de 621.600 ações da Blue Chip. Nove varejistas, que eram grandes clientes da empresa, dividiram outros 45%, que foram para fundos fiduciários por 10 anos. Os restantes 10% foram para a administração da empresa (como foi noticiado no *Wall Street Journal* de 23 de setembro de 1968).
20. Duas redes de postos de gasolina ainda a estava processando, bem como um grupo de pequenas empresas de cupons de troca, no norte da Califórnia. Relatório anual da Blue Chip aos acionistas, 1968.
21. Um dos integrantes do Grupo Graham se recorda disso.
22. Carta aos sócios, 24 de janeiro de 1968.
23. BERLIN, Leslie. *The Man Behind the Microchip*. Nova York: Oxford University Press, 2005.
24. Buffett liquidou 10 mil ações da Control Data no terceiro trimestre de 1965, quando valiam cerca de 30 dólares cada. Nesse momento ele tinha mais de 7 milhões da sua carteira de investimentos em papéis de

curto prazo. Acabou comprando algumas ações da Control Data para a sociedade em 1968 como um "exercício", ou melhor, arbitragem.
25. Entrevista com Katie Buffett, que disse que Fred queria investir 400 dólares e que ela hesitou um pouco em aplicar mais 100 dólares. Achava que seria melhor esperar um pouco antes de aplicar mais dinheiro na sociedade.
26. Sob a forma de debênture conversível.
27. BERLIN, Leslie. *The Man Behind the Microchip*.
28. Buffett falou aos sócios sobre "os desempenhos particularmente notáveis" da Associated Cotton Shops e da National Indemnity Company. Mas as empresas controladas tiveram um desempenho global apenas "decente". A Berkshire e a Hochschild-Kohn empurravam os resultados para baixo.

Capítulo 33

1. Kaiser tinha prestado serviços temporários em escritórios por meio da agência Kelly. Começou a trabalhar com Buffett em janeiro de 1967 e permaneceu com ele até se aposentar, em 1993.
2. Entrevista com Donna Walters. Buffett dividia Walters com Sol Parsow, o comerciante de artigos masculinos que tinha loja no saguão do prédio.
3. Os cupons da Blue Chip eram o equivalente mais próximo.
4. Para começar, houve "Love Only Thing That Stops Guard", *Omaha World-Herald*, 20 de abril de 1952, seguido por uma foto bonitinha de Susie e das crianças, ajeitando uma garrafa térmica para um piquenique, e depois uma matéria sobre a compra da casa de Sam Reynolds.
5. As lembranças de Loomis vêm de suas memórias na revista *Fortune*. "My 51 Years (and Counting) at *Fortune*". *Fortune*, 19 de setembro de 2005.
6. Loomis escreveu, cheia de admiração, um perfil do gestor de fundos de hedge A. W. Jones, "The Jones Nobody Keeps Up With", *Fortune*, abril de 1965, mais ou menos na época (talvez um pouco antes) em que conheceu Buffett. Nessa matéria, menciona Buffett de passagem. Não começou a trabalhar em seu perfil até "Hard Times Come to the Hedge Funds". *Fortune*, janeiro de 1970.
7. Buffett diz que nunca perdeu a hora das entregas de jornais. Essa parece ser sua versão do "sonho angustiante com provas".
8. Entrevista com Geoffrey Cowan.
9. Entrevista com Tom Murphy.
10. Carta de Warren Buffett a Jay Rockefeller, 3 de outubro de 1969. Buffett acrescentou: *"Tende a ser um negócio muito fraco, a menos que você coloque a foto de uma garota em página dupla, no meio. Costumo dizer com frequência aos sócios que prefiro perder dinheiro com lógica a ganhar dinheiro pelas razões erradas. Se tudo der certo, encontrarei um outro aforismo para dar uma explicação razoável sobre esse negócio."*
11. Para começar, Buffett aplicou 32 mil dólares.
12. Entrevista com Charles Peters, com comentários adicionais adaptados a partir do seu livro de memórias *Tilting at Windmills*. Nova York: Addison-Wesley, 1988.
13. Buffett aplicou mais 50 mil dólares.
14. Depois foi informado de que não poderia doar o investido na *Washington Monthly* para caridade. "Finalmente deixei que dessem a ação para uma das pessoas que trabalhavam ali, apenas para me livrar dela", diz Stanback. "Não valiam nada."
15. Carta aos sócios, 29 de maio de 1968.
16. Ibidem.
17. Ibidem.
18. Os Buffett contrataram professoras para tomarem conta das crianças, mas Howie cooptou os maridos delas e os transformou em seus aliados, duplicando o nível de desrespeito às regras.
19. PAGEL, Al. "Susie Sings for More than Her Supper". *Omaha World-Herald*, 17 de abril de 1977.
20. Entrevista com Milton Brown.
21. Reunião anual da Berkshire Hathaway, 2004.
22. Carta aos sócios, 9 de outubro de 1969.

23. BROOKS, John. *The Go-Go Years*. Nova York: Ballantine Books, 1973.
24. As ações haviam sido "divididas", de forma que cada uma se transformou em cinco e, em seguida, rapidamente subiu para 25 dólares a unidade.
25. A Blue Chip tinha convocado uma reunião dos acionistas para votar uma oferta secundária, na qual os acionistas poderiam oferecer lotes de ações já existentes ao público.
26. Entrevistas com Wyndham Robertson, que diz que mal podia compreender o código quando participou da sua primeira reunião do Grupo Graham, dois anos depois, em Carmel.
27. Carta ao Grupo Graham, 21 de setembro de 1971.
28. Entrevistas com Marshall Weinberg, Tom Knapp, Fred Stanback e Ruth Scott.
29. Entrevista com Ed Anderson.
30. Carta de Warren Buffett ao Grupo Graham, 21 de setembro de 1971.
31. Entrevista com Fred Stanback.
32. Entrevista com Sandy Gottesman, que destaca que praticamente empataram o investimento. Diz que uma lenda se desenvolveu em torno do negócio com a Hochschild-Kohn. "Passou para a história como um imenso erro", diz. "E não acho que tenha sido um erro tão grande quanto costuma ser descrito... Foi algo bem desproporcional."
33. A Supermarket General comprou a Hochschild-Kohn em 1969 por 5,05 milhões em dinheiro e mais 6,54 milhões em promissórias sem juros com o valor presente de 6 milhões de dólares. Com efeito, a DRC recebeu cerca de 11 milhões.
34. Do relatório anual da Diversified Retailing Company. Mas, sob os termos das debêntures, se Buffett tivesse sido atropelado por um caminhão, as obrigações de reembolso cessariam. Assim, ele estava deixando o puro acaso fora de seus cálculos.
35. Wilder não era o único a duvidar. *"Danny [Cowin] achou que eu era maluco de fazer aquilo"*, diz Buffett.
36. Citado na carta de 1989 aos acionistas.
37. "How Omaha Beats Wall Street". *Forbes*, 1º de novembro de 1969.
38. A matéria declarava que Buffett morava na casa desde seu casamento em 1952, um erro repetido posteriormente por outros redatores. A casa da rua Farnam estava longe de ser "para principiantes", como é sugerido. Reportagens geralmente se referem à casa como sendo "modesta", ou em termos similares, e raramente mencionam a extensa reforma. Na verdade, Buffett comprou a casa em 1958.
39. SIMPSON, Evelyn. "Looking Back: Swivel Neck Needed for Focus Change Today". *Omaha-World Herald*, 5 de outubro de 1969.

Capítulo 34

1. LOOMIS, Carol. "Hard Times Come to the Hedge Funds". *Fortune*, janeiro de 1970, o primeiro de uma série de artigos de Loomis a demonstrar as opiniões de Buffett.
2. Valor contábil. O valor contábil tangível era de 43 dólares. Carta de Warren Buffett aos sócios, 4 de outubro de 1969.
3. Ibidem.
4. Os sócios mais atentos poderiam ter descoberto que a Berkshire Hathaway possuía os jornais do grupo *Sun* ao ler o relatório anual de 1968.
5. Carta aos sócios, 9 de outubro de 1969. Buffett explicou que esperava que as ações cedessem cerca de 6,5%, depois dos impostos, pelos 10 anos seguintes, praticamente a mesma coisa que "investimentos puramente passivos em títulos isentos de impostos". Mesmo os melhores gestores, disse ele, teriam dificuldades em conseguir mais do que 9,5%, já descontados os impostos. Compare com os rendimentos de 17% que ele projetara para os sócios nos primeiros anos da sociedade à média de 32% que ele efetivamente obteve.
6. Carta aos sócios, 5 de dezembro de 1969.
7. Segundo Buffett, duas delas não conseguiram encontrar alguém de confiança para administrar seu dinheiro, e uma acabou indo trabalhar como vidente em San Diego.
8. Carta aos sócios, 26 de dezembro de 1969.

9. A declaração é intrigante, pois Buffett tinha acabado de nomear o *Wall Street Journal* como a ação que gostaria de ter numa ilha deserta. O *Sun*, porém, não era um bom investimento.
10. Destaque da autora. Nessa época, uma pequena comunidade de perseguidores de Buffett monitorava seus bens. Entre seus muitos sócios sobrava curiosidade em saber quais eram as intenções de Buffett. A importância de uma declaração transparente sobre suas intenções – depois de mais de uma década de sigilo obsessivo – deve ter sido fundamental (pelo menos é o que parece, em retrospecto).
11. Buffett se permitiu acertar as contas com os *underwriters* na carta aos sócios, em 26 de dezembro de 1969, dizendo que o negócio foi promovido, emprestando um "grande peso" à comparação com a Sperry & Hutchinson, o competidor mais próximo. Mas, pouco antes "de a ação ser oferecida, com o Dow Jones muito mais baixo e a S&H praticamente sem alterações, indicaram um preço muito abaixo da faixa estabelecida anteriormente" (a Blue Chip, na época, havia tido uma queda significativa). "Concordamos com relutância e pensamos ter fechado negócio, mas no dia útil seguinte eles declararam que o preço não era viável."
12. Não estava muito claro qual era a verdadeira questão por trás das reclamações dos postos de gasolina. Tinham distribuído cupons da Blue Chip e ganhado dinheiro com isso. Se houvesse cinco empresas de cupons na Califórnia, poderiam ter distribuído cupons mais caros, e não está claro se teriam ganhado mais dinheiro – poderiam até ter conseguido bem menos.
13. Isso leva em conta que cerca de 90 mil ações da Blue Chip Stamps ainda estavam comprometidas com a BPL por causa da demora na venda.
14. O relatório anual da DRC, em 1971, apresenta 841.042 dólares em promissórias emitidas "em troca de ações ordinárias de uma afiliada", com variadas datas de vencimento ou a vencer 12 meses após a morte de Warren E. Buffett. A DRC continuou a emitir essas promissórias até 1978, em um total de 1,527 milhão de dólares. Durante o primeiro ano, as promissórias eram também resgatáveis se o comprador assim quisesse. Aparentemente elas foram reemitidas sem essa condição em 1972 (segundo as demonstrações financeiras da DRC em 1972).
15. Declaração anual de 1970 da Reinsurance Corporation of Nebraska, da Berkshire Hathaway, da Diversified Retailing Company e da Blue Chip, formulários 10-K e relatórios anuais para os acionistas.
16. Entrevista com Verne McKenzie.
17. Entrevistas com Rhoda e Bernie Sarnat.
18. Entrevista com Charlie Munger.
19. Com blocos de ações grandes o bastante para praticamente tornar impossível uma mudança hostil de controle.
20. As vendas da Blue Chip atingiram o auge em 1970, chegando a 132 milhões de dólares.
21. O programa de descontos da A&P, Where Economy Originates (Onde se origina a economia), fez com que outras cadeias de supermercados adotassem a prática dos descontos em 1972. "The Green Stamp Sings the Blues". *Forbes*, 1º de setembro de 1973.
22. Dos arquivos da Berkshire Hathaway.
23. Entrevista com Bill Ramsey. A venda aconteceu porque Laurence A. See, filho de Mary See e fundador da empresa, tinha morrido, e Charles See, irmão e inventariante, mencionou a um advogado conhecido, durante férias no Havaí, que poderia estar interessado em se desfazer do negócio. O advogado contou a Bob Flaherty, que trabalhava para Scudder, Stevens e Clark, e Flaherty contou a Ramsey, que também era cliente da empresa.
24. PICK, Margaret Moos. *See's Famous Old Time Candies, a Sweet Story*. São Francisco: Chronicle Books, 2005.
25. Entrevista com Ed Anderson.
26. Buffett e Munger pagaram 11,4 vezes os dividendos da See's nos últimos 12 meses (ou melhor, um preço equivalente a mais de 11 anos de dividendos da empresa – pago em valores dos últimos 12 meses). Era uma relação preço/dividendos extremamente alta para Buffett, que raramente pagava mais do que 10 vezes o valor dos dividendos. Pagar mais do que o valor contábil também era um fato inédito. Susie disse pelo menos a um amigo que ele "comprou a See's para ela" por causa de sua obsessão por chocolate, o que soa como algo que ele pode ter dito para agradá-la.
27. Desde 1960.
28. Carta de John W. Watling a Harry W. Moore, 3 de dezembro de 1971. Buffett estava particularmente envolvido nos aspectos fiscais do negócio. Ele escreveu um memorando detalhado, delineando a proposta

de uma estrutura para a marca registrada da empresa, para obter uma base fiscal semelhante ao preço efetivo da aquisição sem incorrer nos custos de impostos sobre a venda acarretados pela lei fiscal da época, caracterizando a operação como recaptura da depreciação e recaptura dos créditos fiscais decorrentes de investimentos. A Price Waterhouse, que cuidava da contabilidade da See's, ficou aparentemente feliz ao ver que Buffett fez o seu trabalho, e escreveu um memorando apoiando sua proposta e explicando como seria executada (carta da Price Waterhouse & Co. a William E. Ramsey, 16 de janeiro de 1972).

29. Esse relato é um amálgama de entrevistas com Munger e declarações feitas durante a reunião anual da Berkshire Hathaway em 2003. BUFFETT, Warren e MUNGER, Charlie. "What Makes the Investment Game Great is You Don't Have to Be Right on *Everything*". *Outstanding Investor Digest*, v. XVIII, n°s 3 e 4, edição do final de 2003.
30. Entrevistas com Ed Anderson e Chris Browne. O raciocínio de Buffett em situações como essa e com a Berkshire era que ele precisava da ação para assumir o controle. Mas seus aliados poderiam ter mantido os papéis e votado com ele. De fato, na juventude, quando tinha menos capital, Buffett tinha organizado esse tipo de votação em bloco.
31. Carta de Warren Buffett a Chuck Huggins, 28 de dezembro de 1971.
32. No início dos anos 1970, o preço do açúcar aumentou seis vezes. Embora a maioria das notícias nos jornais se concentrasse no preço da carne, o açúcar e o cacau eram as commodities que sofriam as altas mais violentas.
33. Na época era um produto cultuado que as pessoas levavam para casa de avião depois de conhecê-lo nas férias no Colorado.
34. A narrativa é baseada em correspondência entre Warren Buffett, Stanley Krum e Chuck Huggins em 1972. Numa carta posterior, de 1972, Buffett, o abstêmio, também diz: *"Pode ser que as uvas de um vinhedo minúsculo de 80 acres na França sejam mesmo as melhores do mundo, mas sempre suspeitei que 99% disso vêm das palavras e 1% da bebida."*
35. Essa é a reclamação de alguns executivos.
36. Carta de Warren Buffett a Chuck Huggins, 25 de setembro de 1972.
37. Entrevistas com Tom Newman e Racquel Newman.
38. Buffett também teria entrado para o conselho de sua empresa favorita, a Geico, se a SEC não tivesse concluído que isso configuraria um conflito, pois a Berkshire Hathaway já possuía uma empresa de seguros, a National Indemnity.
39. Entrevista com Peter Buffett.
40. Cada membro do conselho consultivo investiu cerca de 7 mil dólares. O controle do banco ficou com a comunidade afro-americana. Alguns negros não queriam investidores brancos. *"Pensavam que estávamos tentando empurrar alguma coisa para eles, eu acho"*, diz Buffett.
41. Entrevista com John Harding.
42. Entrevista com Larry Myers. Segundo Myers, Buffett continuou com o mesmo nível de envolvimento por 17 anos. Uma vaga num conselho consultivo é diferente de uma posição no conselho administrativo e costuma exigir menos comprometimento de agenda.
43. LOWENSTEIN, Roger. *Buffet: A formação de um capitalista americano*. Rio de Janeiro: Nova Fronteira, 1997.
44. Entrevista com Hallie Smith.
45. Entrevista com Rhoda e Bernie Sarnat. Buffett também se lembra da história.
46. Algumas semanas antes, durante a festa de aniversário de casamento dos Thompson, a cozinheira de Buffett serviu o que se tornou conhecido por toda Omaha como "frango envenenado". Fora um rabino e sua esposa, que comeram atum, todos os presentes sofreram com salmonela. Na época, Buffett já era tão conhecido que o episódio foi publicado pelo *Omaha World-Herald*. Entrevista com o rabino Meyer Kripke.
47. Entrevista com Ron Parks.
48. Na versão de Buffett, ele perdeu o jogo, mas, segundo Roxanne e Jon Brandt, ele estava determinado a não perder para uma criança de 6 anos de idade – e ganhou.
49. Segundo um amigo, Susie começou a verbalizar essa atitude no final dos anos 1960. Mais tarde disse as palavras aqui citadas para Charlie Rose durante uma entrevista.
50. Entrevista com Milton Brown. Várias fontes confirmam que Susie mantinha contato frequente com Brown nessa época.

51. Entrevistas com Racquel Newman e Tom Newman.
52. A hipoteca era de 109 mil dólares em 1973.

Capítulo 35

1. POWERS, Charles T. "Warming Up for the Big Time: Can John Tunney Make It as a Heavyweight?". Revista *West* (*Los Angeles Times*), 12 de dezembro de 1971.
2. A carta do senador Ed Muskie a Buffett de 25 de setembro de 1971 diz que Muskie estava "especialmente intrigado com esse conceito", que Hughes e Rosenfield lhe tinham transmitido. Mais tarde, a mesma noção, sob o nome mais chamativo e memorável de "índice de sofrimento", teve um papel na fracassada campanha de reeleição do presidente Jimmy Carter.
3. DOYLE, James. "A Secret Meeting: Hughes Rejects Presidential Bid". *Washington Evening Star*, 15 de julho de 1971.
4. AVERILL, John H. "Hughes Drops Out as Democratic Contender". *Los Angeles Times*, 16 de julho de 1971.
5. O incidente, sem o nome do entrevistador, é citado por James Risser em "'Personal' Religion of Senator Hughes". *Des Moines Sunday Register*, 11 de julho de 1971. Hughes apareceu no programa *Meet the press* em 4 de abril de 1971.
6. RISSER, James e ANTHAN, George. "'Personal' Religion of Senator Hughes". Hughes disse "acreditar na capacidade de algumas pessoas para prever o futuro".
7. A forma como Hughes conta essa história (com Dick Schneider) em sua autobiografia, *The man from Ida Grove* (Lincoln, Virgínia: Chosen Books, 1979) é um pouco diferente do relato da imprensa. Hughes discute livremente sua reputação de "místico" e menciona o apoio de Rosenfield. Ele não menciona Buffett, mas lembra da reunião como tendo ocorrido num quarto de hotel na Califórnia, e não em Washington, como relatado. Na volta para casa, no avião, ele teve "uma visão com um botão vermelho" que detonaria "um terrível ataque nuclear" e diz que percebeu que, como presidente, não poderia apertar o botão. Depois de pedir orientação divina, ele decidiu não se candidatar à presidência.
8. AVERILL, John H. "Hughes Drops Out as Democratic Contender". O mais provável é que a imprensa tivesse desenterrado a história em algum momento e Hughes tenha se poupado de maiores constrangimentos. Os assessores de Hughes negaram posteriormente, no *Los Angeles Times*, que a divulgação de suas crenças no espiritualismo e na comunicação com o irmão morto, através de um médium, tenham influenciado sua decisão de não concorrer.
9. Entrevista com Tom Murphy.
10. Essa versão é um amálgama das versões de Murphy e Buffett. As histórias são idênticas, a não ser por detalhes triviais de suas lembranças dos diálogos.
11. O anúncio da venda do *Fort Worth Star-Telegram* e das estações de rádio AM e FM da região para a Cap Cities por 80 milhões de dólares foi feito em 6 de janeiro de 1973. Mas a conclusão do negócio só aconteceu de fato em novembro de 1974.
12. "*Devia ter comprado*", diz Buffett. "*Foi uma coisa realmente burra. Teríamos ganhado muito dinheiro.*"
13. Segundo Boys Town (que agora atende pelo nome de Girls and Boys Town), a casa foi aberta em 12 de dezembro de 1917, com uns seis meninos, e em três semanas já atendia 25. A data e o número aproximado ("entre 20 e 25") são citados no *Omaha's Own Magazine and Trade Review*, dezembro de 1928.
14. Howard Buffett "ajudou-nos muito em garantir nossa própria agência dos correios, pela qual somos profundamente gratos, pois veio nos assistir quando precisávamos urgentemente de um amigo". Carta de Patrick J. Norton a Warren Buffett, 24 de abril de 1972. A agência dos correios foi aberta em 1934, e o vilarejo passou a ser reconhecido oficialmente em 1936, segundo o *Irish Independent* de 25 de agosto de 1971. A agência postal era um elemento-chave nos pedidos de fundos feitos por Boys Town.
15. A contribuição média na época da matéria do *Sun* era de 1,62 dólar. Reproduzido da gravação da entrevista de Mick Rood com o monsenhor Nicholas Wegner.
16. Ibidem. DORR, Robert. "Hard-Core Delinquent Rarity at Boys Town". *Omaha World-Herald*, 16 de abril de 1972.
17. WILLIAMS, Paul. *Investigative Reporting and Editing*. Englewood Cliffs, N. J.: Prentice Hall, 1978. Williams era o editor durante a investigação sobre Boys Town.

18. Michael Casey, diretor de projetos especiais contratado depois da matéria do *Sun*, descreveu a atmosfera como sendo a de uma "prisão de segurança mínima", com base em sua experiência trabalhando em prisões e sanatórios, no suplemento *Midland News* do *Omaha World-Herald*, em 10 de março de 1974. Segundo o relato de Casey, ele foi obrigado a pedir demissão de Boys Town seis meses depois e declarou que as reformas foram simples obras de fachada. O padre Hupp diz que Casey foi embora porque seu trabalho se encerrara – mas Casey era um ex-presidiário sem papas na língua, difícil de lidar.
19. WILLIAMS, Paul N. "Boys Town, an Exposé Without Bad Guys". *Columbia Journalism Review*, janeiro/fevereiro de 1975.
20. O *Sun* tinha um grupo de repórteres "polivalentes" que trabalhavam em matérias que saíam nas sete edições do jornal. Foram eles que se envolveram na história de Boys Town.
21. Segundo Paul Williams, em *Investigative Reporting and Editing*, Boys Town recebeu recursos de apoio para educação, bem como fundos de bem-estar social e gasolina bancados por impostos estaduais. Embora fossem basicamente "moedinhas" no contexto do orçamento global, cerca de 200 mil dólares anuais, a discrepância era real e apontava para outros possíveis problemas.
22. Transcrição da entrevista de Mick Rood com o monsenhor Nicholas Wegner. Wegner fala "dessa dona lá no Departamento de Previdência Social de Lincoln [que] tentava transformar tudo numa coisa enorme, desproporcional…", o que ele considerava uma questão pessoal, e não institucional. De qualquer maneira, ele chegou a insinuar que Boys Town poderia sair do estado se os reguladores amolassem demais, porque "nossos estatutos dizem que NÃO SOMOS OBRIGADOS A FICAR AQUI".
23. WILLIAMS, Paul. *Investigative Reporting and Editing*.
24. Entrevista com Mick Rood. Segundo várias fontes, o "Garganta Profunda" de Boys Town, papel que exigia coragem para ser desempenhado na provinciana Omaha, foi o Dr. Claude Organ.
25. Jeannie Lipsey Rosenblum descreveu sua aparência na época, numa entrevista.
26. Sendo uma organização ligada a uma instituição religiosa, Boys Town tinha direito a isenção nos primeiros dois anos e poderia ter preenchido seus formulários com a arquidiocese de Omaha. Mas preenchera sua própria documentação em separado.
27. Segundo Paul Williams, o trabalho de investigação na Filadélfia foi realizado por Melinda Upp, uma repórter de Washington que ele tentara contratar anteriormente. Finalmente chegou a ocasião. "Tem certeza de que quer fazer isso?", ela teria perguntado. A Receita americana cobrava 1 dólar por página copiada, e havia 94 páginas. A resposta foi: "Diachos, quero!"
28. Entrevista com Randy Brown.
29. Nas colunas de Rood que repercutiram a matéria.
30. Os 25 milhões de dólares são a combinação da captação de recursos com rendas de investimentos.
31. Entrevistas com Mick Rood e Warren Buffett.
32. O *Sun* publicou a notícia numa quinta-feira e desenvolveu seu cronograma de produção ao mesmo tempo que tentava impedir a chance de uma matéria que esvaziasse o assunto no *Omaha World-Herald*.
33. WILLIAMS, Paul. *Investigative Reporting and Editing*. TOMKINSON, Craig. E. "The Weekly Editor: Boys Town Finances Revealed". *Editor & Publisher*, 15 de abril de 1972.
34. Transcrição da entrevista de Mick Rood com o monsenhor Nicholas Wegner.
35. Os repórteres entrevistaram 13 dos 17 membros do conselho. Dois estavam velhos ou doentes demais para serem entrevistados.
36. Monsenhor Schmitt, em entrevista coletiva em 22 de maio de 1972. Transcrição da coletiva.
37. Entrevista com Randy Brown.
38. WILLIAMS, Paul N. "Boys Town, an Exposé Without Bad Guys".
39. Michael D. LaMontia, diretor do Departamento Estadual de Instituições Públicas, que supervisionava Boys Town, disse, em carta para Wegner em 25 de maio de 1972, que as críticas do *Sun* provinham de uma "minoria barulhenta" que deveria ser ignorada. O *Sun*, segundo ele, fala "com pouca representatividade e não é ouvido por muita gente. A pessoa sob ataque pode deixar que a notícia morra de causas naturais…". Ele se referia aos repórteres como "aves de rapina" e "fracassados profissionais". Possivelmente, o senhor LaMontia estava apenas tentando demonstrar simpatia, mas o tom parecia mais carregado do que isso.

40. WILLIAMS, Paul N. "Boys Town, an Exposé Without Bad Guys".
41. "Boys Town Bonanza". *Time*, 10 de abril de 1972. "Boys Town's Worth Put at $ 209 Million". *Los Angeles Times*, 31 de março de 1972. "Money Machine". *Newsweek*, 10 de abril de 1972. TOMKINSON, "The Weekly Editor".
42. "Other Boys Homes Affected by Boys Town Story". *Omaha Sun*, 14 de dezembro de 1972.
43. Carta sem data, com duas páginas, de Francis P. Schmitt aos patrocinadores de Boys Town, impressa em papel de carta de Boys Town. "Boys Town May Take Legal Steps to Initiate New Programs, Policies". *Omaha Sun*, 14 de dezembro de 1972. Correspondência entre Paul Williams e o "Reverendo Irreverente" Lester Kinsolving, do National Newspaper Syndicate Inc. of America, colunista especializado em artigos sensacionalistas sobre religião, amplamente publicados em jornais associados ao *San Francisco Chronicle*. Schmitt estava zangado porque, entre outras coisas, o marketing de Boys Town não funcionara. Kinsolving escreveu uma matéria repercutindo o assunto no *Washington Evening Star*, "Boys Town Money Machine" (4 de novembro de 1972), detalhando como a história de Boys Town, Nebraska, tinha vindo à tona. Schmitt sentiu (de maneira incorreta) que ele não tinha o direito de fazê-lo.
44. CRITCHLOW, Paul. "Boys Town Money Isn't Buying Happiness". *Philadelphia Inquirer*, 20 de julho de 1973.
45. Carta do reverendo monsenhor Wegner a um suposto funcionário do *San Francisco Examiner*, que trabalhava na sala de composição, 1º de junho de 1973. O homem escreveu para Lester Kinsolving e pediu para não ser identificado, provavelmente por estar oferecendo a história para um jornal concorrente. Kinsolving, aparentemente, encaminhou o material para Buffett.
46. Usado com a permissão da Omaha Press Club Foundation.
47. Carta de Warren Buffett a Edward Morrow, 21 de abril de 1972.
48. Memorando de Paul Williams a Buffett, 13 de outubro de 1972, incluindo os comentários de Buffett.
49. Bilhete de Mick Rood em seus arquivos pessoais, datado de 19 de janeiro de 1973. Transcrição da entrevista de Mick Rood com o monsenhor Nicholas Wegner.
50. O prêmio foi para "o grupo de jornais Sun de Omaha, do *The Sun Newspapers of Omaha*, "por revelar os imensos recursos financeiros de Boys Town, Nebraska, levando a reformas na maneira com que essa organização de caridade solicita e utiliza os recursos doados pelo público". Era a primeira vez que um jornal semanal ganhava a categoria de Reportagem Investigativa Especializada Regional (embora, segundo funcionários do Pulitzer Center, semanários já houvessem ganhado em outras categorias que não envolviam reportagens investigativas).
51. No entanto, o monsenhor Wegner foi descrito como "frágil", tendo-se submetido a cirurgias recentes. Ver CRITCHLOW, Paul. "Boys Town Money Isn't Buying Happiness".
52. Entre as descobertas dos consultores estava o fato de que o moral dos funcionários de Boys Town agora andava baixo, com muitos antigos empregados tendo trabalhado por muitos anos em troca de salários irrisórios, por terem a impressão de que Boys Town mal conseguia sobreviver. Boys Town chegou a levantar mais dinheiro do que em 1972 (mais de 6 milhões de dólares), segundo o *Omaha World-Herald* (21 de março de 1973). O grande resultado da revelação e das reformas subsequentes foi o aumento na transparência e na prestação de contas da forma como o dinheiro era gasto.
52. GOODMAN, George Jerome (como "Adam Smith"). *Supermoeda*. 2. ed. São Paulo: Vértice, 1986. Goodman (conhecido como Jerry) escolheu seu pseudônimo inspirado em Adam Smith, pai da economia de mercado.
53. BROOKS, John. "A Wealth of Notions". *Washington Post*, 22 de outubro de 1972.

Capítulo 36

1. Entrevista com Stan Lipsey. Scripps Howard possuía 60% do jornal, mas recebera ordens do Departamento de Justiça, em 1968, de desfazer-se dele, com base na lei antitruste, pois também possuía o *Cincinnati Post & Times-Star*, um jornal concorrente. A Blue Chip comprou 10% das ações do *Enquirer* e tentou obter o restante por 29,2 milhões de dólares em fevereiro de 1971.
2. Scripps estaria interessado na venda, porque contemplava a compra da Journal Publishing e da Albuquerque Publishing e não poderia possuir as três empresas.
3. Graham achou que a única alternativa a abrir o capital era vender uma das estações de televisão da empresa, coisa que ela não queria fazer. Para proteger o negócio de um comprador hostil, Beebe e o advogado da família, George Gillespie, estruturaram a venda de ações em dois patamares, com as ações classe A nas

mãos da família e as classe B, com direito de voto diluído, vendidas para o público. GRAHAM, Katharine. *Uma história pessoal*. São Paulo: DBA, 1998.
4. Graham contou essa história para Buffett.
5. GRAHAM, Katharine. *Uma história pessoal*.
6. Carta de Katharine Graham a Charlie Munger, 25 de dezembro de 1974.
7. GRAHAM, Katharine. *Uma história pessoal*.
8. Entrevista de Katharine Graham a Charlie Rose, 5 de fevereiro de 1997.
9. Algumas das ações B, sem poder de voto, foram para o irmão de Kay, Bill, em troca de um investimento na empresa. As irmãs de Kay não eram investidoras do *Post*. Na época o jornal pouco lucrativo funcionava menos como um bem financeiro e mais como uma responsabilidade pública e uma fonte de prestígio.
10. O ex-técnico de golfe de Buffett, Bob Dwyer, era o mensageiro que executava essa tarefa entre seus afazeres no departamento editorial.
11. GRAHAM, Katharine. *Uma história pessoal*.
12. Essas histórias são relatadas em *Uma história pessoal*.
13. HEYMANN, C. David. *The Georgetown Ladies' Social Club*. Nova York: Atria Books, 2003. É um relato bem pesquisado sobre as mais influentes anfitriãs de Washington e o poder privado que exerciam – e cita episódios como um olho roxo, o que indica que pelo menos em algumas ocasiões Phil Graham abusou fisicamente dela.
14. Histórias sobre mulheres com quem Phil Graham se teria envolvido e a alegação de que ele trocava namoradas com Kennedy, inclusive a atriz e modelo Noel-Noel, estão em *The Georgetown Ladies' Social Club*.
15. Em seu livro de memórias, Graham atribuiu isso em parte à subserviência das mulheres de seu tempo e em parte a sua educação emocional repleta de abusos. Parece ter, pelo menos parcialmente, alguma compreensão de seu próprio papel, ao permitir o comportamento de Phil.
16. Entrevista de Katharine Graham a Charlie Rose, 5 de fevereiro de 1997.
17. Ibidem.
18. Entrevista com Don Graham.
19. Beebe fora sócio da Cravath, Swaine & Moore em Nova York e, sob a direção de Don Swatland, em 1948, foi fundamental para projetar a estrutura que protegeu o *Post* do risco de uma venda para alguém de fora da família.
20. GRAHAM, Katharine. *Uma história pessoal*.
21. McNamara, mais tarde, disse ter encomendado "History of the United States Decision-Making Process on Vietnam Policy" para "deixar aos estudiosos novo material para reexaminarem os eventos da época". UNGAR, Stanford J. *The Papers and the Papers: An Account of the Legal and Political Battle over the Pentagon Papers 23-27*. Nova York: E. P. Dutton, 1972.
22. Para ficar mais claro, o diálogo entre Graham e Bradlee foi condensado e editado a partir de *Uma história pessoal* e da entrevista de Graham a Charlie Rose. A descrição da cena vem de *Uma história pessoal*.
23. WOODWARD, Bob. "Hands Off, Minds On". *Washington Post*, 25 de julho de 2001.

Capítulo 37

1. Nixon fez ameaças explícitas em relação às licenças, mas não há notícias publicadas que documentem o assunto até maio de 1974. (GRAHAM, Katharine. *Uma história pessoal*. São Paulo: DBA, 1998.) Graham entrou com uma declaração juramentada na FCC, a agência norte-americana que regula os meios de comunicação, em 21 de junho de 1974, dizendo que o desafio era "parte de um esforço inspirado pela Casa Branca para causar danos (...) à empresa, em retaliação à cobertura do Caso Watergate". MINTZ, Morton. "Mrs. Graham Links White House, TV Fights". *Washington Post*, 27 de junho de 1974. ROSENBAUM, David E. "Threats by Nixon Reported on Tape Heard by Inquiry". *New York Times*, 16 de maio de 1974.
2. GRAHAM, Katharine. *Uma história pessoal*.
3. Ibidem.
4. Todas as citações sobre Meyer vêm de REICH, Cary. *Financier: The Biography of André Meyer: A Story of Money, Power, and the Reshaping of American Business*. Nova York: William Morrow, 1983.

5. REICH, Cary. *Financier*.
6. "A empresa inteira chegou a um ponto de estar sendo vendida por 80 milhões", diz Buffett. "Gastamos um pouco menos de 10 milhões de dólares e, no final das contas, pagamos um preço que elevava a empresa a uma média de 100 milhões."
7. As memórias de Graham, que minimizam seu relacionamento com Meyer, atribuem a Gillespie e a Beebe a ideia das duas classes de ações. O biógrafo de Meyer, Cary Reich, atribui a ideia a Meyer. Em se considerando o talento de Meyer como banqueiro, parece improvável que ele não tenha tido nenhum envolvimento.
8. Carta de Warren Buffett a Katharine Graham, maio de 1973.
9. HOAGLAND, Jim. "A Journalist First". *Washington Post*, 18 de julho de 2001.
10. KAISER, Robert. "The Storied Mrs. Graham". *Washington Post*, 18 de julho de 2001.
11. Cary Reich empregou o termo "colérico" em *Financier*.
12. Entrevista com Arjay Miller.
13. GRAHAM, Katharine. *Uma história pessoal*.
14. "Uma coisa certa? O que é informação privilegiada? Esqueça as definições em preto-e-branco. O mundo real é frequentemente cinza, como na San Jose Water Works". *Forbes*, 1º de setembro de 1973.
15. A empresa divulgara em 1971 que a municipalidade estava interessada em adquiri-la.
16. Entrevista com Bill Ruane.
17. Carta de Warren Buffett a Malcom Forbes, 31 de agosto de 1973.
18. Entrevista com Bill Ruane.
19. GRAHAM, Katharine. *Uma história pessoal*.
20. BROGAN, Patrick. *The Short Life and Death of the National News Council: A Twentieth Century Fund Paper*. Nova York: Priority Press Publications, 1985. O conselho sobreviveu por 11 anos antes de desistir – uma década antes de a internet se popularizar – por falta de um canal que tornasse visíveis ao público suas descobertas.
21. Entrevista com George Gillespie.
22. Entrevista com Don Graham.
23. GRAHAM, Katharine. *Uma história pessoal*.
24. Em 20 de outubro de 1973.
25. Palavras de Graham no prefácio de *Washington*, livro de Meg Greenfield. Nova York: Public Affairs. 2001.
26. Graham, com mais tato, o chamou de "provocador adorável e malicioso" em *Uma história pessoal*.
27. Em seu livro, Graham recorda que "alguém" mencionou a amortização de intangíveis, e que Howard Simons, do nada, a desafiou a explicar de que se tratava. Muito possivelmente Graham não percebeu que estava "se exibindo" quando escreveu o que era, afinal de contas, seu livro de memórias.
28. Entrevista com Don Graham.
29. Entrevista com Liz Hylton.
30. *A Conferência de Dumbarton Oaks*. Dumbarton Oaks Research Library and Collection.
31. Wisner era viúva de Frank Wisner e se casou com o colunista Clayton Fritchey em 1975, passando a se chamar Polly Fritchey.

Capítulo 38

1. Wattles, curiosamente, tinha o mesmo nome de Gurdon W. Wattles, o "rei dos bondes" de Omaha, com quem não tinha qualquer parentesco.
2. Entrevistas com Ed Anderson e Marshal Weinberg.
3. Buffett comprou a American Manufacturing por 40% do que considerava ser seu valor. "How Omaha Beats Wall Street". *Forbes*, 1º de novembro de 1968.
4. Outras pessoas fizeram o mesmo que Wattles – como Thomas Mellon Evans e Jean Paul Getty. Buffett também seguiu Evans, enquanto outro colega de Columbia, Jack Alexander, e o sócio Buddy Fox seguiam Getty, que formou uma espécie de pirâmide com companhias de petróleo e escreveu um livro, *How to Be Rich* (Como ser rico). Evans, um homem de negócios de Pittsburgh, examinado em "Heirloom Collector"

(*Time*, 11 de maio de 1959), operava por intermédio de H. K. Porter, e Crane Co. Wattles, que hoje é praticamente desconhecido, foi diretor da Crane.

5. Não dava uma fortuna, a menos que você enfiasse a mão nos bolsos dos acionistas, como alguns fizeram. Um operador inescrupuloso poderia se fartar com dinheiro das subsidiárias, ao mesmo tempo que sobrecarregava os acionistas da companhia matriz com dívidas insustentáveis. TOMPKINS, John S. "Pyramid Devices of 20's Revived". *New York Times*, 16 de novembro de 1958.
6. "Se consegui enxergar mais longe, foi porque estava apoiado sobre ombros de gigantes." Carta de Isaac Newton a Robert Hooke, 5 de fevereiro de 1676.
7. "Fighting the Tape". *Forbes*, 1º de abril de 1973. "Acredito que esse homem [Wattles] vá fazer coisas inteligentes", disse Ruane. Mas os acionistas tinham entrado com processos por conta dos valores da fusão, ilustrando os conflitos criados pelo modelo de Wattles.
8. Entrevista com Charlie Munger.
9. A Blue Chip fez duas aquisições que somavam ao todo 137 mil ações, ou 6% da Wesco, em 11 e 14 de julho de 1972. Entre julho de 1972 e janeiro de 1973, a Blue Chip comprou outras 51.300 ações, ou melhor, 2% da empresa, através de aquisições no mercado em 20 dias diferentes.
10. "Not Disappointed, Says Analyst as Wesco, FSB Call Off Merger". *California Business*, 15 de março de 1973.
11. As ações da Wesco vinham sendo negociadas a 25 dólares a unidade, contra os 8 dólares oferecidos pela Santa Barbara. A Santa Barbara não tinha capital comprometido com endividamento, enquanto a Wesco possuía um patrimônio líquido equivalente a 7 dólares por ação. Os lucros por ação da Santa Barbara, descontando-se os créditos podres e os impostos atualizados e diferidos, eram 28,7% menores que os da Wesco.
12. Essa é a lembrança que Betty Casper Peter tem da história relatada por Buffett.
13. Charlie Munger, numa carta a Louis Vincenti em 8 de fevereiro de 1975, defende que a Home Savings (gigante bancário da Califórnia) tinha uma estrutura de custos tão enxuta porque 'funciona como a Wesco".
14. Entrevista com Betty Casper Peters.
15. Depoimento de Charles T. Munger. *In the Matter of Blue Chip Stamps, Berkshire Hathaway Incorporated.* HO-784. p. 53. Quarta-feira, 19 de março de 1975. Depoimento de Warren E. Buffett, 21 de março de 1975, pp. 61-63.
16. Entrevista com Charlie Munger.
17. "É complicado", escreveu, "quando queremos conversar com você sobre as alternativas a serem fornecidas aos acionistas da Wesco, que você não se permita sequer considerar qualquer outra coisa, a menos que seja liberado pela FSB (Santa Barbara) ou por nossa intervenção.(...) Acho que tudo que podemos fazer é garantir que todo mundo aja da melhor maneira possível enquanto a situação se desenrola, até encontrar um desfecho que agora não é mais inteiramente claro para nós." Carta de Charlie T. Munger a Louis R. Vincenti, 8 de fevereiro de 1973.
18. Depoimento de Charles T. Munger. *In the Matter of Blue Chip Stamps, Berkshire Hathaway Incorporated.* HO-784, p. 84. Quarta-feira, 19 de março de 1975.
19. Entrevista com Betty Casper Peters.
20. Minutas da reunião extraordinária do conselho de direção da Wesco Financial Corporation, 13 de fevereiro de 1973.
21. Entrevista com Betty Casper Peters.
22. Comentários de analistas publicados em "Not Disappointed, Says Analyst as Wesco, FSB Call Off Merger". *California Business*, 15 de março de 1973.
23. Peters ficou grata e escreveu a Don Koeppel dois meses depois, para dizer que a decisão de encerrar o acordo pareceu "heroica" porque o preço das ações da Santa Barbara tinha caído de 33 dólares para 15,50.
24. Entrevista com Charlie Munger.
25. A Blue Chip inscreveu-se na Federal Savings and Loan Insurance Corporation para comprar 50% da Wesco, transformando-se assim – e, potencialmente, as suas afiliadas Berkshire, Diversified Retailing Company e outras – numa holding de poupança e empréstimos. Na inscrição, as empresas disseram que a DRC nunca considerara a Blue Chip uma subsidiária, mas a DRC e suas afiliadas poderiam dizer que tinham o controle da Blue Chip por intermédio de Buffett, que possuía ações de ambas as empresas, bem como da Berkshire, que nessa altura possuía 17,1% da Blue Chip.

26. Munger começou a examinar outras ações de bancos da Califórnia e sugeriu que a Wesco deveria comprar um grande lote do Crocker National Bank.
27. "Tenho uma forte predisposição pessoal a favor da compra, com grandes descontos em relação a seu valor contábil, de ações de instituições bem estabelecidas que renderam entre 11% e 13% em relação a seu valor contábil por uma década ou mais, com uma história de dividendos substanciosos e crescentes. Além do mais, gosto da ideia de diversificar a base econômica da Wesco com algo que custe zero em despesas gerais. Também gosto de me tornar o maior acionista de empreendimentos substanciosos baseado na teoria de que isso é capaz de render algo mais ao desempenho dos investimentos." Carta de Charles T. Munger a Lou Vincenti, 3 de abril de 1973.
28. O estilo de negociações de Buffett naquele ano sugeria que talvez ele estivesse pessimista em relação à economia e se preparava para uma queda. Ele lançou opções de compra cobertas sobre as ações da Kennecott Copper e lançou também opções *"down-and-out"*, um tipo mais sofisticado de opção de compra coberta, que limita o risco em caso de queda e em caso de alta do preço do ativo num intervalo específico, sobre ações da Ford Motors, General Motors e Black & Decker. Vender opções de compra destas três últimas, muito sensíveis às variações na economia, não obedecia a uma tendência do mercado, mas sugere que ele estava mais pessimista do que otimista em relação às perspectivas. Carta de Warren Buffett a Jack Ringwalt, 9 de março de 1972.
29. Em 31 de dezembro de 1973 suas ações do *Post* valiam 7,9 milhões de dólares.
30. Carta de Catherine Elberfeld a Warren Buffett, maio de 1974.
31. Ben Graham escreveu sobre essa empresa de Eau Claire, Wisconsin, em *O investidor inteligente*.
32. *"Eu teria ganhado muito mais dinheiro se não tivesse vendido. Teria feito uma fortuna com aquela ação"*, diz Buffett. Ele conta que se livrou dela rapidamente quando descobriu que o CEO tinha acordos sobre pagamentos diferentes para cada diretor. Vornado estava sob uma administração diferente e possuía lojas de descontos. Hoje ela é um truste de investimentos no mercado imobiliário, administrada por Steven Roth.
33. Entrevista com Bob Malott.
34. Buffett conta que disse imediatamente a Malott que a FMC deveria comprar de volta suas ações, que sairiam barato. Embora a FMC tenha considerado a ideia, não a levou adiante.
35. As matrículas de estudantes negros tinham aumentado em um terço e estavam projetadas para crescer até a metade, no outono. Um processo para interromper a segregação estava em andamento, e o prédio não se adaptava às normas do Corpo de Bombeiros. Alguns estudantes brancos já tinham pedido transferência, com medo de que a Central High se fundisse com a Tech High, a escola mais barra-pesada da cidade. PARSONS, Dana. "Central Parents Express Fears, Seek Changes." *Omaha World-Herald*, 9 de maio de 1974. O comitê propôs mudanças que na prática criaram uma escola que atraía estudantes como um ímã, voltada para a preparação para a universidade.
36. Mark Trustin, um vizinho, deu Hamilton de presente para os Buffett.
37. Entrevista com Susie Buffett Jr., que diz que não planejava se tornar agente policial.
38. Entrevista com Peter Buffett.
39. Entrevista com Dave Stryker.
40. No mundo dos Temptations, os homens eram as Violetas Buscapé: "Since I Lost My Baby", "The Way You Do the Things You Do", "(I Know) I'm Losing You", "I Can't Get Next to You", "Just My Imagination", "Treat Her like a Lady" e, naturalmente, "Ain't Too Proud to Beg".
41. De diversas fontes próximas a Susie, na época, e também de outras que a conheceram mais tarde.
42. Entrevista com Peter Buffett.
43. Seus dividendos da Blue Chip eram de cerca de 160 mil dólares, antes dos impostos.
44. Fazendo com que a Diversified Retailing Company comprasse seguros ("ressegurasse") a National Indemnity por meio da nova subsidiária. O dinheiro era transferido ao se pagar um prêmio para a DRC. Depoimento de Charles T. Munger. *In the Matter of Blue Chip Stamps, Berkshire Hathaway Incorporated*. HO-784, pp. 188-194. Quarta-feira, 19 de março de 1975.
45. No final de 1973, a Reinsurance Corp. of Nebraska (agora sob o nome de Columbia Insurance) acumulara investimentos de 9 milhões de dólares, o que é um indicador de seu fluxo de caixa.
46. Depoimento de Charles T. Munger. *In the Matter of Blue Chip Stamps, Berkshire Hathaway Incorporated*.

HO-784. Quarta-feira, 19 de março de 1975. Ambos tinham possuído algumas ações anteriormente. Munger comprara um lote, e Gottesman comprou ações que seus sócios venderam.
47. Depoimento de Charles T. Munger. *In the Matter of Blue Chip Stamps, Berkshire Hathaway Incorporated*. HO-784, p. 193. Quarta-feira, 19 de março de 1975.
48. Depoimento de Charles T. Munger. *In the Matter of Blue Chip Stamps, Berkshire Hathaway Incorporated*. HO-784, p. 190. Quarta-feira, 19 de março de 1975.
49. As informações apareciam no final do ano, no relatório anual da DRC, mas poucas pessoas as leram, e era necessário trabalho braçal e iniciativa para obter informações mais atualizadas do formulário 3s e 4s da SEC. A posição da DRC de 11,2% foi apresentada no relatório anual da BRK em 1973, bem como o fato de Warren e Susie possuírem 43% da DRC na época.
50. Por 1,9 milhão de dólares.
51. Carta de Don Koeppel a Warren Buffett, 15 de junho de 1973.

Capítulo 39

1. Do auge ao fosso, na Depressão (3 de setembro de 1929 a 8 de julho de 1932), o Dow Jones caiu 89%. Do auge ao fosso, no início dos anos 1970 (11 de janeiro a 6 de dezembro de 1974), ele caiu 45% – foram as duas mais espetaculares baixas do século.
2. Entrevista de Robert Redford, citada por GRAHAM, Katharine em *Uma história pessoal*. São Paulo: DBA. 1998.
3. GRAHAM, Katharine. *Uma história pessoal*.
4. As estações de televisão possuídas por ambos provocariam um conflito.
5. GRAHAM, Katharine. *Uma história pessoal*.
6. PAGEL, Al. "What Makes Susie Sing?". *Omaha World-Herald*, 17 de abril de 1977.
7. Entrevista com Gladys Kaiser.
8. De uma carta que Graham escreveu a Buffett e reproduziu em *Uma história pessoal*. Don Graham lembra que a mãe lhe contou que Susie preparara ovos para ela, e que Susie e Warren apenas assistiam, enquanto Kay comia, sem comerem nada.
9. Medido do ponto mais alto.
10. Entrevista com Charlie Munger.
11. "Fighting the Tape". *Forbes*, 1º de abril de 1973.
12. O posto teria sido vendido por um quarto do valor que Ruane, Cunniff pagaram por ele.
13. A sequência era a seguinte: 1970: Sequoia 12,11% vs. S&P 20,6%. 1971: Sequoia 13,64% vs. S&P 14,29. 1972: Sequoia 3,61% vs. S&P 18,98%. 1973: Sequoia 24,8% vs. S&P 14,72%.
14. Assim como Buffett, Marshall Weinberg confirmou essa informação em entrevista. Malott diz não se lembrar.
15. Loomis acompanhou Sandy Gottesman no First Manhattan. Brandt foi trabalhar na Abraham & Co.
16. "Look at All Those Beautiful, Scantily Clad Girls Out There!". *Forbes*, 1º de novembro de 1974.
17. "*A Forbes não utilizou o que eu considerava as frases mais significativas*", disse Buffett em carta a Pat Ellebracht, em 24 de outubro de 1974, repetindo essa citação.
18. Entrevista com Rod Rathbun. Arquivos de arbitragem da Omni na National Indemnity Company.
19. Com juros de 20% compostos ao longo de 30 anos, esse foi provavelmente um investimento com retorno de 2,4 bilhões de dólares que foi deixado para trás. Buffett e Munger se referiram a ele como a maior oportunidade perdida na história da Berkshire Hathaway. Os detalhes são desconhecidos, mas a essência da história é retratada aqui.
20. "Why the SEC's Enforcer Is in Over His Head". *Business Week*, 11 de outubro de 1976.
21. Entrevista com Verne McKenzie.
22. Carta de Charlie Munger a Chuck Rickershauser. "Proposta de fusão para a Diversified Retailing-Berkshire Hathaway", 22 de outubro de 1974.
23. Entrevista com Betty Casper Peters.
24. Entrevista com Verne McKenzie.

25. Robin Rickershauser, que ouviu muitas vezes seu marido fazer essa tirada sagaz, não sabia o que estava por trás da frase, até ser procurada pela autora.
26. Se fosse verdade, os investidores estariam vendendo sem requerer informações a respeito do comprador e suas motivações.
27. Depoimento de Charles T. Munger. *In the Matter of Blue Chip Stamps, Berkshire Hathaway Incorporated.* HO-784, p. 122. Quarta-feira, 19 de março de 1975.
28. O aumento do preço da Santa Barbara, caso a negociação fracassasse, teria amortecido esse risco apenas parcialmente.
29. Depoimento de Charles T. Munger. *In the Matter of Blue Chip Stamps, Berkshire Hathaway Incorporated.* HO-784, pp. 112-113. Quarta-feira, 19 de março de 1975.
30. Entrevista com o juiz Stanley Sporkin.
31. Ibidem. Esse advogado era tão conhecido por sua ferocidade que pediram à autora para não citar seu nome.
32. Uma grossa pasta com documentos apresentados para responder a citação da SEC em fevereiro de 1975 ilustra diversos pontos: 1) Não continha evidências de que Buffett houvesse comprado com base em informações privilegiadas ou com expectativas de assumir o controle. 2) Buffett se tornara especialista nas regulamentações e tarifações das companhias de água, e seu interesse e conhecimento num assunto tão limitado era prodigioso. 3) Esse aspecto da investigação deve ter sido invasivo e constrangedor, pois incluiu a apresentação da correspondência com a *Forbes* para tentar limpar seu nome.
33. Em parte por causa de restrições estaduais em relação à quantidade de ações que uma seguradora podia manter, o diagrama era mais complicado do que poderia ter sido. A versão apresentada nas pp. 430-431 foi criada por Verne McKenzie e atualizada até 1977 (ou melhor, inclui o *Buffalo News*). A Berkshire ainda mantinha negociações com a SEC em 1978.
34. Durante o depoimento de Buffett – *In the Matter of Blue Chip Stamps, Berkshire Hathaway Incorporated.* HO-784, p. 125. Sexta-feira, 21 de março de 1975 – ele reconhece que Munger e ele tinham comprado ações da Wesco no mercado aberto durante uma oferta de ações, e que Rickershauser aconselhara a parar, dizendo que deveriam usar apenas a oferta para acumular mais ações (o que fizeram). Rickershauser interrompeu: "Quero deixar registrado que fique claro que eu não lhes disse que era alguma coisa ilegal aquilo que fizeram. Disse-lhes que seria difícil convencer alguém, olhando para trás, de que eles poderiam não ter tido segundas intenções fazendo aquilo. Podem me incluir nessa conta, se quiserem. Eu não queria estar certo."
35. Dito a um colega.
36. A SEC aparentemente considerou os interesses de Buffett, Munger e Guerin e das companhias que controlavam com objetivo de ofertas de ações. A combinação de Warren (11%), Susie (2%), Munger e os sócios (10%), Berkshire Hathaway (26%) e Diversified Retailing Company (16%) controlava 65% das ações da Blue Chip. Warren e Susie possuíam 36% da Berkshire e 44% da DRC. Munger possuía 10% da DRC, que possuía 15% da BRK e 16% da BC. A BC possuía 64% da Wesco.
37. O "princípio dos danos" foi articulado por estudiosos como John Locke, Wilhelm von Humboldt e John Stuart Mill, que argumentavam que o único propósito da lei era impedir danos e que a liberdade individual não deveria transgredir esse princípio. Ele serve de base para partes da Constituição americana.
38. Carta de Chuck Rickershauser Jr. a Stanley Sporkin, 19 de novembro de 1975.
39. Carta de Chuck Rickershauser Jr. a Stanley Sporkin, 1º de dezembro de 1975.
40. Depoimento de Warren E. Buffett. *In the Matter of Blue Chip Stamps, Berkshire Hathaway Incorporated.* HO-784, p. 157. Sexta-feira, 21 de março de 1975.
41. Depoimento de Charles T. Munger. *In the Matter of Blue Chip Stamps, Berkshire Hathaway Incorporated.* HO-784, p. 197. Quinta-feira, 20 de março de 1975.
42. Entrevista com o juiz Stanley Sporkin. Sporkin serviu como conselheiro-geral na CIA depois de deixar a SEC em 1981. Tornou-se juiz da corte distrital de Columbia em 1975 e trabalhou até se aposentar, em 2000.
43. Ibidem. Para mais informações sobre Sporkin, veja WILLOUGHBY, Jack. "Strictly Accountable". *Barron's*, 7 de abril de 2003. BRIMELOW, Peter. "Judge Stanley Sporkin? The Former SEC Activist Is Unfit for the Federal Branch". *Barron's*, 4 de novembro de 1985. BLEIBERG, Robert M. "Sporkin's Swan Song?". *Barron's*, 2 de fevereiro de 1981. "Why the SEC's Enforcer Is in Over His Head". *Business Week*, 11 de outubro de 1975.

44. "Apostei num bom cavalo", diz Sporkin, "e o cavalo chegou."
45. Depois da desregulamentação do setor de poupança e empréstimo, a Santa Barbara perdeu 80,9 milhões de dólares durante 15 trimestres consecutivos no início dos anos 1980. Em junho de 1984, Ivan Boesky esteve perto de comprá-la e reforçá-la com 34 milhões de dólares, dos quais precisava desesperadamente, mas a negociação fracassou. Em 1990, foi assumida por reguladores federais e colocada sob os cuidados do Resolution Trust Corp., até que o Bank of America a comprou em 1991, por 41 milhões de dólares.
46. A empresa também pagou uma multa de 115 mil dólares. *"Consent to Judgment for Permanent Injunction and Other Relief"*. *"Final Judgment for Permanent Injuction and for Other Relief and Mandatory Order and Consent with Respect Thereto"* e *"Complaint for a Permanent Injunction and Other Relief"*. *In the Matter of Securities and Exchange Comission vs. Blue Chip Stamps*, 9 de junho de 1976.
47. Comitê consultivo da SEC sobre transparência corporativa, 30 de julho de 1976.

Capítulo 40

1. SMITH, Doug. "Solid Buffett Voice Melts Debut Jitters". *Omaha World-Herald*, 9 de maio de 1975.
2. Entrevista com Charlie Munger.
3. Carta de Charlie Munger a Katharine Graham, 9 de dezembro de 1974. Munger usou o adjetivo *"dilly"* ("especial") quando aparentemente queria dizer "silly" ("bobo"). Para a clareza do texto optou-se pelo adjetivo "bobo".
4. Entrevista com Fred Stanback.
5. Entrevistas com Roxanne Brandt e Walter Schloss. Brandt mais tarde diria, de forma brincalhona, que isso seria motivo para divórcio.
6. *New York Daily News*, 30 de outubro de 1975.
7. Em dezembro de 2007, essas ações valeriam 47 milhões de dólares.
8. Que Buffett, o sujeito que nunca pediu emprestado uma quantia significativa na vida, achasse que era perfeitamente sensato que as irmãs comprassem ações da Berkshire com dinheiro emprestado revela o quanto ele achava que a ação estava barata, e como eram boas as perspectivas na época.
9. A Berkshire possuía tantas ações do *Washington Post* e sua posição no conselho era tal que, se ele comprasse uma estação de televisão, seu controle seria atribuído ao *Washington Post*, ultrapassando o limite das cinco estações que o grupo poderia ter.
10. Carta de Howard E. Stark a Warren Buffett, 18 de junho de 1975. Veja também SMITH, Lee. "A Small College Scores Big in the Investment Game". *Fortune*, 18 de dezembro de 1978.
11. GRAHAM, Katharine. *Uma história pessoal*. São Paulo: DBA, 1998.
12. A nova tecnologia de impressão deixara a administração refém de empregados capacitados que sabiam como operar equipamentos complexos.
13. GRAHAM, Katharine. *Uma história pessoal*.
14. Ibidem.
15. Entrevista com George Gillespie.
16. Segundo *Uma história pessoal*, o contrato teria dado aos gráficos os maiores salários da nação e estabilidade no emprego. As negociações foram interrompidas em parte porque o *Post* se recusava a recontratar os funcionários que tinham danificado as impressoras.
17. Segundo *Uma história pessoal*, 15 gráficos que tinham trabalhado no *Post* se declararam culpados de variadas contravenções. Seis deles, que danificaram as impressoras e cometeram crimes mais sérios, foram para a cadeia.
18. Eles venderam sua participação na Source Capital para os executivos.
19. Com as greves na imprensa e o caso Watergate para trás, Katharine Graham começou a se concentrar no crescimento do *Washington Post* a partir de meados dos anos 1970. Até então a empresa não tinha lucros suficientes e havia "pouco mais do que uma estratégia de acertos e erros" para o crescimento (*Uma história pessoal*). As vendas e lucros começaram a decolar em 1976, mais ou menos na época em que começaram a comprar de volta ações da empresa. Os lucros por ação eram de 1,36 dólar em 1976, contra 0,36 em 1970. O retorno sobre o patrimônio líquido era de 20%, contra 13%. As margens de lucro aumentaram de 3,2% para 6,9%. E, daí para a frente, continuaram a progredir (*Value Line Report*, 25 de março de 1979).

20. Carta de Charles Munger a Katharine Graham, 13 de novembro de 1974.
21. Entrevista com Don Graham.
22. HEYMANN, C. David. *The Georgetown Ladies' Social Club*. Nova York: Atria Books, 2003.
23. Entrevista com Don Graham.
24. Entrevista com Susie Buffett Jr., que dá crédito aos pais por não interferirem.
25. Entrevista com Susie Buffett Jr.
26. Entrevista com Dick e Mary Holland.
27. Entrevista com Susie Buffett Jr.
28. Ibidem.
29. Entrevista com Howie Buffett.
30. Em entrevista, Peter Buffett descreveu sua rotina na época.
31. Segundo amigos de Susie, que dizem que ela atribuía a Graham a culpa pelo relacionamento.
32. PAGEL, Al. "What Makes Susie Sing?". *Omaha World-Herald*, 17 de abril de 1977.
33. Ibidem.
34. Trata-se da lembrança de Jack Byrne sobre a reação de Davidson numa entrevista. Como Jack é um sujeito efusivo, é possível que a lembrança tenha cores um pouco mais fortes do que aquilo que Davidson realmente disse.
35. Entrevista com Tony Nicely.
36. Memorando de Warren Buffett a Carol Loomis, 6 de junho de 1988.
37. Por volta de 1974, todo o setor de seguros produzia aquilo que a agência classificadora A. M. Best chamou de prejuízos "insuportáveis" de 2,5 bilhões de dólares decorrentes de uma guerra de preços nociva e da inflação de tudo, de consertos de automóveis a processos judiciais. (*A. M. Best Company Comment on the State of and Prospects for the Property/Liability Insurance Industry*, junho de 1975). Os estados também estavam aprovando leis de seguro "sem culpa", o que significava que as seguradoras tinham de pagar por um acidente sem levar em conta quem o havia causado. O governo federal também impôs controles de preço sobre o setor durante a guerra no Oriente Médio. Nesse meio-tempo, o devastador mercado de ações dos anos 1973-74 tinha eliminado tanto do valor da carteira de investimentos da Geico que investimentos que já tinham valido 3,90 dólares agora não passavam de 10 centavos por unidade (CURRY, Leonard. "Policy Renewed: How Geico Came Back from the Dead". *Regardie's*, Outubro/novembro de 1982).
38. A Geico tinha 500 milhões de dólares em prêmios e precisaria de um capital de 125 milhões de dólares para cumprir os padrões da agência reguladora e classificadora para alavancagem.
39. Entrevista com Sam Butler.
40. Entrevista com Jack Byrne. "Os bastardos da Travelers tinham preterido meu nome na presidência e colocaram Ed Budd", recorda Byrne (que gosta de contar essa história e a repete com frequência). "Um milhão de dólares investidos comigo agora valem 1 bilhão, e 1 milhão de dólares investidos com Ed Budd valem 750 mil. Na época, fiquei furioso, mas obviamente agora estou mais amadurecido. Bom, para falar a verdade, ainda estou furioso." Essa história também é relatada por KLINGAMAN, William K. *Geico, The First Forty Years*. Washington, D. C.: Geico Corporation, 1994.
41. Entrevista com Jack Byrne.
42. "Geico Plans to Stay in the Black". *Business Week*, 20 de junho de 1977. A impressão de Byrne era que Wallach não gostava dele.
43. A Geico tinha muito pouco capital, segundo os padrões regulatórios, para garantir a capacidade de pagar as indenizações de todas as apólices. Ao transferir uma parte do negócio para os competidores, a empresa teria algum alívio para essa pressão de capital.
44. Entrevista com Rhoda e Bernie Sarnat.
45. Entrevista com Lou Simpson.
46. "Leo Goodwin Jr. is Dead at 63. Headed Geico Insurance Concern". *New York Times*, 18 de janeiro de 1978. "Leo Goodwin, Financier, Son of Founder of Geico", *Washington Post*, 18 de janeiro de 1978.
47. Entrevista com Don Graham.
48. CURRY, Leonard. "Policy Renewed".

49. Memorando de Warren Buffett para Carol Loomis, 6 de julho de 1988.
50. A Blue Chip comprou 14% da Pinkerton em março de 1975, e Buffett foi para o conselho, uma emoção para o menino detetive de outros tempos, que também já tinha conseguido abrir os baús secretos de Boys Town.
51. Entrevista com Bill Scott.
52. Wallach tinha convidado grandes seguradoras para adquirir 40% dos acordos de resseguro da Geico, dando a elas até 22 de junho para tomar a decisão de participar. Não apareceram companhias em número suficiente. Wallach deveria decidir até 25 de junho, uma sexta-feira, se fecharia as portas da Geico. Estendeu o prazo e, em meados de julho, fez uma revisão em seu plano de resgate, exigindo apenas que 25% dos prêmios da Geico fossem assumidos por um pool de segurados e diminuindo a quantidade de capital que precisavam arrecadar para 50 milhões de dólares até o final do ano. STUART, Reginald. "Bankruptcy Threat Fails to Change Status of Geico". *New York Times*, 26 de junho de 1976, STUART, Reginald. "The Geico Case Has Landed in His Lap". *New York Times*, 4 de julho de 1976. WAID, Matthew L. "Geico Plan Is Revised by Wallach". *New York Times*, 16 de julho de 1976.
53. A National Indemnity era uma empresa especializada não tão grande nem tão conhecida a ponto de causar muita reação pelo fato de estar ajudando um concorrente. Outras seguradoras de Buffett, como veremos, ainda estavam lutando para se estabelecer.
54. Ninguém sabe exatamente o que o general McDermott realmente escreveu, mas qualquer apoio de sua parte teria tido peso entre as resseguradoras.
55. Algumas pessoas fundamentais para tornar isso possível foram ex-funcionários da Geico, segundo Byrne.
56. Entrevista com Jack Byrne.
57. John Gutfreund, citando Frinquelli durante uma entrevista. Frinquelli não retornou os telefonemas com pedido de entrevista.
58. Entrevista com Sam Butler.
59. CURRY, Leonard. "Policy Renewed". Segundo algumas fontes, Butler também teve um papel fundamental para convencer Gutfreund a subscrever a transação.
60. Sem dúvida, não tinha informado. Entre outras coisas, a Geico deixara de revelar uma mudança no método de cálculo das reservas para perdas que lhe permitiram exibir lucros de 25 milhões de dólares durante o segundo e o terceiro trimestres de 1975.
61. CURRY, Leonard. "Policy Renewed".
62. Entrevista com John Gutfreund.
63. Uma indicação de "apoio pós-lançamento" era o principal componente para a avaliação de um *underwriter* em relação aos valores de negociação de um papel assim que ele fosse listado. A presença desse apoio ajudava a evitar "um negócio furado" no qual o *underwriter* tivesse de comprar de volta a oferta com o capital da própria firma.
64. Byrne lembra que Tom Harnett, o superintendente de Nova York, ajudou a mobilizar o setor para que atualizasse o resseguro. Harnett, ele acredita, possuía um incentivo, porque o fundo New York já tinha sido capitalizado e estava investindo em títulos da Prefeitura de Nova York – chamadas "Big Mac", que estavam sendo negociados a uma fração do valor de face. Os fundos insolventes tinham, na realidade, evaporado diante da crise financeira de Nova York.
65. Byrne costumava contar essa história com mais detalhes no passado. Em LOWENSTEIN, Roger. *Buffett: A formação de um capitalista americano* (Rio de Janeiro: Nova Fronteira, 1997), ele supostamente teria dito a Sheeran: "Aqui está a merda da sua licença. Não somos mais cidadãos do estado de Nova Jersey." Ele chama Sheeran de "o pior comissário de seguros que jamais existiu".
66. Trabalhadores decepcionados, ao ouvirem a notícia sobre as demissões, começaram a jogar apólices pela janela do último andar. "A papelada flutuava por toda a área norte de Nova Jersey", diz Byrne. Ninguém sabia disso, até que a Geico transferiu seu escritório para a Filadélfia: "Quando fomos transferir os processos, eles não estavam lá." Byrne estima que as informações perdidas custaram à companhia até 30 ou 40 milhões de dólares em pagamentos excessivos. A Geico também desistiu de sua licença em Massachusetts. Parou de assumir negócios em muitos outros estados, sem abrir mão do direito de voltar a fazê-lo no futuro. A empresa deixou de renovar 400 mil de um total de 2,2 milhões de apólices.
67. Entrevista com Jack Byrne. A autora ouviu a história pela primeira vez de uma secretária que trabalhara para Byrne.

68. Entrevista com Tony Nicely. A duração dessas reuniões é inacreditável, mas Byrne parecia dispor de uma energia quase sobrenatural.
69. Entrevista com Jack Byrne.
70. ROWE JR., James L. "Fireman's Fund Picks Byrne". *Washington Post*, 24 de julho de 1985. OATES, Sarah. "Byrne Pulled Geico Back from Edge of Bankruptcy". *Washington Post*, 24 de julho de 1985.
71. Os membros do Grupo Graham, amigos de Buffett e empregados da Berkshire, como Marshall Weinberg, Wyndham Robertson, Verne McKenzie, Gladys Kaiser, Bob Goldfarb, Tom Bolt, Hallie Smith, Howie Buffett e Peter Buffett, têm recordações carinhosas de Grossman.

Capítulo 41

1. OGDEN, Christopher. *Legacy: a Biography of Moses and Walter Annenberg*. Boston: Little, Brown, 1999. COONEY, John. *The Annenbergs: the Savaging of a Tainted Dinasty*. Nova York: Simon & Schuster. 1982.
2. Ogden, em *Legacy*, escreve que Annenberg teria dito que se recusou a comprar o *Washington Time-Herald* do coronel McCormick, tendo convencido McCormick a vendê-lo para Graham, apesar de suas reservas sobre os problemas de Phil Graham com bebida e sua instabilidade mental. Dessa forma, ele se sentia responsável pela promoção do casamento entre jornais que tornou o *Washington Post* uma potência. Sentia-se menosprezado, pois os Graham nunca lhe deram crédito. Buffett diz que Annenberg estava exagerando seu papel e que Graham considerava tudo ridículo.
3. PEARSON, Drew. "Washington Merry-Go-Round: Annenberg Lifts Some British Brows", *Washington Post*, 26 de fevereiro de 1969.
4. Lembranças de Buffett sobre o ponto de vista de Annenberg em relação a Nixon.
5. A descrição das reações dos Annenberg está em *Legacy*. PEARSON, Drew. "Senators Wary on Choice of Annenberg". *Washington Post*, 5 de março de 1969;
6. A comparação com Nixon foi feita pelos biógrafos de Annenberg.
7. Na verdade, o investimento pessoal de tempo, dinheiro e bom gosto dos Annenberg e sua disposição em promover uma cuidadosa restauração de Winfield House, a residência dos embaixadores, tiveram um papel importante para que fossem bem aceitos pelos britânicos.
8. HEYMANN, G. David. *The Georgetown Ladies' Social Club* (Nova York: Atria Books, 2003) e *Legacy*. Esse é o relato de Walter Annenberg, e não há como dizer quais foram suas verdadeiras palavras. Mas, pelo que se sabe, ele ficou ofendido.
9. No fim, ele deu a maior parte de seu dinheiro para a Annenberg Foundation, e sua coleção de arte foi para o Metropolitan Museum of Art.
10. WEYMOUTH, Lily. "Foundation Woes: The Saga of Henry Ford II, Part II". *New York Times Magazine*, 12 de maio de 1978.
11. Carta de Walter Annenberg a Warren Buffett, 1º de outubro de 1992.
12. Donner não foi completamente esquecido. Em 1960, sete anos depois de morrer aos 89 anos, os 44 milhões de dólares em ativos de sua fundação foram divididos igualmente entre uma recém-formada Donner Foundation e a fundação original, que mudou de nome para Independence Foundation (www.independencefoundation.org).
13. Carta de Walter Annenberg a Warren Buffett, 1º de outubro de 1992.
14. Dito para a autora em entrevista em 2003 – um indicativo da direção de seus pensamentos na época.
15. Embora a maioria das fusões seja feita por meio de ações (mesmo que por motivos puramente fiscais), a sutil psicologia subjacente dá ao vendedor uma ligeira vantagem. A disponibilidade para emitir ações implica, por sua própria natureza, que o comprador prefere o negócio do vendedor ao seu próprio. A exceção acontece ao se utilizarem ações sobrevalorizadas para comprar uma empresa subvalorizada de um vendedor ingênuo, coisa que compradores agressivos às vezes fazem, embora não aconteça com tanta frequência quanto eles costumam apregoar.
16. Palavras de Graham em sua autobiografia. Liz Smith chamava Graham de "anfitriã habitual" de Buffett, e Diana McLellan declarou: "Até em Nova York se fala sobre Kay Graham e Warren Buffett [sic]... Ah, mas com muita discrição!" MCLELLAN, Diana. "The Ear". *Washington Star*, 12 de março de 1977. SMITH, Liz. "Mistery Entwined in Cassidy Tragedy". *Chicago Tribune*, 6 de março de 1977.
17. HEYMANN, C. David. *The Georgetown Ladies' Social Club*.

18. Veja, por exemplo, suas relações com Jean Monnet e Adlai Stevenson.
19. A carta foi descrita dessa forma por Lowenstein, em *Buffett*.
20. Graham mostrou para Dan Grossman uma cópia dessa carta. Susan Buffett também mostrou a Doris Buffett. Os documentos de Graham, no momento, estão lacrados.
21. LOWENSTEIN, Roger. *Buffett*.
22. "Interview with Susan Buffett". *Gateway*, 5 de março de 1976.
23. CITRON, Peter. "Seasoning Susie". *Omaha World-Herald*, 7 de abril de 1976.
24. "Buffett Serious". *Omaha World-Herald*, 14 de setembro de 1976.
25. Buffett cogitou a compra do apartamento de Alfred Knopf, na Rua 55 Oeste, nº 24, que mais tarde seria uma das duas residências tombadas dos Rockefeller.
26. Entrevista com Susie Buffett Jr.
27. Entrevista com Al "Bud" Pagel.
28. Denenberg recusou o convite para entrevista.
29. PAGEL, Al. "What Makes Susie Sing?". *Omaha World-Herald*, 17 de abril de 1977.
30. Ibid.
31. Entrevista com Al "Bud" Pagel.
32. Ibid.
33. CITRON, Peter. "Seasoning Susie".
34. Entrevista com Stan Lipsey. Ver LITVAK, Leo. "Joy Is the Prize: A Trip to Esalem Institute". *New York Times Magazine*, 31 de dezembro de 1967.
35. MILLBURG, Steve. "Williams' Songs Outshine Voice". *Omaha World-Herald*, 5 de setembro de 1977.
36. Entrevista com Astrid Menks Buffett. Quando estava dormindo, todo mundo sabia que Warren não reparava se Susie estava em casa. Numa história relatada por Racquel Newman, ela decidiu dirigir até à casa de Dottie para ouvir música, por volta das 22 horas, mas ficou sem gasolina durante uma nevasca, à meia-noite. Em vez de acordar Warren, ligou para um amigo e partiu numa expedição repleta de obstáculos em busca de um posto de gasolina na estrada interestadual, que ainda se tornou mais longa por um acidente com um caminhão que fechou a pista. Ela só chegou em casa pouco antes do amanhecer. Warren nunca soube que ela havia saído.
37. Contado para um amigo do casal, que acredita que Susie estava sendo sincera, por acreditar que Warren realmente dependia dela e também por causa das preocupações dele com o suicídio, relacionadas à existência de numerosos casos na família Stahl e entre amigos de Buffett.
38. BUFFETT, Warren. "How Inflation Swindles the Equity Investor". *Fortune*, maio de 1977. Em carta para o Grupo Graham, em 27 de setembro de 1977, Bill Ruane escreve: "Esse artigo pode servir de base para uma discussão em torno de muitas coisas fundamentais para nossos interesses econômicos nos dias de hoje. O artigo não trata apenas do tema central – a inflação –, mas também examina seus efeitos nos impostos, na taxa de juros, na capacidade de pagamento de dividendos e em outros elementos cruciais para a avaliação de valores agregados em nosso sistema econômico."
39. O Grupo Buffett assumiria esse problema muitas vezes. Seus membros estavam pessimistas em relação à forma como a questão poderia ser resolvida, pois duvidavam, com bons motivos, que o Congresso tivesse a necessária disposição para controlar o orçamento federal a longo prazo.
40. Entrevista com Marshall Weinberg.
41. Os 72 milhões de dólares incluíam suas participações na BRK, CRC e Blue Chip Stamps, no final de 1977. Susie somava mais 6,5 milhões no total. Os valores não incluem suas fatias indiretas através da participação cruzada das três empresas.
42. Entrevista com Peter Buffett.
43. Entrevista com Tom Newman.
44. Duas fontes confirmaram esta informação.
45. Entrevista com Astrid Buffett.
46. Ibidem.

47. Entrevista com Michael Adams.
48. Entrevista com Astrid Buffett.
49. A carta de 1977 contém significativamente mais conteúdo "didático" do que as anteriores. Embora Buffett tivesse controle da Berkshire havia 12 anos, a carta de 1977 foi a primeira a ser coletada para uma edição encadernada das cartas, que ele passou a dar aos amigos, e é a primeira a constar dos arquivos do site da Berkshire.

Capítulo 42
1. Entrevista com Astrid Buffett.
2. Entrevista com Michael Adams.
3. Entrevista com Kelly Muchemore.
4. De um amigo próximo da família.
5. Buffett explicou em conversa e em uma carta para a autora como se sentia, separando sua vida em duas etapas, definindo a idade de 47 anos como um marco.
6. Até o fim da vida, a correspondência de Estey tinha "Sra. Benjamin Graham" gravado em seu papel de carta.
7. Entrevista com a autora em 2005.
8. GRAHAM, Katharine. *Uma história pessoal*. São Paulo: DBA, 1998.
9. Entrevista com Stan Lipsey.
10. Entrevista com Sharon Osberg.
11. Em uma entrevista, Astrid Buffett lembrou-se da conversa sobre o videocassete.
12. Jeannie Lipsey Rosenblum e outros se recordam dos detalhes em entrevistas.
13. Entrevista com Peter Buffett.
14. Bryant fez campanha para tornar ilegal que gays ensinassem em escolas públicas de Dade County, na Flórida, e teve sucesso em aprovar uma regulamentação de direitos civis contra gays.
15. O preço incluía 1,5 milhão de dólares em compromissos com pagamento de pensões. Blue Chip Stamps, relatório anual, 1977. A Blue Chip pegou 50 milhões de dólares de empréstimo em um banco, em abril de 1977 para financiar a aquisição.
16. A Berkshire tinha ativos da ordem de 379 milhões de dólares. A Blue Chip tinha 200 milhões de dólares. A DRC tinha 67,5 milhões no final de 1977.
17. Warren e Susie possuíam pessoalmente 40% da Berkshire (direta e indiretamente, através de suas participações na Blue Chip e na Diversified Retailing Company, que possuíam ações da Berkshire) e 35% da Blue Chip (direta e indiretamente).
18. LIGHT, Murray. *From Butler to Buffett: The Story Behind the Buffalo News* (Amherst, Nova York: Prometheus Books, 2004). No livro é observado que, apenas após questionamentos da Comissão de Direitos Humanos, no início dos anos 1970, Butler começou a publicar fotos de casamentos de afro-americanos.
19. Entrevista com Stan Lipsey.
20. O *Evening News* distribuía uma edição de sábado, mas a pouca publicidade em suas páginas demonstrava o poder da edição dominical do *Courier-Express*.
21. Se essa tendência tivesse permanecido sem que o *Evening News* iniciasse uma edição dominical, o desfecho lógico seria um acordo de operação conjunta ou a aquisição do *Courier-Express* para unificar os jornais, ambas alternativas caras.
22. *Buffalo Courier-Express Inc. vs Buffalo Evening News, Inc.* Reclamação por danos e reparação obrigatória pela violação das leis federais antitruste (28 de outubro de 1977).
23. O repórter do *Buffalo Courier-Express* Michael A. Hiltzik divulgou, em 20 de junho de 2000, em "Media News Extra", de Jim Romenesko, uma lembrança da equipe trabalhando em artigos elogiosos sobre cada um dos juízes do estado, para lisonjear qualquer um que pudesse ser escolhido. Era uma "estratégia equivocada", ele disse, pois o processo correu no tribunal federal, com Brieant. Um dos perfis tinha supostamente o título: "Juiz perde a firmeza ao despir a beca."
24. Entrevista com Ron Olson.
25. LAING, Jonathan R. "The Collector: Investor Who Piled up $100 Million in the '60s Piles up Firms Today". *Wall Street Journal*, 31 de março de 1977.

26. Depoimento de Buffett. *Buffalo Courier-Express Inc. vs Buffalo Evening News Inc.*, 4 de novembro de 1977.
27. LOWENSTEIN, Roger. *Buffett: A formação de um capitalista Americano* (Rio de Janeiro: Nova Fronteira, 1997). No livro, Bob Russell menciona Warren como o menino que queria cobrar dinheiro das pessoas que passavam de carro pela casa dos Russell. Buffett não se recorda desse incidente, mas, se tivesse acontecido, provavelmente teria sido influenciado pelos esforços da cidade em converter a ponte de Douglas Street – única passagem sobre o rio Missouri – em via de acesso livre, uma das histórias mais divulgadas pelo noticiário local em sua juventude.
28. A ponte foi vendida para Marty Maroun em 1979 por 30 milhões de dólares, 30% menos que o custo de sua construção 30 anos antes, levando-se em consideração a inflação do período. Maroun apostou na ponte e fez uma enorme fortuna.
29. "Findings and Conclusions, Motion for Preliminary Injunction". *Buffalo Courier-Express Inc. vs Buffalo Evening News Inc.*, 9 de novembro de 1977.
30. HIRSCH, Dick. "Read all About It", "Bflo Tales". *Business First*, inverno de 1978.
31. No primeiro ano sob a administração de Buffett. LIGHT, Murray. *From Butler to Buffett*.
32. Entrevista com Stan Lipsey.
33. Ibid.
34. *Buffalo Courier-Express Inc. vs Buffalo Evening News Inc.* Estados Unidos. Corte de Apelações da Segunda Região, 601 F2d 48, 16 de abril de 1979.
35. BUFFETT, Warren. "You Pay a Very High Price in the Stock Market for a Cheery Consensus". *Forbes*, 6 de agosto de 1979.
36. Entrevista com Wally Walker. Jobs não respondeu a insistentes pedidos para que fizesse um comentário.
37. BUFFETT, Warren. "You Pay a Very High Price in the Stock Market...".
38. Entrevista com Stan Lipsey.
39. Relatório anual da Blue Chip Stamps a seus acionistas em 1980.
40. LOWE, Janet. *Damn right! Behind the Scenes with Berkshire Hathaway's Charlie Munger*. Nova York: John, Wiley & Sons, 2000.
41. Ibidem.
42. Memorando de Warren Buffett aos empregados, 2 de dezembro de 1980.
43. A princípio, a administração e os sindicatos tentaram publicar o jornal sem os motoristas (*Buffalo Evening News*, 2 de dezembro de 1980). Os grevistas pararam por causa de uma diferença de 41 dólares semanais.
44. Estava vendendo 195 mil exemplares aos domingos, o equivalente a dois terços das vendas de seus rivais. Segundo LOWENSTEIN, Roger. *Buffett*. Números do Audit Bureau of Circulation, março de 1982.
45. O relatório anual da Blue Chip Stamps em 1980 menciona que o litígio se tornara "menos ativo e custoso" naquele ano.
46. Entrevista com Ron Olson.

Capítulo 43
1. De 89 milhões de dólares no final de 1978 para 197 milhões em agosto de 1980.
2. Entrevista com Charlotte Danly Jackson.
3. Entrevista com Verne McKenzie.
4. A Affiliated Publications – comprada por 3,5 milhões de dólares – saltou para 17 milhões após nove anos. *The Washington Post* – comprado por 10,6 milhões de dólares – hoje vale 103 milhões. A Geico – comprada por 47 milhões de dólares – atualmente vale quase sete vezes esse valor, 310 milhões. A carteira total de ações ordinárias da Berkshire valia o dobro do seu custo.
5. Buffett e Munger pegaram um empréstimo de 40 milhões de dólares no Bank of America National Trust and Savings Association para a Blue Chip, para protegê-la de uma enxurrada de resgates, segundo o testemunho de Munger no caso Blue Chip.
6. Em 1976, o tribunal regional de Los Angeles decretou que a Blue Chip precisava se livrar de um terço dos seus negócios, reconhecendo que era impraticável mantê-los depois que a administração fez contato com mais de 80 compradores em potencial e não recebeu ofertas substanciais. As vendas encolheram de

124 milhões de dólares para 9,2 milhões. Os infortúnios do *Buffalo News* – do qual a Blue Chip era dona – tornaram a avaliação da empresa uma tarefa problemática até 1983, dados os interesses proporcionais de Buffett em relação às duas companhias versus o de outros acionistas, principalmente Munger.

7. Relatório anual de 1983 da Berkshire Hathaway.
8. Em 1984, durante um período de inflação relativamente alta, o sindicato concordou com um congelamento salarial.
9. O Bank Holding Company Act, de 1956, aplicou restrições às holdings bancárias (empresas donas de mais de 25% de dois ou mais bancos como, por exemplo, a J. P. Morgan) que eram donas de negócios não relacionados a bancos, a fim de evitar o monopólio do setor bancário. Ele recebeu emendas em 1966, e novamente em 1970, para restringir ainda mais as atividades não bancárias de holdings de um banco só (como a Berkshire). Em 1982, recebeu outra emenda, para proibir também que bancos se envolvessem em atividades de subscrição ou agenciamento de seguros. Em 1999 o Gramm-Leach-Billey Act revogou parte dessas leis.
10. Entrevista com Verne McKenzie. Segundo ele e Buffett, a Associated Cotton Shops nunca foi capaz de se recuperar da desintegração de centros urbanos depois da década de 1960 e se adaptar à nova cultura de vender vestidos com desconto em shopping centers.
11. Entrevista com Charlie Munger.
12. Entrevista com Howie Buffett.
13. Entrevistas com Dan Grossman e Peter Buffett.
14. Entrevista com Peter Buffett.
15. Entrevistas com Marvin Laird e Joel Pailey.
16. Entrevista com Howie Buffett.
17. Ibidem. Conforme diz Susie Jr.: "Quando Howie morrer, não vai ser uma morte comum. Ele provavelmente vai cair de um helicóptero na boca de um urso-polar."
18. Para uma fazenda de 400 acres.
19. Entrevistas com Howie Buffett e Peter Buffett.
20. A Peter Kiewit Sons' Inc. foi fundada pelo Peter Kiewit original, um pedreiro de origem holandesa, em 1884. MACK, Dave, "Colossus of Roads". Revista *Omaha*, julho de 1977; MEYERS, Harold B. "The Biggest Invisible Builder in the World", *Fortune*, abril de 1966.
21. Quando Kiewit morreu, Buffett teve a chance de conseguir um apartamento no Kiewit Plaza. Ele teria adorado ficar com ele, mas Astrid não quis abandonar seu jardim. Então eles continuaram na Farnam Street.
22. "Peter Kiewit: 'Time is Common Denominator'". *Omaha World-Herald*, sem data, aproximadamente 2 de novembro de 1979; DORR, Robert. "Kiewit Legacy Remains Significant". *Omaha World-Herald*, 1º de novembro de 1999; MEYERS, Harold B. "The Biggest Invisible Builder in the World", entrevista com Walter Scott Jr., sucessor de Peter Kiewit, que também tinha um apartamento no Kiewit Plaza.
23. Entrevista com Walter Scott Jr.
24. Peter Kiewit faleceu no dia 3 de novembro de 1979. BUFFETT, Warren. "Kiewit Legacy is Unusual as His Life". *Omaha World-Herald*, 20 de janeiro de 1980.
25. Buffett leu a autobiografia de Flexner três ou quatro vezes e deu exemplares de presente a seus amigos.
26. Para o ano fechado em junho de 1980, 38.453 dólares, dos quais 33 mil foram destinados a faculdades e o restante a organizações locais. Cinco anos antes, em junho de 1975, a fundação tinha ativos de 400 mil dólares, com doações de 28,5 milhões para organizações semelhantes.
27. Carta de Rick Guerin a Joe Rosenfield, 1º de outubro de 1985.
28. Carta de Warren Buffett a Shirley Anderson, Bill Ruane e Katherine (Katie) Buffett, fiduciários da Buffett Foundation, 14 de maio de 1969.
29. KIRKLAND JR., Richard I. "Should You Leave it All to the Children?". *Fortune*, 29 de setembro de 1986.
30. Larry Tisch, conforme citado por LOWENSTEIN, Roger. *Buffett: A formação de um capitalista americano*. Rio de Janeiro: Nova Fronteira, 1997. Tisch é falecido.
31. KIRKLAND. "Should You Leave it All to the Children?".
32. Carta de Warren Buffett a Jerry Orans, citada em LOWENSTEIN. *Buffett*.

Capítulo 44

1. *The Dream that Mrs. B Built*, 21 de maio de 1980, Canal 7 KETV. As citações da Sra. B foram reorganizadas e editadas para maior brevidade.
2. Ibidem.
3. "The Life and Times of Rose Blumkin, an American Original". *Omaha World-Herald*, 12 de dezembro de 1993.
4. Ibidem.
5. Minsk, próxima de Moscou, fica relativamente perto da fronteira da Rússia no Leste Europeu, e teria sido difícil de atravessar durante a guerra. Sua rota gerou uma viagem mais longa do que ir de São Francisco a Nova York de trem três vezes e então voltar a Omaha.
6. "The Life and Times of Rose Blumkin, an American Original".
7. Esse e quase todos os demais detalhes da viagem da Sra. B são retirados de uma história da família Blumkin.
8. *The Dream that Mrs. B Built*.
9. Por volta de 1915, cerca de 6 mil russos viviam em Omaha e South Omaha, parte de um grande movimento migratório geral que começou na década de 1880 para escapar dos pogroms (manifestações antissemitas), que tiveram início após o assassinato do czar Alexandre II. A maioria começava como vendedores de sucatas e donos de pequenos estabelecimentos comerciais, servindo à grande classe operária imigrante atraída pelas ferrovias e cocheiras. Até 1930, Omaha tinha uma porcentagem de residentes nascidos no exterior maior do que a de qualquer outra cidade americana. LARSEN, Lawrence H. e COTRELL, Barbara J. *The Gate City*. Lincoln: University of Nebraska Press, 1997.
10. Entrevista com Louis Blumkin. Seu pai estava comparando a loja de penhores aos muitos bancos que foram à falência durante aquele período.
11. *The Dream that Mrs. B Built*.
12. Ibidem.
13. Louis Blumkin diz que ela vendia por 120 dólares casacos que lhe custavam 100 e eram vendidos por 200 em qualquer outra parte da cidade.
14. *The Dream that Mrs. B Built*.
15. "The Life and Times of Rose Blumkin, an American Original".
16. Entrevista com Louis Blumkin.
17. Ibidem. Eles estavam se esforçando para separar parte dos seus proventos para ela.
18. "The Life and Times of Rose Blumkin, an American Original".
19. Entrevista com Louie Blumkin.
20. FUSSEL, James A. "Nebraska Furniture Legend". *Omaha World-Herald*, 11 de agosto de 1988.
21. Entrevista com Louie Blumkin.
22. "The Life and Times of Rose Blumkin, an American Original".
23. WADLER, Joyce. "Furnishing a Life". *Washington Post*, 24 de maio de 1984.
24. "The Life and Times of Rose Blumkin, an American Original".
25. *The Dream that Mrs. B Built*.
26. "The Life and Times of Rose Blumkin, an American Original".
27. WADLER, Joyce. "Blumkin: Sofa, so Good: The First Lady of Furniture, Flourishing at 90". *Washington Post*, 24 de maio de 1984.
28. Buffett, em carta a Jack Byrne, em 1983, observou que as lojas Levitz tinham em média 75% do tamanho das NFM, mas vendiam 10% do volume delas.
29. Buffett observou, no relatório anual de 1984, que o NFM operava com uma eficiência excepcional. Seus custos operacionais correspondiam a 16,5% das vendas, comparados aos 35,6% da Levitz, sua maior concorrente.
30. Carta de Warren Buffett a Jack Byrne, 12 de dezembro de 1983.
31. JAMES, Frank E. "Furniture Czarina". *Wall Street Journal*, 23 de maio de 1984.
32. Discurso proferido na Stanford Law School em 23 de março de 1990. "Berkshire Hathaway's Warren E. Buffett, Lessons from the Master". *Outstanding Investor Digest*, v. 5, nº 3, 18 de abril de 1990.

33. OLSON, Chris. "Mrs. B Uses Home to Eat and Sleep; 'That's About It'". *Omaha World-Herald*, 28 de outubro de 1984.
34. WALDER, Joyce. "Furnishing a Life".
35. "Mrs. B Means Business". *USA Today*, 1º de abril de 1986.
36. Carta de Bella Eisenberg a Warren Buffett, 1º de abril de 1986.
37. "Consigo ouvir minha mãe [dizendo aquilo] agora", disse Louis Blumkin em uma entrevista.
38. *The Dream that Mrs. B Built*.
39. No documentário *The Dream that Mrs. B Built*, Blumkin faz referência a esse incidente e diz que Buffett não queria aceitar o preço que ela queria, e ela disse que ele era sovina demais.
40. Entrevista com Louis Blumkin.
41. Possivelmente isso teve algo a ver com os anos da juventude que ela passou dormindo sobre palha, num chão de madeira nua.
42. WADLER, Joyce. "Blumkin: Sofa, so Good: The First Lady of Furniture, Flourishing at 90".
43. FUSSEL, James A. "Nebraska Furniture Legend".
44. Carta de 1983 do presidente da Berkshire Hathaway. Inicialmente, a Berkshire comprou 90% da empresa, deixando 10% com a família, lançando uma opção de compra de 10% das ações para alguns jovens administradores-chave.
45. Contrato de venda do Nebraska Furniture Mart, 30 de agosto de 1983.
46. DORR, Robert. "Furniture Mart Handshake Deal". *Omaha World-Herald*, 15 de setembro de 1983.
47. O afeto de Buffett pela Sra. B fica claro sob a luz da semelhança dela com a sua mãe em seus rompantes contra sua família e funcionários. Raras vezes Warren se arriscou a se associar a alguém que poderia explodir com ele.
48. Carta de Warren Buffett a Rose Blumkin, 30 de setembro de 1983.
49. De um funcionário aposentado da Berkshire (não Verne McKenzie, a estrela dessa história).
50. Entrevista com Verne McKenzie.
51. Vários membros do Grupo Buffett juram ser esse o número exato.
52. SMITH, Adam. *A riqueza das nações*. 2 v. São Paulo: Martins Fontes, 2003.
53. Entrevista com Stan Lipsey.
54. "A Tribute to Mrs. B". *Omaha World-Herald*, 20 de maio de 1984; John Brandemas, presidente, Universidade de Nova York, carta a Rose Blumkin, 12 de abril de 1984.
55. Entrevista com Louis Blumkin.
56. WADLER, Joyce. "Blumkin: Sofa, so Good: The First Lady of Furniture, Flourishing at 90".
57. Entrevista com Louis Blumkin.
58. Carta de Warren Buffett a Larry Tisch, 29 de maio de 1984.
59. BOTTS, Beth; EDWARDSEN, Elizabeth; JENSEN, Bob; KOFE, Stephen e STOUT, Richard T. "The Cornfed Capitalists". *Regardie's*, fevereiro de 1986.
60. DORR, Robert. "Son Says no One Wanted Mrs. B to Leave". *Omaha World-Herald*, 13 de maio de 1989.
61. KILPATRICK, Andrew. *Of permanent value: The story of Warren Buffett/More in '04* (edição da Califórnia). Alabama: AKPE, 2004.
62. DORR, Robert. "Son Says no One Wanted Mrs. B to Leave".
63. SCHWARER, Sonja. "From Wheelchair, Mrs. B Plans Leasing Expansion". *Omaha Metro Update*, 11 de fevereiro de 1990; COX, James. "Furniture Queen Battles Grandsons for Throne". *USA Today*, 27 de novembro de 1989.
64. DORR, Robert. "Garage Sale is Big Success for Mrs. B". *Omaha World-Herald*, 17 de julho de 1989.
65. KILPATRICK, Andrew. *Of Permanent Value*.
66. BROWN, Bob e PFIFFERLING, Joe. "Mrs. B Rides Again: An ABC 20/20 Televison News Story", 1990.
67. "A Businessman Speaks His Piece on Mrs. Blumkin". *Furniture Today*, 4 de junho de 1984, relatório anual de 1984 da Berkshire Hathaway. Buffett usava frases desse tipo com frequência, como se pretendesse reforçar a lembrança de uma pessoa ou situação para que a "banheira" pudesse escoar outras.

68. GRANT, Linda. "The $4-Billion Regular Guy: Junk Bonds, No. Greenmail, Never. Warren Buffett Invests Money the Old-Fashioned Way". *Los Angeles Times*, 7 de abril de 1991.
69. Entrevista com Louis Blumkin.
70. ANDERSEN, Harold W. "Mrs. B Deserves our Admiration". *Omaha World-Herald*, 20 de setembro de 1987; DORR, Robert. "This Time, Mrs. B Gets Sweet Deal". *Omaha World-Herald*, 18 de setembro de 1987.

Capítulo 45

1. Entrevista com Peter Buffett.
2. Entrevista com Doris Buffett.
3. Testemunhado por uma fonte próxima à família, que descreveu a cena em uma entrevista.
4. A Aids foi descoberta primeiramente entre homossexuais do sexo masculino, no verão de 1981, mas a síndrome era apresentada como uma forma de pneumonia e como uma espécie rara e fatal de câncer. O presidente Reagan fez sua primeira menção à Aids em setembro de 1985, depois que seu amigo, o ator Rock Hudson, anunciou ter sido diagnosticado com a doença.
5. Coalizão Interagências sobre Aids e Desenvolvimento (Icad, na sigla em inglês). Ver também: SHILTS, Randy. *And the Band Played On*. Nova York: St. Martin's Press, 1987. Shilts cobriu em tempo integral a epidemia de Aids no início dos anos 1980, para o *San Francisco Chronicle*.
6. Entrevista com Marvin Laird e Joel Paley.
7. Essa história foi reunida por meio de conversas com várias fontes.
8. LEVIN, Alan. "Berkshire Hathaway to Close". *New Bedford Standard-Times*, 12 de agosto de 1985.
9. Um tear com quatro anos de uso, que tinha custado 5 mil dólares, foi vendido por 26 dólares como sucata. Parte do equipamento foi doada a um museu de tecelagem.
10. Buffett utilizou o termo "desastre" na carta aos acionistas de 1978 ao discutir o mau desempenho das empresas de indenização trabalhista da National Indemnity Company, que ele creditava em grande parte aos problemas do setor.
11. Entrevistas com Verne McKenzie e Dan Grossman. O homem era um corretor que supostamente fraudou a Berkshire.
12. Entrevista com Tom Murphy.
13. Entrevista com Verne McKenzie.
14. Entrevista com Dan Grossman.
15. Diversos administradores de resseguradoras assumiram a presidência durante um breve intervalo: Brunhilda Hufnagle, Steven Gluckstern e Michael Palm. Por motivos diferentes, nenhum deles perdurou.
16. DOYLE, Sir Arthur Conan. *Memórias de Sherlock Holmes*. Porto Alegre: L&PM, 1999. (A história do premiado romance de Mark Haddon, *O estranho caso do cachorro morto* [Rio de Janeiro: Record, 2004], começa com um poodle morto, atravessado por um ancinho.)
17. URBAN, Rob. "Jain, Buffett Pupil, Boosts Berkshire Cash as Succession Looms". *Bloomberg News*, 11 de julho de 2006. Embora a autora conhecesse Jain há anos, ele recusou diversos pedidos de entrevista.

Capítulo 46

1. O Dow Jones marcava 875 pontos no primeiro dia de 1982. Ele atingira esse nível pela primeira vez em setembro de 1964.
2. Os lucros empresariais chegaram, em 1983, ao que seria o segundo ponto mais baixo em um período de 55 anos (o mais baixo foi em 1992), segundo os relatórios corporativos do Empirical Research Analysis Partner. Dados de 1952 a 2007.
3. Os bancos perderam o medo dos créditos ruins devido a uma combinação de uma bolha de ativos crescente, ganância pura e simples, o advento da securitização e uma ânsia de encontrar maneiras confiáveis de financiar transações com ações, um sinal de que o muro entre bancos comerciais e de investimentos erguido pelo Glass-Steagall Act da era da Depressão estava começando a ruir.
4. WEINER, Eric J. *What Goes Up: The Uncensored History of Modern Wall Street as Told by the Bankers, Brokers, Ceos, and Scoundrels Who Made it Happen*. Nova York: Little, Brown, 2005.

5. Eles começaram como títulos com boa classificação de crédito, mas quando seus emissores despencaram, os títulos ficaram tão baratos que eles passaram a pagar uma taxa mais alta; por exemplo, um título que rendia 7% renderia 10% caso seu preço caísse para 70% do valor nominal.
6. Ver BRUCK, Connie. *The Predator's Ball: The Inside History of Drexel Burnham and the Rise of the Junk Bond Raiders*. Nova York: *The American Lawyer*: Simon & Schuster, 1988.
7. Normalmente, os acordos se davam através da oferta de um preço mais alto aos acionistas que vendiam – porém deixando uma companhia muito mais enfraquecida para aqueles que não o faziam – ou oferecendo um prêmio que era apenas uma fração do valor que o comprador amealharia por meio de ações que os ex-administradores deveriam eles mesmos ter tomado. Ou ambos.
8. GOLDENSON, Leonard, com WOLF, Marvin J. *Beating the Odds*. Nova York: Charles Scribner' Sons, 1991.
9. Todos, desde Saul Steinberg até Larry Tisch, tinham feito uma oferta pela companhia. Enquanto isso, o comprador de preferência da administração era a IBM. No fim das contas, a Cap Cities se mostrou uma boa opção por conta da complementaridade da concessão de tevê e da mínima venda de ativos necessária.
10. Entrevista com Tom Murphy.
11. Ibidem. Os detalhes também são relatados in: GOLDENSON, Leonard com WOLF, Marvin J. *Beating the Odds*.
12. Buffett pagou pela Cap Cities um valor 16 vezes superior aos seus lucros, um prêmio de 60% em relação ao seu preço recente, e, após insistência do banqueiro Bruce Wasserstein, ofereceu opções de compra (warrants) que davam ao vendedor uma participação acionária contínua na ABC. Esses termos são, indiscutivelmente, os mais benevolentes que Buffett já aceitou e sugerem o quanto ele e Murphy queriam comprar a ABC. Charlie Munger escreveu ao Grupo Buffett, em 11 de janeiro de 1983, que Tom Murphy, da Cap Cities, tinha "capitalizado o valor do seu investimento original de 1957 em 23% ao ano, por 25 anos". Relatório de 26 de fevereiro de 1980 do banco de investimentos Donaldson, Lufkin & Jenrette: "O crescimento do lucro por ação foi de 20% anuais no decorrer da década passada, e essa taxa acelerou para 27% nos últimos cinco anos."
13. FABRIKANT, Geraldine. "Not Ready for Prime Time?". *New York Times*, 12 de abril de 1987.
14. Murphy e seu braço direito, Dan Burke, escolheram quais seriam as vendas de ativos exigidas pela FCC. Eles mantiveram oito estações de televisão, cinco estações AM de rádio e cinco estações FM. FABRIKANT, Geraldine; FRONS, Marc; VAMOS, Mark N.; EHRLICH, Elizabeth; WILKE, John; GRIFFITHS, Dave e EKLUND, Chistopher S. "A Star Is Born – The ABC/Cap Cities Merger Opens the Doors to More Media Takeovers". *Business Week*, 1º de abril de 1985; STEVENSON, Richard. "Merger Forcing Station Sales". *New York Times*, 1º de abril de 1985.
15. Com as vendas de 1984 em 3,7 bilhões de dólares, a ABC lucrou 195 milhões, enquanto a Cap Cities, com um terço do seu tamanho, lucrou 135 milhões, com receitas de 940 milhões. A disparidade nos lucros se deu principalmente por conta dos diferentes aspectos econômicos das estações afiliadas versus as da própria rede, embora isso também se deva às habilidades administrativas de Murphy e Burke.
16. Segundo a reportagem "Extortion Charge Thrown Out; Judge Cancels $75,000 Bond" (*Omaha World-Herald*, 19 de março de 1987), as acusações contra Robert J. Cohen foram arquivadas depois que o caso foi levado ao Conselho de Saúde Mental do Condado de Douglas e Cohen foi transferido para o Reformatório do Condado de Douglas, pertencente ao Hospital do Condado de Douglas. HYLAND, Terry, em "Bail Set at $25,000 for Man in Omaha Extortion Case" (*Omaha World-Herald*, 5 de fevereiro de 1987), faz referência ao plano de sequestro.
17. Entrevista com Gladys Kaiser.
18. Ibidem.
19. Baseado em exemplos de cartas verdadeiras.
20. Entrevista com Gladys Keiser.
21. Entrevistas com Howie Buffett, Peter Buffett e Susie Buffett Jr.
22. Entrevista com Susie Buffett.
23. FARNHAM, Alan. "The Children of the Rich and Famous". *Fortune*, 10 de setembro de 1990.
24. Entrevista com Howie Buffett.
25. Entrevista com Peter Buffett.

26. Carta de Billy Rogers a Warren Buffett, 17 de agosto de 1986.
27. Carta de Warren Buffett a Billy Rogers, 22 de agosto de 1986.
28. Carta de Billy Rogers a Warren Buffett, sem data.
29. Entrevistas com Tom Newman e Kathleen Cole.
30. KIRKLAND JR., Richard I. "Should You Leave It All to the Children?". *Fortune*, 29 de setembro de 1986.
31. Entrevista com Kathleen Cole.
32. Entrevista com Ron Parks.
33. Entrevista com Peter Buffett. Ele estava tão abalado que discou "0" em vez de "911", como se tivesse voltado à infância.
34. "Billy Rogers Died of Drug Overdose". *Omaha World-Herald*, 2 de abril de 1987. "Cause is Sought in Death of Jazz Guitarist Rogers", *Omaha World-Herald*, 21 de fevereiro de 1987.
35. Entrevista com Arjay Miller.
36. Entrevistas com Verne McKenzie, Malcom "Kim" Chace III, Don Wurster e Dick e Mary Holland.
37. Entrevista com George Brumley.
38. BACHELIER, Louis Jean-Baptiste Alphonse. *Theory of Speculation*, 1900. Bachelier aplicou a teoria científica do "movimento browniano" ao mercado, provavelmente a primeira de muitas tentativas de trazer o rigor e o prestígio da ciência "dura" à ciência "mole" da economia.
39. ELLIS, Charles. *Investment Policy: How to Win the Loser's Game*. Illinois: Dow-Jones-Irving, 1985. Baseado no artigo de sua autoria "Winning the Loser's Game", na edição de julho/agosto de 1975 do *Financial Analysts Journal*.
40. Os equivalentes modernos dos warrants da Tweedy Browne's Jamaica Waters ainda existem, por exemplo.
41. MALKIEL, Burton. *A Random Walk Down Wall Street*. Nova York: W. W. Norton, 1973.
42. Fora o artigo "Superinvestors", Buffett não escreveu diretamente sobre a HME até a carta aos acionistas da Berkshire de 1987, mas ele o abordara por meio de assuntos relacionados, como o excesso de transações de 1979 em diante.
43. Transcrição do Seminário de Aniversário de 50 anos de parceria entre Graham e Dodd. Na época, Jensen era professor e diretor do Centro de Pesquisas de Economia Administrativa da Graduate School of Management da Universidade de Rochester. Dali a um ano ele estaria em Harvard, onde continua sendo professor emérito de administração de negócios.
44. Stanley Perlmeter e o fundo de pensão do *Washington Post*. Embora, como este livro ilustra, Buffett compartilhasse ideias com alguns desses investidores na sua juventude – como, por exemplo, quando ele tinha pouco capital –, era mais comum que a utilização de regras semelhantes os levasse a veios de minérios semelhantes.
45. Um apoio sutil para a HME foi uma filosofia de mercado livre, semilibertária, aliada ao espírito de desregulamentação e da "Reaganomics", sob a qual os investidores poderiam se virar sozinhos, como agentes livres em um mercado desimpedido e capaz de se autorregular. Assim, um efeito colateral da HME foi servir sutilmente de apoio para outros tipos de desregulamentação do mercado e para ações do governo e do Federal Reserve, que, segundo alguns, contribuiu para bolhas de ativos posteriores.
46. O beta pode ser uma dádiva dos céus para ajudar a gerir carteiras de investimentos de um tamanho impossível de se administrar. Críticas ao beta também poderiam, portanto, ser direcionadas a investidores que aplicam dinheiro em fundos muito grandes e diversificados e então esperam que eles superem o desempenho do mercado todos os anos, ou a cada trimestre.
47. Fundos de hedge desse tipo, dos quais A. W. Jones foi pioneiro, precederam a popularização da teoria acadêmica do "caminho aleatório".
48. Na pior das hipóteses, ambos os lados da arbitragem seguem o caminho errado – o mercado registra alta para as posições vendidas e baixa para as posições compradas. Esse é o "risco de terremoto" de quem exerce a arbitragem.
49. Buffett, palestrando na assembleia anual dos acionistas da Berkshire. Munger fez o comentário da "tolice e conversa fiada" na assembleia de 2001.
50. O modelo com títulos de alto risco (*junk bonds*) era baseado na média dos históricos de crédito, não no comportamento do mercado de ações ou títulos. Os dois modelos não só estão relacionados, como apre-

sentam a mesma falha básica: o fato de os "terremotos" nunca serem calculados de forma correta – pois, se fossem, o modelo revelaria um custo de capital proibitivo.
51. Com a introdução dos índices futuros em 1982, Buffett começou a negociar esses instrumentos como um hedge. Não obstante, escreveu ao congressista John Dingell, presidente do Comitê de Energia e Comércio da Câmara, alertando sobre seu risco, escrevendo também para Don Graham. *"Na prática, a utilização desses instrumentos para investimentos e hedge não funcionava, pois quase todos os contratos envolvem jogatina com alavancagem a curto prazo – com os corretores abocanhando sua parte em cada negociação pública."* Carta de Warren Buffett ao Sr. e à Sra. Don Graham, 18 de janeiro de 1983.
52. Carta anual da Berkshire Hathaway, 1985. O acordo foi de 320 milhões em dinheiro e o restante em assunção de dívidas e de outros custos. "Scott Fetzer Holder Clear Sale of Company". *Wall Street Journal*, 30 de dezembro de 1985. No relatório anual de 2000 da Berkshire, Buffett aponta que a BRK valorizou-se em 1,03 bilhão de dólares a partir de um preço líquido de compra de 230 milhões.
53. Entrevista com Jamie Dimon.
54. A Berkshire possuía 4,44 bilhões de dólares em ativos registrados no final de 1986, incluindo 1,2 bilhão de dólares de lucros não realizados em ações. Caso tivesse sido liquidada antes da reforma, a própria Berkshire poderia ter evitado o pagamento de quaisquer impostos com seus acionistas, pagando seus 20% de impostos sobre ganhos de capital, ou 244 milhões de dólares. Caso a BRK tivesse sido liquidada depois que a lei de reforma tributária entrasse em vigor, a Berkshire teria que pagar 414 milhões de dólares de impostos de pessoa jurídica (sendo que mais de 185 milhões desse montante caberia a Buffett) antes de distribuir os rendimentos líquidos aos investidores, para que esses pagassem um imposto duplicado, chegando a um máximo de 52,5% de impostos pela valorização não realizada de 1,2 bilhão, ou 640 milhões. Assim, o efeito total era de 400 milhões. Ver também GWARTNEY, James D., e HOLCOMBE, Randall G. "Optimal Capital Gains Tax Policy: Lessons from the 1970's, 1980's, and 1990's". Joint Economic Committee Study, Congresso dos Estados Unidos, junho de 1997.
55. Relatório anual de 1986 da Berkshire Hathaway. Observe-se que Buffett elabora seu argumento em termos das consequências onerosas que a Berkshire sofreria caso fosse liquidada depois da lei, e não dos imensos benefícios que teriam resultado de uma liquidação antes que ela entrasse em vigor.
56. Esse método de medição tem seus prós e contras, que são abordados em livros de negócios. No fim das contas, é uma medida razoável e conservadora que pode ser distorcida por meio de aquisições (algo que Buffett já discutiu; ver General Re).
57. Entrevistas com Walter Scott Jr. e Suzanne Scott; ver também LAING, Jonathan R. "The Other Man from Omaha". *Barron's*, 17 de junho de 1995.
58. Entrevista com Walter Scott Jr.
59. Entrevista com Clyde Reighard.
60. Jerry Bowyer, na *National Review* de 11 de agosto de 2006, escreveu que "a política de economia de oferta de Reagan ajudou Warren Buffett a juntar a segunda maior pilha de dinheiro do mundo, que ele frequentemente usa como palco sobre o qual denuncia as mesmas medidas de "economia da oferta" que o ajudaram a alcançar uma prosperidade extraordinária". É verdade que, como qualquer investidor, Buffett foi beneficiado pelas políticas de economia da oferta que reduzem os impostos de pessoa física sobre lucros de investimentos e ganhos de capital. Vale notar, no entanto, que boa parte desse benefício é compensada pelos impostos a que a Berkshire Hathaway está sujeita. Desde os anos Reagan, organizações como a Citizens for Tax Justice e o Institute on Taxation and Economic Policy vêm analisando os relatórios anuais das 250 maiores companhias dos Estados Unidos, sempre chegando à conclusão de que elas estão pagando muito menos do que deveriam. Ver: MCINTYRE, Robert S., e NGUYEN, T. D. *Coo.* "Corporate Taxes & Corporate Freeloaders" (agosto de 1985), "Corporate Income Taxes in the 1990s" (outubro de 2000), "Corporate Income Taxes in the Bush Years" (setembro de 2004). Tem sido demonstrado de forma consistente que as 250 maiores companhias dos Estados Unidos, embora tenham gozado um aumento substancial em seus lucros, pagaram apenas uma fração do verdadeiro percentual de impostos devidos no decorrer das décadas de 1980 e 1990 e, atualmente, graças a isenções por desvalorização, opções de compra de ações e pesquisa. A Berkshire, no entanto, possui uma média de 30% de impostos efetivos (lucro líquido antes da cobrança de impostos, dividido pelos impostos pagos atualmente) desde 1986 – o que compensa os benefícios fiscais de Buffett como pessoa física. Independentemente disso, a carga tributária de Buffett é irrelevante para determinar se ele tem ou não o direito de criticar a política de economia de oferta.

61. SOBEL, Robert. *Salomon Brothers 1910-1985, Advancing to Leadership*. Salomon Brothers Inc., 1986.
62. Em outras palavras, os sócios atuais recebiam um prêmio superior ao capital que investiram na Phibro, do qual sócios aposentados que já tivessem retirado seu capital não compartilhavam.
63. BIANCO, Anthony. "The King of Wall Street – How Salomon Brothers Rose to the Top – And How It Wields its Power". *Business Week*, 5 de dezembro de 1985.
64. Na "Noite dos Longos Punhais", 30 de junho-1º de julho de 1934, Hitler executou pelo menos 85 supostos inimigos do seu regime e capturou centenas de outros.
65. STERNGOLD, James. "Too Far, Too Fast: Salomon Brother's John Gutfreund". *New York Times*, 10 de janeiro de 1988.
66. KEERS, Paul. "A última valsa: ele tinha o poder, ela ansiava pelo status. A vida era uma festa até ele ter que renunciar, desonrado, e uma era chegou ao fim", *Toronto Star*, 1º de setembro de 1991.
67. LOWENSTEIN, Roger. *Buffett: A formação de um capitalista americano*. Rio de Janeiro: Nova Fronteira, 1997.
68. KEERS, Paul. "The Last Waltz"; VOGEL, Carol. "Susan Gutfreund: High Finances, High Living". *New York Times*, 1988. MICHAELS, David. "The Nutcracker Suit", Manhattan, Inc., dezembro de 1984. TAYLOR, John. "Hard to Be Rich: The Rise and Wooble of the Gutfreunds". Nova York, 11 de janeiro de 1988.
69. Como Sra. Bavardage.
70. KEERS, Paul. "The Last Waltz"; HORYN, Cathy. "The Rise and Fall of John Gutfreund; for the Salomon Bros. ex-Head, a High-Profile at Work & Play". *Washington Post*, 19 de agosto de 1991.
71. SOBEL, Robert. *Salomon Brothers 1910-1985, Advancing to Leadership*.
72. O combativo e poderoso banqueiro Bruce Wasserstein, especialista em fusões, supostamente iria administrar a firma. Gutfreund e seus principais assistentes sabiam que seriam substituídos imediatamente por Wasserstein. E Perelman, como maior acionista, poderia afugentar clientes.
73. A Salomon comprou o próprio bloco de ações da Minorco por 38 dólares, um prêmio de 19% sobre o preço de mercado da ação, que era de 32 dólares. Ela então ofereceu a Buffett a ação pelo mesmo preço. O prêmio era típico de acordos semelhantes na época (que também eram criticados). A ação transferia um poder de voto de 12% à companhia. Perelman ofereceu 42 dólares e disse que poderia aumentar sua oferta em até 25%.
74. A Salomon cometeu uma série de equívocos. Tentou comprar o controle acionário do TVX Broadcast Group e fracassou, arruinou uma compra alavancada da Southland Corporation e ficou a ver navios numa tentativa de aquisição problemática da Grand Union. Depois de cinco anos infrutíferos, a Salomon abandonou o ramo dos bancos mercantis em 1992.
75. BARTLETT, Sarah. "Salomon's Risky New Frontier". *New York Times*, 7 de março de 1989.
76. Buffett encarava seu investimento na Salomon como se fosse um título. Se ele tivesse ideias de investimentos em ações maravilhosas, como a Geico ou a American Express, não procuraria equivalentes em títulos e não teria feito este negócio.
77. Entrevista com John Gutfreund.
78. Entrevistas com John Gutfreund e Donald Feuerstein. O filho de Feuerstein estudou com um dos filhos de Perelman. Ele sabia que Perelman era praticante e apostou que o feriado provocaria um atraso grave.
79. Segundo Graham e Dodd, ações preferenciais combinam as características menos atraentes das ações ordinárias e das dívidas. "Como classe", escreveram eles, "ações preferenciais são claramente mais vulneráveis a adversidades do que os títulos de renda fixa." GRAHAM, Benjamin e DODD, David L. *Security Analysis, Principles and Techniques*. Nova York: McGraw-Hill, 1934, capítulo 26. Ações preferenciais muitas vezes são descritas como "títulos com um extra", combinando a segurança de um título com o lado positivo das ações. No entanto, conforme observaram Graham e Dodd, isso não está de todo correto. Se uma companhia entra em crise, falta aos acionistas um mecanismo que assegure seus direitos aos juros e ao principal. E, quando as coisas vão bem, o investidor não tem direito aos lucros da empresa. Numa palestra na Universidade da Flórida, em 1998, Buffett disse: "*O teste de um título principal é saber se você terá um retorno acima da média depois de descontados os impostos, e pode ter certeza de que arrecadará seu principal de volta.*" Nesse caso, preferir ações ordinárias não fazia sentido.
80. A começar em 31 de outubro, em cinco prestações no decorrer de quatro anos, era obrigatório converter

o título em ações da Salomon ou "devolvê-lo" para a empresa em troca de dinheiro. Perelman fez uma oferta para frustrar o negócio de Buffett – e Gutfreund e vários outros administradores disseram ao conselho que ele desistiria do negócio. Ele ofereceu um preço de conversão de 42 dólares, muito mais atraente do ponto de vista da Salomon. Ele teria sido dono de apenas 10,9% da empresa, comparados aos 12% de Buffett.

81. Se um comprador em potencial para seu bloco de ações preferenciais conversíveis surgisse, Buffett seria obrigado a oferecer a Salomon a primeira opção. Mesmo que ela não comprasse as ações de volta, ele estava proibido de vender seu bloco inteiro a um só comprador. A Berkshire também concordou em limitar seus investimentos na Salomon a não mais do que 20% por sete anos.
82. LEWIS, Michael. *Liar's Poker: Rising Through the Wreckage on Wall Street*. Nova York: W. W. Norton, 1989.
83. Entrevista com Paula Orlowski Blair.

Capítulo 47

1. Carta aos acionistas da Berkshire Hathaway, 1990; LEWIS, Michael. "The Temptation of St. Warren". *New Republic*, 17 de fevereiro de 1992.
2. Na Universidade de Notre Dame, primavera de 1991. Citado em GRANT, Linda. "The $4-Billion Regular Guy: Junk Bonds, No. Greenmail, Never. Warren Buffett Invests Money the Old-Fashioned Way". *Los Angeles Times*, 7 de abril de 1991.
3. Em "How to Tame the Casino Economy" (*Washington Post*, 7 de dezembro de 1986), Buffett defendeu um imposto confiscatório de 100% sobre lucros obtidos com a venda de ações ou instrumentos derivativos que o titular possuísse há menos de um ano.
4. GRANT, Linda. "The $4-Billion Regular Guy". Buffett também elogiou Gutfreund em sua carta aos acionistas.
5. Os principais conflitos inerentes aos negócios da Salomon eram o spread não divulgado, ao qual Buffett se opusera enquanto trabalhava para a firma de seu pai em Omaha; o conflito entre transações exclusivas para a conta da firma junto com transações de clientes; os negócios do banco de investimentos construídos sem levar em consideração as classificações de ações pesquisadas; e o departamento de arbitragem, que podia negociar com base nos acordos de fusão em que a firma estivesse envolvida. Como membro do conselho que tomava as decisões de investimento da Berkshire, Buffett diz que se eximia das discussões que envolvessem negócios da firma ou não investia com base nas informações que tinha, mas sua participação no conselho criava um aparente conflito de interesses.
6. O índice Standard & Poor's 500 foi usado como substituto para o mercado.
7. Bertie nunca faria essa aposta. Desde a infância, Warren sempre a venceu em todos os jogos; ele nunca a deixou ganhar. Ela saberia que ele comeria uma batata frita para que ela tivesse de pagar.
8. Carta de Warren E. Buffett ao excelentíssimo John Dingell, Câmara dos Deputados dos Estados Unidos, 5 de março de 1982.
9. Por motivos de concisão, a história do seguro dinâmico de portfólio foi consideravelmente abreviada. A debandada começou quando o Federal Reserve aumentou a taxa de desconto durante o fim de semana do Dia do Trabalho em 1987. Ao longo do mês seguinte, o mercado vacilou e mostrou sinais de nervosismo dos investidores. Em 6 de outubro, o Dow Jones quebrou o recorde diário, ao cair 91,55 pontos. As taxas de juros continuaram a subir. O índice caiu mais 108 pontos na sexta-feira, 16 de outubro. Administradores de recursos profissionais passaram o fim de semana refletindo. Na Segunda-Feira Negra, 19 de outubro, muitas ações nem conseguiram ser negociadas nas primeiras horas do pregão, e o Dow Jones sofreu uma queda recorde de 508 pontos. Ainda há controvérsia sobre a causa exata do colapso. Os programas de negociação automática e os contratos futuros de índice aceleraram a queda, mas os fatores econômicos, as tensões militares, os comentários do presidente do Federal Reserve, Alan Greenspan, sobre o dólar, a desaceleração da economia e outros fatores têm sido apontados como culpados.
10. Entrevistas com Ed Anderson, Bill e Ruth Scott, Marshall Weinberg, Fred Stanback e Tom Knapp.
11. Entrevista com Walter Scott Jr.
12. Nesse caso, a maneira de se proteger teria sido vender a descoberto um grupo amplo ou índice de ações.
13. Esse relato se baseia nas versões da história contadas tanto por Doris quanto por Warren.
14. STERNGOLD, James. "Too Far, Too Fast: Salomon Brothers' John Gutfreund". *New York Times*, 10 de janeiro de 1988.

15. A Salomon satisfazia as necessidades de dívida de seus clientes ao longo de todos os pontos da escada de vencimentos. Era uma decisão desconcertante para uma corretora de títulos eliminar seu departamento de notas promissórias comerciais.
16. Quatro concessões de opções a Gutfreund estavam prestes a expirar sem valor, e uma quinta teria dado apenas um ganho trivial. O preço de exercício revisado fez com que Gutfreund recebesse aproximadamente 3 milhões de dólares. O impacto da troca de todas as opções por novas afetou 2,9% das ações em circulação. O relatório aos acionistas de 1987 da Salomon não revelou a remarcação dos preços e, em seu lugar, continha mais uma concessão de opções de 4,5 milhões de dólares, ou 3,4%. CRYSTAL, Graef. "The Bad Seed". *Financial World*, 15 de outubro de 1991.
17. Entrevista com Bob Zeller.
18. Ibid. Zeller diz que Buffett representou os interesses dos acionistas na comissão de remuneração com integridade enquanto tentava determinar quais funcionários realmente mereciam ser recompensados.
19. TAYLOR, John. "Hard to Be Rich: The Rise and Wobble of the Gutfreunds". *New York*, 11 de janeiro de 1988.
20. Entrevistas com John Gutfreund e Gedale Horowitz.
21. Entrevista com Tom Strauss.
22. Embora tecnicamente os termos das ações preferenciais não funcionassem dessa maneira, se Buffett quisesse, poderia ter achado uma maneira para sair.
23. LOOMIS, Carol. "The Inside Story of Warren Buffett". *Fortune*, 11 de abril de 1988. Buffett afirmou no artigo que esses boatos eram falsos.
24. Carta de Katharine Graham aos membros do Grupo Buffett, 14 de dezembro de 1987. Ela acrescentou uma nota pessoal à cópia de Warren: "Aqui está o que enviei. Espero que esteja certo e que eu não seja linchada."
25. Os investidores usam períodos diferentes para estimar o fluxo de caixa – de 10 anos até para sempre ("perpetuidade") –, bem como taxas de juros diferentes. A margem de segurança de Buffett, porém, era suficientemente grande para eliminar as diferenças dos métodos; segundo ele, debater sobre essa precisão era menos importante do que aplicar um grande corte. A premissa principal é qual taxa de crescimento se presume que a empresa terá – e por quanto tempo.
26. ROSE, Robert L. "We Should All Have an Audience this Receptive Once in Our Lives", *Wall Street Journal*, 25 de maio de 1988.
27. Ou 14.172.500 de ações da Coca-Cola ao custo de 593 milhões de dólares, com uma cotação média de 41,81 dólares (ou um desdobramento de 5,23 dólares ajustado para as três duplicações de ações que ocorreram entre 1988 e 2007). Todas as ações e cotações estão ajustadas para subsequentes desdobramentos de ações.
28. Entrevista com Walter Schloss.
29. Àquela altura o valor de mercado das ações da Coca-Cola representava 21% do valor de mercado total da Berkshire Hathaway – de longe a maior aposta, em termos de dólares, que Buffett jamais fizera em uma única ação. No entanto, em termos percentuais, isso se encaixa em seu padrão anterior.
30. Entrevista com Howie Buffett.
31. LEWIS, Michael. *Liar's Poker: Rising Through the Wreckage on Wall Street*. Nova York: W. W. Norton, 1989.
32. A BRK recebeu um bônus de 9,25% das preferenciais da Champion, acima da taxa vigente de 7%, e levantou dívidas a 5,5% para financiar essa aquisição de 300 milhões de dólares. A Champion resgatou as ações preferenciais antecipadamente, mas a Berkshire conseguiu converter as suas ações antes do resgate e as vendeu de volta à empresa com um pequeno desconto. A Berkshire registrou um ganho de capital de 19%, após dedução de impostos, nos seis anos em que foi proprietária da Champion.
33. SANDLER, Linda. "Heard on the Street: Buffett's Special Role Lands Him Deals Other Holders Can't Get". *Wall Street Journal*, 14 de agosto de 1989.
34. De uma entrevista com um amigo que disse isso a Munger.
35. Discurso na Terry College of Business, Universidade da Geórgia, julho de 2001.
36. Entrevista com John Macfarlane.
37. Entrevista com Paula Orlowski Blair; LEWIS, Michael. *Liar's poker*.
38. Muitos contratos exigem a apresentação de garantias ou margem, mas isso não compensava o risco de erro no modelo.

39. Buffett e Munger, reunião anual com os acionistas da Berkshire Hathaway, 1999.
40. A Salomon resistiu oito anos. A Phibro vendeu sua participação na joint venture em 1998. BLOCK, Alan A. "Reflections on Resource Expropriation and Capital Flight in the Confederation". *Crime, Law and Social Change,* outubro de 2003.
41. LOWENSTEIN, Roger. *When genius failed: The rise and fall of long-term capital management.* Nova York: Random House, 2000.
42. Entrevista com Eric Rosenfeld.
43. Meriwether, como de costume, isentou-se dessa transação lucrativa.
44. Relatório à Comissão de Remuneração e Benefícios de Funcionários da Salomon Inc., "Securities Segment Proposed 1990. Compensation for Current Managing Directors".
45. Esse acordo de remuneração era ainda unilateral; os arbitradores podiam apenas empatar ou vencer. A parceria de Buffett o tinha exposto a uma responsabilidade ilimitada no compartilhamento de prejuízos se o seu desempenho fosse ruim – ou seja, os seus incentivos estavam realmente alinhados com os de seus sócios.
46. SICONOLFI, Michael. "These Days, Bigger Paychecks on Wall Street Don't Go to Chiefs". *Wall Street Journal,* 26 de março de 1991.
47. Entrevista com Deryck Maughan.
48. Usando termos diferentes. A analogia cassino/restaurante foi ideia de Buffett. Mesmo tornando-se rentáveis, os negócios dos clientes teriam exigido volumes ainda maiores de capital nos últimos anos, apesar da maior escala e da participação de mercado, e é questionável se seus retornos seriam satisfatórios para Buffett.
49. Entrevista com Eric Rosenfeld.

Capítulo 48

1. LEWIS, Michael. *Liar's poker: Rising through the wreckage on Wall Street.* Nova York: W. W. Norton, 1989.
2. Feuerstein trabalhara em vários cargos seniores da SEC, inclusive atuando como advogado no processo da Texas Gulf Sulfur, um caso histórico de uso de informações privilegiadas.
3. Entrevistas com Donald Feuerstein e muitos outros, que confirmaram seu papel e o apelido "POD".
4. Entrevistas com Donald Feuerstein, Tom Strauss, Deryck Maughan, Bill McIntosh, John Macfarlane, Zach Snow e Eric Rosenfeld.
5. Entrevista com Bill McIntosh.
6. Entrevista com John Macfarlane.
7. LOWENSTEIN, Roger. *Buffett: A formação de um capitalista americano.* Rio de Janeiro: Nova Fronteira, 1997, citando Eric Rosenfeld.
8. LOWENSTEIN. *Buffett,* citando John McDonough.
9. Entrevista com Eric Rosenfeld.
10. Entrevista com Donald Feuerstein.
11. Feuerstein voltou para a sala de conferências depois de ter falado com Munger e repetido o comentário sobre "chupar dedo" a outro advogado, Zach Snow, sem contextualizá-lo. Ele não parecia ter entendido o seu significado, segundo relatou Snow em uma entrevista. Feuerstein afirma que Munger disse: "Warren e eu fazemos isso o tempo todo." A despeito das palavras utilizadas, nem Feuerstein nem Buffett ficaram alarmados com a observação de Munger.
12. Entrevista com Gerald Corrigan.
13. Feuerstein tomara o café da manhã com um diretor, Gedale Horowitz, e contou a ele uma história bem parecida, ligeiramente mais informativa, sobre a manhã de 8 de agosto. Mas Horowitz diz que também se sentiu ludibriado.
14. LOOMIS, Carol. "Warren Buffett's Wild Ride at Salomon". *Fortune,* 27 de outubro de 1997.
15. A afirmação que Munger fez mais tarde, de que arrancou isso de Feuerstein, difere da lembrança de Feuerstein. Ambos concordam que Munger recebeu uma descrição clara. Não há dúvida de que a interpretação geral de Buffett e Munger das ações tanto de Feuerstein quanto de Gutfreund foi se tornando mais dura à medida que mais informações vinham à tona.
16. Declaração da Salomon Inc., enviada junto com o depoimento de Warren E. Buffett, presidente do

conselho e CEO da Salomon, perante a Subcomissão para Títulos, Comissão de Assuntos Bancários, Habitacionais e Urbanos, Senado dos Estados Unidos, 10 de setembro de 1991.

17. Mercury Asset Management (subsidiária da S. G. Warburg) e Quantum Fund. O contato inicial do Federal Reserve com a Salomon se deu porque a S. G. Warburg tinha feito um lance em seu próprio nome, como *primary dealer* (Declaração da Salomon Inc., 10 de setembro de 1991).
18. Depoimento de Charles T. Munger perante a SEC, "In the Matter of Certain Treasury Notes and Other Government Securities", Arquivo nº HO-2513, 6 de fevereiro de 1992.
19. Ibidem.
20. SICONOLFI, Michael; MITCHELL, Constance; HERMAN, Tom; SESIT, Michael R. e WESSEL, David. "The Big Squeeze: Salomon's Admission of T-Note Infractions Gives Market a Jolt – Firm's Share of One Auction May Have Reached 85%; Investigations Under Way – How Much Did Bosses Know?". *Wall Street Journal*, 12 de agosto de 1991.
21. Buffett disse mais tarde que a Wachtell, Lipton também tinha alguma culpa, observando que a Wachtell declarou efetivo, em 8 de agosto, um registro de prateleira de 5 bilhões de dólares de notas de médio prazo, usando um prospecto que estava "pretendendo declarar todos os fatos materiais a respeito da Salomon" a partir daquela data, mas que não continha referência alguma sobre as atividades de Mozer ou sobre a inação da gerência. *"Se essa posição tranquila era o que a Wachtell, Lipton estava transmitindo ao governo e ao público através de documentos oficiais, é provável que eles estivessem transmitindo algo semelhante a John, apesar de eu não saber exatamente o quê"*, disse Buffett.
22. Entrevista com John Macfarlane.
23. Entrevista com Bob Denham, que descobriu isso quando se mudou para o antigo escritório de Feuerstein.
24. Depoimento de Charles T. Munger perante a SEC, "In the Matter of Certain Treasury Notes and Other Government Securities", Arquivo nº HO-2513, 6 de fevereiro de 1992.
25. Se os credores não renovassem os empréstimos da firma, a Salomon seria forçada a liquidar seus ativos quase da noite para o dia. Em uma venda tão rápida, os ativos seriam negociados por uma fração do seu valor contábil. O balanço aparentemente invencível da Salomon se desmancharia no buraco negro da falência imediatamente.
26. Entrevista com Bill McIntosh.
27. Entrevista com Donald Feuerstein e John Macfarlane.
28. Mozer não relatou uma posição líquida "comprada", "quando emitida" em títulos do Tesouro que a colocava além do limite, e também apresentou outro lance falso em nome da Tiger Management Company.
29. Mozer negou ter manipulado intencionalmente o mercado. Ele estava sob suspeita de "recomprar" os títulos tomando emprestado dinheiro dos clientes dando os títulos como garantia e de fazer acordos verbais paralelos com esses clientes para que eles não emprestassem novamente os títulos a ninguém. Isso congelava a oferta de títulos, "espremendo" quem vendia a descoberto. Suspeitas de fixação de preços perseguiram a Salomon por muito tempo depois disso. Havia pouca dúvida de que Mozer e seus clientes tivessem monopolizado os títulos e criado um *squeeze*. Segundo Eric Rosenfeld, a própria mesa de arbitragem da Salomon ficou sem títulos e se queimou.
30. MICHELL, Constance. "Market Mayhem: Salomon's 'Squeeze' in May Auction Left Many Players Reeling – In St. Louis, One Bond Arb Saw $400,000 Vanish and His Job Go with It – From Confidence to Panic". *Wall Street Journal*, 31 de outubro de 1991.
31. Feuerstein não descobriu isso de imediato, embora fosse um fato conhecido internamente. Ele culpa essa omissão pelo fato de ele não ter pressionado por uma investigação mais minuciosa sobre o *squeeze*. Muitas pessoas, inclusive Meriwether, aparentemente sabiam do "jantar Tiger" (que recebeu esse nome por causa de um dos clientes do fundo de hedge). No entanto, o "jantar Tiger" não provava conluio.
32. Entrevista com John Gutfreund.
33. Ou a despeito do preço; essa é a lembrança geral de Buffett.
34. Enquanto isso acontecia, a Salomon dava entrada em uma declaração de registro de prateleira ligado a uma oferta de dívida sênior de 5 bilhões de dólares que os diretores assinaram. A apresentação de uma declaração de registro nessas circunstâncias podia colocar a firma numa posição de violação das leis do mercado de capitais.

35. Alguns pensavam que o *squeeze* poderia ter sido simplesmente uma questão de timing para apostar na redução das taxas de juros por parte do Fed, segundo Eric Rosenfeld, e não um ato de desafio ao Tesouro.
36. Vários pontos de vista dentro da firma são tirados de entrevistas com muitos dos responsáveis.
37. Entrevistas com Donald Feuerstein e Zachary Snow. Feuerstein diz que estava por acaso levando o filho para uma visita à Universidade Cornell naquele dia e que ficou "furioso" quando descobriu mais tarde o que tinha acontecido.
38. Entrevista com Donald Feuerstein. Feuerstein se referiu à sua incapacidade de influenciar Gutfreund como resultado do fato de Gutfreund sempre concordar com ele, dizendo: "É difícil discutir com alguém que sempre diz que concorda com você." (Carta de Donald M. Feuerstein a William F. May, Charles T. Munger, Robert G. Zeller e Simon M. Lorne e à Munger, Tolles & Olson, 31 de janeiro de 1993.)
39. Entrevista com Zach Snow. Snow diz que o sonho o perseguiu por muito tempo depois. Feuerstein não se lembra desse incidente, mas diz que, se algo do gênero aconteceu, ele não entendeu dessa maneira.
40. Philip Howard, advogado de Gutfreund, falando com Ron Insana no programa *Inside Opinion* da CNBC, 20 de abril de 1995.
41. John Gutfreund falando com Ron Insana no programa *Inside Opinion* da CNBC, 20 de abril de 1995.
42. Os leilões de 27 de dezembro de 1990 (notas de quatro anos), 7 de fevereiro de 1991 (o tal "trote de 1 bilhão de dólares") e 21 de fevereiro de 1991 (notas de cinco anos) tiveram lances falsos. O leilão de 25 de abril de 1991 incluiu um lance que superava a quantia autorizada por um cliente. No leilão de 22 de maio de 1991 (notas de dois anos), a Salomon (Mozer) deixou de relatar uma posição "comprada" líquida ao governo, como era exigido, o que alimentou suspeitas de um acobertamento de manipulação do mercado, mas provas de manipulação nunca foram encontradas.
43. Entrevista com Zach Snow, que também testemunhou sob juramento em 1994.
44. Entrevista com Deryck Maughan.
45. Entrevista com Jerry Corrigan.
46. Apesar de ser o chefe de Mozer, Meriwether não tinha autoridade para demiti-lo; um diretor administrativo não podia demitir outro. Somente Gutfreund podia fazê-lo.
47. Entrevista com Bill McIntosh.
48. Entrevista com John Macfarlane e Deryck Maughan.
49. O próprio McIntosh admitiu que não gostava muito de Gutfreund antes desse episódio.
50. Entrevista com Bill McIntosh.
51. A ampliação do spread entre 10 e 20 pontos-base só atraiu mais vendedores. Ao longo da tarde os operadores ampliaram o spread até finalmente estarem oferecendo apenas 90 centavos por dólar nas notas. O preço sugeria uma probabilidade razoavelmente alta de calote.
52. A firma ainda faria negócios como "agente", o que significava que compraria apenas se tivesse outro comprador à mão, ao qual pudesse revender as notas.
53. EICHENWALD, Kurt. "Wall Street Sees a Serious Threat to Salomon Bros. – Illegal Bidding Fallout – High-Level Resignations and Client Defections Feared – Firm's Stock Drops". *New York Times*, 16 de agosto de 1991.
54. Entrevista com Jerry Corrigan.
55. Strauss mais tarde relatou isso a Buffett.
56. Entrevista com Jerry Corrigan.
57. Entrevista com Jerry Corrigan.
58. Entrevista com Jerry Corrigan. Ele diz que Strauss e Gutfreund tiveram mais de uma conversa de rotina com ele entre abril e junho sem mencionar nada, e que ele não confiava mais neles.
59. Buffett chegou a Nova York entre 14h30 e 15 horas. Nesse ínterim, o comunicado à imprensa deveria ter sido redigido e estar pronto para ser emitido.
60. Do comunicado à imprensa da Salomon, em 16 de agosto de 1991: "A fim de dar ao conselho diretor da Salomon Inc. o máximo de flexibilidade, eles estão preparados para apresentar suas renúncias numa reunião especial do conselho".
61. Entrevista com Eric Rosenfeld.

62. Entrevista com Bill McIntosh, Tom Strauss e Deryck Maughan.
63. Entrevista com Tom Strauss.
64. Entrevista com Jerry Corrigan.
65. Entrevista com Ron Olson.
66. Depoimento de Warren Buffett. "In the Matter of Arbitration Between John H. Gutfreund Against Salomon Inc., and Salomon Brothers Inc.". Sessões 13 e 14, 29 de novembro de 1993.
67. Essa é a lembrança que Buffett tem das observações de Gutfreund. (Do depoimento de Warren Buffett, "In the Matter of Arbitration Between John H. Gutfreund Against Salomon Inc., and Salomon Brothers Inc.". Sessões 13 e 14, 29 de novembro de 1993).
68. Entrevista com Tom Strauss.
69. Em 8 de outubro de 1991, ele foi rebaixado quando a família Walton, proprietária das ações da Wal-Mart, assumiu as posições de 3 a 7; Buffett se tornou o número 8. O magnata do entretenimento John Kluge e Bill Gates ocupavam as duas primeiras posições.
70. Por intermédio de uma carta rotineira à Mercury Asset Management, quando o Departamento do Tesouro descobriu que a Mercury, com a sua subsidiária S. G. Warburg & Co., tinha apresentado lances muito superiores à regra que os limitava a 35% do leilão. Mozer apresentara um desses lances sem a autorização da Mercury. Mozer recebeu uma cópia da carta e a escondeu, dizendo à Mercury que a Salomon por engano tinha apresentado aquele lance em seu nome – e que iria corrigi-lo, portanto não era necessário que eles se preocupassem em responder ao Tesouro. (Depoimento da Salomon Inc., enviado junto com o depoimento de Warren E. Buffett, presidente do conselho e CEO da Salomon perante a Subcomissão de Títulos, Comissão de Assuntos Bancários, Habitacionais e Urbanos, Senado dos Estados Unidos, 10 de setembro de 1991.)
71. Entrevista com Deryck Maughan.
72. Discurso a alunos da Kenan-Flagler Business School, Universidade da Carolina do Norte, 1994.
73. A única exceção era Stanley Shopkorn, que dirigia a Divisão de Títulos e, segundo a lembrança dos outros, achava que o cargo deveria ser seu.
74. LEWIS, Michael. *Liar's Poker*.
75. Ibidem.
76. Swope demitiu todos eles e transformou a firma numa agência radical do Poder Negro, "Truth & Soul".
77. Entrevista com Deryck Maughan.
78. Entrevista com Eric Rosenfeld, que diz que nenhuma ameaça foi feita. Mas, como Meriwether não estava sob o compromisso de uma cláusula de não concorrência, era óbvio que toda a equipe de arbitradores sairia mais cedo ou mais tarde.
79. Gutfreund disse a Buffett que Susan achava que ele não conseguiria outro emprego.
80. Entrevista com Philip Howard. Depoimento de Warren Buffett, "In the Matter of Arbitration Between John H. Gutfreund Against Salomon Inc., and Salomon Brothers Inc.". Sessões 13 e 14, 29 de novembro de 1993.
81. Entrevista com Warren Buffett; depoimento de Warren Buffett, "In the Matter of Arbitration Between John H. Gutfreund Against Salomon Inc., and Salomon Brothers Inc.". Sessões 13 e 14, 29 de novembro de 1993. Ele citou essa observação como prova de que Gutfreund sabia que não tinha um acordo. (A versão de Munger da citação era "Não vou deixar que vocês me ferrem".)
82. Entrevista com Philip Howard.
83. Depoimento de Warren Buffett, "In the Matter of Arbitration Between John H. Gutfreund Against Salomon Inc., and Salomon Brothers Inc.". Sessões 13 e 14.
84. Depoimentos de Warren Buffett e Charlie Munger, "In the Matter of Arbitration Between John H. Gutfreund Against Salomon Inc., and Salomon Brothers Inc.". Sessões 13 e 14, 33 e 34.
85. Depoimento de Charles T. Munger, "In the Matter of Arbitration Between John H. Gutfreund Against Salomon Inc., and Salomon Brothers Inc.". Sessões 33 e 34, 22 de dezembro de 1993.
86. Entrevista com Gedale Horowitz.
87. O mercado japonês de títulos só abriria às 19h30 (horário da Costa Leste dos Estados Unidos), mas as negociações de balcão no Japão começariam já às 17 horas, quando os credores começariam a vender os papéis da Salomon efetivamente resgatando seus empréstimos.

88. Entrevista com John Macfarlane.
89. Depoimento de Warren Buffett, "In the Matter of Arbitration Between John H. Gutfreund Against Salomon Inc., and Salomon Brothers Inc.". Sessões 13 e 14, 29 de novembro de 1993.
90. Entrevista com Jerry Corrigan.
91. Jerry Corrigan e Paul Volcker contribuíram com suas visões sobre esse tópico.
92. Na época, era bem conhecido que Buffett "usara a sua considerável reputação para obter uma anulação parcial da ordem", embora o significado disso não fosse óbvio para ele. (HANSELL, Saul; SELBY, Beth e SENDER, Henry. "Who Should Run Salomon Brothers?". *Institutional Investor*, v. 25, nº 10, 1º de setembro de 1991.
93. Entrevista com Deryck Maughan.
94. Entrevista com Charlie Munger.
95. Entrevista com Deryck Maughan.
96. Hansell, Selby e Sender. "Who Should Run Salomon?".
97. Ibidem.

Capítulo 49

1. Entrevista com Paula Orlowski Blair.
2. Entrevista com Bill McLucas.
3. Essa é a lembrança de Buffett da citação, mas a visão de Brady de que Buffett não queria sair foi corroborada por outros reguladores.
4. Entrevista com Paula Orlowski Blair. Ela achou engraçado que seu novo chefe quisesse transformá-la em detetive.
5. Entrevistas com Donald Feuerstein e Bob Denham. Denham diz apenas que eles concordaram que uma mudança era necessária.
6. Warren Buffett depôs a esse respeito em "In the Matter of Arbitration Between John H. Gutfreund Against Salomon Inc., and Salomon Brothers Inc.". Sessões 13 e 14, 29 de novembro de 1993.
7. Durante a audiência de Gutfreund sobre arbitragem.
8. Várias fontes disseram isso à autora, mas temiam ser citadas.
9. A firma se tornou Munger, Tolles & Olson em 1986.
10. Fontes da firma de advocacia e ex-funcionários dão a Buffett todo o crédito por essa ideia, apesar do papel putativo da firma de advocacia.
11. A Drexel Burnham Lambert falira após o indiciamento, A Kidder, Peabody foi vendida para a PaineWebber. O balancete altamente alavancado da Salomon colocava a empresa numa posição de maior risco ainda.
12. Entrevista com Ron Olson.
13. Ibidem.
14. Ibidem.
15. Entrevista com Frank Barron. Rudolph Giuliani, promotor dos Estados Unidos para o Distrito Sul de Nova York, pressionara para que a Drexel Burnham Lambert abrisse mão do privilégio, mas a firma não concordou.
16. Charlie Munger reconheceu mais tarde a situação moralmente carregada – na melhor das hipóteses, ambígua –, dizendo que a única opção para ele e Buffett era ajudar a investigação e o processo penal de funcionários potencialmente inocentes. "Quando o último capítulo estiver escrito, o comportamento demonstrado pela Salomon será seguido em outros casos semelhantes", disse. "As pessoas serão suficientemente espertas para perceber que essa é a reação que queremos – superágil – mesmo que signifique a dispensa de pessoas que não a merecem." COHEN, Lawrie P. "Buffett Shows Tough Side to Salomon and Gutfreund". *Wall Street Journal*, 8 de novembro de 1991.
17. Carta de Warren Buffett a Norman Pearlstine, 18 de novembro de 1991.
18. Depoimento de Buffett em "In the Matter of Arbitration Between John H. Gutfreund Against Salomon Inc., and Salomon Brothers Inc.". Sessões 13 e 14, 29 de novembro de 1993.
19. "Eu não os demiti imediatamente", disse Olson numa entrevista. "Fui um pouco mais sutil do que isso."

20. Entrevistas com Carolyn Smith e Warren Buffett. Ele adicionou Smith à sua coleção de pessoas, escrevendo ao chefe do hotel a respeito dela, correspondendo-se com ela e colocando-a na sua lista de Natal.
21. Entrevistas com Gladys Kaiser e Bob Denham.
22. Comissão sobre Energia e Comércio – Subcomissão de Telecomunicações e Finanças, 4 de setembro de 1991, a respeito de violações na negociação de títulos por parte da Salomon Brothers e consequências para a reforma das leis do mercado de capitais do governo.
23. Maughan teve de voltar a Washington algumas semanas mais tarde para depor sozinho. "O mar não se abriu", ele diz, "e eu me molhei por inteiro".
24. "O nosso objetivo será o que foi declarado há muitas décadas por J. P. Morgan, que desejava ver seu banco realizar 'transações de primeira classe com um método de primeira classe'." BUFFETT, Warren. "Salomon Inc. – Um relatório do presidente do conselho sobre a posição e a perspectiva da Empresa". (Esse fraseado também foi usado em uma carta aos acionistas da Salomon Inc., reproduzida no *Wall Street Journal*, 1º de novembro de 1991.)
25. Subcomissão do Senado da Comissão de Assuntos Bancários, Habitacionais e Urbanos – Audiência sobre as atividades da Salomon Brothers Inc. em atividades com títulos do Tesouro, quarta-feira, 11 de setembro de 1991.
26. Na época, 65 credores tinham deixado de entrar em acordos de recompra com a Salomon, e o balanço de notas promissórias comerciais da firma estava caindo para zero. Um importante credor, a Security Pacific, estava se recusando a fazer operações de câmbio sem garantias. Buffett diz que esse foi seu ponto mais baixo. A imprensa nunca soube dessa história que, se relatada, poderia ter desencadeado pânico.
27. Entrevista com John Macfarlane. O custo do dinheiro motivou os operadores a esgotar as transações não econômicas. Em última instância, a taxa foi a 400 pontos-base sobre a taxa do Fed. As transações de curto prazo, com uso intensivo de capital, como a *carry-trade* (arbitragem de taxa de juros), se esgotaram.
28. Entrevista com John Macfarlane.
29. Subcomissão do Senado da Comissão de Assuntos Bancários, Habitacionais e Urbanos – Audiência sobre as Atividades da Salomon Brothers Inc. em Atividades com Títulos do Tesouro, quarta-feira, 11 de setembro de 1991.
30. Naquela altura, muitas pessoas, inclusive Denham e Munger, já sabiam da carta de Sternlight, mas dizem que todos achavam que alguém tivesse contado a Buffett, ou que ele tivesse sabido de alguma maneira. Buffett e Munger também ficaram exasperados ao saberem que, durante a reunião da comissão de auditoria, em junho, com a presença de Feuerstein, Arthur Andersen disse novamente que não havia necessidade de relatar nada à SEC ou à Bolsa de Valores de Nova York. Embora a Wachtell, Lipton tivesse de fato assumido essa posição, essa declaração, em retrospecto, era manifestamente falsa.
31. Ao serem questionados a respeito de quanto Buffett e Munger entendiam do funcionamento da Salomon antes de agosto de 1991, quando faziam parte do conselho, os funcionários uniformemente disseram "não muito", ou palavras com esse sentido, e que as informações tinham sido habilmente ocultadas do conselho para que boa parte dos problemas da firma nunca viesse à tona.
32. COHEN, Lawrie P. "Buffett Shows Tough Side to Salomon".
33. Entrevista com Gladys Kaiser.
34. Buffett não consegue lembrar quem fez isso – embora não tenha sido Astrid, que se deita cedo, nem alguém do escritório. Ele acha que deve ter sido algum outro amigo ou um vizinho.
35. Apesar de venderem serviço, preço e expertise, os subscritores de valores mobiliários, em última instância, são avalistas financeiros. As classificações de saúde financeira da Salomon tinham sido rebaixadas. Com um indiciamento penal e a sua posição de *primary dealer* ameaçada, o fato de a empresa ter conseguido reter qualquer cliente bancário continua a ser uma das grandes histórias de sobrevivência de Wall Street. Ela conseguiu isso abrindo mão de posições de liderança e assumindo efetivamente um papel coadjuvante. De qualquer forma, a sua participação de mercado caiu de 8% para 2%.
36. Entrevista com Eric Rosenfeld.
37. Entrevista com Paula Orlowski Blair. A Morse Shoe pediu falência em julho de 1991, semanas após a Berkshire ter concordado em comprar a H. H. Brown Shoes. A Berkshire comprou a Lowell Shoe, uma subsidiária da Morse Shoe, no final de 1992, e também comprou a Dexter Shoe em 1993.
38. Smith Barney, Shearson Lehman e Ubs Securities. A atmosfera de caça às bruxas que se seguiu também fez com que o Morgan Stanley emitisse uma declaração negando que estava sendo investigado pelo governo.

39. O estudo do Departamento do Tesouro/Fed também revelou que, ao longo de um período que começava no início de 1986, a Salomon tinha comprado mais da metade dos títulos emitidos em 30 dos 230 leilões. (IUCHETIELLE, Louis e LABATON, Stephen. "When the Regulators Stood Still". *New York Times*, 22 de setembro de 1991).
40. Depoimento de Warren Buffett, "In the Matter of Arbitration Between John H. Gutfreund Against Salomon Inc., and Salomon Brothers Inc.". Sessões 13 e 14, 29 de novembro de 1993.
41. Os contratos diferem para cada funcionário, empresa e estado, e as provisões de reparação usam termos amplos sujeitos a interpretação, mas, em geral, os funcionários do alto escalão aceitam o risco legal que acompanha suas posições sob a condição de que seus empregadores paguem as custas judiciais, a não ser nos casos em que eles sejam condenados por fraude ou outros delitos penais ou se estiverem envolvidos em falta grave voluntária. A ação da Salomon foi altamente incomum na época e permanece incomum. A recusa da KPMG de pagar as custas legais de seus parceiros se tornou tema de processos. Em julho de 2007, um juiz federal dos Estados Unidos negou uma ação contra 13 funcionários da KPMG por promoção de mecanismos de proteção fiscal alegando que o governo forçara a KPMG a negar a eles os pagamentos legais.
42. Transcrição da reunião da Comissão Federal sobre Mercado Aberto, 1º de outubro de 1991.
43. Entrevista com Gary Naftalis.
44. Entrevista com Otto Obermaier.
45. Ibidem.
46. Entrevista com Gary Naftalis.
47. Entrevista com Otto Obermaier.
48. Carta aos acionistas da Salomon Inc., reproduzida no *Wall Street Journal*, 1º de novembro 1991.
49. Entrevista com Paula Orlowski Blair.
50. Ibidem.
51. Anúncio da Salomon no *Wall Street Journal*, 1º de novembro de 1991. Todo o aumento do rendimento da Salomon durante vários anos foi devolvido aos funcionários. As ações da Salomon ficavam na terça parte mais baixa de sua classe de valor de mercado. A declaração de imposto de renda do terceiro trimestre teria ficado cheia de tinta vermelha se o pool de bonificações não tivesse sido reduzido. A abordagem precedente, do tipo "compartilhe a riqueza", subsidiava quem perdia dinheiro, para que todos fossem lautamente remunerados. A maior mudança de Buffett foi estabelecer um vínculo entre as bonificações e o desempenho individual e o de cada departamento. No quinquênio que terminou em 31 de dezembro de 1991, as ações da Salomon Inc. ficaram em 437º lugar em termos de desempenho entre as 500 maiores ações da S&P. (1991, Salomon Inc.)
52. Entrevista com Deryck Maughan.
53. Entrevista com Jim Robinson.
54. Durante décadas, como sociedade, a firma tinha sido – literalmente – administrada para os funcionários. O problema era a separação inerente de capital e mão de obra em um banco de investimento de capital aberto.
55. Otto Obermaier. Mais tarde, ele escreveu "Do the Right Thing: But if a Company Doesn't It Can Limit the Damage". *Barron's*, 14 de dezembro de 1992.
56. O mesmo não aconteceu no *squeeze* das notas de dois anos em maio, no qual várias pequenas firmas faliram. Se ficasse provado que Mozer tinha feito um conluio com os fundos de hedge para dominar o mercado, ou que ele fizera lances falsos no leilão, as multas da Salomon e de cada indivíduo envolvido teriam sido sem dúvida mais severas; a história poderia ter terminado de maneira diferente.
57. Entrevistas com Frank Barron e Bill McLucas. McLucas confirma a essência, mas não se lembra das palavras exatas.
58. Entrevista com Otto Obermaier.
59. Mozer cumpriu sua pena de quatro meses depois de se declarar culpado de mentir para o Federal Reserve Bank de Nova York. A SEC e os promotores não agiram contra Feuerstein.
60. Gutfreund foi proibido de dirigir qualquer empresa sem aprovação prévia da SEC.
61. Entrevista com Paula Orlowski Blair.
62. Na verdade, Jerry Corrigan só revogou totalmente a proibição da Salomon em agosto de 1992.

63. *Inside Opinion*, CNBC, entrevista de Gutfreund a Ron Insana, 20 de abril de 1995.
64. Entrevista com John Gutfreund.
65. Entrevista com Charlie Munger.
66. Os árbitros eram John J. Curran, Harry Aronsohn e Matthew J. Tolan.
67. Entrevista com Frank Barron.
68. Quem já passou muito tempo com Munger irá reconhecer instantaneamente a sensação de falar com ele quando sua cabeça está desligada, embora ocasionalmente algo perfure o seu muro de indiferença. *"É difícil perfurar o muro de indiferença de Charlie"*, diz Buffett. *"Posso dizer isso."*
69. Depoimento de Charles T. Munger, "In the Matter of Arbitration Between John H. Gutfreund Against Salomon Inc., and Salomon Brothers Inc.". Sessões 33 e 34, 29 de novembro de 1993.
70. Entrevista com Sam Butler e Frank Barron.
71. Entrevista com Frank Barron.

Capítulo 50

1. LEWIS, Michael. "The Temptation of St. Warren". *New Republic*, 17 de fevereiro de 1992.
2. SUSKIND, Ron. "Legend Revisited: Warren Buffett's Aura as Folksy Sage Masks Tough, Polished Man". *Wall Street Journal*, 8 de novembro de 1991.
3. Carta de Patricia Matson a Peter Kann, Norman Pearlstine, Paul Steiger, James Stewart e Lawrence Ingrassia do *Journal*, 18 de novembro de 1991, e cronologia anexa dos eventos, na qual Tom Murphy relembra que explicou a Suskind antes da publicação que ele estava citando e retratando a conversa erroneamente; carta de Bill Gates a Warren Buffett, 13 de novembro de 1991, que diz: "A citação está errada. Eu nunca sugeri nada do gênero ao repórter." Gates disse que ligou para o *Journal* antes da publicação para se certificar de que a citação incorreta não seria publicada e ficou "chocado" ao ver a citação no artigo. Memorando de Patty Matson, porta-voz oficial da CapCities/ABC, "a quem interessar possa", 19 de novembro de 1991, cc: Buffett, Murphy, Gates, Tisch, que diz que Steiger, do *Journal*, ligou e admitiu uma "perplexidade" porque alguém poderia estar "enfeitando o pavão".
4. Carta de Bill Gates a Warren Buffett, 13 de novembro de 1991.
5. Entrevistas com Warren Buffett e Bill Gates. Gates pode ter ouvido de outra pessoa a versão, que pode ter sido exagerada quando recontada. Por outro lado, Buffett tinha que usar as instalações de alguma maneira.
6. Entrevista com Bill Gates.
7. Durante quatro gerações, os Gates chamaram seus filhos de William Henry Gates. O pai de Bill Jr., William Henry III, passou a se chamar Bill Jr. e seu filho, o novo Bill III – que na verdade seria Bill IV – ficou conhecido como Trey. Bill Jr., então, é hoje Bill Pai, o mais velho dos William Henry Gates, e seu filho é agora conhecido como Trey, Bill III, Bill e *O* Bill Gates.
8. Entrevista com Arthur K. Langlie.
9. Entrevista com Bill Gates.
10. Noyce morreu em 3 de junho de 1990.
11. Entrevista com Roxanne Brandt.
12. Entrevista com Bill Gates.
13. Entrevista com Bill Gates.
14. Entrevista com Don Graham.
15. Gates tinha razão; a Kodak de fato já era. Entre janeiro de 1990 e dezembro de 2007, as ações da Kodak subiram apenas 20%, pouco mais do que 1% ao ano. O índice S&P no mesmo período subiu 313%. A Berkshire Hathaway subiu 1.627%. A Microsoft subiu 6.853%.
16. Entrevista com Bill Gates.
17. Ibidem.
18. As estatísticas são cortesia da Berkshire Hathaway.
19. Entrevista com Louis Blumkin.
20. Um produto Scott Fetzer.

21. Com base em vários comentários de Kelly Broz, Roberta Buffett Bialek, Peter Buffett, Doris Buffett, Susan Clampitt, Jeanne Lipsey, Stan Lipsey, Ron Parks, Marilyn Weisberg e Racquel Newman.
22. Entrevistas com Kathleen Cole e Susie Buffett Jr.
23. Entrevista com Kahtleen Cole.
24. Entrevista com Susie Buffett Jr. e Howie Buffett. Isso aconteceu na escola McMillan Junior High.
25. Que totalizam 21 mil dólares por ano.
26. Entrevista com Howie Buffett.
27. Entrevista com Susie Buffett Jr.
28. EICHENWALD, Kurt. *O informante*. São Paulo: Landscape, 2003.
29. Entrevista com Susie Buffett Jr.
30. Entrevista com Bill Gates.
31. Entrevista com Sharon Osberg.
32. Cada dado tem uma vantagem sobre o outro e uma desvantagem em relação ao terceiro.
33. Quando Buffett pegou os dados para a autora, ficou insistindo que ela teria que jogar antes. Ela não fazia ideia do significado dos números. Deduziu que, se Buffett queria que ela jogasse primeiro, ela deveria levar alguma desvantagem nisso. (A experiência como analista de seguros foi útil aqui.) Ela disse que os dados deveriam de alguma maneira funcionar como a brincadeira pedra, papel e tesoura, e se recusou a jogar. Buffett interpretou isso como "descobrir o truque" dos dados, mas na verdade não foi o que aconteceu.
34. Na primeira semana em que começou a trabalhar neste livro, a autora desceu ao saguão do hotel e encontrou o mesmo embrulho.
35. Entrevistas com Sharon Osberg e Astrid Buffett, que lembram que "Sharon estava fora de si".
36. Entrevista com Sharon Osberg.
37. Entrevista com Astrid Buffett, Dick e Mary Holland.
38. Entrevista com Dody Waugh-Booth.
39. LOOMIS, Carol J. "My 51 Years (and Counting) at Fortune". *Fortune*, 19 de setembro de 2005.
40. Dependendo de quanto tempo atrás tinham enriquecido e quanto tempo atrás tinham se bronzeado ao sol. Bill Scott, que Buffett tornara incrivelmente rico, tinha adquirido um bronzeado profundo e começou a se parecer com o próprio Buffett.
41. Carnegie construiu 2.509 bibliotecas (ao custo de 56 milhões de dólares) e realizou outras obras públicas, usando mais de 90% de seu patrimônio de 480 milhões de dólares, feito com o aço.
42. A primeira mulher de Ruane, Elizabeth, sofria de um distúrbio de humor e cometeu suicídio em 1988.
43. Bill Ruane e outros se lembraram desse discurso.
44. EHRLICH, Paul. *The population bomb*. Nova York: Ballantine Books, 1968. MALTHUS, Thomas. *An essay on the principles of population*. *The population bomb* foi baseado no trabalho do demógrafo e estatístico do século XIX Thomas Malthus, que disse que os humanos procriam em progressão geométrica, enquanto a produção de alimentos aumenta em progressão aritmética; portanto, a população da Terra se expandiria inevitavelmente para além do ponto em que seus recursos poderiam sustentá-la. A uma certa altura, Malthus postulou, miséria e vício (por exemplo, guerra, pandemia, fome, mortalidade infantil, agitação política) reduziriam a população a um nível sustentável. Como a teoria de Malthus não levou em consideração vários fatores – por exemplo, presumindo de forma simplista que o desenvolvimento econômico estimulava o crescimento populacional –, suas ideias continuariam a ser ridicularizadas à medida que catástrofes previstas não se materializaram até uma ou duas décadas depois de 1970. Todavia, os conceitos básicos de Malthus e a ideia da catástrofe malthusiana estão sendo levados mais a sério em alguns lugares hoje em dia.
45. Buffett, em geral, usa números altos e baixos maiores do que a população atual (uma margem de segurança, para não parecer alarmista), apesar de alguns especialistas argumentarem que a "capacidade de sustentação" já foi excedida.
46. Organizações como a International Humanist, a Ethical Union e a Planned Parenthood tomaram essa posição antes de 1974. Ver EAGER, Paige Whaley. *Global population policy: From population control to reproductive rights*. Burlington, Vermont: Ashgate Publishing Ltd., 2004.
47. Esse foi o caso Belous (O Povo contra Belous, 71, Cal. 2d954,458P.2d194,80 Cal.Rptr. 354 [1969]), que

declarou a inconstitucionalidade das leis contra o aborto na Califórnia. Munger ajudou a redigir o parecer. Buffett diz que nunca viu Munger "tão empolgado", a coisa mais estranha que ele já viu Munger fazer.
48. Buffett disse que Munger tentou fazer que ele dirigisse uma igreja, oferecendo-lhe o trabalho de sacristão, até que ele descobriu que função não era o que ele pensava. *"Tivemos falsos debates sobre quem seria o pastor."*
49. HARDIN, Garrett. "The Tragedy of the Commons", *Science*, v. 162, nº 3.859, 13 de dezembro de 1968. A teoria de Hardin era basicamente uma paráfrase do "dilema do prisioneiro", que também trata de "cooperação e trapaça", segundo as referências do tema. Na década de 1970 presumia-se que o progresso econômico aceleraria o crescimento populacional e que o crescimento populacional impediria o crescimento econômico. Presumia-se que a "capacidade de sustentação" da Terra era essencialmente fixa, e não pelo menos um pouco flexível em função do uso da tecnologia e das forças do mercado. As premissas incorretas que levaram a tais previsões apontam datas próximas demais para níveis críticos de população.
50. HARDIN, Garrett. "A Second Sermon on the Mount", *Perspectives in Biology and Medicine*, 1963.
51. Entretanto, algumas reminiscências do movimento eugenista permaneceram vivas e, na virada do milênio, os progressos na genética, na genômica e na ciência reprodutiva levantaram questões complexas sobre essa ideia.
52. O vínculo histórico entre "controle populacional", o movimento eugenista e o racismo é detalhado em CHASE, Allen. *The Legacy of Malthus: The Social Costs of the New Scientific Racism*. Nova York: Alfred A. Knopf, 1977. Embora uma discussão integral desses temas esteja além do escopo deste livro, o que parece ficar claro pela troca de terminologia, pelo direcionamento da Buffett Foundation e pelo gradual distanciamento do campo de Hardin é o desencanto de Buffett com as visões malthusianas de Hardin, por causa de suas implicações eugenistas. (O papel de carta pessoal de Hardin continha um pequeno mapa dos Estados Unidos com as palavras "Qualidade da População".)
53. Num lance altamente polêmico, a Buffett Foundation pagou metade dos custos no primeiro ano para levar a pílula abortiva RU-486 para os Estados Unidos.
54. De *Global Population Policy: From Population Control to Reproductive Rights*, de Eager, que narra a rejeição gradual do neomalthusianismo e dos métodos coercitivos de controle populacional em favor de mudanças voluntárias e evolutivas nas taxas de nascimento por meio do desenvolvimento econômico, dos direitos reprodutivos e da ênfase na saúde das mulheres.
55. Em "Foundation Grows: Buffetts Fund Efforts for Population Control" (*Omaha World-Herald*, 10 de janeiro de 1988), Bob Dorr cita a seguinte frase de Susie, "Warren gosta de números. (...) Ele gosta de ver resultados concretos e de poder vê-los mudar", para explicar o interesse de seu marido em grupos como o Planned Parenthood e o Population Institute.
56. Um termo semelhante, "roleta ovariana", aparentemente foi usado antes pelo Dr. Reginald Lourie, do Hospital Pediátrico, Washington, D. C., numa audiência da Comissão de Operações do Governo, Estados Unidos, "Effects of Population Growth on National Resources and the Environment", 15-16 de setembro de 1969, num debate com Garrett Hardin, para descrever uma mãe que assume o risco de uma gravidez indesejada ao não usar métodos contraceptivos (e, desde então, o termo tem sido usado pela Responsible Wealth). No entanto, é a palavra "loteria", e não "roleta", que transforma uma escolha ruim em má sorte: de uma criança indesejada nascida de uma mulher que confia no acaso, para uma criança que nasce em circunstâncias cruéis, por causa do acaso.
57. "I Didn't Do It Alone", um relato da organização de Chock Collins, a Responsible Wealth.
58. Ver RAWLS, John. *A theory of Justice*. Cambridge: The Belknap Press of Harvard University Press, 1971. A Loteria do Ovário assemelha-se à visão de Rawls, que é uma forma de determinismo – e deduz que boa parte do que acontece com as pessoas, mas não tudo, é determinado pelo presente e pelo passado, por exemplo, através de seus genes ou da sorte de ter nascido num certo lugar, num dado período. O oposto do determinismo é o livre-arbítrio. Desde a época dos primeiros filósofos, a raça humana debate se o livre-arbítrio existe. Os filósofos também debatem se ele existe numa certa escala ou se é irreconciliável com a noção de determinismo. O crítico Robert Nozick, em *Anarquia, Estado e utopia*, advoga a irreconciliabilidade numa crítica a Rawls, que diz aproximadamente que a mão invisível do economista Adam Smith dá às pessoas o que elas conquistaram e mereceram (NOZICK, Robert. *Anarquia, Estado e utopia*. Rio de Janeiro: Jorge Zahar, 1991). Todos os verdadeiros libertários acreditam no livre-arbítrio e negam totalmente a existência do determinismo. Como a política econômica é muito influenciada por essas

ideias, vale a pena entender esse tópico: por exemplo, ele esclarece o debate sobre como as propensões libertárias de Alan Greenspan influenciaram a política do Federal Reserve que levaram às recentes bolhas de ativos alimentadas por dívidas. Igualmente, o debate sobre eugenia, genomismo e reprogenética reproduz questões de determinismo e livre-arbítrio.

59. Entrevista com Bill Gates.
60. Em 2005, Oxnam publicou *A fractured mind*, suas memórias, abordando a vida com o distúrbio de múltiplas personalidades (Nova York: Hyperion).
61. Entrevista com Bill Gates.

Capítulo 51

1. BIANCO, Anthony. "The Warren Buffett You Don't Know", *Business Week*, 5 de julho de 1999.
2. Entrevista com Tony Nicely.
3. Isso era um prêmio de 40% em relação à cotação da Geico.
4. Em 1993, 707 novas emissões levantaram 41,4 bilhões de dólares. Em 1994, 608 IPOs (ofertas públicas de ações) levantaram 28,5 bilhões de dólares, o segundo ano mais produtivo no último quarto de século. O terceiro melhor ano para IPOs foi 1992, quando 517 emissões levantaram 24,1 bilhões de dólares. (Securities Data Co. de Newark, N.J.)
5. BAKER, Molly e RIGDON, Joan. "Netscape's Ipo Gets an Explosive Welcome", *Wall Street Journal*, 9 de agosto de 1995.
6. Entrevista com Sharon Osberg.
7. Os Buffett fizeram outras doações filantrópicas usando as ações de Susie, bem como o financiamento da Buffett Foundation.
8. LOOMIS, Carol. "The Inside Story of Warren Buffett". *Fortune*, 11 de abril de 1988.
9. Comunicado à imprensa da Berkshire Hathaway, 13 de fevereiro de 1996.
10. Entrevistas com Dana Neuman e Mark Millard.
11. A remuneração dos funcionários na verdade não podia ser plenamente alinhada à dos acionistas. Diferentemente do que acontecia no *Buffalo News*, por exemplo, a remuneração básica dos funcionários em um banco é baixa demais para compensar o valor de mão de obra de seu tempo devido pelos acionistas. De fato, boa parte da bonificação é, na verdade, salário. Um plano que exige que os funcionários trabalhem quase de graça em um ano ruim para compensar bonificações "excessivas" em outros anos não pode dar certo, porque transfere parte do risco assumido pelo capital para a mão de obra. A estrutura de bonificações em Wall Street – sem a cola da parceria – é inerentemente problemática.
12. Para ser considerada uma operação de arbitragem, duas negociações devem acontecer simultaneamente, eliminando o risco de mercado. A compra de uma ação e a sua venda posterior não é arbitragem. Comprar grãos de cacau no Equador e vendê-los em San Diego não é arbitragem.
13. Entrevista com Deryck Maughan.
14. LOWENSTEIN, Roger. *When Genius Failed: The Rise and Fall of Long-Term Capital Management*. Nova York: Random House, 2000.
15. Em julho de 1998, Weill fechou a unidade de arbitragem de títulos da Salomon. Seria possível argumentar que foi a fusão subsequente da Travelers com o Citicorp – que fornecia capital barato – que tornou a firma uma concorrente séria naqueles negócios. Visto por outro ângulo, a Travelers pagou um preço alto para entrar em um negócio com altas barreiras de entrada e depois explorou a sua vantagem em termos de capital e escala. O Citigroup abandonou o nome Salomon em 2001.
16. LOOMIS, Carol. "A House Built on Sand". *Fortune*, 26 de outubro de 1998.
17. Entrevista com Charlie Munger.
18. Roger Lowenstein, em *When Genius Failed*, estimou que esses retornos foram conseguidos por alavancagem; o retorno sobre o investimento do Long-Term era somente de cerca de 1%. Esse retorno baixo multiplicado por algo entre 50 e 100 vezes por meio de empréstimos parecia extremamente rentável.
19. Em *When Genius Failed*, Lowenstein chegou a essa conclusão depois de muitas entrevistas com a antiga equipe de Meriwether.

20. LOWENSTEIN, Roger. *When Genius Failed*. A venda a descoberto não funcionaria por causa do descasamento entre a Berkshire e as posições que seriam utilizadas para neutralizá-la. A Berkshire era um conjunto de empresas de propriedade integral alimentada por uma seguradora que também possuía algumas ações, e não um semifundo quase mútuo.
21. LOWENSTEIN, Roger. *When Genius Failed*.
22. A arbitragem de ações ou de fusões é uma aposta sobre o possível fechamento de uma fusão. Especialistas em arbitragem de fusões falam com advogados e banqueiros de investimento e se especializam em rumores. As suas apostas se baseiam em parte no conhecimentos acerca de uma transação, e não apenas em estatísticas sobre como as transações típicas foram realizadas.
23. Entrevista com Eric Rosenfeld; LOWENSTEIN. *When genius failed*.
24. SICONOLFI, Michael; RAGHAVAN, Anita e PACELLE, Mitchell. "All Bets Are Off: How Salesmanship and Brainpower Failed at Long-Term Capital". *Wall Street Journal*, 16 de novembro de 1998.
25. Entrevista com Eric Rosenfeld.
26. O índice Standard and Poor's tinha caído 19% desde julho, e o Nasdaq tinha caído mais de 25%.
27. Carta de John Meriwether aos investidores, 2 de setembro de 1998.
28. Carta de Warren Buffett a Ron Ferguson, 2 de setembro de 1998.
29. Portanto, não tente recuperar da mesma maneira que perdeu.
30. Entrevista com Joe Brandon.
31. TORRES, Craig e BURTON, Catherine. "Fed Battled 'Financial Maelstrom'", 1998 Records Show. Bloomberg News, 22 de abril de 2004.
32. Roger Lowenstein, em *When genius failed*, inclui, assim como outros relatos, uma interessante nota sobre o papel do Goldman Sachs, que, como angariador de capital para a empresa, também enviou um "operador" misterioso que passou dias transferindo as posições do Long-Term para um laptop e usando o celular para dar telefonemas misteriosos. Depois os sócios do Long-Term jogaram amargamente a culpa de sua derrocada no comportamento predatório dos concorrentes.
33. Segundo um sócio, o advogado tinha dúvidas quanto ao processo acelerado, dizendo que talvez houvesse algum truque envolvido e querendo reduzir o ritmo e ter mais tempo para analisar os detalhes.
34. LOWENSTEIN, Roger. *When genius failed*.
35. LEWIS, Michael. "How the Eggheads Cracked". *New York Times Magazine*, 24 de janeiro de 1999.
36. Entrevistas com Fred Gitelman e Sharon Osberg.
37. Depois de três reduções de 0,25% da taxa de juros – em 22 de setembro, 15 e 17 de outubro –, o mercado deu um salto de 24% em relação ao seu nível mais baixo em 31 de agosto, 7.539 pontos, para um recorde de 9.374 pontos em 23 de outubro.
38. LEWIS, Michael. "How the Eggheads Cracked".
39. LOWENSTEIN, Roger. *When Genius Failed*.
40. Entrevista com Eric Rosenfeld.
41. A redução dramática e instantânea das taxas de juros por parte do Federal Reserve deu origem a um conceito chamado de "Greenspan Put" (opção de venda do Greenspan), a ideia de que o Federal Reserve fosse inundar o mercado com liquidez para salvar investidores, numa crise. Teoricamente, o Greenspan Put estimula as pessoas a se preocuparem menos com o risco. Greenspan negava a existência de um Greenspan Put. "O ciclo demora muito mais para se expandir do que para se contrair", ele disse. "Portanto, somos inocentes." (Reuters, 1º de outubro de 2007, citando discurso de Greenspan em Londres.)

Capítulo 52

1. EICHENWALD, Kurt. *O informante*. São Paulo: Landscape, 2003. Sem que Howie soubesse, Andreas supostamente fez uma doação ilegal em resposta a pelo menos um pedido que Howie havia negado, considerando a multa como um custo de transação.
2. Entrevista com Warren Buffett.
3. Ibidem; KILMAN, Scott; BURTON, Thomas M. e GIBSON, Richard. "Seeds of Doubt: An Executive Becomes Informant for the FBI, Stunning Giant Adm – Price Fixing in Agribusiness Is Focus of Major

Probe: Other Firms Subpoenaed – A Microphone in the Briefcase". *Wall Street Journal*, 11 de julho de 1995; WALSH, Sharon. "Tapes Aid U. S. in Archer Daniels Midland Probe, Recordings Made by Executive Acting as FBI Informant Lead to Seizure of Company Files". *Washington Post*, 11 de julho de 1995; HENKOFF, Ronald, e Behar, Richard. "Andreas's Mole Problem Is Becoming a Mountain". *Fortune*, 21 de agosto de 1995; WHITACRE, Michael. "My Life as a Corporate Mole for the FBI". *Fortune*, 4 de setembro de 1995.

4. Entrevista com Kathleen Cole.
5. Astrid seria amparada por Warren também. Ele fala da aparente disposição de seus fãs para comprar qualquer artigo que pertencesse a ele – sua carteira, seu carro: *"Ela tem um dos meus sisos. É a coisa mais feia que já se viu. É seu ás na manga."*
6. Entrevista com Bill Gates.
7. Todo membro do conselho entrevistado chegou a alguma variante dessa conclusão, a despeito de sua opinião sobre os eventos posteriores.
8. PENDERGAST, Mark. *For God, Country and Coca-Cola*. Nova York: Charles Scribner's Sons, 1993.
9. Discursando no encontro com os acionistas da Berkshire Hathaway em 1998.
10. Na época, a NetJets se apresentava tanto como NetJets quanto com a sua razão social, Executive Jet, Inc. A empresa recebeu o novo nome, NetJets, em 2002.
11. Entrevista com fontes; BIANCO, Antony. "The Warren Buffett You Don't Know". *Business Week*, 5 de julho de 1999.
12. A empresa requer uma "frota central" de aeronaves tão caras que a operação de uma companhia de jatos fracionários é, por definição, uma atividade não lucrativa, a menos que seja feita numa escala enorme (ou usada como gancho deficitário por uma fabricante de aeronaves, ou outra empresa com um produto vinculado).
13. O custo foi mais de nove vezes o que a Berkshire tinha pagado três anos antes pela metade remanescente da Geico. A aquisição da Geico dobrou o float existente da Berkshire (para 7,6 bilhões de dólares), enquanto a Gen Re triplicou esse valor (para 22,7 bilhões de dólares).
14. Entrevista com Tad Montross.
15. A BRK pagou aproximadamente três vezes o valor contábil, um prêmio sobre os preços prevalecentes na época. O setor de resseguros se tornou mais competitivo depois dessa aquisição e, desde então, os múltiplos caíram.
16. Reunião anual dos acionistas da Berkshire Hathaway, 5 de maio de 1997.
17. TULLY, Shawn. "Stock May Be Surging Toward an Earnings Charm". *Fortune*, 1º de fevereiro de 1999.
18. Na entrevista coletiva da empresa, em 19 de junho de 1998, como citado em "Is there a Bear on Mr. Buffett's Farm?" *New York Times*, 9 de agosto de 1998.
19. Comentários de Buffett sobre a matéria de capa de Anthony Bianco na *Business Week* de 5 de julho de 1999, "The Warren Buffett You Don't Know". *"'Charlie e eu não nos falamos mais muito'*, ele reconheceu, dizendo que nem se preocupou em consultar seu vice-presidente do conselho antes de fazer a memorável aquisição da Gen Re."
20. A cotação da BRK caiu 4,2% com a notícia da transação. Mais de um mês depois, tinha caído 15%, numa situação de estabilidade do mercado. O estabelecimento de uma relação de troca exigia, de forma implícita, uma análise das participações acionárias e taxas de juros, bem como das perspectivas das empresas subjacentes. O que os investidores não tinham como saber era o peso relativo desses fatores.
21. James P. Miller, em "Buffett Again Declines to Flinch at Market's High-Wire Act" (*Wall Street Journal*, 5 de maio de 1998), entendeu. Ele foi à reunião dos acionistas na qual Buffett reiterou suas opiniões e comentou que a manutenção do retorno sobre o patrimônio líquido era uma questão particularmente incômoda. Por outro lado, Justin Martin e Amy Kover, em "How Scary Is this Market Really?" (*Fortune*, 27 de abril de 1998), escreveram que "uma grande autoridade como Warren Buffett" tinha endossado o otimismo do mercado com suas declarações "não supervalorizadas".
22. Em 22 de agosto de 1997 as ações do Wells Fargo despencaram depois que a Berkshire Hathaway mudou sua classificação de formulário 13-F, de divulgação pública, para de divulgação confidencial à SEC, dando a entender que Buffett tinha vendido suas posições no Wells Fargo. A SEC anunciou que pensaria em tornar as regras de confidencialidade mais estritas. Em junho de 1998 a SEC anunciou que estava restringindo sua

regra "13-F" que permitira a Buffett registrar o formulário confidencialmente durante um ano, enquanto acumulava grandes posições acionárias. Apesar de a SEC não eliminar totalmente o registro confidencial, Buffett percebeu seus passos nesse sentido. A Berkshire travou uma batalha agressiva com a SEC a respeito dessa questão, enquanto seus pedidos de registro confidencial eram negados, e perdeu. Em 1999, a Berkshire registrava pedidos de confidencialidade a cada trimestre junto com seus formulários regulares 13-F, contendo posições que não eram confidenciais. A SEC fez um único anúncio relativo a esses registros, dizendo que algumas das posições neles contidas deveriam ser divulgadas publicamente. O direito de Buffett de obter lucro presumivelmente não fazia parte das deliberações da SEC. O interesse da SEC é proteger os investidores. Embora o pessoal da SEC tivesse por muito tempo defendido que é desejável evitar flutuações extraordinárias nas cotações de ações que não estejam relacionadas a fatores fundamentais, para que os investidores não lucrem ou sofram, o direito dos investidores de conhecer a identidade do maior acionista de uma empresa suplantou essa posição.

23. Entrevista com Herbert Allen.
24. DEOGUN, Nikhil; HAGERTY, James R.; SECKLOW, Steve e JOHANNES, Laura. "Coke Stains, Anatomy of a Recall: How Coke's Controls Fizzled Out in Europe". *Wall Street Journal*, 29 de junho de 1999.
25. Entrevista com Herbert Allen.
26. Ibidem.
27. Através do Project Infinity, em parte disfarçado em gastos com o bug do milênio, a Coca-Cola transformou o setor de refrigerantes num jogo de números alimentado por tecnologia. Em 1999, a empresa contratou 150 especialistas para a implementação mundial de programas da SAP. O SAP, acrônimo para Sistemas, Aplicações e Produtos na Data Processing, fornecia soluções de software empresarial para reprojetar processos na gestão da cadeia de suprimentos, na gestão do relacionamento com o cliente e no planejamento de recursos.
28. Ivester não respondeu às várias solicitações de entrevista.
29. MORRIS, Betsy e SELLERS, Patricia. "What Really Happened at Coke". *Fortune*, 10 de janeiro de 2000.
30. Entrevista com Sharon Osberg.
31. MORRIS, Betsy. "Doug Is It". *Fortune*, 25 de maio de 1998; SELLERS, Patricia. "Crunch Time for Coke". *Fortune*, 19 de julho de 1999.
32. Essa é a versão de Herbert Allen da conversa. Buffett não se lembra dos detalhes.
33. "Eles não se sentaram, nem mesmo tiraram seus casacos. Com um ar mais gelado do que lá fora, disseram que tinham perdido a confiança nele." HAYS, Constance L. *The Real Thing: Truth and Power at the Coca-Cola Company*. Nova York: Random House, 2004. Buffett e Allen contestam essa versão e dizem que se sentaram e tiraram os casacos. Mas, reconhecem, foi de fato uma reunião muito curta e sem conversa fiada.
34. Se o conselho o tivesse apoiado, Ivester teria se tornado um CEO enfraquecido. Ele também estaria apostando que Allen e Buffett não renunciariam ao conselho, um golpe instantaneamente fatal. Allen e Buffett também estavam apostando que, se Ivester se deixasse à mercê do conselho e sobrevivesse, não seria por muito tempo.
35. Entrevista com James Robinson, ex-CEO da American Express e membro do conselho da Coca-Cola.
36. As ações da Coca-Cola caíram 14% em dois dias.
37. MORRIS, Betsy e SELLERS, Patricia. "What Really Happened at Coke".
38. SOSNOFF, Martin. "Buffett: What Went Wrong?". *Forbes*, 31 de dezembro de 1999.
39. BARRY, Andrew. "What's Wrong, Warren?". *Barron's*, 27 de dezembro de 1999.
40. SERWER, Andy. "The Oracle of Everything". *Fortune*, 11 de novembro de 2002.
41. Entrevista com Kathleen Cole.
42. Entrevista com Susie Buffett Jr.
43. Entrevista com Peter Buffett.
44. Entrevista com Howie Buffett.
45. Entrevistas com Howie Buffett, Peter Buffett e Susie Buffett Jr.

Capítulo 54

1. LAURIS, Joe. "Buffett Bombs as High-Tech Funds Boom". *Sunday Times* (Londres), 2 de janeiro de 2000.
2. O lucro esperado na transação era de 90%, ou seja, o prêmio cobria a probabilidade de que a loteria sairia uma em cada 10 vezes, ao passo que, na verdade, esperava-se que saísse menos de uma em cada 100 vezes.
3. Cada mudança de 10% na Coca-Cola equivalia a 2,5% da BRK (uma porcentagem que é representativa ao longo do tempo), mas as ações muitas vezes eram negociadas quase conjuntamente – sobretudo quando havia más notícias na Coca-Cola – como se a BRK e a Coca-Cola fossem uma só.
4. KWON, Beth. "Buffett Health Scraps Illustrates Power – or Myth – of Message Boards". TheStreet.com, 11 de fevereiro de 2000. A matéria fez o *Financial Times* dizer: "Warren Buffett talvez não esteja doente, mas a cotação das suas ações está", na coluna "Lex", em 12 de fevereiro de 2000. O *Financial Times* considerou o fato de Buffett não comprar ações de empresas de tecnologia uma "acusação séria".
5. Comunicado à imprensa da Berkshire Hathaway; ver também "Berkshire Hathaway Denies Buffett is Seriously Ill". *New York Times*, 11 de fevereiro de 2000. A maneira como Buffett usa probabilidades para descrever as coisas é uma de suas qualidades intrigantes; e se ele tivesse dito que os boatos eram 90% falsos?
6. ANDERSON, Ed. "Thesis vs. Antithesis: Hegel, Bagels and Market Theories". *Computer Reseller News*, 13 de março de 2000.
7. BUFFETT, Warren e MUNGER, Charlie. "We Don't Get Paid for Activity; Just for Being Right. As to How Long, We'll Wait, We'll Wait Indefinitely". *Outstanding Investor Digest*, v. XIII, nºs 3 e 4, 24 de setembro de 1998; e "We Should All Have Lower Expectations – In Fact, Make that Dramatically Lower...". *Outstanding Investor Digest*, v. XIV, nºs 2 e 3, 10 de dezembro de 1999.
8. "Focus: Warren Buffett". *Guardian*, 15 de março de 2000 (ênfase da autora).
9. Alguns comentaristas entenderam que a bolha estava estourando, mas, como as médias continuavam a subir, a percepção geral demorou mais a mudar. Os comentários de Alan Greenspan, presidente do Federal Reserve, foram entendidos como motivo de preocupação ou alívio, dependendo da perspectiva do ouvinte. Ver KRANZ, Matt, e KIM, James. "Bear Stages Sneak Attack on Net Stocks". *USA Today*, 16 de fevereiro de 2000; IP, Gregg. "Stalking a Bear Market". *Wall Street Journal*, 28 de fevereiro de 2000; "Technology Stocks Continue to Dominate". *USA Today*, 2 de março de 2000.
10. BROWNING, E. S. e LUCCHETTI, Aaron. "The New Chips: Conservative Investors Finally Are Saying: Maybe Tech Isn't a Fad". *Wall Street Journal*, 10 de março de 2000. O *Journal* citou outro investidor que disse: "É como o que aconteceu quando as ferrovias estavam começando e mudando o aspecto da nação." Sim, parecia muito com isso. A especulação com ações de ferrovias gerou diretamente os pânicos financeiros de 1869, 1873 e 1901. As manipulações das ações das ferrovias Erie e Northern Pacific foram apenas dois episódios na longa história de trapaças financeiras em torno das ações de ferrovias.
11. MORGENSON, Gretchen. "If You Think Last Week Was Wild". *New York Times*, 19 de março de 2000. Outro sinal de que o jogo tinha terminado: em 20 de março, a *Fortune* publicou uma matéria de capa de Jeremy Garcia e Feliciano Kahn, "Presto Chango: Sales are HUGE!", acusando muitas empresas pontocom de usar truques contábeis para inflar as vendas – contabilizando despesas de marketing como vendas, tratando rendas de permuta como vendas e registrando rendimentos antes de os contratos serem assinados.
12. Entrevista com Sue James Stewart.
13. Buffett, que geralmente enfrentava questões desconfortáveis brincando a respeito, terminou o relatório anual da Berkshire de 1999 (escrito no inverno de 2000) dizendo que adorava dirigir a Berkshire e que, "se a satisfação com a vida gera longevidade, o recorde de Matusalém está em risco".
14. Essa é uma espécie de piada interna na Berkshire Hathaway.
15. HENRY, David. "Buffett Still Wary of Tech Stocks – Berkshire Hathaway Chief Happy to Skip 'Manias'". *USA Today*, 1º de maio de 2000.
16. Buffett possuía 14 milhões de barris de petróleo no final de 1997, comprou 111 milhões de onças de prata e possuía 4,6 bilhões de dólares em títulos de zero cupom, bem como em títulos do Tesouro dos Estados Unidos. A prata representava 20% da produção anual mundial das minas e 30% do estoque em cofres (KIKPATRICK, Andrew. *Of permanent value: The story of Warren Buffett: More in '04*, California Edition. Alabama: Akpe, 2004), comprada de forma a evitar problemas no fornecimento mundial.
17. Entrevista com Sharon Osberg. A prata estava no J. P. Morgan, em Londres.

18. Buffett mede seu desempenho não pela cotação da ação da empresa, que ele não controla, mas pelo aumento do patrimônio líquido por ação, que ele controla. Há um vínculo entre essas duas medidas durante longos períodos. Em 1999, o valor contábil por ação havia crescido apenas 0,5%. Mas, com a aquisição da General Re, o valor contábil por ação teria diminuído. Enquanto isso, o mercado acionário como um todo subira 21%. Buffett chamava de casualidade o fato de o valor contábil ter sofrido algum aumento, indicando que, em alguns anos, inevitavelmente diminuiria. No entanto, em apenas quatro ocasiões, em 35 anos sob o comando de Buffett, e nunca desde 1980, o resultado da Berkshire tinha sido tão pior do que o do mercado.
19. MILLER, James P. "Buffett Scoffs at Tech Sector's High Valuation". *Wall Street Journal*, 1º de maio de 2000.
20. HENRY, David. "Buffett Still Wary of a Tech Stocks".
21. Bolsistas do programa Knight-Bagehot.
22. Entrevista com Joseph Brandon.
23. Entrevistas com Bill Gates e Sharon Osberg.
24. KOVER, Amy. "Warren Buffett Revivalist?" *Fortune*, 29 de maio de 2000.
25. Entrevista com Bill Gates.
26. Comunicado da Berkshire Hathaway à imprensa, 21 de junho de 2000.

Capítulo 55

1. KAPLAN, Philip J. *F'd Companies: Spectacular Dot-com Flameouts*. Nova York: Simon & Schuster, 2002.
2. Preço de compra não divulgado para essas duas aquisições – mas ambas foram pagas metade em dinheiro e metade em ações da BRK.
3. Por 570 milhões de dólares.
4. Por 2 bilhões de dólares, tornou-se a maior empresa da Berkshire fora das atividades de seguros (relatório anual da BRK, 2000).
5. Por 1 bilhão de dólares.
6. Por 1,8 bilhão de dólares em dinheiro e 300 milhões de dólares em dívidas assumidas.
7. Por 378 milhões de dólares.
8. No final de 2000, a Berkshire tinha gastado mais de 8 bilhões de dólares comprando empresas e ainda tinha 5,2 bilhões de dólares em dinheiro e em disponibilidades imediatas, além de 33 bilhões de dólares em títulos com prazo fixo e 38 bilhões de dólares em ações.
9. Carta aos acionistas da Berkshire Hathaway, 2000.
10. Kilts foi para a Gillette depois de salvar a Nabisco, sendo apenas a segunda pessoa de fora, em 100 anos, a dirigir a empresa.
11. Entrevista com Susie Buffett Jr.
12. Entrevistas com Barry Diller, Don Graham e Susie Buffett Jr.
13. "Disney Scrambling to Play Spoiler Role". *New York Post*, 14 de julho de 2001.
14. VICKERS, Marcia; SMITH, Geoffrey; COY, Peter e DER HOVANSEIAN, Mara. "When Wealth is Blown Away". *BusinessWeek*, 26 de março de 2001; SLOAN, Alan. "The Downside of Momentum". *Newsweek*, 19 de março de 2001.
15. Em junho de 2001. De Layoff Tracker, da *Industry Standard*, junto com o Dot-Com Flop Tracker e Ex-Exec Tracker.
16. Buffett não era o único que estava preocupado com as consequências desse relacionamento. John Bogle, presidente aposentado do conselho da Vanguard, escreveu a respeito em abril de 2001. No entanto, ele concluiu que "alguma versão da realidade" voltara ao mercado acionário. O que tornou o discurso de Buffett digno de nota não foi o uso dessa medida específica, mas as projeções pessimistas do seu significado.
17. Um dos principais argumentos de Buffett era que as empresas – das quais muitas vinham retirando lucros de superávits dos seus planos de pensão – estavam usando irresponsavelmente premissas irreais sobre taxas de retorno e teriam que ajustá-las à realidade, o que mostraria que os planos não eram tão bem financiados, ou mesmo insuficientemente financiados.
18. Herbert Stein foi membro destacado do American Enterprise Institute e presidente do Conselho de

Consultores Econômicos durante o governo de Richard Nixon, membro do conselho de contribuintes do *Wall Street Journal* e professor de economia da Universidade da Virgínia. Ele é conhecido pela frase: "Se algo não pode continuar para sempre, vai parar", e é pai do escritor financeiro e ator Ben Stein.
19. Como citado em "Buffett Warns Sun Valley Against Internet Stocks", Bloomberg, 13 de julho de 2001.
20. Vicente Fox trabalhou na Coca-Cola durante 15 anos, começando como supervisor de rota em 1964, 10 anos mais tarde sendo promovido a presidente das operações mexicanas e, por fim, das operações latino-americanas.
21. Entrevista com Midge Patzer.
22. Entrevista com Don Graham.
23. Dr. Griffith R. Harsh IV, diretor do Programa de Neuro-Oncologia Cirúrgica da Medical School da Universidade de Stanford.
24. Entrevista com Kathleen Cole.
25. Entrevistas com Bill Gates, Peter Buffett e Howie Buffett.
26. Entrevista com Susie Buffett Jr.
27. Entrevistas com Susie Buffett Jr. e Don Graham.
28. BARKER, Kathryn. "Capacity Crowd Expected at Funeral"; SCHLESINGER, Bradlee, "Kissinger. Relatives Among Eulogists". *Washington Post*, 22 de julho de 2001.
29. FARHI, Paul. "Close Enough to See: TV Coverage Captures Small, Telling Moments". *Washington Post*, 24 de julho de 2001; TWOMEY, Steve, "A Celebrated Life: Thousands Honour Katharine Graham at the Cathedral". *Washington Post*, 24 de julho de 2001; LEONARD, Mary. "Thousands Pay Tribute to Washington Post's Katharine Graham". *Boston Globe*, 24 de julho de 2001.
30. BARKER, Kathryn. "Capacity Crowd Expected at Funeral"; SCHLESINGER, Bradlee, "Kissinger. Relatives Among Eulogists".
31. COPELAND, Libby. "Kay Graham's Last Party: At Her Georgetown Home, a Diverse Group Gathers". *Washington Post*, 24 de julho de 2001.
32. A família vendeu a casa logo após a morte de Graham.

Capítulo 56
1. Entrevista com Herbert Allen.
2. "The Hut-Sut Song", por Horce Heidt. Letra e música de Leo V. Killion, Ted McMichael e Jack Owens.
3. O evento foi realizado em benefício do Boys & Girls Club de Omaha, do Omaha Children's Museum, da Girls Inc. e da Omaha Theater Company for Young People. Ao longo de 10 anos foram angariados aproximadamente 10 milhões de dólares.
4. Hamlisch foi a primeira pessoa a ganhar três prêmios Oscar de uma vez, em todas as três categorias musicais, com a canção "The Way We Were" (com os coautores Alan Bergman e Marilyn Bergman), a trilha sonora do filme *Nosso amor de ontem* (1973) e a adaptação do ragtime de Scott Joplin para o filme *Golpe de mestre* (1973).
5. Entrevista com Devon Spurgeon.
6. Buffett não se lembra dos detalhes específicos desse telefonema, mas acha que provavelmente aconteceu. A fonte é Jon Brandon, da General Re.
7. SHIM, Grace. "Warren Buffett, Others Speak About Terrorism at Omaha, Neb., Event". *Omaha World-Herald*, 12 de setembro de 2001.
8. Buffett se lembrou disso e disse: "Acho que alguém pode até ter comprado um carro porque não havia mais carros de aluguel."
9. Segundo "Killtown's: Where Was Warren Buffett on 9/11?" (www.killtown.911review.org/buffett.html), fazendo referência a rushlimbaugh.com de 5 de julho de 2005.
10. Entrevista com Bob Nardelli.
11. Entrevista com Tony Pesavento.
12. Buffett disse isso à autora em 2001, logo após o ataque terrorista.
13. O termo "imprevisível" como explicação para as grandes perdas foi praticamente universal, depois do 11 de Setembro, no setor de seguros.

14. SHIM, Grace. "Warren Buffett, Others Speak About Terrorism at Omaha, Neb., Event".
15. Entrevista com Susie Buffett Jr.
16. Essa estimativa inicial foi alterada para 2,4 bilhões no relatório anual de 31 de dezembro.
17. MORRIS, Charles R. *The Trillion Dollar Meltdown*. Nova York: Public Affairs, 2008.
18. Gerando reformas tais como não permitir que analistas sejam remunerados com base em trabalhos relacionados aos bancos de investimento e o estabelecimento de "firewalls" entre analistas e banqueiros de investimento.
19. Por 835 milhões de dólares.
20. Por pouco menos de 1 bilhão de dólares. Kern transportava 23,5 milhões de metros cúbicos de gás por dia das montanhas Rochosas até Las Vegas e a Califórnia.
21. Esse gasoduto transportava 120 milhões de metros cúbicos de gás por dia. A Berkshire o comprou por 928 milhões de dólares, depois que a Dunergy o tinha comprado por 1,5 bilhão quando a Enron faliu e a NNG estava sendo usada como garantia (ambas haviam assumido 950 milhões de dólares de dívidas da NNG). Depois das duas transações com gasodutos da MidAmerican em 2002, a empresa transportava 8% do gás nos Estados Unidos.
22. A Berkshire se uniu ao Lehman e ao Citigroup para emprestar 2 bilhões de dólares à Williams, a uma taxa de juros de 20%.
23. Antes do 11 de Setembro, a Munich Re e a AXA fecharam um acordo de derivativos avaliado em 50 milhões de dólares com o Berkshire Hathaway Group, para um resseguro contra terremoto que cancelasse a Copa do Mundo da Fifa de 2002 na Coreia do Sul e no Japão. A BRK pagaria a despeito do custo real da perda se o torneio fosse adiado ou cancelado por causa de um terremoto de certa magnitude. Separadamente, depois do 11 de Setembro, a AXA se retirou do seguro do torneio e, em 30 de outubro, a National Indemnity entrou no negócio, permitindo que a Copa do Mundo prosseguisse.
24. Carta aos acionistas da Berkshire Hathaway, 2007.
25. Entrevista com Frank Rooney.
26. Doações de mais de 12 mil dólares estão sujeitas a esse imposto.
27. Fonte: IRS, Divisão de Estatísticas sobre Renda, março de 2007; Comissão Conjunta sobre Tributação, *Description and Analysis of Present Law and Proposals Relating to Federal Estate and Gift Taxation*, audiência pública perante a Subcomissão de Tributação e Supervisão do IRS da Comissão do Senado para Finanças, 15 de março de 2001.
28. Em 2007, mais de 8% do orçamento federal, ou 244 bilhões de dólares, eram juros sobre a dívida federal. Isso corresponde quase exatamente a 10 vezes a quantia captada com o imposto sobre heranças.
29. "I Didn't Do It Alone", um relatório da Responsible Wealth, descreve o papel do investimento público, da família, dos colegas, da sorte e dos favores na criação de riqueza. Organizações como a United for a Fair Economy publicam pesquisas sobre equanimidade tributária, assim como organizações como o liberal Cato Institute.
30. "Defending the Estate Tax". *New York Times*, 16 de fevereiro de 2001. Nesse artigo, John Dilulio, o diretor de Iniciativas Comunitárias do próprio Bush, disse ao *Times* que as contribuições de caridade provavelmente diminuiriam se o imposto sobre heranças fosse extinto. "Não quero ser desmancha-prazeres", disse. "Mas não acho que o imposto sobre heranças deva ser eliminado – modificado, talvez, mas não eliminado."
31. Ver, por exemplo, KAYLAN, Melil. "In Warren Buffett's America...". *Wall Street Journal*, 6 de março de 2001; COULIN, John. "Only Individual Freedom Can Transform the World". *Wall Street Journal*, 26 de julho de 2001; HORNIG, Steve. "The Super-Wealthy Typically Do Not Pay Estate Taxes". *Financial Times*, 15 de junho de 2006; JENKINS JR., Holman W. "Let's Have More Heirs and Heiresses". *Wall Street Journal*, 21 de fevereiro de 2001.
32. Carta de Warren Buffett ao senador Ken Salazar, 8 de junho de 2001.
33. BROEKSMIT, William S. "Begging to Differ with the Billionaire". *Washington Post*, 24 de maio de 2003.
34. Daft tinha opções para comprar 650 mil ações, inicialmente estimadas entre 38,1 milhões de dólares e 112,3 milhões de dólares em 2015, dependendo da valorização das ações. Também recebeu 87,3 milhões em prêmios de ações restritas, totalizando 1,5 milhão de ações. UNGER, Henry. "If Coca-Cola Chief Dan Fizzles, He'll Lose Millions". *Atlanta Journal-Constitution*, 3 de março de 2001.

35. A relação entre as remunerações de CEOs e trabalhadores, de 411 para 1 em 2001, era quase 10 vezes maior do que a proporção em 1982, que era de 42 para 1. "Se a remuneração anual média dos trabalhadores desde 1990 tivesse crescido na mesma proporção que a dos CEOs, os seus rendimentos anuais médios em 2001 seriam de 101.156 dólares em vez de 25.467. Se o salário mínimo, que era de 3,80 dólares por hora em 1990, tivesse crescido na mesma proporção que a remuneração dos CEOs, em 2001 equivaleria a 21,41 dólares e não aos 5,15 dólares pagos atualmente por hora." KLINGER, Scott; HARTMAN, Chris; ANDERSON, Sarah e CAVANAGH, John. "Executive Excess 2002, CEOs Cook the Books, Skewer the Rest of Us". Ninth Annual CEO Compensation Survey. Institute for Policy Studies, United for a Fair Economy, 26 de agosto de 2002.
36. COLVIN, Geoffrey. "That Great CEO Pay Heist". *Fortune*, 25 de junho de 2001. Uma concessão de opção em 2001 se tornou mais tarde tema de polêmica no escândalo de opções com data retroativa que aconteceu em 2007.
37. BUFFETT, Warren. "Stock Options and Common Sense". *Washington Post*, 9 de abril de 2002.
38. Duas outras empresas, a Winn-Dixie e a Boeing, anteriormente tinham começado a tratar as opções sobre ações como despesa. Mas elas não tinham nem de perto o poder da Coca-Cola.
39. BUFFETT, Warren. "Who Really Cooks the Books?" *New York Times*, 24 de julho de 2002.
40. Warren Buffett, mesa-redonda da SEC sobre divulgação de informações financeiras e supervisão de auditores. Nova York, 4 de março de 2002.
41. Carta aos acionistas da Berkshire Hathaway, 2002.
42. PERRY, David. "Buffett Rests Easy with Latest Investment". *Furniture Today*, 6 de maio de 2002.
43. Ele também não queria realmente que ela voltasse, apesar de parecer tentado algumas vezes.

Capítulo 57

1. Esse retrato de Susie no final dos anos 1990 e no início do milênio se baseia em comentários de mais de duas dúzias de fontes que a conheciam bem mas que não podem ser identificadas por nome.
2. Entrevista com Susan Thompson Buffett.
3. Entrevista com Howie Buffett.
4. As taxas de juros, que estavam caindo desde o 11 de Setembro, tocaram o ponto mais baixo, de 1%, em junho de 2003 e permaneceram nesse patamar até junho de 2004.
5. Essa é uma descrição abreviada da baixa aversão ao risco dos investidores durante esse período.
6. Em "Mortgage Market Needs $1 Trillion, FBR Estimates", Alistair Barr (MarketWatch, 7 de março de 2008) recapitula um relatório de pesquisa da Friedman, Billings Ramsey que estima que, do total de 11 trilhões do mercado hipotecário americano, apenas 587 milhões eram lastreados em patrimônio – ou seja, o lar americano médio tinha pouco mais de 5% de patrimônio. Logo, metade de todos os CDOs seriam lastreados em hipotecas *subprime* (EVANS, David. "Subprime Infects $300 Billion of Money Market Funds". Bloomberg, 20 de agosto de 2007).
7. Em *The Trillion Dollar Meltdown* (Nova York: Public Affairs, 2008), Charles Morris explica que, devido ao fato do fundo de hedge de crédito típico ser alavancado na proporção de 5:1, a participação patrimonial de 5% foi reduzida para 1% – um quociente de alavancagem de 100:1, ou um dólar de capital sustentando 100 dólares de dívida.
8. Ele mesmo usou derivativos, mas como tomador, e não como provedor de empréstimos. Portanto, se as coisas dessem errado, ele não teria de pegar nada de ninguém.
9. Parte dos lucros declarados da Berkshire Re desde 2002 era derivada da General Re.
10. Alan Greenspan fez um discurso em 8 de maio na Conferência sobre Estrutura e Competição Bancária de 2003, no qual expressou a sua opinião sobre os derivativos. WEINBERG, Ari. "The Great Derivatives Smackdown". *Forbes*, 9 de maio de 2003.
11. Por exemplo, ele foi chamado de "O alarmista de Omaha" por Rana Foroohar, na *Newsweek*, em 12 de maio de 2003.
12. Buffett emprestou 215 milhões de dólares à Oakwood como financiamento a devedor em posse dos bens (*debtor-in-possession*). Por meio da Berkadia (ver nota 13), ele fez um lance de 960 milhões de dólares pela Conseco Finance. Os representantes da Berkshire saíram antes do final do leilão, e seu lance foi coberto por um consórcio que ofereceu 1,01 bilhão de dólares. A Berkadia se opôs a esses procedimentos e aumentou a oferta para 1,15 bilhão de dólares depois do final, mas esse esforço foi rejeitado pelo juiz do

tribunal de falências. A bolha de crédito para casas pré-fabricadas e provedores de empréstimos *subprime* como a Conseco murchou em 2004, mais de um ano antes do pico da bolha habitacional mais ampla.

13. Essa transação se parecia sob alguns aspectos com outra transação que ele fizera dois anos antes, associando-se à Leucadia National para formar a Berkadia LLC, que forneceu um empréstimo assegurado de cinco anos e 6 bilhões de dólares para que a falida Finova pudesse saldar sua dívida.
14. Em *First a Dream,* Jim Clayton conta que Michael Daniels, um estagiário que o tinha "tolerado" durante os seis meses da edição final do livro, fez com que ele autografasse uma cópia para ser dada a Buffett. Quando se formou e foi trabalhar no UBS, Daniels deu o livro para o estagiário seguinte, Richard Wright, para que ele o entregasse. "The Ballad of Clayton Homes" (*Fast Company,* janeiro de 2004) afirma que Clayton usou Wright para mandar uma mensagem a Buffett.
15. Em seu livro de memórias, Jim Clayton diz que as pessoas acham difícil acreditar que ele não retornou a ligação de Buffett pessoalmente. Ele diz que nunca pensou em fazê-lo e que ele e Buffett nunca telefonaram um ao outro para falar de negócios. Durantes os meses de negociação e litígio da transação, a autora observou que Buffett só falava com Kevin Clayton.
16. Entrevista com Kevin Clayton.
17. CLAYTON, Jim e RETHERFORD, Bill. *First a Dream.* Tennessee: FSB Press, 2002. A edição revisada de 2004 apresenta um relato da luta da Berkshire Hathaway pela Clayton Homes.
18. Buffett tinha gastado apenas 50 milhões de dólares em abril para comprar ações da PetroChina, mas isso fez com que a parcela da Berkshire subisse para 488 milhões de dólares e superasse o limite que exigia a divulgação de informações para a Bolsa de Valores de Hong Kong.
19. Buffett disse que compraria ações estrangeiras nas circunstâncias certas: por exemplo, no Reino Unido ou de um jornal de Hong Kong. Mas ele só gastou seu tempo estudando seriamente as ações estrangeiras quando as oportunidades nos Estados Unidos começaram a diminuir.
20. BUFFETT, Warren. "Why I'm Down on the Dollar". *Fortune,* 10 de novembro de 2003.
21. Da cobertura não publicada da reunião anual da Berkshire Hathaway em 2003, cortesia do *Outstanding Investor Digest.*
22. Uma importante vantagem da transação era o acesso da Berkshire a recursos de baixo custo. Com a sua classificação de crédito AAA, a empresa podia contrair empréstimos a uma taxa bem mais baixa do que qualquer outra produtora de casas pré-fabricadas e assim não apenas sobreviver a estiagens de crédito, mas ganhar dinheiro em condições nas quais as concorrentes da Clayton não poderiam sobreviver.
23. Discurso na Biblioteca Pública de Nova York, 25 de junho de 2006.
24. SORKIN, Andrew Ross. "Buffett May Face a Competing Bid for Clayton Homes". *New York Times,* 11 de julho de 2003.
25. "Suit Over Sale of Clayton Homes to Buffett". *New York Times,* 10 de junho de 2003. Gray alegou que as reuniões de acionistas anteriores que elegeram os diretores tinham acontecido sem as informações apropriadas. Em junho, a Chancery Court of Delaware decidiu que a Clayton não tinha atendido tecnicamente às exigências de informações, mas, como a reunião teve uma boa presença de acionistas, o erro fora apenas técnico e o resultado da reunião não seria anulado.
26. REINGOLD, Jennifer. "The Ballad of Clayton Homes".
27. Em seu pico, antes da morte de Susan T. Buffett, a fundação gastava entre 15 e 30 milhões de dólares por ano no total, em sua maioria em direitos reprodutivos.
28. Se Buffett tivesse pagado dividendos e os usasse para doações, todo o argumento teria sido discutível.
29. Carta de Douglas R. Scott Jr., presidente da Life Decisions International, a Warren Buffett, 26 de setembro de 2002.
30. O número foi dado por Cindy Coughton, uma consultora da The Pampered Chef que organizou o boicote. VARCHAVER, Nicholas. "Berkshire Gives Up on Giving: How a Pro-Life Housewife Took On Warren Buffett". *Fortune,* 11 de agosto de 2003.
31. Compilado a partir de várias entrevistas.
32. Os ativistas pró-vida, segundo a Federação Nacional de Abortos dos Estados Unidos, cometeram sete assassinatos, tentaram perpetrar outros 17 homicídios, fizeram 388 ameaças de morte, sequestraram quatro pessoas, realizaram 41 bombardeios, 174 incêndios dolosos e 128 furtos a domicílios, tentaram

realizar 94 bombardeios ou incêndios dolosos, fizeram 623 ameaças de bomba, cometeram 1.306 atos de vandalismo, 656 ameaças de bioterrorismo e 162 ataques e agressões físicas. Esses números excluem perseguições, dispositivos falsos/pacotes suspeitos, correspondência com teor de ódio discriminatório, telefonemas de assédio, invasões, assédio por internet e outros incidentes menos sérios. As atividades do movimento pró-vida resultaram em 37.715 prisões até 2007. A maioria das organizações pró-vida convencionais rejeitam a ala terrorista do movimento, algumas abertamente.

33. Comunicado da Berkshire Hathaway à imprensa, 15 de julho de 2003.
34. Segundo a legislação de Delaware, apenas os acionistas presentes tinham direito a votar o adiamento.
35. CLAYTON, Jim e RETHERFORD, Bill. *First a Dream*.
36. Entrevistas com Kevin Clayton e John Kaler, vice-presidente executivo e CEO da Clayton Homes.
37. A ação, apresentada em 25 de julho pela Milberg Weiss Bershad Hynes & Lerach, LLP, afirmava inicialmente que Kevin Clayton pedira à Janus Capital para continuar a respaldar a transação, apesar de ter vendido as ações. No tribunal, nenhuma prova desse fato foi revelada, e a ação foi rejeitada.
38. REINGOLD, Jennifer. "The Ballad of Clayton Homes".
39. Jim Clayton cita essas cifras em *First a Dream*, indicando que não podia confirmá-las.
40. Memorando da Cerberus, "For Discussion Purposes", reeditado em CLAYTON, Jim. *First a Dream*.
41. Em algumas ocasiões, como a da NetJets, os proprietários de empresas de capital fechado vendiam para ele a preços mais baixos do que poderiam ter obtido em outras circunstâncias, porque queriam ter a Berkshire como proprietária.
42. CLAYTON, Jim e RETHERFORD, Bill. *First a Dream*.
43. Entrevista com Kevin Clayton.
44. Em 2006, as encomendas de casas pré-fabricadas tinham caído para 117.510 unidades e ainda estavam caindo a uma taxa média de 32% em 2007, apesar de um leve aumento temporário em 2005 por causa do furacão Katrina (Fonte: Manufactured Housing Institute).

Capítulo 58

1. Entrevista com o reverendo Cecil Williams. Buffett participou de dois leilões da Glide.
2. Entrevista com Kathleen Cole.
3. Entrevistas com Kathleen Cole e Susie Buffett Jr.
4. Entrevista com Howie Buffett.
5. Entrevistas com Howie Buffett e Susie Buffett Jr.
6. Entrevista com Kathleen Cole.
7. Ibidem.
8. www.oralcancerfoundation.org
9. Oral Cancer Foundation.
10. Entrevistas com Kathleen Cole e Ron Parks.
11. Entrevistas com Marshall Weinberg, Walter e Ruth Scott, Lou Simpson e George Gillespie.
12. Entrevista com Susie Buffett Jr.
13. Adaptado de DUNN, John. "Georgia Tech Students Quiz Warren Buffett". Georgia Tech, inverno de 2003.
14. WOODWARD, Bob. "Hands Off, Minds On". *Washington Post*, 23 de julho de 2001.

Capítulo 59

1. Entrevista com Susie Buffett Jr.
2. Entrevista com Stan Lipsey; EPSTEIN, Jonathan D. "Geico Begins Hiring in Buffalo". *Buffalo News*, 11 de fevereiro de 2004.
3. Entrevistas com Peter Buffett, Howie Buffett e Susie Buffett Jr.
4. Peter e Susie também deram quantias substanciais para a Buffett Foundation em seus primeiros dois anos.
5. Em linhas gerais, a lei federal que governa as fundações exige que elas distribuam ou utilizem uma quan-

tia mínima de seus ativos regularmente para fins de caridade (aproximadamente 5% do justo valor de mercado dos ativos de investimentos das fundações privadas).
6. Na época, Susie tinha cerca de 35 mil ações em seu nome, o equivalente a cerca de 2,8 bilhões de dólares, fora o que poderia receber de Warren caso ele viesse a falecer antes dela.
7. MUNGER, Charles T., editado por KAUFFMAN, Peter. *Poor Charlie's Almanack: The Wit and Wisdom of Charles T. Munger*. Nova York: Duoning Company Publishers, janeiro de 2005.

Capítulo 60

1. Entrevista com Kathleen Cole.
2. Entrevistas com Jamie Dimon e Jeffrey Immelt.
3. Carta do presidente da Berkshire Hathaway em 2004, relatório anual.
4. Carta aos acionistas da Berkshire Hathaway em 2006. Buffet tinha estabelecido aqueles critérios anteriormente em particular.
5. MORRIS, Betsy. "The Real Story". *Fortune*, 31 de maio de 2004.
6. Investidores achavam que a Coca-Cola deveria agir com mais agressividade no mercado de refrigerantes sem gás, mas a empresa insistia que o crescimento internacional das bebidas carbonadas – o produto com a maior margem de lucro – era o único caminho a ser seguido. A 50 dólares a unidade, a ação ainda era cara, pois equivalia a 24 vezes seus dividendos e 8,6 vezes seu valor contábil.
7. A Coca-Cola Enterprises teve uma despesa de 103 milhões de dólares relativos ao recall na Europa, durante a gestão de Ivester. Em 1999, Daft foi forçado a relatar o primeiro prejuízo em uma década e a assumir um total de 1,6 bilhão de dólares de despesas. No início de 2000 Daft relatou o segundo trimestre consecutivo com prejuízos – despesas relativas a reestruturação maciça, demissões e uma redução do valor contábil em relação à superação da capacidade de engarrafamento na Índia. Nesse ano, a Coca-Cola teve novas despesas e cortou sua projeção de crescimento da produção anual global para 5% a 6%, antes estimada entre 7% e 8%. A Coca-Cola voltou a rever suas metas depois do 11 de Setembro.
8. Imagine que a Berkshire exigisse um acordo especial. Sobre 120 milhões de dólares em compras, isso corresponderia, digamos, a 10 centavos por ação, numa estimativa liberal. A Berkshire rendeu 5.309 dólares por ação A em 2003. (A empresa não divulga centavos por ação em seus extratos). Para os acionistas B, seriam ³⁄₁₀ de centavo por ação. É muito complicado argumentar que um valor tão pequeno motivaria Buffett a fazer algo contrário aos interesses da Coca-Cola, como forçá-la a deixar de lado um grande contrato com o Burger King para manter as vendas do refrigerante na Dairy Queen. Já seria assim mesmo que a Berkshire não possuísse qualquer ação da Coca-Cola. O problema com a abordagem do ISS era a sua lista de pontos, aplicada de forma absoluta, sem que houvesse raciocínio ou consideração com a proporcionalidade.
9. A CalPERS também se opôs à eleição de Herbert Allen, do ex-senador Sam Nunn e de Don Keough, por causa de suas relações comerciais com a empresa.
10. ALLEN, Herbert. "Conflict-Cola". *Wall Street Journal*, 13 de abril de 2004.
11. Trechos de uma pesquisa com membros de conselhos corporativos, conduzida pela Price Waterhouse Coopers, como divulgado em Corporate Board Members, novembro/dezembro de 2004. A PWC não identificou comentários negativos ou ressentimentos contra Buffett.
12. BREWSTER, Deborah e LONDON, Simon. "CalPERS Chief Relaxes in the Eye of the Storm". *Financial Times*, em 2 de junho de 2004.
13. Entrevista com Don Graham.
14. "Coke Shareholders Urged to Withhold Votes for Buffett". *Atlanta Business Chronicle*, 9 de abril de 2004.
15. Em "The Rise of Independent Directors in the US, 1950-2005: Of Shareholder Value and Stock Market Prices" (*Stanford Law Review*, abril de 2007), Jeffrey N. Gordon conclui: "Uma das charadas evidentes na literatura da governança corporativa empírica é a falta de correlação entre a presença de diretores independentes e o desempenho econômico da empresa. Vários estudos procuraram em vão por um efeito economicamente significativo sobre o desempenho global da empresa."
16. Essa questão foi resolvida com um termo de compromisso em 18 de abril de 2005, no qual a empresa não pagava multa nem admitia erros, mas prometia arrumar seus sistemas de auditoria interna, conformidade e divulgação.

17. A GMP International Union, que também se manifestou na reunião.
18. Transcrição da reunião de acionistas da Coca-Cola em 2004, cortesia da Coca-Cola Company. LEVY, Adam e MATTHEWS, Steve. "Coke's World of Woes". Bloomberg Markets, julho de 2004. Entrevistas com vários diretores e funcionários da empresa.
19. Transcrição da reunião dos acionistas da Coca-Cola em 2004. Cortesia da Coca-Cola Company.
20. LEVY, Adam e MATTHEWS, Steve. "Coke's World of Woes". O *New York Times* fez críticas severas aos pagamentos feitos pelo desligamento de Heyer e outros executivos em "Another Coke Classic", em 16 de junho de 2004. A crítica não era universal. A *Economist* disse que Isdell era "saudado pelos investidores e analistas com um par de mãos seguras" ("From Old Bottles", 8 de maio de 2004).
21. HAYS, Constance L. *The Real Thing: Truth and Power at the Coca-Cola Company* (Nova York: Random House, 2004) tira essa conclusão, por exemplo.

Capítulo 61

1. Entrevista com Tom Newman.
2. Entrevista com Kathleen Cole.
3. Ibidem.
4. A autora também tem se sentado na seção reservada à administração, embora não seja acionista.
5. O jantar, organizado pela Morgan Stanley na época, acabou se transformando num evento particular organizado pela autora.
6. Cortesia de Paul Wachter, produtor da Oak Productions.
7. STROBHAR, Tom. "Report on B-H Shareholder Meeting". Human Life International, maio de 2004. "Special Report, HLI Embarrasses Warren Buffett in Front of 14.000 Stockholders". Julho de 2004. O Sr. Strobhar tem uma história curiosa. Depois de liderar o boicote contra a Berkshire que resultou no cancelamento do programa de contribuições dos acionistas, ele escreveu um editorial no *Wall Street Journal*, "Giving Until It Hurts" (1º de agosto de 2003), criticando o programa de contribuições de acionistas, por ser uma forma clandestina de "pagar" a Buffett, omitindo o fato de que a Berkshire não fazia nenhuma contribuição corporativa para a caridade ao pagar dividendos. Strobhar se identificava apenas como presidente da uma firma de investimentos em Dayton, Ohio, não revelando seu papel no boicote e o fato de ser presidente do conselho do Life Decisions International. Strobhar fundou em 2005 a Citizen Action Now, uma organização criada para combater "os interesses dos homossexuais" e defender "uma América livre das manipulações dos grupos homossexuais". No website da firma de investimentos, ele pega carona na reputação de Buffett ao se proclamar como (em novembro de 2007) tendo sido "treinado na tradição de Ben Graham, o 'pai da análise de valores' cujos discípulos incluem Warren Buffet [sic], 'o maior investidor do mundo'. (...)Como Graham e Buffett, Thomas Strobhar se concentra em 'investimento para a geração de valor'".
8. Extraído da reunião anual da Berkshire Hathaway em 2004, a partir de anotações da autora.
9. O Omaha Housing Authority comprou a casa por 89.900 dólares.
10. Entrevista com Susie Buffett Jr.
11. Ibidem.
12. Ibidem.
13. Ibidem.
14. Palavras de Howard Buffett Jr. no funeral de Susie.
15. Entrevista com T. D. Kelsey.
16. Ibidem.
17. Entrevistas com Al Oehrle e Barbara Oehrle.
18. Entrevista com T. D. Kelsey.
19. Entrevistas com Herbert Allen, Barbara Oehrle e T. D. Kelsey.
20. Entrevista com Susie Buffett Jr.
21. Entrevistas com Herbert Allen e T. D. Kelsey. Segundo os Oehrle, Herbert Allen e Barry Diller, os demais convidados permaneceram em Cody no fim de semana e procuraram aproveitá-lo da melhor forma possível, como uma espécie de tributo a Susie.

22. Entrevista com Susie Buffett Jr.
23. Entrevista com Howie Buffett.
24. Entrevistas com T. D. Kelsey e Herbert Allen.
25. Entrevistas com Susie Buffett Jr. e Peter Buffett.
26. Entrevistas com Susie Buffett Jr. e Peter Buffett, que disseram que acharam reconfortante estar junto com a mãe no avião.
27. Entrevista com Howie Buffett.
28. Entrevista com Sharon Osberg.
29. Entrevista com Susie Buffett Jr.
30. Entrevista com Devon Spurgeon, a quem Susie Jr. telefonou no meio da lua de mel na Itália. A autora também deveria ter feito essa viagem. O desejo de Buffett por apoio emocional de mulheres nunca deve ter sido tão intenso quanto nesse período.

Capítulo 62

1. Ela deixou somas significativas para Kathleen Cole e Ron Parks, seus empregados antigos e amigos. E deixou para os netos e outras pessoas somas modestas, que variavam entre 10 mil e 100 mil dólares.
2. Entrevista com Tom Newman.
3. Entrevista com Howie Buffett.
4. Entrevista com Peter Buffett.
5. AMOROSI, A. D. "In 'Spirit' Tradition Is Besieged by Modern Life". *Philadelphia Inquirer*, 23 de maio de 2005.
6. Entrevista com Susie Buffett Jr.
7. Entrevista com Peter Buffett.
8. Entrevista com Sharon Osberg.
9. Entrevista com Charlie Munger.
10. Carta anual da Berkshire Hathaway aos acionistas em 2005.
11. MORRIS, Charles R. *The Trillion Dollar Meltdown*. Nova York: Public Affairs, 2008.
12. LOOMIS, Carol. "Warren Buffett Gives It Away". *Fortune*, em 16 de julho de 2006.
13. Ibidem.
14. Buffett não conseguiu resistir. O bilhete que acompanhava a carta de Bertie contendo esse comentário dizia: "Ela ainda está valorizando muito esse episódio."
15. Entrevista com Doris Buffett.
16. Em parcelas a partir de 2006, desde que Bill ou Melinda permaneçam ativos na fundação.
17. A primeira parcela de 602.500 dólares sofria um desconto de 5% ao ano no número de ações daí para a frente. Buffett esperava, como era razoável, que o preço das ações da Berkshire aumentasse pelo menos 5% ao ano (graças a um crescimento modesto e à inflação). Assim, o valor da doação em dólares permaneceria no mesmo nível ou até aumentaria de ano a ano. Durante aquele ano, entre a primeira doação e a segunda, as ações da Berkshire subiram 17%. A primeira distribuição de 602.500 ações B valeu 1,8 bilhão, comparada com a segunda, de 572.375 ações, que valiam 2 bilhões. Em junho de 2006 a BRK estava sendo negociada a 91.500 dólares (as ações B a 3.043).
18. Como citado em "The Life Well Spent: An Evening with Warren Buffett", novembro de 2007.
19. Bill Gates usava o termo "agregadores". Essa abordagem era diferente de, por exemplo, bancar anualmente um programa de vacinação que necessita de investimentos constantes sem uma cura definitiva.
20. "The New Powers of Giving". *Economist*, 6 de julho de 2006. DE YOUNG, Karen. "Gates, Rockefeller Charities Join to Fight African Hunger". *Washington Post*, 13 de setembro de 2006. WILHELM, Han. "Big Changes at the Rockefeller Foundation". *Chronicle of Philanthropy*, 8 de setembro de 2006. JACK, Andrew. "Manna from Omaha: A Year of 'Giving While Living' Transforms Philanthropy". *Financial Times*, 27 de dezembro de 2006.
21. Entrevista com Doris Buffett. Ver BEATY, Sally. "The Wealth Report: The Other Buffett". *Wall Street Journal*, 3 de agosto de 2007.

22. Carta do ex-presidente Jimmy Carter a Warren Buffett, 18 de outubro de 2006.
23. O parasita em questão era a filária-de-medina, que penetra no corpo ao se beber água contaminada, então cresce até 1 metro de comprimento, com a espessura de um clipe de papel. O parasita abre caminho através da pele ao liberar um ácido que provoca incrível dor, aparecendo alguns centímetros por dia, enquanto as vítimas o enrolam em um graveto. Estas costumam procurar alívio mergulhando nas águas, onde o verme solta uma nuvem de larvas e recomeça o ciclo. O Carter Center e outras organizações não-governamentais estão muito próximos de acabar com o parasita.
24. Entrevista com Astrid Buffett.
25. Depois da morte de Susie, os dois apartamentos em Pacific Heights foram vendidos, bem como a segunda casa dos Buffett, o "dormitório" em Emerald Bay. Buffett manteve a casa original em Emerald Bay, que continua a ser utilizada pelos filhos e os netos. Ele nunca vai lá.
26. Em 12 de dezembro de 2007, bancos centrais importantes começaram a providenciar financiamento em prazos mais longos do que um dia e a captar contra uma gama mais variada de garantias e contrapartidas. O Federal Reserve ativou linhas de troca para ajudar outros bancos centrais a fornecer liquidez em dólares para seus mercados.
27. Usando os números de retorno do capital que obteve para os acionistas como seu representante até 2007, a autora calcula que Buffett (sem incluir as ações de Susie) teria entre 71 e 111 bilhões de dólares ao final do ano se tivesse continuado a cobrar dos "sócios" suas comissões. A fatia de Susie representaria mais 3,7 a 5 bilhões de dólares. A diferença entre os valores mais altos e baixos é a estrutura de comissões (a antiga de Buffett era de 25% mais 6% de juros sobre o capital de todos os sócios – número mais alto – em comparação com a estrutura de 2%/20% da maioria dos fundos de hedge de hoje em dia – o número mais baixo). O cálculo presume que Buffett utilizaria o equivalente aos 6% para despesas pessoais, como fazia nos tempos em que comandava a sociedade. Isso significaria 1 milhão de dólares por ano, em valores de 2007. Suas despesas e as de Susie, porém (principalmente as de Susie), extrapolavam esse número por uma ampla margem. Seus investimentos pessoais – que não fazem parte da Berkshire – também renderam juros compostos a uma razão estarrecedora e poderiam ter tranquilamente bancado o estilo de vida de Susie sem a necessidade de fazer retiradas da Berkshire.
28. Entrevista com Charlie Munger.

Capítulo 63 (Posfácio)
1. SANTOLI, Michael. "They've Got Class". *Barron's*, 10 de setembro de 2007.
2. BROWNING, E. S. "Stocks Tarnished by 'Lost Decade'". *Wall Street Journal*, 26 de março de 2008.
3. Carta de Warren Buffett a Nicole Buffett, 10 de agosto de 2006.
4. JOHNSON, Richard com PROCLISH, Paula; WILSON, Chris e HUFFMANN, Bill. "Buffett to Kin: You're Fired!" *New York Post*, 7 de setembro de 2006.
5. Isso exclui aproximadamente 180 milhões de dólares de rendimentos de investimentos imputados sobre os 5,5 bilhões de dólares da General Re que Buffett transferira para a National Indemnity e a Columbia Insurance por meio de acordos de resseguro entre as empresas. A General Re estimou o efeito de retorno sobre o patrimônio líquido em 150 pontos-base em 2005, 2006 e 2007.
6. A combinação dos lucros de subscrições e o float maior produziu um rendimento de 20% sobre o patrimônio líquido médio de 2006, contra perdas nos anos anteriores. A Gen Re aumentou seu valor contábil a uma média anual de 12,8% desde 2001, levando seu capital para mais de 11 bilhões de dólares, contra os 6 bilhões de dólares de quando foi adquirida. A General Re teve lucros de 526 milhões na subscrição de prêmios de cerca de 6 bilhões de dólares – comparados com prejuízos anteriores de 1 bilhão e 3 bilhões de dólares (dependendo do ano) em prêmios de pouco menos de 9 bilhões. O float aumentou de 15 bilhões para 23 bilhões de dólares, com uma queda de 32% nos prêmios.
7. Carta de Joseph P. Brandon a Warren Buffett, 25 de janeiro de 2008.
8. Carta da Berkshire Hathaway aos acionistas em 2007.
9. HIH Royal Commission. *The Failure of HIH Insurance*. Austrália: National Capital Printing, Canberra Publishing and Printings, abril de 2003.

10. "Search for Deep Pockets Widens in Reciprocal of America Case", 3 de março de 2005. O'BRIEN, Timothy L. "Investigation of Insurance Puts Buffett in Spotlight". *New York Times*, 28 de março de 2005. O'BRIEN, Timothy e TREASTER, Joseph B. "The Insurance Scandal Shakes Main Street". *New York Times*, 17 de abril de 2005. TAYLOR, Marisa. "US Dropped Enron-Like Fraud Probe". *McClauchy Newspapers*, 23 de julho de 2007. Doug Simpson: dougsimpson.com/blog. HORTON, Scott. "Corporate Corruption and the Bush Justice Department". *Harper's Magazine*, 24 de julho de 2007.

Uma nota pessoal sobre a pesquisa

Para escrever *A bola de neve*, passei mais de cinco anos entrevistando Warren Buffett, tanto pessoalmente quanto ao telefone. Por semanas seguidas fiquei em seu escritório observando-o enquanto ele trabalhava. Algumas das descobertas mais valiosas vieram da minha própria experiência ao lado dele. Também entrevistei a família, amigos, antigos colegas de turma, parceiros de negócios e muito mais – 250 pessoas no total. Algumas dessas entrevistas duraram dias, e falei com muitas pessoas várias vezes.

Warren me deu tempo praticamente ilimitado e deixou que eu passeasse com surpreendente liberdade pelos arquivos e correspondências guardados na sua ampla coleção. Fui particularmente afortunada pelo fato de ele e muitos de seus amigos e familiares terem o hábito de escrever cartas. O material encontrado nos arquivos da Berkshire Hathaway ajudou a estabelecer a cronologia dos fatos e a inserir detalhes. Também confiei na minha própria compreensão de Warren e, por vezes, no meu conhecimento direto dos acontecimentos. Certas discordâncias entre as fontes são sinalizadas nas notas da autora.

Citações recheiam o livro para iluminar a narrativa. A maior parte delas foi retirada de entrevistas gravadas e foi editada apenas a serviço da clareza e da concisão. As fontes foram sempre citadas, a menos que o entrevistado tenha pedido para não ser identificado.

Durante as entrevistas, muitas pessoas se lembraram de trechos de conversas antigas – algumas vezes os eventos que descreviam tinham ocorrido muitas décadas antes. Seria ingênuo acreditar que todas essas citações são lembranças fiéis e exatas. De qualquer maneira, considerei que foram muito importantes para dar substância a um incidente ou a uma conversação. Suas fontes podem ser encontradas nas notas.

No final, minha longa experiência com Warren e as milhares de peças de quebra-cabeça fornecidas por tantas fontes se encaixaram para formar o retrato de um homem fascinante e profundamente complexo.

Créditos de fotos e autorizações

Alpha Sigma Phi Fraternity National Archives. Encarte: p. 8, no centro.

Bryson Photo. Encarte: p. 22, abaixo, à esquerda. © 2007, Bryson Photo

Buffalo News. Pp. 189 e 353. Encarte: p. 12, abaixo; p. 26, no alto.

Doris Buffett. Encarte: p. 3, no alto, à esquerda e à direita; p. 28, abaixo, à direita.

Howard Buffett. Encarte: p. 27, abaixo.

Susie Buffett Jr. Encarte: p. 1; p. 3, abaixo, à esquerda; p. 2, no alto, à direita; p. 4, no alto, à esquerda; p. 5, abaixo, à esquerda; p. 6, no alto, à esquerda e abaixo; p. 8, abaixo; p. 10, no alto, e abaixo, à esquerda; p. 11, abaixo; p. 12, no alto, à esquerda; p. 13, abaixo; p. 14, no alto, à esquerda, e abaixo, à esquerda; p. 22, no alto; p. 30, no centro.

Warren Buffett. Encarte: p. 2, no alto, à esquerda, e abaixo; p. 3, abaixo, à direita; p. 4, no alto, à direita, e abaixo; p. 5, abaixo, à direita; p. 6, no alto, à direita; p. 7, no centro; p. 9, no alto, à direita, e abaixo, à esquerda; p. 10, abaixo, à direita; p. 11, no centro; p. 14, no alto, à direita; p. 15, no alto, à esquerda, no centro, à esquerda, e abaixo; p. 17, no alto, à direita; p. 19, no centro, à esquerda; p. 20, no alto; p. 21, abaixo; p. 31, no alto.

Capp Enterprises, Inc. Encarte: p. 7, no alto. © Capp Enterprises, Inc. Usado com permissão.

C. Taylor Crothers. Encarte: p. 31, abaixo.

Lauren Sposito. Encarte: p. 32.

Katharine Graham Collection. Encarte: p. 14, abaixo, à direita.

Greater Omaha Chamber of Commerce. Encarte: p. 25, no alto. Greater Omaha Chamber of Commerce and a Better Exposure, reunião anual da câmara em 20 de fevereiro de 2004.

Lynette Huffman Johnson. Encarte: p. 23, no alto.

Arthur K. Langlic. Encarte: p. 18, no centro.

Magic Photography, Sun Valley. P. 491. Encarte: p. 20, no centro; p. 21, no centro.

Jack L. Mayfield. Encarte: p. 26, abaixo, à direita. Foto de Jack L. Mayfield.

Família Munger. Encarte: p. 12, no alto, à direita; p. 26, abaixo, à esquerda. Cortesia da família Munger.

Charles Munger Jr. Encarte: p. 17, abaixo.

Museum of American Finance/Graham-Newman Collection. Encarte: p. 11, no alto.

The Nebraska Society of Washington D.C. Encarte: p. 9, abaixo, à direita.

Omaha World-Herald. P. 13. Encarte: p. 15, no alto, à direita; p. 16; p. 20, abaixo. Reproduzido com a permissão do *The Omaha World-Herald*.

Sharon Osberg. P. 707. Encarte: p. 18, no alto, e abaixo, à direita; p. 28, no alto, à direita e à esquerda, e abaixo, à esquerda; p. 30, no alto.

REUTERS/Peter Mac Diarmid. Encarte: p. 29, no alto.

Ruane, Lili. Encarte: p. 19, no centro, à direita.

Stark Center for Physical Culture and Sports. Encarte: p. 9, no alto, à esquerda. A imagem de Pudgy Stockton na capa da revista *Strength and Health* foi fornecida por Stark Center for Physical Culture and Sports na Universidade do Texas em Austin – onde está guardado o acervo de Pudgy e Les Stockton.

M. Christine Torrington. Encarte: p. 27, no alto.

www.asamathat.com. Encarte: p. 29, abaixo.

Agradecimentos

Este livro nunca teria sido possível sem a ajuda de muitas pessoas. Se tive sucesso, foi principalmente graças à generosidade delas. Em primeiro lugar, é claro, está Warren Buffett. A boa vontade que demonstrou ao me ceder tanto de seu tempo e permitir meu acesso à sua família, seus amigos e seus arquivos, e a coragem que demonstrou ao se abster de interferir no livro por mais de cinco anos sem saber o que eu iria escrever sobre ele foram notáveis. Sua convicção de que uma pessoa inteligente pode fazer qualquer coisa e seu discurso à la Dale Carnegie, suave mas persistente, me ajudaram a realizar minhas aspirações como escritora e como pessoa – e mudaram a minha vida. A influência que ele exerceu sobre mim não pode ser descrita em apenas um parágrafo ou mesmo em duas ou três páginas. Sou grata a Warren por tudo.

Meu agente literário, o inigualável David Black, me deu orientações impecáveis. Confio totalmente nele – sobretudo para me dizer coisas importantes que não quero ouvir, a qualidade mais valiosa que é possível encontrar num amigo. Ele também conseguiu deixar Warren sem palavras por um momento por conta de suas habilidades de negociador, o que não é pouca coisa.

Minha grande sorte foi que o livro foi vendido para o perspicaz Irwyn Applebaum, presidente e editor da Bantam Dell, cujos apoio e sabedoria me inspiraram durante todo o processo. Tive a ajuda de Ann Harris, minha editora, que conseguiu aprimorar *A bola de neve* ao me encorajar suavemente a escrever a história da vida de um homem vista a partir de seu conjunto e ao editar o texto prestando uma atenção meticulosa ao tom, ao contexto e às nuances. Mais tarde Beth Rashbaum desembainhou seu lápis vermelho, podando impiedosamente, eliminando os trechos que a autora caloura não tinha coragem de cortar, para grande benefício do livro. *A bola de neve* deve muito a elas, e sou grata por ter trabalhado com duas editoras tão talentosas. Qualquer falha, naturalmente, só pode ser atribuída a mim.

Na Bantam, também desejo agradecer a Loren Noveck, que, como administradora do título, supervisionou os múltiplos processos necessários para se produzir um livro complexo; à designer Virginia Norey; à assistente de Ann, Angela Polidoro; e a tantos outros que colaboraram para tornar possível *A bola de neve*:

a vice-diretora de publicações Nita Taublib, a gerente executiva de publicações Gina Wachtel, o advogado Matthew Martin, os produtores Tom Leddy, Maggie Hart e Margaret Benton, a diretora de marketing criativo Betsy Halsebosch e sua equipe, a diretora de marketing de vendas Cynthia Lasky e o diretor de publicidade Burb Burg.

Escrevi este livro enquanto trabalhava para a Morgan Stanley como consultora e reconheço o apoio de meus amigos e colegas, bem como o da própria empresa. Durante todo o processo, Lisa Edwards, minha amiga e assistente, organizou o material, marcou entrevistas, planejou meu jantar anual para a Berkshire Hathaway, cuidou de inúmeros outros problemas e, de uma forma geral, ajudou a manter minha vida nos trilhos. Lauren Esposito, minha pesquisadora que também veio da Morgan Stanley, trouxe com ela um conjunto de conhecimentos financeiros que contribuíram muito para este projeto e se tornou especialista em descobrir onde estavam fontes de pesquisa essenciais. Observar o trabalho de uma artista como Marion Ettlinger me serviu de inspiração na etapa final da redação do texto, e agradeço a ela pelo resultado.

Doris Buffett, Roberta Buffett Bialek, os filhos de Warren Buffett, Susan, Howard e Peter, Charlie Munger, Bill Gates e Don Graham foram extremamente generosos com seu tempo e suas observações, e me sinto grata por ter recebido suas preciosas contribuições.

Pessoas da minha confiança e de Warren – Sharon Osberg, Viney Saqi e Devon Spurgeon – forneceram variados tipos de ajuda durante todo o tempo, de comentários financeiros ao apaziguamento de meus nervos em frangalhos. O amor e o apoio de minha irmã Elizabeth Davey e de meu pai, Ken Davey, me ajudaram a ir até o fim. David Meyer entrou em minha vida a tempo de aprender o que significa viver com uma escritora que está acabando um livro e tem um prazo a cumprir. Costumava referir-se a si mesmo, em tom de brincadeira, como "o noivo exilado", ao mesmo tempo que me fornecia um ombro, conselhos, risadas, amor e romance. Ele, junto com Sharon Osberg e Justin Bennett, foram os primeiros leitores, e *A bola de neve* seria bem mais pobre sem suas contribuições.

Sinto-me em débito com muitas outras pessoas e organizações que ajudaram a pesquisa e permitiram o uso de fotografias e de material protegido por direitos autorais, bem como àqueles que deram ajuda especial ao projeto, direta ou indiretamente, de maneiras diversas. Meus agradecimentos vão para Carol Allen, Herbert Allen, Ed Anderson e Joan Parsons, Jan e Brian Babiak, a família Blumkin, Hal Borthwick, Debbie Bosanek, Betsy Bowen, Joe Brandon, Phil Brooks, Kelly Broz, Jan e John Cleary, Carlon Colker, Robert Conte, Gerald Corrigan, Michael Daly, Leigh Ann Elisio, Stuart Brickson, Paul Fishman, Cynthia George, George

Gillespie, Rick Guerin, Marc Hamburg, Carol Hayes, Liz Hylton, Mark Jankowski, Sr. e Sra. Howard Jesson, Gladys Kaiser, Don Keough, Tom e Virginia Knapp, Margaret Landon, Arthur K. Langlie, David Larabell, Stanford Lipsey, Jack Mayfield, John Macfarlane, Michael McGivney, Verne McKenzie, Charles T. Munger Jr., Molly Munger, Wendy Munger, Tony Nicely, Dorothe Obert, Ron Olson, Chuck Peterson, Susan Ralhofen, Rod Rathbun, Deb Ray, Eric Rosenfeld, Neil Rosini, Fred Reinhardt, Mick Rood, Gary Rosenberg, Edith Rubinstein, Michael Ruddell, Richard Santulli, Walter Schloss, Lou Simpson, Carol Sklenicka, juiz Stanley Sporkin, Mary Stanton Plowden-Wardlaw, Chris Stavrou, Bob Sullivan, Jeffrey Vitale, Marshall Weinberg, Sheila Weitzel, Bruce Whitman, Jackie Wilson, Al Zanner, bem como aqueles que pediram para não serem nomeados.

Gostaria também de exprimir meu reconhecimento às seguintes organizações: Douglas County Historical Society, Geico, General Re, Greenwich Emergency Medical Service, Greif Inc., Harvard Business School, Harvard Law School, Biblioteca Merrick, a Coleção Washingtoniana da Martin Luther King Jr. Public Library, Morgan Stanley, Arquivo Nacional, National Indemnity Corporation, Nebraska Furniture Mart, The New Bedford Free Public Library, New Bedford Whaling Museum, The New York Public Library, NetJets Inc., The Omaha Press Clube, Omaha World-Herald, Outstanding Investor Digest, The Rolls-Royce Foundation, Rosehill School, Ruane Cunniff & Goldfarb Co., The Securities and Exchange Comission e condomínio Westchester.

CONHEÇA ALGUNS DESTAQUES DE NOSSO CATÁLOGO

- BRENÉ BROWN: *A coragem de ser imperfeito – Como aceitar a própria vulnerabilidade, vencer a vergonha e ousar ser quem você é* (600 mil livros vendidos) e *Mais forte do que nunca*

- T. HARV EKER: *Os segredos da mente milionária* (2 milhões de livros vendidos)

- DALE CARNEGIE: *Como fazer amigos e influenciar pessoas* (16 milhões de livros vendidos) e *Como evitar preocupações e começar a viver* (6 milhões de livros vendidos)

- GREG MCKEOWN: *Essencialismo – A disciplinada busca por menos* (400 mil livros vendidos) e *Sem esforço – Torne mais fácil o que é mais importante*

- HAEMIN SUNIM: *As coisas que você só vê quando desacelera* (450 mil livros vendidos) e *Amor pelas coisas imperfeitas*

- ANA CLAUDIA QUINTANA ARANTES: *A morte é um dia que vale a pena viver* (400 mil livros vendidos) e *Pra vida toda valer a pena viver*

- ICHIRO KISHIMI E FUMITAKE KOGA: *A coragem de não agradar – Como a filosofia pode ajudar você a se libertar da opinião dos outros, superar suas limitações e se tornar a pessoa que deseja* (200 mil livros vendidos)

- SIMON SINEK: *Comece pelo porquê* (200 mil livros vendidos) e *O jogo infinito*

- ROBERT B. CIALDINI: *As armas da persuasão* (350 mil livros vendidos) e *Pré-suasão – A influência começa antes mesmo da primeira palavra*

- ECKHART TOLLE: *O poder do agora* (1,2 milhão de livros vendidos) e *Um novo mundo* (240 mil livros vendidos)

- EDITH EVA EGER: *A bailarina de Auschwitz* (600 mil livros vendidos)

- CRISTINA NÚÑEZ PEREIRA E RAFAEL R. VALCÁRCEL: *Emocionário – Um guia prático e lúdico para lidar com as emoções* (de 4 a 11 anos) (800 mil livros vendidos)

sextante.com.br